Lothar Gall · Bismarck

Lothar Gall

# Bismarck
## Der weiße Revolutionär

Propyläen

*Für Claudia*

# Inhalt

## Lieber Revolution machen als erleiden

haus · Gründung der Fortschrittspartei · Die Wahlen vom Dezember 1861 · Staatsstreichpläne der Rechten · Antrag Hagen und Auflösung des Abgeordnetenhauses · Umbildung der Regierung · Neuwahlen: Der König beginnt zu resignieren · Auf des Messers Schneide · Abberufung aus Petersburg · Ernennung nach Paris · Paris und London · Belastung des Verhältnisses zum König · Biarritz · Die entscheidenden Briefe an Bernstorff · Und an Roon · Ankündigung der Reise nach Berlin · Die dortige Entwicklung · Die »Lükkentheorie« · Kompromißbereitschaft der Regierung · Starre Haltung des Königs · Zuspitzung des Konflikts · Die Rolle Roons · »Periculum in mora« · Bismarcks Legende · Abdankungsplan des Königs und Haltung des Kronprinzen · Bismarck in Berlin · Die Unterredung in Babelsberg · Regierungschef ohne Zukunft?

## Konfliktminister

Die Ausgangslage · Innenpolitischer Erfahrungshorizont · Die reale Situation · Die Reaktion auf seine Berufung · Der Auftritt vor der Budgetkommission · Die Antwort der Liberalen · Der König · Wie weiter? · Das Problem der Bismarckschen Innenpolitik · Die Außenpolitik · Der preußisch-französische Handelsvertrag · Das österreichische Delegiertenprojekt · Alternativen in der deutschen Frage? · Gespräche mit Károlyi · Rechberg · Das Verhältnis von Innen- und Außenpolitik · Die Weihnachtsdenkschrift von 1862: Möglichkeiten und letzte Ziele · Der polnische Aufstand · Die Mission Alvensleben · Das Verhältnis zu Rußland · Der Preis der Polen-Politik · Zuspitzung des inneren Konflikts · Suche nach Auswegen · Neue Fehler · »Macht geht vor Recht« · Das Kalkül der Opposition · Selbstisolierung · Am Rande des Staatsstreichs · Opposition des Kronprinzen · Ein neuer österreichischer Vorstoß in der deutschen Frage: das Bundesreformprojekt · Die preußische Ablehnung · Gegenvorschläge · Innenpolitische Wirkungslosigkeit

## Das Ende oder ein neuer Anfang?

Die schleswig-holsteinische Frage · Die Vorgeschichte · Dramatische Zuspitzung · Die scheinbaren Möglichkeiten der preußischen Regierung und Bismarcks Politik · Die Reaktion Österreichs und der europäischen Mächte · Das Problem der Bismarckschen Ziele: Kalkül oder Pragmatismus? · Der Verlauf der Krise · Konflikte in der preußischen Führung · Instrumentalisierung des inneren Gegensatzes · Rückwirkungen · Letzte Ziele · Krieg mit Dänemark · Die Londoner Konferenz · Drohendes Ende der preußisch-österreichischen Kooperation · Definitive Ausschaltung des Herzogs von Augustenburg · Steckenbleiben der Londoner Konferenz · Der Friede · Beschwörung der gemeinsamen »konservativen Interessen« im Verhältnis zu Österreich · Schönbrunn · Perspektiven · Realitäten · Wirtschaftspolitische Gegensätze · Motive der preußischen Führung · Die österreichische Reaktion · Die »Nebel deutscher Gefühlspolitik« · Ablösung Rechbergs und

# Der Zauberlehrling

*» Man kann keinen Augenblick daran zweifeln, daß er ein geborener Revolutionär war. Denn man wird als Revolutionär geboren wie als Legitimist, nach der Art der geistigen Anlage, während der Zufall allein darüber entscheidet, ob die Umstände des Lebens aus dem gleichen Menschen einen Weißen oder einen Roten machen. «*

Ludwig Bamberger,
Monsieur de Bismarck (1868)

# Die »Umstände des Lebens«:
## der Mann und die Zeit

»Dies sind die großen Menschen in der Geschichte«, heißt es an einer Stelle von Hegels »Vorlesungen über die Philosophie der Weltgeschichte« aus dem Jahr 1830, »deren eigene partikuläre Zwecke das Substanzielle enthalten, welches Wille des Weltgeistes ist. Dieser Gehalt ist ihre wahrhafte Macht.« Nur insofern seien sie also groß, als sie den von einer höheren Vernunft vorgezeichneten Weg aus der Vergangenheit in die Zukunft, möglicherweise lediglich aus Zufall oder aus einer besonderen Interessenlage heraus, sicherer und schneller zu erkennen vermögen als andere. Darin lag, mochten auch spätere Generationen es ganz anders deuten, eine radikale Absage an den Gedanken, daß ein großer Einzelner den Gang der Geschichte entscheidend verändern, »was an der Zeit, was notwendig ist«, etwa aufhalten oder in völlig neue Bahnen lenken könne. Die Größe eines »welthistorischen Individuums« bestand für Hegel allein darin, daß es »Geschäftsführer eines Zwecks« wurde, »der eine Stufe in dem Fortschreitungsgange des allgemeinen Geistes bildet«.

Eine so entschiedene Unterordnung des Einzelnen, auch des scheinbar größten und mächtigsten, unter überindividuelle geschichtliche Ordnungs- und Entwicklungskräfte war nicht nur ein Spezifikum des Hegelschen Systems. Sie entsprach durchaus einer allgemeinen Zeittendenz, wenngleich die populäre Auffassung schon damals davon abwich. Auf der Rechten wie auf der Linken herrschte im Kreis der Gebildeten die Überzeugung vor, daß Ordnung und Entwicklung des geschichtlichen Lebens sich der Willkür einzelner entziehen, daß in ihm übergreifende Kräfte wirksam seien und daß diese sich in der richtigen Anschauung und Auffassung des geschichtlichen Lebens selber am klarsten erkennen ließen. Es erschien damit in einem tieferen Sinn als der große Lehrmeister. Der Satz, daß der Besitz der Vergangenheit auch den Besitz der Zukunft verbürge, daß die richtige Einsicht in jene handlungsfähig mache für diese, war weithin unbestritten. Daraus erklären sich sowohl die außerordentliche Bedeutung, die in jener Zeit, den Jahrzehnten zwischen dem Sturz Napoleons 1815 und der Revolution von 1848, geschichtliche Auseinandersetzungen für das politische Leben erlangt haben, als auch das starke Bedürfnis nach geschichtlicher Legitimation politischen Handelns und politischer Autorität.

Beiden Tendenzen entsprach nicht zufällig das erste öffentliche Auftreten eines Mannes, der ohne Frage ein »welthistorisches Individuum« im Sinne Hegels gewesen ist und der sich zugleich, im Unterschied zu seinen kritiklosen Bewunderern und bewundernden Kritikern, zeit seines Lebens das Bewußtsein seiner Generation in die überindividuelle Bedingtheit politischen Handelns und individuellen Wirkens bewahrt hat – trotz allen Sinns für Macht und bestimmenden Einfluß. Als am 17. Mai 1847 der eben erst als Stellvertreter eines der Abgeordneten der Magdeburger Ritterschaft nachgerückte, gerade zweiunddreißigjährige »Gutsbesitzer Otto von Bismarck-Schönhausen« im preußischen »Vereinigten Landtag« das Wort zu einer »Berichtigung« ergriff, hat er mit vollem Bewußtsein sogleich in solchen Zusammenhängen argumentiert und die eigene Position auf diese Weise historisch und überindividuell zu legitimieren gesucht. Er erfaßte dabei, sich selber mit einem Schlag ins Gespräch bringend, einen der zentralen Punkte in der großen historisch-politischen Auseinandersetzung der Zeit, im unmittelbaren Vorfeld der Revolution von 1848, und markierte zudem Positionen, von denen damals kaum jemand ahnte, daß sie auch noch die Zukunft entscheidend mitbestimmen würden.

Den Anlaß bot ihm die Rede eines Abgeordneten der traditionell liberal gesinnten ostpreußischen Ritterschaft, Ernst von Saucken-Tarputschens. Saucken hatte als junger Mann in den Freiheitskriegen gekämpft und zählte nun zu den Führern des sich jetzt auch parteipolitisch formierenden preußischen Liberalismus. Wie so viele Reden vor der Anfang April 1847 durch den preußischen König Friedrich Wilhelm IV. in Berlin zusammengerufenen Versammlung aus Delegierten der einzelnen Provinziallandtage, vor einem Ständeparlament also, war auch diejenige Sauckens eine politische Grundsatzerklärung gewesen. Er hatte das mangelnde Vertrauen beklagt, das gegenwärtig zwischen Volk und Regierung herrsche, und in diesem Zusammenhang darauf verwiesen, wie ganz anders dies in der Zeit der großen inneren Reformen zwischen 1806 und 1814, sichtbar gipfelnd in den gemeinsam durchgefochtenen Freiheitskriegen, gewesen sei. Darin sprach sich die Auffassung aus, erst durch die inneren Reformen und durch die Freiheitserwartungen, die durch sie genährt worden seien, sei das Volk in die Lage versetzt worden, die äußere Unfreiheit, die französische Fremdherrschaft, als solche zu empfinden.

Diese Auffassung war nicht nur Gemeingut der liberalen Geschichtsschreibung der Zeit. Sie war Grundlage der liberalen Überzeugung, daß in Zukunft äußere Macht und Größe eines Staates und das Maß der in seinem Inneren herrschenden Freiheit in einer unauflöslichen Wechselbeziehung stehen würden. Ja, der Gedanke wurde nahegelegt, daß unter der bisherigen Führung und unter dem fortdauernden Einfluß der bisher staatstragenden Schichten ein zweiter innerer und äußerer Zusammenbruch Preußens wie im Jahr 1806 unvermeidlich sein werde. Es gelte deshalb, mit neuen Mitteln und auf neuen Wegen dort wieder anzusetzen, wo nach 1815, im Zeichen der Restauration, die Bestrebungen der Reformer versandet seien.

Gegen all dies wandte sich der noch ganz unbekannte neue Abgeordnete, der in überraschendem Kontrast zu seiner hünenhaften Größe mit einer merkwürdig hohen und eher zarten Stimme sprach und, wenngleich er beim Reden oft zögerte und stockte, ein sehr betontes Selbstbewußtsein an den Tag legte. Er erklärte den angeblichen Zusammenhang zwischen inneren Reformen, innenpolitischen Freiheitsforderungen und dem erfolgreichen Kampf gegen die Fremdherrschaft in den Jahren 1813/14 schlichtweg für eine ganz und gar ungeschichtliche Konstruktion. Gegen solche Geschichtsmanipulationen aus durchsichtigem parteipolitischen Interesse müsse man das preußische Volk in Schutz nehmen: »Es heißt meines Erachtens der Nationalehre einen schlechten Dienst erweisen«, betonte er unter »wiederholtem Murren« der Mehrheit dieses trotz seiner ständischen Zusammensetzung überwiegend liberal gesinnten Gremiums, »wenn man annimmt, daß die Mißhandlung und Erniedrigung, die die Preußen durch einen fremden Gewalthaber erlitten, nicht hinreichend gewesen seien, ihr Blut in Wallung zu bringen und durch den Haß gegen die Fremdlinge alle anderen Gefühle übertäubt werden zu lassen.«

Mit spürbarem Genuß hat Bismarck noch fast zwei Menschenalter später, in seinen Lebenserinnerungen, den Sturm geschildert, den seine ursprünglich wohl noch schärferen, im Protokoll nachträglich etwas geglätteten Bemerkungen auslösten; er habe in aller Seelenruhe in der »Spenerschen Zeitung« geblättert, bis sich die Gemüter einigermaßen beruhigt hatten. Widerspruch regte sich allerdings nicht nur auf der Seite der Liberalen. »Durch eine, nicht deutlich genug gefaßte Äußerung über die Natur der Volksbewegung von 1813« habe er nicht nur, räumte er in einem Brief vom folgenden Morgen an seine spätere Frau ein, »das ganze Halloh der Opposition« gegen sich heraufbeschworen, sondern auch »die mißverstandene Eitelkeit vieler von der eigenen Partei« verletzt.

In der Tat mußte auch einem erheblichen Teil der Konservativen, und zwar nicht allein aus »mißverstandener Eitelkeit« oder aus Gründen der politischen Taktik, das provozierende Auftreten des jungen Abgeordneten wider den Strich gehen. Auch im konservativen Lager war die Einsicht verbreitet, daß das zunehmend verknöcherte und erstarrte absolutistisch-bürokratische System sich den neu herandrängenden wirtschaftlichen und sozialen Problemen der Zeit immer weniger gewachsen zeige. Auch hier sah man, daß vieles reformbedürftig sei und daß man in Vorbereitung darauf zu einem Ausgleich mit den immer stärker werdenden bürgerlichen Schichten, zumal in den westlichen Provinzen Preußens, gelangen müsse. Dies fand seinen Ausdruck nicht zuletzt in der Tendenz, das gemeinsame Erbe der Freiheitskriege und damit in gewisser Weise der Reformzeit zu beschwören, mochte man dabei auch die Akzente im einzelnen sehr viel anders setzen als im Kreis der Liberalen.

Wenn Bismarck gegen diese Tendenz in seiner kurzen »Berichtigung« mit äußerster Schärfe Front machte, so zielte das zugleich gegen eine Politik des Ausgleichs und des Kompromisses mit den bürgerlich-liberalen Kräften, wie sie ein Teil der Regierung und eine nicht unerhebliche Zahl von Mitgliedern seiner eigenen Partei verfolgten. Auf diese Weise stellte er sich offen auf die Seite der relativ kleinen, aber vor allem bei Hof recht einflußreichen Gruppe jener, welche die traditionelle ständisch-monarchische Ordnung Preußens für reformbedürftig höchstens insofern hielten, als sie die Prinzipien, die sie angeblich getragen hatten, noch stärker zur Geltung gebracht wissen wollten. Außenpolitisch bekannte sich diese Richtung zum Geist des Wiener Kongresses und der Heiligen Allianz als eines Bündnisses gegen die Revolution im Interesse der Erhaltung der inneren Ordnung der Monarchien Mittel- und Osteuropas; das enthielt ihr Urteil über die Rolle des Volkes in den Freiheitskriegen, so wie Bismarck es formulierte. Ihre Häupter in Preußen waren vor allem der Magdeburger Gerichtspräsident Ernst Ludwig von Gerlach, ein Mann von damals zweiundfünfzig Jahren, und sein fünf Jahre älterer Bruder Leopold, der spätere Generaladjutant des Königs. Beide waren enge Vertraute Friedrich Wilhelms IV. und wie er Männer der politischen Romantik. Dieser Gruppe wurde Bismarck fortan als ein besonders heißsporniger und angriffslustiger Vertreter in der Öffentlichkeit allgemein zugeordnet. Es entsprach solcher allgemeinen Einschätzung, daß sich Friedrich Wilhelm IV. zwar bei offizieller Gelegenheit, bei einem Empfang für die Abgeordneten, aus politischen Rücksichten ihm gegenüber betont indifferent verhielt, ihn jedoch in vertraulichem Rahmen wenig später wissen ließ, wie sehr sein beherztes Auftreten ihm gefallen habe.

Bismarck hat dies mit großer Befriedigung registriert. Er hatte erreicht, was ohne Frage von vornherein seine Absicht gewesen war: Der Träger der Krone und der ihn umgebende Kreis hochkonservativer Ratgeber sahen in ihm nun einen vielleicht noch allzu hitzigen, gelegentlich aus Eifer und Überzeugungstreue möglicherweise sogar unbedachten, aber unbedingt zuverlässigen jungen Mann, an den in Zukunft bei der Vergabe von Vertrauensposten sicher zu denken sein würde. Und die Krone, das war in Preußen, nüchtern und ohne Vermischung der Realität mit den eigenen Erwartungen betrachtet, immer noch das eigentliche Zentrum der Macht: die rechtsetzende und ordnungsstiftende Autorität schlechthin.

Es war also fraglos ein guter Schuß Opportunismus im Spiel, wenn sich Bismarck so dezidiert auf die Seite eines in vielerlei Hinsicht romantisch überhöhten, in seiner ganz vergangenheitsorientierten Lebensanschauung politisch oft starr und weltfremd wirkenden Hochkonservativismus schlug, der unter den jüngeren und beweglicheren Angehörigen des preußischen

Adels kaum noch Anhänger fand. Doch gerade das Element des Opportunismus verweist auf etwas, das es überhaupt erst erlaubt, nachträglich von Opportunismus, von einem aufgegangenen Erfolgskalkül zu sprechen. Hegel nannte als einen wesentlichen Grund für den Erfolg des großen Einzelnen in der Geschichte, Erfolg und Größe in sicher nicht unbedenklicher Weise miteinander verbindend, dessen Fähigkeit, zu erkennen, »was an der Zeit, was notwendig ist«, und in seinem Sinne mit »Leidenschaft« zu wirken, wobei er Leidenschaft in diesem Fall als eine Art kühle Besessenheit verstanden wissen wollte. Indem er den Gang der Geschichte in sich selbst für »vernünftig« erklärte, enthob er sich der Frage nach dem Charakter, ja, sogar der Moralität dieses »Fortschritts«, den gelegentlich ein »weltgeschichtliches Individuum« maßgeblich mit vorantreibe. Er wehrte sich also dagegen, sich bei der Beurteilung des Gangs der Entwicklung und der an ihm beteiligten Personen, ihrer Haltung und ihres Handelns von einer voreiligen Parteilichkeit leiten und sich so, im Bann von eigenen Wünschen, Hoffnungen, Erwartungen und politischen Anschauungen, den Blick verstellen zu lassen auf das, was die Zeit wirklich aus sich heraustrieb.

Es war dies zugleich die Aufforderung zu einem grundlegenden Wechsel der im biographischen Zusammenhang damals wie später vielfach üblichen Perspektive. Und in der Tat ergibt sich daraus, auch unabhängig von der bei Hegel damit verbundenen allgemeinen Geschichtsphilosophie, eine sehr radikale Veränderung der Betrachtungsweise. Der große Einzelne erscheint von hier aus gesehen weniger unter dem Aspekt der autonom handelnden Persönlichkeit als vielmehr, bezogen auf seinen geschichtlichen Erfolg, dem allein er ja das Interesse der Nachwelt verdankt, unter dem der Verkörperung bestimmter Zeittendenzen, als eine Art Seismograph ihrer jeweiligen Stärke und Veränderung. Sein Lebensweg zeichnet in diesem Verständnis gleichsam die Linie der in ständigem Wechsel begriffenen, dennoch einer allgemeineren Richtung folgenden Kräfte, Interessen und Meinungen nach, die den Gang der Geschichte bestimmen.

So betrachtet steckte in dem ersten öffentlichen Auftreten Bismarcks und seiner entschiedenen Parteinahme für die äußerste Rechte weit mehr, als sich mit dem üblichen rein biographischen Verfahren erfassen läßt. Beides beruhte auf einer Situationsanalyse von außerordentlicher Schonungslosigkeit und größter Unabhängigkeit gegenüber allen gängigen zeitgenössischen Einschätzungen der Lage. Geht man, was außer Frage steht, davon aus, daß Bismarck seit langem von nichts sehnlicher träumte als von einer großen öffentlichen Wirksamkeit, daß er von brennendem politischen Ehrgeiz erfüllt war, so kommt zunächst einmal seiner Einschätzung der Machtfrage eine zentrale Bedeutung zu. Sie läßt sich an seinem Verhalten unmißverständlich ablesen. Als die beiden entscheidenden Machtpotenzen in Preußen erschienen ihm, auch was die nähere Zukunft anging, der monarchisch-bürokratische Staat und der grundbesitzende Adel. Die bestehende, vor allem auf dem Land noch weitgehend traditionell-patriarchalisch bestimmte Ordnung hielt er für kaum gefährdet, den Einfluß des Liberalismus für oberflächlich und ohne solides Interessenfundament in breiten Bevölkerungsschichten, das Bürgertum für schwach und anlehnungsbedürftig, trotz allen verbalen Auftrumpfens. Das Gesetz des Handelns sah er eindeutig bei Krone und Adel, das Problem mehr in deren Schwäche und Unentschlossenheit gegenüber einem angeblich unaufhaltsam vordringenden Zeitgeist als in tatsächlichen äußeren Bedrohungen.

Die Revolution, die knapp zehn Monate später in Preußen wie fast überall in West- und Mitteleuropa ausbrach, schien dieser Einschätzung auf der ganzen Linie unrecht zu geben. Wenn man sich freilich ihren Verlauf und ihr Ergebnis gerade in der Hohenzollernmonarchie vor Augen hält, wird man zwar sicher nicht zu Bismarcks eigenem, über Jahrzehnte verteidigtem Urteil gelangen, daß es nur durch die Schwäche der Staatsführung überhaupt so weit kommen konnte und die Revolution in Wahrheit gar keine Basis im Volk besaß. Aber man wird nüchtern feststellen müssen, daß die revolutionäre Energie insbesondere der bäuerlichen Bevölkerung fast ausschließlich auf die Befriedigung einiger materieller und institutioneller Reformforderungen in ihrem unmittelbaren Lebensbereich gerichtet und damit sehr leicht zu kanalisieren war. Auch von einem selbstbewußt voranschreitenden Bürgertum konnte in großen Teilen Preußens kaum die Rede sein. Außerdem ist schwerlich bestreitbar, daß sich die Fundamente der Macht des monarchischen Staates wie des Adels als sehr viel solider gegründet erwiesen, als mancher selbst im eigenen Lager vorher angenommen hatte. Über die Rolle, welche Schwäche und Unentschlossenheit, nicht zuletzt auf außenpolitischem Gebiet, gespielt haben, kann gleichfalls kein Zweifel bestehen.

Hand in Hand mit der Einschätzung der Machtfrage ging Bismarcks Einschätzung der Antriebe des politischen Handelns breiter Schichten. Konkret, bezogen auf die Rolle und die Wünsche des preußischen Volkes in den Freiheitskriegen, stimmte er dabei völlig mit seinen politischen Freunden auf dem rechten Flügel der Konservativen überein. In den Urteilskriterien freilich verbarg sich schon damals ein tiefgreifender Gegensatz, der wenige Jahre später offen ausbrach und schließlich zum Bruch und zur Trennung zwischen ihnen und Bismarck führte. Diese Kriterien waren bei jenen ideologisch, bei Bismarck von Anfang an naturalistisch. Das heißt: Die Hochkonservativen waren nicht weniger als die Liberalen davon überzeugt, daß das Handeln von Menschen, und zwar auf allen Stufen der sozialen Leiter, von Ideen und Überzeugungen bestimmt wird, von Ideen und Überzeugungen, die nach Meinung der einen in Tradition und religiöser Offenbarung, nach Meinung der anderen in einer alles überwölbenden und verbindenden, vom einzelnen mit seinem Verstand erfaßbaren Weltvernunft ihren letzten Wurzelgrund hatten. Bismarck hingegen hat von früh auf in Interessen und vorrational-instinkthaften Verhaltensmustern den entscheidenden Antrieb politischen Handelns nicht nur der breiten Schichten gesehen. Er hat von hier aus den potentiellen Wissenschaftscharakter von Politik, wie er Rationalismus und Liberalismus vor Augen schwebte, stets energisch bestritten. Politik blieb für ihn immer die »Lehre vom Möglichen«, die »Kunst des Möglichen«, wobei der Akzent durchaus auf dem Wort »Kunst« lag, auf dem Element des Intuitiven, nicht ohne Einschluß von Dämonischem und Zwielichtigem, wie es sich aus dem Material wie aus der Art seiner Behandlung ergeben mochte.

Dieser Naturalismus, der gelegentlich bis zum offenen Zynismus gehen konnte, charakterisiert schon den Anfänger auf der politischen Bühne. Er ist das Signum des Politikers durch alle Jahrzehnte seiner öffentlichen Wirksamkeit geblieben. Es war eine Sehweise, die unvermeidlich und je mehr der Erfolg ihr recht zu geben schien, desto nachhaltiger die Frage nach der Glaubwürdigkeit dessen provozierte, der sich von ihr in seinen Entscheidungen und in seinem ganzen Verhalten bestimmen ließ. Konnte jemand, so mußte man sich fragen, der eine so zynische Weltansicht hatte, der in Machtstreben, egoistischer Interessenwahrung und wesentlich vorrationalen Verhaltensweisen, jedenfalls soweit es die Politik betraf, die wesentlichen Antriebe der Menschen und der verschiedenen menschlichen Gemeinschaften sah, als Politiker mehr sein als ein reiner Machtmensch, ohne große Ziele und feste Überzeugungen, ja letztlich ohne Gewissen? Resultierte aus einer solchen Weltansicht nicht notwendigerweise eine gewisse Bedenkenlosigkeit der Mittel und sogar so etwas wie eine Gleichgültigkeit der Ziele? War das nicht reiner Machiavellismus, bedenkenloses politisches Desperadotum?

Solche Fragen haben das Wirken Bismarcks zeit seines Lebens begleitet, und sie sind seither niemals verstummt. Der zeitweilige Siegeszug eines völlig bedenkenlosen politischen Amoralismus in der Gestalt Hitlers hat sie noch zusätzlich verschärft, freilich auch die Grenzen sehr deutlich gemacht, die hier überschritten waren und dort eben noch nicht. Auf jeden Fall war das, was Bismarck an antiidealistischer Nüchternheit und nicht selten zynischem Skeptizismus bereits sehr früh und dann immer unverhohlener in der Politik an den Tag legte, eine außerordentliche Herausforderung an seine Zeit. Es isolierte ihn von den verschiedenen politischen Gruppen und ihren jeweiligen Idealen und Überzeugungen. Es schuf jene Lücke, jenen Mangel an Glaubwürdigkeit und damit an Vertrauen um ihn, die seinen Sturz nahezu in jedem Lebensabschnitt ohne weiteres und ohne Erschütterung möglich erscheinen ließen. Anders gesagt: Es machte ihn, selbst in Zeiten größter Erfolge, zu einem Einzelgänger, mit all dessen gesteigertem Mißtrauen, aber auch verstärktem Scharfblick. Es bewirkte, daß er in dem, was er tat, bald nur noch für sich selbst stand, fern aller Programme und Überzeugungen, Ziele oder Ideale seiner Umwelt, diese stets nur benutzend.

Für sich selbst – oder doch auch im Sinne Hegels für seine Zeit, für seine Epoche, für deren Ambivalenzen und Gegensätze, mühevolle Kompromisse und Unüberbrückbarkeiten, Erwartungen und Enttäuschungen, Leistungen und Schwächen, für jenes Zeitalter des Übergangs, dem die Geschichtsschreibung mit meist oberflächlicher Begründung, aber vielleicht im Innersten zu Recht seinen Namen gegeben hat? Das führt zu der eigentlichen Kernfrage. Sie lautet zugespitzt: Haben jene recht, die Bismarck damals wie später vorwarfen, die Nation auf einen Irrweg geführt und mit dem Reich von 1871 in vieler Hinsicht ein Bollwerk gegen die Zeit errichtet zu haben, ein in seinen politischen wie sozialen Grundlagen anachronistisches Gebilde, das dann zur Basis einer verhängnisvollen Entwicklung geworden ist, ja, mit gewisser innerer Notwendigkeit werden mußte? Oder werden hier, die Möglichkeiten eines Einzelnen maßlos überschätzend, die wahren geschichtlichen Zusammenhänge gerade verstellt, indem aus dem Blick gerät, in wie starkem Maße auch Bismarck, wie jeder erfolgreich Handelnde, in seiner Person und in seinem Wirken die vorherrschenden Tendenzen und Kräfte seiner Zeit repräsentierte? Ist also etwa die Idee des Irrwegs die erfolgreichste aller Legenden um die Person und das Werk Bismarcks, diejenige zugleich, die, bei aller scheinbaren Nüchternheit ihrer Wortführer, die größten Illusionen über Chancen und Möglichkeiten der historischen Entwicklung der deutschen Nation zu stiften geeignet ist? Die Antwort steckt weder allein in dem »Subjektiven«: Was wollte der Mann, was waren seine Absichten, Pläne und letzten Ziele? Noch steckt sie ausschließlich in dem »Objektiven«: Was hat er tatsächlich bewirkt, welche staatliche und gesellschaftliche Ordnung effektiv mitheraufgeführt? Sie steckt in beidem, so sehr das Schwergewicht auf den objektiven Elementen liegen muß. Sie steckt in der Analyse dessen, was ihm möglich war und was nicht, in der Bilanzierung von Erfolg und Mißerfolg. Kurz, sie steckt in der nüchternen Erkundung des Spielraums, den die historische Konstellation, die sie bestimmenden überindividuellen Kräfte und Tendenzen seiner Person und seinem Wirken ließen.

# Auf
## der Suche nach einer
## Existenz

# Zwischen zwei Welten

Elternhaus, Schule und Berufswahl – darin pflegt man, mit jeweils unterschiedlich verteilten Gewichten, die eigentlich prägenden, in vieler Hinsicht identitätsstiftenden Elemente im Leben eines jungen Menschen zu sehen. In der Entwicklung Bismarcks kann davon höchstens im negativen Sinne die Rede sein. Dies erschließt einen ersten Zugang zu der Individualität des Mannes, der im Innersten einsam war und auf sich selbst zurückgeworfen, seitdem er denken konnte, Ordnung und Autorität suchend und ihrer bedürftig, beide nach aller Erfahrung jedoch nur aus sich selbst erwartend, dem das Leben von früh an zerfiel in Existenzsuche und Rollenspiel.

»Ich bin meinem elterlichen Hause in frühester Kindheit fremd und nie wieder völlig darin heimisch geworden«, hatte er ein halbes Jahr vor seinem Eintritt in die politische Arena in der »Darstellung seines inneren Lebens«, dem berühmten »Werbebrief« an seinen späteren Schwiegervater Heinrich von Puttkamer, einen hochkonservativen und strengreligiösen pommerschen Landedelmann, geschrieben: »Meine Erziehung wurde von Hause her aus dem Gesichtspunkt geleitet, daß alles der Ausbildung des Verstandes und dem frühzeitigen Erwerb positiver Kenntnis untergeordnet blieb.« Von Haus her – das hieß unter dem Einfluß der zumindest in dieser Beziehung völlig dominierenden Mutter. Bismarck hat sie nicht nur hier mit seiner frühen inneren Entfremdung von seinem Elternhaus rückblickend in engsten Zusammenhang gebracht. Achtzehn Jahre jünger als ihr Mann, war sie 1806, kaum siebzehnjährig, durch ihre Heirat mit dem märkischen Gutsbesitzer Ferdinand von Bismarck in einen Lebenskreis gekommen, den sie innerlich ablehnte und dem sie ihre beiden Söhne, den 1810 geborenen Bernhard, und Otto, der am 1. April 1815 auf dem väterlichen Gut Schönhausen bei Magdeburg zur Welt kam, mit allen Kräften zu entziehen suchte.

Es war die Welt des kleinen preußischen Landadels, zu dessen ältesten, »schloßgesessenen« Vertretern in der Mark zu gehören der Familie ganzer Stolz war. Diese Welt hatte seit dem 14. Jahrhundert, seit der aus einer patrizischen Kaufmannsfamilie in Stendal stammende Ahnherr des Geschlechts, Klaus von Bismarck, im Sommer 1345 als Parteigänger des wittelsbachischen Markgrafen Ludwig von diesem mit dem Schloß Burgstall belehnt worden war, mannigfache Veränderungen erfahren. Die meisten dieser Veränderungen hatte man allerdings mehr passiv erlitten, als aktiv mitgestaltet: den Aufstieg der Landesherrschaft, den Aufbau von stehendem Heer und Zentralverwaltung, die »Versetzung« von Burgstall nach Schönhausen am östlichen Elb-Ufer im 16. Jahrhundert, die den Bismarcks durch die Hohenzollern »rein aus Jagdneid« mit »allerlei Zwang und Gewalttat abgepreßt« worden war, wie ihr jüngster Sproß während des preußisch-französischen Krieges einmal grollend bemerkte. Zwar hatte man zeitweise, vor allem im 17. Jahrhundert, gegen den Absolutismus Front gemacht, gegen die »schwäbische Familie« der Hohenzollern, von der noch der Kanzler gelegentlich meinte, sie sei im Prinzip, wenn man die Idee des Gottesgnadentums beiseite lasse, »nicht besser als meine«. Mehr als Obstruktion war das jedoch nicht gewesen. Und auch die Energie, mit der man, auf Herkommen und altes Recht pochend, dabei zu Werke gegangen war, hatte sich eher in Grenzen gehalten. So hatte man sich schließlich auch, wenngleich zunächst eher murrend, in die neue Ordnung der Dinge gefunden, war sogar »fritzisch« geworden: Der Großvater Ferdinands, der dem späteren Kanzler von allen Bismarcks am ähnlichsten sah, fiel 1742 als Oberst und unbedingter Bewunderer des Königs; sein Vater focht bei Kollin, Leuthen und Hochkirch, bis er 1758, schwer verwundet, seinen Abschied nahm.

Dieser Welt der Beharrung, der langen Reihe insgesamt eher biederer Landedelleute, stellte Wilhelmine Luise ihre eigene Familientradition entgegen, vor allem die Gestalt des bewunderten und den Söhnen stets als Lebensvorbild gepriesenen Vaters: Anastasius Ludwig Mencken. Nachkomme einer Leipziger Gelehrtenfamilie und Sohn eines Professors an der juristischen Fakultät der braunschweigischen Universität Helmstedt, hatte Mencken als Kabinettssekretär unter Friedrich dem Großen und dann als Kabinettsrat unter Friedrich Wilhelm II. und Friedrich Wilhelm III. gewirkt. Er hatte schließlich in den Jahren vor seinem Tod im Jahr 1801 erheblichen Einfluß auf die preußische Politik gewonnen. Nicht unkritischer Anhänger des aufgeklärten Absolutismus, repräsentierte er jenen Typ des gebildeten, weltläufigen, amts- und lebenserfahrenen Beamten, wie ihn die absolute Monarchie in ihrer Spätzeit vornehmlich in Mitteleuropa hervorgebracht und wie er Prestige und Einfluß der Beamtenschaft in diesem Raum für ein ganzes Jahrhundert begründet hat. Diesen Beamten erschien der vielfach dumpf am Althergebrachten hängende, geistig wie materiell meist unbewegliche, zur prinzipiellen Opposition gegenüber Zentralstaat und Bürokratie neigende altpreußische Landadel als das Hindernis schlechthin für jede Reform in Staat, Kirche und Gesellschaft, für Aufklärung und vernünftigen Fortschritt. In diesem Geist war die Tochter erzogen worden. Und Ferdinand von Bismarck, der zum größten Ärger seines Monarchen schon früh seinen Abschied als Offizier genommen hatte und seither auf seinem Gut saß, ist bestimmt kein völlig untypischer Vertreter jenes altpreußischen Adels gewesen, unbeschadet seiner persönlichen Qualitäten, seiner menschlichen Liebenswürdigkeit und seiner ausgeprägten Liberalität in Lebensführung und Umgang. Hier lag ein Zwiespalt begründet, den die Kinder und vor allem der sensiblere jüngere Sohn wohl stärker empfanden als der Vater, den sicheres Selbstbewußtsein und die Toleranz des ritterlichen Patriarchen persönlich abschirmten und der sich im übrigen in konkreten Lebensentscheidungen der Meinung seiner Frau weitgehend anschloß.

So auch in der Frage der Erziehung der Kinder. Für Wilhelmine Luise von Bismarck war es von vornherein ausgemacht, daß ihre Söhne den neuen Bildungsweg beschreiten würden, den die preußische Unterrichts- und Bildungsreform nach 1806, unter Wilhelm von Humboldt, eröffnet hatte. Ziel dieser Reform war in erster Linie gewesen, dem Staat in allen seinen Bereichen, einschließlich Heer und Diplomatie, in einheitlichem Geist und auf gleich hohem Niveau ausgebildete Beamte heranzubilden. Und Beamte, Diplomaten, vielleicht sogar einmal Minister – das sollten die Söhne werden, keine trägen und selbstzufriedenen Landedelleute, ohne Ehrgeiz und ohne Zukunft. Also kamen eine Erziehung durch Hauslehrer und ein gleitender Übergang auf die höhere Schule nicht in Frage, wie sie zumal in stadtfernen Gebieten damals noch üblich waren; die Familie war 1816 von Schönhausen nach Kniephof bei Naugard in Pommern übergesiedelt, um die dort von einer Nebenlinie ererbten Güter zu bewirtschaften. Vielmehr wurde der jüngere Sohn im Januar 1822, noch sechsjährig, in ein Internat in Berlin gegeben.

Es war die sogenannte Plamannsche Lehranstalt, eine Gründung aus dem Geist des großen Schweizer Erziehungstheoretikers Pestalozzi im unmittelbaren Vorfeld der preußischen Reformen, die vorwiegend von Söhnen hoher preußischer Beamter besucht wurde. Von den Zielen, welche die Schule ursprünglich bestimmt hatten, war freilich in den zwanziger Jahren, der Zeit geistiger und politischer Reaktion nach Reformzeit und Freiheitskriegen, kaum noch etwas zu spüren. Wie nahezu überall im preußischen Bildungswesen erstarrte auch hier vieles, seines ursprünglichen Inhalts und Zusammenhangs beraubt, im Äußerlichen und bloß Formalen, in Drill und hohlem, deutschtümelndem Pathos, in einem »künstlichen Spartanertum«, wie Bismarck sich ausdrückte. Er hat auf die fünf Jahre, die er in dem Internat an der Wilhelmstraße verbrachte, stets mit tiefer Abneigung zurückgeblickt. Es habe »viel Zwang und Methode und widernatürliche Dressur« geherrscht, und die Lehrer seien »demagogische Turner« gewesen, »welche den Adel haßten«. Zudem habe die Anstalt »in der letzten Zeit des Bestehens eine Richtung genommen«, die »mehr einer treibhausartigen Entwicklung des Verstandes als der Ausbildung des Herzens und der Bewahrung jugendlicher Frische günstig war«.

Die frühe Trennung vom Elternhaus, verschärft dadurch, daß die Mutter über Jahre hin gerade im Juli auf Badereise ging und damit die Heimkehr in den großen Ferien unmöglich machte, mußte ihm angesichts dessen ganz sinnlos erscheinen, als das Ergebnis einer Lebenseinstellung, die das Natürliche, die realen Glücksmöglichkeiten des Daseins bloßen Schimären aufzuopfern bereit ist. »Meine Kindheit hat man mir in der Plamannschen Anstalt verdorben, die mir wie ein Zuchthaus vorkam«, heißt es einmal in drastischer Zuspitzung. »Wenn ich aus dem Fenster ein Gespann Ochsen die Ackerfurche ziehen sah, mußte ich immer weinen vor Sehnsucht nach Kniephof.« Hier hat sich wohl jenes bittere Urteil über die Mutter geformt, wie es sich in dem Brief an seine spätere Frau vom 24. Februar 1847 findet: »Meine Mutter war eine schöne Frau, die äußere Pracht liebte, von hellem lebhaftem Verstande, aber wenig von dem, was der Berliner Gemüt nennt. Sie wollte, daß ich viel lernen und viel werden sollte, und es schien mir oft, daß sie hart, kalt gegen mich sei. Als kleines Kind haßte ich sie, später hinterging ich sie mit Falschheit und Erfolg.« Und nicht nur das. Man wird mit der Annahme kaum zu weit gehen, daß hier, in der Tatsache, daß dem emotionalen Schock einer so frühen Trennung vom Elternhaus nicht die Erfahrung einer innerlich akzeptierten und sinnerfüllten Ordnung in Schule und Internat gegenüberstand, die Wurzel zu Grundeinstellungen liegt, die für sein ganzes Leben charakteristisch geblieben sind.

»Meinen Vater liebte ich wirklich«, heißt es wenige Zeilen weiter in dem Brief an Johanna von Puttkamer in einem bezeichnenden Überleitungssatz. Der Vater, das war die Welt, aus der er sich so früh vertrieben fühlte, war die Gutmütigkeit des Lebens und Lebenlassens, war das Dasein in der Natur mit ihrem organischen Rhythmus, waren das Ungebundensein und die Sicherheit der gewachsenen Existenz, waren »Gemüt« und Individualität. Dagegen standen kalt und düster die Stadt, der Drill, eine leblose Ordnung, Anforderungen, die nur mit Gemeinplätzen begründet wurden, Karrieredenken und eine Bildungsidee, die ihren eigenen Inhalt fragwürdig machte. Darin steckten sicher Versatzstücke der normalen menschlichen Entwicklung, des Übergangs vom ungebundenen Dasein des Kindes zu den zunehmenden Bindungen des Heranwachsenden, zu Bindungen, die um so härter empfunden werden, als das, was ihnen an Werten, an Zukunft und Sinn zugrunde liegt, nicht immer gleichzeitig deutlich wird. Was jedoch hier, den Zwiespalt enorm verschärfend, hinzukam, war die schroffe Akzentuierung durch die besonderen Lebensumstände, war die sich förmlich aufdrängende Möglichkeit, sie zwei unterschiedlichen Lebensbereichen und Daseinsformen, dem bürgerlich-bürokratisch-städtischen und dem traditionell-aristokratisch-ländlichen, zuzuordnen und war nicht zuletzt die Verkörperung dieser Grundsätze in den Eltern – und zwar in der aller herkömmlichen Rollenverteilung und Auffassung widersprechenden Form, daß die Mutter das vorantreibende, das fordernde, das verstandesorientierte Element war.

All dies hat dazu geführt, daß die normale Auseinandersetzung des Heranwachsenden mit den Lebensformen der Erwachsenenwelt bei Bismarck schon sehr früh den Rahmen des Privaten sprengte. Sie stellte die Suche nach dem eigenen Lebensweg, nach der eigenen Existenzform in Zusammenhänge, die ihrem Wesen nach überindividueller und eminent politischer Natur waren. Denn es gab dem Sichverweigern gegenüber äußeren Anforderungen, dem Scheitern im bürgerlichen Lebenssinn zugleich die Qualität der Treue zum Herkommen und der Bewahrung des väterlichen Erbes.

Zunächst jedoch war hiervon naturgemäß noch keine Rede. Bismarck durchlief die Schule, zuerst, bis Herbst 1827, die Plamannsche Anstalt, dann, bis 1830, das Friedrich-Wilhelm Gymnasium und schließlich, bis zum Abitur im April 1832, das berühmte Graue Kloster in Berlin, ohne große Anstände, aber auch ohne große Erfolge und sichtbare geistige oder künstlerische Interessen. Er war in allen Fächern ein gleich mittelmäßiger Schüler, an dem selbst der im nachhinein verklärte Blick von Lehrern und Mitschülern nichts besonders Bemerkenswertes entdecken konnte. Und er verließ in der Tat, wie es in dem berühmten spöttischen ersten Satz seiner Lebenserinnerungen heißt, die Schule »als normales Produkt unsres staatlichen Unterrichts«, mit oberflächlichen Einsichten und Überzeugungen – ob es gerade die waren, die er, den Reiz des Kontrastes benutzend, nannte, sei dahingestellt – und ohne feste Lebenspläne oder gar Studienziele. Nur eine Bemerkung in den mehr als sechzig Jahre später niedergeschriebenen wenigen Sätzen des Rückblicks auf seine Schulzeit läßt aufhorchen; sie verweist noch einmal auf die emotionalen Grundlagen des Konflikts, der nun immer stärker aufbrechen sollte: »Meine geschichtlichen Sympathien«, so heißt es im Hinblick auf die nationalen Bestrebungen der Zeit, also vor allem des Bürgertums, und auf die Verherrlichung von Freiheitshelden in der Geschichte, »blieben auf Seiten der Autorität.« Autorität aber hieß: die hergebrachte Ordnung, das alte Preußen, der Vorrang von Krone und Adel, des Landes und der bäuerlichen Verhältnisse, kurzum die väterliche Welt.

Sein konkreter Lebensweg führte ihn allerdings vorerst weiter auf der von der Mutter vorgezeichneten Bahn. Zum Sommersemester 1832 bezog er die Universität Göttingen, eine der damals führenden Hochschulen Mitteleuropas, um Jura zu studieren und sich damit – was der »Fürstendienst« des 18. Jahrhunderts praktisch noch nicht kannte – auf den Staatsdienst und wenn irgend möglich auf die diplomatische Laufbahn vorzubereiten. Er hatte dieses Berufsziel akzeptiert, freilich kaum aus einem besonderen Interesse heraus, sondern weil es sich anbot und die Mutter nachhaltig in diese Richtung drängte. Als Alternativen kamen für einen preußischen Junker der Zeit, es sei denn, er entwickelte schon ganz früh besondere Begabungen und Interessen, nur der Dienst in der Armee oder, als ältester Sohn beziehungsweise bei großem und verteiltem Besitz, die Bewirtschaftung der väterlichen Güter in

Frage. Das eine hat Bismarck, nicht nur dem Wunsch der Mutter entsprechend, sehr rasch verworfen. Und das andere stand zunächst überhaupt nicht zur Diskussion: Schönhausen war verpachtet, und die pommerschen Güter bewirtschaftete der Vater selber.

Daß die Wahl des Studienfachs und des Berufsziels sich einem jungen Mann, aufgrund der Wünsche der Familie, aufgrund seiner sozialen Stellung, aufgrund fehlender Alternativen und eigener Impulse, einfach von außen aufdrängte, war nichts Ungewöhnliches. Die große Mehrzahl insbesondere der engeren Studienkollegen Bismarcks befand sich in der gleichen Situation. Das Studium als Pflicht, als Fortsetzung der Schule, der die meisten nach heutigen Maßstäben kaum entwachsen waren, das war üblich, und dem trug der akademische Unterricht weitgehend Rechnung. Vor allem sein Hauptbestandteil, das Kolleg, war wesentlich auf die Vermittlung memorierfähigen Wissensstoffs ausgerichtet, war vielstündiger Vortrag eines Lehrbuchs einschließlich umfangreicher Beispielsammlungen; die berühmten Ausnahmen vermitteln hier gelegentlich einen falschen Gesamteindruck.

Gerade sie bildeten allerdings die Anziehungskraft der einzelnen Universitäten. Sie waren die meist außerfachlichen Attraktionen, von denen der stärkste Einfluß auf die Bildung, auf Lebenshaltung und Anschauungsweisen der akademischen Jugend ausging und die die eminente Bedeutung der Universität im 19. Jahrhundert insbesondere in Mitteleuropa begründet haben. Philosophen wie Fichte, Schelling oder Hegel, Theologen wie Schleiermacher, von dem Bismarck 1831 in Berlin eingesegnet worden war, Philologen wie die Brüder Grimm, Juristen wie Thibaut oder Savigny, Historiker wie Heeren, Rotteck oder Dahlmann oder ein Literarhistoriker wie Gervinus – sie machten die Universitäten zu jenem Ort geistiger, moralischer und nicht selten auch politischer Auseinandersetzungen, der in dem aufnahmefähigeren, geistig beweglicheren Teil der Studierenden Kräfte der Selbstreflexion und den Drang nach selbständiger Welterkenntnis, kurz, ein Persönlichkeitsideal freisetzte, das die innere Dynamik des Jahrhunderts vielleicht stärker bestimmt hat als vieles andere. Damit entstand ein Gegengewicht zu der immer ausgeprägteren, im Gange der wirtschaftlichen, sozialen und politischen Entwicklung sicher unvermeidbaren und auch unverzichtbaren Tendenz zum Fach- und Berufsmenschen – ein Gegengewicht, das die Ausbildung einer reinen Funktions- und Leistungsgesellschaft hintanhielt und wesentliche Voraussetzungen schuf für die Entfaltung und Verbreitung einer spezifisch bürgerlichen Kultur.

An Bismarcks erster Vorlesungsauswahl läßt sich ablesen, wie selbstverständlich eine gewisse Doppelgleisigkeit des Studiums zu diesem Zeitpunkt war: Neben zwei juristischen Vorlesungen, dem eigentlichen »Brotstudium«, belegte er, sozusagen als allgemeines Orientierungs- und Bildungsstudium, noch eine philosophische, eine historisch-staatswissenschaftliche und eine mathematische. Gebrauch gemacht hat er allerdings von dieser breiten Auswahl, die er in den folgenden Semestern dann auch immer mehr einschränkte, nur in sehr begrenztem Maße, sowohl was das Brotstudium als auch was den anderen Bereich anging. Bei dem einen verließ er sich schon bald auf die repetitorähnliche Examensvorbereitung. Und bei dem anderen versackte sein Interesse rasch – mit einer Ausnahme, die er noch im Alter hervorgehoben hat. Bei dem zu Beginn seines Studiums bereits einundsiebzigjährigen Historiker Arnold Heeren hat er zumindest zwei Semester hindurch regelmäßig und offenbar mit wachsender Anteilnahme gehört und das Gehörte wohl auch streckenweise durch zusätzliche Lektüre zu vertiefen gesucht. Es handelte sich um eine allgemeine Länder- und Völkerkunde, also um so etwas wie eine geschichtliche Einführung für Hörer aller Fakultäten, und im Winter um eine Vorlesung über »Statistik und Geschichte der europäischen Staaten«.

Heeren war der Sohn einer Bremer Kaufmannsfamilie und schon von daher besonders an Fragen der Wirtschaft und des Handels und ihrem Verhältnis zur allgemeinen Politik interessiert. Nach dem Studium der Philosophie und der Geschichte in Göttingen hatte er sich zunächst der Alten Geschichte zugewandt und als Ergebnis ausgedehnter Forschungen 1793 und 1796 ein umfangreiches zweibändiges Werk mit dem Titel »Ideen über Politik, den Verkehr und den Handel der vornehmsten Völker der Alten Welt« veröffentlicht. Das Buch machte auf die Zeitgenossen großen Eindruck. Goethe nannte es eines der wichtigsten Bücher der Epoche überhaupt, ein Werk von bleibendem Einfluß. Es brachte seinem Verfasser 1801 eine Professur für Geschichte in Göttingen ein. Der Jünger von Adam Smith zeigte darin den engen Zusammenhang und die wechselseitige Abhängigkeit zwischen Güterproduktion, Warenaustausch und internationalen Beziehungen auf dem Gebiet der Alten Welt auf. Es ging ihm mit anderen Worten um die materiellen Grundlagen der auswärtigen Politik der antiken Völker und Staaten. Dabei verfuhr er, ganz im Geist der Aufklärung, in generalisierender Form und Absicht. Wie Montesquieu, von dem er stark beeinflußt gewesen ist, war es ihm vor allem darum zu tun, unter Anerkennung der geschichtlichen Bedingtheit allen menschlichen Handelns doch so etwas wie allgemeine Prinzipien und Leitlinien, das Dauernde und Typische dieses Handelns und bestimmter Grundgegebenheiten herauszuarbeiten.

In solchem Geist hat Heeren sich im weiteren Verlauf auch der neueren Geschichte und insbesondere der »Geschichte des europäischen Staatensystems und seiner Kolonien« zugewandt, wie der Titel seines gleichfalls vielgelesenen zweiten Hauptwerkes lautete, das, als »Handbuch«, also lehrbuchähnlich konzipiert, 1809 erstmals erschien. Er versuchte darin zu zeigen, wie sich aus der wachsenden wechselseitigen Abhängigkeit der einzelnen Staaten und Regionen des Kontinents schließlich nach langen Kämpfen eine Ordnung, ein funktionierendes System der internationalen Beziehungen entwickelt habe. Dieses System fixiere, führte er aus, die Bedingungen für jedes auf Dauer erfolgreiche einzelstaatliche Handeln. Es verleihe den Beziehungen der Staaten Rationalität und Berechenbarkeit – vorausgesetzt, die Partner hielten sich an bestimmte Grundspielregeln, darunter an die, nicht den Versuch zu unternehmen, es einseitig zu sprengen. Letzteres war der zunächst geheime, in späteren Auflagen offene Vorwurf, den er Napoleon und seiner Politik machte. Ihr Scheitern erschien ihm nur als folgerichtig, als eine Bestätigung seiner These, daß außerhalb und gegen das System, mochte dieses auch ständig tiefgreifenden Veränderungen unterworfen sein, eine erfolgreiche Politik nicht mehr möglich sei.

Seine Einsichten in die materiellen, hauptsächlich wirtschafts- und handelspolitischen Grundlagen der äußeren Politik hat Heeren in seinen vielbesuchten Vorlesungen immer wieder dargelegt. Besonders eindrucksvoll war dabei, wie er das Geflecht der einander durchkreuzenden oder überschneidenden, ergänzenden oder blockierenden Ziele und Interessen der einzelnen Staaten mit größter Unparteilichkeit zu entwirren und das Ganze, einschließlich des Erfolgs und des Mißerfolgs, jeweils aus den größeren Zusammenhängen zu deuten versuchte. Für jemanden, der im Berlin der zwanziger Jahre des 19. Jahrhunderts zur Schule gegangen war, mußte das eine ganz neue, herausfordernde und faszinierende Perspektive sein. »Was ich etwa über auswärtige Politik dachte...«, so hat Bismarck selber in seinen Lebenserinnerungen rückblickend geurteilt, »war im Sinne der Freiheitskriege, vom preußischen Offiziersstandpunkt gesehen.« Das ist von dem Studenten gesagt, aber diesem wohl erstmals kritisch bewußt geworden. Obwohl persönliche Zeugnisse aus dieser Zeit fast völlig fehlen, kann man davon ausgehen, daß das, was Heeren über die Grundlagen und Gesetzmäßigkeiten der auswärtigen Politik vortrug, ihn erheblich beeindruckt und seine eigenen Vorstellungen, seine eigene Perspektive wesentlich mitbestimmt hat.

Dies um so mehr, als Heerens Vorlesungen ja die einzigen waren, denen Bismarck ein tieferes Interesse abzugewinnen vermochte. Im übrigen hat er sein Studium mehr und mehr verbummelt, auch nachdem er im Herbst 1833 an die gerade zwanzig Jahre alte Universität Berlin übergesiedelt war, an der inzwischen rund zweieinhalbtausend Studenten eingeschrieben waren, darunter mehr als ein Viertel angehende Juristen. Die Bedeutung der Berliner Hochschule als eines der neuen Zentren des geistigen Lebens in Deutschland blieb ihm praktisch völlig verschlossen. Selbst die Vorlesung des weltberühmten Savigny, des Haupts der historischen Rechtsschule, hat er nur zweimal besucht, von denjenigen seines wissenschaftlichen Antipoden Eduard Gans, des Historikers Leopold von Ranke, des Philosophen Friedrich Adolf Trendelenburg oder des Geographen Carl Ritter ganz zu schweigen. Als seine Frau im Anblick der Berliner Universität später einmal bemerkte: »Ach, da bist Du wohl täglich gewesen«, entgegnete er nur trocken: »Niemals.«

Weit wichtiger als Studium und Universität, von der er rückblickend denn auch meinte, man lerne in dieser »heillosen Anstalt« nichts als die »Gesundheit zu verwüsten und ein nichtsnutziges Leben zu führen«, waren ihm andere Dinge: das Verbindungsleben, seine zahlreichen Freunde, die Vergnügungen des ungebundenen studentischen Daseins. Er hospitierte zunächst, den Ideen entsprechend, die er aus der Berliner Schulzeit mitbrachte, bei der Göttinger Burschenschaft. Noch während seines ersten Semesters hat er diese lockere Verbindung wieder aufgegeben – ob wegen des ungehobelten äußeren Auftretens ihrer Mitglieder und der »Extravaganz ihrer politischen Auffassungen«, wie er später behauptete, oder ob einfach deswegen, weil er keinen rechten Kontakt und nicht die Unbekümmertheit fand, die er suchte, mag dahingestellt bleiben. Statt dessen trat er, gleichfalls noch im Sommer, in die Landsmannschaft Hanovera ein, eine schlagende Verbindung, deren Mitglieder vornehmlich aus hannoverschen Offiziers- und Beamtenfamilien stammten und auf gleiche Berufe hinsteuerten. Wie die meisten Landsmannschaften war die Hanovera weitgehend unpolitisch in dem Sinne, daß man die gegebenen Verhältnisse nicht ernsthaft in Frage stellte, sich andererseits auch kaum mit ihnen auseinandersetzte. Für Bismarck bedeutete die Landsmannschaft im wesentlichen Paukboden und Kneipe und den oberflächlich-herzlichen Umgang mit Gleichaltrigen, die zwischen Schule und Beruf ihre »Freiheit« genießen und sich austoben wollten. Er überzog seinen Wechsel erheblich und häufte beträchtliche Schulden an. Länger andauernde persönliche Beziehungen hat er hier nur wenige geknüpft, und für mehr als Imponiergehabe und Jargon war kaum Platz.

Beides fand er außerhalb, ja, in größter Distanz zu jener Welt, bei dem Amerikaner John Lothrop Motley, der sich später als Diplomat, als Gesandter seines Landes in Wien und dann in London, auch als Historiker, als Spezialist für die niederländische Geschichte, einen Namen gemacht hat. Bismarck hat ihn noch im Sommer 1832 kennengelernt und seine ganze Studienzeit mit ihm verbracht; beide gingen im Herbst 1833 nach Berlin und wohnten dort zeitweise zusammen. Die Verbindung ist erst mit Motleys relativ frühem Tod 1877, im Alter von dreiundsechzig Jahren, abgerissen. Der Amerikaner war einer der wenigen wirklichen Freunde, die Bismarck in seinem Leben gehabt hat.

Auf den ersten Blick mußte diese Beziehung einigermaßen merkwürdig erscheinen. Hier der ein Jahr ältere, eher zurückhaltende Neuengländer, Harvard-Student, sehr lernbegierig und sehr romantisch in seiner Lebensauffassung, den der Ruf der deutschen Wissenschaft und seine literarisch-künstlerischen Interessen nach Deutschland gezogen hatten. Dort der auch im übertragenen Sinne noch sehr junge preußische Junker »aus Pommern«, wie er sich mit Vorliebe unterschrieb, der sich auf jeden Händel einließ und, in wild-phantastischem Aufzug, seinen riesigen Hund Ariel an der Leine, schon bald zu den bekannten Figuren der kleinen Universitätsstadt zählte. Was sie, außer starker persönlicher Sympathie zusammenhielt, hat Motley in seinem Jugendroman »Morton's Hope« von 1839 formuliert, einer romantischen Räubergeschichte mit deutlich autobiographischen Elementen. Der Freund, den sein Romanheld Morton, Amerikaner wie er selber, um 1770 in Göttingen trifft, Otto von Rabenmark, ist ein geborener Schauspieler, der seiner Umwelt mit Verve und Talent die Rolle des unbekümmerten jungen Draufgängers vorspielt und damit bei seinen Altersgenossen großen Erfolg hat. Doch sobald er und Morton allein sind, streift er die Rolle ab und redet »vernünftig«: Er enthüllt sich als ein sensibler, belesener und vielseitig begabter junger Mann, der sich der Rollenhaftigkeit seines Auftretens völlig bewußt ist, ihrer Funktion in der jeweiligen Gesellschaft. Später geriert sich Rabenmark, sprich Bismarck in Berlin, mit ebenso großer Leichtigkeit und ebenso überzeugend als eleganter und formgerechter Edelmann.

Sensibilität und Begabung hat Motley bei Bismarck wohl vorwiegend auf literarischem Gebiet entdeckt, also dort, wo man es nach der Art, wie er sich gab, am wenigsten vermutet hätte. In Motleys Begeisterung für Shakespeare, für Goethe, für Byron ist er ihm offenkundig gefolgt, sicher nüchterner als jener, auch kritischer, was die Überflutung des eigenen Lebensgefühls und der eigenen Lebensauffassung durch solche literarischen Einflüsse angeht, jedoch, wie es scheint, mit großer Intensität und wachsender Kennerschaft. Daß Motley alles andere war als ein blutleerer Romantiker und abstrakter Ästhet, daß er Humor hatte, das angenehme Leben liebte und sich mit gleicher Unbekümmertheit und Leichtigkeit in amouröse Abenteuer stürzte wie Bismarck selber, hat diesem offenkundig den Zugang zu jener Welt psychologisch erleichtert. Es ließ sie ihm von vornherein als lebensvoller und lebensbezogener erscheinen, als sie ihm bisher in Schule und Elternhaus begegnet war.

Und Lebensfülle und Lebensbezug – darauf war Bismarck damals insgeheim in immer stärkerem Maße aus. Sein Studium, sofern davon überhaupt die Rede sein konnte, langweilte ihn. Der Reiz, sich je nach Umwelt in verschiedenen Rollen zu präsentieren, verlor sich schon bald. Und die Aussicht auf ein schrittweises Sich-empor-Dienen als Verwaltungsbeamter oder Diplomat, auf ein Dasein, dessen äußerer Anreiz gering und dessen innere Bewegung eher künstlich sein würde, wurde ihm langsam zum Schreckensbild. »Mein Leben ist wirklich etwas kläglich, bei Lichte besehen«, schrieb er Mitte 1835 in bis dahin unbekannter Offenheit an einen ehemaligen Göttinger Studienfreund: »Am Tage treibe ich Studien, die mich nicht ansprechen, abends affektiere ich in den Gesellschaften des Hofes und der Beamten ein Vergnügen, welches ich nicht Schulenburg genug bin zu empfinden oder zu suchen. Ich glaube schwerlich, daß mich die vollkommenste Erreichung des erstrebten Zieles, der längste Titel und der breiteste Orden in Deutschland, die staunenswerteste Vornehmheit, entschädigen wird für die körperlich und geistig eingeschrumpfte Brust, welche das Resultat dieses Lebens sein wird. Öfters regt sich noch der Wunsch, die Feder mit dem Pflug, und die Mappe mit der Jagdtasche zu vertauschen; doch das bleibt mir ja immer noch übrig.«

Zu diesem Zeitpunkt hatte er mit Hilfe des Repetitors bereits sein erstes juristisches Examen bestanden, wenngleich nicht gerade mit überwältigendem Erfolg. Er durchlief nun die üblichen Stationen der Referendarausbildung beim Königlichen Stadtgericht in Berlin. Gleichzeitig bereitete er sich auf die Aufnahmeprüfung in den Staatsdienst vor. Sie bestand aus zwei schriftlichen Arbeiten, einer philosophischen und einer staatswissenschaftlichen, und aus einer mündlichen Prüfung, bei der der Kandidat neben spezifisch fachlichen Kenntnissen sowohl auf juristischem Gebiet als auch im Bereich der Staats- und Volkswirtschaftslehre, der sogenannten Kameralwissenschaften, noch einmal, ganz im Sinne der preußischen Bildungsreformen, seinen allgemeinen Wissens- und Bildungsstand nachzuweisen hatte. Diese zweite Prüfung hat Bismarck Ende Juni 1836 abgeschlossen, erfolgreicher als die erste, aber auch sie ganz pflicht- und schulgemäß, in den beiden schriftlichen Arbeiten sehr deutlich ohne größeres Engagement und ohne weiterreichendes Interesse; sie handelten auf philosophischem Gebiet »Über die Natur und die Zulässigkeit des Eides«, auf staatswissenschaftlichem »Über Sparsamkeit im Staatshaushalt«. Auch diese Arbeiten waren ihm wie seine ganze bisherige Berufsausbildung Mittel zum Zweck, nicht mehr. Doch das Problem war, daß ihm auch der Zweck selber von Tag zu Tag fragwürdiger wurde.

Zu Beginn seiner Berliner Semester scheint sogar die Mutter einmal schwankend geworden zu sein, ob er denn die Voraussetzungen für eine erfolgreiche Beamtenlaufbahn werde erfüllen können oder ob es sich nicht doch empfehle, das Studium kurzentschlossen abzubrechen und in die Armee einzutreten. Das hatte zur Folge, daß Bismarck in den nächsten Monaten seinen weiteren Lebensweg etwas schärfer ins Auge faßte und sich über dessen Stationen intensivere Gedanken machte. Jedenfalls hat er sich in diesen Monaten sehr eingehend über die Aussichten in den einzelnen Bereichen des diplomatischen Dienstes informiert, und der Verkehr in den »Gesellschaften des Hofes und der Beamten« diente demselben Ziel. Er gewann dabei die Einsicht, daß ohne einflußreiche Verbindungen und angesichts der Tatsache, daß der landsässige preußische Adel schon seit langem bei der Vergabe wichtiger diplomatischer Posten nicht gerade bevorzugt wurde, ein Aufstieg in diesem Bereich wohl am ehesten über eine Ausbildung als Verwaltungsbeamter und dann über den Dienst in der Zollvereinsverwaltung, also als wirtschafts- und finanzpolitischer Spezialist, zu erreichen sein werde.

Das war sehr nüchtern gedacht. Doch Bismarck überschätzte wohl von vornherein das eigene Stehvermögen, auch wenn er die mögliche Verkürzung der besonders unerquicklichen Referendarzeit von drei auf zwei Jahre von

Anfang an miteinbezog, die der Dienst in der preußischen Rheinprovinz erlaubte. Das erste Jahr am Berliner Stadtgericht, das zudem mit der Vorbereitung für das nächste Examen ausgefüllt war, hat er noch einigermaßen hinter sich gebracht, obschon gerade die Gerichte die Referendare weitgehend als zusätzliche Protokollanten und Schreiber mißbrauchten, so daß von einer sinnvollen Ausbildung kaum die Rede sein konnte. In seinem zweiten Jahr jedoch, das er im Juni 1836 im Regierungspräsidium in Aachen begann, geriet er schon bald in eine schwere Krise.

Der direkte Weg in den diplomatischen Dienst war an sich das sogenannte diplomatische Examen, eine Spezialprüfung auf der Ebene des allgemeinen Assessorexamens. Über die Zulassung entschied nach Bedarf sowie nach Vorbildung und zu vermutender besonderer Eignung des Kandidaten das Außenministerium. Dabei spielten Beziehungen und natürlich die Person des jeweiligen Ministers eine nicht unerhebliche Rolle. Der damalige Amtsinhaber, Friedrich Ancillon, ein Mann nach Art des Bismarckschen Großvaters Mencken, war dafür bekannt, daß er dem altpreußischen Adel auf diplomatischem Felde nur wenig zutraute. Zudem hatte gerade er Bismarck, nach dessen eigener späterer Erzählung, auf den Umweg über die Verwaltungslaufbahn und den Zollverein verwiesen. Ungeachtet dessen ließ Bismarck seinen älteren Bruder, der damals beim Regierungspräsidium in Potsdam Dienst tat, schon im Herbst 1836 sondieren, ob er nicht doch zum diplomatischen Examen zugelassen werden könne. Offenbar war ihm mittlerweile der Gedanke bereits schwer erträglich geworden, vielleicht viele Jahre in der allgemeinen und in der Wirtschaftsverwaltung verbringen zu müssen. Hinzu kam, daß sein oberster Dienstvorgesetzter, auf dessen Protektion er wohl gehofft hatte, der damals erst dreiunddreißigjährige Aachener Regierungspräsident Graf Arnim-Boitzenburg, der spätere Innenminister, schon bald offene Zweifel darüber äußerte, ob Bismarck den Umweg über die Zollvereinsverwaltung mit ihren gesteigerten fachspezifischen Anforderungen durchstehen werde. Kurz: Neigung und Befähigung schienen gleichermaßen fraglich und die Zukunftsaussichten reichlich trübe zu sein.

Zwar hat Bismarck immer wieder Anläufe genommen, sich mit dem Dienst und seinen mit dem Gang durch die verschiedenen Abteilungen relativ rasch wechselnden Aufgaben zu befreunden. Sehr erfolgreich aber ist er darin kaum gewesen, und die Ablenkungen eines Badeorts mit internationalem, vorwiegend englischem Publikum taten ein übriges, seinen Diensteifer stets aufs neue zu dämpfen. Er freue sich über seinen Entschluß, schrieb ihm Arnim ein Jahr später denn auch mit unverhohlener Ironie, »zu einer der Kgl. Regierungen in den altpreußischen Provinzen überzugehen, um zu einer angestrengteren Tätigkeit in den Amtsgeschäften zurückzukehren, nach welcher Sie bei den gesellschaftlichen Verhältnissen in Aachen vergeblich strebten«.

Anders als in Göttingen oder Berlin war in Aachen die Geselligkeit vielfach schon Flucht und bewußte Zerstreuung, Ausdruck eines Gefühls des Ungenügens und der inneren Leere. Nichts lag in solcher Situation näher als eine Art emotionaler Saltomortale, als das Vorwegträumen und Heraufbeschwören einer großen, alles bewegenden und alles verändernden Leidenschaft. Das bereitete sich das ganze Jahr hindurch vor. Schon früh war von Heiratsplänen die Rede, die er dann wieder beiseite schob, von Neigungen, die viel tiefer säßen, als er geglaubt habe: »Wer weiß, ob ich nicht künftig bereue, was ich jetzt für vernünftig halte.«

In der Tochter eines englischen Geistlichen meinte er schließlich Anfang Juli 1837 die große Liebe gefunden zu haben. Er fuhr ihr nach Wiesbaden nach, wo er nebenbei ein kleines Vermögen, mehr als siebzehnhundert Taler, am Spieltisch verlor, verlobte sich Hals über Kopf mit ihr – ob offiziell oder inoffiziell, steht dahin – und reiste dann mit seiner »Familie«, inzwischen längst ohne Urlaub, kreuz und quer durch Deutschland, offenbar ohne festes Ziel und mit rasch wechselnden Plänen für die nähere Zukunft. Er zögere noch, »ob ich den Winter mit meinen Angehörigen in Neapel oder in Paris zubringe«, heißt es Ende August aus Frankfurt in einem Brief an Karl Friedrich von Savigny, den Sohn des großen Juristen, der sich mit ihm gemeinsam in Aachen auf den diplomatischen Dienst vorbereitete und seine Eskapade nach Kräften und, soweit das möglich war, auch erfolgreich gegenüber der Behörde abschirmte. Wenige Tage später berichtete er, er werde »eingetretener Umstände halber nicht nach Genf, sondern vorläufig nach München« gehen: »Ich kann indessen noch nicht bestimmen, wie lange wir dort bleiben werden, und wohin ich mich von dort wende, ob nach Paris oder vorläufig nach Hause.«

Mit der Reise nach München wurde es dann doch nichts. Sein Paß war abgelaufen, und die Bayern ließen ihn nicht einreisen. Die preußische Gesandtschaft in Stuttgart wiederum wollte ihm, da er keine schriftliche Urlaubsgenehmigung vorlegen konnte, nur eine Bescheinigung ausstellen, die ihm die Rückkehr nach Aachen ermöglichte. Ungeachtet dessen schrieb er zehn Tage später an einen anderen Freund aus Straßburg, er »reise im Augenblick mit der Familie nach der Schweiz und werde sie in Mailand verlassen«, um nach zwei Jahren erstmals wieder nach Hause zu fahren. Savigny gegenüber war schon Ende August von seiner »definitiven Verehelichung« die Rede, »die wahrscheinlich Ende März zu Scarsdale in Leicestershire stattfinden wird«. Auch in diesem Brief spricht er von seiner festen Absicht, »in den heiligen Stand etc. zu treten«, »und zwar mit einer jungen Britin von blondem Haar und seltener Schönheit, die bis dato noch kein Wort Deutsch versteht«.

Sie brauchte es nicht zu lernen: Die Tochter eines englischen Landpfarrers namens Isabella Loraine-Smith verschwand ebenso rasch wieder aus seinem Leben, wie sie darin aufgetaucht war. Anfang Dezember berichtete er Savigny nach langem Schweigen vom väterlichen Kniephof, die »projectierte Verbindung« sei »ganz und unwiderruflich abgebrochen«, »so daß mir davon nichts als die Erinnerung an vier sehr glückliche Honig-Monate nebst einem sehr bedeutenden aes alienum [seine Wiesbadener Spielverluste] geblieben ist«. Die »Prise« sei ihm, so hat er acht Jahre später einmal lachend bemerkt, »von einem einarmigen Obristen mit 50 Jahren, 4 Pferden und 15 000 rl Revenuen wieder abgejagt« worden.

Sehr tief scheint der Schmerz über die Auflösung der kurzen und seltsam unwirklichen Verbindung nicht gewesen zu sein. Das bestätigt noch einmal, daß sie mehr ein Ausbrechen aus einer zunehmend als unerträglich empfundenen Lebenssituation gewesen ist als eine wirkliche große Leidenschaft, mehr Anlaß als Ursache. Gelöst war damit natürlich gar nichts, selbst wenn dank Arnim und Savigny die Brücken für eine Rückkehr in den Vorbereitungsdienst nicht abgebrochen waren. Im Gegenteil: Zu den eigenen Zweifeln kam nun noch die Reaktion der Umwelt und der Familie, der Vorwurf, schon vor den ersten Anforderungen des scheinbar selbst gewählten Lebensberufs auszuweichen und zu versagen.

Angesichts dessen hat Bismarck noch einen letzten Versuch unternommen, die ihm zugedachte Rolle zu spielen. Mitte Dezember 1837 nahm er beim Potsdamer Regierungspräsidium seinen Referendardienst wieder auf und gab sich zumindest äußerlich sehr optimistisch. »Es ist mir jetzt viel lieber, daß ich mich nicht gleich zum diplomatischen Examen gemeldet habe; denn da ich einmal so weit bin, gewährt mir das Assessorexamen doch eine viel solidere Sicherheit; es mag mir hernach gehn, wie es will, mein Fortkommen bleibt immer gesichert«, schrieb er Ende Januar 1838 an den Vater, den allerdings zu diesem Zeitpunkt große persönliche und wirtschaftliche Sorgen plagten und der daher aufmunternde Nachrichten dringend nötig hatte. Die Mutter war schwer erkrankt, und die Einkünfte der Güter gingen immer mehr zurück. Nach wenigen Wochen war Bismarcks Impuls jedoch erneut erlahmt. Er entschloß sich, erst einmal sein Militärdienstjahr abzuleisten, und trat Ende März 1838 bei den Gardejägern ein; zweiundfünfzig Jahre später sollte er, ohne einen Tag mehr gedient zu haben, zum Generalobersten der Kavallerie im Range eines Generalfeldmarschalls ernannt werden. Wie üblich ließ ihm der Oberpräsident anbieten, er könne an seinen freien Tagen seine Ausbildung in Potsdam fortsetzen. Davon hat er keinen Gebrauch gemacht, ja, auf das Angebot nicht einmal geantwortet. Er war nun offenbar fest entschlossen, die Ausbildung abzubrechen und nach dem Militärdienst »Landjunker« zu werden.

Dazu bedurfte es allerdings der Zustimmung und Unterstützung der Eltern. Ob sie unter normalen Umständen zu erlangen gewesen wäre, ist zumindest fraglich. Doch inzwischen hatte sich die Krankheit der Mutter als unheilbar herausgestellt: Sie hatte Krebs. Der Vater mußte sich auf ein ganz anderes

Leben einrichten, zumal er seiner Frau auch bei der Bewirtschaftung der Güter vieles überlassen hatte. Es ist für das Verhältnis des Sohnes zur Mutter überaus bezeichnend, daß erst ihre Krankheit und ihr Tod – sie starb am 1. Januar 1839, erst neunundvierzig Jahre alt – ihm einen anderen Lebensweg freimachten als den, den sie von früh an für ihn geplant und erstrebt hatte. Innerlich gebilligt hat sie seinen Entschluß ganz sicher nicht, und ob sie ihm auch nur äußerlich zugestimmt hat, steht dahin. In seiner entscheidenden Mitteilung an den älteren Sohn Bernhard hat sich jedenfalls der Vater dazu nicht weiter geäußert. »Otto hat während seines Hierseins«, schrieb er ihm am 19. Juli 1838 aus Berlin, wo seine Frau seit Wochen in ärztlicher Behandlung war, »der Mutter sein ganzes Herz aufgeschlossen. Ihr nicht allein gesagt, welchen Ekel er für die ganze Beschäftigung bei der Regierung hätte, daß er dadurch sein Leben ganz überdrüssig wäre, und wenn er sich fast sein ganzes Leben gequält hätte, dann würde er vielleicht zuletzt Präsident mit zweitausend Taler Einkommen, von Lebensglück wäre aber nie etwas zu hoffen. Er hat die Mutter sehr dringend gebeten, ihm eine andere Stellung zu geben, er hat sich erboten, wenn wir noch eine Zuckerfabrik anlegten, nach Magdeburg zu gehen und die Fabrikation praktisch zu erlernen und die Fabrik alsdann in Kniephof zu dirigieren. Da es mir doch sehr nahe geht, daß er sich so unglücklich fühlt, und ich mit inniger Freude bei meiner Anwesenheit in Kniephof gesehn, welch großes Interesse die Landwirtschaft für Dich hat und welch gute und richtige Ideen Du zur Verbesserung der dortigen Güter hast ... so habe ich mich entschlossen, Euch beiden die dortigen Güter als Eigentum zu übergeben und meine Subsistenz nur allein auf Schönhausen zu beschränken.«

Damit war für Bismarck der Weg frei, der Weg in die väterliche Welt, in das Dasein des unabhängigen Landedelmannes, von dem er sich so viel versprach. Zwar war zunächst die Rede davon gewesen, daß er für alle Fälle doch noch den Assessor machen solle, doch dazu kam es nicht mehr. Nach einigem Hin und Her bat er im Oktober 1839 um die Entlassung aus dem Staatsdienst. Anfangs haben die Brüder von Kniephof aus die drei pommerschen Güter – Külz, Jarchelin und Kniephof – gemeinsam bewirtschaftet. 1841, nach der Wahl Bernhards zum Landrat, nahmen sie dann eine vorläufige Teilung vor: Der Ältere erhielt Jarchelin, der Jüngere Kniephof und Külz, das in der endgültigen Regelung nach dem Tod des Vaters Ende 1845 an Bernhard zurückfiel, während Otto Schönhausen bekam und auch dorthin übersiedelte.

All das hatte den Charakter von endgültigen, lebensbestimmenden Entscheidungen. Gutsbesitzer, vielleicht einmal im Nebenamt Landrat und ritterschaftlicher Abgeordneter zur ständischen Vertretungskörperschaft der Provinz, dem sogenannten Provinziallandtag – das war die Existenzform, war die Zukunft, die der knapp Vierundzwanzigjährige nun vor Augen hatte. Fünf Jahre zuvor, im Kreis von Studienfreunden, die fast alle in hohe öffentliche

Ämter strebten, die Richter, Diplomaten, Ministerialbeamte werden wollten, war ihm ein solches Dasein letztlich noch undenkbar erschienen, trotz aller Kindheitssehnsucht nach dem Leben auf dem Lande, nach Ungebundenheit und Freiheit in der Natur. Seinem Göttinger Korpsbruder Scharlach hatte er damals spaßeshalber, als das Göttinger Abgangszeugnis erst mit halbjähriger Verspätung eintraf und er daher Schwierigkeiten mit der Immatrikulation in Berlin hatte, sein auf diese Weise aus der Bahn gebrachtes künftiges Leben ausgemalt: »Ich werde daher wohl das Portefeuille des Auswärtigen ausschlagen, mich einige Jahre mit der rekrutendressierenden Fuchtelklinge amüsieren, dann ein Weib nehmen, Kinder zeugen, das Land bauen und die Sitten meiner Bauern durch unmäßige Branntweinfabrikation untergraben. Wenn Du also in zehn Jahren einmal in die hiesige Gegend [der Brief ist auf Kniephof geschrieben] kommen solltest, so biete ich Dir an, adulterium mit einer jungen mulier facilis et formosa zu treiben, so viel Kartoffelschnaps zu trinken, als Du willst und auf der Hetzjagd den Hals zu brechen, so oft es Dir gut scheint. Du wirst hier einen fettgemästeten Landwehroffizier finden, einen Schnurrbart, der schwört und flucht, daß die Erde zittert, einen gerechten Abscheu vor Juden und Franzosen hegt und Hunde und Bediente auf das Brutalste prügelt, wenn er von seiner Frau tyrannisiert worden. Ich werde lederne Hosen tragen, mich zum Wollmarkt in Stettin auslachen lassen, und wenn man mich Herr Baron nennt, werde ich mir gutmütig den Schnurrbart streichen und um zwei Taler wohlfeiler verkaufen; zu Königs Geburtstag werde ich mich besaufen, und vivat schreien, übrigens mich häufig anreißen und mein drittes Wort wird sein: Auf Aehre! superbes Pferd! Kurz, ich werde glücklich sein im ländlichen Kreise meiner Familie; car tel est mon plaisir.«

Das war zugleich eine Karikatur des preußischen Durchschnittsjunkers, die ganz der Einschätzung entsprach, die er fast überall außerhalb seines engsten Lebenskreises erfuhr. Daß es im allgemeinen nicht die Begabtesten und Tüchtigsten waren, die an der Scholle kleben blieben, war auch im Adel selber eine zunehmend verbreitete Meinung. »›Sie essen nicht, sie trinken nicht‹, was tun sie denn? Sie zählen ihre Ahnen«, höhnte schon der achtzehnjährige Bismarck. Mit anderen Worten: Ein großes gesellschaftliches Ansehen war mit einer solchen Existenz zur damaligen Zeit nicht mehr verbunden; das ist erst nachträglich in sie hineingeheimnist worden. Es war bezeichnend, daß ein Mann wie Ancillon, der politisch und publizistisch ein Herold der alten, vorrevolutionären Ordnung war, gleichzeitig von dem landsässigen preußischen Adel eine ziemlich geringe Meinung hatte und sich sein diplomatisches Personal mit Vorliebe anderswo suchte. Er stand damit in einer langen Tradition der preußischen Monarchie. Sie hat dazu geführt, daß der grundbesitzende heimische Adel in der Galerie der preußischen Politiker und Heerführer von einiger Bedeutung nur mit einem vergleichsweise geringen Anteil vertreten gewesen ist. Die Schwerin und Bernstorff, die Blücher und Derfflinger, Moltke wie der Alte Dessauer – sie alle waren Nichtpreußen, von den Reformern nach 1806, den Stein und Hardenberg, den Scharnhorst und Gneisenau, den Motz und Grolman ganz zu schweigen.

So war es nicht weiter verwunderlich, daß Bismarcks Entschluß auch im Kreise der Familie und bei den ihm Wohlgesinnten auf Unverständnis stieß und besorgte Rückfragen auslöste, ob er sich das Ganze denn wirklich reiflich überlegt habe. Die anderen vermuteten schlicht, er habe halt nicht das Zeug zu etwas anderem gehabt. Eine dieser Anfragen hat Bismarck im September 1838 zum Anlaß genommen, seinen Entschluß ausführlich zu begründen und eine Art Bilanz seines bisherigen Lebens zu ziehen. Es war der Brief einer angeheirateten Kusine, der Gräfin Karoline von Bismarck-Bohlen, einer Frau von vierzig Jahren, in deren Berliner Haus er viel verkehrt hatte. Das Original der Bismarckschen Antwort ist verschollen. Bekannt ist nur die Abschrift, die er für den Vater von dem Konzept gemacht hat, das, wie er schrieb, »sehr unvollständig und ungeordnet« gewesen sei. Möglich, daß er dabei einiges weggelassen hat, was an Gründen und Motiven zwar die Kusine, nicht aber der Vater erfahren sollte – so etwa einen Hinweis auf die »ganz enorme Summe von Schulden«, »zu deren ehrenvoller Abwicklung ich keinen Ausweg sah als den, ein selbständiges Vermögen zu erwerben«, einen Hinweis, den der Herausgeber seiner Briefe noch drei Menschenalter später zu unterschlagen für gut fand. Doch im wesentlichen dürfte die Abschrift das Entscheidende enthalten. In diesem Sinne hat sie Bismarck später auch seiner künftigen Frau zugänglich gemacht, als ein Schlüsseldokument seines Lebens.

»Daß für mich die Notwendigkeit, ein Landjunker zu werden, nicht vorhanden war, ist auch meine Meinung«, so begann der entscheidende Passus des Briefes. Wer freilich darauf eine positive Begründung dieses Lebensentschlusses erwartet, sieht sich enttäuscht. Bismarck gibt sie vielmehr fast ausschließlich vom Negativen her, indem er eingehend darlegt, warum er nicht »Administrativ-Beamter« habe werden wollen. Die Enge und Gebundenheit einer bürokratischen Existenz, die geringe Dimension und Wirksamkeit der meisten Entscheidungen, die Abhängigkeit von Hierarchie und bloßer Amtsautorität, kurz, die Funktion eines Rädchens in einem großen Getriebe, das ihm in vieler Hinsicht einem Perpetuum mobile zu gleichen schien – all das habe er als Lebensaussicht nicht ertragen können. »Der preußische Beamte gleicht dem Einzelnen im Orchester; mag er die erste Violine oder den Triangel spielen: ohne Übersicht und Einfluß auf das Ganze, muß er sein Bruchstück abspielen, wie es ihm gesetzt ist, er mag es für gut oder schlecht halten. Ich will aber«, fuhr der dreiundzwanzigjährige fort, »Musik machen, wie ich sie für gut erkenne, oder gar keine.«

Der Satz ist berühmt geworden als Ausdruck ungeheuren Selbstbewußtseins und eines außerordentlichen Durchsetzungswillens, als kühner Vorgriff auf die Zukunft. In Wahrheit war er mehr eine große Geste, ein Hingerissen-

sein durch das eigene Bild. Es war ehrlich und entsprach seiner Lebenssituation, wenn er schrieb, »daß mein Ehrgeiz mehr danach strebt, nicht zu
gehorchen, als zu befehlen«. Was er fürchtete, was ihn als Idee zu diesem
Zeitpunkt offenbar ganz beherrschte, war die Überwältigung der eigenen
Individualität, der eigenen Existenz, so unsicher er sich ihrer auch noch sein
mochte, durch die Außenwelt, durch Beruf und soziale Zwänge. Nie er selber
werden zu können, letztlich an Rollen gebunden zu bleiben – das war das
Schreckbild, das ihm im Innersten vor Augen schwebte.

Nicht in diesem Lebensproblem freilich enthüllt sich das eigentlich Charakteristische und Zukunftsbestimmende, sondern in der spezifischen Antwort,
die Bismarck zumindest andeutungsweise formuliert hat. Von einem Ausweichen in die »Innerlichkeit«, ins rein Private ist nicht einmal als von einer
Möglichkeit die Rede. Ebensowenig, wenn man genau hinsieht, von einer über
die rein äußerliche Existenz hinausgehenden Lebenserfüllung als Gutsbesitzer und Landwirt, also in einem selbstgewählten »Beruf« im Sinne bürgerlicher Berufsmoral, wie sie ihm in großen Teilen der Beamtenschaft entgegengetreten war. Die Frage, um die seine Überlegungen in diesem Zusammenhang nahezu ausschließlich kreisten, war die nach der Bewahrung der eigenen
Individualität im gesellschaftlichen und öffentlichen Leben. Die Aussicht, in
ihm eine hervorragende Rolle zu spielen, könnte, so gab er unumwunden zu,
»auf mich eine, jede Überlegung ausschließende Anziehungskraft üben, wie
das Licht auf die Mücke«. Freilich nur dann, so fügte er hinzu, wenn sie nicht
durch ein rein erfolgsorientiertes Sicheinfügen und -anpassen an vorgegebene
Überzeugungen, Ordnungen und Konstellationen erkauft werden, »durch
Examen, Connexionen, Aktenstudium, Anciennität und Wohlwollen meiner
Vorgesetzten«. Eben das aber sei in bürokratisch-absolutistisch regierten
Staaten wie Preußen der Fall und daher ein öffentliches Amt und eine
öffentliche Wirksamkeit für ihn hier nicht erstrebenswert.

Hier nicht – das klang nicht nur durch. Vielmehr hat er die Bedingungen,
unter denen seine Entscheidung eine ganz andere sein würde, sehr klar
formuliert: »In einem Staate mit freier Verfassung kann ein jeder, der sich den
Staatsangelegenheiten widmet, offen seine ganze Kraft an die Verteidigung
und Durchführung derjenigen Maßregeln und Systeme setzen, von deren
Gerechtigkeit und Nutzen er die Überzeugung hat, und«, so fuhr er fort, »er
braucht diese letztere einzig und allein als Richtschnur seiner Handlungen
anzuerkennen, indem er in das öffentliche die Unabhängigkeit des Privatlebens hinübernimmt.«

Damit war, in bemerkenswerter Klarheit, die Antwort auf die ihn bedrän-
gende Frage nach der Bewahrung der eigenen Individualität im öffentlichen
Leben, in einer öffentlichen Wirksamkeit, umrissen. Diese Individualität war
er entschlossen in jenen Lebensformen zu verankern, die ihm von früher
Jugend an als das Gegenbild zu denjenigen erschienen waren, die Schule und

das Erziehungsziel der Mutter ihm zu oktroyieren suchten. Zu ihrer eigentlichen Erfüllung aber bedurfte es seiner Überzeugung nach einer grundlegenden Veränderung der politischen Ordnung, die jene Lebensformen bisher, trotz aller verändernden Eingriffe, beschützte und erhielt.

Darin steckte schon alles weitere: die Wendung zu den Hochkonservativen, die den bürokratischen Absolutismus durch den Rückgriff auf die ständische Ordnung vergangener Zeiten überwinden wollten, und ebenso die Bereitschaft, auch ganz andere Formen einer »freien Verfassung« aufzugreifen; die grundsätzliche Akzeptierung unterschiedlicher Anschauungen und Überzeugungen und die Vorstellung, daß alle Politik auf Kampf und Konflikt beruhe. Zugleich trat hier ein grenzenloser Subjektivismus zutage, dem Sieg und Niederlage, Sichbehaupten und Nachgebenmüssen stets an die Wurzeln der eigenen Existenz gingen, der, eben »indem er in das öffentliche die Unabhängigkeit des Privatlebens« hinübernahm, sich selbst in der Politik immer wieder aufs Spiel gesetzt sah.

Allerdings nicht so hemmungslos, wie sich politische Leidenschaft und persönliches Geltungsbedürfnis in Desperadonaturen des 20. Jahrhunderts verbanden. Ein Element kam hinzu, ein Element, dessen subjektives Gewicht unleugbar bedeutend gewesen ist, wie immer man es unter anderen Aspekten einschätzen mag. Es war für Bismarck der archimedische Punkt, die Sinngebung eigenen Handelns vor allem auch im politischen Bereich, die er in diesem Handeln selber seiner ganzen illusionslosen Natur nach nur selten zu entdecken vermochte.

Das Bedürfnis nach einem solchen Halt, das Verlangen nach einem Glauben an eine überweltliche Macht, die das individuelle wie das Leben der Gemeinschaften lenkt, hat sich bei ihm wohl schon früh geregt. Sein zweiter Jugendfreund neben Motley, der Balte Graf Alexander Keyserling, der spätere Kurator der Universität Dorpat, mit dem er die Berliner Semester verbrachte, schrieb ihm zwanzig Jahre später einmal, auf diese Zeit zurückblickend: »Erinnerst Du Dich nicht dessen, daß Du mir in wahrscheinlich lichten Momenten vorhergesagt hast: Konstitution unvermeidlich, auf diesem Wege zu äußeren Ehren, außerdem muß man innerlich fromm sein?«

Sicher hat diese Äußerung in der Erinnerung Keyserlings ein Gewicht erhalten, das sie ursprünglich nicht besaß. Aber auch als gelegentliche Zukunftsträumerei ist sie höchst bezeichnend. Vor allem positiven Glauben hat sich bei ihm offenkundig die Überzeugung entwickelt, daß ohne eine Art Widerlager im Religiösen alles Handeln ohne innere Kraft und somit erfolglos bleiben müsse. Wenn er nicht an die Unsterblichkeit glaubte, so hat er später einmal gesagt, wäre ihm das Leben »das An- und Ausziehen nicht wert«. Und von der anderen Seite her, im »Werbebrief« an Heinrich von Puttkamer: »Ich habe manche Stunde trostloser Niedergeschlagenheit mit dem Gedanken zugebracht, daß mein und andrer Menschen Dasein zwecklos und unersprießlich sei, vielleicht nur ein beiläufiger Ausfluß der Schöpfung, der entsteht und vergeht, wie Staub vom Rollen der Räder; die Ewigkeit, die Auferstehung, war mir ungewiß, und doch sah ich in diesem Leben nichts, was mir der Mühe wert schien, es mit Ernst und Kraft zu erstreben.«

Wann sich die rationale Überzeugung zu einem existentiellen Bedürfnis entwickelte und lebensbestimmend wurde, läßt sich recht genau sagen. Es war die Zeit nach der ersten Eingewöhnung in die neue Lebenswelt, die Zeit verstärkter innerer und äußerer Einsamkeit nach der Güterteilung und der Übersiedlung des Bruders nach Jarchelin im Jahr 1841. Dies zeigt die lebensgeschichtliche Funktion, den lebensgeschichtlichen Stellenwert des ganzen Vorgangs, den man mit dem Begriff der Bekehrung nur sehr ungenau zu erfassen vermag. 1838 hatte Bismarck sich endgültig geweigert, die Rolle weiter zu spielen, die Elternhaus und Umwelt ihm zugedacht hatten. Aus dieser Rollenhaftigkeit und Berechenbarkeit seines Daseins strebte er in die Geborgenheit einer im Herkommen ruhenden, materiell gesicherten und dennoch ungebundenen Existenz. Dahinter verbargen sich, ungeachtet aller rationalen Begründungen, viel Unausgegorenheit, ein innerer Zwiespalt und eine Lebensleere, die mit Notwendigkeit zu einer neuerlichen und noch schwereren Krise führen mußten, sobald die Hoffnungen verflogen, die er an ein Leben als Landedelmann geknüpft hatte. Und daß in diesen Hoffnungen mehr Illusionen steckten, mehr romantischer Eskapismus, als er sich eingestehen wollte, daß eine »Heimkehr« in die väterliche Welt eben nicht möglich war und die Zerrissenheit seiner bisherigen Existenz einen Teil seiner selbst bildete, das wurde ihm sehr rasch klar. »Von der Täuschung über das arkadische Glück eines eingefleischten Landwirtes mit doppelter Buchhaltung und chemischen Studien bin ich durch Erfahrung zurückgekommen«, schrieb er neun Jahre später an seine künftige Frau. »Auf diesem Beruf lag damals für mich noch der schöne blaue Dunst ferner Berge. Mitunter«, fuhr er fort, »empfinde ich noch, wenn einer meiner Studiengenossen eine rasche Laufbahn macht, etwas gekränkt in der Idee ›das hätte ich auch haben können‹, aber es macht sich dann stets die Überzeugung geltend, daß der Mensch sein Glück vergeblich sucht, so lange er es außer sich sucht.« Diese »Überzeugung« hat er sich in jenen Jahren schwer erkämpft, wenn man darunter nicht ein subjektives Ringen – davon kann kaum die Rede sein –, sondern das objektive Erleiden einer zunehmend als tief unbefriedigend empfundenen äußeren Situation versteht.

Praktisch ohne jede Vorbildung hatte er, gemeinsam mit dem Bruder, die Güter binnen kurzem trotz schlechter allgemeiner Marktlage wieder hochgebracht, obgleich die Schuldenlast enorm blieb und ihm Jahre hindurch, besonders nach seiner Heirat, nur eine sehr bescheidene Lebensführung erlaubte. Dieser Erfolg bot ihm jedoch nur kurzfristig eine gewisse Befriedigung, nämlich solange er darum kämpfen mußte.

Etwas zu leisten und trotzdem ungebunden zu sein, das war seine Erwartung gewesen. Sie schien sich in den ersten zwei Jahren zu erfüllen, die er wie eine Art zweite Studentenzeit verbracht hat, überschäumend, auf jeder Jagd, bei jedem Fest, bei jeder sich überhaupt bietenden Abwechslung dabei, und wenn er siebzig, achtzig Kilometer dafür reiten mußte, überall mithaltend und die anderen übertrumpfend – der »tolle Bismarck«, wie er seither in Pommern hieß. Aber wenn er es in Göttingen, in Berlin, in Aachen »toll« getrieben hatte, dann war doch immer jemand dagewesen, mit dem er hatte »vernünftig« reden können: Motley, Keyserling, Savigny oder eine Gelegenheitsbekanntschaft von größerem Zuschnitt. Das war mittlerweile ganz anders geworden. Da war kaum noch jemand, der das »Rollenspiel« durchschaute, der etwas anderes hinter der Fassade des unbekümmerten Draufgängers vermutet hätte. Man war, als was man galt, und hielt sich darauf etwas zugute.

Das hat Bismarck sehr unmittelbar erfahren, als er sich 1841 in Ottilie von Puttkamer verliebte und die Mutter, eine wohlhabende Gutsbesitzerin auf Pansin, ihn schroff abwies mit Argumenten, die er als Ausdruck dumpfer Engherzigkeit und bigotter Oberflächlichkeit empfand. Er war davon tief getroffen, zumal sich die Tochter nur allzu rasch beugte und es der Mutter durchaus nicht nur, wie er später einen Freund glauben machen wollte, durch »Intrigen gelang..., meiner Braut einen höchst lakonischen Absagebrief an mich in die Feder zu geben«. Sein Selbstwertgefühl war schwer verletzt; er selber sprach später von dem dominierenden Gefühl der »gekränkte(n) Eitelkeit, daß sie mich nicht hinreichend liebte, um der Mutter zu widerstehen«. Und er reagierte darauf mit der ganzen Heftigkeit eines Mannes, der sich in seinem eigentlichen Wesen und Wert verkannt sieht und das durch Menschen, für die er sich sozusagen entschieden hatte, in deren Welt er durch eigenen freien Entschluß, ohne »Notwendigkeit«, wie er seiner Kusine gegenüber betont hatte, eingetreten war. Er hatte ihre Vergnügungen geteilt, und nun glaubte jemand aus ihrem Kreis, weil er dabei ein paarmal harmlos über die Stränge geschlagen hatte, sich über ihn erheben, ihn geringer einschätzen zu können als viele aus der »mehr zahlreichen als interessanten Clique von pommerschen Krautjunkern, Philistern und Ulanenoffizieren«, wie er von nun an seine Umwelt immer häufiger karikierte. Ihn, der sich unter ihnen mehr und mehr »zum Hängen« langweilte, der eben doch nicht in diese Gesellschaft und in die Begrenztheit und Enge des ländlichen Pommern paßte. »Fragt man einen, wie es ihm geht«, höhnte er einmal, »so sagt er: ›Ganz gut, nur habe ich leider im Winter stark die Räude gehabt.‹«

1842 ging er, um seinen »Kummer wenn möglich in fremden Climaten auszudünsten«, monatelang auf Reisen, nach England, nach Frankreich und Italien. Er hat in dieser Zeit sogar einmal kurz erwogen, in englischen Kolonialdienst zu treten, »einige Jahre Asiat zu spielen, um etwas Veränderung in die Dekoration meiner Komödie zu bringen, meine Zigarren am

Ganges statt an der Rega zu rauchen«. Wenig später ist dann davon die Rede, er trage sich mit dem Gedanken, »wieder eine Anstellung zu suchen, weil mich, wie der preußische Assessor zu sagen pflegt, nach einem ›höheren Motiv und einem weitern Gesichtskreis‹ meines Berufs verlangt«.

Tatsächlich hat er am 7. April 1844 einen Antrag auf Wiederaufnahme in den Vorbereitungsdienst gestellt. Das Regierungspräsidium in Potsdam ging darauf ein, allerdings mit einem nicht gerade schmeichelhaften Zusatz. »Wir setzen hierbei jedoch voraus«, hieß es in der Antwort, »daß Sie durch angestrengten Fleiß das seit Ihrem Austritt aus dem Staatsdienst Versäumte aufzuholen und dem Vorurteile zu begegnen bemüht sein werden, welches, wie wir nicht verhehlen können, nach Ausweis Ihrer Personalakten in Bezug auf Ihren Eifer für die Ausbildung im Staatsdienste während Ihrer früheren Beschäftigung hierselbst rege geworden ist.«

Er könne sich, hatte er ein halbes Jahr zuvor im Hinblick auf diesen »Eifer« geschrieben, »nur nicht darüber klar werden, ob mich der Geschäftsgang des Königlichen Dienstes auch auf die Länge ansprechen würde«. Nun: Am 3. Mai trat er diesen Dienst an. Am 15. Mai bat er um einen kurzen Urlaub, da die Frau seines Bruders tödlich erkrankt war. Und aus diesem Urlaub kehrte er, wie sieben Jahre früher in Aachen, nicht wieder zurück. Er habe »die Leute und Geschäfte grade so schaal und unersprießlich gefunden wie früher«, meldete er zwei Monate später einem Freund. Jetzt treibe er »willenlos auf dem Strom des Lebens ohne anderes Steuer als die Neigung des Augenblicks, und es ist mir ziemlich gleichgültig, wo er mich an's Land wirft«. »Seitdem sitze ich hier«, notierte er ein halbes Jahr später, nach einer längeren Krankheit, »unverheiratet, sehr einsam, neunundzwanzig Jahre alt, körperlich wieder gesund, aber geistig ziemlich unempfänglich, treibe meine Geschäfte mit Pünktlichkeit, aber ohne besondere Teilnahme, suche meinen Untergebenen das Leben in ihrer Art behaglich zu machen und sehe ohne Ärger an, wie sie mich dafür betrügen. Des Vormittags bin ich verdrießlich, nach Tische allen milden Gefühlen zugänglich. Mein Umgang besteht in Hunden, Pferden, und Landjunkern, und bei Letzteren erfreue ich mich einigen Ansehens, weil ich Geschriebenes mit Leichtigkeit lesen kann, mich zu jeder Zeit wie ein Mensch kleide, und dabei ein Stück Wild mit der Accuratesse eines Metzgers zerwirke, ruhig und dreist reite, ganz schwere Zigarren rauche und meine Gäste mit freundlicher Kaltblütigkeit unter den Tisch trinke.«

Das war, so sehr Spott und Selbstironie dominierten, doch auch Ausdruck eines an die Substanz gehenden Überdrusses an seinem Dasein und seiner ganzen Existenz. Es war der Punkt, an dem fast alles in ihn hereinbrechen konnte: unbedingte Bedenkenlosigkeit in der Wahl der Ziele und Mittel, wenn sie nur diesem Zustand ein Ende zu setzen versprachen, Selbstzerstörung und Selbstpreisgabe, Amoralität und blindes Desperadotum, aber auch die Bereitschaft zu einer Art Neuorientierung, zur Annahme der eigenen Person.

Bismarck hat in jenen Jahren der schrittweisen Auflösung aller Hoffnungen auf die Begründung einer inneren Existenz durch die äußere, durch Beruf und Umstände, viel gelesen, ganz unsystematisch zwar, ohne praktische Zielsetzung und ohne Bildungsinteresse im üblichen Sinne, sicher vielfach bloß zur Unterhaltung und Zerstreuung, aber auch auf der Suche nach tragfähigen Elementen einer solchen inneren Existenz, nach Einstellungen gegenüber dem Dasein und der Welt, die seinem überscharfen Auge nicht nur als Lebenslügen erschienen. Shakespeare, Goethe, Byron waren ihm durch Motley und Keyserling vertraute Autoren. Dazu kamen jetzt Lenau und Chamisso, Uhland und Rückert, Béranger und vor allem Heine, dessen doppelbödige, melancholisch grundierte Ironie seiner eigenen Art sich zu geben so sehr entsprach. Spinoza war ihm erstmals wohl im Zusammenhang mit seiner Arbeit über den Eid begegnet, und er las ihn nun wieder, zur »Beruhigung«, wie er sagte. An Hegel hat er sich versucht, auch von Voltaire ist die Rede, und die Junghegelianer hatte er sogar mit einigem Eifer studiert. Die Auseinandersetzung zwischen Vernunftglaube und Offenbarung, zwischen Geschichte und Gegenwart, der ihre Schriften durchzieht, und der Versuch einer wechselseitigen Sinnerhellung haben ihn zunächst persönlich berührt, allerdings in ihren Ergebnissen dann kaum überzeugt. Seither ist von Philosophie und der Lektüre philosophischer Werke nie mehr ernsthaft die Rede gewesen. Auf Schopenhauer angesprochen, mit dem er fast ein Jahrzehnt in der gleichen Stadt gelebt hat, erklärte er vierzig Jahre später fast unwirsch, er kenne ihn nicht: »Ich habe niemals Zeit und Veranlassung gehabt, mich mit Philosophie zu beschäftigen.« Auch die historischen Werke, die er damals in großer Zahl las, Schlossers Geschichte des 18. Jahrhunderts oder Dahlmanns Darstellung der Französischen Revolution oder Louis Blancs engagierte Behandlung der unmittelbaren Zeitgeschichte der Jahre zwischen 1830 und 1840, hat er fast durchgängig mit innerer Opposition aufgenommen: Für seinen Geschmack ging das alles zu glatt auf, war zu konstruiert, zu idealistisch, nicht das wirkliche Leben.

Ernsthaft geprägt hat ihn von all dem nichts. Zitate und Bilder, Vergleiche und Anspielungen hat er daraus in unvergleichlicher Fülle gewonnen und sich ihrer mit größter Souveränität in seinen Reden und Briefen, ja selbst in vielen amtlichen Schriftstücken bedient, die dadurch eine höchst eigentümliche und unverwechselbare Prägung erhielten. Aber was er las, blieb für ihn eine Art geistigen und literarischen Steinbruchs, aus dem er in völliger Unbekümmertheit gegenüber Zusammenhängen, dahinter stehenden Überzeugungen und Anschauungen jeweils das entnahm, worauf es ihm gerade ankam, alles in den eigenen Gedankengang und die eigene Betrachtungsweise einschmelzend. Ein literarischer Mensch, ein Mensch, für den die Welt des Geistes lebens- und identitätsstiftend ist, ist er nie gewesen und nie geworden – was nicht heißen soll, daß er ungeistig oder gar geistfeindlich war. Seine Existenz, sein Wesen, seine ganze Anschauungsweise bestimmten andere, unmittelbarere, direkter mit seiner Lebens- und Außenwelt verbundene Faktoren. Er bedurfte in dieser Hinsicht stets des äußeren, unvermittelten Anstoßes und ist sein Leben lang Naturen innerlich fremd geblieben, bei denen das anders war. Auch die Überwindung der Lebenskrise, in die er mit dreißig Jahren geraten war, verdankte er solchen äußeren Anstößen. Seit 1842 war er durch einen ehemaligen Mitschüler am Grauen Kloster, Moritz von Blanckenburg, der wie er 1843 den Justizdienst aufgab, um die väterlichen Güter zu verwalten, und der später über Jahrzehnte zu den Führern der preußischen Konservativen zählte, in einen Kreis pommerscher Pietisten eingeführt worden, der sich um Adolf von Thadden-Trieglaff, den Vater von Blanckenburgs Braut Marie, gebildet hatte. Die Lebensanschauungen dieses Kreises, der in ihm herrschende Geist innerweltlicher Askese und Strenge, die bewußt kritiklose Bibelgläubigkeit und die äußeren Formen der Frömmigkeit mit ihrem Zug ins Sektiererische und Übersteigerte – all das war ihm von Haus aus ganz fern. Wenn er trotzdem in diesem Kreis verkehrte, so wegen der intensiv werdenden freundschaftlichen Bindung an Moritz von Blanckenburg, einen Mann von höchst altruistischer Natur, der ihm mit unanfechtbarer Sympathie und lebendigem Verständnis begegnete, und nicht zuletzt wegen Marie von Thadden.

Über diese Beziehung zu der Braut seines Freundes ist viel gerätselt worden. Bismarck selber hat entschieden erklärt, sie sei ihm »teuer« geworden, »wie je eine Schwester ihrem Bruder«, und es gibt kein Zeugnis, keine Andeutung, daß er mehr oder anderes für sie empfand. Das besagt nicht allzuviel. Aber man sollte sich davor hüten, hier nach einem inneren Konflikt zu graben, der, wenn es ihn je gegeben haben sollte, praktisch folgenlos geblieben ist.

Das Wichtige lag auf einer anderen Ebene. In Marie von Thadden begegnete Bismarck einem Menschen mit einer Lebenszuversicht und einer inneren Sicherheit, wie er sie zu diesem Zeitpunkt vor allem anderen für sich selbst ersehnte. Marie hat ihn in ihrem pietistischen Missionseifer schon bald davon zu überzeugen versucht, daß ihre Haltung nicht Ausdruck einer besonderen Individualität oder einer erlernbaren Lebenseinstellung sei, sondern Ergebnis eines festgegründeten christlichen Glaubens, des unbeirrbaren Vertrauens in einen persönlichen Gott.

Erfolgreich ist sie darin nur insofern gewesen, als Bismarck sich überhaupt auf religiöse Gespräche einließ. Er beharrte dabei jedoch auf einem vagen Deismus, auf »dem blauen Dunstgebilde von Gott, was er sich gemacht hat«, wie Marie von Thadden es ausdrückte. Daß »Zuversicht und Frieden« die »Begleiter des Glaubens« seien, bezweifelte er nicht. Aber er ließ durchblicken, daß seiner Meinung nach auch ein Irrglaube diese Wirkung haben könne und daß es letztlich eine »Anmaßung der Gläubigen« sei, »ihre Ansicht für die rechte zu halten«. Der Gedanke der Allmacht und der unermeßlichen

Größe Gottes verbiete, wie er meinte, den Glauben an einen persönlichen, dem einzelnen und seinen Nöten, Wünschen und Erwartungen zugewandten Gott. »Es stellte sich bei mir fest«, so hat er seine damalige Überzeugung rückblickend formuliert, »daß Gott dem Menschen die Möglichkeit der Erkenntnis versagt habe, daß es Anmaßung sei, wenn man den Willen und die Pläne des Herrn der Welt zu kennen behaupte, daß der Mensch in Ergebenheit erwarten müsse, wie sein Schöpfer im Tode über ihn bestimmen werde, und daß uns auf Erden der Wille Gottes nicht anders kund werde, als durch das Gewissen, welches er uns als Fühlhorn durch das Dunkel der Welt mitgegeben habe.« Aufklärerischer Rationalismus und etwas vom Pathos des Verzweifelten, der sich einsam und verlassen fühlt, mischten sich darin, aber ebenso eine instinktive Ablehnung jener engen und nicht selten bigotten Selbstgewißheit, die ihm in diesem pietistischen Kreis öfters begegnete.

Marie von Thadden war davon völlig frei. Doch das konnte man auch so auslegen, daß eben alles von der Individualität, von der Persönlichkeit abhänge. Und dies hat Bismarck wohl auch getan. Als Moritz von Blanckenburg, offenbar durch optimistische Äußerungen Maries ermuntert, in langen Briefen das Thema aufgriff, ist Bismarck zwar zunächst darauf eingegangen, hat aber den Briefwechsel dann bald wieder einschlafen lassen. Das Bedürfnis nach einer tieferen Verankerung seiner Existenz, die ihm so fragwürdig, fast gleichgültig geworden war, blieb deutlich und verstärkte sich. Aber ebenso ausgeprägt blieb seine kritische Skepsis nicht nur anderen, sondern auch sich selbst gegenüber. Daß ein Bedürfnis seine eigene Befriedigung erzeugen könne, war ihm nur zu bewußt. »Wie kann ich denn glauben, da ich doch einmal keinen Glauben habe«, so hatte er Marie von Thadden mit einiger Erregung bei ihrem ersten religiösen Gespräch 1843 entgegengehalten: »Der muß entweder in mich hineinfahren oder ohne mein Zutun und Wollen in mir aufschießen.« Abwehr und Erwartung verstellten sich gegenseitig den Weg, und rein von außen gesehen mußte es eigentlich so sein, daß der entscheidende Durchbruch in dem Augenblick erfolgte, in dem diese Abwehrhaltung sich durch tiefgreifende Erschütterungen kurzzeitig auflöste.

In seinem »Werbebrief« hat Bismarck in diesem Zusammenhang von »Ereignissen« gesprochen, »bei denen ich nicht handelnd beteiligt war, und die ich als Geheimnisse anderer nicht mitteilen darf, die aber erschütternd auf mich wirkten«. Um was es sich dabei handelte, liegt völlig im dunkeln. Bismarck ist nicht einmal andeutungsweise mehr darauf zurückgekommen. So könnte man sich damit zufrieden geben, daß es Vorgänge gewesen sein müssen, die für sich selber letztlich weniger wichtig waren als in dem »factischen Resultat«, daß durch sie »das Bewußtsein der Flachheit und des Unwertes meiner Lebensrichtung in mir lebendiger wurde als je, die gute Meinung Anderer von mir mich drückte und beschämte, und ich bittere Reue über mein bisheriges Dasein empfand«. Auffällig allerdings ist, daß Bismarck hier und nur hier pietistische Formeln gebraucht, deren Grundton seinem ganzen Wesen zutiefst widersprach und die auch in den ganzen Kontext einer bei aller Offenheit sehr nüchternen und selbstanalytischen Darstellung seines bisherigen »inneren Lebens« nicht recht hineinpassen. Man wird daher annehmen können, daß er an dieser Stelle die Wirklichkeit seines »inneren Lebens« aus einsichtigen Gründen etwas korrigiert hat. Aus einsichtigen Gründen insofern, als er dem Adressaten seines Briefes gegenüber jeden Anschein vermeiden mußte, daß zwischen seiner religiösen Entwicklung und seiner Beziehung zu dessen Tochter irgendein Zusammenhang bestehe. Denn ein solcher Anschein hätte einen Mann, für den Glaubensgewißheit eine Selbstverständlichkeit war und die unabdingbare Vorbedingung einer Ehe, wahrscheinlich aufs höchste alarmiert. Er hätte den Verdacht erweckt, daß der Glaube hier in dubioser Weise das Kind einer durchaus irdischen Liebe, wenn nicht überhaupt nur vorgespielt sei.

Daß ein derartiger Zusammenhang bestand, steht außer Frage. In ihn paßt auch, was sich, unter dem Zwang der Umstände verfremdet und in stereotype Formeln gepreßt, in Bismarcks Worten über seine Lebenskrise, über »das Bewußtsein der Flachheit und des Unwertes meiner Lebensrichtung« ausdrückt: Es war das gesteigerte Gefühl inneren Ungenügens, das die Begegnung mit Johanna von Puttkamer und die zunächst nur sehr zögernd erwiderte Liebe zu ihr in ihm ausgelöst hatte – ein Gefühl, das Bismarck in vollem Bewußtsein als Vorbedingung und ersten Ausdruck seiner religiösen Wandlung bezeichnet hat.

Johanna von Puttkamer war eine enge Freundin Marie von Thaddens. Auch sie stammte aus einem pietistischen Hause. Sie war das einzige Kind eines zurückgezogen lebenden pommerschen Landedelmannes, der sein Gut Reinfeld im äußersten Osten der Provinz – im tiefsten Hinterpommern, wie man zu sagen pflegte – selbst bewirtschaftete und als Kreis- und Landtagsabgeordneter wenig zur Änderung der weitverbreiteten Meinung beitrug, Pommern sei politisch wie sozial die rückständigste Provinz des ganzen Königreiches. Als Erbin der elterlichen Güter, zu denen neben dem aus der Familie der Mutter stammenden Reinfeld noch das väterliche Viartlum gehörte, war Johanna von Puttkamer eine Partie, wenngleich keine große. Der Kreis, in dem sie sich von Haus aus, auch im Geistigen, zu bewegen gewohnt war, war vergleichsweise eng, im Politischen und Sozialen ganz ans Herkommen gebunden, im Religiösen streng bibelgläubig und von stark gefühlsbetonter Frömmigkeit, von den geistigen Strömungen der Zeit kaum berührt und stärker aufgeschlossen eigentlich nur im Literarischen und Musikalischen. Shakespeare und die Romantiker, hier insbesondere Jean Paul, Schumann als der große Liederkomponist und Beethoven, das sind die Namen, die ihr vertraut waren. In diesem Kreis hat sie sich jedoch mit großer Freiheit und geistiger Offenheit bewegt, mit Nüchternheit, Natürlichkeit und viel gesundem Menschenverstand, in ihrer unangefochtenen Frömmigkeit ganz lebenszugewandt und aller »Pietisterei fern«, wie ihr Moritz von Blanckenburg bezeugte. Er unterstützte Marie von Thadden bereits 1843/44 in der Idee, die eben neunzehn Jahre alte Johanna könne die richtige Frau für Bismarck sein. Das besagte viel. Denn beide kannten ihn bei aller Sympathie nur zu gut: seine »Tollheiten«, seine Unstetigkeit, sein Bedürfnis nach Abwechslung in allen Lebensbereichen und nicht zuletzt seine religiöse Indifferenz. Augenscheinlich trauten sie Johanna von Puttkamer zu, mit all dem fertig zu werden und Bismarck menschlich gewachsen zu sein – gerade Marie von Thadden war nicht die Frau, in einer Ehe die blinde Unterwerfung des weiblichen Teils zu sehen. Sie glaubten zudem, Johanna werde in der Lage sein, ihm einen inneren Halt zu geben, vielleicht sogar, ihn religiös zu »erwecken«.

Bei der Hochzeit seiner Freunde, Marie von Thaddens und Moritz von Blanckenburgs, Anfang Oktober 1844, hat Bismarck Johanna zum ersten Mal gesehen. Eine spontane Leidenschaft hat diese Begegnung bei ihm, der in dieser Beziehung weder unanfällig noch unerfahren war, nicht ausgelöst. Man hatte ihm bereits viel von ihr erzählt, für seinen Geschmack sicher zu absichtsvoll und wahrscheinlich in jenem emphatischen Stil, der dem ganzen Kreis eigen war und bei einem Außenstehenden, der zu mehr Nüchternheit neigte, wohl kaum die beabsichtigte Wirkung hervorrief. Im Haus der gemeinsamen Freunde Blanckenburg in Cardemin sind sie einander in der folgenden Zeit öfter begegnet, ohne sich sehr viel näher zu kommen. Erst knapp zwei Jahre später, auf einer von Marie von Blanckenburg wohl wieder nicht ohne Hintergedanken angeregten Reise einer größeren Freundesgruppe in den Harz, hat er sie plötzlich mit ganz anderen Augen gesehen. »Nach unserer gemeinschaftlichen Reise in diesem Sommer«, schrieb er wenige Monate später an ihren Vater, sei er »nur darüber im Zweifel gewesen..., ob die Erreichung meiner Wünsche mit dem Glück und Frieden Ihres Fräulein Tochter verträglich sein werde«.

Letzteres war dabei keine bloße, auf mögliche Bedenken des Adressaten berechnete Formel. Daß er durch seinen Charakter, durch seine Lebenseinstellung, durch seinen Unglauben etwas zerstören könne, was das Wesen des geliebten Menschen ausmachte, daß das stärkste Hindernis einer Verbindung mit ihm möglicherweise in ihm selber liege und auch die Zurückhaltung Johannas hierin ihren letzten Grund habe, das muß ihn in den Wochen nach der Harz-Reise intensiv beschäftigt haben. Aus solchen verstärkten Selbstzweifeln heraus und wohl auch in dem Wunsch, der Welt, in der sie lebte, näher zu kommen, hat er in jener Zeit viel in der Bibel gelesen – »konsequenter und mit entschiedener Gefangenhaltung einstweilen des eigenen Urteils«. Und als Moritz von Blanckenburg, gelegentliche Gespräche auf der Harz-Reise aufgreifend, ihm schrieb und ihren religiösen Briefwechsel vorsichtig wieder in Gang zu bringen suchte, ist er darauf bereitwillig eingegangen.

In dieses Grübeln und immer wieder von Zweifeln bestimmte Tasten traf Ende Oktober 1846 die ihn aufs stärkste erschütternde Nachricht von einer lebensbedrohenden Erkrankung Marie von Blanckenburgs. Sie durchbrach alles, was in ihm an Widerständen, an Skepsis, an rationalen Vorbehalten noch vorhanden war. »Was sich in mir regte«, so hat er es in den entscheidenden Zeilen des »Werbebriefes« beschrieben, »gewann Leben, als sich, bei der Nachricht von dem tödlichen Erkranken unserer verstorbenen Freundin in Cardemin, das erste inbrünstige Gebet, ohne Grübeln über die Vernünftigkeit desselben, von meinem Herzen losriß, verbunden mit schneidendem Wehgefühl über meine eigene Unfähigkeit zu beten, und mit Tränen, wie sie mir seit den Tagen meiner Kindheit fremd gewesen sind. Gott hat mein damaliges Gebet nicht erhört, aber er hat es auch nicht verworfen, denn ich habe die Fähigkeit, ihn zu bitten, nicht wieder verloren, und fühle, wenn nicht Frieden, doch Vertrauen und Lebensmut in mir, wie ich sie sonst nicht mehr kannte. Durchdrungen von der Erkenntnis, durch mich selbst der Sünde und Verkehrtheit nicht ledig werden zu können, fühle ich mich in dieser Erkenntnis nicht mutlos und niedergeschlagen, wie früher ohne dieselbe, weil der Zweifel an einem ewigen Leben von mir gewichen ist, und weil ich Gott täglich mit bußfertigem Herzen bitten kann, mir gnädig zu sein um Seines Sohnes willen, und in mir Glauben zu wecken und zu stärken.«

Die Tatsache, daß seine Werbung sowohl beim Vater als auch bei der Tochter selber unter anderen Umständen praktisch aussichtslos gewesen wäre, hat seit Bekanntwerden dieses Briefes Zweifel darüber genährt, ob Bismarck hier wirklich aufrichtig gewesen ist oder ob ihm in erster Linie der künftige Diplomat die Feder geführt hat. Die Fülle diesbezüglicher Zeugnisse seines persönlichen Lebens spricht jedoch eine eindeutige Sprache. Der Glaube an einen persönlichen Gott und an die Unsterblichkeit gehörte seither fraglos zu den tragenden Elementen seiner ganzen Existenz. »Ich begreife nicht«, schrieb er viereinhalb Jahre später anläßlich eines Besuchs in Wiesbaden, auf sein damaliges Leben zurückblickend, »wie ein Mensch, der über sich nachdenkt und doch von Gott nichts weiß oder wissen will, sein Leben vor Verachtung und Langeweile tragen kann, ein Leben, das dahinfährt wie ein Strom, wie ein Schlaf, gleichwie ein Gras, das bald welk wird; wir bringen unsere Jahre zu wie ein Geschwätz. Ich weiß nicht, wie ich das früher ausgehalten habe; sollte ich jetzt leben wie damals, ohne Gott, ohne Dich, ohne Kinder – ich wüßte doch in der Tat nicht, warum ich dies Leben nicht ablegen sollte wie ein schmutziges Hemd.«

»Ohne Gott, ohne Dich, ohne Kinder« – das bezeichnete die Säulen seiner privaten Existenz, die Basis jener »Unabhängigkeit des Privatlebens«, die der Dreiundzwanzigjährige einstmals »in das öffentliche« hinüberzunehmen gehofft hatte. »Ich danke Gott und danke Dir«, telegrafierte er zum vierzigsten Hochzeitstag, »für 40 Jahre unwandelbarer Liebe und Treue. Es waren

14 610 Tage, daneben 2088 Sonntage und zehn 29$^{te}$ Februare. Gute und schlimme, aber doch viel mehr gute.« Nach seinem religiösen Grunderlebnis, nach der damit verbundenen Annahme seiner eigenen Existenz hatte er alles Zögern, das in Johanna noch vorhanden sein mochte, alle etwaigen Bedenken und Zweifel der Eltern, seiner selbst nun sicher, beiseite geschoben. »All right«, telegrafierte er am 12. Januar 1847 lakonisch-triumphierend der Schwester aus Reinfeld. »Ich fand dort«, so der Bericht an den Bruder, »keine ungünstige Stimmung, aber Neigung zu weit aussehenden Verhandlungen, und wer weiß, welchen Weg diese genommen hätten, wenn ich nicht durch eine entschlossene accolade meiner Braut, gleich beim ersten Anblick ihrer, die Sache zum sprachlosen Staunen der Eltern in ein anderes Stadium gerückt hätte, in welchem binnen fünf Minuten alles in Richtigkeit geriet.« Knapp sieben Monate später, am 28. Juli 1847, vier Wochen nach Schließung des »Vereinigten Landtags«, fand in Reinfeld die Hochzeit statt. »Im übrigen«, fuhr er in dem Brief an den Bruder fort, »glaube ich ein großes und nicht mehr gehofftes Glück gemacht zu haben, indem ich, ganz kaltblütig gesprochen, eine Frau von seltenem Geist und seltnem Adel der Gesinnung heirate, dabei liebenswürdig sehr und facile à vivre wie ich nie ein Frauenzimmer gekannt habe.«

Das war nicht nur Stimmung und Urteil der Verliebtheit. Das dauerte und bewährte sich über Jahrzehnte, gespiegelt und überliefert in Hunderten von Briefen, die in ihrer Unmittelbarkeit, ihrer Intensität und unbedingten Hinwendung selbst in der reichen Briefliteratur des 19. Jahrhunderts nur wenig ihresgleichen finden. Sie zeigen, in welchem Maße ihn diese Verbindung innerlich bestimmt, seinem Leben Sicherheit und Sinn gegeben hat, und wie sehr er ihrer bedurfte, um zu sich selbst zu gelangen, zu Beruhigung und Gleichgewicht, nicht nur einmal, sondern immer wieder: »Du bist mein Anker an der guten Seite des Ufers«, so hat er es selbst einmal formuliert: »Reißt der, so sei Gott meiner Seele gnädig.«

Denn so unbestreitbar die religiöse Erfahrung und die Liebe zu Johanna von Puttkamer sein weiteres Leben von den Grundlagen her bestimmt haben, so unübersehbar ist doch auch, daß das weiterwirkte, was an innerer Zerrissenheit, an lebensbedrohender Skepsis, an leidenschaftlicher Unbedingtheit und Egozentrik in ihm angelegt war. »Das irdisch Imponierende und Ergreifende, was mit menschlichen Mitteln für gewöhnlich dargestellt werden kann«, schrieb er aus solcher Einsicht einmal an Johanna, »steht immer in Verwandtschaft mit dem gefallnen Engel, der schön ist, aber ohne Frieden, groß in seinen Plänen und Anstrengungen, aber ohne Gelingen, stolz und traurig.«

Einen inneren Halt, Glaubensgewißheit und eine feste emotionale Bindung gefunden zu haben, hieß ja nicht Wesensänderung. Es hieß nicht, daß er jetzt seine Umwelt mit ganz anderen Augen sah und beurteilte, seinen Platz in ihr völlig anders bestimmte. Im Gegenteil: Sein Blick für ihre Schwächen, für die ihn umgebenden Selbsttäuschungen und Illusionen, für die Berechenbarkeiten menschlichen Handelns wurde vielleicht noch schärfer. Der Gedanke der Geborgenheit der eigenen und aller Existenz in einem höheren Willen setzte in einem Charakter wie dem seinen zusätzliche Aktivität und Willenskraft und eine Einstellung gegenüber dem Erfolg frei, in der die Bereitschaft zum Risiko, das Temperament des Spielers, eine gelegentlich bis zur Gleichgültigkeit gehende Unbekümmertheit dominierten. Es war ein Element dessen, was Goethe das »Dämonische« genannt hat, jener Unbedingtheit und Leidenschaftlichkeit, deren Wurzeln tief ins Dunkle hinabreichen, vielleicht teilweise rationalisierbar, letztlich aber nicht wirklich zu erklären. Und Bismarck war eine viel zu selbstkritische Natur, als daß er diese Züge an sich selbst nicht entdeckt hätte; es gebe, so hat er es einmal formuliert, in seiner Seele »ganze Provinzen, in die ich nie einen anderen Menschen werde hineinsehen lassen«. Aber, und darin steckte viel Problematisches, er sah sie nun aufgehoben, in gewisser Weise sogar gerechtfertigt in der außerweltlichen Bestimmtheit aller irdischen und menschlichen Ordnung.

Das scheinbar oft bedenkenlose Zupacken, der große Einsatz, das Umwerfen in vollem Lauf, wenn ein Ziel nicht mehr erreichbar zu sein schien und plötzlich ein anderes lockte – all das hat er wieder und wieder damit erklärt, es handle sich nur von außen gesehen um Willkür und den unbedingten Durchsetzungsdrang des Einzelnen. In Wahrheit vollziehe der Einzelne hier nur, was ein Größerer wolle. Der Einzelne schaffe weder die Umstände, noch bestimme er den Gang der Geschichte. Seine Leistung bestehe letztlich nur darin, daß er erkenne, was an der Zeit ist. »Die Weltgeschichte mit ihren großen Ereignissen«, so hat er es im Gespräch mit dem Superintendenten Max Vorberg im Alter einmal formuliert, »kommt nicht dahergefahren wie ein Eisenbahnzug in gleichmäßiger Geschwindigkeit. Nein, es geht ruckweis vorwärts, aber dann mit unwiderstehlicher Gewalt. Man soll nur immer darauf achten, ob man den Herrgott durch die Weltgeschichte schreiten sieht, dann zuspringen und sich an seines Mantels Zipfel klammern, daß man mit fortgerissen wird, so weit es gehen soll. Es ist unredliche Torheit und abgelebte Staatsklugheit, als käme es darauf an, Gelegenheiten zu schürzen und Trübungen herbeizuführen, um dann darin zu fischen.«

Das war Hegel in christlichem Gewande, war der »Geschäftsführer des Weltgeistes«. Und hier wie dort lag die Gefahr sehr nahe, das eigene Handeln, die eigene Sache dann, wenn man Erfolg hatte, als Ausdruck einer Weltvernunft, des göttlichen Willens, der Vorsehung zu stilisieren und das, was sich ihnen entgegenstellte, zu verteufeln, gleichsam moralisch zu verurteilen.

Wie so oft stand Bismarck auch hier auf der Grenze. Für den Geist christlicher Selbstgerechtigkeit, wie er ihm in Pommern und dann häufig im Kreis seiner politischen Freunde begegnete, hatte er ein viel zu scharfes Auge, als daß er ihm selbst hätte wirklich verfallen können. Als ihn Mitte der sechziger Jahre ein konservativer Parteifreund an seine Pflichten als »christlicher Staatsmann« erinnern zu müssen glaubte, da ist er ihm scharf in die Parade gefahren: Niemand habe ein Monopol zu entscheiden, was politisch verantwortliches Handeln auch im christlichen Sinne sei, und fleißiger Kirchenbesuch und frommer Augenaufschlag sage gar nichts. »Wer mich einen gewissenlosen Politiker schilt, tut mir unrecht und soll sich sein Gewissen auf *diesem* Kampfplatz erst selbst einmal versuchen … Wenn ich mein Leben an eine Sache setze, so tue ich es in demjenigen Glauben, den ich mir in langem und schwerem Kampfe, aber in ehrlichem und demütigem Gebete vor Gott gestärkt habe und den mir Menschenwort, auch das eines Freundes im Herrn und eines Dieners Seiner Kirche, nicht umstößt.«

Der Einzelne stehe unmittelbar zu Gott, hieß das. Aber was dabei Anspruch war, bezeichnete auch die Grenze: das Unterworfensein unter den im letzten unerforschlichen Willen und Ratschluß eines Höheren. »Wie Gott will«, schrieb er am 2. Juli 1859 seiner Frau nach seiner Abberufung als preußischer Bundestagsgesandter in Frankfurt und seiner Versetzung nach Petersburg, »es ist ja doch nur alles eine Zeitfrage, Völker und Menschen, Torheit und Weisheit, Krieg und Frieden, sie kommen und gehen wie Wasserwogen, und das Meer bleibt. Was sind unsre Staaten und ihre Macht und Ehre vor Gott anders als Ameisenhaufen und Bienenstöcke, die der Huf eines Ochsen zertritt oder das Geschick in Gestalt eines Honigbauern ereilt.« Und fünf Jahre später, nach einem seiner vielleicht größten diplomatischen und politischen Erfolge in der Auseinandersetzung um Schleswig-Holstein: Der König »dankte mir beim Abschied sehr bewegt und mir alles Verdienst zuweisend von dem, was Gottes Beistand Preußen wohlgetan hat. Unberufen, Gott wolle uns ferner in Gnaden leiten und uns nicht der eignen Blindheit überlassen. Das lernt sich in diesem Gewerbe recht, daß man so klug sein kann wie die Klugen dieser Welt und doch jederzeit in die nächste Minute geht wie ein Kind ins Dunkle.«

Den Erfolg, das Durchdringen des eigenen Wollens und Planens, die Überwindung des politischen Gegners als etwas anzusehen, das zugleich in gewisser Weise einer höheren Weltordnung entsprach, dies war Bismarck von früh auf nicht fremd, und die Versuchungen der Macht waren ihm nur zu vertraut. Von daher hat er die Bindungen der Religion sehr bewußt und noch vor aller unmittelbaren religiösen Erfahrung als notwendig empfunden; das »außerdem muß man innerlich fromm sein« des knapp Zwanzigjährigen gegenüber seinem Freund Keyserling gehört in diesen Zusammenhang. In einem jährlich neu erscheinenden Andachtsbuch mit täglichen Bibelzitaten und entsprechenden Kommentaren Luthers, das er viele Jahre mit sich führte, fand er unter dem 27. September 1870, drei Wochen nach Sedan, nach dem Sieg über das napoleonische Frankreich, einen Satz Luthers, den er sich in offenbarer Zustimmung dick anstrich, den zweiten Teil noch doppelt hervorhebend. »Es sei deine Sache«, so lautete er, »wie gerecht, wie heilig, wie unschuldig, wie göttlich sie immermehr wolle, so ist es doch vonnöten, daß du sie in Furcht und Demut handelst und fürchtest allezeit Gottes Gerichte.« Was er für sich selbst als unerläßlich empfand, sollte seiner Meinung nach auch für die Gemeinschaft und für den Staat gelten. »Wie man ohne Glauben an eine geoffenbarte Religion, an Gott, der das Gute will, an einen höheren Richter und ein zukünftiges Leben zusammenleben kann in geordneter Weise – das Seine tun und jedem das Seine lassen, begreife ich nicht«, erklärte er einen Tag später einer kleinen Tischgesellschaft beim Essen. Der Zusammenhang war hier klar und drastisch: Ohne Religion, ohne Glauben gebe es kein wirkliches Pflichtgefühl, keine tiefergehenden Bindungen, keine überpersönlichen Rücksichten und Loyalitäten. »Hätte ich die wundervolle Basis der Religion nicht, so wäre ich dem ganzen Hofe schon längst mit dem Sitzzeug ins Gesicht gesprungen.« Was noch an wirklicher Selbstverleugnung und Hingabe an den Staat und die Monarchie vorhanden sei, sei religiösen Ursprungs, sei ein Rest an Glauben in säkularisierter Form, »unklarer und doch wirksam, nicht mehr Glaube und doch Glaube«. Er wolle nicht »unter einem Herrn seine Kraft verpuffen«, so hat er das dreizehn Jahre vorher, mit Blick auf Friedrich Wilhelm IV. einmal formuliert, »dem man nur mit Hilfe der Religion gehorchen kann«. Sobald diese Bindungen fielen, gebe es kein Halten mehr gegenüber dem Egoismus, dem Machthunger, den nackten Interessen. Was sei schließlich seine eigene Unterordnung und Treue gegenüber der Krone anderes als Ausdruck einer metaphysischen Bindung: »Denn warum, wenn es nicht göttliches Gebot ist – warum soll ich mich denn diesen Hohenzollern unterordnen? Es ist eine schwäbische Familie, die nicht besser ist als meine und die mich dann gar nichts angeht.«

Das war in zugespitzter Form ausgedrückt eine politische Grundüberzeugung, die sich in ihrem Kern bei ihm schon sehr früh entwickelt hatte und die dann während seiner Jahre in Pommern, vornehmlich in den Gesprächen und Diskussionen im Kreis um Adolf von Thadden-Trieglaff Gestalt annahm. Neben Thadden gehörten zu diesem Kreis die Brüder Gerlach und Ernst von Senfft-Pilsach, ein Schwager Thaddens, damals Geheimer Oberfinanzrat im Ministerium des Königlichen Hauses und von 1852 bis 1866 Oberpräsident der Provinz, sowie Ernst von Bülow-Cummerow, der in den vierziger Jahren als konservativer Publizist weit über Pommern hinaus bekannt wurde. Als eine Art geistiger Mentor wirkte aus der Ferne der Berliner Professor für Rechtsphilosophie, Staats- und Kirchenrecht Friedrich Julius Stahl, der, Sohn jüdischer Eltern, aber schon früh zum Protestantismus übergetreten, in jenen Jahren zum eigentlichen Begründer einer konservativ-monarchischen Staatsrechtslehre in Deutschland wurde.

Äußerlich und in den praktischen Konsequenzen stimmte Bismarck in seiner politischen Grundüberzeugung zunächst ganz mit jenen Männern überein. Die vorhandene staatliche und gesellschaftliche Ordnung sei, das war ihr Kernsatz, nicht historisch-pragmatisch, sondern metaphysisch begründet. »Von Gottes Gnaden« sei nicht nur die Stellung der Krone, sondern auch die des Adels und der übrigen Stände, sei ihr Verhältnis zueinander und sei vor allem ihre jeweilige Funktion, die Aufgabe, die sie in dieser Welt zu vollbringen hätten. Diese Aufgabe sei im letzten die »Realisierung der christlichen Lehre«, dies sei also der eigentliche »Zweck des Staates« überall dort, wo sein Eingreifen überhaupt nötig sei.

Das hieß, daß ein solcher »christlicher Staat«, zu dem Bismarck sich dann im »Vereinigten Landtag«, in seiner Rede gegen die politische Gleichstellung der Glaubensjuden vom 15. Juni 1847, nachdrücklich bekannte, vorrangig die herkömmliche gesellschaftliche Ordnung zu schützen und zu verteidigen habe. Stamme doch deren Legitimität aus derselben Quelle wie seine eigene. Er zerstöre also seine eigenen Grundlagen, wenn er die der Gesellschaft in ihrer bisherigen Gestalt verändere oder gar preisgebe.

Verwirklichung der christlichen Lehre bedeutete somit: das Leben in den traditionellen, gottgewollten Bahnen zu halten und im übrigen die Gesellschaft in ihrer überlieferten Form so wenig wie möglich zu bevormunden. Die politische Tendenz war also ganz klar. Ansonsten jedoch war die Lehre vom »christlichen Staat« sehr abstrakt und allgemein. Ludolf Camphausen, der Kölner Bankier, einer der Führer des rheinischen Liberalismus, der ein dreiviertel Jahr später in der Revolutionszeit preußischer Ministerpräsident wurde, hatte über den politischen Gegensatz hinaus schon recht, wenn er in der Diskussion erklärte, seiner Meinung nach sei »der Begriff des christlichen Staates weniger im Kreis praktischer Staatsmänner, veranlaßt durch wirkliche Erfahrungen und Bedürfnisse, entstanden« – er sei wohl eher »eine vielleicht mit äußeren Ursachen zusammenhängende Entdeckung unserer neuen Staatsphilosophie«.

Ganz wohl war Bismarck selber nicht, als er sich außerhalb des heimischen Kreises, vor ungleich kritischeren Ohren, in die dünne Luft solcher Abstraktionen begab – mochte er sich auch wie bei seinem ersten Auftritt des Beifalls seiner politischen Freunde und des Hofes sicher sein. Er hat sich daher rasch auf eine handfestere, polemisch verwendbare Argumentation zurückgezogen, die seine Anschauungen wie seine politische Perspektive sehr viel unmittelbarer und konkreter widerspiegelte. Der Staat sei, darin stimme er mit den Liberalen überein, seinem Wesen nach eine Rechtsordnung. Die entscheidende Frage sei jedoch, wo man die Basis dieser Rechtsordnung, die Quelle aller positiven Gesetzgebung sehe: im innerweltlichen Bereich oder in einer der Relativität und Wandelbarkeit alles Menschlichen entzogenen Sphäre geoffenbarter Wahrheit, also im Christentum. »Entziehen wir diese Grundlage dem Staate, so behalten wir als Staat nichts als ein zufälliges Aggregat von Rechten, eine Art Bollwerk gegen den Krieg Aller gegen Alle, welchen die ältere Philosophie aufgestellt hat. Seine Gesetzgebung wird sich dann nicht mehr aus dem Urquell der ewigen Wahrheit regenerieren, sondern aus den vagen und wandelbaren Begriffen von Humanität, wie sie sich gerade in den Köpfen derjenigen, welche an der Spitze stehen, gestalten. Wie man in solchen Staaten den Ideen zum Beispiel der Kommunisten über die Immoralität des Eigentums, über den hohen sittlichen Wert des Diebstahls als eines Versuchs, die angeborenen Rechte des Menschen herzustellen, das Recht, sich geltend zu machen, bestreiten will, wenn sie die Kraft dazu in sich fühlen, ist mir nicht klar«, fuhr er in charakteristischer sofortiger Nutzanwendung auf ein vermutetes Dilemma der Opposition, der Vertreter des besitzenden Bürgertums, fort: »Auch diese Ideen werden von ihren Trägern für human gehalten, und zwar als die rechte Blüte der Humanität angesehen.«

Gegen den Optimismus von Aufklärung und Liberalismus, gegen den Glauben an die Vervollkommnungsfähigkeit des Menschen und der menschlichen Gemeinschaften aus sich selbst heraus kraft Einsicht, Vernunft und autonomer Moral stellte er, obschon in verdeckter Form, das Bild des der Gnade und Erlösung bedürftigen, sündigen Menschen, die lutherische Auffassung von der Rettung allein durch den Glauben. Der Anspruch auf unbedingte Autonomie, die sich an einer nur innerweltlich begründeten Ethik und angeblichen Vernunftgesetzen orientiert, wurde gleichgesetzt mit Willkür, mit grenzenlosem Subjektivismus, ja, mit der Freisetzung zerstörerischer Kräfte, brutaler Interessen und nackter Begehrlichkeit. Hier entfaltete sich die ganze skeptische Nüchternheit, mit der er schon von früh an das Handeln der Menschen, sei es im Individuellen oder sei es in Gemeinschaft, betrachtete; es sei wohl ein Fehler seiner Augen, hat er selbst immer wieder unterstrichen, daß er die Mängel seiner Mitmenschen so viel schärfer sehe als ihre Vorzüge. Von der Basis unumschränkter Autonomie des Einzelnen aus schien ihm ein Zusammenleben »in geordneter Weise – das Seine tun und jedem das Seine lassen«, wie er es 1870 formulierte, nicht denkbar, Mäßigung und vor allem Sinngebung des Daseins nicht zu erwarten.

Das hinderte ihn nicht daran, in aller Praxis davon auszugehen, daß die Antriebe, Ziele und Interessen des Einzelnen wie der menschlichen Gemeinschaften in der Regel rein innerweltlicher Natur seien und als solche ganz nüchtern steuer- und berechenbar. Darin steckte scheinbar ein Widerspruch. Dieser Widerspruch hat sich jedoch für Bismarck in der gleichen Weise aufgelöst oder, besser gesagt, erledigt wie das Problem der inneren Sinnerfüllung seiner persönlichen Existenz, wenn man in beiden Fällen den wohl auf Dauer unauflösbaren Rest an Zweifel, Unsicherheit und skeptischer Mutlosigkeit einmal beiseite läßt. Hier wie dort befreite der Gedanke höherer, letztlich unerforschlicher Sinngebung des irdischen Daseins und der Gnadebedürftigkeit aller Existenz gleichsam von dem Zwang zu positivem Vorurteil sich selbst und anderen gegenüber, das unerläßlich war, wollte man eine geistige und moralische Sinnerfüllung des Lebens aus diesem selbst ableiten. Man brauchte sich nichts mehr vorzumachen, da davon nichts wirklich Entscheidendes mehr abhing.

Das hieß natürlich nicht, daß man den Dingen, sowohl was die eigene Person als auch was die Umwelt anging, einfach ihren Lauf lassen sollte. Aber es schränkte die Verantwortlichkeit insofern ein, als es den Einzelnen aus der Verantwortung für jedes wie auch immer geartete ganzheitlich konzipierte System entließ und sein Handeln auf individuelle Gewissensentscheidungen im Geist des Christentums verwies. Was aus ihm im Zusammenwirken und Gegeneinander mit anderem Handeln dann resultierte und wie das Ganze schließlich aussah, stand, wie dessen Sinn, letztlich bei Gott. Die einzig zulässige Vermutung in dieser Hinsicht war, daß das jeweils Machbare, eben weil es sich als machbar erwies, Gottes Absichten nicht ganz widersprechen könne.

Dieser christliche Realismus, ja Pragmatismus, mit dem Bismarck ins politische Leben eintrat und durch den er sich bei aller selbstkritischen Skepsis und auch Kritik gegenüber eigenen Handlungen und Entscheidungen innerlich stets gerechtfertigt fühlte, war allen modernen politisch-sozialen Systemvorstellungen und den aus ihnen abgeleiteten Urteils- und Handlungskriterien so fremd wie nur irgend etwas. So selbstverständlich dem modernen Menschen das Denken in solchen Zusammenhängen geworden sein mag, so verfehlt wäre es, dieses ohne weiteres einem Mann wie Bismarck zu unterstellen und damit seinen Handlungen von hier aus eine innere Folgerichtigkeit zuzuschreiben, die sie schlicht nicht besaßen. Bismarck erhält dann in der Tat ganz übermenschliche Züge und wird zu einer geradezu dämonischen Heldenfigur, die in negativer Umkehr alles in den Schatten stellt, was eine übersteigerte Bismarck-Verehrung vergangener Zeiten in dieser Hinsicht hervorgebracht hat. »Daß man so klug sein kann wie die Klugen dieser Welt und doch jederzeit in die nächste Minute geht wie ein Kind ins Dunkle« – das sagt nur ein zutiefst skeptischer Pragmatiker, dem die Grenzen menschlichen Planens und Handelns genau bewußt sind, und nicht jemand, der alles für überschaubar, machbar und beherrschbar hält.

Das eigentliche Problem dieses bei Bismarck bis zur letzten Konsequenz getriebenen christlichen Pragmatismus liegt genau in der Gegenrichtung, in der Frage der Grenzen der Verantwortlichkeit eigenen Handelns. Diese Grenzen sind von seinen Bewunderern wie von seinen Kritikern oft allzu weit ausgedehnt worden, und zwar nicht nur in objektiver, sondern auch in subjektiver Hinsicht. Bismarck selber hingegen wollte sie in beider Beziehung sehr eng gezogen wissen.

Nicht so sehr im historischen Rückblick und in der historischen Bewertung – das hat ihn zeit seines Lebens weniger interessiert. Wie schon den Historikern, die er in seiner Jugend gelegentlich las, so hat er auch denen, die über ihn selbst handelten, gern vorgeworfen, sie konstruierten die Dinge nach ihrem Geschmack, sie sähen »auch immer nur durch die eigene Brille«. Die Frage der Grenzen der Verantwortlichkeit eigenen Handelns hat ihn vielmehr aktuell politisch und als ein ganz konkretes menschliches Problem immer wieder beschäftigt. Bei seinem Eintritt ins politische Leben, als jugendlicher Parteigänger der Hochkonservativen um die Brüder Gerlach, gipfelte das Problem in der Frage nach den Pflichten eines christlichen Politikers, nach der Reichweite seiner Loyalitäten und der Unbedingtheit seiner Grundsätze. Allerdings hing von seiner »richtigen« Antwort auf diese Frage damals noch seine ganze politische Karriere ab, sofern er sie von jener politischen Gruppe erwartete, der er sich angeschlossen hatte. Dementsprechend blieb sie, wie etwa in seinem Bekenntnis zum »christlichen Staat«, sehr allgemein und vermied alle die Punkte, die etwa kontrovers hätten sein können. Hinzu kam, daß die schon bald dramatisch werdende Abwehrschlacht gegenüber dem herandrängenden politischen Gegner, den liberalen und demokratischen Kräften, alles andere zunächst in den Hintergrund drängte. Das Maß an Kampfeswillen, Entschlossenheit und Stehvermögen erschien nun entscheidender als alles andere.

Daran fehlte es Bismarck nicht. Und so ist er aus der Revolution von 1848/49 hervorgegangen als einer der führenden Männer des nun eindeutig dominierenden rechten Flügels der konservativen Partei. Als einer der führenden Männer sicher nicht in theoretischer Beziehung, aber in praktischer. Als höchst wirkungsvoller Redner vor unterschiedlichsten Gremien; als geschickter Unterhändler und erfolgreicher Organisator; als ein Mann, der das Geschäft eines modernen Parteipolitikers, wie er sich jetzt herausbildete, mit überraschender Sicherheit und Selbstverständlichkeit beherrschte, eines Politikers also, der es nicht mehr nur mit dem Hof, der Bürokratie, mit Standesgenossen und Untertanen zu tun hatte. Die konkreten Erfahrungen, die Bismarck hier gesammelt hat, die Möglichkeiten, die sich ihm dabei eröffneten, und die praktische Einsicht in das jeweils Machbare, die er nun erstmals erhielt – all das hat nicht nur sein künftiges politisches Leben entscheidend bestimmt. Es hat vielmehr auch die Antwort wesentlich beeinflußt, die er schließlich auf die Frage nach den Grenzen der Verantwortlichkeit eines christlichen Politikers gab, eine Frage, die seine hochkonservativen Freunde ihm aus gegebenem Anlaß mit allem Nachdruck stellten.

# Der Weg
# in die Politik

»Konstitution unvermeidlich, auf diesem Wege zu äußeren Ehren« hatte er als junger Mann seinem Freund Keyserling erklärt. Und in der Rechtfertigung seines Entschlusses, den preußischen Staatsdienst zu verlassen, war wieder von dem »Staate mit freier Verfassung« die Rede, in dem für einen Mann wie ihn eine politische Tätigkeit überhaupt nur denkens- und erstrebenswert sei. In der Tat verdankte er seinen politischen Aufstieg dann ganz entscheidend der Einführung des konstitutionell-repräsentativen Systems auch in Preußen oder, besser gesagt, der Krise des bürokratischen Absolutismus, zu dessen engagierten Verteidigern er scheinbar zählte.

Sicher nur scheinbar. Denn was er und seine politischen Freunde von Anfang an erstrebten, war nicht die Wiederbefestigung der bürokratisch-absolutistischen Ordnung. Es war die Wiedereinführung der politischen Mitwirkung und Mitregierung der Stände, in erster Linie des Adels, zur Sicherung der bestehenden gesellschaftlichen Ordnung gegenüber willkürlichen Eingriffen von außen und oben.

In diese Richtung gingen, in der für ihn charakteristischen undogmatischen Offenheit gegenüber der Frage der Konkretisierung und der Modifizierung im einzelnen, zeit seines Lebens seine Überlegungen und politischen Zielvorstellungen. Noch in seinen Erinnerungen bemerkte er: »Mir hat immer als Ideal eine monarchische Gewalt vorgeschwebt, welche durch eine unabhängige, nach meiner Meinung ständische oder berufsgenossenschaftliche Landesvertretung soweit kontrolliert wäre, daß Monarch oder Parlament den bestehenden gesetzlichen Rechtszustand nicht *einseitig*, sondern nur communi consensu ändern können, bei Öffentlichkeit und öffentlicher Kritik aller staatlichen Vorgänge durch Presse und Landtag.«

Wenn er freilich im gleichen Zusammenhang meinte, diese Grundeinstellung habe ihn eigentlich in die Nähe der liberalen Opposition gerückt, und die Gegnerschaft sei letztlich auf deren »unsympathische Art« und ihren phrasenreichen Dogmatismus zurückzuführen gewesen, so verdeckte das doch grundsätzliche Meinungsunterschiede. Vor allem hinsichtlich der Rolle des grundbesitzenden Adels, des Anteils anderer sozialer Schichten am politischen Leben und hinsichtlich der Reformbedürftigkeit der nach wie vor ständischpatriarchalisch strukturierten Agrarverfassung gingen die Auffassungen weit auseinander. Das galt in nicht geringerem Maße hinsichtlich der Rolle und Funktion der Krone und des Rechts von Mehrheiten ihr gegenüber.

In einem, nur scheinbar formalen Punkt hatte er jedoch recht, wenn er die ursprüngliche Nähe zur liberalen Opposition betonte: Beide erstrebten, wenngleich nur die eine Seite es offen aussprach, eine tiefgreifende Veränderung der bestehenden Staatsverfassung. Beide suchten in dieser Beziehung die Verwirklichung ihrer politischen Ziele außerhalb des Rahmens des Bestehenden. Beide waren also in diesem Sinne Revolutionäre, und Bismarck sogar, in verdeckter Form, der sehr viel entschlossenere. Denn wenn auch der zögernde Appell der Liberalen an das Prinzip der Volkssouveränität in der Revolution von 1848 äußerlich als das eigentlich Umstürzende erscheinen mochte, da es die Stellung des bisherigen Souveräns, des Monarchen, vom Grundsatz her in Frage stellte – von der Sache her war es nicht minder umstürzend, den Monarchen unter die Vormundschaft der angeblichen Verteidiger seiner unbedingten Macht stellen und die Krone auf Dauer auf eine bestimmte politische Richtung und ein bestimmtes politisches Programm verpflichten zu wollen. Eben das aber war das Ziel Bismarcks und seiner engsten politischen Freunde. Von hier aus wurden die Richtung und die Taktik ihrer Politik bestimmt, und von hier aus gewann auch Bismarck zunächst seinen konkreten politischen Standort, die Position, von der aus er argumentierte und handelte.

Idealtypisch gesehen gründete der bürokratische Absolutismus in dem Gedanken einer von den gesellschaftlichen Bindungen und Interessenkonflikten losgelösten Überparteilichkeit und Gerechtigkeit, die im Staat ihren Ort und ihre Verwirklichung fänden. Im Staat, das hieß in dem in christlicher Verantwortung und unter göttlicher Leitung allein dem Gemeinwohl verpflichteten Fürsten, der bei seinem Wirken von den Gesetzen, nämlich dem von und aus der Gesellschaft entwickelten Gewohnheitsrecht, dispensiert und selber zur Setzung eines besseren, höherwertigen, allgemeineren Rechts legitimiert sei.

Diese theoretische Rechtfertigung des Absolutismus, wie sie von vielen Vertretern der Aufklärung aufgenommen und weiterentwickelt worden war, erhob den Staat prinzipiell über die Gesellschaft. Sie verpflichtete ihn auf ideale Rechtsgüter, die sich angeblich aus der Natur der Sache ergaben: auf bestimmte individuelle Grundrechte, auf den Gedanken der Gleichheit vor dem Gesetz, auf die Wohlfahrt des Gemeinwesens und der Einzelnen, auf ihren Schutz nach außen und die Garantie ihrer freien Entwicklungsmöglichkeit. Sie favorisierte zugleich den reformerischen, in bestehende Rechts- und Sozialverhältnisse eingreifenden Staat, und dies um so mehr, als in ihnen die Hauptwiderstände gegen die Machtsteigerung des Monarchen und der ihm und dem neuen Staatsgedanken dienenden Bürokratie wurzelten.

Reform und Modernisierung von Staat und Gesellschaft gingen allerdings nicht nur zu Lasten der Nutznießer der bisherigen sozialen Ordnung. Sie entsprachen vielfach auch nicht den Wünschen und Interessen der durch jene Benachteiligten; das enthüllte den durch und durch ideologischen, die eigentlichen Machtinteressen verhüllenden Charakter dieser Staatsidee. Die Folge war, daß der bürokratische Absolutismus und seine Prinzipien zunehmend auch von dieser Seite angefochten und in Frage gestellt wurden. Gegen das »monarchische Prinzip« erhob sich das Prinzip der Volkssouveränität und damit der Anspruch auf Regierung nach parlamentarischer Mehrheitsentscheidung durch eine Volksvertretung.

In jener Situation boten sich zur Unterstützung der in ihren Rechten und in ihrer Stellung bedrohten Krone Kräfte an, die bisher ihren wachsenden Ansprüchen stets Widerstand geleistet hatten und nun als Preis für ihre Unterstützung zumindest eine Teilabdankung des Absolutismus zu ihren Gunsten forderten. So war es schon einmal im Vorfeld der großen Französischen Revolution von 1789 gewesen, in der sogenannten Adelsrevolution der Jahre 1787 und 1788. Damals war die Entwicklung darüber hinweggegangen. Diesmal jedoch schienen die Aussichten sehr viel günstiger.

Der revolutionäre Konkurrent aus dem bürgerlich-liberalen Lager war weit schwächer. Die Unruhe der ländlichen Bevölkerung war leichter zu besänftigen. Ihre unmittelbaren Interessen konnten von Staats wegen befriedigt werden. Die traditionelle Agrarverfassung, auf dem Lande eine der Hauptursachen der Revolution von 1789, war in Preußen schon seit Jahrzehnten in wesentlichen Teilen beseitigt. Was an ständisch-feudalen Relikten noch vorhanden war, stand auch in den Augen der unmittelbar Begünstigten in keinem Verhältnis zu dem, was bei einem endgültigen Übergang der bäuerlich-ländlichen Bevölkerung ins bürgerlich-liberale Lager zu befürchten war. Es stand vor allem insofern in keinem Verhältnis dazu, als an jenen Relikten nur noch formal-äußerlich etwas hing und die soziale Machtstellung der ländlichen Oberschichten längst eine ganz andere Basis erhalten hatte.

Zwar haben sich die entschieden ständisch-konservativ Gesinnten um die Gerlachs vor 1848 bemüht, derartige Relikte neu zu befestigen. Insbesondere das Institut der gutsherrlichen Gerichtsbarkeit auf dem Lande, die sogenannte Patrimonialgerichtsbarkeit, wollten sie in diesem Sinne reformieren und möglichst ganz vom Einfluß des Staates befreien. An diesen Bestrebungen hat sich auch Bismarck eingehend beteiligt. Sie waren jedoch weit mehr Ausdruck altständischen Selbstbewußtseins und Offensivgeistes als verzweifelter Kampf um die eigene soziale Machtstellung, wie es die an der westeuropäischen Entwicklung orientierte liberale Öffentlichkeit gern interpretierte.

Man übersah hier vielfach, und auf dieser Selbsttäuschung beruhte in mancher Hinsicht der Mißerfolg der Revolution, daß die gerade im liberalen Lager so sehr gepriesenen Reformen nach 1806 in Wahrheit zu Ergebnissen geführt hatten, die der eigenen Sache alles andere als dienlich waren. Auf dem

Lande war die traditionelle Oberschicht durch sie praktisch bruchlos und ohne einschneidende Einbußen in ihrer sozialen und damit politischen Machtstellung zu einer Schicht von insgesamt wohletablierten Guts- und Grundbesitzern geworden, die sich bereits vor 1848 sehr weitgehend den Bedingungen einer rationell-kapitalistischen, marktorientierten Wirtschaftsordnung angepaßt hatte. Die Art, wie Bismarck in den vierziger Jahren die pommerschen Güter der Familie hochzubringen versuchte, ist hierfür ein anschauliches Beispiel. Demgegenüber war das traditionelle, in Zünften und Gilden organisierte Bürgertum, das in den ostelbischen Gebieten ohnehin nur schwach vertreten war, durch dieselben Reformen eher geschwächt worden. Denn ihm war mit der Gewerbe- und Handelsfreiheit eine Konkurrenz geschaffen worden, die der Adel von der Mobilisierung des Grundbesitzes nur in wenigen Einzelfällen zu fürchten hatte, da hier der erforderliche Kapitalaufwand ungleich höher war. Zudem ging die kleine Zahl bürgerlicher Rittergutsbesitzer in Anschauungen und Lebensstil sehr rasch in ihrer aristokratischen Umwelt auf.

Hob also auf dem Lande die neue, im allgemeinen sicher fundierte berufsständische Ordnung die traditionelle geburtsständische fast ganz in sich auf, so war in den Städten oft das Gegenteil der Fall. Die Durchsetzung des liberal-kapitalistischen Wirtschaftssystems von oben, durch den monarchisch-absolutistischen Staat, führte nicht nur zu einer Befestigung, sondern, was die Spitze anging, sogar zu einer Verstärkung der überlieferten Sozialhierarchie. Das galt im übrigen auch für die Krone, für den monarchischen Staat als Grundbesitzer und bald auch als Unternehmer, obwohl Verschuldung und steigende Belastungen den Effekt hier rasch wieder einschränkten.

Aus all dem resultierte ein wachsendes Selbstbewußtsein der ländlichen Oberschicht in Preußen. Es wurde nur gelegentlich durch wirtschaftliche Rückschläge im agrarischen Bereich etwas gedämpft, drängte im übrigen jedoch auch politisch mehr und mehr zur Entfaltung. Es orientierte sich allerdings zunächst sehr deutlich an zwei Polen. Den einen bildete, mit Schwerpunkt in den Kernprovinzen der preußischen Monarchie, der Kreis um die beiden Gerlachs mit Friedrich Julius Stahl als publizistischem Hauptwortführer. Und der andere konzentrierte sich um eine Gruppe ostpreußischer und westfälischer Adliger und Gutsbesitzer mit dem Freiherrn von Vincke, Bismarcks schärfstem parlamentarischen Gegner in den nächsten Jahren, Ernst von Saucken und Alfred von Auerswald an der Spitze. Er war gleichsam das liberale Gegenstück dazu.

Dem Programm ständischer Restauration des Gerlachschen Kreises stellte man hier als erstrebenswertes politisches Ziel eine Entwicklung nach englischem Vorbild entgegen. Dort habe eine moderne, den Zeitströmungen aufgeschlossene Aristokratie sich nicht allein dauerhaft behauptet, sondern zugleich sehr oft dominierenden politischen Einfluß gewonnen. Die dieser

Auffassung zuneigenden Mitglieder der ländlichen Oberschicht in Preußen waren nicht nur recht zahlreich. Sie konnten sich auch rühmen, in der Aristokratie des übrigen Deutschland zahlreiche Bundesgenossen zu finden. Hier formierte sich so etwas wie eine Partei der deutschen Whigs, die mit Vertretern aus fast allen deutschen Staaten und Landschaften, wie dem Hessen Heinrich von Gagern, dem aus der Rheinpfalz stammenden Fürsten Karl zu Leiningen, dem Österreicher Anton von Schmerling, dem Westfalen Georg von Vincke oder dem Ostpreußen Alfred von Auerswald, in der Revolution von 1848 eine erhebliche Rolle gespielt hat, dann allerdings im Zuge der weiteren Entwicklung ganz beiseite gedrängt worden ist. Außer in einigen süddeutschen Einzelstaaten ist diese liberale Aristokratie bis 1918 höchstens noch in dem Kreis um den langjährigen preußischen und deutschen Kronprinzen Friedrich, den späteren Kaiser der Neunundneunzig Tage, deutlicher in Erscheinung getreten.

Doch das war vor 1848 nicht abzusehen. Eine selbstbewußte und reformfreudige, wirtschaftlich und sozial mächtige und gleichzeitig den Ansprüchen anderer gesellschaftlicher Gruppen gegenüber aufgeschlossene, liberal gesinnte Aristokratie schien im Gegenteil alles für sich zu haben. Und als die Revolution von 1848 ausbrach, da mochte mancher in diesem Kreis an die Möglichkeit einer Wiederholung der »Glorreichen Revolution« von 1688/89 in England glauben. Hier hatte sich eine breite und selbstbewußte Adelsschicht im Bündnis mit dem aufstrebenden Bürgertum gegen den Absolutismus durchgesetzt und eine politische Ordnung begründet, die sich dann als ebenso dauerhaft wie flexibel und entwicklungsfähig erwies.

All dies ist bloße Hoffnung geblieben. Auf der einen Seite fanden sich nur wenige Monarchen zu wirklicher Kooperation bereit; insbesondere der preußische und der habsburgische meinten schon bald, Rückhalt genug für eine ganz andere Politik zu haben. Und auf der anderen Seite war die wirtschaftliche und soziale Entwicklung gegenüber der Situation, wie sie hundertsechzig Jahre früher in England bestanden hatte, bereits so weit fortgeschritten, daß offenbar eine wirkliche Integration der Unterschichten in ein von Aristokratie und Bürgertum beherrschtes liberales Ordnungssystem nicht mehr möglich war.

Die sich immer schärfer ausprägenden wirtschaftlichen und sozialen Interessengegensätze in der Gesellschaft ließen, das schien schließlich die Lehre von 1848 zu sein, einen auf parlamentarischem Weg durch Diskussion und Kompromiß vermittelten Ausgleich nicht mehr zu. Hier mußten, das war ein weit verbreiteter Eindruck, künftig andere Formen gefunden werden, die die Idee eines möglichen Interessenausgleichs und Konsenses zurücktreten ließen und dafür den Gedanken des Gesamtwohls, den man nun wieder in größerer Unabhängigkeit von einem solchen Interessenausgleich zu sehen begann, stärker betonten. Gegenüber dem bisher vorherrschenden politischen und sozialen Individualismus zeichnete sich im politischen Denken ein neuer Kollektivismus ab, der freilich in den verschiedenen politischen Lagern und sozialen Gruppen einen sehr unterschiedlichen Kristallisationskern und Bezugspunkt fand. Hier war es der durch Alter und Herkommen geheiligte, ständisch-korporativ gegliederte Sozialkörper, dort die besitzlose arbeitende Bevölkerung in Stadt und Land, das Proletariat als das eigentliche Volk. Hier der Staat in seiner überlieferten Form, dort die höhere Einheit der Nation, die angeblich von jedem Einzelnen eine Revision seiner bisherigen Loyalitäten und Bindungen forderte.

In diesem tiefgehenden Umbruch, der sich schon im Verlauf des Jahres 1848 und dann vor allem im Gefolge des Scheiterns der Revolution vollzog, hat Bismarck seinen spezifischen Standort endgültig gefunden und damit, wenn man so will, die inzwischen erworbene innerliche »Unabhängigkeit des Privatlebens« auch innerhalb des öffentlichen Lebens erlangt. Seine ersten parlamentarischen Auftritte im Vereinigten Landtag von 1847 waren, mit sichtlicher Freude an der sich zuspitzenden Auseinandersetzung und Diskussion als solcher, allesamt politische Bekenntnisse gewesen. Sie wiesen ihn als einen prinzipienfesten Anhänger der Krone und besonders des Gerlachschen Kreises und seiner Anschauungen aus. Leopold von Gerlach hat ihm gelegentlich sogar so etwas wie feste Instruktionen für seine Reden gegeben. Origineller schien Bismarck eigentlich nur in der Form, die er seinen Auftritten gab, vornehmlich in der Art, wie er sich seinen politischen Gegner, oft ganz unbekümmert um dessen wirkliche Meinung, in der Debatte zurechtstellte, um ihn dann anzunehmen.

In Wahrheit bestanden jedoch schon zu diesem Zeitpunkt nicht unerhebliche Unterschiede zwischen seinen politischen Grundvorstellungen und denen des Kreises um die Gerlachs und Stahl, als deren junger Mann er vielerorts angesehen wurde. Das gilt nicht nur für seine Rede über die Judenfrage, in der, durch die Gleichsetzung von Herkommen und Gottgewolltheit nur verdeckt, eine ganz materialistisch-pragmatische Rechtsauffassung durchschimmerte. Es gilt auch für manche andere Äußerungen. Sie ließen einen Vorrang des Macht- und Interessengesichtspunktes erkennen, der in letzter Konsequenz nicht einmal vor der eigenen Position und der Position seiner politischen Freunde haltmachen konnte. Ob die beiden geplanten Reden über das gutsherrliche Jagdrecht und die Patrimonialgerichtsbarkeit, die in dieser Richtung noch einige Schritte weiter zu gehen versprachen, den ungeteilten Beifall seiner Freunde gefunden hätten, kann man mit einigen Gründen bezweifeln; beide Fragen kamen dann nicht mehr auf die Tagesordnung des Vereinigten Landtags. So aber erschien, zum Glück für seine weitere politische Karriere, der ausgeprägte Naturalismus seiner Betrachtungsweise im Kreis seiner Gesinnungsgenossen zunächst als etwas Formales. Er wurde hier im wesentlichen nur als ein wirksames Mittel im Kampf mit dem politischen

Gegner angesehen, dem mit idealistischer Überzeugungstreue allein, das zeigte das Auftreten vieler Hochkonservativer, zu denen auch Bismarcks künftiger Schwiegervater zählte, nicht beizukommen war.

In dieser Weise sahen es auch die Liberalen und die weitgehend mit ihnen sympathisierende öffentliche Meinung. Als der Vereinigte Landtag Ende Juni 1847 aufgelöst wurde, verließ ihn Bismarck mit dem Ruf eines erzreaktionären Junkers, eines Mannes, der bei aller äußeren Wortgewandtheit und Geschicklichkeit geradezu die Karikatur einer völlig rückwärtsgewandten, »mittelalterlichen« Existenz sei. Dieses doppelseitige Mißverständnis hat sich in der Folgezeit, im Verlauf der Revolution, sogar noch verstärkt. Und man wird nicht sagen können, daß Bismarck ihm bewußt entgegengewirkt hätte. Er hat es im Gegenteil immer wieder gefördert, obwohl er sich darüber klar sein mußte, daß damit unter den gegebenen Umständen, unter denen ein Kompromiß und Ausgleich in dieser oder jener Form unvermeidlich zu sein schien, seine Chancen auf ein politisches Amt und eine politische Tätigkeit größeren Stils mehr und mehr schwanden. Offenkundig hat er hier von früh an sehr bewußt, in der Hoffnung auf einen schließlichen vollständigen Sieg der Gegenrevolution, alles auf eine Karte gesetzt.

Allerdings waren es nicht zuletzt äußere Umstände, die seinen Weg bestimmten und ihm eine solche persönliche Politik des Alles oder Nichts nahelegten. Denn die Revolution versperrte ihm zunächst einmal eine politische Laufbahn im herkömmlichen Sinne, als von der Krone berufener Ratgeber. Und für die Mehrheit der konservativen Kräfte schied er, der politische Scharfmacher vergangener Tage, in dieser Situation als politischer Exponent aus. Also konnte er praktisch, wollte er nicht eine demütigende und wenig erfolgversprechende Kehrtwendung vollziehen, nur auf die Konfrontation und auf die Situation des Entscheidungskampfes zwischen den beiden Lagern der »Royalisten und Liberalen« setzen. Genau das tat er mit kleinen Unterbrechungen die nächsten anderthalb Jahrzehnte – bis zu seiner Berufung zum preußischen Ministerpräsidenten im Herbst 1862.

Auf seiner Hochzeitsreise, die ihn von August bis Anfang Oktober 1847 über Prag, Wien, Salzburg, Berchtesgaden und Innsbruck bis nach Venedig und von dort über die Schweiz und den Rhein herab wieder nach Schönhausen führte, hatte er Anfang September in Venedig, wo sich Friedrich Wilhelm IV. gerade aufhielt, eine Einladung zur königlichen Tafel erhalten. Vermittelt wurde diese Einladung wohl von dem damaligen Major Albrecht von Roon, der einem der königlichen Prinzen als Begleiter zugeteilt war und Bismarck aus dem pommerschen Kreis kannte. Bei der Gelegenheit hatte der König Bismarck wissen lassen, wie sehr er seine und die politische Haltung seines Kreises schätze. Er hatte damit seine Hoffnung auf eine politische Karriere im Dienst der Krone nochmals nachhaltig genährt. Sechs Monate später jedoch, im März 1848, beugte sich der König innenpolitisch den Forderungen der siegreichen Revolution. Gleichzeitig suchte er sich, unter Preisgabe des bisherigen Verhältnisses ständiger Absprache und friedlichen Zusammenwirkens mit der Habsburger Monarchie, an die Spitze der nationalen Bestrebungen zu setzen. Daß dies ein Akt der politischen Klugheit gewesen sei, daß der König auf diese Weise einen blutigen Bürgerkrieg und den Zusammenbruch aller Ordnung vermieden sowie die Krone gerettet habe – solche Behauptungen hat Bismarck mit großer Leidenschaft als bloße Schönfärberei abgetan. Einen Augenblick glaubte er, der sogleich, am 20. März, nach Berlin eilte, an massiven physischen Druck auf den König, an schlichte Erpressung. In diesem Glauben erwog er sogar, den Monarchen in einem kühnen Handstreich mit Hilfe seiner angeblich ganz königstreuen Schönhausener Bauern zu befreien. Als ihm dann, vor allem durch Informationen Roons, der wirkliche Sachverhalt klar wurde, war er voller Verachtung und sofort entschlossen, sich an allen Bestrebungen zur Rettung der traditionellen monarchisch-aristokratischen Ordnung selbst gegen den gegenwärtigen Träger der Krone zu beteiligen.

Solche Bestrebungen hat es fast von Anfang an gegeben. Bereits am 30. März 1848 notierte Leopold von Gerlach in seinem Tagebuch: »Erster Versuch zur Gründung eines ministère occulte.« Eine der Voraussetzungen für ihren Erfolg war, daß ein Mitglied der königlichen Familie als potentieller Regent oder Thronfolger hinter ihnen stand. So ist, zumal in Verbindung mit unmittelbar zeitgenössischen Zeugnissen, nicht ganz unwahrscheinlich, was Augusta, die Frau des Bruders des damaligen Königs und spätere Königin, vierzehn Jahre später in einem allerdings prekären Zusammenhang zu Papier gebracht hat. Bismarck, so ließ Augusta, eine Enkelin Carl Augusts von Sachsen-Weimar, im Juli 1862 ihren Mann mit dem erklärten Ziel wissen, ihn von dessen Berufung zum leitenden Minister in Preußen abzuhalten, habe sie am 23. März 1848, also unmittelbar nach dem erfolgreichen Durchbruch der Revolution, im Namen ihres Schwagers, des Prinzen Karl von Preußen, um die Ermächtigung angegangen, »sowohl den Namen des abwesenden Thronerben [ihr Mann war damals auf der Flucht nach England] als auch seines Sohnes (der noch unmündig war) zu einer Contrerevolution zu benutzen, durch welche die bereits vollzogenen Maßregeln des Königs nicht anerkannt, und dessen Berechtigung, respektive Zurechnungsfähigkeit beanstandet werden sollte«. Die Gegendarstellung jedenfalls, die Bismarck später mehrmals, zuletzt in seinen Erinnerungen gegeben hat, besitzt angesichts der Nachgiebigkeit des regierenden Monarchen zum damaligen Zeitpunkt nur wenig innere Glaubwürdigkeit. Hinzu kommt, daß ihm die liberal gesinnte Monarchin zeit ihres Lebens immer wieder entgegengetreten war und bis zu ihrem Tod im Januar 1890 zu seinen leidenschaftlichsten Gegnern zählte; sie habe ihm, so Bismarck im Alter, »mehr Schwierigkeiten bereitet als alle fremden Mächte und die gegnerischen Parteien im Lande«. Auch von hier also verdient es einige Skepsis, wenn Bismarck rückblickend behauptete, es sei Augusta, ermuntert durch einen Kreis von Liberalen um Georg von Vincke, selber um die Regentschaft gegangen. Man wird vielmehr annehmen können, daß Bismarck damals in der Tat sondiert hat – wenngleich der möglichen künftigen Königin gegenüber sicher sehr vorsichtig – wer einer aristokratischen Gegenrevolution gegebenenfalls als monarchische Spitze oder auch nur als monarchisches Aushängeschild dienen könne. Ob dagegen Prinz Karl, ein damals noch ganz junger, zudem nicht eben willensstarker Mann, sich ernsthaft zugetraut hat, die Rolle seines französischen Namensvetters Charles von Artois erfolgreicher spielen zu können, wird man wohl bezweifeln müssen. Jener, ein Bruder Ludwigs XVI., hatte bekanntlich als Wortführer einer Gegenrevolution nach dem 14. Juli 1789 fluchtartig das Land verlassen müssen und war vierzig Jahre später als Karl X. erneut gescheitert.

Wie dem aber auch gewesen sein mag, so ist sehr deutlich, wohin die Aktivitäten Bismarcks in diesen Wochen zielten. Das freie politische Entscheidungsrecht der Krone, das er und sein Kreis bisher gegen Forderungen von links so nachdrücklich verteidigt hatten, wurde jetzt plötzlich in Frage gestellt. Dem Monarchen, der, obschon widerwillig und unter dem Zwang der Umstände, dieses Recht zu einem Bündnis mit der bürgerlich-liberalen Bewegung benutzte, wurden nicht nur Schwäche und Feigheit bescheinigt – es wurde ihm in letzter Konsequenz auch die Legitimation für den Thron abgesprochen. Diese Legitimation bestand für Bismarck und seine Freunde, so wurde nun offenkundig, vor allem anderen in der Wahrnehmung der Schirmherrschaft über die herkömmliche gesellschaftliche und damit über die politische Ordnung, soweit sie in jener noch verankert war.

Hier brach der Geist der Fronde des 16. und 17. Jahrhunderts, der Adelsopposition gegen einen Absolutismus durch, der sich zur Erreichung seiner Ziele schon früh mit dem Bürgertum verbündet hatte und zum Sozialreformer geworden war. Das politische Testament Friedrich Wilhelms I. hatte einst drei Adelsfamilien aus der Mark genannt, die sich in der Opposition gegen die Krone, als »schlimme, ungehorsame Leute«, immer besonders hervorgetan hätten und auf die daher stets ein Auge zu halten sei; darunter befanden sich auch die Bismarcks. An diese Tradition hat der jüngste Sproß der Familie 1848 unübersehbar angeknüpft. Es ging ihm also nicht so sehr um die Rettung einer unabhängigen Krongewalt, um die Monarchie, gar um einen Staat über den Parteien. Es ging ihm im Gegenteil darum, den Staat gleichsam in die Gesellschaft, in eine in Preußen noch wesentlich traditionelle, aristokratisch beherrschte Gesellschaft zurückzuholen. Und hier taucht, gleich zu Beginn seiner gegenrevolutionären Aktivitäten, ein allgemeines Problem auf, das nicht nur für das Verständnis der künftigen Bismarckschen Politik, sondern für die Beurteilung der weiteren Entwicklung ganz allgemein von zentraler Bedeutung ist.

Es ist das Problem des inneren Zusammenhangs von staatlich-politischer

und gesellschaftlich-wirtschaftlicher Ordnung. Bei ihm pflegen sich nicht
selten, wenngleich oft ganz unreflektiert, politische Werturteile geltend zu
machen, die ihrerseits den Zugang zu einem Verständnis versperren, das nicht
nur auf deren Bestätigung hinausläuft. Auf Bismarck und die Haltung seiner
engeren politischen Freunde im Jahr 1848 bezogen, heißt dies, daß man mit
der Feststellung, in ihrer Politik hätten die Engstirnigkeit und Uneinsichtig-
keit, der Egoismus des ostelbischen Junkertums ihren Ausdruck gefunden,
das eigentliche Problem beiseite schiebt beziehungsweise unter Berufung auf
den Fortschrittsgedanken eine Scheinlösung anbietet. Auch die politischen
Gegner dieser äußersten Rechten der preußischen Politik wollten schließlich
nichts anderes als den Staat auf die Interessen, Ziele und Ideale der Gesellschaft verpflichten, ihn für deren Erhaltung und Förderung einspannen – nur
daß sie jene völlig anders definierten. Nicht darin lag also der eigentliche
Unterschied, sondern in der Frage der Berechtigung des jeweiligen Anspruchs. Und hier standen sich 1848 die Positionen ganz schroff gegenüber,
vor allem auch was die Kriterien für die Begründung und innere Rechtfertigung dieses Anspruchs angeht.

Freilich verliefen die Fronten dabei nicht so klar, wie es zunächst den
Anschein haben mochte. Die demokratische Begründung politischen Herrschaftsanspruchs und gesellschaftlicher Reformforderungen war im bürgerlich-liberalen Lager durchaus nicht vorherrschend. Vielmehr war der Vorbehalt gegenüber dem reinen Mehrheitsprinzip weit verbreitet. Auf der anderen
Seite meinten Vertreter der Rechten dann zunehmend Grund zu der Annahme zu haben, daß angesichts der Haltung der ländlichen Bevölkerung
demokratische Formen vielleicht sogar den eigenen politischen Zielen dienlich sein könnten. Bismarck selber hat mit diesem Gedanken schon früh in
verschiedenen Zusammenhängen gespielt und ihn nie wieder aus dem Auge
verloren.

Das aber bedeutete, daß über die Legitimation des eigenen Herrschaftsanspruchs im Staat wie in der Gesellschaft letzten Endes der Erfolg entschied. So
stand es indirekt schon bei Montesquieu, auf den sich beide Seiten beriefen:
Die Verfassung, die Gesetze, die Politik eines Staates seien Ausdruck der
geschichtlich gewachsenen Verhältnisse in einem Volk, der inneren und
äußeren Bedingungen, unter denen es sich entwickelt habe, kurz, der Beson-
derheiten seiner sozialen Ordnung, die ihrerseits als naturwüchsig begriffen
wurde.

Daß diese Naturwüchsigkeit wie alles in der Natur objektiven Gesetzen
folge, daß auch der geschichtliche Prozeß naturgesetzlich erfaßbar und die
Legitimität politischen Herrschaftsanspruchs damit wissenschaftlich zu begründen sei, hat erst eine angeblich positivistische, in Wahrheit hochspekulati-
ve Sozialphilosophie späterer Zeiten zu beweisen versucht. Gegenüber
solchem Scheinmaterialismus dominierte 1848 noch weithin die »idealisti-

sche« Konzeption, daß über den politischen Erfolg die richtige Interpretation der sozialen Wirklichkeit und ihrer weiteren Entwicklung entscheide. Als die eigentliche Nagelprobe mußte demnach der politische Kampf selbst erscheinen, das Maß an Zustimmung und aktiver Unterstützung, das man in ihm für seine Interpretation fand. Von hier aus gesehen ist es nicht weiter verwunderlich, daß sich Konservative und Liberale 1848 der gleichen Methoden bedienten und daß sie sich darüber hinaus formal ganz ähnlich verhielten. Es ging ihnen um die erfolgverheißende Bestätigung ihrer politischen und sozialen Grundanschauungen und Grundüberzeugungen, um den Beweis ihrer Realitätsgerechtigkeit. Nicht zuletzt von daher erklärt sich die tiefe Identitätskrise, in die der Liberalismus durch den Mißerfolg geriet.

Ohne Zweifel gingen die Liberalen in dem Versuch der modellhaften Annäherung an die soziale Wirklichkeit von vornherein einen Schritt weiter als die Konservativen. Aber auch diese ließen sich bei ihrem Bemühen, in revolutionärer Gegenaktion Krone und Staat zum Werkzeug ihrer Bestrebungen zu machen, von einem relativ geschlossenen sozialen Welt- und Zukunftsbild leiten. Unbeschadet aller materiellen Interessengegensätze und handfester Machtansprüche auf beiden Seiten handelte es sich also um einen sehr tiefreichenden ideologischen Konflikt, einen Konflikt der Weltanschauungen, der 1848 nicht so sehr zwischen der bürgerlich-liberalen Bewegung und dem Staat und seinen Vertretern als vielmehr zwischen dem liberalen Bürgertum und den sich nun auch politisch formierenden konservativen Kräften entbrannte.

Er überlagerte das, was an Kompromissen in der Sache durchaus möglich gewesen wäre. Der, sei es auch nur zeitweilige, Triumph der jeweils anderen Seite wurde als unerträglich empfunden. »Der Prinzipienstreit, welcher in diesem Jahre Europa in seinen Grundfesten erschüttert hat«, so hat es Bismarck im März 1849 in der Zweiten Preußischen Kammer in schärfster Zuspitzung formuliert, »ist ein solcher, der sich nicht vermitteln läßt. Die Prinzipien beruhen auf entgegengesetzten Grundlagen, die sich von Hause aus einander ausschließen. Das eine zieht seine Rechtsquelle angeblich aus dem Volkswillen, in Wahrheit aber aus dem Faustrecht der Barrikaden. Das andere gründet sich auf eine von Gott eingesetzte Obrigkeit, auf eine Obrigkeit von Gottes Gnaden, und sucht seine Entwicklung in der organischen Anknüpfung an den verfassungsmäßig bestehenden Rechtszustand.«

Von solchen Positionen her war eine Lösung wie 1689 in England praktisch unmöglich. Diese setzte einen Minimalkonsens in den gesellschaftlichen und politischen Grundanschauungen und Zielvorstellungen voraus, wie er 1848 in Preußen nicht vorhanden und offenkundig nicht zu erreichen war. Das aber hieß mit innerer Logik, daß beide rivalisierenden Seiten, allen anderslautenden Bekenntnissen zum Trotz, den starken Staat brauchten, um sich mit seiner Hilfe einseitig durchzusetzen. In Bismarcks martialischer Sprache: »Der Gott, der die Schlachten lenkt«, müsse »die eisernen Würfel der Entscheidung darüber werfen«. So hat nach 1848 fast überall in Kontinentaleuropa der bevormundende bürokratische Obrigkeitsstaat erneut an Boden gewonnen und die politische Eigenbewegung der Gesellschaft wieder in den Hintergrund gedrängt.

Das waren Konstellationen und Entwicklungstendenzen, die von Bismarcks Person und seinem Wirken gänzlich unabhängig waren. Er hat sie jedoch, und darauf beruhte schon hier sein Erfolg, früher und nüchterner erfaßt als die meisten seiner Zeitgenossen, auch als die Mehrheit seiner engeren politischen Freunde. Am Anfang stand ein bezeichnendes augenblickliches Schwanken. Als Friedrich Wilhelm IV. die beiden rheinischen Führer der liberalen Opposition, Ludolf Camphausen und David Hansemann, an die Spitze der preußischen Regierung berief und umfassende Reformen und eine moderne Verfassung ankündigte, da hatte die Krone sich scheinbar endgültig zu einem Bündnis zwar nicht so sehr mit der Revolution, wohl aber mit der von ihr noch getragenen und beflügelten bürgerlich-liberalen Bewegung entschlossen. Deren Vertreter waren ihrerseits besorgt, daß der revolutionäre Aufbruch politisch wie sozial über die eigenen Ziele hinausschießen könne – über aller Revolution stand für die überwiegende Mehrheit der Liberalen des 19. Jahrhunderts das Menetekel der Entwicklung in Frankreich nach 1791. Sie waren daher von Anfang an geneigt, sich ihrerseits mit der etablierten Staatsmacht zu verbünden und ihre ganze Hoffnung auf Reformen zu setzen. Das war die Tendenz überall in Deutschland. In Preußen aber war sie deswegen besonders ausgeprägt, weil das eigentliche Bürgertum, insbesondere in den ostelbischen Gebieten, ausgesprochen schwach und in den wirtschaftlich weiter entwickelten Regionen der Hilfe des Staates sehr bedürftig war.

Angesichts der auch hier nun fast überall triumphierenden revolutionären Bewegung blieb jedoch diese innere Schwäche ihrer bürgerlich-liberalen Exponenten zunächst weitgehend verborgen. Sie schienen, dieses Urteil war bis tief ins Lager der Konservativen verbreitet, im Augenblick die einzigen zu sein, die imstande sein würden, den Absturz in Chaos und Anarchie aufzuhalten, »den Staat ohne lebensgefährliche Zuckungen über die Kluft, welche das alte System von dem neuen trennte, hinüberzuführen«, wie sie selber ihre Aufgabe definierten. »Jetzt mit allen Kräften in das neue Schiff, wenn auch mit gebrochenem Herzen« – dieser Satz in einem Brief Albrecht von Roons, bei dem Bismarck in den entscheidenden Märztagen in Potsdam wohnte, gibt die Stimmung vieler Konservativen wieder.

Ihr hat sich auch Bismarck, wenigstens einen Moment lang, genähert. Anfang April 1848 war der Vereinigte Landtag noch einmal zusammengerufen worden, um als Not- und Übergangsparlament zu fungieren; man stand vor der Schwierigkeit, daß der Absolutismus sich sonst praktisch selbst per Dekret hätte abschaffen und die Konstituierung des Gremiums hätte verordnen müssen, das eine neue Ordnung beschließen sollte. Bei dieser Gelegenheit räumte Bismarck in seiner ersten öffentlichen Äußerung nach Ausbruch der Revolution ein, »daß dies Ministerium das einzige ist, welches uns aus der gegenwärtigen Lage einem geordneten und gesetzmäßigen Zustande zuführen kann«. Er, der mit Blick auf die jetzigen Minister noch ein knappes Jahr zuvor von den »banalen aufgeputzten Phrasen der rheinischen Weinreisenden-Politik« gesprochen hatte, fuhr nun fort: »Die Vergangenheit ist begraben, und ich bedaure es schmerzlicher als viele von Ihnen, daß keine menschliche Macht im Stande ist, sie wieder zu erwecken, nachdem die Krone selbst die Erde auf ihren Sarg geworfen hat.«

Die Gerlachs haben ihm diese Sätze sehr übel genommen. Nicht so sehr wegen der öffentlichen Attacke gegen den König, sondern weil sie darin im Ansatz ein prinzipienloses Sichbeugen vor dem scheinbaren Erfolg sahen. Bismarck selber hätte sie schon bald gerne zurückgenommen. Er hat sich den Gerlachs gegenüber später damit zu entschuldigen versucht, er sei in resignativer Grundstimmung kurzfristig unter den Einfluß von Meinungen und Einschätzungen anderer, »teils kluger, teils feiger«, gelangt. Aber die Wahrheit war das schwerlich, und das Mißtrauen der Gerlachs erschien von ihrem Standpunkt her durchaus gerechtfertigt. Bismarck war klarsichtig genug einzusehen, daß im Augenblick die Gegenrevolution keine Chance hatte. Und er war nüchtern genug, auch für sich selber andere Möglichkeiten und Wege ins Auge zu fassen. Wie weit er mit seiner Rede in dieser Hinsicht das Terrain sondieren wollte, sei dahingestellt. Wollte er es, so machte ihm jedenfalls die Reaktion der Versammlung klar, daß er abgestempelt und zumindest im Augenblick kaum »bündnisfähig« war. Sein Rückzug auf die Position unbedingter Gegnerschaft und der Versuch einer Rechtfertigung gegenüber den Gerlachs waren von daher nur logisch: Er sah, daß er Gefahr lief, andernfalls jede politische Basis zu verlieren.

Die Rede läßt jedoch noch etwas anderes deutlich werden. Wenn – so offenkundig über alles Taktische hinaus Bismarcks persönliche Einschätzung – der monarchische Staat und die bürgerlich-liberale Bewegung mit Einschluß ihrer starken liberal-aristokratischen Fraktion wirklich zusammenfanden, dann war die Vergangenheit tatsächlich tot und eine ganz neue Ordnung in Sicht. Einer solchen Entwicklung aber war nach seiner Überzeugung, wenn überhaupt, so nicht mit einem Appell an Prinzipien zu begegnen, sondern nur mit einem Appell an die Interessen. Diese trennten die verschiedenen sozialen Gruppen, vor allem Landbevölkerung, soziale Unterschichten und besitzendes Bürgertum, während die gemeinsamen Überzeugungen sie, im Moment jedenfalls, vereinigten. Also mußte man an diesem Punkt ansetzen, wollte man Erfolg haben. Und um den Erfolg ging es ihm damals wie später vor allem anderen, ohne viel Bedenklichkeit gegenüber den Mitteln.

An dieser Stelle wird sichtbar, wie weit er schon zu diesem Zeitpunkt von den Ideen der Prinzipienpolitiker des älteren Konservativismus entfernt war, mochte er auch verbal, hinsichtlich der Meinungen und Überzeugungen, die er vertrat, noch ganz ihr Mann sein. Den Weg, den er in diesem Sinne verfolgte, markiert bereits die Rede, die er am letzten Sitzungstag des Vereinigten Landtags, am 10. April 1848, hielt.

Der neue Finanzminister David Hansemann, ein Herold der modernen Industriewirtschaft und wenig später Gründer der berühmten Disconto-Gesellschaft, der größten preußischen Privatbank der fünfziger und sechziger Jahre, hatte den Landtag um Zustimmung zur Erhebung von zusätzlich vierzig Millionen Talern ersucht. Von ihnen sollten fünfzehn Millionen einem militärischen Eventualfall, fünfundzwanzig »zur Wiederherstellung des Kredits und zur Aufrechterhaltung der Industrie« dienen. Die betreffende Kommission des Landtags plädierte für Zustimmung, wobei sie präzisierend und zweckbindend von der »Schaffung und Unterstützung gemeinnütziger Unternehmungen« sprach, »welche teils die Milderung vorübergehender Zustände der Not, teils die Erhaltung und Förderung des Handels, gewerblicher und wirtschaftlicher Interessen bezwecken«.

In seinem ablehnenden Votum wandte sich Bismarck zunächst einmal dagegen, daß man von einem reinen Übergangsparlament, das schon am nächsten Tag »in das Meer der Vergessenheit gestürzt werden« sollte, noch eine Blankovollmacht in dieser Höhe fordere. Derartige Bedenken waren auch in der Kommission laut geworden. Bei Bismarck aber waren sie mehr Anknüpfungspunkt und außerdem eine Gelegenheit für einen Seitenhieb auf die Liberalen, die es doch sonst mit den Formen und konstitutionellen Gepflogenheiten so sehr genau nähmen. Worauf er eigentlich hinaus wollte, war die Klärung der »Bedürfnisfrage«. Hier schien sich ihm die Möglichkeit zu bieten, die neue Regierung und das neue System frontal anzunehmen und zudem ein erfolgversprechendes Kampffeld der Auseinandersetzung zwischen Konservativen und Liberalen abzustecken.

»Aus den neuesten Akten der Finanz-Verwaltung« schöpfe er die »Befürchtung«, erklärte er, »daß das leitende System der Finanzen die Zustände unseres Vaterlandes mehr durch die Brille des Industrialismus auffaßt als mit dem klaren Auge des Staatsmannes, der alle Interessen des Landes mit gleicher Unparteilichkeit überblickt; ich fürchte deshalb, daß bei der neuen Belastung die Last vorzugsweise auf das platte Land und auf die kleinen Städte gewälzt werden wird, und daß die Verwendung der aufgebrachten Mittel überwiegend der Industrie und dem Geldverkehr der größeren Städte zugute kommen wird.« Wenn man vorgebe, man wolle hiermit wie auch mit der Senkung der Mahlsteuer der revolutionären Unruhe in den großen Städten entgegenwirken, so verlagere man sie höchstens mit einer solchen Politik, und zwar dorthin, wohin man auch die Lasten verlagere. Beides, so ließ er durchblicken, hänge zusammen. Es enthülle den wahren Charakter des neuen Regimes. Dieses diene unter Vorwänden und allgemeinen Redensarten in Wahrheit äußerst egoistischen Interessen einer ganz kleinen Schicht, des besitzenden Bürgertums in den großen Städten. Er müsse daher »für entschiedene Ablehnung« des Antrags auf die fünfundzwanzig Millionen stimmen, dieses »panier percé der Industrie«, wie er zwei Tage später in einem Privatbrief formulierte. »Durch eine derartige Unterstützung der Industrie, die schon an Überproduktion wegen Mangels an Consumo leidet«, werde schwerlich »die Ruhe im Lande auf die Dauer gesichert werden«. Es gehe der Regierung allein darum, »diese oder eine geringere Summe dem Vermögen der Steuerpflichtigen zu entziehen, um sie in den bodenlosen Brunnen der Bedürfnisse einer wankenden Industrie zu schütten«.

Der nun zur Herrschaft gelangte Liberalismus, so hieß das, sei nichts weiter als die ideologische Verbrämung der Interessen einer kleinen und für sich genommen wenig wichtigen Schicht. Er sei gewissermaßen das Leitseil, mit dem diese Schicht andere, nach Zahl und Funktion in der Gesellschaft viel bedeutendere Gruppen vor ihren Karren zu spannen versuche.

Welche Gruppen Bismarck dabei vor Augen hatte, hat er in der Folgezeit ganz deutlich gemacht. Es waren dies zunächst einmal die Handwerker und kleinen Kaufleute in den Städten, insbesondere in den Klein- und Mittelstädten. Sie rief er in Wahlreden und Artikeln immer wieder dazu auf, sich auf ihre eigenen Interessen zu besinnen und sich klarzumachen, was das für eine Politik sei, die im gleichen Atemzug Schutzzölle für bedrohte Industrien und die völlige Abschaffung aller Konkurrenzbeschränkungen sowie der traditionellen, gesetzlich fixierten Sicherungen von Handwerk und Gewerbe fordere. Wenn es darum gehe, »die Fabrikanten zu bereichern«, so erklärte er beispielsweise im Oktober 1849 in der Zweiten Kammer des Preußischen Landtags, dann sei man mit staatlichen Schutzmaßnahmen rasch bei der Hand, um lästige Konkurrenz abzuwehren. Wenn es aber darum zu tun sei, durch entsprechende Maßnahmen »von dem ganzen großen Gewerbestande Elend und Anarchie abzuhalten«, dann berufe man sich auf die hehren liberalen Prinzipien. Hinter ihnen habe sich einst, zur Zeit der Stein-Hardenbergschen Reformen, die »Neigung eines großen Teils der preußischen Bürokratie für Nivellierung und Zentralisierung« verborgen. Jetzt aber verstecke sich hinter ihnen noch weit Schlimmeres: der blanke Egoismus der Fabrikanten und ihrer politischen Wortführer.

Wesentlich bedeutsamer als mögliche Bundesgenossen im Kampf gegen den Liberalismus erschienen Bismarck zwei andere Gruppen: die bäuerliche Bevölkerung und der bisher noch liberal orientierte Teil des grundbesitzenden Adels. Auf beide zielte bereits seine Rede vom 10. April 1848 mit ihrer Gegenüberstellung von großen Städten und plattem Land. Der Liberalismus sei nun einmal das politische, wirtschaftliche und gesellschaftliche Programm des städtischen Besitzbürgertums, so erklärte er in immer neuen Wendungen. Wer es außerhalb dieses Kreises unterstütze, der mache sich zum Steigbügelhalter eben dieses Bürgertums. Ja, er verleugne seine eigenen Interessen in ganz unverantwortlicher Weise. Denn ein solches Hintanstellen der eigenen Interessen werde gesamtgesellschaftlich zu Verzerrungen und Einseitigkeiten führen, unter denen schließlich alle zu leiden hätten. Das war auch das Hauptargument, mit dem er, als im Verlauf des Jahres 1848 die Enttäuschung in der ländlichen Bevölkerung über die praktischen Maßnahmen der Berliner Nationalversammlung deutlich zunahm, denjenigen gegenübertrat, die ihn bei den Wahlen zu diesem ersten frei gewählten preußischen Zentralparlament, noch dazu im heimatlichen Schönhausen, im Kreis Jerichow, hatten durchfallen lassen.

Wenn Bismarck, zur Freude seiner Gegner wie der Karikaturisten, je nachdem offen den Junker, den Landwirt, den patriarchalischen Arbeitgeber herauskehrte, wenn er immer wieder von *dem* Adel, *den* Gutsbesitzern als Einheit und Stand sprach, so tat er dies nicht nur sehr bewußt, sondern auf Dauer auch sehr erfolgreich. Zwar bestanden viele Auffassungsunterschiede fort. Dennoch ist unübersehbar, daß die Bestrebungen Bismarcks und der unmittelbar mit ihm Zusammenwirkenden entscheidend dazu beigetragen haben, daß sich die ostelbischen Gutsbesitzer der Gemeinsamkeit ihrer wirtschaftlichen und sozialen Interessen und der ihnen drohenden Gefahren deutlicher als bisher bewußt geworden sind. Zu denen, die hier mit Bismarck in der vordersten Linie standen, gehörte vor allem der damalige Landrat Hans Hugo von Kleist-Retzow, ein Altersgenosse und Gesinnungsfreund aus dem pommerschen Kreis, mit dem er in jenen Monaten in Berlin die Wohnung teilte und mit dem er alle Initiativen eingehend besprach. Kleist-Retzow war es auch, der, in ideologischen und religiösen Fragen sehr viel strenger als Bismarck, die Vermittlung zwischen den Älteren und den Jüngeren im Kreis der Konservativen übernahm und als Verbindungsmann wirkte; in diesem Sinne hat Ludwig von Gerlach sein Verhältnis zu Bismarck einmal als das eines »keeper of his conscience« bezeichnet.

Zum Hauptinstrument der Bestrebungen Bismarcks und seiner Freunde, den preußischen Adel wieder in eine einheitliche Front zu bringen und womöglich die bäuerliche Bevölkerung hinter dieser zu vereinigen, wurde der »Verein zur Wahrung der Interessen des Grundbesitzes«. Er ging wesentlich auf eine Initiative Bismarcks, Kleist-Retzows und Alexander von Below-Hohendorfs zurück, eines engen politischen Gesinnungsfreundes, der in den fünfziger Jahren zu einem der Hauptwortführer der preußischen Konservativen wurde. Für den Vorsitz des Vereins gewannen sie mit Ernst Gottfried von Bülow-Cummerow eines der führenden Mitglieder des pommerschen Kreises um die Gerlachs. Er galt als ein Mann der Mitte und genoß als konservativer Publizist weithin großes Ansehen.

Zu einer Art Probetreffen Ende Juli in Stettin, zu dem Bülow einlud, fand sich unter dem Eindruck des vier Wochen vorher angekündigten Agrarprogramms der Regierung Camphausen-Hansemann eine große Zahl ostdeutscher Gutsbesitzer ein. Alle noch bestehenden feudalen Rechte sollten, so hatte es in diesem Programm geheißen, entschädigungslos aufgehoben, alle Grundsteuerbefreiungen gleichfalls ohne weiteres beseitigt werden. Dazu kam, wie Bismarck im April vorausgesagt hatte, eine spürbare Erhöhung spezifisch landwirtschaftlicher Abgaben, namentlich der Rübenzucker- und Branntweinsteuer.

Gegen all das protestierte die Versammlung mit großer Leidenschaft; Bismarck entwarf in ihrem Sinne eine massiv formulierte Eingabe an den König. Man konstituierte sich schließlich formell als Verein mit einem geschäftsführenden Ausschuß an der Spitze, der mit der Ausarbeitung einer Satzung beauftragt wurde. Der Ausschuß kam diesem Auftrag sogleich nach. Ganz wie es den Initiatoren des Unternehmens vorgeschwebt hatte, stellte er, unter Erweiterung des Vereinsnamens um den Zusatz »und zur Aufrechterhaltung des Wohlstandes aller Klassen des Volkes«, die gemeinsamen materiellen Interessen ins Zentrum unter Preisgabe solch ausgesprochen ständisch-feudaler Rechte wie der Patrimonialjustiz. Von dieser Basis aus lud er am 11. August zu einer allgemeinen Versammlung am 18. und 19. August nach Berlin ein. Den Vorsitz dieses »Junkerparlaments«, an dem rund vierhundert Personen teilnahmen, übernahm mit Kleist-Retzow einer der geistigen Väter des Ganzen, nachdem man zunächst nach einem etwas neutraleren Aushängeschild gesucht hatte.

Bismarck selber griff, während seine Frau im Wochenbett lag – am 21. August wurde seine älteste Tochter Marie geboren –, mehrmals in die Verhandlungen ein, und zwar immer in dem Sinne, daß er den Blick auf die konkreten gemeinsamen Interessen des Adels und aller Grundbesitzer lenkte. »Es handelt sich in diesen Fragen«, erläuterte er seine Haltung wenige Tage später in einem Brief an einen Parteifreund, »nicht nur buchstäblich um die Existenz eines großen Teils der konservativen Partei, sondern darum, ob der König und die Regierung, am Scheideweg stehend, sich der Revolution in die Arme werfen, sie für permanent erklären und auf das soziale Gebiet übertragen wollen.« Um überhaupt eine Basis zu gewinnen, um abkömmlich zu sein für die Teilnahme am öffentlichen Leben in diesem Sinne, fügte er hinzu, »müssen wir schon so materiell sein, unsere materiellen Interessen zu verteidigen«.

Das war zugleich eine Spitze gegen Ludwig von Gerlach, dem das ganze Unternehmen in dieser Beziehung viel zu weit ging. In Sorge vor einer materialistischen Kompromittierung der eigenen Prinzipien und Ideale hatte er die Parole ausgegeben: »Den Rücken gegen den Mist, die Front gegen den Feind – das ist adelig.« Dabei hatte Gerlach allerdings etwas vorausgesetzt, was es in dieser Form noch gar nicht gab, nämlich die gemeinsame Front jener, die mit dem Rücken »gegen den Mist« standen, sich bewußt waren, gemeinsame materielle Interessen zu verteidigen. Eine solche Front mußte erst geschaffen werden. Und hier waren die Jüngeren aus dem Kreis der Hochkonservativen sehr viel nüchterner und sehr viel tatkräftiger als die eigentlichen politischen und geistigen Führer.

Das galt auch für die innere und äußere Gestalt des zentralen Publikationsorgans der Konservativen, der »Neuen Preußischen Zeitung«. Sie erschien nach langer Vorbereitungszeit, die bis in die Monate des Vereinigten Landtags zurückreichte, erstmals Anfang Juli 1848 und wurde nach dem Eisernen Kreuz der Freiheitskriege, das sie im Titel führte, bald nur noch die »Kreuzzeitung« genannt. Auf Aktienbasis gegründet, gewann das Blatt in Kürze weit über den engen Kreis seiner hochkonservativen geistigen Väter hinaus erheblichen Einfluß auf die öffentliche Meinung in Preußen und wurde zum eigentlichen Kristallisationskern einer konservativen Partei. Das Hauptverdienst daran kam dem jungen Chefredakteur Hermann Wagener zu. Dieser hatte sich, zunächst Assessor am Magdeburger Konsistorium, als eifriger Verteidiger kirchlicher Orthodoxie und Staatstreue gegen Rationalismus und theologischen wie politischen Liberalismus einen Namen gemacht. Er war schon dort dem Kreis um Ludwig von Gerlach nahegetreten, der ihn dann an die Spitze der wesentlich von ihm initiierten Neugründung berief. Wagener besaß die Fähigkeit, die etwa seinem Gönner völlig abging, Praxis und Theorie, Unterhaltung und politische Auseinandersetzung, Ironie und Ernsthaftigkeit miteinander zu verbinden. So gelang es ihm, ein Blatt zu machen, das, meist ungewöhnlich gut unterrichtet, auch den politischen Gegner erreichte und sich mit wirkungsvollen Attacken, angeblichen Enthüllungen und geistreichen Kommentaren im Gespräch zu halten wußte.

An all dem hatte Bismarck erheblichen Anteil. Er gehörte von Anfang an zum engsten Mitarbeiterstab der »Kreuzzeitung« und war stets um unmittelbaren Kontakt zu ihrem gleichaltrigen Chefredakteur bemüht, den er von der Universität her kannte. Er bestärkte Wagener darin, durch Aufnahme von Anzeigen, durch Abdruck von Fremdenlisten und durch Ausbau des Wirtschaftsteils den Kreis der potentiellen Leser zu vergrößern. Er drängte auf Beschleunigung und Erweiterung der Information mit sicherem Blick dafür, daß eine Meinungspresse um so größeren Einfluß erlangt, je unentbehrlicher sie für Freund und Feind als Informationsträger wird. Insbesondere aber lieferte er selber eine Fülle von Beiträgen, die den Stil der Zeitung maßgeblich mitbestimmten. An Aggressivität, an drastischem Realismus, an oft brutalem Spott und an Lust zur Demaskierung angeblich idealistischer Beweggründe ließ er sich hier wie in seinen Reden kaum übertreffen. Ja, man kann sagen, daß der Wandel im Klima der Auseinandersetzung, ihre zunehmende Härte und die Neigung, die Antriebe des politischen Gegners zu verdächtigen und ihm, wo irgend möglich, platten Materialismus zu unterstellen, ganz wesentlich auf ihn zurückgeht.

Hier brach bei Bismarck jener nicht selten zynisch grundierte Antiidealismus immer stärker durch, der in ihm angelegt war. Daß dies für die Glaubwürdigkeit der eigenen Prinzipien und Ideale nicht ohne Folgen bleiben konnte und die Ironisierung des vorgeblichen Idealismus des politischen Gegners eine bestimmte Art zu argumentieren ins Abseits zu schieben drohte, ist gerade den Hochkonservativen, bei aller Freude an dem Erfolg des Blattes, mehr und mehr bewußt geworden. Auch hier wurde, wie in den Diskussionen um Aufgaben und Zielsetzung des Grundbesitzervereins, ein Dissens sichtbar, der weit über Fragen der politischen Taktik hinausging. Er kündigte einen Konflikt der Grundanschauungen an, der das sich eben neu formierende Lager der Konservativen ebenso zerreißen sollte wie das der Liberalen.

Dabei handelte es sich hier wie dort zugleich um einen Generationskonflikt, um eine Veränderung der Orientierungsmaßstäbe, die offenbar ganz entscheidend von der unterschiedlichen Welterfahrung in der jeweiligen Jugendzeit abhing. Zentral für diese Erfahrung war wohl in erster Linie die unübersehbare Verlagerung der Dynamik des geschichtlichen Prozesses vom politischen Bereich im engeren Sinne auf den wirtschaftlichen und gesellschaftlichen in den Jahrzehnten der Restauration nach 1815. Mit ihr trat die Bedeutung individueller Antriebe für die geschichtliche Entwicklung deutlich zurück gegenüber überindividuellen, die in dieser Entwicklung selber begründet und somit stärker materiell und interessenfixiert waren.

Dies spiegelt sich nicht zuletzt in der Unbekümmertheit, mit der die jungen Konservativen wie Bismarck, Kleist-Retzow oder Wagener auch die Mobilisierung breiter Volksschichten betrieben. Für die Generation der Gerlachs war das, mochte sie auch die Notwendigkeit einsehen, eine Anleihe bei der Revolution, ein Spiel mit dem Feuer, das sie höchst bedenklich stimmte. Zwar lief das Ganze, der Versuch, der sich bildenden konservativen Partei populare Elemente besonders aus der ländlichen und bäuerlichen Bevölkerung sowie aus Handwerkerschaft und städtischem Kleinbürgertum zuzuführen, äußerlich in den Formen eines spontanen Aufgebots zum Schutz von König und Vaterland nach dem Muster der Freiheitskriege ab. Man gründete »Patriotische Vereine«, »Vereine für König und Vaterland« und versuchte in Versammlungen und Kundgebungen die »königstreuen« Kräfte um sich zu scharen. Aber es war nicht zu übersehen, daß es sich der Sache nach um etwas ganz anderes handelte. Man bot nicht, wie einst, zu selbstverständlicher Gefolgschaftstreue auf. Man warb, man machte Versprechungen, eröffnete einzelnen lokal einflußreichen Personen individuelle Aussichten für die Zukunft, appellierte an Interessen, an Hoffnungen und Erwartungen. Kurz, man zerstörte mit eigener Hand das, was man an ständischer Abgrenzung, Unterordnung und Verpflichtung eben noch selbst gefordert hatte und was bewußtseinsmäßig sicher auch noch vielfach vorhanden war. Man erhob den Bauern, den Handwerker, den kleinen Kaufmann verbal, wenn er die eigene politische Haltung zu teilen bereit war, zum Partner.

Daß dies lediglich verbal geschah, daß in Wirklichkeit die traditionellen Zu- und Unterordnungsverhältnisse der ständischen Welt längst in ein System materieller Abhängigkeiten und Begrenztheiten überführt und darin bewahrt worden waren, war für die jüngeren Konservativen eine Selbstverständlichkeit. Demgemäß sahen sie in dem ganzen Vorgang nichts Bedenkliches, keinen fragwürdigen Wechsel auf die Zukunft, sondern einen Akt der Zweckmäßigkeit und des politischen Kalküls. Anders die Älteren. Für sie waren das Konzessionen an die neue Zeit, die die eigene Position untergruben und sie unglaubwürdig machten. Die Betonung materieller Interessen, die offen dokumentierte Verachtung gegenüber idealistischen Positionen und das Werben um Bundesgenossen in den unteren Schichten schienen ihnen sehr weit weg zu führen von dem, was sie ursprünglich erstrebt hatten. Sie sahen darin den Ausdruck eines Sieges der Revolution gleichsam durch die Hintertür.

In der Situation des gemeinsamen Abwehrkampfes gegenüber den liberalen und demokratischen Kräften stellten die meisten allerdings solche Bedenken zunächst einmal zurück. Dies nicht zuletzt deswegen, weil sich die neuen Formen der politischen Auseinandersetzung als außerordentlich erfolgreich erwiesen. Bei den beiden Wahlen zum Abgeordnetenhaus, die im Jahr 1849 stattfanden, gewannen die Konservativen, nach dem völligen Zusammenbruch ihrer parlamentarischen Stellung im Jahr 1848, nun auch hier eine feste Position: Hatten sie bei den Februarwahlen, die noch nach dem allgemeinen Wahlrecht abgehalten wurden, immerhin schon dreiundfünfzig Sitze erhalten, so waren es bei den Juliwahlen nach dem neuen sogenannten Dreiklassenwahlrecht bereits einhundertvierzehn, fast ein Drittel der insgesamt dreihundertzweiundfünfzig Sitze, und dies bei rund siebzig Fraktionslosen; schon im Februar war es einer Mitte-Rechts-Koalition gelungen, gegen die Linke einen eigenen Kandidaten als Parlamentspräsidenten durchzusetzen.

Die neuen politischen Methoden ergänzten nach allgemeinem Eindruck diejenigen aufs beste, mit denen die Älteren operierten. Es bildete sich, so konnte man meinen, als Ergebnis der sehr unterschiedlichen Lebenssituation beider Gruppen eine Art politischer Arbeitsteilung heraus. Hier die älteren Honoratiorenpolitiker vom Schlage der Gerlachs, Ernst von Senfft-Pilsachs oder des Generals von Rauch, die, als Offiziere und Beamte fest in der bestehenden staatlichen und gesellschaftlichen Hierarchie verankert, die traditionellen Wege politischer Einflußnahme beschritten. Sie bemühten sich, ihrer eigenen Stellung entsprechend, vor allem um den König und um die Spitzen von Heer, Kirche und Bürokratie, suchten diese für ihr Programm und ihre Ziele zu gewinnen. Und dort die Jüngeren um Kleist-Retzow und

Bismarck, den »sehr tätige(n) und intelligente(n) Adjudant(en) unseres Camarilla-Hauptquartiers«, wie Ludwig von Gerlach ihn in jenen Tagen einmal nannte. Sie kämpften in der Presse, in Vereinen und Versammlungen, später dann wieder im Parlament sozusagen in der vordersten Frontlinie und wurden dabei mehr und mehr zu Berufspolitikern: Nachdem Bismarck Anfang Februar 1849 für den Wahlkreis Zauche-Belzig-Brandenburg ins Abgeordnetenhaus gewählt worden war und die Neuwahlen Ende Juli ihn in seinem Mandat bestätigt hatten, entschloß er sich, Schönhausen zu verpachten und die Familie nach Berlin zu holen. Hier, in einer recht kleinen Wohnung, zunächst an der Behrenstraße, dann an der Dorotheenstraße, in finanziell ziemlich beengten Verhältnissen, kam Ende Dezember 1849 sein ältester Sohn Herbert zur Welt.

In solcher Form, in der Stellung eines Abgeordneten ganz der Politik zu leben, war in Preußen etwas völlig Neues; es ergab sich aus der durch die Revolution und durch die Verfassung von Grund auf veränderten Situation. Man konnte daher auch argumentieren, daß die Methoden, welche die Jüngeren unter den Verteidigern der bestehenden sozialen Ordnung und der bestehenden Machtverteilung anwandten, ihnen von dieser Situation und vom politischen Gegner aufgezwungen worden seien und durchaus nicht eine veränderte politische Grundauffassung, neue Prinzipien und Ziele widerspiegelten. Gerade im Falle Bismarcks, der in dieser Hinsicht von außen her gesehen am weitesten ging, kam noch etwas anderes hinzu.

So klarsichtig er auch erkennen mochte, daß es unter den gegebenen Umständen viel weniger auf abstrakte Prinzipien ankam als auf handfeste gemeinsame Interessen und daß man nur durch deren Mobilisierung den Ansturm der neuen politischen und sozialen Kräfte erfolgreich werde abwehren können, so selbstverständlich sah man ihn, ungeachtet seiner praktischen Bestrebungen, nach wie vor als ideologischen Extremisten, als eine Art Don Quichotte einer ständisch-feudalen Traumwelt, den die Karikaturisten als Ritter im Krebspanzer abzubilden liebten. Daß gerade er sich der von den Liberalen und Demokraten entwickelten neuen Methoden und Formen parteipolitischer Werbung und Sammlung durch Presse, Verein und Versammlung besonders virtuos bediente, ließ diese Art des Vorgehens zusätzlich als bloßes Mittel zum Zweck erscheinen. Es verschleierte, daß sich dahinter etwas ganz Neues verbarg, eine wesentlich veränderte Auffassung von den Zielen der Politik und von den eigentlichen Inhalten des politischen Kampfes.

Hierin lag ein persönliches Dilemma, in das Bismarck im Verlauf seiner politisch-parlamentarischen Tätigkeit während der Revolution in immer stärkerem Maße geriet. Er war im allgemeinen Bewußtsein auf die äußerste Rechte festgelegt, ohne eigene Hausmacht und solide Wählerbasis; »wir sind konservativ, sehr, aber nicht Bismarcksch«, war nach Bismarcks eigenem Zeugnis die Parole vieler Wahlmänner bei den Wahlen vom Juli 1849. Fast niemand wollte sich, so willkommen er als Mitstreiter war, offen zu seiner Position bekennen. Seine Freunde beschworen ihn nicht selten, sich in dieser oder jener Frage im zweiten Glied zu halten, um den Erfolg nicht zu gefährden. So blieb er in besonderem Maße auf das Wohlwollen seiner älteren politischen Freunde und Gönner, also vor allem der Brüder Gerlach, angewiesen. Und er mußte sich immer wieder nachdrücklich darum bemühen, das Mißtrauen zu zerstreuen, das er mit gelegentlichen Bemerkungen sowie mit seiner offenkundigen Neigung zur Betonung materieller und, modern gesprochen, ideologiekritischer Gesichtspunkte bei ihnen erregte.

Insofern ist es einigermaßen schwierig, bei seinen vielfältigen Äußerungen zu konkreten politischen Problemen in diesen Jahren jeweils zu unterscheiden, was vorwiegend jenem Zweck diente und was Ausdruck persönlicher Überzeugung war. Die fatale Neigung vieler, sogar kritischer Biographen, in ihrem Helden stets das Originalgenie zu sehen, »dem Genius«, nach Droysens Worten, »zu viel und alles« zuzuschreiben, hat hier zu manch fragwürdigen Ergebnissen geführt. Sie hat angebliche Diskontinuitäten in Anschauungen und Betrachtungsweisen zutage gefördert, die sich weitgehend in Luft auflösen, wenn man die äußere Abhängigkeit von seinen politischen Gönnern in Rechnung stellt.

Das gilt vornehmlich für die meisten seiner Grundsatzerklärungen zu Fragen der inneren Politik, insbesondere zu den Verfassungsproblemen und zu dem Problem des Verhältnisses von Staat und Kirche. Hier folgte er weitestgehend der Linie, die der eigentliche theoretische Kopf des rechten Flügels der Konservativen, Friedrich Julius Stahl, in seinen Schriften vorgezeichnet hatte und selber in Zeitungsartikeln und Parlamentsreden, als Mitglied der Ersten Kammer, immer wieder nachzog und präzisierte. Das fiel Bismarck um so leichter, als Stahl mit seinen Lehren die ideologische Brücke schlug zwischen den älteren und den jüngeren Konservativen. Einerseits betonte er, unter ständigem Hinweis auf England und die englische Entwicklung, die traditionell-ständische Wurzel des Konstitutionalismus. Andererseits rechtfertigte er die Übernahme moderner politisch-parlamentarischer Formen und Methoden auch durch die Konservativen. Einerseits unterstrich er die Bedeutung des »monarchischen Prinzips«, also die möglichst uneingeschränkte Erhaltung fürstlicher Herrschaftsrechte. Andererseits trug er dem Wunsch Rechnung, die Krone stärker als bisher auf das Herkommen und auf die in ihm verankerten Interessen zu verpflichten, deren Vertretern also einen besonderen Platz im Staat einzuräumen. Schließlich verpflichtete er zwar den Staat auf die christliche Lehre und wies ihren irdischen Interpreten damit eine hervorgehobene politische Stellung an. Gleichzeitig aber ließ er keinen Zweifel daran, daß der Bund von Thron und Altar auf der Voraussetzung beruhe, daß die Kirche sich stets in den Bahnen der Orthodoxie und der Staatstreue halte.

Zu solcher Umdeutung und Uminstrumentalisierung des liberalen Verfassungsgedankens im ständisch-konservativen Sinne hat sich Bismarck vorbehaltlos bekannt. Er hat diese Konzeption in seinen öffentlichen Äußerungen im wesentlichen nur illustriert, sie mit Anschaulichkeit und Beispielen gefüllt. Darin steckte allerdings, so sehr er sich im Grundsätzlichen auf der allgemeinen Linie bewegte, ein spezielles, für seine eigene politische Haltung und Entwicklung typisches Element. Indem Bismarck die Stahlschen Thesen auf die spezifische preußische Situation bezog, nahm er ihnen ihren abstrakt-allgemeinen Charakter. Der Staat war für ihn der historisch gewachsene preußische Staat, die Aristokratie der grundbesitzende preußische Adel, das Heer das Königsheer des preußischen Absolutismus, die Bürokratie das aufgeklärte Beamtentum der Nachreformzeit, die Kirche die preußische Landeskirche unter dem Summepiskopat der Krone. Nicht daß es bei ihm an historischen Vergleichen fehlte, vor allem, wie bei Stahl, mit den englischen Verhältnissen. Aber entscheidend und maßgebend war für ihn immer das politische und soziale Ordnungsgefüge Preußens. Auch in dieser Hinsicht war er ein »Stockpreuße«, wie er die Kritik seiner Gegner gern bestätigte.

Von einem preußischen Nationalismus in dem Sinne, daß er nun etwa alles außerhalb Preußens durch diese Brille gesehen und beurteilt hätte, war er in Denken und Handeln allerdings weit entfernt. Die Konkretisierung der Stahlschen Ideen fast ausschließlich mit Blick auf Preußen ließ im Gegenteil deren dogmatischen Charakter weitgehend zurücktreten. Sie schränkte auch das Nationen und Staaten übergreifende Element in ihnen, die damit verbundenen Verpflichtungen und Loyalitäten stark ein. Für ein überstaatliches, die Grenzen der jeweiligen politischen Gemeinschaft überschreitendes und ideologisch bindendes konservatives Prinzip, an dem den Gerlachs so sehr gelegen war, ließ jene Betrachtungsweise, selbst wenn das noch nicht offen hervortrat, nur wenig Raum. Sehr viel stärker noch als bei Stahl selber trat demgegenüber der Machtgedanke hervor, die Betonung der historisch entstandenen Verteilung der Gewichte im preußischen Staat und in der preußischen Gesellschaft. Sie könne man nicht willkürlich verändern, das war immer wieder der entscheidende Schluß, wolle man nicht die Willkür zum Staats- und Rechtsprinzip erheben – mit all den damit verbundenen Folgen.

Indem Bismarck den Machtgedanken unter diesem Aspekt so stark in den Vordergrund schob, band er Recht und Verfassung in einer Weise an die jeweiligen Machtverhältnisse, die konservativ nur noch im Hinblick auf ihre konkreten Schlußfolgerungen in der damaligen Situation genannt werden konnte. In ihrer Konsequenz war sie nicht weniger dynamisch und materialistisch-pragmatisch, als es die Anschauungen waren, die er über die eigentlich bewegenden Kräfte in den gesellschaftlichen und politischen Beziehungen und Verhältnissen in jenen Jahren entwickelte. Er war von daher durchaus offen gegenüber Veränderungen und ganz neuen Entwicklungen. Das gilt auch für den Bereich, der wenig später für viele Jahre der eigentliche Inhalt seines politischen Lebens werden sollte: für die zwischenstaatlichen Beziehungen und für ihr zu diesem Zeitpunkt für Preußen brennendstes Problem, nämlich das Verhältnis zu Österreich und die sogenannte deutsche Frage.

Was er den »preußischen Offiziersstandpunkt« auf dem Gebiet der auswärtigen Politik nannte, hatte er schon unter dem Einfluß Heerens in Göttingen abgelegt. Und daß die Beziehungen zumal zwischen größeren Staaten ein überaus heikles und diffiziles Geflecht bildeten, das von denen, die damit von Amts wegen befaßt waren, ein Höchstmaß an Geschick, Nüchternheit und Kenntnissen verlangte und darüber hinaus große Disziplin und Selbstbeherrschung, war eine Grundeinsicht, die er bei aller Emotionalität und Unberechenbarkeit seiner Natur bereits von Haus aus mitbrachte. Politik im eigentlichen Sinne, die Betätigung und Anspannung aller Kräfte zu großen Zwecken im Dienst der Gemeinschaft, des Staates, das war für den Kreis aufgeklärter Bürokraten älteren Stils, dem die Mutter entstammte, wie für deren fürstliche Herren die Außenpolitik, die Behauptung, Sicherung und Erweiterung der Macht des eigenen Staates nach außen.

So stand es mit völliger Selbstverständlichkeit in den sogenannten politischen Testamenten der Hohenzollern. So lehrten es die »Publizisten«, die politischen Wissenschaftler der Zeit, ihren für den Staatsdienst bestimmten Schülern. So war die allgemeine Meinung noch bis weit ins 19. Jahrhundert hinein. Die innere Politik wurde charakteristischerweise bis an die Schwelle der Revolution von 1848 unter dem Begriff »Polizei« als dem Fachausdruck für öffentliche Wohlfahrtspflege und Garantie der inneren Sicherheit gefaßt. Die »eigentliche« Politik, also die Außenpolitik, erschien damit als eine Art exemter Bereich, der besondere Fachmannschaft, besondere Kenntnisse und ein besonderes Talent voraussetzte, ja, fast so etwas wie ein höheres Wissen um die speziellen Geheimnisse erfolgreicher Herrschaft, um die »Arcana imperii«.

Dem entsprach, daß es in den Fürstenstaaten des 18. Jahrhunderts nahezu zur festen Gewohnheit geworden war, das Personal für die auswärtige Politik nicht aus dem Land selbst zu nehmen, sondern es von anderswo herbeizuziehen. Auf diese Weise sollte eine innerstaatliche Orientierung und Bindung nach Möglichkeit verhindert und bewirkt werden, daß sich der Blick ausschließlich auf die äußeren Machtinteressen des Staates und die Berechnung der Möglichkeiten und Grenzen des internationalen Systems konzentrierte. Im Gefolge der Französischen Revolution und der damit einhergehenden Nationalisierung und Emotionalisierung der Staatenbeziehungen, die in den Freiheitskriegen ihren Höhepunkt erreicht hatte, war all dies weitgehend zusammengebrochen. Andererseits waren der Zusammenhang und die wechselseitige Abhängigkeit von innerer und äußerer Politik sehr deutlich geworden. In der nachfolgenden Restaurationszeit kam es jedoch auch hier zu einem

Versuch der Wiederherstellung der alten Verhältnisse, der traditionellen Verhaltensweisen wie der traditionellen Techniken.

Wie erfolgreich dieser Versuch einer Restauration des vorrevolutionären Zustands aufs ganze gesehen gewesen ist, läßt sich nicht nur daran ablesen, daß die Renaissance der Auffassungen des 18. Jahrhunderts breiten Widerhall fand; neben Heeren war es in erster Linie der Historiker Leopold von Ranke, der ihnen nun auch wissenschaftlich zum Durchbruch verhalf. Es zeigt sich auch daran, daß diejenigen, die hiergegen politisch Sturm liefen, trotz aller Erfahrungen nichts anderes dagegen zu setzen vermochten als die Utopie, mit der Beseitigung des Absolutismus und der innenpolitischen Unterdrückung der Völker würden automatisch alle internationalen Konflikte wegfallen, würde auswärtige Politik im herkömmlichen Sinne praktisch unnötig werden. »Kabinette mögen einander betrügen; politische Maschinerien mögen gegeneinander gerichtet werden, bis eine die andere zersprengt«, so hatte Johann Gottfried Herder in den neunziger Jahren des 18. Jahrhunderts in seinen »Briefen zur Beförderung der Humanität« gemeint: »Nicht so rücken Vaterländer gegeneinander; sie liegen ruhig nebeneinander und stehen sich als Familien bei. Vaterländer gegen Vaterländer im Blutkampf ist der ärgste Barbarismus der menschlichen Sprache.« Und über alle »Barbarismen« der »Nationalkriege« der vergangenen zwanzig Jahre echote der französische Liberale Benjamin Constant 1819: »Die Herrscher mögen einander feind sein, die Völker sind solidarisch.« Das blieb die vorherrschende Meinung bis 1848: im »Jungen Europa« Giuseppe Mazzinis, in der liberalen Presse, in den parlamentarischen Verhandlungen über die Notwendigkeit stehender Heere und die Aufwendungen für die auswärtige Politik.

Die Konsequenz war, daß man das Feld der Außenpolitik, sofern es nicht um kühne Zukunftsvisionen und -entwürfe ging, fast vollständig dem innenpolitischen Gegner überließ. Und zwar gilt das nicht nur für die Praxis, in der es angesichts der Machtverhältnisse fast überall in Mitteleuropa unvermeidlich war, sondern auch für die Theorie. So lebhaft über jede wichtigere Maßnahme der inneren Politik dort diskutiert wurde, wo das von den Voraussetzungen, der Existenz einer freien Presse und parlamentarischer Gremien, überhaupt möglich war, so nachdrücklich man sich dabei um konkrete Gegenvorschläge, um konkurrierende Entwürfe bemühte – in der äußeren Politik begnügte man sich mit ganz allgemeinen Kundgebungen. Auch die liberalen Kräfte im Staatsapparat selber haben sich praktisch nie ernsthaft bemüht, in diesen Bereich einzudringen. Er blieb eine Domäne konservativer Fachmänner, wobei, die Exklusivität verstärkend, der Akzent auf beidem lag.

In diese Domäne hatte auch Bismarck auf dem sozusagen normalen Wege nicht zu gelangen vermocht, und den Umweg über Wirtschafts- und Zollvereinsverwaltung hatte er abgebrochen. Zu einem »Systemkritiker« hat ihn dies jedoch nicht gemacht – anders als im Bereich der inneren Politik, wo ihn seine

Erfahrungen sehr wohl in diese Richtung trieben. Bei der äußeren Politik blieb er den von der Mutter vermittelten Einschätzungen seiner Jugend und den Vorstellungen, die er in den Vorlesungen Heerens aufgenommen hatte, weitgehend verpflichtet. Daß die Selbstbehauptung des Staates nach außen, die Sicherung und, wenn es sich machen ließ, Erweiterung seiner äußeren Machtstellung zwar sicher nicht der ausschließliche, aber letztlich der vornehmste und wichtigste Gegenstand aller Politik sei, hat er ernsthaft nie in Frage gestellt. Hierin war er mehr als die meisten seiner Zeitgenossen ein Mann des 18. Jahrhunderts. Die Notwendigkeit einer relativen Unabhängigkeit dieses ganzen Bereichs hat er Zeit seines Lebens immer sehr scharf betont.

Nicht daß er kein Auge für die Rückwirkungen der äußeren Politik auf die innere sowie für ihre wechselseitige Abhängigkeit besessen hätte. Dieser Zusammenhang war gerade im Zeitalter der Restauration und angesichts der prinzipiellen Kritik der Liberalen an der Notwendigkeit traditioneller Außen- und Machtpolitik so evident, daß es schon arger Blindheit bedurft hätte, um ihn zu übersehen. Was er befürchtete, war das Gegenteil: Daß aufgrund der zunehmenden Bedrohung durch liberale und demokratische Kräfte dieser Zusammenhang von jenen, die die auswärtige Politik bisher allein bestimmten und gestalteten, also den Konservativen, einseitig, von seiten der inneren Politik her, überstrapaziert werden könne. Das werde möglicherweise in dem Wunsch zu unbedingter Erhaltung des Status quo zu einer vollständigen Lähmung aller außenpolitischen Aktivität führen, ohne die Selbstbehauptung, geschweige denn Machtausdehnung unter sich ständig wandelnden Bedingungen und Verhältnissen nicht möglich sei.

Das war für jeden, der sich nicht ausschließlich von dem Gedanken der konservativen Solidarität und den Ideen der Heiligen Allianz von 1815 leiten ließ, sondern noch das 17. und 18. Jahrhundert, die Zeit des Großen Kurfürsten und Friedrichs des Großen, in positiver Einschätzung vor Augen hatte, unübersehbar die Situation Preußens in den Jahrzehnten vor 1848. Freilich mit einer Einschränkung, die jedoch völlig ins Bild paßte, da sie das Ergebnis von Aktivitäten war, welche die Diplomatie zu diesem Zeitpunkt weitgehend Fachleuten überließ, die meist aus der inneren Verwaltung stammten und überwiegend bürgerlicher Herkunft waren.

Diese Einschränkung betraf die Wirtschafts- und Handelspolitik, konkret gesagt: die Begründung und den Ausbau des Zollvereins in den zwanziger und dreißiger Jahren. Auf diesem Gebiet hatte Preußen fast von Anfang an die Initiative übernommen und eine offensive, interessenorientierte Politik betrieben. Von ihm aus gesehen mußte die Unselbständigkeit der preußischen Außenpolitik in allen anderen Bereichen, sowohl im Deutschen Bund als auch auf der europäischen Ebene, besonders deutlich werden. Eine solche Perspektive war Bismarck von früh auf vertraut, da er ja über die Zollvereinsverwaltung in den diplomatischen Dienst hatte gelangen wollen. Sie hatte seinen

Blick, in der inneren Vorbereitung auf diesen Weg, noch einmal nachdrücklich auf die materiellen Grundlagen und Voraussetzungen der Beziehungen zwischen Staaten und Völkern gelenkt, auf das Interessenfundament aller auswärtigen Politik, von dem in den Vorlesungen Heerens so eindringlich die Rede gewesen war.

Hinzu kam, daß er in Abwehr bürgerlich-national gefärbter Geschichtsbilder, wie sie ihm die Schule vermittelte, schon sehr früh zu einer Art trotziger Identifizierung mit dem Bild rücksichtsloser und unabhängiger preußischer Machtpolitik gelangt war. Viele seiner Äußerungen lassen eine solche derbe Glorifizierung des altpreußischen Königs- und Machtstaates erkennen. Wenn er in seinen Reden Preußen beschwor, so war es das Preußen des Großen Kurfürsten und Friedrichs, niemals die rückwärtsgewandte Utopie eines den Absolutismus und seine Machtansprüche begrenzenden Ständestaates, von der sich die Gerlachs leiten ließen.

Man hat oft gemeint, Bismarck sei erst in den fünfziger Jahren, unter dem Eindruck der konkreten Auseinandersetzung mit Österreich während seiner Zeit als preußischer Bundestagsgesandter, vom konservativen Ideenpolitiker und Anhänger der so begründeten Außenpolitik der Gerlachs endgültig zum Macht- und Interessenpolitiker geworden. In Wahrheit stand seine Position auch hier schon früh fest. Er hat sie nur gelegentlich, mit Blick auf die ganz anderen Auffassungen seiner politischen Gönner, verschleiert. Sehr viel brauchte er in dieser Hinsicht nicht einmal zu tun. Denn zunächst kam man von beiden Standpunkten aus fast stets zu ähnlichen Ergebnissen.

Beide Seiten haben die nationale Komponente der Revolution von 1848 sofort ebenso bekämpft wie ihre liberale und demokratische. Der Zusammenhang war völlig klar: Der Nationalstaat sollte ein Instrument der Veränderung sein. Er sollte auch innenpolitisch ganz neue Verhältnisse schaffen, auf dem Weg über eine Zentralverfassung mit bindenden Normen die bisherige Staats- und Gesellschaftsordnung in den einzelnen Staaten von Grund auf umgestalten. Die »ganze nationale Wut« sei »nichts Anderes« als eine »Äußerung des Freiheitsdranges«, bemerkte der Demokrat Ludwig Bamberger auf dem Höhepunkt der Revolution einmal lakonisch.

Zwar beschwor man in der Paulskirche gelegentlich, beispielsweise wenn es um den Vorrang der Deutschen in den national gemischten Gebieten Ostmitteleuropas, im damaligen Westpreußen oder in Böhmen ging, in allgemeinen Worten den Machtgedanken. Aber darum, wie sich die bestehenden europäischen Staaten zu der Frage einer neuen Großmachtbildung in Mitteleuropa verhalten würden und welche Grenzen etwa von hier, auch was die äußeren Dimensionen anging, einer Nationalstaatsbildung gesetzt seien, hat man sich erst einmal überhaupt nicht gekümmert. In merkwürdiger Blindheit gegenüber den Lehren, die man aus dem Schicksal Frankreichs nach 1789 hätte ziehen können, übersah man, daß man diejenigen Kräfte förmlich zusammentrieb, die man unter allen Umständen hätte auseinanderhalten müssen: jene, denen es im wesentlichen nur um die Bewahrung der eigenen Machtstellung und um die Erhaltung eines annähernden Kräftegleichgewichts in Europa zu tun war; und jene, die die Revolution und die Bildung eines revolutionären Nationalstaats aus innerster politischer Überzeugung bekämpften. Ob es überhaupt möglich gewesen wäre, diese Kräfte auf Dauer auseinanderzuhalten, braucht hier nicht erörtert zu werden. Es war für die weitere Entwicklung höchst charakteristisch und in mancher Hinsicht bestimmend, daß die Revolution beide sofort gegen sich aufbrachte, indem ihre Träger in einer Art unbekümmerter Siegeszuversicht ein ebenso vages wie extensives nationales Programm verkündeten.

Das Programm gründete auf der demokratischen Idee der kollektiven, der nationalen Selbstbestimmung. Seine Wortführer gingen von der liberalen Grundvorstellung aus, daß, wie im Verhältnis der einzelnen Individuen zueinander, die Idee der Selbstbestimmung nicht nur zu natürlicher Solidarität, sondern auch zu einer gleichsam natürlich vorgegebenen harmonischen neuen Ordnung auf internationalem Gebiet führen werde. Gegen diesen nationalen »Idealismus«, der mit dem Sieg der Revolution erstmals seit 1789 wieder praktische Bedeutung erlangte, ist Bismarck schon in seiner ersten für die Öffentlichkeit bestimmten Stellungnahme zu aktuellen außenpolitischen Fragen mit aller Entschiedenheit aufgetreten. Er hat dabei seine eigene Position sogleich ganz klar gemacht, eine Position, die von Anfang an »antiidealistisch« gewesen ist, und zwar in jeder denkbaren Richtung.

Den Anlaß bot ihm die Freilassung jener preußischen Staatsbürger polnischer Nationalität, die in den vorangegangenen Jahren aufgrund ihrer nationalpolnischen Bestrebungen wegen Landesverrats verurteilt worden waren. In einem Manuskript, das er am 20. April 1848 von Schönhausen aus an die Redaktion der »Magdeburgischen Zeitung« schickte – es blieb ungedruckt und wurde erst achtunddreißig Jahre später wiederentdeckt und veröffentlicht –, hat er in düsteren Farben die Konsequenzen beschworen, die sich aus der praktischen Verwirklichung der »schwärmerischen Theorie« ergeben könnten, die hinter dem ganzen Vorgang stehe. Daß »zum Dank« für ihre Befreiung »die Befreiten bald darauf an der Spitze von Banden« gestanden hätten, »welche die deutschen Einwohner einer preußischen Provinz mit Plünderung und Mord, mit Niedermetzelung und barbarischer Verstümmelung von Weibern und Kindern heimsuchten«, wie er in demagogischer Zuspitzung schrieb, sei zwar die aktuellste, aber in ihrer Dimension vergleichsweise noch harmloseste Konsequenz. Vielmehr werde man, wenn man auf diesem Weg fortschreite, erleben, »daß deutschen Staaten das Letzte von dem entzogen werde, was deutsche Waffen im Laufe der Jahrhunderte in Polen und Italien gewonnen hatten«: »Das will man jubelnd verschenken, der Durchführung einer schwärmerischen Theorie zu Liebe, einer Theorie, die uns ebensogut dahin führen muß, aus unsern südöstlichen Grenzbezirken in Steiermark und Illyrien ein neues Slawenreich zu bilden, das italienische Tirol den Venetianern zurückzugeben und aus Mähren und Böhmen bis in die Mitte Deutschlands ein von letzterem unabhängiges Czechenreich zu gründen.« Das historische »Deutschland«, das war die Schlußfolgerung, werde sich auflösen. Vor allem werde im Osten mit seiner nationalen Gemengelage in einem polnischen Nationalstaat eine Macht entstehen, die, selbst bei größtmöglichen Zugeständnissen, also bei vollständiger Wiederherstellung des polnischen Staates in den Grenzen von 1772, vor den Teilungen, »lüstern auf jede Verlegenheit Deutschlands« warten würde, »um Ostpreußen, polnisch Schlesien, die polnischen Bezirke von Pommern für sich zu gewinnen«. »Wie kann aber ein Deutscher«, rief Bismarck pathetisch aus, »weinerlichem Mitgefühl und unpraktischen Theorien zu Liebe, dafür schwärmen, dem Vaterlande in nächster Nähe einen rastlosen Feind zu schaffen, der stets bemüht sein wird, die fieberhafte Unruhe seines Innern durch Kriege abzuleiten und uns bei jeder westlichen Verwicklung in den Rücken zu fallen: der viel gieriger nach Eroberung auf unsere Kosten sein wird und muß als der russische Kaiser, der froh ist, wenn er seinen jetzigen Koloß zusammenhalten kann, und der sehr unklug sein müßte, wenn er den schon starken Anteil zum Aufstand bereiter Untertanen, den er hat, durch Eroberung deutscher Länder zu vermehren bemüht sein sollte. *Schutz gegen Rußland brauchen wir aber von Polen nicht; wir sind uns selbst Schutz genug.*«

An diesen Einschätzungen hat Bismarck, was Polen und Rußland angeht, im großen und ganzen zeit seines Lebens festgehalten. Zumal die Sorge vor einer staatlichen Fundierung des polnischen Nationalismus, vor den möglichen Folgen einer Wiederbegründung des polnischen Staates, blieb ein entscheidendes Moment seiner Politik gegenüber Rußland und zugleich seiner gesamten Außenpolitik. »Die Wiederherstellung des Königreichs Polen in irgendwelchem Umfange«, heißt es in einer Denkschrift nach dem polnischen Aufstand von 1863, »ist gleichbedeutend mit der Herstellung eines Bundesgenossen für jeden Gegner, der uns angreift.« Diese Überlegung hat ihn immer wieder zu Äußerungen getrieben, deren Brutalität und eisige Unbedingtheit, vor allem auch im Licht dessen, was später geschah, nur schwer erträglich erscheint. So etwa wenn er im März 1861, im Vorfeld des polnischen Aufstandes, in einem Privatbrief an die Schwester ausbrach: »Haut doch die Polen, daß sie am Leben verzagen; ich habe alles Mitgefühl für ihre Lage, aber wir können, wenn wir bestehen wollen, nichts anderes tun, als sie ausrotten; der Wolf kann auch nicht dafür, daß er von Gott geschaffen ist, wie er ist, und man schießt ihn doch dafür tot, wenn man kann.« Das war die düstere Kehrseite unbedingter Hingabe an den »staatlichen Egoismus«, den er, unmittelbar vor Beginn seiner diplomatischen Laufbahn, als »die einzig gesunde Grundlage« der Politik eines großen Staates bezeichnen sollte.

In Opposition zu der »schwärmerischen Theorie« der nationalen Partei und der Revolution, die in Wahrheit dazu führe, daß »wieder einmal zum eigenen Schaden fremde Kastanien aus dem Feuer geholt« würden, beschwor Bismarck in seinem Artikel vom April 1848 als wahres »nationales« Ziel, in dem das notwendigerweise gegen ein selbständiges Polen gerichtete Interesse Preußens aufgehoben sei, die Erhaltung des historisch gewachsenen Deutschland. Dabei verfuhr er hinsichtlich jener preußischen und österreichischen Gebiete, die nicht zum Deutschen Bund von 1815 gehört hatten, stillschweigend sehr unterschiedlich: Während er Posen, Ost- und Westpreußen ohne weiteres dazurechnete, differenzierte er zwischen Tirol und Venetien, sprach von »unseren südlichen Grenzbezirken in Steiermark und Illyrien« und klammerte das ungarische Problem ganz aus. Formal schloß er sich damit den sogenannten Großdeutschen an, die für einen deutschen Nationalstaat mit Einschluß sämtlicher preußischen, aber nur der überwiegend deutschsprachigen Gebiete Österreichs plädierten und die dann auch in der Frankfurter Nationalversammlung zunächst eindeutig die Mehrheit hatten. Doch in Wahrheit kam er von ganz anderen Voraussetzungen, gewissermaßen zufällig, zu dem gleichen Ergebnis.

Sein Deutschland-Bild hatte drei konstitutive Faktoren: einen historischen, einen spezifisch preußischen und, untrennbar mit den beiden ersten verbunden, einen machtpolitischen. Nur hinsichtlich des ersten Faktors berührte er sich teilweise mit der Masse der sogenannten Großdeutschen. Deutschland, das war für ihn historisch das Alte Reich, jenes zwar schließlich sehr lockere, jedoch durch Herkommen und kaiserliche Repräsentanz geheiligte Band, das die mitteleuropäische Staatenwelt bis 1806 zusammmgehalten hatte und das 1815, obschon in wesentlich modifizierter und noch loserer Form, erneuert worden war. Daß dieses Reich eine alte Kulturnation repräsentierte und daß sich hieraus ein zusätzlicher Zusammenhalt herleitete, war ihm selbstverständlich. Aber es enthielt für ihn jetzt wie später kein eigentlich wesensbestimmendes oder gar grenzziehendes Element. Wenn er in jenem Zeitungsartikel schrieb, er »hätte es erklärlich gefunden, wenn der erste Aufschwung deutscher Kraft und Einheit sich damit Luft gemacht hätte, Frankreich das Elsaß abzufordern und die deutsche Fahne auf den Dom von Straßburg zu pflanzen«, dann war es der alte Reichsboden, den er hier vor Augen hatte und nicht ein sprach- und kulturnationaler Anspruch.

Gegen einen solchen Anspruch wandte er sich gerade mit großem Nachdruck, und zwar mit dem Argument, daß er die historisch gewachsene Staatenwelt und somit alle Ordnung zerstören werde. Diese Ordnung sah er mit voller Selbstverständlichkeit von Preußen her. Er ging davon aus, daß die Bewohner anderer Staaten, falls sie sich nicht von »unpraktischen Theorien« leiten ließen, nicht anders handelten und daß von hier aus und nur von hier aus Berechenbarkeit und damit Rationalität in die Staatenbeziehungen komme.

Auf sein Deutschland-Bild bezogen hieß das, daß Deutschland die territoriale wie die machtpolitische Identität Preußens einzuschließen und zu bewahren hatte. Jeder Preuße mußte also Deutscher sein, ohne alle Differenzierung, und Preußens machtpolitisches Gewicht in Europa und seine außenpolitische Entscheidungsfreiheit durften durch seine deutschen Bindungen und Verpflichtungen keinesfalls gemindert werden. Wenn Bismarck ein Menschenalter später einmal bemerkte, er »habe das Wort ›Europa‹ immer im Munde derjenigen Politiker gefunden, die von anderen Mächten etwas verlangten, was sie im eigenen Namen nicht zu fordern wagten«, so gilt das in gleicher Weise für seine Einschätzung der Verwendung des Begriffs ›Deutschland‹ durch die Vertreter der nationalen Partei und der Revolution, aber auch durch die Wortführer der preußischen Unionspolitik in den Jahren 1848 bis 1850. Er war sich darin im übrigen schon damals völlig mit seinem späteren Monarchen einig, der in offener Frontstellung gegen seinen königlichen Bruder im Sommer 1848 erklärte: »Preußen muß als Preußen an die Spitze Deutschlands kommen, nicht aber als Provinz in dasselbe aufgenommen werden, das heißt nicht in dasselbe aufgehen.«

Mit der Forderung, daß Deutschland die territoriale wie machtpolitische Identität Preußens einschließen müsse, war klargestellt, daß dieses Deutschland nicht mit erdrückendem Gewicht auf Preußen lasten dürfe; das war der dritte bestimmende Faktor seines Deutschland-Bildes. Eine Zentralstaatsverfassung, die Preußen in gewisser Weise mediatisieren würde, kam für ihn ebensowenig in Frage wie eine institutionell verfestigte Vormachtstellung der Habsburger Monarchie, wie sie praktisch, wenn auch in lockerer Form, seit 1815 im Deutschen Bunde bestanden hatte.

Eine Ausdehnung des künftigen Deutschland über die Grenzen des Deutschen Bundes und des Alten Reiches schied daher für ihn, was Österreich anging, von vornherein aus – ganz abgesehen davon, daß er von Anfang an überzeugt war, daß die übrigen europäischen Mächte eine solche Großreichbildung in Mittel- und Ostmitteleuropa niemals zulassen würden. Ob er angenommen hat, Österreich werde sich in der ganzen Frage anders verhalten als Preußen und geographisch wie als europäische Großmacht in eine Zwitterstellung zu einem vereinigten Deutschland treten, wird man bezweifeln dürfen. Wenn man Bismarcks Deutschland-Bild von 1848 näher analysiert und die Bedingungen untersucht, die er von seinem preußischen und innenpolitisch hochkonservativen Standpunkt aus an eine künftige Einigung Deutschlands stellte, dann wird deutlich, daß er eine Lösung dieses Problems, der sogenannten deutschen Frage, weder sah noch erstrebte. »Preußen sind wir und Preußen wollen wir bleiben... Wir wollen das preußische Königtum nicht verschwommen sehen in der faulen Gärung süddeutscher Gemütlichkeit«, hatte er schon Anfang Juni 1848 Hermann Wagener gegenüber erklärt. Seine ganze Energie galt zunächst der Abwehr der Revolution auch auf diesem

Gebiet. Die Bastion, auf die er sich dabei immer zurückzog, blieb Preußen, obwohl er den Begriff »Deutschland« und deutsche »Einigkeit« und »Einheit«, ersteren gelegentlich gegen den zweiten ausspielend, propagandistisch oft im Munde führte.

Was er in solchem Zusammenhang an außenpolitischen Ideen oder, besser gesagt, Positionen und Grundeinschätzungen im einzelnen entwickelte, waren gleichsam Versatzstücke. Sie paßten in höchst unterschiedliche Muster und Konzepte mit Einschluß des nationalstaatlichen, wenn man ihm nur den »Idealismus« austrieb und das »deutsche« Interesse in den Vordergrund schob. Zunächst jedoch war er einfach dafür, daß »Alles beim Alten« bleibe, wie er im März 1849 an seine Frau schrieb. Denn jede Neugestaltung auf diesem Gebiet würde zur Zeit nur die Revolution, also die bürgerlich-liberale Bewegung, begünstigen und dem preußischen Staats- und Machtinteresse nachteilig sein.

Beides nannte Bismarck in jenen Monaten fast stets im gleichen Atemzug – nicht nur mit Rücksicht auf seine hochkonservativen Freunde, sondern fraglos aus innerer Überzeugung. Ein entscheidender Unterschied aber ist auch hier deutlich. Seine politischen Mitstreiter, zumindest die Brüder Gerlach und Stahl, erklärten jenen Zusammenhang wesentlich ideologisch, in Umkehr der eigenen Vorstellung von Preußen als Hort und Verteidiger der konservativen Idee, den der Gegner zu schwächen oder gar auszuschalten bestrebt sei. Bismarck hingegen ging nur nüchtern von der derzeitigen Situation und Interessenlage aus. Oberstes preußisches Staatsinteresse mußte es sein, und das galt in seinen Augen für jeden Staat, die äußere Machtstellung zu bewahren und wenn möglich zu erweitern. Demgemäß war jeder ein Gegner, der sich diesem Interesse aus welchen Gründen auch immer entgegenstellte. Dies tat die nationale und liberale Bewegung, taten die »Frankfurter«, wie er sie verächtlich zu nennen pflegte. Sie wollten Preußen, so Bismarck, mediatisieren, wollten es in Deutschland aufgehen lassen, wie der vor ihnen zunächst kapitulierende König sehr richtig formuliert hatte. Also mußte sich der preußische Staat, mußte sich die preußische Krone, wenn sie sich vom preußischen Staatsinteresse und nicht von irgendwelchen romantischen Überlegungen leiten ließen, gegen den »Schwindel der Paulskirche« zur Wehr setzen.

Von den Linken, so erklärte er nach dem Beschluß der Frankfurter Nationalversammlung, Friedrich Wilhelm IV. die deutsche Kaiserkrone anzutragen, am 21. April 1849 in der preußischen Zweiten Kammer, würden »alle Mittel aufgewandt«, Preußen in Deutschland die Rolle aufzudrängen, welche Sardinien in Italien gespielt habe, »uns dahin zu bringen, wo Carlo Alberto vor der Schlacht von Novara [der Niederlage gegen die österreichische Armee unter Radetzky am 23. März 1849] war, wo ihm der Sieg den Untergang der Monarchie, seine Niederlage schimpflichen Frieden bringen mußte«. »Die Frankfurter Krone«, fuhr er fort, »mag sehr glänzend sein, aber das Gold, welches dem Glanze Wahrheit verleiht, soll erst durch das Einschmelzen der preußischen Krone gewonnen werden.« Die nationale und liberale Bewegung und die sie tragenden bürgerlichen Schichten wollten sich auf dem Umweg über eine vom Prinzip der Volkssouveränität bestimmte Zentralstaatsverfassung und über den Einheitsgedanken eine Macht gewissermaßen erschleichen, die sie weder besäßen, noch auf direktem Wege zu erlangen imstande seien. Unter diesen Umständen wolle er lieber, »daß Preußen Preußen bleibt«. Und ganz selbstbewußter preußischer Patriot: »Es wird als solches stets in der Lage sein, Deutschland Gesetze zu geben, nicht, sie von anderen zu empfangen.«

Ungeachtet dessen hat sich Bismarck hinsichtlich der deutschen Frage in der Öffentlichkeit zunächst eher vorsichtig ausgedrückt und nicht selten betont: »Die deutsche Einheit will ein Jeder, den man danach fragt, sobald er nur deutsch spricht.« Er tat es vor allem aus »realpolitischen« Gründen, mit Rücksicht auf Friedrich Wilhelm IV., den derzeitigen Träger der preußischen Krone. Dieser war von Jugend auf ein Anhänger des nationalen Gedankens gewesen, freilich in einer romantisch verbrämten, an undeutlichen Vergangenheitsbildern orientierten Form. Eine solche Sicht klammerte die eigentlichen Probleme im wesentlichen aus und harmonisierte die macht- und interessenpolitischen Gegensätze im Innern wie im Verhältnis zwischen den deutschen Staaten, insbesondere zwischen Preußen und der Habsburger Monarchie, in vagen Phantasien. Auch aus dem Lager der Konservativen waren ihm hierin manche gefolgt. Sie hofften wie auf der anderen Seite viele Liberale, die nationale Einheit werde eine höhere Einheit auch im Geistigen, im Sozialen und im Politischen stiften, sie werde sich sozusagen als heilende Kraft gegenüber allen Konflikten und Meinungsunterschieden der Gegenwart erweisen. Selbst die Ernüchterung durch die Erfahrungen der Revolution, deren Antriebe Friedrich Wilhelm allerdings nie anders als unter dem Aspekt pöbelhafter Anmaßung und der Entweihung hoher Ideen und Ideale zu sehen vermochte, hat die Faszination nicht zerstören können, die von dem Gedanken der deutschen Einheit und, mit ihr zusammenhängend, einer »deutschen Mission« Preußens ausging.

Bereits im Dezember 1848 hatte Friedrich Wilhelm IV. die Vorstellung, ein preußischer König solle von Volkes Gnaden deutscher Kaiser werden, mit größter Schärfe zurückgewiesen: »Einen solchen imaginären Reif, aus Dreck und Letten gebacken«, schrieb er verächtlich, »soll ein legitimer König von Gottes Gnaden, und nun gar der König von Preußen sich geben lassen, der den Segen hat, wenn auch nicht die älteste, doch die edelste Krone, die niemand gestohlen ist, zu tragen.« Er bezeichnete jedoch fast im gleichen Atemzug den Weg, den er zu gehen wohl bereit sei, ja, den er unter Umständen selbst würde bahnen helfen: »Soll die tausendjährige Krone deutscher Nation, die zweiundvierzig Jahre geruht, wieder einmal vergeben werden, so bin *ich* es und meinesgleichen, die sie vergeben werden.« Kaum hatte er, am 3. April und endgültig am 28.

, die ihm von der Frankfurter Nationalversammlung angetragene Würde eines kaiserlichen Oberhaupts eines kleindeutschen Nationalstaates abgelehnt, da unternahm er den Versuch, zu einer solchen Nationalstaatsbildung von der Basis des sogenannten monarchischen Prinzips aus zu gelangen. »Das freie Einverständnis der gekrönten Häupter, der Fürsten und Freien Städte« – das sei die entscheidende Voraussetzung und nicht ein Beschluß von Vertretern des angeblich souveränen Volkes, hieß es schon in der vorläufigen Antwort an die Delegation der Paulskirche.

Geistiger Vater und Motor dieser kleindeutschen Einigungspolitik von oben, unter Führung der preußischen Krone, die nun in Gang gesetzt wurde und deren Folgen die außenpolitische Stellung Preußens und die Möglichkeiten seiner Politik für viele Jahre bestimmten, war Joseph Maria von Radowitz. Radowitz, ein Katholik ungarischer Herkunft, war mit fünfzehn Jahren in die Armee König Jérômes von Westfalen eingetreten und nach fast zehnjähriger Militärlaufbahn in Kurhessen erst 1823 in preußische Dienste übergewechselt. Zunächst militärischer Lehrer eines königlichen Prinzen, dann Generalstabschef der Artillerie, kam er 1836 als preußischer Militärbevollmächtigter an den Bundestag in Frankfurt und wurde 1842 preußischer Gesandter bei den Höfen in Karlsruhe, Darmstadt und Nassau, für die eine gemeinsame Gesandtschaft bestand.

Nach Herkunft und Lebensweg stand Radowitz in ganz anderen Traditionen und Anschauungen als die Mehrheit des landsässigen preußischen Adels, aber auch der preußischen Bürokratie, die sich teils an der Überlieferung des aufgeklärten Absolutismus, teils an der des preußischen Machtstaates orientierte. Er war in vieler Hinsicht ein Mann des Alten Reiches, ein höfischer Edelmann alter Schule, in gewisser Weise ein Pendant zum Freiherrn vom Stein, nur innenpolitisch noch sehr viel konservativer als dieser und in seiner Reichsromantik stärker an Thron und Altar orientiert. Schon früh mit Friedrich Wilhelm IV. in enger Freundschaft verbunden, fand Radowitz sich mit diesem vor allem in der Idee der nationalen Einigung auf konservativer Grundlage zusammen; er sei, so hat Bismarck noch rückblickend gehöhnt, der »geschickte Garderobier der mittelalterlichen Phantasie« seines Monarchen gewesen.

Die deutschen Fürsten müßten, das war die gemeinsame Überzeugung des Königs und seines vertrauten Beraters, durch Zusammenschluß und gemeinsames Handeln den Weg bahnen zu einer Erneuerung von Staat und Gesellschaft aus christlichem Geist, zur Überwindung des Partikularismus, des einzelstaatlichen Egoismus und Etatismus. Als Gegner des bürokratischen Absolutismus und Anhänger einer christlichen Ständestaatsidee war Radowitz ganz ein Mann nach dem Herzen der Brüder Gerlach und ihres Kreises.

Was er als Führer der äußersten Rechten in der Frankfurter Paulskirche und als geheimer Beauftragter des preußischen Königs dann in der Revolution sagte und unternahm, fand denn auch, so widersprüchlich und unklar es gelegentlich erscheinen mochte, fast stets den Beifall der Berliner Kamarilla. Das galt zunächst auch für die deutsche Frage.

Schon vor 1848 hatte Radowitz konkrete Vorschläge für einen engeren Zusammenschluß der Staaten des Deutschen Bundes, für eine schrittweise zu vollziehende nationale Einigung entwickelt. Der Weg, den er beschritten wissen wollte, war der der Bundesreform und der Schaffung zusätzlicher gemeinsamer Institutionen; auch an eine zunehmende Rechtsvereinheitlichung war gedacht. Von der Berufung einer gemeinsamen Volksvertretung war allerdings in der Denkschrift, die er dem preußischen König im November 1847 unterbreitete, nicht die Rede, lediglich von »Sachverständigen«. Überhaupt ließ der ganze Plan, trotz allem nationalen Pathos, als Alternative zu der liberalen und demokratischen Einigungskonzeption nur eine bürokratische erkennen. Gleichzeitig aber klammerte er wie jene die macht- und interessenpolitischen Gegensätze weitgehend aus, zum Beispiel indem er ohne Rücksicht auf entgegenstehende preußische Wirtschaftsinteressen den Zollverein auf Österreich ausgedehnt wissen wollte.

Gerade hierin spiegelte sich allerdings ein spezifischer »Idealismus«. Im Interesse einer Einigung Deutschlands unter konservativen Vorzeichen, von der ein entscheidender Impuls für die Wiederherstellung einer christlichkonservativen Ordnung überall in Europa ausgehen sollte, waren Radowitz und ihm folgend Friedrich Wilhelm IV. zu besonderen Opfern bereit. Dieser »Idealismus«, das Voranstellen der christlich-konservativen Zielsetzung auch im überstaatlichen Bereich selbst dort, wo spezielle Interessen des eigenen Staates betroffen waren, sicherte Radowitz das Vertrauen der Kamarilla lange Zeit hindurch auch dann noch, als er andere Wege zu beschreiten begann.

Den Anstoß zu einem solchen Kurswechsel gab für Radowitz wie für einen Teil der großdeutschen Liberalen und Demokraten in der Frankfurter Paulskirche die Entwicklung in Österreich. Nachdem die Bauern in weiten Teilen der Monarchie das fast uneingeschränkte Eigentumsrecht an dem von ihnen bebauten Grund und Boden erlangt hatten, hatte ein Großteil, wie unter etwas anderen Voraussetzungen dann auch in Preußen, das Interesse an der Revolution verloren. Damit aber hatte diese in einem noch ganz überwiegend agrarischen Land ihre Basis weitgehend eingebüßt. Ende Oktober 1848 war es Feldmarschall Fürst zu Windischgraetz gelungen, von Böhmen aus, das er bereits fest in der Hand hatte, Wien zu erobern. Damit hatte er den politischen Sieg der alten Gewalten in Staat und Gesellschaft besiegelt.

Statt der vielfach erwarteten bloßen Restauration im Sinne des Metternichschen Systems, auf die auch die preußischen Konservativen setzten, war jedoch im weiteren eine ganz neue Entwicklung in die Bahn gelangt. Ihre treibende Kraft war Felix Fürst zu Schwarzenberg. Nachkomme eines schon im 17. Jahrhundert in den Reichsfürstenstand erhobenen reichen österreichischen Magnatengeschlechts war er nach einer wechselvollen Laufbahn als Offizier und Diplomat Ende November 1848, knapp fünfzigjährig, an die Spitze des Staates berufen worden. Sein erklärtes Ziel war es, die Monarchie ungeachtet der spezifischen Traditionen ihrer einzelnen Herrschaftsgebiete, auf die sein Vorgänger Metternich stets große Rücksicht genommen hatte, zu einer festen Einheit zusammenzuschließen. Er wollte einen modernen, bürokratisch organisierten Zentralstaat schaffen, der die Kräfte des Landes zu konzentrieren und ungeteilt in die europäische Waagschale zu werfen imstande sein würde. Auf sein Drängen hin wurde der erst achtzehnjährige Erzherzog Franz Joseph, ein Neffe des bisherigen Monarchen, Anfang Dezember 1848 zum Kaiser erhoben, um auch von der dynastischen Spitze her den Neuanfang ganz scharf zu markieren. Drei Monate später wurde dem Land, nach Auflösung des revolutionären Reichstags, eine einheitliche Verfassung oktroyiert. Hauptzweck dieser Verfassung, die praktisch nie in Kraft trat und zwei Jahre später wieder aufgehoben wurde, war es, ein spezifisch österreichisches, auf Wien hin ausgerichtetes Staatsbewußtsein zu fördern. Zugleich sollte sie die Grundlagen schaffen für den nun energisch vorangetriebenen Prozeß der administrativen, rechtlichen und nicht zuletzt wirtschaftlichen Vereinheitlichung.

Wie wichtig gerade die Vereinheitlichung auf dem wirtschaftlichen Sektor war, das hat Schwarzenberg im Unterschied zu Metternich sehr klar erkannt. Und er war sich darüber hinaus bewußt, daß der Wirtschafts- und Handelspolitik auch auf dem Feld der internationalen Beziehungen eine ständig wachsende Bedeutung zukam. Dies galt in besonderem Maße für das Verhältnis Österreichs zu den anderen deutschen Staaten. »Zu den wirksamsten Mitteln, welche der Regierung Euer Majestät zu Gebote stehen, um ihren Einfluß im deutschen Lande für die Dauer zu behaupten und zu vermehren«, so Schwarzenberg in einem Brief an Franz Joseph, »gehört ohne Zweifel eine tätige Beteiligung Österreichs an der Pflege der gemeinsamen materiellen Interessen Deutschlands.« Statt eines bloßen Bürokraten aus der heimischen Verwaltung holte sich Schwarzenberg daher einen Mann zum Minister, der auf den ersten Blick überhaupt nicht in seine Umgebung und in den Zusammenhang seiner Politik zu passen schien. Er personifizierte jedoch gleichsam die zusätzliche Dimension, die diese Politik von vornherein hatte.

Der neue Mann war der aus Elberfeld stammende Kaufmann Karl Ludwig Bruck. Ursprünglich Buchhändler, hatte er sich in Triest, wo er auf dem Weg zur Teilnahme am griechischen Unabhängigkeitskampf »hängengeblieben« war, in den dreißiger und vierziger Jahren ein florierendes Handels- und Schiffahrtsunternehmen aufgebaut. Triest hatte ihn 1848 zum Abgeordneten der Frankfurter Nationalversammlung gewählt, wo er wie dann im österreichischen Reichstag zum großdeutschen Flügel der Liberalen zählte. Seine Berufung zum Minister für Handel und öffentliche Bauten, also vor allem für den zentral wichtigen Eisenbahnbau, war so zugleich ein Indiz dafür, daß bei aller Konzentration auf die innere Konsolidierung der Habsburger Monarchie von einer Absicht Schwarzenbergs, das außerösterreichische Deutschland gewissermaßen sich selbst zu überlassen, nie die Rede sein konnte.

Zwar hieß es in seinem Regierungsprogramm vom 27. November 1848: »Österreichs Fortbestand in staatlicher Einheit ist ein deutsches wie ein europäisches Bedürfnis... Erst wenn das verjüngte Österreich und das verjüngte Deutschland zu neuen und festen Formen gelangt sind, wird es möglich sein, ihre gegenseitigen Beziehungen staatlich zu bestimmten.« Das war der endgültige Todesstoß für das großdeutsche Programm: Vierzehn Tage später trat in Frankfurt der Führer der Großdeutschen, der Österreicher Anton von Schmerling, als Ministerpräsident zurück und der Führer der Kleindeutschen, Heinrich von Gagern, an seine Stelle. Im übrigen aber behielt sich Schwarzenberg alle Entscheidungen vor. Was der sogleich ganz diktatorisch vorgehende neue Ministerpräsident unter einem »verjüngten Deutschland« in Parallele zu dem »verjüngten Österreich« verstand, das er sich zu schaffen anschickte, mochte sich jeder selbst ausmalen.

In Berlin hat man Schwarzenberg augenscheinlich zunächst mißverstanden, wohl auch mißverstehen wollen. Sicher nicht der Abgeordnete von Bismarck. Er hat von seinem eigenen Ansatz her sofort erkannt, daß hier ein ebenso entschlossener wie kühl rechnender Vertreter des österreichischen Machtinteresses die politische Bühne betreten hatte, der die deutsche Karte niemals ohne Not aus der Hand geben würde. Es ist nicht ohne Reiz sich auszumalen, wie die Dinge wohl verlaufen wären, wenn beide Männer, die sich in vieler Hinsicht so ähnlich waren, einander je handelnd begegnet wären. Wohl aber hat sich Radowitz von Schwarzenberg offenbar ein ganz falsches Bild gemacht. Im Bann seiner eigenen Anschauungen hat er in diesem Fall insbesondere die Solidarität der Gegner der Revolution über alle Staatsgrenzen hinweg maßlos überschätzt. Dabei übersah er nicht nur indirekte Hinweise, die, wie die Berufung Brucks, dieser Annahme entgegenstanden. Er übersah auch, daß sich die Warnung Schwarzenbergs vor Entscheidungen in der deutschen Frage, für die die Zeit noch nicht reif sei, durchaus nicht nur an die Adresse der nationalen Partei in Frankfurt richtete.

Eine derartige Fehleinschätzung wurde allerdings dadurch begünstigt, daß Österreich nach kurzer Konsolidierung schon bald durch den ungarischen Aufstand, der zum Fanal für die Auflösung des Vielvölkerstaates zu werden drohte, außenpolitisch weitgehend gelähmt war. Von daher verstärkte sich der Eindruck, Wien werde sich in wohlverstandenem Eigeninteresse auf eine Neuordnung der Verhältnisse in Mitteleuropa auf konservativer Basis einlassen.

So wird verständlich, warum Radowitz jetzt den Augenblick für eine selbständige Initiative der preußischen Krone in der deutschen Frage für gekommen hielt. Im übrigen mußte der Gedanke, die augenblickliche Schwäche des österreichischen Kaiserstaates zu einem kühnen Vorstoß zu nutzen, auch diejenigen reizen, die im Unterschied zu Radowitz und Friedrich Wilhelm IV. weniger von nationalen Erwägungen und einer angeblichen »deutschen Mission« Preußens als vom preußischen Staats- und Machtinteresse ausgingen. Das hat Radowitz zunächst innerhalb Preußens, auch im Lager der Konservativen, einen stärkeren Rückhalt gegeben, als das unter anderen Umständen vielleicht der Fall gewesen wäre. Bismarck hingegen lehnte ihn von Anbeginn an ab, nannte ihn einen Politiker »ohne irgend eine Idee«, bloß »nach Popularität und Beifall haschend«, einen Mann, »der sich in nichts über das Niveau der Gewöhnlichkeit erhebt als in einem erstaunlichen Gedächtnis«.

Radowitz war seit Mai 1849 als unmittelbarer Berater des Königs praktisch informeller Leiter der preußischen Außenpolitik. Der Plan, den er in dieser Eigenschaft voranzutreiben versuchte, stellte, bei aller Ideenfülle, die er sonst oft bewies, eine ziemlich einfallslose Kopie des Gagernschen Entwurfs dar, der auf einen »engeren« Bund der außerösterreichischen deutschen Staaten und einen »weiteren« Bund dieses konstitutionellen Bundesstaates unter Führung des preußischen Königs mit dem österreichischen Kaiserstaat zielte. Die entscheidende Änderung gegenüber den Gagernschen Plänen bestand darin, daß an die Stelle eines entsprechenden Beschlusses einer verfassunggebenden Nationalversammlung der Beschluß der deutschen Fürsten und Freien Städte treten, daß also das Prinzip der Volkssouveränität ersetzt werden sollte durch das sogenannte monarchische Prinzip. In dessen Sinne sollte nach Radowitz' Vorstellungen die Frankfurter Reichsverfassung, die zunächst als formaler äußerer Rahmen übernommen werden konnte, revidiert werden: durch Einführung eines an der Steuerleistung orientierten Wahlrechts, durch Schaffung eines besonderen Fürstenhauses, durch Beschränkung des parlamentarischen Budgetrechts, durch Stärkung der monarchischen Exekutive – ganz wie es in Preußen selber unter Anleitung von Friedrich Julius Stahl und unter tätiger Mitwirkung Bismarcks durch die Konservativen geschah.

Für all das hoffte Radowitz ohne große Schwierigkeiten die Mehrheit der kleindeutsch orientierten »gemäßigten« Liberalen gewinnen zu können. Nach seiner Kenntnis der Frankfurter Szenerie setzte er bei ihnen jetzt, nach dem Scheitern ihrer eigenen Pläne, einen Vorrang des Einheitsgedankens und dementsprechend eine weitgehende Kompromißbereitschaft voraus. Der von den Linken entfesselte Kampf um die gewaltsame Durchsetzung der Reichsverfassung hat ihn in seiner Hoffnung dann noch bestärkt. Denn er nährte die Sorge der Frankfurter Mittelparteien, in einem auf den Gedanken der

Volkssouveränität gegründeten Nationalstaat rasch von links her überrollt zu werden. In anderer Hinsicht kam Radowitz die Aufstandsbewegung ebenfalls nicht ungelegen: Sie verwies angesichts der Situation in Österreich auch die süddeutschen Staaten auf die militärische Hilfe Preußens und damit auf ein Entgegenkommen gegenüber den preußischen Plänen.

Angesichts dessen drängte Radowitz zu raschen Entschlüssen und Entscheidungen. Ende Mai 1849 erfolgte der erste große Schritt: Preußen schloß mit den benachbarten Königreichen Sachsen und Hannover ein vorbereitendes Bündnis mit der Aufforderung vor allem an die süddeutschen Staaten, dem Unternehmen beizutreten; der übrigen Staaten glaubte man bei Lage der Dinge, freiwillig oder nicht, sicher zu sein. Und als sich dann wenig später, wie gehofft, ein großer Teil der Mitglieder der kleindeutsch-liberalen Mittelpartei auf einer Versammlung in Gotha zur Zusammenarbeit und zur Unterstützung des Projekts bereit erklärte, schien alles auf dem besten Wege zu sein. Den Vorbehalt Sachsens und Hannovers, ihr Beitritt zu dem Bündnis geschehe unter der Voraussetzung, daß das gesamte nichtösterreichische Deutschland nachfolgen werde, nahm Radowitz zunächst ebensowenig ernst wie das augenblickliche Zögern Württembergs und vor allem Bayerns.

Daß der nationale Einheitsgedanke, auf den er sich berief, in Dresden und Hannover, in Stuttgart und München als bloße Verschleierung des preußischen Machtinteresses erschien und daß man hier augenscheinlich nur auf Zeit spielte, hat er sich offenkundig, anders als der sehr nüchtern urteilende Bismarck, nicht klar gemacht. Zudem übersah er, daß die anderen Regierungen angesichts der Erfahrungen der jüngsten Vergangenheit sehr viel skeptischer hinsichtlich der Möglichkeiten waren, die Einheits- von der Freiheitsforderung im Sinne der Liberalen und Demokraten zu trennen.

Das war, so lautete der zunächst noch versteckt erhobene Vorwurf, keine Politik im Sinne der Erhaltung des Überlieferten und der traditionellen Ordnungen, auch wenn sich das preußische Militär bei der Niederschlagung der Revolution bewährte. Das war, vom preußischen Machtinteresse geleitet, eine revolutionäre Politik, jedenfalls was die Konsequenzen anging. Sie müsse, so erklärte der bayerische Ministerpräsident von der Pfordten schon im Juni 1849 in vorsichtigen Wendungen in der bayerischen Kammer, all jene ermutigen, die, wie die aufständischen Ungarn, Mittel- und Osteuropa in Nationalstaaten zerlegen wollten. Auf der anderen Seite sei sie eine Ermunterung für diejenigen, die sich staatliche Ordnung nur als einen diktatorisch in alles hineinregierenden, zentralisierten Machtstaat vorstellen könnten. In beider Hinsicht drohe ein Sieg der Revolution durch die Hintertür, eine Zerstörung der historisch gewachsenen Ordnung Mitteleuropas. Zudem werde das Ganze die Nachbarmächte, Rußland und mehr noch Frankreich, zu einer Intervention geradezu herausfordern.

Solche Argumente mußten, so unüberhörbar darin gerade im Fall Bayerns das eigene Staatsinteresse mitschwang, auch einen preußischen Konservativen beeindrucken. Sie entsprachen in vielen Punkten dem, was er aus dem Mund des russischen Botschafters in Berlin als Meinung des Zaren hören konnte. Dieser beobachtete das Radowitzsche Unternehmen gleichfalls mit großem Mißtrauen. Das preußisch-russische Verhältnis aber war für die überwiegende Mehrheit der preußischen Konservativen ein Eckpfeiler aller Außenpolitik, ja ein Eckpfeiler des Status quo überhaupt, der traditionellen Ordnung zumindest in Mittel- und Osteuropa. War es also nicht außerordentlich kurzsichtig, diesen Eckpfeiler mit einer Politik aufs Spiel zu setzen, die bei den eigenen politischen Freunden in den anderen deutschen Staaten offenbar auf wenig Gegenliebe stieß, deren Erfolg daher wesentlich von der augenblicklichen machtpolitischen Konstellation abhing und die darüber hinaus zu unliebsamen Allianzen zwang, wenn auch nur mit dem kompromißbereitesten Teil der Liberalen?

Vor dem August 1849, vor der Niederschlagung des ungarischen Aufstandes mit Hilfe russischer Truppen, blieb die Antwort auf diese Frage wegen des in Aussicht stehenden außerordentlichen Machtgewinns Preußens offen. Dann jedoch wuchs in dem Maße, in dem die Erfolgschancen des Radowitzschen Unternehmens durch den entschiedenen Einspruch des wieder aktionsfähigen Österreich, durch die Ablehnung Bayerns und schließlich auch Württembergs sowie durch die immer deutlicheren Warnungen Rußlands sanken, die grundsätzliche Kritik aus dem konservativen Lager.

Zu einem ihrer Hauptwortführer wurde Bismarck. Er hatte sich bislang nach außen hin sehr zurückgehalten; zwei bissige Artikel aus seiner Feder in der »Kreuzzeitung« waren ungezeichnet geblieben. Denn noch stand hinter dieser Politik der preußische König, der sich über die Artikel in der »Kreuzzeitung« außerordentlich erregte – hätte er den Autor gekannt, so hätte das, wie Ludwig von Gerlach vermutete, »wahrscheinlich seine Anstellung unmöglich gemacht«. Und noch stand hinter jener Politik, wenn auch zum Teil mit halbem Herzen, die konservative preußische Regierung. Beiden konnte und wollte er natürlich so wenig wie irgend einer seiner politischen Freunde in aller Öffentlichkeit in den Rücken fallen.

Bismarck sah sich daher mit einer für ihn wie für seine Zuhörer ganz ungewohnten Situation konfrontiert, als er am 6. September 1849 vor dem im Juli neugewählten Landtag das Wort ergriff. Statt frontal anzugreifen, mußte er seine Worte diesmal sorgfältig wählen. Er mußte seine Kritik in Formeln kleiden, die dem Gegner keine zusätzlichen Waffen lieferten und die Regierung nicht in Bedrängnis brachten. Das hatte den Vorteil, daß er unter Berufung auf taktische Rücksichten bereits so etwas wie eine Position zwischen den Fronten aufbauen konnte – die Erfahrung, daß unter bestimmten Umständen völlige Offenheit als geschickte Verschleierung wirken kann, hat er hier auf außenpolitischem Feld wohl das erste Mal gemacht.

Den äußeren Anlaß für sein Eingreifen in die Debatte bot ihm ein Antrag der Landtagskommission, die vom Plenum eingesetzt worden war, um eine Stellungnahme zu den ihm von der Regierung unterbreiteten Aktenstücken über die preußische Unionspolitik vorzubereiten. In diesem Antrag wurde, unter ausdrücklicher Billigung aller Schritte der Regierung, betont, man gehe davon aus, daß die preußische Verfassung zu gegebenem Zeitpunkt der geplanten Unionsverfassung angepaßt werden, hier also nicht unterschiedliches Verfassungsrecht entstehen werde. Das verstand sich zwar nach Artikel 111 der geltenden preußischen Verfassung von selbst, da dieser ausdrücklich auf den Fall einer »für Deutschland festzustellende(n) Verfassung« abhob. Aber man wollte von liberaler Seite noch einmal klargestellt wissen, daß die jetzt in Gang gebrachte »Einigung von oben« jenes Mindestmaß an innerer Homogenität zwischen dem Reich und den Gliedstaaten bringen werde, ohne die nach liberaler Überzeugung von wirklicher, über einen bloßen Staatenbund hinausgehender Einheit nicht würde die Rede sein können.

Hier hakte Bismarck ein. Dahinter stehe, erklärte er, einmal mehr ein politisches Kalkül, das darauf abziele, die realen Machtverhältnisse zugunsten einer bestimmten Partei auf den Kopf zu stellen. Mit Hilfe der geplanten Verfassung des von den außerösterreichischen deutschen Fürsten und Freien Städten zu schaffenden Reiches wolle man versuchen, das doch noch durchzusetzen, womit man in Preußen und letztlich – durch die Weigerung des preußischen Königs, die ihm angetragene Kaiserkrone anzunehmen – auch in Frankfurt gescheitert sei: sich zum Souverän gegenüber den Einzelstaaten und damit gegenüber der hier verankerten monarchisch-aristokratischen Ordnung aufzuschwingen. Dem müßten die konservativen Kräfte von vornherein einen Riegel vorschieben. Sie müßten eine Anerkennung der künftigen Reichsverfassung an die Bedingung knüpfen, »daß eine Revision und die Zustimmung der preußischen Kammer vorbehalten bleibe(n)«.

Im Klartext hieß das: Mit ihrem Unionsprojekt macht sich die Regierung zum Steigbügelhalter der Liberalen und damit auch der innenpolitischen Ziele der Revolution. Schützt sie vor sich selber, indem ihr die Verfassungsgesetzgebung nicht ausschließlich von den Beschlüssen der Zentrale eines künftigen Bundesstaates abhängig macht, sondern sie an die Zustimmung der einzelstaatlichen Parlamente bindet!

So gesehen konnte von einer, obschon in einzelnen Punkten von Kritik begleiteten Unterstützung der Politik der Regierung, von der Bismarck am Anfang gesprochen hatte, nicht die Rede sein. Und schon gar nicht von »Edelmut«, von »Hochherzigkeit«, von »Resignation«, mit der er nach Meinung des Autors eines Leitartikels der »Vossischen Zeitung« vom 8. September den Weg für eine deutsche Politik Preußens freigegeben habe. Im Gegenteil. Indem Bismarck die innen- und außenpolitischen Gefahren dieser Politik in den düstersten Farben schilderte, geißelte er sie indirekt auf das schärfste. Er ließ sie, unter taktischen Verbeugungen vor ihren Motiven, als unverantwortlich im konservativen Sinne und darüber hinaus als unfähig erscheinen. Als unverantwortlich vor allem deshalb, weil diese Politik den eigentlichen Charakter der Bewegung von 1848 nach wie vor verkenne, weil sie der »unter dem Namen Paulskirchen-Schwindel bekannten Krankheit« verfallen sei, wie er sich knapp vier Monate zuvor in der »Kreuzzeitung« ausgedrückt hatte. Nicht das nationale Element sei das Entscheidende an dieser Bewegung gewesen. »Die nationale Bewegung«, betonte er, »wäre auf wenige, aber allerdings hervorragende Männer in engeren Kreisen beschränkt geblieben.« Ausschlaggebend sei vielmehr das »soziale Element« gewesen. Alles Entgegenkommen, alle Kompromißangebote in der nationalen Frage verfehlten daher die wirklichen Probleme, ja, vergrößerten sie unter Umständen noch.

Unter dem »sozialen Element« wollte er freilich nicht die objektiven wirtschaftlichen und sozialen Schwierigkeiten der Zeit verstanden wissen: das Elend breiter Schichten, denen die viel beschworene ständische Ordnung weder Schutz noch Hilfe zu gewähren imstande war; die Lage der ländlichen Bevölkerung, die unter den Bedingungen der auf ein ganz anderes wirtschaftliches System hin ausgerichteten grund- und gutsherrlichen Verhältnisse ihre Waren auf dem sich bildenden großen Agrarmarkt unterbringen mußte und oft kaum noch ihr Auskommen fand; die Probleme arbeitsloser, an der Zukunft verzweifelnder kleiner Handwerksmeister und eines wachsenden Gesellenheeres. Worauf er abhob, war ausschließlich die angeblich bloß demagogische, egoistischen Machtinteressen dienende Ausbeutung solcher Fragen durch kleine Gruppen. In diesem Sinne definierte er als das »soziale Element« der Revolution : »Daß durch falsche Vorspiegelungen die Begehrlichkeit des Besitzlosen nach fremdem Gute, der Neid des minder Begüterten gegen den Reichen aufgestachelt wurde, und diese Leidenschaften nur um so leichter Boden gewannen, je mehr durch eine langjährige, von oben genährte Freigeisterei die sittlichen Elemente des Widerstandes in den Herzen der Menschen vernichtet waren.«

Wieder reduzierte er also alles auf die Machtfrage, wenngleich mit etwas veränderter Stoßrichtung: Im Zentrum standen jetzt, anders als 1848, die »Radikalen«, die Demokraten, denen er jedoch die Liberalen bei jeder sich bietenden Gelegenheit in ihrer Mehrheit zuschlug. Es gehe, so ließ er auch hier wieder durchblicken, nicht um die Durchsetzung verblasener Ideen wie der der nationalen Einheit oder von Rechts- und Verfassungsprinzipien, die angeblich über allen Parteienstreit erhaben seien. Es gehe, wie stets in der Politik, um den erbitterten Konkurrenzkampf organisierter politischer Gruppen. Wer das nicht sehe, der schade der von ihm vertretenen Sache, was immer er unternehme. Denn er könnte dann die tatsächlichen Konsequenzen seines Handelns nicht mehr berechnen. Er versuche nur noch, »die nimmersatten

Anforderungen eines Phantoms zu befriedigen, welches unter dem fingierten Namen von Zeitgeist oder öffentlicher Meinung die Vernunft der Fürsten und Völker mit seinem Geschrei betäubt, bis Jeder sich vor dem Schatten des Anderen fürchtet und alle vergessen, daß unter der Löwenhaut des Gespenstes ein Wesen steckt von zwar lärmender, aber wenig furchtbarer Natur«.

Statt dessen, das war Bismarcks entscheidende Schlußfolgerung, müsse sich ein Konservativer in der gegenwärtigen Situation auf die Realität vorhandener Machtpositionen zurückziehen, auf den preußischen Staat und seine inzwischen zum Teil wenigstens wiederhergestellte innere Ordnung. Von hier aus müsse man versuchen, eine Politik des abschätzbaren Risikos und der durchkalkulierten Realisierungsmöglichkeiten zu betreiben, im Innern wie nach außen. Eine solche Politik könne durchaus, und damit wandte er sich an jene, die vornehmlich den möglichen machtpolitischen Ertrag der Unionspolitik vor Augen hatten, expansive Machtpolitik sein. Nur müsse eben sichergestellt sein, daß man das Steuer dabei nicht aus der Hand verliere und letztlich eine Politik zugunsten anderer führe.

Eben dies aber sei, das war die unausgesprochene Quintessenz seiner Rede, bei der Unionspolitik nicht sichergestellt. Dadurch unterscheide sie sich fundamental von der Politik eines Friedrich des Großen, die in jenem Zusammenhang immer wieder beschworen werde. Statt ängstlich hin- und herzulavieren und auf Kräfte Rücksicht zu nehmen, deren man gar nicht bedurfte, hätte ein Friedrich, gestützt auf die Armee und auf das »kriegerische Element« als die »hervorragendste Eigentümlichkeit preußischer Nationalität« eine klare Entscheidung gesucht. »Er hätte«, fuhr Bismarck fort, seine eigene Linie sozusagen unter dem Schutzschild der Kritik an der Unionspolitik und der Verteidigung altpreußischer Traditionen nun ganz scharf präzisierend, »die Wahl gehabt, sich nach dem Bruch mit Frankfurt an den alten Kampfgenossen, an Österreich, anzuschließen, dort die glänzende Rolle zu übernehmen, welche der Kaiser von Rußland gespielt hat, im Bunde mit Österreich den gemeinsamen Feind, die Revolution, zu vernichten. Oder es hätte ihm freigestanden, mit demselben Recht, mit dem er Schlesien eroberte, nach Ablehnung der Frankfurter Kaiserkrone den Deutschen zu befehlen, welches ihre Verfassung sein solle, auf die Gefahr hin, das Schwert in die Waagschale zu werfen. Dies wäre eine nationale preußische Politik gewesen. Sie hätte Preußen im ersten Fall in Gemeinschaft mit Österreich, im anderen Fall durch sich allein die richtige Stellung gegeben, um Deutschland zu der Macht zu helfen, die ihm in Europa gebührt.«

Darin dokumentierte sich bereits der ganze Bismarck. Kühl stellte er beides nebeneinander: die Wiederherstellung der Kooperationspolitik mit Österreich auf der Basis konservativer Solidarität, wenn auch mit anders verteilten Gewichten als vor 1848, oder eine eigenständige kleindeutsche Expansionspolitik Preußens, notfalls mit Waffengewalt. Welche der zwei Möglichkeiten seiner Meinung nach die Priorität verdiente, ließ er nicht erkennen. Das mochte als taktische Konzession eines Vertreters der Hochkonservativen erscheinen, die mittlerweile eindeutig einer konservativen Solidaritätspolitik mit Österreich zuneigten. Wahrscheinlich hätte Bismarcks Antwort jedoch hier schon gelautet: Welcher der beiden Möglichkeiten der Vorzug zu geben ist, darüber können allein die Umstände entscheiden.

Ganz klar machte er aber, daß in seinen Augen eine Alternative zu diesen beiden Möglichkeiten als Leitlinie einer konservativen, und das hieß für ihn einer realistischen und erfolgversprechenden, Außenpolitik nicht existierte. Vor allem distanzierte er sich noch einmal mit einer Schärfe, die, nach dem spärlichen Beifall zu urteilen, selbst dem rechten Flügel seiner Partei zu weit ging, von dem Gedanken, daß die Zeit über eine Politik des preußischen Staatsegoismus bereits hinweggegangen sei. Es könne keine Rede davon sein, daß die Mehrheit der preußischen Untertanen sich im Zeichen des nationalen Gedankens schon mehr als Deutsche denn als Preußen fühle. Schwarz-rot-gold sei im Gegenteil für die preußischen Soldaten seit dem 18. März 1848 das »Feldzeichen ihrer Gegner«, und er habe noch keinen von ihnen »singen hören: ›Was ist des Deutschen Vaterland?‹«.

Diese Rede vom 6. September 1849 hat Bismarcks Stellung in seiner eigenen politischen Gruppe, aber auch schon über sie hinaus, wesentlich verändert. Bisher galt er vorwiegend als innenpolitischer Scharfmacher, den man nach Möglichkeit in die zweite Linie zurückzog, wenn es darum ging, zu Kompromissen und Mehrheitsbildungen zu gelangen. »Nur zu brauchen, wo das Bajonett schrankenlos waltet«, hatte Friedrich Wilhelm IV. ein Jahr vorher neben seinem Namen auf einer Liste potentieller Ministerkandidaten eines konservativen Kabinetts notiert. Oder, noch schärfer, nach einer anderen Quelle: »Roter Reaktionär, riecht nach Blut, später zu gebrauchen.« Jetzt jedoch erschien er plötzlich als ein Mann, der Argumente gegen eine bestimmte Politik in einer Haltung des nüchternen Realismus so zu bündeln verstand, daß er damit nicht nur einzelne Gesinnungsfreunde, sondern breite Gruppen ansprach, der in Alternativen dachte und im Rahmen des eigenen Lagers unterschiedlichen Positionen Raum gab, der der Regierung, die er kritisierte, Wege zur Kurskorrektur ohne Prestigeverlust offenhielt.

Der Untergrund war ohne Frage nach wie vor derselbe: Er blieb in vielen seiner Äußerungen ein Mann der äußersten Rechten. Aber die Flexibilität, die er in dieser Rede bewies, die Bereitschaft, Rücksichten zu nehmen und Möglichkeiten nicht zu verstellen, machte es eigentlich erstmals, selbst im eigenen Lager, vorstellbar, daß er sich in einem staatlichen Amt oder gar auf diplomatischem Feld als mehr denn ein Parteimann im engsten Sinne und auf extremer Position bewähren könne.

Besonders die Formel, die er in seiner Rede für das zur Diskussion stehende außenpolitische Problem gefunden hatte, konnte in dieser Hinsicht aufhorchen lassen. Die Hauptschwierigkeit bestehe wohl darin, so hatte er erklärt, »wie der Bundesstaat einzuschachteln sei in den von allen Seiten als zu Recht bestehend anerkannten Deutschen Bund«. Mit dieser Formel überwölbte er die schroffe Alternative von Kooperations- und Konfrontationspolitik im Verhältnis zu Österreich und ließ doch die Möglichkeit offen, letztere auch innerhalb der äußeren Formen der Kooperation, also etwa innerhalb eines wiederhergestellten Deutschen Bundes, weiter zu verfolgen. Er baute damit jenen eine Brücke, die fürchteten, ein Ausgleich mit Österreich werde für unabsehbare Zeit einer selbständigen Politik Preußens die Tür verschließen, mochte diese nun in Richtung einer kleindeutsch-nationalen oder in Richtung einer Politik preußischer Machterweiterung gehen oder auch in der einer Mischung von beidem. Bestimmend könnten immer nur das preußische Interesse und die sich jeweils bietende Möglichkeit sein, ihm erfolgversprechend zu dienen.

In diesem Sinne hat er sich auch als Abgeordneter des in Erfurt tagenden sogenannten Unionsparlaments, das die Verfassung des neuen Bundesstaates beraten und verabschieden sollte, noch einmal scharf von der Linken und von der nationalen Partei abgegrenzt. »Wenn es doch einmal geschehen soll, daß wir auf den Leib der deutschen Einheit den fadenscheinigen Rock einer französischen Konstitution ziehen«, so erklärte er am 15. April 1850 in der Begründung eines Antrags auf weitgehende Revision der Unionsverfassung, so dürfe dies auf jeden Fall nicht dazu führen, daß Preußen fortan von den Mittel- und Kleinstaaten und deren Bevölkerung bevormundet werde. Nach der derzeitigen Verfassung aber würden »unter den einundzwanzig Millionen der Bevölkerung dieses Bundesstaates fünf Millionen der Bevölkerung politisch Privilegierte und sechzehn Millionen politisch minder Berechtigte sein«, nämlich sechzehn Millionen Preußen – »und das zu einer Zeit, wo das preußische Volk von der Ansicht beherrscht ist, daß die Anstrengungen, die es gemacht hat, um sich selbst aus dem Elende der Revolution aufzuraffen, und seinen Nachbarn eine teils materielle, teils moralische Stütze zu gewähren, einen besonderen Anspruch auf politische Berechtigung gewähren«. Für einen preußischen Patrioten, für einen »Stockpreußen«, so hieß das, sei ein kleindeutscher Bundesstaat nur dann erstrebenswert, wenn in ihm die preußische Vormachtstellung eindeutig gesichert sei, wenn nicht Preußen in Deutschland, sondern das übrige Deutschland praktisch in einem Großpreußen aufgehe.

Der unbedingte Vorrang preußischen Machtinteresses war hier noch eindeutig akzentuiert: Er erschien ausschließlich als Mittel zum Zweck, als Instrument zur Erhaltung der in Preußen selber inzwischen weitgehend wiederhergestellten traditionellen Staats- und Gesellschaftsordnung. Wenn Bismarck in seiner Septemberrede die Tür zu expansiver preußischer Machtpolitik notfalls auch gegen einen Staat wie Österreich offen gehalten wissen wollte, so augenscheinlich nur unter der Prämisse, daß eine solche Politik jene traditionelle Ordnung nicht ins Wanken brachte. Es handelte sich allem Anschein nach lediglich um Alternativen konservativer Macht- und Interessenpolitik, um eine möglicherweise sogar bloß taktisch bedingte Abkehr von einer dogmatischen Verengung des Spektrums politischer Möglichkeiten, wie sie bei den Hochkonservativen zu beobachten war. Daß er in der Verfolgung preußischer Machtinteressen jemals weiter zu gehen bereit sein würde, war noch nicht erkennbar. Und auch die berühmt gewordene Rede vom 3. Dezember 1850 enthüllt sich in ihrer vollen Tragweite wohl nur dem rückschauenden Betrachter, während für den unmittelbar Beteiligten sicher die taktischen Elemente und das sachliche Votum dominierten.

Der Anlaß der Rede, die ihn endgültig zum außenpolitischen Sprecher der konservativen Fraktion werden ließ und ihm damit, unter den veränderten politischen Umständen nach dem Übergang zum Verfassungsstaat, den Zugang zu den höchsten Ämtern der preußischen Diplomatie eröffnete, war das völlige Scheitern der Unionspolitik und das nur mühsam verschleierte kapitulierende Zurückweichen Preußens vor dem massiven Druck Schwarzenbergs. Seit Monaten war immer deutlicher geworden, daß nicht nur Österreich, sondern auch Rußland die Bildung eines kleindeutschen Nationalstaates unter preußischer Führung auf keinen Fall hinzunehmen bereit sein würden. Eine erste schwere Niederlage erlitt Preußen, als es auf Drängen des Zaren mit Dänemark endgültig Frieden schließen und die Sache Schleswig-Holsteins preisgeben mußte. Das kostete die preußische Politik bei der deutschen Nationalbewegung einen weiteren erheblichen Prestigeverlust. Es ließ vor allem auf der europäischen Ebene ihre Eigenständigkeit und Bewegungsfreiheit in einem wenig schmeichelhaften Licht erscheinen. Schwarzenberg stieß hier sofort entschlossen nach. Unbekümmert um die laufenden, auf einen Ausgleich gerichteten Verhandlungen mit Preußen, lud er die Staaten des Deutschen Bundes zur Wiedererrichtung der zentralen Institution dieses Bundes, des Bundestags in Frankfurt, ein. Gleichzeitig suchte er die Österreich zuneigenden Mittel- und Kleinstaaten zu einer Aktionsgemeinschaft zusammenzuschließen.

Beides war nicht nur ein Frontalangriff auf die sich bereits mehr und mehr auflösende Union. Es war darüber hinaus der Versuch, Preußen als konkurrierende Großmacht in Mitteleuropa weitgehend auszuschalten und ein mitteleuropäisches Großreich unter österreichischer Führung zu errichten. Das lag freilich nicht im Interesse Petersburgs. Man war hier zwar bereit, die österreichische Politik nachhaltig zu unterstützen, solange sie sich gegen eine expansive Machtpolitik Preußens richtete. Aber man wollte nicht zum Steigbügelhalter Schwarzenbergs und seiner ehrgeizigen Pläne werden. Rußland ging es allein um die Wiederherstellung des Zustands vor 1848 unter Berücksichtigung der Tatsache, daß sein eigener machtpolitischer Einfluß unterdessen erheblich zugenommen hatte. Darauf bauend glaubte man in Berlin, trotz aller Schwäche der eigenen Position, nach wie vor alle Angebote Wiens zur Kooperation ablehnen zu können. Friedrich Wilhelm IV. hielt sogar, unbekümmert um die realen Erfolgsaussichten, aus reinem Prestigedenken immer noch an dem Unionsplan fest: Ende September 1850 ernannte er Radowitz, den »großen Betrüger«, wie Bismarck ihn jetzt nur noch verächtlich nannte, demonstrativ zum Leiter der preußischen Außenpolitik.

Der preußische Monarch reagierte damit zugleich auf einen besonderen Konflikt, der die Frage endgültig zur Entscheidung führen sollte. Sein Ausgangspunkt war das Kurfürstentum Hessen-Kassel. Dort war die absolutistische Reaktionspolitik des Kurfürsten und seines verhaßten Ministers Hassenpflug auf schärfste Opposition nicht nur der Mehrheit des dann auch bald aufgelösten Parlaments, sondern auch einer breiten Öffentlichkeit, einschließlich weiter Kreise der Armee und der Beamtenschaft, gestoßen. Es zeichnete sich ein Zusammenstoß von besonderer Dramatik ab. Seine überregionale Dimension erhielt der Konflikt dadurch, daß der Kurfürst und sein Minister Rückhalt in Wien suchten – Kurhessen verließ praktisch schon im Mai 1850 die Union –, während die Opposition an der Unionspolitik festhielt und dementsprechend zumindest auf indirekte preußische Unterstützung hoffte.

Schwarzenberg kam diese Konstellation natürlich überaus gelegen. Preußen hingegen stellte sie vor die einigermaßen prekäre Alternative, entweder tatenlos zuzusehen und die Union damit ihres inneren Zusammenhalts vollends zu berauben oder aber de facto die Opposition gegen einen regierenden Monarchen zu unterstützen und auf diese Weise in einen tiefen Konflikt mit seinen eigenen innenpolitischen Prinzipien zu geraten.

Ein Ausweichen vor dieser Alternative war nicht mehr möglich, als sich Anfang September 1850 die Verwaltung und, ein einmaliger Fall in einem deutschen Staat des 19. Jahrhunderts, auch die Armee dem Vorgehen des Landesherrn widersetzten und der Kurfürst, nachdem ihm auch das oberste Gericht des Landes die Verfassungswidrigkeit seiner Entscheidungen bescheinigt hatte, an den Frankfurter Bundestag appellierte. Dieser hatte inzwischen auf Drängen Österreichs seine Arbeit wiederaufgenommen, wenngleich zunächst ohne Preußen und die ihm noch zuneigenden Staaten. Der hessische Kurfürst berief sich bei seinem Hilfsersuchen auf die Verträge von 1815, auf die Schirmherrschaft des Deutschen Bundes über das monarchische Prinzip. Er beschwor damit in einer für Österreich höchst erwünschten Weise die ungebrochene Kontinuität des Bundes. Zwar war die Rechtsgrundlage des kurfürstlichen Begehrens mehr als brüchig: Die Bundesverfassung sprach nur von Fällen, wo der Landesherr auf dem Boden der von ihm anerkannten Verfassung blieb. Ungeachtet dessen beschloß der Bundestag auf österreichischen Antrag am 21. September, zugunsten des Kurfürsten zu intervenieren, ihm also notfalls auch militärisch zu Hilfe zu kommen. Gegen diesen Beschluß des ganz von Österreich beherrschten Frankfurter Rumpfbundestages wandte sich Preußen sofort mit aller Schärfe – nicht nur, weil seine Durchführung das Ende aller Unionsbestrebungen bedeutet hätte, sondern weil er darüber hinaus seine Stellung als Großmacht unmittelbar berührte. Eine erfolgreiche Intervention hätte die militärischen Verbindungslinien zwischen seinen östlichen und seinen westlichen Provinzen unterbrochen. Sie hätte das Land, von der damit verbundenen politischen Niederlage ganz zu schweigen, unter die unmittelbare Bedrohung der von Österreich befehligten Bundestruppen gebracht.

Preußen sah sich nun also vor die Entscheidung gestellt, notfalls einen kriegerischen Konflikt größten Ausmaßes zu riskieren. Es besteht kein Zweifel, daß Schwarzenberg diese Situation bewußt herbeigeführt hat, wenngleich er Preußen zwischendurch immer wieder einmal die Hand geboten hatte. Er drängte auch jetzt zielbewußt weiter voran, indem er Mitte Oktober Bayern und Württemberg unter dem Banner der alten Bundesverfassung auf ein gemeinsames Vorgehen gegen Preußen verpflichtete, und zwar ausdrücklich auch auf ein militärisches. Unmittelbar darauf beauftragte die Frankfurter Versammlung Bayern und Hannover mit der Intervention in Hessen und beschloß am 26. Oktober den militärischen Einmarsch. Der genaue Termin dafür wurde der Entscheidung des inzwischen ernannten Bundeszivilkommissars für Kurhessen, des österreichischen Diplomaten Graf Rechberg, überlassen.

In Berlin war zu diesem Zeitpunkt an führender Stelle nur noch Radowitz unbedingt entschlossen, die Herausforderung anzunehmen. Sowohl der Ministerpräsident als auch, wesentlich aus militärischen Gründen, der Kriegsminister und der König selber suchten verzweifelt nach einem Ausweg – der König nicht zuletzt unter dem Einfluß der Brüder Gerlach und ihrer politischen Freunde, die eine militärische Auseinandersetzung mit der konservativen Brudermacht Österreich entschieden ablehnten. Man war hier, wenngleich durchaus nicht einhellig, zu den Opfern an Macht und Prestige bereit, die nach Lage der Dinge zur Vermeidung dieser Auseinandersetzung unumgänglich zu sein schienen.

Von direkten Verhandlungen war, angesichts der sich fast täglich dokumentierenden Entschlossenheit Schwarzenbergs zum Konflikt, nichts mehr zu erwarten. Friedrich Wilhelm IV. wandte sich daher an den Zaren mit der Bitte, einen Kompromiß mit Österreich zu vermitteln. Graf Brandenburg, der Ministerpräsident, übernahm persönlich diese Mission. Der Zar ging darauf bereitwillig ein und zwang mit der kaum verhüllten Drohung, andernfalls aktiv in den Streit einzugreifen, die österreichische Seite nicht nur an den Verhandlungstisch, sondern auch zu einer vorläufigen Übereinkunft mit Preußen. Mit großem Geschick vermied es Schwarzenberg allerdings, sich die Hände endgültig zu binden, indem er dort, wo er sich wie in der Unionsfrage und inhaltlich auch in der kurhessischen Frage der russischen Unterstützung sicher war, die Bedingungen immer höher schraubte und dann auf Vertagung drängte.

So konnte Schwarzenberg, als unmittelbar darauf der formell von ihm ganz unabhängige, von der Exekutionsmacht Hannover ernannte Bundeszivilkommissar Rechberg den Befehl zum Einmarsch in Kurhessen gab, erklären, es sei nun, vor einer endgültigen Einigung, eine ganz neue Situation entstanden. Er tat dies unbekümmert um die Tatsache, daß der Rücktritt des Außenministers von Radowitz und des Handelsministers von der Heydt am 2. November 1850 jedermann deutlich machte, wie die Sache in Berlin stand: Die Kriegspartei war definitiv unterlegen, und die Gegner von Radowitz waren am Zuge; er sei, so Bismarck, bei Empfang der Nachricht »vor Freude auf meinem Stuhl rund um den Tisch geritten«. Dennoch forderte der Wiener Regierungschef in ultimativer Form vor allen weiteren Verhandlungen den Rückzug der preußischen Truppen, die unterdessen vorsorglich zum Schutz der militärischen Verbindungslinien in Kurhessen einmarschiert waren. Und auch der Verzicht Preußens auf die Union und die strikte Beschränkung aller militärischen Operationen auf die Sicherung der Etappenstraßen hinderten ihn nicht, sein Rückzugsultimatum am 24. November zu wiederholen. Er tat dies, obwohl ganz deutlich war, daß der kompromißbereite Teil der preußischen Regierung bis an die Grenze des innenpolitisch überhaupt Durchsetzbaren gegangen war und sich einer in ihrem Ehrgefühl schwer verletzten Armee gegenübersah. Für Schwarzenberg gab es nur noch die Alternative Krieg oder Kapitulation Preußens. Dabei wäre ihm im Interesse seiner ehrgeizigen Pläne ein Krieg wahrscheinlich lieber gewesen, auch wenn er wußte, daß ein vollständiger Triumph vermutlich einen anschließenden Konflikt mit Rußland und möglicherweise noch mit anderen Mächten nach sich gezogen hätte.

Angesichts der militärischen Lage, angesichts der Zukunftslosigkeit der Unionspolitik und nicht zuletzt angesichts der Haltung des Zaren hat man sich in Berlin nach einigem ohnmächtigen Schwanken schließlich zur Kapitulation entschlossen. Sie wurde von dem zunächst noch interimistischen Nachfolger des Anfang November plötzlich verstorbenen Ministerpräsidenten Graf Brandenburg, dem bisherigen Innenminister Otto Freiherr von Manteuffel, der zugleich als Nachfolger von Radowitz das Außenministerium übernahm, am 28. und 29. November 1850 in direkten Verhandlungen mit Schwarzenberg auf österreichischem Boden, in dem mährischen Olmütz, vollzogen.

Von Verhandlungen konnte in Wahrheit keine Rede sein. Es war ein Diktat von solcher Härte, daß Manteuffel, der vielgehaßte »Reaktionsminister«, seine ihm vom Kabinett gegebenen, schon sehr weitgehenden Instruktionen überschreiten mußte, um überhaupt zum Abschluß zu gelangen.

In der Sache hatte Preußen überall nachzugeben. Es erkannte den Fortbe-
stand des Bundes an, ohne die vielbeschworene Parität mit Österreich in der
Leitung dieses Bundes zu erhalten. Es stimmte zu, daß in Kurhessen wie in
Holstein, wo ähnliche, wenngleich nicht so dramatisch zugespitzte Probleme
zur Debatte standen, »ein gesetzmäßiger, den Grundlagen des Bundes
entsprechender und die Erfüllung der Bundespflichten möglich machender
Zustand« zu schaffen sei. Und es versprach in einem geheimen Zusatz zu der
»Punktation«, als erstes Land umgehend seine Armee zu demobilisieren, also
auch in dieser Hinsicht zu kapitulieren.

Das einzige, was Schwarzenberg Preußen neben Kleinigkeiten gleichsam
zur Wahrung des Gesichts zugestand, war die gemeinsame Berufung von
Ministerkonferenzen der Staaten des Deutschen Bundes. Sie sollten über eine
etwaige Reform des Bundes beraten, nicht in Frankfurt und nicht in Wien,
aber natürlich auch nicht in Berlin, sondern in Dresden. Der Wiedereintritt
Preußens in den Bund sollte also formell auf dem Verhandlungsweg vollzogen
werden. Das preußische Kabinett hat diese Vereinbarung, die keine war, am
2. Dezember ratifiziert. Bereits einen Tag später unterbreitete sie Manteuffel
der Zweiten Kammer, offenbar in dem Bestreben, der Erregung ein Ventil zu
schaffen.

Im Rückblick haben manche Historiker in Olmütz, unbeschadet der
augenblicklichen Demütigung, so etwas wie einen taktischen Sieg Preußens
gesehen. Die Übereinkunft habe Schwarzenberg erfolgreich den Weg versperrt, über die Abwehr der preußischen Unionspolitik sein eigenes Konzept
zur Lösung der deutschen Frage, ein von Wien beherrschtes »Siebzigmillio-
nenreich« unter Einschluß der gesamten Monarchie, durchzusetzen. Dafür
lassen sich sicher einige gute Gründe geltend machen. Doch für den unmittelbaren Zeitgenossen stand die vollständige Demütigung Preußens alles beherrschend im Vordergrund. Selbst dort, wo man sie, wie im Lager der preußischen
Hochkonservativen, als Ergebnis einer auf der ganzen Linie verfehlten Politik
ansah, dominierten vielfach die Empörung über das brutale Vorgehen
Schwarzenbergs und Gefühle verletzter Vaterlandsliebe.

So sah es auch Bismarck, der in dieser Hinsicht der Reaktion der gemäßigten Konservativen und sogar der Liberalen zunächst sehr viel näher stand als
derjenigen der Gerlachs. »So lange Preußen, dem schwarz-weißen Preußen,
nicht die mit Österreich überall gleiche und vor allen übrigen bevorzugte
Berechtigung in Deutschland durch klare und vollgültige Verträge gesichert
ist«, hatte er am 13. November in der »Kreuzeitung« geschrieben, »so lange
wollen auch wir Krieg.« Dann allerdings fand er sich, auf Drängen der
Gerlachs, bereit, die Politik der Regierung in einer Situation zu verteidigen, in
der deren eigenes Schicksal angesichts der Stimmung im Land auf des Messers
Schneide stand. Er tat dies in einer Art, die in doppelter Weise die Grundlage
für seine diplomatische und politische Karriere schuf. Konkret, weil er sich

damit den König und die Exponenten der Olmütz-Politik verpflichtete. Und im übertragenen Sinne, weil er in seiner Rede entscheidende Grundlinien seines politischen Weltbildes entwickelte.

Daß ihn die Gerlachs und ihr Kreis in jener gefährlichen Situation, die innen- wie außenpolitisch zu sorgsamem Abwägen zwang, neben Kleist-Retzow überhaupt zu ihrem Sprecher gewählt hatten, zeigt, wie sehr sich, zumal seit der Septemberrede von 1849, Bismarcks Stellung inzwischen verändert hatte. Er erschien nun bereits als der natürliche Vermittler zwischen unterschiedlichen außenpolitischen Positionen im konservativen Lager, als derjenige, der es verstand, die Gemeinsamkeiten zwischen diesen Positionen herauszuarbeiten und sie zusammenzuführen. Zusammenzuführen auf ihrer Linie, wie die Gerlachs meinten, auf der Linie einer im Kern überstaatlichen und übernationalen konservativen Solidaritäts- und Prinzipienpolitik. Daß davon keine Rede war, daß auch diese Politik für Bismarck insgeheim nur eine Position unter anderen darstellte, auf die man sich je nach den Umständen zurückziehen, die man aber auch taktisch einsetzen oder gegebenenfalls sogar opfern konnte, wurde erst später deutlich. Gerade das zeigte jedoch, wenn man so will, daß die Gerlachs zumindest sein taktisches und diplomatisches Geschick völlig richtig einschätzten: In dem Augenblick, in dem er ganz ihr Werkzeug zu sein schien, überspielte er sie bereits – nicht so sehr aus größerer Scharfsicht oder geistiger Überlegenheit heraus, sondern weil seine Unterwerfung unter die in der Geschichte wirkende Macht sozusagen weiter ging als bei ihnen, die an die Ewigkeit und Wahrheit von Prinzipien glaubten. Die Moralität, die christliche Fundierung der angeblichen Unterwerfung unter Gottes Macht in der Geschichte, haben dann freilich gerade die Gerlachs sehr bald in Zweifel gezogen; sie haben von Verschleierung eines ausschließlich erfolgs- und machtorientierten Opportunismus gesprochen. »Revolutionär«, »gottlos« und »völlig entchristlicht« hat Ludwig von Gerlach schließlich Bismarcks Politik genannt, diktiert von dem Wahlspruch »Suum cuique rapere« statt von dem konservativ-christlichen »suum cuique«, der Devise des großen Friedrich, die freilich schon bei ihm ein bloßes Lippenbekenntnis geblieben sei.

Die Rede, in der der interimistische Ministerpräsident von Manteuffel am 3. Dezember 1850 in der Zweiten Kammer in groben Umrissen die Ergebnisse von Olmütz bekannt gab, war bei Lage der Dinge nicht einmal ungeschickt. Den Anlaß dafür bot ihm eine für diesen Tag angesetzte Debatte über die deutsche Frage in Antwort auf die entsprechenden Abschnitte der Thronrede. Manteuffel gab bei dieser Gelegenheit das vollständige Scheitern der Unionspolitik, die er persönlich allerdings gar nicht zu verantworten hatte, unumwunden zu. Ansonsten konzentrierte er sich im wesentlichen darauf darzulegen, warum die Regierung keinen Krieg habe führen wollen. Seine Opfer hätten in keinem Verhältnis zu dem damit Erreichbaren gestanden. Denn die Grundlage der Union, das Prinzip freier Vereinbarungen zwischen den beteiligten Staaten und Regierungen, sei bereits vorher zerbrochen gewesen. Für eine Gegenaktion in Hessen allein vom Standpunkt gekränkter Ehre aus habe jeder zureichende Grund gefehlt, da die preußischen Interessen ja im großen und ganzen gewahrt worden seien. Im übrigen betonte er: »Das Mißlingen eines Planes hat immer etwas Schmerzliches; es wirkt aber verschieden auf den Starken, verschieden auf den Schwachen. Der Schwache gelangt dadurch in eine Gereiztheit; der Starke tritt wohl einen Schritt zurück, behält aber das Ziel fest im Auge und sieht, auf welchem anderen Wege er es erreichen kann.«

Solche Erwägungen konnten selbstverständlich nicht darüber hinwegtäuschen, daß die Regierung mit ihrer deutschen Politik ein vollständiges Fiasko erlebt hatte und daß dadurch die Stellung Preußens als europäische Großmacht schwer angeschlagen worden war. Die Rede, in der der Führer der liberalen Opposition von Vincke mit der Regierung abrechnete, gipfelte denn auch mit innerer Logik in der Aufforderung an die Kammer, dem Ministerium das Mißtrauen auszusprechen. Unter den Bedingungen des herrschenden monarchisch-konstitutionellen Systems war dies in die Form einer Adresse an den Monarchen gekleidet, es möge diesem »gefallen, dem System ein Ende zu machen, durch welches das Land in diese verhängnisvolle Lage gebracht sei und dessen Träger die gegenwärtigen Ratgeber der Krone seien«. Der zweite Redner der Opposition, der Archivrat Riedel, trat Vincke emphatisch mit den Worten zur Seite: »Ein Gefühl überwältigt mich ganz: Entrüstung, äußerste Entrüstung über den jüngsten Akt unserer Politik, der uns unvorbereitet von dem Ministerio eben mitgeteilt ist. Ich kann daher nur noch die Worte, die die Adresse enthält, die hier eben mitgeteilt ist, wiederholen und ihr dadurch beistimmen: ›Hinweg mit diesem Systeme der Politik!‹«

Diese Emphase gab Bismarck das gewünschte Stichwort für die Einleitung seiner Rede und für deren Grundtenor überhaupt: An den Äußerungen des, wie er zum Vergnügen seiner Parteifreunde ironisch formulierte, »kriegerisch gesinnten Beamten im Zivildienst«, der vor ihm gesprochen habe, könne man ablesen, wie eine so ernste und wichtige Frage wie die Entscheidung über Krieg und Frieden zwischen Großmächten völlig von Emotionen beherrscht zu werden drohe, und zwar von Emotionen, die sehr dunkle Antriebe hätten. »Der Adressentwurf nennt diese Zeit eine große.« Er habe hier in Berlin »nichts Großes gefunden als persönliche Ehrsucht, nichts Großes als Mißtrauen, nichts Großes als Parteihaß. Das sind drei Größen, die in meinem Urteil diese Zeit zu einer kleinlichen stempeln und dem Vaterlandsfreunde einen trüben Blick in unsere Zukunft gewähren.« Aus solchem Geist heraus werde in einer Situation verhandelt, in der jede Stellungnahme der preußischen Kammer über Krieg und Frieden entscheiden könne: »Und, meine Herren, welchen Krieg? Keinen Feldzug einzelner Regimenter nach Schleswig oder Baden, keine militärische Promenade durch unruhige Provinzen, sondern einen Krieg im großen Maßstabe gegen zwei unter den drei großen Kontinentalmächten, während die dritte beutelustig an unserer Grenze rüstet und sehr wohl weiß, daß im Dome zu Köln das Kleinod zu finden ist, welches geeignet wäre, die französische Revolution zu schließen und die dortigen Machthaber zu befestigen, nämlich die französische Kaiserkrone. Ein Krieg, meine Herren, der uns nötigen wird, bei seinem Beginnen einen Teil der entlegeneren preußischen Provinzen preiszugeben, in dem ein großer Teil des preußischen Landes sich sofort von feindlichen Heeren überschwemmt sehen, der die Schrecken des Krieges in vollem Umfang unsere Provinzen empfinden lassen wird.«

Der Kunstgriff war so klar wie wirkungsvoll: Indem er einen Krieg europäischen Ausmaßes beschwor und dem innenpolitischen Gegner Leichtfertigkeit bei der Entscheidung dieser Frage unterstellte, ja, ihn moralisch verdächtigte, ging er mit einem Schlag zur Offensive über. Und nicht nur das. Er hob damit die zur Debatte stehende Frage auf eine Ebene, auf der er sie in doppelter Hinsicht ins Grundsätzliche wenden konnte. Einmal, unter dem stürmischen Beifall seiner politischen Freunde, im Hinblick auf die Politik der Linken insgesamt. Und zum anderen im Hinblick auf so etwas wie leitende Prinzipien von Außenpolitik überhaupt.

Daß der Krieg die Fortsetzung der Politik mit anderen Mitteln sei, wie Clausewitz gesagt hatte, stand für Bismarck ebenso außer Frage wie für die meisten Mitglieder der parlamentarischen Versammlung, vor der er sprach. Entscheidend aber war, was in diesem zugespitzten Fall, der die Verantwortung der Handelnden so sichtbar erhöhte, als »Politik« zu gelten hatte. Die Antwort, die Bismarck auf diese Frage gab, war unmißverständlich. Legitim und zugleich moralisch gerechtfertigt kann nur eine Politik sein, die das Interesse der Gemeinschaft als Ganzer im Auge hat. Die Gemeinschaft als Ganze aber wurde für ihn nicht nur im Idealfall durch den Staat repräsentiert, sondern war, und das trennte ihn bereits zutiefst von den Altkonservativen, in jedem Fall der Staat. Ein Staat als illegitimer Repräsentant der Gemeinschaft – das erschien ihm als umstürzlerische Idee schlechthin, ohne daß er sich dabei je klar gemacht hätte, daß der Gedanke der unbedingten Identität von Gemeinschaft und Staat unter Umständen nicht minder revolutionär sein und zudem zur Vernichtung jeder Freiheit führen konnte.

Von diesem letztlich absolutistischen Staatsbegriff her vermochte er ganz scharf zwischen Parteiinteresse und Staatsinteresse zu unterscheiden und ersterem den Stempel des Illegitimen, ja, wenn wie hier unbeteiligte Dritte betroffen waren, des Unmoralischen aufzudrücken. »Es ist leicht für einen Staatsmann, sei es«, wie er mit einem Seitenhieb auf die Kriegspartei in der Regierung selber betonte, »in dem Kabinette oder in der Kammer, mit dem populären Winde in die Kriegstrompete zu stoßen und sich dabei an seinem Kaminfeuer zu wärmen oder von dieser Tribüne donnernde Reden zu halten, und es dem Musketier, der auf dem Schnee verblutet, zu überlassen, ob sein System Sieg und Ruhm erwirbt oder nicht. Es ist nichts leichter als das, aber wehe dem Staatsmann, der sich in dieser Zeit nicht nach einem Grunde zum Kriege umsieht, der auch *nach* dem Kriege noch stichhaltig ist.« Und was könne ein solcher Grund sein, der einen im nachhinein »eine lange Perspektive von Schlachtfeldern und Brandstätten, Elend und Jammer, von hunderttausend Leichen und hundert Millionen Schulden« ertragen lasse? Die Rettung der Unionsverfassung, die Ersetzung eines kleinstaatlichen Ministers durch einen anderen, gekränkte Ehre verstanden als bloßes gekränktes Prestigegefühl? All dies werde von der Opposition als Grund ins Feld geführt. Der verantwortlich Handelnde aber habe zu prüfen, wie sich alle diese Gründe zu dem ganz nüchtern einzuschätzenden Interesse des Staates verhielten, den er vertrete: »Die einzig gesunde Grundlage eines großen Staates, und dadurch unterscheidet er sich wesentlich von einem kleinen Staate, ist der staatliche Egoismus und nicht die Romantik, und es ist eines großen Staates nicht würdig, für eine Sache zu streiten, die nicht seinem eigenen Interesse angehört.«

Wie aber stehe es im Licht einer solchen Maxime mit den angeführten Gründen? Von der gekränkten preußischen Ehre sei im Augenblick viel die Rede, besonders im Lager der Opposition. Er könne jedoch nicht einsehen, wo diese Ehre, voran die Ehre der Armee, wirklich gekränkt sei. Alle militärischen Maßnahmen seien an politische Zweckmäßigkeitserwägungen gebunden, hätten sich an dem zu orientieren, was das nüchterne Kalkül der jeweiligen Vor- und Nachteile ergebe. Jede Armee oder Flotte der Welt müsse gelegentlich sogar einen Rückzug in Kauf nehmen, wenn ihre Regierung erkenne, daß dies oder jenes im Augenblick nicht zu erreichen sei. Wer daher mit verletzter militärischer Ehre argumentiere, der untergrabe in Wahrheit die Autorität der politischen Führung und des obersten Kriegsherrn, des Königs. Und eben dies sei in Wahrheit das Ziel der Opposition. In der Berufung auf die angeblich verletzte preußische Ehre glaube »man das Geheimnis gefunden zu haben, die preußische Armee für dasselbe Prinzip ins Gefecht zu führen, welches sie im März 1848 in den Straßen Berlins bekämpfte.« »Mögen Sie es versuchen«, so rief er ihren Vertretern zu, hier scheinbar wieder ganz der Scharfmacher der vergangenen Jahre, »es wird Ihnen nicht gelingen, das preußische Heer, welches am 19. März [1848], den Zorn des gereizten Siegers im Herzen, die geladene Waffe in der Hand, lediglich dem Befehle seines Kriegsherrn gehorchend, unter dem Hohn seiner Gegner die Rolle des Besiegten übernahm, zu einem Parlamentsheer zu machen; es wird stets das Heer des *Königs* bleiben und seine Ehre im Gehorsam suchen.« In Wahrheit waren diese Sätze ganz auf die militärische Kriegspartei im eigenen Lager berechnet, an deren Spitze der Bruder des Königs, der spätere Wilhelm I., stand. Ihr und den ihr zuneigenden konservativen Politikern vor Augen zu führen, daß ein Krieg nur der innenpolitischen

Opposition diene, war auch im weiteren das eigentliche Hauptziel seiner Rede.

In diesem Sinne schob er auch den zweiten der angeführten Kriegsgründe, die kurhessische Frage, mit einer Verächtlichkeit beiseite, welche die Liberalen aufs äußerste reizen und empören mußte. »Die preußische Ehre besteht nach meiner Überzeugung nicht darin, daß Preußen überall in Deutschland den Don Quichotte spiele für gekränkte Kammerzelebritäten, welche ihre lokale Verfassung für gefährdet halten.« Vierzehn Tage vorher hatte er in der »Kreuzzeitung« noch schärfer von »der Romantik eines irrenden Ritters für ›unterdrückte‹ Völker und Völkchen« gesprochen, der Preußen »nicht länger sein eigenes Interesse« opfern dürfe. Und nun, im Dezember, in schärfster Zuspitzung, das konservative Interesse, die Politik der gegenwärtigen Regierung und die künftigen außenpolitischen Zielsetzungen scheinbar nahtlos miteinander verschmelzend: »Ich suche die preußische Ehre darin, daß Preußen vor allem sich von jeder schmachvollen Verbindung mit der Demokratie entfernt halte, daß Preußen in der vorliegenden wie in allen Fragen nicht zugebe, daß in Deutschland etwas geschehe ohne Preußens Einwilligung, daß dasjenige, was Preußen und Österreich nach gemeinschaftlicher unabhängiger Erwägung für vernünftig und politisch richtig halten, durch die beiden gleichberechtigten Schutzmächte Deutschlands gemeinschaftlich ausgeführt werde.«

Damit bezeichnete er das, was in seinen Augen ein wirklicher Kriegsgrund sein würde: die Verweigerung der Parität mit Österreich in der Leitung des Bundes wie überhaupt in allen Mitteleuropa berührenden Fragen. Er forderte die Regierung auf, nicht eher zu »entwaffnen, als bis die freien Konferenzen ein positives Resultat gegeben haben; dann bleibt es noch immer Zeit, einen Krieg zu führen, wenn wir ihn wirklich in Ehren nicht vermeiden können oder nicht vermeiden wollen«. Der Satz verriet im übrigen, daß Manteuffel selbst seine engsten Parteigänger außerhalb des Kabinetts über das Ausmaß seiner Kapitulation in Olmütz im unklaren gelassen hatte.

Vor diesem Hintergrund prinzipieller Kriegsbereitschaft für den Fall, daß es bei einem solchen Krieg wirklich um ernsthafte Interessen gehe, nahm sich Bismarcks neuerliche Abrechnung mit der Unionspolitik, der er den Schlußteil seiner Rede widmete, besonders scharf aus. Sie sei, auch wenn Radowitz sicher »das Beste für Preußen gewollt« habe, »ein zwitterhaftes Produkt furchtsamer Herrschaft und zahmer Revolution« gewesen. Zu tragfähigen Ergebnissen hätte sie nur führen können, wenn man entschlossen auf das eine oder andere gesetzt hätte. Doch da der eine Weg, die unbedingte preußische Vorherrschaft, der ganzen inneren Konstruktion und Verfassung der Union nach versperrt gewesen sei, wäre schließlich nur noch der andere Weg, das Bündnis mit der Revolution, übriggeblieben. »Mögen sich die nicht täuschen, welche glauben, einen solchen Krieg unter dem Banner der Union beginnen und auch *beendigen* zu können.« Wenn die preußische Regierung durch die Umstände doch noch gezwungen werde,»für die Idee der Union Krieg zu führen«, so würde es »nicht lange dauern, daß den Unionsmännern von kräftigen Fäusten die letzten Fetzen des Unionsmantels heruntergerissen würden, und es würde nichts bleiben, als das rote Unterfutter dieses sehr leichten Kleidungsstückes«.

Eine wirkliche Chance, das war die Quintessenz der ganzen Rede, habe Preußen in einem Krieg gegen Österreich zur Zeit nur, wenn es sich mit der Linken, dem demokratischen Nationalismus, also mit der Revolution, verbünde, die Rolle übernehme, die »Turin in Italien gespielt« habe. Denn auf traditionellem Weg könne eine Entscheidung angesichts der gegenwärtigen Machtverteilung zwischen den beiden von Preußen und von Österreich geführten Machtblöcken wohl allein durch den Appell an das Ausland herbeigeführt werden. Das aber würde zur Konsequenz haben,»daß der Schwerpunkt aller deutschen Fragen notwendig nach Warschau und Paris fällt«. Ein solches Ergebnis wolle im Ernst wohl niemand. Preußen könne also nur siegreich sein, wenn es entweder außenpolitisch oder innenpolitisch seine traditionelle Substanz preisgebe. Unter diesen Umständen könne ihn ein preußischer Krieg für die Union »nur lebhaft an jenen Engländer erinnern, der ein siegreiches Gefecht mit einer Schildwache bestand, um sich in dem Schilderhaus hängen zu können, ein Recht, welches er sich und jedem freien Briten vindizierte«.

Am Schluß seiner Rede warnte Bismarck nochmals nachdrücklich davor, sich in einen »Krieg der Propaganda«, in einen »Prinzipienkrieg« auf seiten der Linken hineinziehen zu lassen, der Preußen »zu schmachvollem Untergange, selbst im Siege« führen werde. Damit sprach er den Gerlachs und ihrem Kreis ebenso aus dem Herzen wie mit seiner Äußerung, er »erkenne in Österreich den Repräsentanten und Erben einer alten deutschen Macht, die oft und glorreich das deutsche Schwert geführt hat«. Auch sein Satz, wenn die Majorität der Kammer einen »Prinzipienkrieg« verlange, so sei das seiner Meinung nach »kein Grund zum Kriege mit Österreich, sondern zum Kriege mit dieser Kammer«, zu Auflösung und Neuwahl, dürfte ihren ungeteilten Beifall gefunden haben. Aber mochte auch zwischen seinem Satz, daß »die einzig gesunde Grundlage eines großen Staates ... der staatliche Egoismus und nicht die Romantik« sei, und seiner Warnung vor einem »Krieg der Propaganda«, einem »Prinzipienkrieg«, viel anderes liegen – hier war ohne Zweifel für ihn selber der entscheidende Begründungszusammenhang. Mit anderen Worten: Unter der Kategorie »Romantik« verbuchte er alles, was nicht direkt dem Machterhalt und der Machterweiterung des Staates diente.

Im Dezember 1850 war noch ausschließlich von der Linken, von liberalen und demokratischen Idealen die Rede, denen der Staat in seiner Außenpolitik nicht unterworfen werden dürfe. Aber letzten Endes ließ sich dasselbe auch gegen die Rechte sagen, gegen ihre Prinzipien und gegen den Gedanken der konservativen Solidarität geltend machen. »An Grundsätzen hält man nur fest«, hatte er bereits Jahre früher einmal sarkastisch an seine Frau geschrieben, »solange sie nicht auf die Probe gestellt werden; geschieht das, so wirft man sie fort, wie der Bauer die Pantoffeln, und läuft, wie einem die Beine von Natur gewachsen sind.« Auf die Probe stellen aber hieß, sie mit Interessen konfrontieren, den eigenen und denen des Staates, auf den man setzte und dem man diente. Während Bismarck noch für seine hochkonservativen Freunde ins Feuer ging, war er bereits im übertragenen Sinne »Staatsdiener«, Wortführer einer aus allen Bindungen gelösten, rein machtstaatlich orientierten Staatsräson.

Eine abstrakte, sich auf der theoretischen Ebene vollziehende Entwicklung war dies freilich so wenig wie irgend etwas in Bismarcks Leben. Für einen nüchtern urteilenden Mann wie ihn war seit längerem abzusehen, daß die erfolgreiche Gegenrevolution in Preußen nicht zu einem konstitutionell-parlamentarischen System nach englischem Vorbild führen werde, wie er es sich einst als Grundlage einer erfolgreichen politischen Karriere herbeigewünscht hatte. Das Ergebnis, das sich ankündigte, war vielmehr ein bloß konstitutionell verbrämter Neoabsolutismus. In ihm würden, angesichts eines schwachen Monarchen, Bürokraten wie Manteuffel und verfassungspolitisch nicht verantwortliche Ratgeber wie die Mitglieder der sogenannten Kamarilla um die Brüder Gerlach das Sagen haben. »Wenn man fest zugriff«, so hat Bismarck Friedrich Wilhelm IV. später im vertraulichen Gespräch einmal charakterisiert, »blieb nur eine Handvoll Schleim«, und noch in den Lebenserinnerungen heißt es spöttisch, es habe dem König »nicht an politischer Voraussicht, aber an Entschluß« gefehlt.

In einer solchen Konstellation mußte Bismarck die Rolle eines parlamentarischen Wortführers der Konservativen vergleichsweise uninteressant erscheinen, als die Position eines Mannes, der bereits vollzogene Entscheidungen rational zu begründen und den Prinzipien der eigenen politischen Gruppe sozusagen zu subsumieren haben würde. Das Ziel seiner Olmütz-Rede war daher auch, sich für ein hohes Staatsamt zu empfehlen. Zwar war zu erwarten, daß nach gewonnener Schlacht die herausragenden Mitstreiter wie Kleist-Retzow und Bismarck belohnt werden würden. Aber Bismarck wußte nur zu gut, daß gerade in einem bürokratisch-halbabsolutistischen System, wie es sich jetzt in Preußen mit der Ernennung Otto von Manteuffels zum Ministerpräsidenten definitiv durchsetzte, das Mißtrauen gegenüber politisch erfolgreichen Außenseitern, die nicht über die üblichen formellen Qualifikationen und Laufbahnerfahrungen verfügten, außerordentlich groß war. Solches Mißtrauen ließ sich am ehesten dadurch beseitigen, daß der Betreffende den Mangel an formeller Qualifikation gewissermaßen in substantieller Hinsicht überkompensierte, daß er die vorherrschenden Grundsätze der Staatsverwaltung und der Diplomatie besonders betonte und als seine persönlichen Leitlinien herausstrich. Diese Grundsätze aber waren hier die der Macht-, Interessen- und Gleichgewichtspolitik im Sinne des 18. Jahrhunderts unter der selbstverständlichen Voraussetzung, daß der Status quo im Innern bei ihrer Verfolgung stets gewahrt bleiben müsse. Und obwohl es im Falle Bismarcks sicher keiner besonderen Opportunitätserwägungen bedurfte, sich zu ihnen zu bekennen, da seine eigenen Überlegungen und Überzeugungen seit langem in die gleiche Richtung zielten, hat bei der Art, wie er die Gewichte zwischen Erwägungen konservativer Prinzipien- und staatlicher Interessenpolitik verteilte, das persönliche Kalkül fraglos eine Rolle gespielt.

Vier Monate nach seiner Olmütz-Rede, die die Konservativen in zwanzigtausend Exemplaren im Land hatten verteilen lassen, stellte sich der erwünschte Erfolg ein. Schon seit längerem hatte Bismarck zu erkennen gegeben, daß er, nicht zuletzt aus finanziellen Erwägungen, aufgrund seiner »sehr beengten«, ja »dürftigen Vermögenslage«, ein öffentliches Amt anstrebe: »Ich habe meine Güter in dem Grade verschuldet übernommen«, ließ er Ludwig von Gerlach wissen, »daß mir von meinen festen Revenuen, sobald ich die anspruchslose Unabhängigkeit meiner vier Pfähle verlasse, kaum so viel bleibt, la cape et l'épée mit Anstand zu tragen.« Anfang 1851 hatte er sich in Verhandlungen über die Position eines leitenden Ministers in dem ganz von Preußen abhängigen norddeutschen Kleinstaat Anhalt-Bernburg eingelassen. »Der Herzog ist blödsinnig und der Minister Herzog«, schilderte er seiner Frau die Vorzüge der Stellung. Wenig später war von einem Landratsposten die Rede. Ein ernsthaftes Interesse stand in beiden Fällen wohl kaum dahinter. Schließlich war sein Freund Hans von Kleist-Retzow, dessen Verdienste um die konservative Sache jedenfalls nicht größer waren als seine eigenen, als Regierungspräsident und sogar als Oberpräsident im Gespräch; er wurde schließlich Oberpräsident in Koblenz. Warum sollte für ihn nicht etwas Vergleichbares herauskommen? Und vergleichbar waren weder das Amt eines kleinstaatlichen Ministers noch das eines Landrats noch der bloße Titel eines Kammerherrn, den man ihm Anfang April anbot. Vergleichbar war jedoch das Amt des preußischen Bundestagsgesandten, für das ihn, wie er Ende April erfuhr, der Generaladjutant des Königs, Leopold von Gerlach, inzwischen einer der einflußreichsten Männer an der Staatsspitze, zuerst bei Friedrich Wilhelm IV., dann beim Ministerpräsidenten und Außenminister Manteuffel ins Gespräch gebracht hatte.

Spätestens seit Ende März 1851 war klar geworden, daß die in Olmütz vereinbarten Dresdner Konferenzen über eine Reform des Deutschen Bundes mit der bloßen Wiederherstellung des Status quo ante, also der Bundesverfassung von 1815 und des Frankfurter Bundestages in seiner bisherigen Form, enden würden. Keine der beiden Seiten war bereit, die Wünsche der anderen zu erfüllen: Wie vorauszusehen, gestand Österreich Preußen die gleichberechtigte Beteiligung bei der Leitung des Bundes nicht zu. Preußen sah daher seinerseits keinerlei Veranlassung, sich mit dem Eintritt Gesamtösterreichs in den Bund einverstanden zu erklären, zumal neben den deutschen Mittelstaaten auch Rußland und Frankreich in dieser Frage auf seiner Seite standen. Die seit fast drei Jahren verwaiste Gesandtschaft in Frankfurt mußte also in Kürze wieder beschickt werden. Zu diesem Zweck mußte rasch ein Mann gefunden werden, der zwischen Konfrontation und zu weitgehender Kooperation mit Österreich die Mitte zu halten imstande sein würde. Das war nach der Entwicklung der letzten Monate und Jahre, die auch im diplomatischen Korps zu entschiedenen Parteinahmen geführt und starke Emotionen geweckt hatte, nicht leicht. Es begünstigte, nachdem mit Graf Alvensleben einer der direkten Unterhändler abgewinkt hatte, geradezu einen Außenseiter. Doch auch der war wegen der bis tief ins konservative Lager hinein vorherrschenden antiösterreichischen Stimmung nur schwer zu finden.

So bot sich aus dem eingeengten Kreis möglicher Kandidaten der Mann förmlich an, der die Wahrung preußischer Interessen und den Ausgleich mit Österreich in so eindrucksvoller Weise öffentlich für vereinbar erklärt und es dem einzelnen Zuhörer überlassen hatte, worauf er den besonderen Akzent legen wollte. Gerlach ist daher mit seinem Vorschlag beim König und dann auch bei Manteuffel vergleichsweise leicht durchgedrungen, obwohl auf den ersten Blick vieles dagegen stand: Bismarcks völlige Unerfahrenheit auf diplomatischem Gebiet; seine nicht nur in den Augen bürokratischer Naturen wie Manteuffel höchst mangelhafte Ausbildung; seine Jugend; seine bekannte Hitzköpfigkeit; und nicht zuletzt das allgemeine Bedenken, es werde der eigenen Sache schaden, wenn man die Ämterpatronage, wie Ludwig von Gerlach es formulierte, durch so »violente Beförderungen« zu weit treibe und einen Mann zum Bundestagsgesandten mache, »dessen amtliche Lebensstellung bisher nur die eines verdorbenen Regierungsreferendars war«. Prinz Wilhelm, der spätere König, stand wahrhaftig nicht allein, wenn er auf die Neuigkeit mit der Bemerkung reagierte: »Und dieser Landwehrleutnant soll Bundestagsgesandter werden?« »Der Mensch würde auch das Kommando einer Fregatte oder eine Steinoperation übernehmen«, meinten die Zeitungen damals in Abwandlung eines Wortes über Lord John Russell, den nachmals nicht minder berühmten englischen Reformminister.

Bismarck und der designierte Oberpräsident von Kleist-Retzow hatten in gewisser Weise recht, wenn sie angesichts ihrer neuen Ämter die Gnade Gottes in besonderem Maße auf sich herabbeschworen. Wie stets in solchen Fällen war es Bismarck damit jedoch ganz ernst. Er verband dabei in charakteristischer Weise das Überlegenheitsgefühl gegenüber dem bloßen Fachmann, dem »Bürokraten«, dem »durch Examen, Connexionen, Aktenstudium, Anciennität« Emporgekommenen mit dem zur Sicherheit gewordenen Vertrauen in eine bis ins einzelne wirkende göttliche Ordnung. Die Worte, in die er dieses Vertrauen kleidete, sind seither vielfach zu bloßen Formeln erstarrt und wirken daher für den heutigen Leser leicht bloß noch floskelhaft. So wenn er am 3. Mai 1851 seiner Frau schrieb: »Ich bin Gottes Soldat, und wo Er mich hinschickt, da muß ich gehen, und ich *glaube*, daß Er mich schickt und mein Leben zuschnitzt, wie Er es braucht.« Oder zwei Tage später: »Gott hilft mir tragen, und mit Ihm bin ich der Sache besser gewachsen als die meisten unserer Politiker, die statt meiner in Frankfurt sein könnten, ohne Ihn. Ich werde mein Amt tun; daß Gott mir den Verstand dazu gibt, ist Seine Sache.« Die Fülle entsprechender Zeugnisse und die Selbstverständlichkeit, mit der er sie formulierte, lassen keinen Zweifel daran, daß er hieraus tatsächlich einen erheblichen Teil des Muts und des Selbstvertrauens zog, deren es nach seiner eigenen Einschätzung bedurfte, um sich als völliger Neuling auf dem »augenblicklich wichtigsten Posten unserer Diplomatie« zu bewähren.

Am 8. Mai 1851 hatte er eine lange Abschiedsaudienz beim König. Bei dieser Gelegenheit wurde endgültig festgelegt, daß er nach einer zweimonatigen Übergangszeit, während der der Petersburger Gesandte, der General von Rochow, ein Bruder des preußischen Innenministers der vierziger Jahre, formell die Gesandtschaft führen und ihn in die Geschäfte einweisen würde, den Posten übernehmen solle. Friedrich Wilhelm, so Bismarck in seinen Erinnerungen, habe in diesem Gespräch gemeint, er, Bismarck, besitze offenbar viel Mut, wenn er »so ohne weiteres« ein ihm »fremdes Amt« anzutreten bereit sei. Er habe ihm darauf erwidert: »Der Mut ist ganz auf seiten Eurer Majestät, wenn Sie mir eine solche Stellung anvertrauen, indessen sind Euer Majestät ja nicht gebunden, die Ernennung aufrecht zu erhalten, sobald sie sich nicht bewährt.«

Das war höchst charakteristisch für den frischgebackenen Diplomaten, nicht nur damals, sondern auch später. Indem er die formelle Verantwortung sozusagen einem Höheren, dem König oder auch einer überirdischen Macht, zuschob, vergrößerte er seinen eigenen Handlungsspielraum, die Möglichkeiten, Risiken einzugehen und Experimente zu unternehmen. Zudem vermied er es auf diese Weise, sich inhaltlich allzu genau festzulegen. Wie in der dramatischen Situation des Herbstes 1862, vor seiner Ernennung zum Ministerpräsidenten, so schob er hier bereits das persönliche Vertrauensverhältnis ganz in den Vordergrund und leitete aus dieser Bindung im weiteren ein besonderes Maß an Freiheit im einzelnen ab.

Am Tag seiner Unterredung mit dem König wurde er zunächst zum Geheimen Legationsrat ernannt – »eine Ironie«, wie er seiner Frau schrieb, »mit der mich Gott für all mein Lästern über Geh.Räte straft«. Zwei Tage später, unmittelbar nach Ende der Parlamentssession, reiste er nach Frankfurt ab. Mitte Juli 1851 kehrte Rochow, wenn auch widerwillig, da er den Posten gern auf Dauer behalten hätte, nach Petersburg zurück. Bismarck wurde nun, wie verabredet, auch formell zum Bundestagsgesandten bestellt.

Aus dem Junker, den selbst manche seiner Standesgenossen für eine verkrachte Existenz zu halten geneigt gewesen waren, aus dem ebenso leidenschaftlichen wie einseitigen Parteimann der Revolutionszeit war mit einem Mal ein hoher Diplomat einer europäischen Großmacht geworden, ein Mann, mit dem außerhalb des vergleichsweise immer noch sehr engen Kreises, in dem er sich bisher bewegt hatte, zu rechnen war. Es war dies in der Tat eine »violente Beförderung«. Wenn der liberale Unternehmer Friedrich Harkort ihm 1852 auf einem Flugblatt vorrechnete, welch gutes Geschäft die Politik für den Regierungsreferendar außer Diensten geworden sei, so war das, bei aller polemischen Absicht, zugleich ein Zeugnis dafür, wie dramatisch dieser Aufstieg allgemein empfunden wurde.

Empfunden wurde er freilich auch als ein Zeichen, in welchem Ausmaß der Staat und die traditionellen Führungsschichten, unter dem Eindruck der Herausforderung durch den Prozeß des wirtschaftlichen und sozialen Wandels und der von ihm freigesetzten neuen Kräfte, inzwischen bereit waren, auf hergebrachte Qualifikationsgrundsätze zu verzichten und dem Prinzip der Parteilichkeit den unbedingten Vorrang einzuräumen. Die liberale »Nationalzeitung« sah in Bismarcks wie in Kleist-Retzows Ernennung den endgültigen Sieg der Bestrebungen des »Junkerparlaments« von 1848 und somit nicht nur der politischen, sondern auch der sozialen Reaktion. Und wie sie urteilten viele Zeitgenossen. Der neue preußische Bundestagsgesandte erschien geradezu als eine Symbolfigur für den Stand der inneren Entwicklung in Preußen und in Deutschland insgesamt, als die Verkörperung der staatlich installierten Reaktion.

Und nicht nur das. Er konnte auch als Symbolfigur gelten für die Zerstörung aller nationalen Hoffnungen und Erwartungen, für die schmähliche Unterwerfung Preußens unter den Vormachtanspruch des reaktionären und antinationalen Österreich, für die Preisgabe sogar der friderizianischen Tradition einer eigenständigen preußischen Großmachtpolitik. Zwar war man sich in Wien und in den Hauptstädten der deutschen Mittelstaaten bewußt, daß es selbst im Lager der Hochkonservativen, als deren Vertreter Bismarck nach wie vor galt, Grenzen des Zumutbaren gebe und das konservative Prinzip auf Kosten preußischer Interessen nicht überstrapaziert werden dürfe. Aber auch hier dominierte die Erwartung, daß mit dem neuen Mann der den eigenen Zielen so günstige Geist konservativer Solidarität der Restaurationszeit, der Jahre nach 1820, an den Frankfurter Verhandlungstisch zurückkehren werde.

Fast überall also erschien der Bundestagsgesandte von Bismarck zunächst als Garantie dafür, daß die Revolution, im Innern der einzelnen Staaten wie in den Staatenbeziehungen, erfolgreich abgewehrt worden sei, daß sie ihren Abschluß gefunden habe. Daß sich gerade in Bismarck ein radikaler Gestaltwandel dieser Revolution, verstanden als Prinzip dramatischer politischer, wirtschaftlicher und sozialer Veränderung, verkörperte, daß sie durch ihn schließlich auf ganz neuen Wegen zum Ziel gelangen sollte, hat damals niemand geahnt, am wenigsten er selber. Daß die Mittel, die er in den kommenden zwei Jahrzehnten oft bedenkenlos ergriff, um Preußen groß zu machen und die herkömmliche Macht der preußischen Krone und des preußischen Staates zu erhalten und zu stärken, in sich selbst Zwecke sein könnten, weit größere und zukunftsträchtigere als die, die er mit ihnen verfolgte, das hat er höchstens insofern zu erkennen vermocht, als sein Glaube ihn lehrte, zwischen menschlicher Berechnung und göttlicher Führung zu unterscheiden und den tatsächlichen Verlauf der Geschichte, die tatsächlichen Ergebnisse des historischen Prozesses ganz letzterer anheimzustellen. Doch gerade in der Freisetzung von Mitteln, die ihren Zweck in sich selbst enthielten, lag nicht nur das Geheimnis seines Erfolges, sondern auch seine weltgeschichtliche Bedeutung, also das, was man historische Größe in einem überpersönlichen Sinne nennt.

# Lieber
# Revolution machen
# als erleiden

# Staatsräson und internationale Politik: der Bundestagsgesandte

Überblickt man, mit welchen politischen und sozialen Grundvorstellungen, mit welchen vorerst grob umrissenen Zielen Bismarck 1851 sein erstes staatliches Amt antrat, und vergleicht es mit dem, was am Ende seiner Laufbahn, fast vierzig Jahre später, in Mitteleuropa staatliche, gesellschaftliche und wirtschaftliche Realität war, so springt zunächst einmal eines ins Auge: Zu den großen Bewahrern der Geschichte kann man ihn schwerlich zählen. Diese vier Dezennien waren Jahre eines stürmischen, oft atemberaubend raschen Wandels auf nahezu allen Gebieten. Wenn man sie im Licht einer der Lieblingsmaximen Bismarcks betrachtet, daß die Welle trägt, aber daß man sie nicht lenken kann, so wird man eher sagen müssen, daß er ein Mann der revolutionären Veränderung in der doppelsinnigen Bedeutung des Wortes gewesen ist, daß er also seinen Erfolg offenbar wesentlich der Fähigkeit verdankte, vor dem Sturm zu segeln. Das hat ihn seinen politischen Freunden schon früh, als seine Gegner noch glaubten, ihn ganz klar einordnen zu können, unheimlich gemacht. Er hat bei ihnen den Verdacht genährt, sich seiner gegen die Revolution, gegen den Liberalismus, gegen den Nationalismus, gegen die Zerstörung aller überlieferten Lebensformen zu bedienen, heiße möglicherweise den Teufel mit Beelzebub austreiben.

Nicht daß sie ihn etwa für einen verkappten Revolutionär gehalten hätten. Aber sie sahen eines immer deutlicher: Daß die Unbedingtheit bei der Verfolgung bestimmter Ziele insbesondere machtpolitischer Natur ihn oft blind zu machen schien für die Folgen, die mit ihrer Durchsetzung verbunden waren. »Er will à tout prix möglich bleiben, jetzt und *künftig*«, so hat es sein engster politischer Mitstreiter in den ersten Jahren seiner Ministerpräsidentschaft, der Kriegsminister Albrecht von Roon, einmal formuliert: »Aber – die Mittel zum Zwecke! Werden sie um seinetwillen geheiligt?« Das »Acheronta movebo«, die Bereitschaft, im Notfall Koalitionen jeder Art einzugehen, die scheinbare Gleichgültigkeit gegenüber möglichen langfristigen politischen oder sozialen Konsequenzen eigenen Handelns, die andere vorsichtig werden ließen – all dies erweckte den Eindruck der Verantwortungslosigkeit, einer Spielernatur, die ungewollt die Geschäfte des politischen Gegners besorgte.

Solche Urteile bezogen sich jeweils auf einzelne Etappen seiner politischen

Laufbahn, galten für die Jahre vor 1870 in stärkerem Maße als für die beiden Jahrzehnte danach. Aber auch im historischen Rückblick bleibt unverkennbar, daß darin ein wesentliches Element seiner politischen Persönlichkeit steckt. Er selber hat, darauf angesprochen, in den unterschiedlichsten Wendungen immer wieder betont, daß sich all dies nur auf die Mittel erstreckt und von einer Beliebigkeit der Ziele nie die Rede habe sein können. »Der Staatsmann«, so hat er im Alter einmal formuliert, »gleicht einem Wanderer im Walde, der die Richtung seines Marsches kennt, aber nicht den Punkt, an dem er aus dem Forste heraustreten wird. Ebenso wie er, muß der Staatsmann die gangbaren Wege einschlagen, wenn er sich nicht verirren soll.« Aber was er als die »Kunst des Möglichen« gegen eine dogmatische Auffassung von Politik verteidigte, war für ihn gelegentlich sicher auch ein Ausloten des Machbaren, unabhängig davon, was im weiteren Feld die Konsequenzen sein mochten. Die Faszination des durch kühnes Handeln Möglichen hat ihn fraglos mehr als einmal erfaßt.

Das eigentlich Entscheidende liegt freilich nicht in der Frage, wo ihm etwa das Machbare die Ziele gesetzt habe; aufs Ganze gesehen hat hier sein Bild von der allgemeinen Richtung, die der Wanderer weiß, schon seine Richtigkeit. Es liegt wohl eher darin, daß er die »allgemeine Richtung« schon sehr früh und sehr eindeutig zu kennen glaubte, daß er seiner Sache gewiß war in einer Zeit, die ihrer im Zeichen politischer Umbrüche und immer rascher voranschreitender wirtschaftlicher und gesellschaftlicher Veränderungen zunehmend unsicherer wurde.

Als er Mitte 1851, eben sechsunddreißigjährig, an die Spitze der preußischen Bundestagsgesandtschaft trat, da war er sich zwar bewußt, daß er sein neues Handwerk erst noch lernen mußte, daß er noch ein »diplomatischer Säugling« war, wie er seinem Mentor Gerlach gegenüber betonte. Aber er war der ebenso festen Überzeugung, daß er persönlich wie in der Sache auf solidem Boden stehe. Dieser Boden war das preußische Staatsinteresse nach außen wie im Innern, hier verstanden als die unanfechtbare Legitimität monarchischen Herrschaftsanspruchs bei gleichzeitiger Bindung an die traditionelle Ordnung. Und dieser Boden war zugleich der Glaube an einen persönlichen Gott, der sich in der Realität des Irdischen manifestiere. Beides gehörte für ihn untrennbar zusammen, gab ihm die Richtung und verlieh den unübersehbaren Einseitigkeiten der eigenen Existenz und des eigenen Handelns einen Sinn. Der Vorwurf der Enge, der Blindheit für größere Zusammenhänge ließ ihn von daher ebenso unberührt wie der Vorwurf extremer Parteilichkeit. Indem er sich als Christ entlassen fühlte aus einer untragbaren und existenziell unerträglichen Verantwortung für ein unübersehbares Ganzes, sozusagen für die Prinzipien der Weltordnung, gewann für ihn der Dienst an einem konkreten, berechenbaren Interesse den Charakter einer allgemeinen Idee. Er glaubte, den verborgenen Zielen eines Höheren zuzuarbeiten, die zu

1. Wilhelmine Luise von Bismarck geb. Mencken
Gemälde von Frédéric Frégevize, 1823

2. Karl Wilhelm Ferdinand von Bismarck
Stich aus der Zeit um 1830

3. Bismarck im Alter von elf Jahren
Kreidezeichnung von Franz Krüger, 1826

4. Schönhausen, das Stammschloß der Familie Bismarck

5. Gymnasium und Kirche zum Grauen Kloster in Berlin
Stich aus der Zeit um 1830

erfassen dem Menschen unmöglich sei und für die er um so eher Werkzeug sein könne, je mehr er seine eigene partikulare Existenz annehme.

In dieser unbedingten Annahme seiner eigenen Existenz und eines speziellen Interessenstandpunktes, den er mit der Chiffre »preußisches Staatsinteresse« bezeichnete, wurzelten die Stärke und Sicherheit seines Auftretens als Politiker und die Unbekümmertheit, mit der er sich der Mittel bediente, die sich ihm jeweils darboten. Er war in dieser Hinsicht und in den engen Grenzen, die er durchaus selbst erkannte, wenn man so will ein Frühfertiger in einer Zeit, in der sich alle Verhältnisse und die bestehende Ordnung in einem tiefgreifenden Umbruch befanden. Das, was aus dieser Zeit werden sollte, hat er so wenig repräsentiert wie irgend ein anderer in jenen Jahren. Im Gegenteil. Die Welt, die da heraufzog, war schon bald nicht mehr die, die ihm sein Lebensgefühl und seine Lebensanschauungen, seine Wertvorstellungen und sein Menschenbild als wünschenswert vor Augen stellen mochten. Die Industriewirtschaft, die moderne Großstadt, die Bürokratisierung und Reglementierung allen Lebens, die Mobilität als Daseinsprinzip – all das war ihm ganz fremd. Und doch hat er es an entscheidender Stelle mitheraufgeführt, freilich ohne einen festen Plan und, was die weiteren Konsequenzen anging, vielfach auch unbewußt, das, was auf eine ganz neue Ordnung zielte, als bloße Mittel nehmend.

Dazu bedurfte es wohl der Haltung des »Fertigseins«, des Eingeständnisses eng begrenzter Ziele, des Verzichts auf den Gedanken der Selbstverwirklichung der eigenen Existenz in Zukunftsplanung und Idee, der Realisierung seiner selbst in der Geschichte. »Denn der Mensch, der zur schwankenden Zeit auch schwankend gesinnt ist, der vermehret das Übel und breitet es weiter und weiter«, hatte es in Goethes »Hermann und Dorothea« geheißen. Und ganz im Geist des deutschen Idealismus war Goethe fortgefahren: »Aber wer fest auf dem Sinne beharrt, der bildet die Welt in sich.« Das mochte im Persönlichen gelten, kaum jedoch für die geschichtliche Welt, jedenfalls nicht in Zeiten großer und dramatischer Umbrüche. Gerade an der Gestalt Bismarcks wird vielmehr deutlich, daß der Charakter der Festigkeit, die einer solchen Zeit begegnet, in mancher Beziehung offenbar ganz gleichgültig ist, ja, daß sich ihre eigentlichen Tendenzen erst an dem Widerstand entfalten, den er ihnen entgegenstellt. Mit Recht hat man von Hitler gesagt, daß dessen anachronistisches Programm ganz und gar folgenlos geblieben sei, daß aber gegen seinen Willen und gleichsam hinter seinem Rücken die Zeit seiner Herrschaft eine Zeit sprunghafter Veränderung, eines stürmischen Wandels auch auf sozialem Gebiet geworden sei. Ähnliches gilt für Bismarck, nur mit dem grundliegenden Unterschied, daß er sich nicht zu wissen vermaß, was eine höhere Macht angeblich wolle. Er hat niemals bezweifelt, daß ein höherer Wille den eigenen Absichten zuwiderlaufen, daß er das individuell Gewollte in einen ganz anderen Zusammenhang stellen könne.

Von hier aus gesehen mag es ihm selber weniger verwunderlich erschienen sein, daß er im Widerstand gegen seine Zeit zu ihrem Mann wurde und eine Welt mitheraufführte, die in vielfältiger Hinsicht nicht die seine war. Für den Nachgeborenen, zumal für den Biographen, stellt sich die Sache schwieriger dar, auch wenn der Befund als solcher unverkennbar ist. Denn er überblickt nicht nur von vornherein die Spannung zwischen Gewolltem und Gewordenem. Er sieht auch ein Werden, das sich von dem speziellen Wollen oft fast ganz gelöst vollzog, obwohl dieses ihm wesentliche Bedingungen schuf und seinerseits von ihm dann entscheidend bestimmt wurde.

In jüngerer Zeit hat man sich vielfach damit zu helfen versucht, daß man Bismarck ein geheimes Wissen und Planen unterstellte, das ihn auch von den eigenen Zielen her wieder näher an die übergreifenden Entwicklungstendenzen der Zeit, insbesondere im wirtschaftlichen und gesellschaftlichen Bereich, heranführte. Abgesehen davon, daß unerfindlich bleibt, warum sich in den sonst so reichlich fließenden Quellen hiervon nur eine ganz unsichere und dünne Spur erhalten haben soll, wird damit Bismarck förmlich zu einem Übermenschen stilisiert, der in halsbrecherischer Virtuosität über Jahrzehnte hin eine Art Doppelspiel betrieb – eine Existenz, wie sie nur auf dem intellektuellen Marionettentheater eines Gelehrtenschreibtisches möglich erscheint. Die Tatsache, daß ein dezidierter Konservativer, ein Mann der Tradition und in vieler Hinsicht ganz herkömmlicher politischer Problemstellungen de facto, in den Ergebnissen und Konsequenzen, zu einem Mann nicht nur stürmischer, sondern auch revolutionärer Veränderungen wurde, wird auf diese Weise kaum befriedigend erklärt. Ja, indem man mit solchen Konstruktionen dem angeblich Geplanten und Gewollten ein übergroßes Gewicht zuschreibt, wird das Problem als solches eher beiseite geschoben und verdeckt.

Geht man hingegen davon aus, daß Bismarck tatsächlich der Mann der relativ begrenzten Ziele gewesen ist, als der er sich darstellte und als der er sich ganz bewußt verstand, so tritt dieses zentrale Problem klar hervor. Außerdem zeichnet sich eine Erklärung ab, die zumindest den Vorteil hat, die allgemeine Entwicklung und das individuelle Wollen nicht gewaltsam in einen Zusammenhang bringen zu müssen und zugleich für andere Interpretationen des jeweiligen Einzelfalles offen zu sein. Sie beruht auf der Annahme, daß die Selbstgewißheit der eigenen Position, die nicht nur, ja nicht einmal in erster Linie im Konkret-Sachlichen begründet war – hier hat Bismarck oft genug geschwankt –, ihm eine Unbekümmertheit in der Wahl der Mittel und der Bündnispartner zu erlauben schien, deren Eigengewicht er entweder unterschätzte oder mißachtete. Die Basis dieser Position war Vertrauen und Resignation zugleich. Sie erhob den einzelstaatlichen Egoismus und das machtpolitische Interesse, das zwischen dem der etablierten Gewalten und dem eigenen oszillierte, zum Prinzip und stellte alles andere einer höheren Macht anheim. Daß damit die Politik im Grundsatz von allen Bindungen befreit wurde, war ihm als Christen und als Mann noch ganz selbstverständlich empfundener kultureller und moralischer Bindungen kein Problem. Die Folgen waren jedoch auch und gerade hier außerordentlich.

Praktisch erprobt hat Bismarck diese Position erstmals als preußischer Bundestagsgesandter in Frankfurt, also in einem Amt, das den Politiker, wenngleich in einem großen und bedeutenden Rahmen, zu sachlicher Beschränkung zwang. Bisher war er als Abgeordneter sozusagen für alle Ressorts zuständig gewesen, hatte sich zu fast allem geäußert, was gerade auf der Tagesordnung stand. In Antwort auf die Herausforderung der Revolution hatte er alle Politik mit Selbstverständlichkeit in einem inneren Zusammenhang und als Einheit gesehen, deren Dimensionen das menschliche Dasein zumindest in allen seinen Gemeinschaftsformen betrafen und umfaßten. An dieser Grundauffassung änderte sich mit seiner Berufung in das neue Amt nichts. Doch es war unvermeidlich, daß er sich von nun an stärker auf die auswärtige Politik, insbesondere auf das Verhältnis zu Österreich und die Konstellation der europäischen Mächte konzentrierte. Konzentrierte freilich in einer Art, die praktisch von Anfang an dazu neigte, traditionelle Dimensionen und Verhaltensweisen zu sprengen.

Sein erklärter Auftrag, zumindest in der Interpretation seiner Gönner, war es, die Beziehungen zu Österreich im Sinne einer gemeinsamen Allianz gegen die Revolution weiter zu normalisieren, eine neuerliche Konfrontation zu verhindern. Das hieß nicht, daß er jedem Konflikt aus dem Weg gehen und sich in allem fügen sollte. Aber man erwartete von ihm, daß er die Grenzen scharf beachtete und das übergreifende Interesse konservativer Solidarität stets im Auge behielt. Ob Bismarck von seinem bereits voll ausgeprägten machtstaatlichen Denken her je bereit gewesen wäre, eine solche Selbstbeschränkung auf sich zu nehmen, kann hier dahingestellt bleiben. Denn die Verhältnisse und Einstellungen, die er vorfand, widersprachen einem derartigen Auftrag von vornherein, und seine eigene Person tat dazu ein übriges. »Ich war gewiß kein prinzipieller Gegner Österreichs, als ich herkam vor vier Jahren«, schrieb er Ende Februar 1855 an seinen Außenminister Manteuffel, »aber ich hätte jeden Tropfen preußischen Bluts verleugnen müssen, wenn ich mir eine auch nur mäßige Vorliebe für das Österreich, wie seine gegenwärtigen Machthaber es verstehen, hätte bewahren wollen.«

Obwohl Preußen sich schließlich unter äußerstem Druck Österreich gebeugt und auf seine »deutsche Politik« verzichtet hatte, war doch jedermann deutlich geworden, daß es offenbar nach wie vor diejenige unter den europäischen Großmächten war, die am vehementesten über den Platz hinausstrebte, der ihr bisher im System dieser Mächte zuerkannt war. Preußen war in den Augen der Vertreter der klassischen Diplomatie immer noch der unruhestiftende Emporkömmling, als der es hundert Jahre früher unter Friedrich II. angetreten war. Und wie schon 1815 erschien der Deutsche Bund als ein

Mittel, den Militärstaat an der Spree in eine regionale, von Österreich dominierte Ordnung einzubinden und seine expansiven Ambitionen als europäische Großmacht niederzuhalten.

Dieser Bund umfaßte nun wieder, repräsentiert von einem Gesandtenkongreß, sämtliche Staaten und Stadtstaaten, die sich 1815 zur »Erhaltung der äußeren und inneren Sicherheit Deutschlands« zusammengeschlossen hatten. Reduziert durch Erbzusammenschlüsse und Souveränitätsverzichte waren es inzwischen sechsunddreißig statt der ursprünglich einundvierzig: zweiunddreißig Territorien und vier Freie Städte, darunter der Sitz der Bundesversammlung, die ehemalige Freie Reichsstadt Frankfurt.

Ziel des Bundes war und blieb die Erhaltung des Status quo, des bestehenden Zustandes in rechtlicher, sozialer und machtpolitischer Hinsicht. Von daher richtete sich sofort wieder, wie in den Jahrzehnten vor der Revolution, die Feindschaft aller jener Kräfte gegen ihn, welche auf Veränderung dieses Zustandes zielten. Unter diesem Aspekt gab es also eine fast bruchlose Tradition der Zeit vor und nach 1848/49. Auf der anderen Seite hatten sich durch die Vorgänge der vergangenen Monate und Jahre die Verhältnisse in seinem Inneren grundlegend gewandelt. Insbesondere der machtpolitische Gegensatz zwischen Österreich und Preußen war mit aller Schärfe aufgebrochen, ein Gegensatz, der vor 1848 durch eine enge Kooperation auf der Basis gemeinsamer konservativer Grundsätze, durch ein förmliches »System der Vorverständigung« zwischen Wien und Berlin überwölbt gewesen war. Es waren jetzt nicht mehr allein die Revolution, die Bestrebungen der nationalen, der liberalen und demokratischen Kräfte, die der großen Mehrheit der Bundesmitglieder als die entscheidende Bedrohung erschienen. In kaum geringerem Maße konzentrierten sich die Befürchtungen auf Preußen, das den Bund zu sprengen versucht hatte und auch in manchen seiner konservativen Vertreter wie Radowitz in ein eher zweideutiges Verhältnis zur Revolution getreten war.

Das war die Atmosphäre, die Bismarck in Frankfurt antraf. Verschwunden war jener Geist konservativer Solidarität, von dem seine politischen Freunde in Berlin träumten. Das Mißtrauen, das ihm von da entgegenschlug, hätte sich wahrscheinlich gegen jeden neu ins Amt gekommenen preußischen Vertreter gerichtet. Aber es steht außer Frage, daß es in ihm von vornherein ein besonders geeignetes Objekt fand. Ohne irgendeine zureichende Ausbildung und ohne irgendwelche diplomatische Erfahrung, als ein Mann, den ausgerechnet die Revolution nach oben getragen hatte, wenn auch als ihren Gegner, erschien er seinen Kollegen geradezu als der Prototyp des Emporkömmlings. Insofern wirkte er als die Verkörperung jenes Preußen, das, ganz unabhängig von den Grundsätzen seiner inneren Politik, auch hierin Bismarck gleichend, die überlieferte Ordnung auf internationalem Gebiet zu stören und zu seinen Gunsten zu verändern strebte.

Leben und Lebenlassen – das war in Frankfurt erneut die Devise, im konkreten und im übertragenen Sinne. In beider Hinsicht bedurfte es dazu der Anerkennung des Bestehenden, seiner Ordnung, seiner Konventionen, seiner überlieferten Rangverhältnisse. Die Leichtigkeit des diplomatischen Verkehrs, die engen Beziehungen zum Bürgertum der Stadt, die Liberalität der Lebensformen, die Weltoffenheit in jeder Beziehung wurzelten auf diesem Boden. Und ihn stellte Bismarck, so sehr er dann das Leben in Frankfurt im Kreis seiner Familie und seiner Freunde genoß und so ungern er sich schließlich, 1859, von der Stadt trennte, von Anfang an in doppelter Weise in Frage: Als Vertreter einer mehr oder minder gewaltsam auf diesen Boden, in die alte Ordnung zurückgezwungenen Macht und als Person, als ein überselbstbewußter diplomatischer Außenseiter, der sich vom ersten Tag an von niemandem imponieren ließ und auch manches für bloßen Schein erklärte, was politische und gesellschaftliche Grundhaltungen verkörperte und repräsentierte.

Er tat dies nicht nur in den unzähligen Briefen, mit denen er seit seinem Amtsantritt seinen Außenminister und Leopold von Gerlach als Haupt der Kamarilla, als »chef de cuisine politique« förmlich bombardierte. Er demonstrierte es nicht selten vor aller Öffentlichkeit, mit einer Unbekümmertheit und Direktheit, die das Anmaßende und Parvenuhafte seines Auftretens noch unterstrichen und den Eindruck verstärkten, er habe, wie Außenseiter und Emporkömmlinge so oft, nur einen Blick für Machtbeziehungen, für Hierarchien, für das Skelett der menschlichen Beziehungen, nicht aber für deren Fleisch und Blut. So wenn er bis in lächerliche Äußerlichkeiten peinlich genau darauf achtete, daß der österreichische Präsidialgesandte nur als der Erste unter Gleichen erschien; daß er sich sogleich den Rock ausgezogen habe, wenn der Österreicher in legerem Anzug erschien, fand er ebenso mehrfach berichtenswert wie die Tatsache, daß er dessen »Privileg«, in den Sitzungen Zigarren zu rauchen, sofort durchbrochen habe.

Für die große Mehrheit seiner Gesandtenkollegen war die offizielle Tätigkeit, also die Bundespolitik und was an zwischenstaatlichen Kontakten und Problemen über Frankfurt lief, eine in der Regel kaum tagesfüllende Aufgabe, zumal sie ihnen durch untergeordnete Beamte vielfach erleichtert wurde. Sie führten zumeist ein großes Haus, reisten viel und gern, gingen unterschiedlichen Interessen und auch Geschäften nach, kurz, sie genossen ihr Leben auf verschiedenste Weise. Der neue preußische Gesandte hingegen, der zunächst für Monate im »Englischen Hof« wohnte, bevor er Anfang Oktober vor den Toren der Stadt, in der Bockenheimer Landstraße, wenige Meter von der Gesandtschaftskanzlei entfernt, ein im Vergleich etwa zum Palais des österreichischen Gesandten eher bescheidenes Haus bezog, ließ vom ersten Tag an erkennen, daß er nicht daran denke, das behagliche Leben eines großen Herrn zu führen, sondern beabsichtige, sich mit allen ihm zur Verfügung stehenden

Mitteln und Kräften für die Interessen seines Landes einzusetzen. Und nicht nur das. Er machte auch wenig Hehl daraus, daß er seinerseits die Mehrzahl seiner Kollegen, den Sachsen Nostitz oder den Württemberger Reinhard, den Kurhessen Trott oder den Badener Marschall, für diplomatische Drohnen hielt, für »karikierte Zopf-Diplomaten«. Die meisten, so Bismarck, sonnten sich in dem Glanz ihres gesellschaftlichen Ansehens und entfalteten eine Wichtigkeit, die in keinem Verhältnis zu der realen Macht ihrer Staaten und zu der Bedeutung der Beschlüsse stehe, die sie in deren Namen faßten. Entscheidend seien die Realitäten der Macht. Und hier gebühre dem Vertreter der europäischen Großmacht Preußen gemeinsam mit demjenigen Österreichs der erste Platz und der Vorrang bei allen Entscheidungen – ganz unabhängig von Anciennitäten, vom Ansehen und der Erfahrung des einzelnen Diplomaten, von der Rolle, die er gesellschaftlich spiele.

Das vergleichsweise bescheidene Leben, zu dem ihn die eigene Finanzlage, das »eigene Bißchen«, und die traditionelle Sparsamkeit des preußischen Staates zwangen, der in den fünfzig Jahren, die der Bund bestand, nie ein eigenes Gesandtschaftshaus erwarb, erhielt damit eine herausfordernde Begründung: Der Vertreter Preußens habe es nicht nötig, groß zu repräsentieren, und schon gar nicht Leuten gegenüber, deren Wort in den entscheidenden politischen Fragen nur von geringem Gewicht sei. Wenn er zu Fuß gehen müsse, hatte schon Friedrich der Große seinem ebenso kurz gehaltenen Londoner Gesandten empfohlen, solle er sich immer vor Augen halten, daß eine Armee von hunderttausend Mann unsichtbar hinter ihm marschiere.

In diesem Sinn hat Bismarck in Frankfurt jenseits der unerläßlichen Repräsentationspflichten einen ausgesprochen bürgerlich-familiären Lebensstil entwickelt, mit bis zur Formlosigkeit reichender Liberalität im Kommen und Gehen der Besucher, in der Art des Essens und Trinkens, in dem Nebeneinander von Arbeit und Zerstreuung – zunächst in der Bockenheimer Landstraße, wo Anfang August 1852 nach Herbert und Marie sein zweiter Sohn Wilhelm zur Welt kam, dann, nachdem das Haus ein knappes Jahr später den Besitzer wechselte und der neue Eigentümer es selbst bezog, ab Oktober 1852 in der Stadt. Hier, in der Großen Gallusstraße, zwischen Roßmarkt und Taunustor, wo zwei Jahre später auch die Gesandtschaftskanzlei Platz fand, hat er den größten Teil seiner Frankfurter Zeit verbracht, bevor er im Mai 1858, acht Monate vor seiner Abberufung, samt Kanzlei nochmals umzog, diesmal in die Hochstraße, gleichfalls im Zentrum der Stadt.

Bismarcks Frankfurter Lebensstil kam zugleich der gesellschaftlichen Unerfahrenheit, ja Scheu seiner Frau entgegen, die sich mit dem Französischen erst einmal recht schwer tat, das immer noch als Diplomatensprache vorherrschte. Jener Lebensstil blieb für sein privates Dasein auch in der Zeit als preußischer Ministerpräsident und als Reichskanzler charakteristisch. Nach wie vor beschränkte sich sein persönlicher Verkehr, von verhältnismäßig

wenigen Ausnahmen wie den berühmten parlamentarischen Soireen abgesehen, auf einen recht kleinen Kreis von ausgewählten Freunden und Bekannten, auf einen Kreis, dessen geistiger wie menschlicher Zuschnitt in der
ausschließlichen Konzentration auf Bismarck erschreckend provinziell blieb.

Im Berlin der siebziger und achtziger Jahre hatte man sich längst daran
gewöhnt, daß die Reichskanzlei alles andere war als ein Zentrum des geistigen
oder künstlerischen Lebens der Hauptstadt, daß Musik und Malerei, Wissenschaft und Literatur dort eine ganz untergeordnete Rolle spielten, selbst wenn
der Hausherr nach Anlage und früheren Neigungen mancherlei Voraussetzungen dafür mitbringen mochte. In Frankfurt aber verstärkte sein Lebensstil
noch den Eindruck eines hochmütig-selbstbewußten Außenseiters, der allein
auf die Macht seines Staates und auf die besonderen Beziehungen zu seinem
Monarchen und seinem Regierungschef pochte. Diesem Eindruck entsprach
das Urteil vieler seiner Frankfurter Kollegen. Bismarck scheine ihm, so
formulierte es der österreichische Präsidialgesandte Graf Thun bald nach
seiner Ankunft noch in höflicher Zurückhaltung, »derjenigen Partei ausschließlich anzugehören, die bloß die spezifischen Interessen Preußens im
Auge hat und kein großes Vertrauen setzt in das, was durch den Bundestag
erreicht werden kann. Da er nie früher in der diplomatischen Karriere oder
auch nur in irgendeinem öffentlichen Dienste war, so hat er keine eigentliche
Geschäftskenntnis und beweist alles nur nach seiner bisherigen Praxis in den
Kammern.« Welche Emotionen und Antipathien sein Auftreten im Kreis
seiner diplomatischen Kollegen zu erregen vermochte, spiegelt dann die selbst
im geheimen diplomatischen Verkehr seltene Schärfe, mit der Thuns Nachfolger Freiherr Prokesch von Osten ihn charakterisierte: »Unter zeitweiligen
Gentlemanformen eine hochmütige, gemeine Natur, voll Dünkel und Aufge-
blasenheit; ohne Rechtsbewußtsein, faul, ohne gediegenes Wissen und ohne
Achtung für dasselbe; gewandt als Sophist und Wortverdreher, voll kleinli-
cher und unsauberer Mittel; voll Neides und Hasses gegen Österreich, daher
auch sein steter Kampf gegen die Präsidialbefugnisse; ungläubig, aber den
Protestantismus als Kriegsfahne tragend.« Und auch Graf Rechberg, der
spätere österreichische Außenminister, sprach 1855 davon, Bismarck habe
sich »durch seine kleinliche Politik, durch die Wahl der Mittel, die er anwendet
und bei welcher er durch keine Rücksicht, auch nicht durch die, welche ein
Gentleman seiner Regierung wie sich selbst schuldig ist, sich abhalten läßt,
... bei seinen Kollegen sehr geschadet«.

Sicher wird keines dieser Urteile, denen viele ähnliche zur Seite stehen, der
Person Bismarcks und dem gerecht, was an Kalkül, politischem Scharfblick
und an alle anderen Rücksichten hintansetzender politischer Leidenschaft
hinter seinem Auftreten in Frankfurt stand. Aber sie kennzeichnen auf der
anderen Seite die Atmosphäre, in der er sich bewegte und die er selbst um sich
verbreitete, und damit den Hintergrund, der seine Haltung und seine politi-

schen Anschauungen und Stellungnahmen sicher stärker bestimmte, als eine rein abstrakte Darlegung der Positionen und Probleme oft wahrhaben will. Das gilt in besonderem Maße für sein Verhältnis zu der wiedereingesetzten Führungsmacht des Deutschen Bundes, zu Österreich. Man hat hier vielfach von einem Schwanken zwischen Konfrontation und Kooperation gesprochen, von einem bei allen Gegensätzen doch in vieler Hinsicht ambivalenten Verhältnis. Der unmittelbare Eindruck seines Lebens und Wirkens in Frankfurt spricht hier jedoch deutlich dagegen. Sicher lassen sich für jenes Schwanken viele Zeugnisse aus seiner eigenen Feder, über Jahre hinweg, anführen, die zudem ganz in sein taktisches Grundkonzept passen, sich nach Möglichkeit stets zwei Wege offenzuhalten. Und zweifellos bewies Rechberg viel Gespür, wenn er in seinem Urteil über Bismarck aus dem Jahr 1855 fortfuhr: »Vor allem ehrgeizig, hat er es schon bei mehreren Gelegenheiten bewiesen, daß er es versteht, seine Ansichten den Verhältnissen anzupassen. So glühend sich heute sein Haß gegen Österreich zeigt, so würde er bei veränderten Verhältnissen einer Politik, die auf ein gutes Einvernehmen mit Österreich sich stützte, seine Dienste wohl nicht versagen.« Aber in seiner Frankfurter Zeit dominierte eindeutig sein »Haß gegen Österreich«, und zwar durchaus mit jenem emotionalen Untergrund, der in Rechbergs Formulierung mitschwingt.

Daß, vom preußischen Staats- und Großmachtinteresse her gesehen, »schon unserer geographischen Verwachsenheit wegen«, die bestehende Situation in Mitteleuropa unerträglich sei, daß Preußen und Österreich hier einander die »Luft von dem Munde« fortatmeten und auf Dauer »einer weichen oder vom anderen gewichen werden« müsse – diese Überzeugung hat Bismarck in jenen Jahren zu oft wiederholt, als daß an ihrer Aufrichtigkeit ein Zweifel möglich erscheint. Ja, er hat sich gelegentlich förmlich in sie verbissen in einer Art, die seinen Realitätssinn zu trüben drohte und ihm Möglichkeiten vorgaukelte, für die sämtliche innen- und außenpolitischen wie militärischen Voraussetzungen fehlten. So wenn er im Frühjahr 1859 in einem dann immer wieder, nicht selten ganz kritiklos zitierten Brief an den General von Alvensleben im Hinblick auf den sich abzeichnenden Krieg zwischen der Habsburger Monarchie und dem mit Frankreich verbündeten Sardinien-Piemont, den italienischen Einigungskrieg, bemerkte: »Die gegenwärtige Lage hat wieder einmal das große Los für uns im Topf, falls wir den Krieg Österreichs mit Frankreich sich scharf einfressen lassen, und dann mit unseren ganzen Armeen nach Süden aufbrechen, die Grenzpfähle im Tornister mitnehmen und sie entweder am Bodensee oder da, wo das protestantische Bekenntnis aufhört vorzuwiegen, wieder einschlagen.« Oder wenn er am 12. Februar 1860 an Moritz von Blanckenburg schrieb: »Das Kleben an dem slawisch-romanischen Mischlingsstaat an der Donau, das Huren mit Papst und Kaiser ist mindestens ebenso landesverräterisch gegen Preußen und Evangelisches Bekenntnis, ja gegen Deutschland, wie der schnödeste kahlste Rheinbund. An

Frankreich können wir höchstens Provinzen, und zeitweise, verlieren, an Oestreich aber ganz Preußen, zeitlich und ewig. *Unter* dem tut man's in Wien nicht als letztes Ziel.« Ludwig von Gerlach hatte nicht ganz unrecht, wenn er einmal notierte: »Er hat schon Anlage, die Welt und ihr Regiment über seine eigene Anschauung davon zu vergessen.«

Jene Äußerungen Bismarcks datieren allerdings aus einer Zeit, in der ihm nach einem innenpolitischen Kurswechsel in Preußen jede Hoffnung auf eine maßgebliche Beteiligung an der Gestaltung der preußischen Außenpolitik abgeschnitten erschien. Demzufolge fiel in ihr das Gegengewicht unmittelbarer Verantwortung in dieser oder jener Form weg. Ein solches Gegengewicht aber war in den Jahren davor stets unübersehbar vorhanden, zumal Bismarck sein Amt von Anfang an als erste Stufe auf dem Weg an die Spitze des preußischen Außenministeriums betrachtete und von da aus stets höhere Verantwortlichkeiten gleichsam vorwegnahm; seine ausführlichen Denkschriften auch zu Fragen, die die Bundestagsgesandtschaft formal nur am Rande berührten, lassen dies deutlich erkennen. So hat die Konzentration auf das preußisch-österreichische Verhältnis, auf die ihn seine ganze Umwelt bis hinab in Detailfragen des geselligen Lebens immer wieder stieß, trotz aller gelegentlichen Verbissenheiten letzten Endes nicht verengend gewirkt, sondern ihm im Gegenteil die Dimensionen seiner eigenen künftigen Politik erst voll erschlossen.

Einmal führte ihn die ständige Suche nach Konstellationen, in denen sich Preußen gegenüber Österreich siegreich behaupten könne, endgültig zur Ablehnung jeder Vorwegbindung, jeder dauerhaften Blockbildung zwischen einzelnen Staaten, ganz gleich ob man diese nun ideologisch, historisch oder sonstwie begründen mochte. Und zum anderen, und das war womöglich noch wichtiger, erweiterte er in diesem Zusammenhang, wenn auch zunächst oft noch in bloß theoretischer Form, in diplomatischen Sandkastenspielen, das traditionelle außenpolitische Instrumentarium, bezog Kräfte und Taktiken als Möglichkeiten ein, die als solche bisher kaum anwendbar schienen. Beides macht die eigentliche Bedeutung der Frankfurter Jahre aus, deren inhaltlicher Ertrag praktisch gleich Null war. Bismarck klagte nicht zu Unrecht immer wieder über die Sinnlosigkeit seiner Arbeit am »Wasserfaß der Danaiden in der Eschenheimer Gasse«. An der Verfassung des Bundes, an der formellen Gewichtsverteilung in ihm und an seinen Funktionen hat sich in den Jahren zwischen 1851 und Anfang 1859, in denen Bismarck in Frankfurt war, ebensowenig geändert wie, zumindest bis 1858, an der politischen Situation in Mitteleuropa insgesamt.

Es war die Zeit der siegreichen Reaktion. Bewegung und Veränderung gingen entweder von außen oder aber, dies dann freilich in zunehmend dramatischer Form, von dem gesellschaftlichen Wandel aus, der sich mitsamt seinen wirtschaftlichen Voraussetzungen immer mehr als gleichsam selbstläufig und unaufhaltsam erwies. Wer seinerseits Veränderungen auf machtpolitischem Gebiet zugunsten seines Staates erstrebte, aber nicht in die neu befestigten inneren Machtverhältnisse eingreifen wollte, der mußte sein Augenmerk auf diese beiden Bereiche richten. Eben dies tat Bismarck. Und von beiden her bestimmte sich seine Politik, sowohl nach ihrer Form als auch nach ihrem Inhalt.

Sein Amt brachte es natürlicherweise mit sich, daß ihn das in besonderem Maße beschäftigte, was von außen herausfordernd und verändernd in den mitteleuropäischen Raum hineinwirkte. Aber die Einsichten seiner Studienzeit, seine Grundauffassung von den entscheidenden Antrieben des politischen und gesellschaftlichen Lebens und die ursprünglich ins Auge gefaßte Ausrichtung seiner staatlichen Laufbahn führten ihn ganz selbstverständlich dazu, die außenpolitischen Verhältnisse und Entwicklungen nicht isoliert, sondern in ihrer Wechselwirkung mit dem Gang der wirtschaftlichen und sozialen Veränderungen und mit dem zu sehen, was sich von hier aus an machtpolitischen Gewichtsverschiebungen und wechselnden Interessenlagen ergab. So ist es müßig, darüber zu streiten, welcher Bereich, der der inneren oder der der äußeren Politik, für ihn den Vorrang besaß und sein Handeln wesentlich bestimmte. Beide verschmolzen ihm von der Erfahrung her mehr und mehr zu einer Einheit. Obwohl sein Interesse sich von Amts wegen wie aus eigenem Antrieb über weite Strecken hin auf die auswärtige Politik konzentrierte, sah er sie doch stets in einem so dichten Beziehungsgeflecht, daß sich das Problem des Primats, was ihn selber angeht, von daher praktisch auflöst. Wenn er gelegentlich davon gesprochen hat, ihm seien »die auswärtigen Dinge an sich Zweck« und sie stünden ihm »höher als die übrigen«, dann nur in dem Sinne, daß er sich gegen den Vorwurf verteidigte, die auswärtige Politik diene ihm als bloßes Mittel zum Zweck, stehe für ihn also ganz unter dem Primat der Innenpolitik. Das Gegenteil hat er für sich, soweit bekannt, nie in Anspruch genommen. Ja, man wird sogar sagen können, daß seine Vorliebe für die Außenpolitik, von den Konstellationen seines Lebenswegs einmal abgesehen, nicht zuletzt auf der Einsicht beruhte, daß der Einzelne sich hier trotz aller Berechnungen und sorgfältigen Analysen weit stärker als in anderen Bereichen der Politik in der Situation des Spielers befindet, über dessen Gewinn oder Verlust im letzten unberechenbare Mächte entscheiden.

Als nach 1871 die Fragen der inneren Verfassung und der Gestaltung der inneren Verhältnisse des neugegründeten Reiches ganz ins Zentrum rückten, da war es ihm wieder, wie in seiner Jugend, »zum Hängen langweilig«. Das war für ihn »schlechte Hasenjagd«: »Ja, wenn es gälte, einen großen und mächtigen Eber – meinetwegen einen erymantischen – zu erlegen«, brach er 1874 vor befreundeten Parlamentariern aus, »dann würde ich dabei sein, dann würde ich mir noch einmal etwas zumuten.« Nicht die Durchsetzung eines Plans oder die Umsetzung einer Idee haben ihn zeit seines Lebens gelockt, sondern die Herausforderung und die Möglichkeiten, die mit einer bestimmten Situation, mit einer bestimmten Konstellation, auf die er traf, verbunden waren, das Risiko, das er mit der Annahme einer solchen Herausforderung einging. Das gleichsam vorweg Entschiedene interessierte ihn ebensowenig wie das scheinbar Aussichtslose, mochte auch in jenem das Geschichtsmächtige und in diesem das eigentlich Herausfordernde liegen. Sein Feld waren die Unentschiedenheiten der Wirklichkeit. Ob sie im Rahmen des geschichtlichen Prozesses Probleme von peripherer oder zentraler Bedeutung bildeten, waren für ihn abstrakte, geschichtsphilosophische Fragen, die ihn nichts angingen, ihn nicht bekümmerten.

Wo aber waren solche Unentschiedenheiten der Wirklichkeit häufiger zu finden als auf dem Gebiet der Außenpolitik, zumal in einer Zeit, in der sich die seit je höchst labile Gewichtsverteilung zwischen den Mächten sowohl aus politischen als vor allem aus wirtschaftlichen Gründen laufend verschob? Wenn ihm die auswärtigen Dinge »höher als die übrigen« standen, so aus diesem Grund: Er wurzelte letzten Endes in der Persönlichkeit und nicht in der Sache selbst. In diese trug er freilich auf diese Weise ein Element des Untergründigen, des zutiefst »Unsachlichen« und Emotionalen, das, wenn es Schule machte und gar ideologisch überhöht wurde, zerstörerisch wirken mußte. Das gehört in das große Kapitel der indirekten Verantwortlichkeiten Bismarcks, das im Medium blinder Nachahmung und Erfolgsanbetung die dunkelsten Züge seines Wesens überscharf erkennen läßt.

Von vielen Seiten kamen so für Bismarck die Antriebe, sich mit ungewöhnlicher Energie und Leidenschaft auf sein neues Geschäft zu werfen und von Anfang an selber ein Motor der Unruhe und der Veränderung zu werden. Er tat dies, indem er jede sich nur bietende Gelegenheit ergriff, die Verhältnisse und Mächtebeziehungen im Bund in Bewegung zu bringen und insbesondere die Vorrang- und effektive Vormachtstellung der Habsburger Monarchie immer wieder versteckt und offen zu attackieren und als bloß situations- und augenblicksbedingt in Frage zu stellen.

Die erste ganz große Möglichkeit bot ihm die österreichische Politik selber. An ihr erwies sich erstmals seine Fähigkeit, alle sich überhaupt nur anbietenden Mittel und Kräfte gleichsam zu bündeln. Es war die Frage der künftigen Gestaltung des Verhältnisses zwischen der Habsburger Monarchie und dem von Preußen beherrschten Zollverein.

Nicht zuletzt unter dem Druck Rußlands hatte sich Österreich auf bundespolitischem Gebiet mit der bloßen Wiederherstellung des Status quo ante, des Bundes von 1815, zufriedengeben müssen. Die weiterreichenden Pläne Wiens hinsichtlich einer Einbeziehung aller seiner Länder in den Bund und einer Ausgestaltung dieses Bundes zu einem de facto von der Donau-Metropole aus regierten »Reich der siebzig Millionen« waren zunächst blockiert. Weil das ganz große Ziel einstweilen nicht erreichbar war, suchten

Schwarzenberg und sein Handelsminister von Bruck zumindest die gleichzeitig eingeleitete Politik einer mitteleuropäischen Zolleinigung weiter voranzutreiben.

Doch auch hierbei stießen sie sofort auf den Widerstand Preußens. Dessen leitende Männer waren im Bewußtsein der politischen Bedeutung der ganzen Frage, aber auch im Hinblick auf die Interessen eines erheblichen Teils der preußischen Wirtschaft zu keinem Entgegenkommen bereit. Und in dem Kampf um jene Zollvereinsmitglieder in Süd- und Mitteldeutschland, die aus politischen Gründen schwankten, zeigte es sich dann sehr rasch, daß die wirtschaftliche Interessenverflechtung im Zollverein und die wirtschaftliche Abhängigkeit seiner Mitglieder von seiner auch territorial und verkehrspolitisch dominierenden Vormacht Preußen bereits so weit fortgeschritten waren, daß ein Aufbrechen dieses Blocks gegen den Widerstand Berlins unmöglich war. Es gelang der preußischen Regierung im Gegenzug sogar, einige bisher noch zögernde Bundesmitglieder, Hannover und eine Reihe von norddeutschen Kleinstaaten, die mit Hannover im sogenannten Steuerverein zusammengeschlossen waren, zum Anschluß an den Zollverein zu veranlassen und diesen schließlich gegenüber Österreich weitgehend abzuschotten.

Dabei stärkte ihr die jetzt deutlich propreußische Haltung Rußlands nicht unwesentlich den Rücken. Sie trug dazu bei, letzte Widerstände von seiten der süddeutschen Staaten, insbesondere von seiten Bayerns, zu brechen. Von dieser Basis aus fühlte man sich an der Spree schließlich, im Februar 1853, sogar stark genug, einen Handelsvertrag mit Österreich abzuschließen, der den wirtschaftlichen Interessen der Monarchie sehr weit entgegenkam: Nachdem das eigentliche politische Problem vom Tisch war, bestand für die Berliner Regierung kein Anlaß mehr, sich auf rein wirtschaftlichem Gebiet einem Kompromiß zu verweigern, zumal dieser den Interessen bestimmter Wirtschaftszweige in Preußen selber Rechnung trug.

Die Verhandlungen über alle diese Fragen, die das Verhältnis zwischen Preußen und Österreich in den Jahren zwischen 1851 und 1854 und weiterhin, praktisch bis 1866, entscheidend bestimmten und ein wesentliches Element in den Beziehungen zwischen beiden Mächten blieben, wurden entweder direkt auf Regierungsebene oder durch die Zollvereinsverwaltung beziehungsweise durch Spezialdelegationen geführt. Die preußische Bundestagsgesandtschaft in Frankfurt war daran nur ganz am Rande beteiligt. »Die meisten Sachen kommen fertig von Berlin«, klagte Bismarck wiederholt. Ja, man kann sagen, daß der Gesandtschaft im Prinzip eine Politik der Besänftigung und Kooperation auf einer Ebene zufiel, auf der wesentliche politische Entscheidungen im Augenblick nicht anstanden.

Einen solchen Gegenpart zu spielen, bloß die Honneurs zu machen und dem »maßlosen Geselligkeitstrieb des Völkchens der Bundes-Phäaken« zu huldigen, war Bismarck jedoch keinen Augenblick bereit. Er war auch nicht geneigt, sich, und sei es nur durch die Umstände und den Charakter der gerade anstehenden Fragen, aus dem zentralen außenpolitischen Entscheidungsprozeß hinausdrängen zu lassen, an dem ihn die Berufung in das Frankfurter Amt, auf den, wie er angenommen hatte, »augenblicklich wichtigsten Posten unserer Diplomatie«, zu beteiligen versprochen hatte. Während es manchem seiner Frankfurter Kollegen in der, wie er bissig bemerkte, »unter dem Namen Bundesversammlung bekannten Honoratioren-Ressource« durchaus lieb war, etwas im Windschatten zu leben, drängte er mit Macht darauf, zu Rate gezogen oder jedenfalls gehört zu werden.

Für die unmittelbar Beteiligten hatte das fraglos manchen Zug des Aufdringlichen. Auch der Nachgeborene tut sicher gut daran, sich bei der Lektüre der vielen Briefe und Denkschriften aus jenen Jahren die Situation ganz klar zu machen, in der sie entstanden sind. Bei aller in erstaunlich kurzer Zeit erworbenen Sachkompetenz fielen Funktion und Anspruch in vielen Bereichen eben doch auseinander. Dies führte dazu, daß Bismarck immer wieder aus dem Bewußtsein heraus argumentierte, auch von der eigenen Regierung als umtriebiger und unbequemer Außenseiter angesehen zu werden.

Dies gilt in besonderem Maße für die Auseinandersetzungen um das österreichische Zollunionsprojekt und den Fortbestand des Zollvereins, in die er sich sofort einzuschalten versuchte. In der Sache selber drang er sogleich zu den entscheidenden Punkten vor, entwickelte eine ganze Reihe sehr klarsichtiger Vorschläge und kühner taktischer Konzepte und stellte alles immer wieder in die größeren Zusammenhänge deutscher und europäischer Politik. Dennoch war der Eindruck unvermeidlich, daß der neue Mann sich offenbar weniger als Gesandter im bisher üblichen Sinne verstand, als Beamter, der an feste Instruktionen gebunden und selbst in Einzelheiten zu Rückfragen bei der Zentrale verpflichtet war, denn als eine Art Juniorpartner des Außenministers, der in Abstimmung mit diesem, notfalls sogar über seinen Kopf, ein breitangelegtes eigenes Konzept zu verfolgen suchte.

Zwar wurde die Zollfrage insofern an den Bundestag herangetragen, als die Mehrheit im Juli 1851 einen handelspolitischen Ausschuß eingesetzt hatte, der unter Hinzuziehung von Sachverständigen, das heißt von Beamten aus den einzelstaatlichen Ministerien, die auf den Dresdener Konferenzen erarbeiteten Vorschläge einer neuerlichen Prüfung und eventuellen Revision unterziehen sollte. Aber es war von Anfang an klar, daß die preußische Regierung keinesfalls bereit war, die Frage auf dieser Ebene zu verhandeln, auch wenn sie mit Rudolf Delbrück, der 1848 im Alter von eben einunddreißig Jahren als Ministerialdirektor Chef der betreffenden Abteilung im Handelsministerium geworden war, ihren besten Mann auf diesem Gebiet nach Frankfurt schickte. Delbrück sollte wohl in erster Linie dafür Sorge tragen, daß die ganze Angelegenheit am kurzen Zügel blieb und sich eben nicht im österreichischen Sinne zur Bundesangelegenheit entwickelte.

Nach den Intentionen der Berliner Zentrale hätte sich Bismarck also in diesem Punkt, obwohl formell der Übergeordnete und zu »Beratende«, ganz an Delbrück halten und im übrigen völlig im Hintergrund bleiben müssen. Das tat er jedoch lediglich nach außen hin. De facto benutzte er jeden sich nur bietenden Anlaß, sich aktiv einzuschalten und seine eigenen Auffassungen samt seiner Person zur Geltung zu bringen. Handelte es sich hierbei sachlich auch weitgehend nur um Nuancen, so waren sie doch recht bezeichnend für Bismarcks Position. Vor allem aber bewies er bei ihrer Verfolgung schon bald mehr Eigenständigkeit, als dem Ministerpräsidenten und Außenminister von Manteuffel lieb sein konnte.

Das kündigte sich bereits im Herbst 1851 an, als die Einigung mit dem Steuerverein eine vorzeitige Kündigung und Neuverhandlung der Zollvereinsverträge nötig machte, die an sich erst 1853 hätten erneuert werden müssen. Objektiv gesehen war das zwar der Auftakt zu der großen Auseinandersetzung um die wirtschaftspolitische Führung Mitteleuropas und damit um die politische Hegemonie in diesem Raum, die schließlich in den kriegerischen Konflikt von 1866 mündete. Aber man kann mit einigen Gründen bezweifeln, ob die Regierung Manteuffel ihre eigene Politik in solchen Dimensionen sah und ob ihre einzelnen Maßnahmen von einem daran orientierten großen politischen Kalkül diktiert waren. Ihr Prinzip war vielmehr ja gerade Abkehr von den weitausgreifenden Plänen und Zielen der Radowitzschen Unionspolitik, war Restauration des Status quo ante auch auf außenpolitischem Gebiet, nicht zuletzt in Abwehr von österreichischen Plänen, die diesen Status quo ante in Frage stellten. Die scheinbare Offensive, die sie mit der Arrondierung des Zollvereinsgebiets im Norden ergriff, war also in Wahrheit Defensive, eine Präventivmaßnahme gegenüber der auf diesem Feld nach wie vor expansiven Politik Österreichs. Ja, sie war möglicherweise der Versuch, sich für den nicht ganz unwahrscheinlichen Fall eines Austritts der süddeutschen Staaten eine neue, zwar kleinere, aber solidere wirtschaftspolitische Basis zu schaffen.

Was jedoch auch immer an Elementen ängstlichen, zumindest übervorsichtigen Zurückweichens, die die weitere Entwicklung dann fast ganz zugedeckt hat, in dieser Politik am Anfang gesteckt haben mochte – Bismarck jedenfalls suchte ihr von vornherein eine ganz andere Interpretation und Richtung zu geben und drängte darauf, die in ihr liegenden Möglichkeiten voll auszuschöpfen. Den Vertrag mit Hannover vom 7. September 1851 feierte er in diesem Sinne sofort als großen Coup, als Auftakt einer neuen Phase preußischer Großmachtpolitik. In ihren Dienst müßten nun alle Maßnahmen und politischen Erwägungen gestellt werden.

Wie ein Schlaglicht erhellte das die mehr am Rande erörterte Frage, wie sich Preußen angesichts der von der hannoverschen Ritterschaft beim Bundestag betriebenen Revision der hannoverschen Verfassung im gegenrevolutionären Sinne verhalten solle: Es stand zu befürchten, daß eine solche Revision in

Hannover eine stärker zu Österreich neigende Regierung ans Ruder bringen würde. Den darin enthaltenen Konflikt zwischen Prinzipien- und Interessenpolitik fegte Bismarck mit einer Handbewegung vom Tisch: »Mir ist hannöversches Recht wohlfeiler als preußisches, und im Fall der letzten Not lasse ich die Ritterschaft um den Vertrag vom 7. September fallen«, schrieb er Manteuffel Anfang Oktober 1851. Und noch deutlicher sechs Tage später: »So entschiedene Abneigung ich dagegen habe, im eignen Vaterlande das Recht der Politik zu opfern, so habe ich doch preußischen Egoismus genug, um in Bezug auf hannöversches Recht nicht in demselben Grade gewissenhaft zu sein, und würde, wenn E.E. meine Ansicht forderten, unmaßgeblich raten, in Hannover nur ein solches Ministerium zu stützen, welches sich unsrer Politik im Sinn des Vertrags vom 7. September anzuschließen bereit wäre, möchte seine politische Farbe sein, welche sie wolle.«

Das war die Grundlage, von der aus er Ende November 1851 jenes zu Recht berühmt gewordene Gespräch mit dem österreichischen Bundestagsgesandten Graf Thun führte, einem eleganten und lebenslustigen Edelmann aus wohlhabendem reichsgräflichen Hause, der, fünf Jahre älter als sein preußischer Kollege, als erfolgreicher Karrierediplomat und Präsidialgesandter in Frankfurt in vielerlei Hinsicht den Ton angab. In diesem Gespräch hat Bismarck in Abwehr österreichischer Zielvorstellungen seine eigene Einstellung und Grundhaltung scharf verdeutlicht. Ob es ganz so abgelaufen ist, wie er es in seinem Bericht an Manteuffel schilderte, steht dahin; eine Darstellung der Gegenseite fehlt, da Thun darüber nicht nach Wien berichtet hat. Man wird also in Rechnung stellen müssen, daß er manches milder, manches aber auch noch zugespitzter formuliert haben mag, als er es Manteuffel mitzuteilen für gut fand.

Bismarcks Urteil über Charakter und Richtung der Schwarzenbergschen Politik, als deren Exponent ihm Graf Thun galt, hatte von Anfang an festgestanden. »Von den österreichischen Staatsmännern aus der Schwarzenbergischen Schule«, so hatte er in seinem ersten inoffiziellen Bericht an Manteuffel aus Frankfurt, eben vierzehn Tage nach seiner Ankunft, geschrieben, sei »niemals zu erwarten, daß sie das Recht aus dem alleinigen Grunde, weil es das Recht ist, zur Grundlage ihrer Politik nehmen oder behalten werden; ihre Auffassung scheint mehr die eines dreisten Spielers zu sein, der die Chancen wahrnimmt, in ihrer Ausbeutung zugleich Nahrung für persönliche Eitelkeit sucht, und zu letzterem Behuf die Drapierung der kecken und verachtenden Sorglosigkeit eines eleganten Kavaliers aus leichtfertiger Schule zu Hilfe nimmt.«

Den moralisierenden Unterton wird man dabei nicht allzu ernst nehmen dürfen. Seine Funktion war es, die Schwarzenbergsche Macht- und Interessenpolitik scharf von der angeblichen Rechts- und Prinzipienpolitik des vormärzlichen Österreich zu unterscheiden, in der die Gerlachs und ihr Kreis die Basis für die von ihm, Bismarck, zu fördernde künftige Zusammenarbeit zwischen Preußen und Österreich sahen. Auf diese Weise suchte er zu begründen, warum er sofort eine antiösterreichische Richtung einschlug; bezeichnenderweise griff er in dem Gespräch mit Thun den Vorwurf, nicht Österreich, sondern Preußen verhalte sich wie ein Spieler, durchaus nicht indigniert, sondern als einen in gewisser Weise zutreffenden Vergleich auf. Wogegen er sich vor allem wandte, war der Versuch Thuns, den nach seiner, Bismarcks, Meinung so eindeutigen Charakter und die so eindeutige Richtung der österreichischen Politik unter Schwarzenberg zu verschleiern und Preußen zum Störenfried einer von Natur und Geschichte vorgegebenen harmonischen Entwicklung in Mitteleuropa zu stempeln.

Thun habe ihm, so Bismarck, auf »die aggressive Politik Österreichs gegen den Zollverein« angesprochen, erwidert, Österreich könne nicht dulden, daß es »in noch schrofferer Weise, als früher vom Zollverein, von einer neuen, das ganze übrige Deutschland umfassenden Korporation ausgeschlossen werde«. Aus diesem Grunde strebe die österreichische Regierung nicht nur eine engere Verbindung zum Zollverein, sondern auch eine Erweiterung der Bundeskompetenzen auf das Gebiet der Zoll- und Handelsgesetzgebung, also eine Stärkung und Festigung des Bundes, an. Natürlich bedeute dies eine Konsolidierung, ja Verstärkung der Vormachtstellung der Habsburger Monarchie in Mitteleuropa. Dies entspreche jedoch der geschichtlichen Entwicklung und den darin begründeten Verhältnissen, sei also ganz in Ordnung: »Ein überwiegender Einfluß Österreichs in Deutschland liege in der Natur der Dinge, solange Österreich ohne Selbstsucht sich Deutschland hingebe; breche es die letztere Bedingung, so werde Preußen an Österreichs Stelle treten, halte es jene Bedingung, so sei Preußens Aufgabe eine gleiche, mit Österreich gemeinsame Hingabe für die Interessen der Gesamtheit.«

Aus diesen Worten sprach das Selbstbewußtsein des Vertreters einer alten, in diesem Raum immer wieder dominierenden Großmacht, die sich eben einmal mehr gegenüber der neu emporgekommenen konkurrierenden kleineren Macht durchgesetzt hatte. Gleichzeitig schwang in ihnen aber auch die Bereitschaft zum Ausgleich auf einer anderen Ebene mit, als sie vom egoistischen Machtinteresse des Einzelstaates her erreichbar zu sein schien. Der alte Reichsgedanke klang dabei ebenso an wie die Idee der Einheit der Nation in ihrer spezifischen historischen Form. Und unüberhörbar war noch im Bismarckschen Referat der Appell, daß Staaten höheren Zielen dienen müßten als bloß der Befestigung und Erweiterung der eigenen Macht.

Für Bismarck aber waren das alles nur Redensarten, die den wahren Kern, die machtpolitischen Auseinandersetzungen, verschleiern sollten: »Er sprach wie Posa«, faßte er zusammen, »und entwickelte großdeutsche Schwärmerei.« »Ich vervollständigte seinen Ideengang dahin«, fuhr er ironisch fort, »daß die Existenz Preußens, und noch weiter der Reformation, ein bedauerliches Faktum sei, wir beide könnten es aber nicht ändern, und müßten nach Tatsachen, aber nicht nach Idealen rechnen.« Und weiter: »Ein Preußen, welches, wie er sich ausdrückte, ›der Erbschaft Friedrichs des Großen entsagte‹, um sich seiner wahren providentiellen Bestimmung als Reichs-Erz-Kämmerer hingeben zu können, bestehe in Europa nicht, und ehe ich zu einer derartigen Politik zu Hause riete, würde die Entscheidung durch den Degen vorgehen müssen.«

Thun, von dem Bismarck auch später immer wieder spöttisch meinte, er halte »die Existenz Preußens im tiefsten Inneren für eine Unregelmäßigkeit«, habe darauf Preußen mit einem Mann verglichen, »der *einmal* das Los von hunderttausend Talern gewonnen hat und nun seinen Haushalt auf die jährliche Wiederkehr dieses Ereignisses einrichte«. Das hieß nichts anderes, als daß Preußen seine gegenwärtige Machtstellung weitgehend dem Glück der Umstände verdanke. Dieser Meinung waren viele in Europa, vor allem im Kreis der länger etablierten Großmächte. Es werde seine Macht bald wieder verlieren, wenn es sich erneut auf den von Friedrich dem Großen beschrittenen Weg einer Politik des »Alles oder Nichts« begebe. Sie habe Preußen zwar groß gemacht, aber eben schon damals nur ganz knapp an der Katastrophe vorbeigeführt.

Auch in Preußen selber dachte mancher so. Sicher war die Macht Preußens inzwischen durch territoriale Erwerbungen, vornehmlich der Rheinlande, und nicht zuletzt durch die wirtschaftliche Entwicklung weit besser fundiert, als sie es im 18. Jahrhundert unter Friedrich gewesen war; die Staatseinnahmen hatten sich in der Zeit zwischen dem Tod des Königs 1786 und 1850 fast verfünffacht, während etwa diejenigen der Habsburger Monarchie nur um rund das Zweieinhalbfache gestiegen waren, bei gleichzeitigem steilen Anstieg der Staatsverschuldung. Aber die Revolution hatte gezeigt, daß ungeachtet dessen die Macht des Staates innenpolitisch auf einer höchst unsicheren Basis stand. Der Handlungsspielraum Preußens schien von dorther weit stärker begrenzt, als mancher von einer gleichsam mechanisch-statistischen, nach Kopfzahl, Quadratkilometern und Wirtschaftskraft rechnenden Betrachtungsweise her meinen mochte. Jedenfalls der Handlungsspielraum einer Politik, deren erstes Ziel die Erhaltung der etablierten politischen und sozialen Ordnung in Preußen selber war.

Hiervon gingen jene Konservativen in der Regierung und in dem Kreis um den preußischen König aus, die wesentlich aus diesem Grund das Radowitz-sche Unionsprojekt bekämpft und den Weg nach Olmütz beschritten hatten, jene Konservativen also, die Bismarck nach Frankfurt geschickt hatten, um auch bei scheinbar neuverteilten und entsprechend zu berücksichtigenden Gewichten zu einem Ausgleich mit Österreich zu gelangen. Doch Bismarck dachte ganz anders. Er benutzte die Gelegenheit, dies nun auch Manteuffel gegenüber deutlich zu machen, den er mit dem Septembervertrag und mit der

Abwehr österreichischer Vorstöße auf dem Gebiet der Zoll- und Handelspolitik auf der richtigen Bahn sah. Er habe Thun erwidert, »wenn diese Ansichten in Wien so klar wären wie bei ihm, so sähe ich allerdings voraus, daß Preußen nochmals in der bewußten Lotterie werde setzen müssen; ob es gewinnen werde, stehe bei Gott«. Das ganze Gespräch sei, fügte er hinzu, »im mehr scherzhaften Tone geführt« worden und habe nie den »Charakter objektiver freundschaftlicher Betrachtung« verloren. Es habe jedoch in ihm »die Überzeugung befestigt«, ergänzte Bismarck, seine eigene politische Linie ganz klar skizzierend, »daß Österreich die Bedeutung unseres Bündnisses oder unserer Abneigung empfinden muß, ehe es den Wert davon einsehen oder nach dieser Einsicht handeln wird«.

Das hieß: Zwischen Preußen und Österreich als zwei europäischen Großmächten kann es nur Beziehungen auf der europäischen Ebene geben. Eine Einbindung in ein, modern gesprochen, multipolares regionales Bündnis widerspricht den beiderseitigen Großmachtinteressen, sofern damit nicht die eindeutige Unterordnung der einen unter die andere verbunden ist. Eine solche Unterordnung aber sei nur dann denkbar, wenn eine der beiden, freiwillig oder gezwungen, aus dem Kreis der Großmächte ausscheide.

Bei nüchterner Betrachtungsweise kam somit für Bismarck nur eine Politik der strikten Abgrenzung im Sinne der Trennung und schließlichen Anerkennung der beiderseitigen Einflußsphären in Frage. Das Problem, wie sich das Verhältnis der beiden Mächte dann gestalten sollte, lag dabei noch in weiter Zukunft. Vieles spricht jedoch dafür, daß Bismarck hier schon eine Art Kondominium über den mitteleuropäischen Raum, ein besonderes Bündnisverhältnis vorschwebte, das gegebenenfalls auch dem vereinigten Druck der Flügelmächte Rußland und Frankreich gewachsen sein würde.

Solche Perspektiven haben damals wie später viele verwirrt und zu höchst gewagten Spekulationen über Bismarcks letzte Ziele veranlaßt. Aber zunächst stand für ihn der Kampf um die Abgrenzung der Einflußsphären ganz im Zentrum. Dieser Kampf mußte um so erbitterter sein und die unterschiedlichsten Gegner auf den Plan rufen, als ein für Preußen günstiges Ergebnis nur mit der Zerstörung einer Fülle von traditionellen Bindungen und Verhältnissen zu erkaufen war. Bei diesem Kampf war Bismarck entschlossen, alle Mittel einzusetzen, einschließlich List und Gewalt, und alle Kräfte zu mobilisieren, auch die, die ihn möglicherweise einst zum Zauberlehrling machen würden.

Das war der Kern seiner Politik. Für sie warb und kämpfte er die nächsten zwanzig Jahre. An ihr hielt er mit äußerster Zähigkeit fest. Nur von hier bekommt die verwirrende Vielfalt seiner einzelnen Schachzüge einen inneren Sinn, einen wirklichen Zusammenhang. Sein Ziel war, man mag es vom weiteren her drehen und wenden, wie man will, zunächst die Teilung Mittel- und Ostmitteleuropas zwischen Preußen und Österreich – natürlich so weit wie möglich zugunsten Preußens. Das bedeutete die Zerstörung dessen, was vom Alten Reich noch übrig war, die Zerstörung des Deutschen Bundes, aber auch eine entschiedene Absage an den Gedanken einer politisch zu einigenden deutschen Nation, soweit in diesem Gedanken mehr steckte als ein Grundmuster für die Veränderung der mitteleuropäischen Landkarte, als ein Mittel zum Zweck.

Zu Beginn der achtziger Jahre, in einer Zeit, in der die Teilung der Einflußsphären zwischen Österreich-Ungarn und Preußen-Deutschland längst vollzogen und man von dieser Basis aus zu einem neuerlichen engen Bündnisverhältnis gelangt war, hat Bismarck die Dokumente seiner Frankfurter Tätigkeit fast in vollem Umfang veröffentlichen lassen. Er wollte damit gegenüber mancherlei Zweifeln und Zweiflern beweisen, wie geradlinig seine Politik von Anfang an gewesen und wie direkt er bei allen durch die Umstände bedingten Umwegen auf sein Ziel losgegangen sei. In der Sache hatte er sicher recht. Aber selbst wenn er in jenen Jahren seine Absichten oft ganz unverblümt ausgesprochen hat, ist ihr innerster Kern ohne Frage der überwiegenden Mehrheit auch der eingeweihten Zeitgenossen damals verborgen geblieben.

Das lag zum einen daran, daß die offene Darlegung seiner Ziele als besonders geschickte Verschleierung dessen erschien, was er eigentlich vorhatte: »Ich spielte meine Karten blank aus«, so hat er diese Taktik rückblickend einmal charakterisiert, »ich setzte der vermeintlichen Schlauheit die frappierende Wahrheit gegenüber. Daß man mir öfter nicht glaubte und sich dann hintennach schwer betroffen und enttäuscht fühlte, das ist nicht meine Schuld.« Das lag aber auch daran, daß sich der eigentliche Zusammenhang schon von den jeweils zugänglichen Informationen her eben doch nur ganz wenigen erschloß. Der Historiker befindet sich hier wie schon der Leser jener Dokumentenedition der achtziger Jahre in der oft allzu selbstverständlich hingenommenen Situation, nicht nur mehr zu wissen als praktisch jeder Zeitgenosse, sondern auch mehr als der Hauptakteur. Konnte dieser doch zu keinem Zeitpunkt sicher sein, wie lange er an seiner Zielsetzung mit kalkulierbaren Erfolgschancen festzuhalten imstande sein würde.

So klar also die Linie im nachhinein gezogen erscheint – es blieb das Problem des offenzuhaltenden ganz anderen Weges für einen Mann, der zwar bereit war, jeden Einsatz zu wagen, um sich durchzusetzen, nicht aber, für eine schließlich als verloren erkannte Sache politisch unterzugehen. Was er wirklich wollte, hing auch hier von den Umständen ab, von den gegebenen und sich auch wieder verändernden Möglichkeiten. Die klare Linie seiner Politik war in diesem Zusammenhang die klare Linie der sich vom preußischen Staatsinteresse her gesehen jeweils bietenden Möglichkeiten. Insofern hatte sie weder ein bindendes Prinzip, noch beruhte sie auf klar umschriebenen, begrenzten und damit berechenbaren sachlichen Zielen. Sie war vielmehr, bei aller nachträglichen Klarheit, für den Zeitgenossen im eigentlichen Sinne unberechenbar. Daraus erklärt sich, daß der Mann, der, wie die Dokumente zu beweisen scheinen, in jenen Jahren einen so eindeutigen Kurs steuerte, gleichzeitig immer stärker ins Zwielicht geriet, nicht nur was die Methoden seiner Politik betraf, sondern auch hinsichtlich ihrer letzten Ziele.

Dies zeigt sich bereits bei der ersten politischen Mission großen Stils, zu der er im Sommer 1852, auf dem Höhepunkt der zollpolitischen Auseinandersetzungen, nach Wien entsandt wurde. Im März dieses Jahres hatte er in einer auch außerhalb Preußens vielbeachteten Rede in der Zweiten Kammer, in die er nach der gesetzlich vorgeschriebenen Mandatsniederlegung im Herbst 1851 in seinem bisherigen Wahlkreis mit großer Mehrheit wiedergewählt worden war, noch einmal seinen Ruf befestigt, einer der schärfsten und unversöhnlichsten Gegner nicht nur der Revolution, sondern jeder Form politischer Liberalisierung oder gar Demokratisierung zu sein. Den Anlaß dazu hatte ihm eine Debatte über eine leichte Erhöhung des Militäretats geboten, die von der Opposition dazu benutzt worden war, eine weitere Verbürgerlichung des Offizierskorps bei gleichzeitiger Stärkung der bürgerlichen Reservearmee, der Landwehr, zu fordern. In dieser Debatte war Bismarck abermals auf seinen alten Streitpunkt mit den Liberalen zurückgekommen, ob es im Unterschied zu den Jahren nach 1806, in denen die preußische Heeresverfassung in ihren Grundzügen geschaffen worden war, jetzt eine Kluft zwischen Regierung und Volk, zwischen Staat und Gesellschaft gebe. Wie schon 1847 hatte er dies wieder mit Nachdruck bestritten und davor gewarnt, die »Bevölkerung der großen Städte«, die sich vielfach von »ehrgeizigen und lügenhaften Demagogen leiten« lasse, mit dem »wahre(n) preußische(n) Volk« zu verwechseln: »Letzteres wird«, so hatte er drohend erklärt, »wenn die großen Städte sich wieder einmal erheben sollten, sie zum Gehorsam zu bringen wissen, und sollte es sie vom Erdboden tilgen.«

Auch als Diplomat, so hatte er damit deutlich gemacht, hatte seine politische Grundhaltung nichts von ihrer Eindeutigkeit verloren. Er war noch immer der Mann der Hochkonservativen um die Brüder Gerlach, der Mann jener extrem rechten Gruppe, die inzwischen den König weitgehend beherrschte. Wenn ihn der Freiherr von Vincke, einer der Führer der liberalen Opposition seit der Zeit des Vereinigten Landtags, im Anschluß an die auch persönlich akzentuierte Kammerdebatte zum Duell forderte, so verstärkte das nur noch diesen Eindruck. Als daher wenig später, am 5. April 1852, mit dem Fürsten Schwarzenberg der eigentliche Exponent einer österreichischen Großmachtpolitik neuen Stils ganz überraschend im Alter von erst einundfünfzig Jahren starb und die Kamarilla und der König selber den Augenblick für eine neue politische Initiative Preußens im Sinne des Ausgleichs und einer Politik konservativer Solidarität gekommen sahen, da schien ihnen ganz selbstverständlich Bismarck als der geeignete Mann, um eine solche Initiative einzuleiten.

Ende Mai 1852 ließ ihn Friedrich Wilhelm IV. nach Potsdam kommen und teilte ihm mit, daß er ihn formell als Vertreter des erkrankten preußischen Botschafters Graf Arnim, zu dessen Nachfolger er bestimmt sei, in besonderer Mission nach Wien schicken wolle. Er gab ihm ein persönliches Handschreiben an Kaiser Franz Joseph mit, in dem er seinen Sonderbotschafter als einen Mann charakterisierte, »der bei uns im Lande wegen seines ritterlich-freien Gehorsams und seiner Unversöhnlichkeit gegen die Revolution bis in ihre Wurzeln hinein von Vielen verehrt, von Manchen gehaßt wird«. Bismarck genieße, so der preußische König, sein vollstes Vertrauen, auch und gerade im Hinblick auf die Behandlung der zwischen Preußen und Österreich jetzt anstehenden Probleme. Diese Probleme sollten, so fügte Friedrich Wilhelm hinzu, im Licht seiner »alten und starken Hoffnung« behandelt werden, die durch den kürzlichen Besuch des Zaren eine Bekräftigung erhalten habe, »daß Ew. Majestät und ich vollkommen einig in der Wahrheit sind: daß unsre dreifache, unerschütterliche, gläubige und tatkräftige Eintracht *allein* Europa und das unartige und doch so geliebte deutsche Vaterland aus der jetzigen Krise retten könne«.

Diese Beschwörung des Geistes der Heiligen Allianz von 1815 und damit des preußisch-österreichischen Verhältnisses in den Jahrzehnten vor der Revolution entsprach fraglos der innersten Überzeugung des Königs. »In Deutschland«, hatte er im unmittelbaren Vorfeld der Revolution von 1848 einmal an den englischen Prinzgemahl geschrieben, »hält nur die Existenz des Bundes, Österreichs und Preußens das wilde Tier« – die »Parteientyrannei« und die Revolution – »grinsend im Käfig«. Bismarck war sich völlig darüber im klaren, was man von ihm erwartete. »Ich habe meine Mission ungefähr dahin aufgefaßt«, schrieb er nach deren Abschluß an Manteuffel, »die Beziehungen beider Kabinette so freundlich als möglich zu gestalten, ohne in der Zollsache etwas nachzugeben, unnötige Spannungen zu heben und die Bedeutung der Zollfrage und der Divergenz in derselben nicht mehr als nötig wachsen und auf andere Fragen und auf die allgemeinen Beziehungen beider Mächte Einfluß gewinnen zu lassen.«

Aber konnte er eine solche Mission wirklich ernsthaft ausführen wollen, mit der festen Absicht, erfolgreich zu sein, er, der seit nunmehr einem Jahr seinen Außenminister bei jedem sich nur bietenden Anlaß davor gewarnt hatte, einer Macht irgendwie entgegenzukommen, die weit mehr erstrebe als die Wiederherstellung der Verhältnisse vor 1848, die Preußen auf der internationalen Bühne, im Deutschen Bund wie in der Handelspolitik so offensichtlich an die Wand zu drücken versuche?

Der Anlaß, warum Bismarck Manteuffel gegenüber noch einmal seine Auffassung von dem Charakter und der Zielsetzung dieser Mission darlegen zu müssen glaubte, war die ihm angeblich von Hermann Wagener, dem Chefredakteur der »Kreuzzeitung«, zugegangene Information, »daß man in

Berlin sehr geflissentlich das Gerücht verbreite, als hätte ich in Wien meine Mission nicht richtig aufgefaßt oder gar meine Instruktionen überschritten«. Eine solche Auffassung existierte in der Tat. Und Bismarck wußte genau, wo sie ihr Zentrum hatte. Einmal in dem Kreis um den Prinzen von Preußen, den Bruder des Königs, wo man immer noch unter der »Schmach« von Olmütz litt. Und zum andern im Außenministerium selber, wo Manteuffel die Aktionen seines Gesandten, der so offensichtlich das Vertrauen des Königs und der Kamarilla genoß und eine nach bürokratischen Hierarchievorstellungen nur schwer erträgliche Unabhängigkeit im Planen und Handeln an den Tag legte, mit ständig wachsendem Mißtrauen verfolgte. Beide Seiten fanden sich im Anschluß an die Wiener Mission in dem Verdacht einig, Bismarck sei den Österreichern im Sinne der von seinen politischen Gönnern verfolgten konservativen Prinzipien- und Solidaritätspolitik weiter entgegengekommen, als es mit den preußischen Staatsinteressen vereinbar gewesen sei. Zumindest habe er einige Schritte in diese Richtung zu tun und einige Weichen in dieser Hinsicht zu stellen versucht.

Den Verdacht, er habe »Haugwitzeleien« gemacht, hat Bismarck trotz intensiver Bemühungen, vor allem auch beim Prinzen von Preußen, dem möglichen Thronfolger, nicht wirklich auszuräumen vermocht. Der Vorgang zeigt, für was man ihn hier wie dort letztlich hielt: für einen ausgesprochenen Karrieristen, dem die verschiedenen Positionen in dieser Frage nur Mittel zum Zweck seien, der mal auf die eine, mal auf die andere setze, je nachdem, mit wem er gerade sprach und welcher er im Augenblick größeres Gewicht beimaß. Insbesondere Manteuffel war nach dem Wiener Zwischenspiel überzeugt, daß Bismarck nur nach einer günstigen Gelegenheit suche, ihn aus dem Amt zu verdrängen, und daß er alles diesem Ziele unterordne. Er fühlte sich darin durch die anschließende, sehr lebhafte öffentliche Diskussion nachhaltig bestärkt. Diese gipfelte in einer Reihe von Artikeln Wageners in der deswegen dann konfiszierten »Kreuzeitung«, in denen der Regierung, also Manteuffel selber, übergroße Nachgiebigkeit gegenüber Österreich vorgeworfen wurde – was Manteuffel als reinen Entlastungsangriff zugunsten Bismarcks auffassen mußte, als den Versuch, diesen so oder so ans Ruder zu bringen.

In Wahrheit lag die Sache wesentlich komplizierter. Noch in seinen Lebenserinnerungen, über vierzig Jahre später, hat Bismarck im Zusammenhang mit der Schilderung der Wiener Mission und ihrer Folgen betont, er habe ein Ministeramt unter Friedrich Wilhelm IV. nie ernsthaft angestrebt. Denn er sei überzeugt gewesen, daß er »dem Könige gegenüber als Minister eine für mich *haltbare* Ministerstellung nicht erlangen würde«. Neben einer Reihe von Gründen, die in der Person des Königs und in seinem besonderen Verhältnis zu ihm lagen, nannte er auch ein sachliches Argument: Ihm sei klar gewesen, »daß die Ziele der preußischen auswärtigen Politik, welche mir vorschwebten, sich mit denen des Königs nicht vollständig deckten«. So sehr Bismarck in seinem Memoirenwerk fast durchgängig die Tatsachen und eigene wie fremde Auffassungen dem anpaßte, wie er die Entwicklung im nachhinein gern gesehen wissen wollte, so wird man ihm doch in jener Begründung weitgehend folgen können, zumal sie durch zeitgenössische Zeugnisse gestützt wird. Er deutete damit die Situation an, die für die von ihm ins Auge gefaßte und je nach den Umständen vorangetriebene Außenpolitik zumindest bis 1871 charakteristisch geblieben ist: Dieser Außenpolitik fehlte weitgehend die innenpolitische Basis. Das zwang ihn immer wieder zu waghalsigen Manövern, die seine Glaubwürdigkeit nicht selten aufs stärkste in Frage stellten. Schon das Wiener Zwischenspiel machte das sehr deutlich.

Die Positionen, die der preußische König, die Kamarilla und Manteuffel auf der einen, Prinz Wilhelm und sein Kreis auf der anderen Seite einnahmen, waren nämlich de facto gar nicht so weit voneinander entfernt, wie es äußerlich den Anschein hatte. Es hätte sehr wohl die Möglichkeit bestanden, zu einer gemeinsamen Politik zu gelangen, insbesondere nach dem Tod Schwarzenbergs. Beide Seiten waren letztlich, unter dem Eindruck der Revolution wie des Scheiterns der Unionspolitik, defensiv eingestellt. Eine modifizierte Wiederherstellung der Verhältnisse vor 1848 mußte ihnen durchaus annehmbar erscheinen.

Nicht so jedoch Bismarck. Er sah die Abwehr der Schwarzenbergschen Pläne und die gesamte Politik gegenüber Österreich immer zugleich unter dem Aspekt einer möglichen großangelegten Gegenoffensive Preußens, einer Umkehr des Schwarzenbergschen Ansatzes im preußischen Sinne. Doch dafür schien sich in Preußen selber zunächst niemand gewinnen zu lassen, jedenfalls nicht im konservativen Lager. So blieb Bismarck im Augenblick nichts anderes übrig, als zu versuchen, den Weg für eine solche Offensive unter allen Umständen offenzuhalten, und sich in der Zwischenzeit nach Bundesgenossen umzusehen.

Den Weg für eine künftige Offensive offenzuhalten, hieß zunächst einmal in seinem engeren Einflußbereich, daß der Bund, und zwar prinzipiell und nicht etwa nur bis zur Regelung der Frage einer angemesseneren Beteiligung Preußens an seiner Leitung, so bedeutungslos wie möglich bleiben mußte. Mit dem Bund sei »nichts zu machen«, erklärte er schon Anfang Dezember 1851 Leopold von Gerlach ganz offen: »Man kann in Deutschland nur etwas ausrichten durch Vereine im Bunde, Zollverein, Militärkonvention und so weiter.« Und an Ludwig von Gerlach anderthalb Jahre später: Der Bund werde nie »etwas anderes« werden »als Assekuranz (und schlechte) gegen Krieg und Revolution«.

In diesem Sinne hat er über Jahre hin einen erbitterten Kleinkrieg am Bundestag geführt, nicht selten über ganz lächerliche Einzelheiten und Formfragen, einzig geleitet von dem zäh festgehaltenen Ziel, hier keine tragfähige Basis für eine österreichische Hegemonialpolitik in Mitteleuropa entstehen zu lassen. »Meine bald siebenjährige Amtstätigkeit hier«, so hat er es im März 1858 einmal selber formuliert, »ist... ein ununterbrochener Kampf gegen Übergriffe aller Art gewesen, gegen die unablässigen Versuche, den Bund auszubeuten als ein Instrument zur Erhöhung Österreichs, zur Verminderung Preußens.«

In der Mehrzahl der Fälle war er dabei mit seinem Minister in sachlicher Hinsicht durchaus einig gewesen. Aber der übergreifende Gesichtspunkt war bei Manteuffel nur schwach ausgeprägt, von den dahinter stehenden weiter reichenden Plänen ganz zu schweigen. Das wurde in der Bundespolitik, in der, nicht zuletzt durch Bismarcks ständige Obstruktion, bald völliger Stillstand eintrat, weniger deutlich als an den zur Diskussion und Entscheidung anstehenden Fragen der europäischen Politik. In sie hat sich der Frankfurter Gesandte in immer stärkerem Maße in dem Bewußtsein eingeschaltet, daß sich nach dem Scheitern der Unionspolitik und der Lahmlegung des Bundes nur hier aufs neue der Weg für eine machtpolitische Offensive Preußens eröffnen könne.

Die erste Gelegenheit, in dieser Hinsicht persönlich und in der Sache aktiv zu werden, bot ihm die abschließende Regelung der schleswig-holsteinischen Frage. Sie war eines jener Probleme, bei denen sich die Auseinandersetzung um Revolution und Selbstbestimmungsrecht und die konkurrierenden Machtinteressen der verschiedenen Staaten am augenfälligsten überschnitten, wo also die Grenzen konservativer aber auch liberaler Prinzipien- und Solidaritätspolitik ganz deutlich wurden. Es ist daher kein Zufall, daß sie später nicht nur ein Angelpunkt, sondern in gewisser Weise auch ein Kulminationspunkt der Bismarckschen Außenpolitik wurde.

Auf den ersten Blick schien die ganze Frage vom Standpunkt der nunmehrigen preußischen Politik bloß noch ein mißliches Erbe aus der Revolution zu sein, das es so schnell und so lautlos wie möglich zu liquidieren galt. An den Umstand, daß der preußische König und die preußische Armee 1848 den aus dem dänischen Staatsverband herausdrängenden Schleswigern und Holsteinern und ihrer provisorischen Regierung im Auftrag der Frankfurter Nationalversammlung militärisch zur Hilfe gekommen waren, wollte sich in Berlin nun niemand mehr gern erinnern. Freilich auch nicht daran, daß man im Sommer 1848, wesentlich unter dem Druck der anderen europäischen Großmächte, mit Dänemark den Waffenstillstand von Malmö hatte schließen müssen, der einer Kapitulation sehr nahe kam; vor allem England und Rußland waren daran interessiert gewesen, daß der »Bosporus der Ostsee« nicht in die Hände einer anderen Großmacht fiel. Im Zeichen der preußischen Unionspolitik hatte Preußen den Krieg gegen Dänemark dann noch einmal aufgenommen. Am Ende stand jedoch abermals eine diplomatische Niederlage, die im Berliner Frieden vom Juli 1850 besiegelt wurde; er kam, wie wenig später Olmütz, wesentlich unter dem Druck des immer mehr dominierenden Zarenreiches zustande.

Auch das Kapitel »nationale Machtpolitik Preußens im Bündnis mit dem gemäßigten Liberalismus« wollte man in Berlin jetzt so rasch wie möglich vergessen. Das war jedoch nicht so leicht. Inzwischen nämlich hatte sich auf Antrag des dänischen Königs auch der Deutsche Bund eingeschaltet, und die europäischen Großmächte hatten ihrerseits eine Regelung zu fixieren gesucht, die alle Seiten band und einen neuerlichen Ausbruch des Konflikts zu verhindern geeignet zu sein schien. Das Ergebnis war das sogenannte Londoner Protokoll von 1850 gewesen. In ihm hatten Rußland, England und Frankreich das Herrschaftsrecht des dänischen Königs über die Herzogtümer anerkannt und dem kinderlosen Friedrich VII. zugestanden, die Erbfolge so zu regeln, daß die Integrität des dänischen Gesamtstaates auf Dauer gewahrt bleiben würde.

Dem ohne weiteres zuzustimmen, sah sich Berlin und sah sich vor allem Friedrich Wilhelm IV., der sich soeben noch so sehr engagiert hatte, nicht imstande. Um wenigstens einigermaßen das Gesicht zu wahren, verlangte man, daß zunächst über die Erbansprüche Herzog Christian Augusts von Augustenburg entschieden werden müßte, der dem dänischen Thron am nächsten stand. Zwar räumte auch Preußen ein, daß Christian August durch seine offene Unterstützung der Abfallbewegung der Herzogtümer im Jahr 1848 für die Großmächte wie für Dänemark selber untragbar geworden sei. Die Berliner Regierung forderte jedoch, daß der Herzog für den Verzicht auf die Thronfolge und auf seine Güter angemessen entschädigt werden müsse. Erst dann könne man einer abschließenden Vereinbarung zustimmen. Mit der Wahrnehmung der Interessen des Augustenburgers wurde nach einem Treffen des preußischen Königs mit dem Zaren und dem österreichischen Kaiser im Mai 1851, das die Erbfolgeregelung zugunsten des russisch-dänischen Kandidaten Prinz Christian von Glücksburg im Prinzip klärte, der preußische Bundestagsgesandte beauftragt.

Für Bismarck ging es damit von vornherein um eine Frage der europäischen Politik. Und sein Bemühen ging sogleich dahin, das Ganze auf dieser Ebene zu halten und zu verhindern, daß der Bund darüber zu einem eigenständigen Faktor jener Politik wurde. Dies konnte insofern leicht geschehen, als das schleswig-holsteinische Problem rechtlich wie auch vom historischen und sachlichen Zusammenhang her in wesentlichen Punkten eine Bundesangelegenheit war und Preußen und Österreich in Holstein offiziell als Bundesbevollmächtigte auftraten. Hinzu kam, daß man in Wien daran interessiert sein mußte, den inzwischen so eindeutig von Österreich beherrschten Bund auf der europäischen Ebene wieder ins Spiel zu bringen und zu versuchen, Preußen auch auf diesem Wege noch weiter ins zweite Glied zu drücken.

Dieser Zusammenhang ist in Berlin, und das zeigt die ganze Konzeptionslosigkeit der Politik Manteuffels, aber auch des Königs und der Kamarilla, zunächst offenbar gar nicht gesehen worden. Nachdem Bismarck in langen und geschickt geführten Verhandlungen den Augustenburger gegen eine hohe finanzielle Abfindung zum Verzicht auf seine Ansprüche bewegt hatte und einer endgültigen Regelung der Frage damit nichts mehr im Weg stand, erhielt er Anfang April 1852 den Auftrag, zu sondieren, ob eine preußische Initiative, den Bund direkt an den nun formell zu treffenden Vereinbarungen zu beteiligen, erfolgversprechend sein werde. Da die eigentlichen Entscheidungen bereits gefallen waren, konnte eine solche Initiative, so offensichtlich das Berliner Kalkül, nur als Geste des guten Willens Preußens verstanden werden, zu dem vormärzlichen System der Vorverständigung zwischen den beiden deutschen Großmächten über alle wichtigen Fragen zurückzukehren. Außerdem konnte man nach Berliner Meinung die Verantwortung für die in der deutschen Öffentlichkeit sehr unpopulären Entscheidungen auf diese Weise auf den Bund abwälzen.

Doch gerade das wollten die bisher an den Entscheidungen in dieser Frage nicht direkt beteiligten Bundesmitglieder aus innenpolitischen Rücksichten unbedingt vermeiden. Und so konnte Bismarck seine strikte Ablehnung einer solchen Initiative mit dem Argument stützen, sie habe praktisch keine Aussicht auf Erfolg. In seinen privaten Briefen an Manteuffel machte er allerdings kein Hehl daraus, daß ihm der ganze Plan von einer völlig falschen Einschätzung der Situation und der preußischen Interessen auszugehen schien. Eine solche Initiative arbeite der Schwarzenbergschen Politik direkt in die Hände, der es ihrer ganzen Tendenz nach »als ein, wenn nicht ganz erreichbares, doch zu erstrebendes Ziel vorschweben« müsse, »die Aktion Preußens nach außen durch die des Bundes zu absorbieren und die Vertretung des letzteren durch die Präsidialmacht mehr und mehr auszubilden«. »Der Gesamteintritt Österreichs in den Bund«, fuhr er, nun weitausgreifend, fort, »würde ein Fundament, die Zolleinigung wenigstens eine Baustelle für dieses System bilden, und ich habe mich in Privatgesprächen sowohl wie bei amtlichen Vorgängen wiederholt überzeugen können, daß dem Präsidium jede Gelegenheit willkommen war, den Bund als eine einheitliche Macht in diplomatischen Verhandlungen zu beteiligen.«

Zwar räumte Bismarck in dem vom 6./7. April 1852 datierten Brief ein, daß dieses »System« sich nach dem Tod Schwarzenbergs ändern könne. Ja, er nannte eine solche Änderung sogar »wahrscheinlich«. Aber er sah keinen Grund, daß sich Preußen deswegen zu riskanten Vorleistungen bereitfinde. Im übrigen suchte er die ganze Frage dadurch abzuschneiden, daß er erklärte, seiner Überzeugung nach werde es selbst dem »vereinten Auftreten von Preußen und Österreich ... nicht gelingen, die Bundesversammlung dahin zu disponieren, daß sie den vorgeschlagenen Stipulationen ohne Vorbehalt beitritt und einen Bevollmächtigten zu deren Vollziehung wählt«.

Da sich auch der österreichische Gesandte Graf Thun dieser Meinung anschloß, war die Frage zunächst vom Tisch, zumal in Wien im Augenblick die Regierungsneubildung alle Aufmerksamkeit band und niemand darauf drängte, die Chance in dem von Bismarck skizzierten Sinne zu nutzen. Zusammen mit den Vertretern Rußlands, Englands, Frankreichs, Österreichs, Schwedens und Dänemarks unterzeichnete der preußische Gesandte in London, der Freiherr von Bunsen, am 8. Mai 1852 das sogenannte zweite Londoner Protokoll. Es erkannte die Integrität des dänischen Gesamtstaates erneut als unantastbar an und sprach die Erbfolge Christian von Glücksburg zu, den man in Deutschland fortan spöttisch den »Protokollprinzen« nannte.

Auch nach Unterzeichnung des Londoner Protokolls tauchte die Frage eines Beitritts des Bundes zu diesem Protokoll noch öfter auf, nicht zuletzt im Zusammenhang mit dem Problem eines wirksameren Schutzes für die Schleswig-Holsteiner, die sich von den Dänen immer häufiger als Bürger zweiter Klasse behandelt fühlten. Aber mochte der preußische König auch bereit sein, auf solche Hilferufe einzugehen und dafür Zugeständnisse in der Frage der Bundesbeteiligung zu machen – sein Bundestagsgesandter hielt aus allgemeinpolitischen Erwägungen eisern daran fest, daß der Bund unbedingt herausgehalten werden müsse. Und es gelang ihm, sich damit immer wieder durchzusetzen. So vermochte Preußen, wenngleich sich gerade an der schleswig-holsteinischen Frage der Verfall seiner Macht dokumentierte, schließlich zumindest den Anspruch zu wahren, unabhängig vom Bund als europäische Großmacht aufzutreten und zu entscheiden.

Ein großer Erfolg war das nicht, zumal er in der Sache selbst mit völligem Nachgeben verbunden war. Aber er zeigte sehr deutlich die Tendenz aller politischen Bestrebungen Bismarcks zu diesem Zeitpunkt: der preußischen Politik die größtmögliche Eigenständigkeit zurückzugewinnen und alle Bindungen, die diese zu hemmen drohten, abzustreifen oder doch so weit wie nur irgend möglich zurückzudrängen. Gerade um zu dem »in letzter Instanz notwendige(n) Verständnis beider Großmächte«, Österreichs und Preußens, »in der *Europäischen* Politik« zu gelangen, so suchte er das Leopold von Gerlach in einem Brief Ende 1852 schmackhaft zu machen, müsse man dafür sorgen, daß die »Fäden« einer solchen Verständigung, die man nicht von Frankfurt aus, sondern »nur zwischen Wien und Berlin direkt, von Kabinett zu Kabinett, spinnen« könne, »von unserem häuslichen Streit in der *Deutschen* Politik womöglich unberührt, jedenfalls unzerrissen bleiben«. »Für die edlen und großen Konzeptionen unseres allergnädigsten Herrn«, fuhr er doppelsinnig fort, »wird man in Wien doch stets unempfänglich sein, so lange nicht wieder das Wasser bis an den Hals geht, und deshalb bleibt unsere und die österreichische deutsche Politik notwendig inkommensurabel. Das Günstige, was wir erreichen, ist, daß die Folgen unserer ehelichen Zwistigkeiten nicht außerhalb der deutschen Grenzen fühlbar werden.«

In der deutschen Politik, so hieß das, sind gemeinsame Wege nicht beschreitbar; der Bund ist keine tragfähige Basis mehr, hier müssen also ganz neue Lösungen gefunden werden. In der europäischen Politik hingegen sei ein Zusammengehen möglich, ja, nach wie vor wünschenswert. Vielleicht werde sich von hier aus dann sogar, dieser Gedanke lag nahe und wurde von Bismarck fraglos auch bewußt nahegelegt, eine Lösung der mitteleuropäischen Probleme ergeben. Mit anderen Worten: Die Politik konservativer Solidarität, um die es den Gerlachs und ihrem Kreis so sehr ging, müsse sozusagen auf der angemessenen Ebene, auf der Ebene der europäischen Großmächte, fern von den Irrwegen und Kleinlichkeiten der deutschen Politik, betrieben werden. Nur hier sei ernsthaft voranzukommen, und seine, Bismarcks, Aufgabe sei es, solcher großen europäischen Politik gleichsam den Rücken freizuhalten, indem er sie nach Kräften aus allen deutschen Verstrickungen herauszulösen suche.

An kaum einer Stelle wird die situationsbedingte Doppelbödigkeit der Bismarckschen Außenpolitik dieser Jahre anschaulicher als hier. Denn in Wahrheit lauerte er schon zu jenem Zeitpunkt nur auf eine Gelegenheit, Österreich gegenüber die europäische Karte zu spielen und den Kaiserstaat von hier her auszumanövrieren. Nicht Verlagerung der Ebene konservativer Solidaritätspolitik war also in Wirklichkeit sein Ziel, sondern die Internationalisierung des deutschen Konflikts. Auf dieser Ebene, im Rahmen einer Veränderung der europäischen Mächtekonstellation werde sich, so meinte er, jener Konflikt am ehesten in einem für Preußen günstigen Sinne lösen lassen.

Zweimal, im Krim-Krieg und im italienischen Krieg, schien sich ihm in den nächsten Jahren eine solche grundlegende Veränderung der europäischen Mächtekonstellation abzuzeichnen, die Preußen und seine Interessen in Mitteleuropa begünstigte. Und beide Male hat er sich mit allen Kräften bemüht, die preußische Politik dahin zu bringen, diesen Veränderungsprozeß zu benutzen – unbekümmert um politische Nahziele und kurzfristige Interessen, aber auch unbekümmert um die Sorge, zugleich eine den gegenrevolutionären Bestrebungen in Europa günstige Mächtekonstellation zu zerstören. Beide Male ist ihm dies nicht gelungen. Er hat im Gegenteil dabei die Zahl seiner politischen Gegner erheblich vergrößert und die Aussicht, die preußische Außenpolitik jemals an entscheidender Stelle bestimmen zu können, nach fast allgemeiner Ansicht weitgehend zunichte gemacht. Sein Ruf, nicht nur ein Reaktionär, sondern zugleich ein prinzipienloser Hasardeur zu sein, ein Mann ohne Maß und vielleicht sogar ohne greifbares Ziel, erhielt von hier die kräftigste Nahrung. Gleichzeitig ging er auf diese Weise durch die harte Schule des Außenseiters, den Scheitern und Mißerfolg zu immer neuem Durchdenken und Neukalkulieren des eigenen Konzepts, aber auch zur Überprüfung der eigenen innenpolitischen Allianzen zwangen.

Was er vorschlug, war auch hier eine preußische Machtpolitik des sorgfältig kalkulierten Risikos, also durchaus nicht Hasardpolitik, wie ihm Thun und mit ihm viele Zeitgenossen vorwarfen. Dennoch ist unübersehbar, daß angesichts der Ungesichertheit seiner politischen Existenz, angesichts der wachsenden Zahl seiner politischen Gegner und angesichts der Unbedingtheit seines Durchsetzungswillens seine Neigung hier noch stärker war als später, unter »Risiko« nur die Gefahr des Scheiterns im unmittelbarsten Sinne zu verstehen und die Frage der längerfristigen Konsequenzen bestimmter Entscheidungen und Aktionen weitgehend auszuklammern. So war es über die Tatsache hinaus, daß er sich in jener Zeit wesentlich in der Rolle des Vorschlagenden und Ratenden, nicht aber des unmittelbar Handelnden befand, kein Zufall, daß er damals in die schärfsten und grundsätzlichsten Auseinandersetzungen über Charakter und Gefahren einer solchen Politik hineingeriet und seinen Standpunkt nochmals ganz präzise zu fixieren gezwungen wurde.

Daß die große europäische Verwicklung, auf die er setzte, nicht lange auf sich warten lassen werde, davon war Bismarck im Unterschied zu vielen seiner konservativen Freunde, die auf eine zunehmende Beruhigung auch auf außenpolitischem Gebiet hofften, praktisch von Anfang an überzeugt. Zwar war die Welt der Verträge von 1815 nach 1850 auch im europäischen Maßstab äußerlich weitgehend wiederhergestellt worden. Aber es gab, vielleicht mit der einzigen Ausnahme Englands, praktisch keine europäische Großmacht, die nicht aus diesem Rahmen hinausdrängte. Bei Frankreich, auf dessen Rücken das Vertragswerk von 1815 letztlich errichtet worden war, war dies gewissermaßen notorisch. Der Staatsstreich Louis Napoleons vom Dezember 1851 mußte von den übrigen Mächten geradezu als Fanal für einen in Kürze zu erwartenden neuerlichen französischen Anlauf zur Sprengung jener Ordnung verstanden werden. Aber auch von der anderen kontinentaleuropäischen Flügelmacht, von Rußland, dessen Siegeszug nach Westen 1815 so deutlich gebremst worden war, das jedoch inzwischen als antirevolutionäre Ordnungsmacht einen immer dominierenderen Einfluß in Mittel- und Osteuropa erlangt hatte, stand eine neue Initiative wenn nicht zur Beseitigung, so doch zu entscheidender Modifizierung des Systems von 1815 im Sinne der neuen Machtverhältnisse zu erwarten. Was schließlich die beiden mitteleuropäischen Großmächte anging, so hatten sie beide, Preußen mit seinem Unionsplan und Österreich mit dem Bruck-Schwarzenbergschen Projekt eines Siebzig-Millionen-Reiches, zur Genüge deutlich gemacht, daß auch sie im Status quo ante jeweils nur die zweitbeste Lösung sahen.

Jedem klarsichtigen Beobachter der europäischen Szene mußte sich daher eigentlich nur die Frage stellen, wo der Konflikt, an dem alle Mächte in der einen oder anderen Weise interessiert waren, zum Ausbruch kommen werde. Nachdem deutlich geworden war, daß der neue Napoleon sich vorerst einmal ganz auf die innere Konsolidierung seiner Herrschaft konzentrierte, richteten sich die meisten Augen schon bald auf Rußland. Denn in Mitteleuropa war

nach Schwarzenbergs Tod ein erneuter österreichischer Vorstoß im Augenblick kaum zu erwarten. Und Preußen schien nach seinen Niederlagen
zunächst dringend der Erholung bedürftig.

Über die Zielrichtung der russischen Politik konnte kaum ein Zweifel
bestehen. Bereits seit Jahrzehnten, seit dem ausgehenden 18. Jahrhundert,
hatte sich das Zarenreich in stets neuen Anläufen einen möglichst großen
Anteil an der europäischen Erbschaft der zerfallenden osmanischen Großmacht zu sichern versucht, darunter vor allem die Kontrolle über die Meerengen und damit den Zugang zum Mittelmeer. Jedesmal war es dabei auf den
erbitterten Widerstand der beiden Westmächte gestoßen. Für das vor allem
von England verfochtene Prinzip, das europäische Gleichgewicht verlange die
Erhaltung der territorialen Integrität des Osmanischen Reiches, hatten diese
schließlich jeweils auch die Unterstützung der mitteleuropäischen Großmächte zu erlangen vermocht, die sich in dieser Frage ansonsten sehr stark
zurückhielten. So war es den Westmächten mehrfach gelungen, sich gegen
Rußland durchzusetzen – zuletzt im Meerengenvertrag von 1841, der Rußland den machtpolitischen Zugang zum Mittelmeerraum verschloß.

Nachdem Rußland sich jedoch die dominierende mitteleuropäische Großmacht Österreich durch die Unterstützung bei der Niederschlagung des
ungarischen Aufstandes und bei der Abwehr der preußischen Unionspolitik
so eindeutig verpflichtet hatte, schien die Ausgangslage grundlegend verändert. Es lag daher mehr als nahe, daß das Zarenreich einen Versuch, seine
Machtstellung zu erweitern, an dieser Stelle ansetzen würde. Hier konnte
Petersburg die Probe aufs Exempel machen, wie solide gegründet seine
Stellung als konservative Führungsmacht ganz Ost- und Mitteleuropas war
und ob es den entscheidenden Anlauf, sich zur kontinentaleuropäischen
Hegemonialmacht insgesamt aufzuschwingen, werde wagen können.

Die erste Anwort, die jene Macht gab, auf die sich die Aufmerksamkeit der
europäischen Kabinette nun naturgemäß konzentrierte, weil an ihrer Entscheidung möglicherweise alles hing, war ebenso überraschend wie vieldeutig:
Wien berief Ende Januar 1853 seinen Orient-Spezialisten, den Freiherrn
Anton von Prokesch-Osten, zum neuen Bundestagsgesandten. Prokesch, ein
Mann von damals bald sechzig Jahren, hatte sich durch mehrere Missionen in
den Orient einen Namen gemacht. Durch ausgedehnte Studien und vielfältige
Reisen mit den Problemen des Ottomanischen Reiches, auf dem Balkan wie
im Nahen Osten, eng vertraut, war er von 1834 bis 1849 Gesandter seines
Landes in Athen, ein gelehrter Diplomat höchst eigentümlichen und bedeutenden Zuschnitts. 1849 war er zum österreichischen Botschafter in Berlin
berufen worden, was ihn unvermeidlicherweise zu einer Art Symbolfigur für
Olmütz hatte werden lassen. Mit Blick hierauf begegnete ihm Bismarck vom
ersten Tag an mit tiefer Skepsis, ja Abneigung. »Ich denke von ihm wie der
alte Fritz von den ersten Kosaken, die er sah: ›Mit solchen – muß man sich

hier herumschlagen«« , bemerkte er noch vor Prokeschs Amtsantritt in Frankfurt.

Prokeschs Berufung nach Frankfurt konnte heißen: Österreich rüstet sich, den Sieg von Olmütz im Sinne seiner Mitteleuropa-Pläne auszubauen, während sich Rußland den Preis für seine Unterstützung der Habsburger Monarchie auf dem Balkan holt – also Erweiterung der beiderseitigen Machtstellung unter wechselseitiger wohlwollender Duldung. Es konnte aber auch heißen: Wien versucht den Bund zur Abwehr der seine Südostflanke bedrohenden russischen Expansionspolitik zu mobilisieren unter gleichzeitiger Annäherung an die Westmächte – also Umkehr aller bisherigen Allianzen. Schließlich war nicht ganz ausgeschlossen, daß Österreich in einem politischen Hochseilakt versuchen würde, beides gleichzeitig durchzusetzen und auf diesem Weg seine kontinentaleuropäische Machtstellung nach 1815 in wesentlich verbesserter Form wiederherzustellen.

Was jedoch auch immer die österreichische Politik vorhaben mochte – Preußen, dem eben noch viele seine Großmachtstellung zu bestreiten geneigt gewesen waren, konnte dadurch in eine machtpolitische Schlüsselstellung gelangen. Durch geschicktes Ausnützen der Situation konnte es unter Umständen für alle Niederlagen der vergangenen Jahre entschädigt werden. Voraussetzung dafür war allerdings, daß man sich in Berlin zunächst einmal völlig freie Hand behielt und sich nicht vorzeitig aus Erwägungen band, die mit dem eigenen machtpolitischen Interesse nichts oder doch nichts Entscheidendes zu tun hatten. Doch dazu war in der preußischen Hauptstadt kaum jemand bereit. Vielmehr entbrannte hier sofort ein scharfer und ganz prinzipieller Konflikt darüber, mit wem Preußen im Ernstfall koalieren solle.

Auf der einen Seite stand die Kamarilla. Ihre Mitglieder plädierten ungeachtet aller Sorge vor einer zu weit gehenden russischen Hegemonie für ein Zusammengehen mit dem Zarenreich als der konservativen Ordnungsmacht in Europa. Mancher mochte dabei auf eine Umkehr der Allianz von Olmütz hoffen. Aber grundsätzlich bestand hier die Bereitschaft zu einer Erneuerung der Verbindung der drei konservativen Ostmächte, so wie sie vor 1848 bestanden hatte.

In Opposition dazu formierte sich auf der anderen Seite immer stärker eine Richtung, die für den Anschluß an England, eintrat – aus außenpolitischen Gründen, die sich auf den Nenner »Revanche für Olmütz« bringen lassen, aber auch aus innenpolitischen. Nicht autokratische Reaktion nach russischem Vorbild, nicht eine »Tendenzpolitik der unheilig-heiligen Allianz« könne die Rettung vor einer neuen Revolution sein, so lautete hier die Parole. Was nottue, sei eine Politik des Ausgleichs zwischen alten und neuen Eliten wie in England, ein wohldosiertes Entgegenkommen gegenüber begründeten Reformwünschen bei gleichzeitiger Erhaltung der monarchischen und aristokratischen Grundstrukturen von Staat und Gesellschaft.

Diese Richtung, die in dem 1851 gegründeten »Preußischen Wochenblatt« ihr publizistisches Organ fand und daher kurz »Wochenblattpartei« genannt wurde, verstand sich als eine Art Partei der deutschen Whigs, als Nachfolgeorganisation des bereits 1848 mit den Hochkonservativen konkurrierenden liberaleren Flügels der preußischen Aristokratie. Ihr gehörte, angeführt von dem preußischen Gesandten in London, dem gelehrten Christian Josias von Bunsen, ein nicht unerheblicher Teil der jüngeren Diplomatengeneration Preußens an, mit dem aus dem preußischen Neuchâtel stammenden Grafen Albert von Pourtalès und Robert von der Goltz sowie Guido von Usedom an der Spitze, aber auch eine Reihe von Männern der inneren Verwaltung und des landsässigen Adels.

Vor allem aber sympathisierte der mögliche Thronfolger, Prinz Wilhelm, in immer schrofferer Ablehnung der Politik seines Bruders und der Kamarilla offen mit der neuen politischen Gruppierung; er war insbesondere mit dem eigentlichen Führer der »Wochenblattpartei«, Moritz August von Bethmann Hollweg, einem Sohn der bekannten Frankfurter Bankiersfamilie, der sich als Professor der Rechte in Berlin und Bonn, als preußischer Staatsrat und als Abgeordneter beider Kammern einen Namen gemacht hatte, seit langem eng verbunden. Der »Kartätschenprinz« von 1848 wandelte sich, so schien es, zu einem Mentor des preußischen Liberalismus, zu einem Anhänger des »englischen Weges«, dem offenbar nun auch von hier aus in Preußen die Zukunft gehörte – eine Entwicklung, die Bismarck als eines der jüngsten Mitglieder der gegenwärtig noch herrschenden Führungsgruppe nicht zuletzt im Hinblick auf seine eigene politische Karriere aufs höchste alarmierte. In einer großen politischen Denkschrift suchte er den Prinzen, der ihn während der Revolution von 1848/49 mehrfach seiner politischen Sympathie versichert hatte, von diesem Weg zurückzuhalten und auf die alte politische Linie einzuschwören. »Der parlamentarische Liberalismus«, so hieß es darin unter anderem, könne wohl »als vorübergehendes Mittel zum Zweck dienen«, er könne jedoch nach allen bisherigen Grundsätzen des preußischen Staates und der preußischen Krone »nicht selbst der Zweck unseres Staatslebens sein.«

Der sich anbahnende Konflikt über die Richtung der preußischen Außenpolitik war also von Anfang an aufs stärkste mit Fragen der Innenpolitik verknüpft. Der Streit über die Ost- oder Westorientierung Preußens entwickelte sich mehr und mehr zu einem innenpolitischen Grundsatzkrieg. In dieser Auseinandersetzung erwartete die Kamarilla den von ihr protegierten Bundestagsgesandten mit Selbstverständlichkeit an ihrer Seite, und zwar ohne Einschränkungen, auch was die Außenpolitik anging. Das brachte Bismarck, so sehr er innenpolitisch mit seinen Freunden übereinstimmte, in eine äußerst problematische Lage. In der heraufziehenden europäischen Verwicklung, von der er sich für Preußen so viel versprach, geriet er unter den Zwang, sich völlig dem Willen und den Meinungen anderer zu unterwerfen. Ja, er mußte unter

Umständen ohnmächtig zusehen, wie sich Preußen ins Schlepptau Österreichs begab, wollte er nicht seine politische Basis riskieren.

Ob Bismarck sich schließlich wider bessere Einsicht gebeugt oder doch eher seine politische Karriere aufs Spiel gesetzt hätte, steht dahin. Denn es wurde schon bald deutlich, daß Friedrich Wilhelm IV. sich für keine der beiden Positionen eindeutig entscheiden konnte. »Mein lieber Schwager geht jeden Abend als Russe ins Bett und steht jeden Morgen als Engländer wieder auf«, spottete der Zar. Und das Schwanken Friedrich Wilhelms begünstigte ungewollt eine Politik zwischen den Fronten und des kalkulierten Zuwartens, wie Bismarck sie vertrat. Ja, er konnte sie gerade deshalb nach beiden Seiten hin als die Politik des kleineren Übels gegenüber einer Entscheidung für die jeweils andere Seite anpreisen. Da auch der Ministerpräsident selber im Kampf um seine eigene Stellung und um das Vertrauen des Königs zu rochieren gezwungen war, durfte er sogar ungeachtet des stets wachen Mißtrauens Manteuffels hoffen, bei ihm in diesem Fall mit entsprechenden Ratschlägen ein offenes Ohr zu finden.

Bereits am 15. Juli 1853, kurz nachdem Rußland ohne Kriegserklärung die türkischen Donau-Fürstentümer Moldau und Walachei besetzt hatte, suchte er Manteuffel in diesem Sinne für eine Politik der vorläufigen Neutralität zu gewinnen. Er sehe »in der Tat nicht, warum wir, ohne zwingende Ursache oder starke Lockung überhaupt, voreilig Partei nehmen müssen« – schon gar nicht für Österreich, jedenfalls nicht ohne klar fixierte Gegenleistung. Das hieße praktisch, den Trumpf aus der Hand geben, der in dieser Situation für Preußen liege: »Die Fälle, wo Österreich in der europäischen Politik unser bedarf oder uns fürchtet«, seien »die einzigen, wo wir in der deutschen Politik Fortschritte machen können«. »Wenn ich doch«, fuhr er geradezu emphatisch fort, »Sr. Majestät dieses wie ein ›Herr, gedenke der Athener‹ alle Tage vorhalten dürfte.« Bewaffnete Neutralität, »womöglich in Verbindung mit den anderen deutschen Staaten und Belgien«, das »würde eine unseren Interessen entsprechende und würdige Stellung sein, die unserem Einfluß im außerösterreichischen Deutschland einen neuen Elan gäbe«. Er hoffe, Manteuffels »ruhige Kaltblütigkeit« werde »der Aufregung anderer Ratgeber nicht nachgeben, und wir uns keine blutigen Köpfe holen; pour les beaux yeux de qui que ce soit, oder für den bloßen Ruhm, auch dabei gewesen zu sein«. Freilich: »Können wir etwas profitieren, so ist es allerdings anders.«

Das war eine Formel, die jeder auf die von ihm vorgeschlagene Politik beziehen konnte. Für Bismarck aber besaß sie eine spezifische Eindeutigkeit, ja Nacktheit. Profitieren hieß für ihn unmittelbarer Machtgewinn, unbestreitbare Verstärkung der eigenen Stellung, nichts sonst. Das wurde an seiner Haltung gegenüber der weiteren Entwicklung sehr deutlich.

Diese Entwicklung wurde einerseits bestimmt durch die immer schroffere Konfrontation zwischen Rußland und den mit der Pforte verbündeten Westmächten, andererseits durch die schwankende Haltung Österreichs. Auch in Österreich gab es wie in Preußen einflußreiche Vertreter aller drei denkbaren Positionen: die Hochkonservativen um die Feldmarschälle Windischgraetz und Schlik, die wie ihre Gesinnungsgenossen in Preußen für eine ideologische Blockbildung mit Rußland eintraten und als praktische Lösung die Aufteilung des Balkans in eine russische und in eine österreichische Einflußsphäre vor Augen hatten; die liberaleren Konservativen um den Außenminister Buol, den Innenminister Bach und den Bundestagsgesandten Prokesch-Osten, die sich wie die preußische Wochenblattpartei für ein Bündnis mit den Westmächten zur Eindämmung des russischen Expansions- und Vorherrschaftsdranges aussprachen – ihr Ziel war zugleich eine Art österreichischen Protektorats über den gesamten Balkan; und schließlich eine recht heterogene Gruppe von Adepten der Schwarzenbergschen Großreichpolitik unter Führung des früheren Handelsministers und jetzigen österreichischen Botschafters in Konstantinopel Bruck auf der einen, von Anhängern einer zwischen Ost und West vermittelnden mitteleuropäischen Blockbildung im Sinne des Metternichschen Systems auf der anderen Seite. Sie hoffte durch eine Politik der bewaffneten Neutralität, eine Politik des »Zuwartens auf freiem Standpunkt«, wie es der ihr zuneigende alte Metternich formulierte, nicht nur die Krise zu überwinden, sondern auch zu einer inneren Befestigung und zum Ausbau des Bundes zu gelangen.

Von allen Positionen mußte die Politik der bewaffneten Neutralität, die formell seiner eigenen am nächsten kam, Bismarck naturgemäß am unsympathischsten sein. Denn sie drohte auf dem Umweg über die europäische Krise Preußen als Großmacht endgültig zu mediatisieren. Gerade auf sie aber steuerte die preußische Politik unter Friedrich Wilhelm IV. und Manteuffel ungewollt zu, als Ergebnis des unentschlossenen Schwankens zwischen West- und Ostorientierung. Einen solchen Ausgang zu verhindern und Preußen dennoch auf Neutralitätskurs zu halten, jedenfalls solange, bis sich ein eindeutiger und nur Berlin zugute kommender Erfolg abzeichnete – das war Bismarcks Ziel.

Mit ihm stand er in dieser Form fast ganz allein, zumal der krasse machtpolitische Egoismus ohne jede verbrämende Verbindung mit weiteren Perspektiven und gar mit Idealen, der sich darin spiegelte, fast jedermann abstieß. Und nicht nur das: Sein Wortführer konnte sich dem Verdacht bald kaum noch entziehen, sich mit der ausschließlichen Betonung des Bodengrunds jeder erfolgreichen Politik, des Gewinns an Macht und Ansehen, letzten Endes für jede Richtung zur Verfügung zu halten, wenn sie nur siegreich war. »Bismarck braucht und mißbraucht stets seine Parteigenossen. Sie sind ihm ... Postpferde, mit denen er bis zur nächsten Station fährt«, so Graf Pourtalès in diesen Tagen in einem Privatbrief: »Es steckt in seinem ritterlichen Felle ganz einfach ein Judas, und mit ihm gehe ich keinen Schritt.«

Ein einzelgängerischer Opportunist – dieses für einen Politiker tödliche Verdikt hing gleichsam in der Luft. Daß Bismarck seinen Folgen dann doch entgangen ist, lag weniger an seinem persönlichen Geschick als an den ganz besonderen Umständen, die ihn schließlich in einer einmaligen Konstellation begünstigten.

Denn für Jahre lief die Entwicklung erst einmal ganz gegen ihn. Zwar band sich Preußen im Vorfeld und während des Krim-Krieges eindeutig weder nach Osten noch nach Westen und vermied auch ein wirkliches Zusammengehen mit Österreich. Aber das war eben nicht das Ergebnis eines bewußten Kalküls, wie es Bismarck vorschwebte, sondern des unentschieden hin- und herwogenden innenpolitischen Machtkampfes zwischen Wochenblattpartei und Kamarilla. Von einer »Politik der freien Hand« mit schließlichem entschiedenen Zugriff konnte keine Rede sein. Und wenn Preußen am Schluß nicht völlig isoliert dastand, so verdankte es das lediglich der Tatsache, daß Österreich sich noch ungeschickter verhalten und sich zwischen alle Stühle gesetzt hatte. Seine Westorientierung, jene »Revolution in den außenpolitischen Beziehungen Österreichs«, wie Buol sie nannte, war auf dem Papier geblieben. Sie hatte dem Kaiserstaat nur die Gegnerschaft Rußlands eingebracht, ihm jedoch die Westmächte nicht verpflichtet. Am Pariser Konferenztisch, an dem im Frühjahr 1856 die Friedensbedingungen zwischen den Westmächten und Rußland ausgehandelt wurden, nahm vielmehr als Protégé Napoleons mit dem Vertreter Sardinien-Piemonts, dem Grafen Camillo Cavour, der leitende Politiker jener Macht Platz, die im Namen der italienischen Einheitsbewegung der geschworene Feind Österreichs und der österreichischen Herrschaft südlich der Alpen war. Hier kündigte sich bereits jene Konstellation an, die über die österreichische Niederlage in Italien den rapiden Machtverfall des Kaiserstaates bis hin zu der Katastrophe von 1866 herbeiführte.

Niemand hat für diesen Aspekt ein schärferes Auge gehabt als der preußische Bundestagsgesandte. In dem schließlich so ergebnislosen Ringen um den Kurs der preußischen Außenpolitik, in dem er als eine »Partei für sich« mehr und mehr Gefahr gelaufen war, auf einen verlorenen Posten zwischen den Fronten zu geraten, hatte er immer wieder darauf hingewiesen, daß der Leitstern der preußischen Politik die Schwächung der außenpolitischen Position Österreichs sein müsse. Hierin liege das einzige Interesse Preußens an der sogenannten orientalischen Frage. So hatten letzten Endes auch die außenpolitischen Vertreter der Wochenblattpartei argumentiert, Graf Pourtalès, der preußische Vertreter in London, Bunsen, von der Goltz und Usedom. Sie hatten daraus den ihnen aus innenpolitischen Gründen naheliegenden Schluß gezogen, man müsse sich zu diesem Zweck mit den Westmächten, insbesondere mit England, verbinden und sich diese für die Zukunft verpflichten. Das hatte Bismarck abgelehnt, ablehnen müssen, da ein solcher Übergang zur Wochenblattpartei für ihn politischer Selbstmord gewesen wäre. Aber in der Substanz, im Kalkül und in der außenpolitischen Zielsetzung hatte er dieser Position immer sehr viel näher gestanden als der dezidiert prorussischen seiner politischen Freunde. Das österreichisch-preußische Schutz- und Trutzbündnis vom April 1854, mit dem, nach seinen Worten, Berlin »unsere schmucke und seefeste Fregatte an das wurmstichige alte Orlogschiff von Österreich koppelte«, hatte er insgeheim nicht weniger heftig abgelehnt als die Vertreter der Wochenblattpartei. Und einen Beitritt des Bundes zu diesem Bündnis hatte er mit allen Kräften zu hintertreiben versucht; »nur keine sentimentalen Bündnisse, bei denen das Bewußtsein der guten Tat den Lohn edler Aufopferung zu bilden hat«, warnte er schon Ende Februar 1854. Am Tag der Abstimmung über diese Frage, am 24. Juli 1854, hatte Prokesch-Osten, der österreichische Bundestagsgesandte, in seinem zusammenfassenden Bericht daher sehr richtig geurteilt, Bismarcks Haltung liege »weniger die Liebe zu Rußland als der Neid gegen Österreich, weniger ein konservatives Prinzip als der Heißhunger nach Machterweiterung in Deutschland zu Grunde«. Das Problem der preußischen Ost- oder Westorientierung sehe er, so hieß das, einzig und allein unter dem Aspekt der preußischen Machterweiterung auf Kosten Österreichs.

Es hatte so einer tieferen Logik entsprochen, daß Bismarck im Mai 1854 beauftragt worden war, in dem schweren, an den Rand einer Regimekrise führenden Konflikt zwischen dem preußischen König und seinem Bruder und Thronfolger zu vermitteln. Zu dem Konflikt war es im Anschluß an die Entmachtung führender Vertreter der Wochenblattpartei gekommen: des eben noch zum Unterstaatssekretär im Außenministerium bestimmten Grafen Pourtalès, des Londoner Botschafters Bunsen und des Kriegsministers von Bonin. Ihre Entmachtung, von der Kamarilla betrieben, markierte eine entscheidende Wendung gegen die von ihnen propagierte und zum Teil bereits eigenmächtig vorangetriebene Politik.

Bismarck hat den Sturz der »Bethmänner« aus innenpolitischen Gründen begrüßt, ja, selber eifrig mitgefördert. Von Pourtalès etwa, den er ebensowenig mochte wie dieser ihn, sprach er Leopold von Gerlach gegenüber mehrfach gezielt als von einem »der bestplattierten Hohlköpfe, die mir je vorgekommen sind« – »mit einer leichten Abfärbung von Kirche, Salon, Wissenschaft und Bordell am Leibe«. Eine Rückkehr zu einer gemeinsamen Politik der drei konservativen Ostmächte aber, bei der Preußen unvermeidlicherweise die dritte Geige spielen würde, oder auch eine passive Bindung an Österreich wollte er unbedingt vermieden wissen. Daher mußte ihm sehr daran gelegen sein, daß die Gegenposition nicht völlig zusammenbrach. In diesem Zusammenhang mochte in ihm sogar schon der Gedanke aufgetaucht sein, ob er nicht selber eines Tages an die Stelle der »Bethmänner« werde treten können. Jedenfalls war es kein Zufall, daß gerade jetzt in Berlin das Gerücht umging, der preußische Bundestagsgesandte spreche gelegentlich von der Möglichkeit nicht nur eines preußisch-französischen Bündnisses, sondern auch eines Bündnisses mit dem Liberalismus.

Das alles lag freilich damals noch im weiten Feld, auch wenn es sich von der Sache her schon andeuten mochte. Bismarcks Mission zum Prinzen Wilhelm hat ihn diesem persönlich offenbar kaum nähergebracht. Sie hat bestenfalls dazu beigetragen, den Weg zu der ganz äußerlich bleibenden formalen Versöhnung zwischen dem König und dem Thronfolger zu bahnen. In den Augen des Prinzen und seiner Vertrauten blieb Bismarck ein Mann der Kamarilla oder, schlimmer noch, ein Mann der jeweils stärkeren Bataillone – ein Eindruck, der durch seine Ernennung zum königlichen »Pair«, zum Mitglied des Herrenhauses, im November 1854, noch verstärkt wurde. Da Bismarck nach wie vor weder eine Politik der einseitigen Bindung an Rußland noch gar an Österreich zu billigen vermochte und andererseits nur zu deutlich erkannte, wie konzeptionslos die Politik der faktischen Neutralität blieb, sah er sich immer mehr in die Position des ohnmächtigen Außenseiters abgedrängt, dem auch die Kamarilla nur noch bedingt vertraute. »Unsere auswärtige Politik ist übel, denn sie ist furchtsam«, schrieb er Ende 1854 lakonisch an Kleist-Retzow; er selbst »scheine etwas in Ungnade, wenigstens in Entbehrlichkeit geraten zu sein«. Noch in seinen Lebenserinnerungen schwingt das Gefühl der Ohnmacht und Hilflosigkeit nach, das ihn in jenen Monaten beherrschte: Als »Träger der preußischen Politik« in Frankfurt habe er sich »einer Beschämung und Erbitterung nicht erwehren« können, »wenn ich sah, wie wir gegenüber den nicht einmal in höflichen Formen vorgebrachten Zumutungen Österreichs jede eigne Politik und jede selbständige Ansicht opferten, von Posten zu Posten zurückwichen unter dem Druck der Inferiorität, in Furcht vor Frankreich und in Demut vor England, im Schlepptau Österreichs Deckung suchten«. Preußen sollte, schrieb er im August 1854 an Leopold von Gerlach, »zur Rolle eines Geld- und Rekrutendepots ... zugeschnitten werden, ohne daß man uns erlaubte, unsere Finger mitanzulegen«.

So war es letztlich geblieben bis zur Niederlage Rußlands auf der Krim im Herbst 1855 und der Einleitung von Friedensverhandlungen mit Alexander II., dem Nachfolger des im Frühjahr 1855 gestorbenen Zaren Nikolaus I. Das Ergebnis war, daß Preußen zunächst nicht einmal an den Pariser Konferenztisch gebeten wurde. Er sehe bald nicht mehr, bemerkte Bismarck in jenen Tagen, »woran mein preußisches Ehrgefühl sich aufrichten könnte«.

Zwar hatte man Preußen auf Initiative Frankreichs und Österreichs schließlich doch noch zur Konferenz hinzugezogen, um es nicht ins Fahrwasser Rußlands zu drängen. Aber eine Rolle hatten die preußischen Vertreter bei den Verhandlungen, die am 30. März 1856 mit der Unterzeichnung des Pariser Friedensvertrags ihren Abschluß fanden, selbstverständlich nicht gespielt. Das Wesentliche hatte in ihrer bloßen Anwesenheit gelegen. Es war die formelle Anerkennung der Tatsache, daß Preußen nach wie vor zum Kreis der europäischen Großmächte gehöre, über deren Kopf in Europa nichts geschehen konnte und die sich als Garanten der in Paris neu formulierten europäischen Ordnung verstanden.

Diese Ordnung war äußerlich die der Jahre vor dem Krim-Krieg geblieben mit der neuerlichen Akzeptierung des Grundsatzes der Unantastbarkeit der staatlichen Einheit der Türkei durch alle Großmächte. In der Substanz jedoch hatte sie sich grundlegend verändert, vor allem durch die Auflösung des informellen Bündnisses der drei konservativen Ostmächte, das seit 1815 ein zentraler Faktor der europäischen Politik gewesen war. Weil diese Auflösung nicht mit einer wirklichen Umkehr der Allianzen, also mit einem festen Zusammengehen Österreichs mit den Westmächten, verbunden gewesen, andererseits die von Bruck und anderen intendierte mitteleuropäische Block-bildung eines erweiterten und gestärkten Bundes nicht zustandegekommen war, stand, wie sich schon in der Wahl des Konferenzortes zeigte, als der eigentliche Sieger des Krim-Krieges Frankreich da. Fast ohne eigenes Zutun hatte Napoleon III. plötzlich die Fäden in Kontinentaleuropa in der Hand. Zu dem traditionellen, sich in den folgenden Jahrzehnten weltweit akzentuieren-den englisch-russischen Gegensatz war nun, nur wenige Jahre nach der russischen Hilfsaktion in Ungarn, der österreichisch-russische getreten, der auf dem Balkan dauerhafte Nahrung fand. Wie in der ersten Jahrhunderthälf-te von Wien aus, so würde in der zweiten die Austarierung des europäischen Systems, jenes laufende machtpolitische Geschäft auf Gegenseitigkeit, von Paris aus erfolgen müssen. 1855 die Weltausstellung und 1856 die Friedens-konferenz, das waren glanzvolle äußere Zeichen dafür, daß sich das Zentrum Europas offenbar an die Seine verschoben hatte. Politiker aus aller Herren Länder begannen jetzt, nach Paris zu pilgern, das mehr und mehr auch wieder zum geistigen und künstlerischen Mittelpunkt Europas wurde.

Um die Frankreich im Verlauf des Krim-Krieges gleichsam in den Schoß gefallene Führungsrolle in Kontinentaleuropa zu erhalten und auszubauen, bedurfte es, das hat Napoleon III. sofort klar erkannt, vor allem eines: Es mußte verhindert werden, daß Mitteleuropa zu einer festeren politischen Einheit zusammenwuchs, daß etwa ein reformierter und von Wien geleiteter Deutscher Bund zu einem eigenständigen Faktor der europäischen Politik wurde. Die französische Politik brauchte zu diesem Zweck neben ihrer antiösterreichischen italienischen Klientel noch eine antiösterreichische deut-sche Klientel, ein deutsches Sardinien-Piemont. Man konnte hier an die süddeutschen Staaten, an eine Art neuen Rheinbund denken. Aber das war sehr unsicher, zumal angesichts der Haltung des in diesen Gebieten besonders starken deutschen Liberalismus, gegen den die Regierungen wiederum vor allem bei Österreich Schutz suchten. Viel aussichtsreicher, ja, geradezu ideal mußte ein entsprechendes Zusammengehen mit der zweiten deutschen Großmacht, mit Preußen, erscheinen.

Allerdings, wer sollte dort zu einem solchen Zusammengehen die Hand bieten? Die Hochkonservativen, die zur Zeit am Ruder waren, sicher nicht. Sie sahen in Napoleon III. die Verkörperung der Revolution, des Umsturzes aller Ordnung. Das galt auch für die Wochenblattpartei. Sie verfolgte zudem nationale Ambitionen, deren antifranzösische und antinapoleonische Tendenzen sehr deutlich zutage traten.

Anders als in Italien zeichnete sich daher für die französische Politik in Mitteleuropa noch keine klare Möglichkeit ab, ihr Ziel der Eindämmung der österreichischen Macht und der Lahmlegung des Deutschen Bundes zu erreichen. Sie mußte sogar befürchten, daß ein Angriff gegen die österreichische Vormachtstellung in Italien, wie er in Paris bereits unmittelbar nach Beendigung des Krim-Krieges geplant wurde, zu einer nationalen Reaktion zugunsten der »deutschen Macht« Österreich führen werde. Diese Reaktion konnte ihrerseits in unerwarteter Weise zu einer Stärkung des Deutschen Bundes beitragen und dessen Ausbau einleiten. So verwies auch das italienische Problem wieder auf die Notwendigkeit der Gewinnung eines verläßlichen Partners in Mitteleuropa – verläßlich insbesondere in seiner unbedingten Gegnerschaft gegenüber Österreich, auch gegenüber einem Österreich, das zu Zugeständnissen im Sinne der gemeinsamen nationalen Sache bereit sein würde.

Das war die Konstellation, wie sie sich nach Abschluß des Krim-Krieges ergeben hatte. Sie war freilich alles andere als stabil. Zu groß waren die Veränderungen, die nun plötzlich hervorgetreten waren, zu groß war die Versuchung für Österreich wie für Rußland, sie wiederum zu korrigieren, als daß der Pariser Frieden mehr hätte sein können als ein bloßer Waffenstillstand. 1856 war nicht 1815, Frankreich nicht das Österreich Metternichs, eine Systemkonformität nicht mehr gegeben und die machtpolitische Konkurrenz viel stärker ausgeprägt und sowohl in nationaler wie auch in wirtschaftlicher Hinsicht viel tiefer fundiert. Die Verhältnisse von 1856 waren also aus französischer Sicht nur offensiv zu bewahren: durch Verstärkung der französischen Machtstellung auf Kosten Österreichs mit dem Risiko, auf dem dafür ins Auge gefaßten italienischen Kriegsschauplatz eine Art deutschen Einigungskrieg auszulösen, dessen Ergebnisse dann ihrerseits die gesamte europäische Konstellation wieder auf den Kopf zu stellen drohten.

Bei aller Unsicherheit und Instabilität des Neuen war jedoch der Umsturz der bisherigen Verhältnisse unübersehbar. 1856 wurde dementsprechend das Jahr der großen Bilanzen und Zukunftsanalysen, der weitausgreifenden Denkschriften und politischen Entwürfe. Einer der ersten, der sich in diesem Sinne zu Wort meldete, war nicht zufällig der preußische Bundestagsgesandte in Frankfurt. Denn er fühlte sich, so sehr er mit seinen bisherigen Vorschlägen gescheitert und zum Außenseiter geworden war, durch die neue Konstellation und das, was seiner Meinung nach darin steckte, geradezu elektrisiert. Sie war, wie er blitzartig zu erkennen glaubte, das große Los für Preußen und vielleicht auch für ihn selber.

Die neue Grundtatsache, von der alle weiteren Überlegungen ausgehen müßten, so begann er seine große Denkschrift vom 26. April 1856, den sogenannten Prachtbericht, sei die Schlüsselstellung, die Frankreich in Europa erlangt habe: »Alle, die großen wie die kleinen [Kabinette] suchen sich einstweilen, in Erwartung der Dinge, welche kommen können, die Freundschaft Frankreichs zu erwerben oder zu erhalten, und der Kaiser Napoleon, so neu und so schmal anscheinend auch die Grundlagen seiner Dynastie in Frankreich selbst sind, hat die Wahl unter den zur Disposition stehenden Bündnissen.« Rußland, Österreich, England, die deutschen Mittelstaaten – sie alle strebten aus unterschiedlichen Motiven ein Zusammengehen mit Frankreich an. Wie aber werde sich Paris selber, bei nüchterner Betrachtung der Dinge, wohl entscheiden, und welche Haltung empfehle sich dementsprechend für Preußen?

Was zunächst zu erwarten sei, sei eine Verbindung und politische Kooperation zwischen den beiden kontinentaleuropäischen Flügelmächten, zwischen Frankreich und Rußland. Damit formulierte er eine Überzeugung, die ihn zeit seines Lebens leitete und bald immer stärker mit Sorge erfüllte. »Es sind diese beiden diejenigen unter den Großmächten, welche nach ihrer geographischen Lage und ihren politischen Zielen die wenigsten Elemente der Gegnerschaft in sich tragen, da sie so gut wie keine notwendig (!) kollidierenden Interessen haben.« Bisher habe die Heilige Allianz und die persönliche Haltung Nikolaus' I. »beide in der Entfremdung voneinander erhalten«. Aber der Krim-Krieg sei bereits »ohne Haß geführt« worden und habe »mehr den inneren als den auswärtigen Bedürfnissen Frankreichs« gedient. Nun, nachdem »der Kaiser Nikolaus tot und die Heilige Allianz von Österreich gesprengt« sei, sehe er nichts, »was den natürlichen Zug jener beiden Staaten zueinander hemmen sollte«.

Schwarzenberg, und hier schlug so etwas wie Bewunderung dieser ihm in vielerlei Hinsicht so wesensverwandten Figur durch, habe diese Konstellation seinerzeit klar vorausgesehen. Er habe darauf die Erwartung gegründet, sich im Bündnis mit beiden Mächten in Mitteleuropa langfristig durchsetzen zu können. Dem sei aber jetzt wohl endgültig der Boden entzogen. »Bei der gegenwärtigen Stimmung der Russen gegen Österreich, und bei den gesteigerten Ansprüchen Frankreichs auf Einfluß in Italien, läßt sich nicht annehmen«, so formulierte er geradezu genüßlich, »daß Österreich von Haus aus berufen sein werde, als Dritter im Bunde zu figurieren, obwohl es ihm an dem guten Willen dazu nicht fehlen dürfte.«

Österreich sei also am Zuge und müsse sich etwas einfallen lassen. In der Theorie wäre das eine Gegenkoalition der drei übrigen Großmächte, Englands, Österreichs und Preußens und damit zugleich des Deutschen Bundes.

Bei festem Zusammenhalt und auf dem Papier müßte eine solche Gegenkoalition in der Lage sein, auch den Ernstfall, nämlich einen Krieg gegen die beiden kontinentaleuropäischen Flügelmächte, zu bestehen. »So aber stehen die Sachen nicht.« Denn wer würde in Mitteleuropa, auf dem notwendigerweise die Hauptlast ruhen werde, einen Zweifrontenkrieg riskieren wollen? Die mittleren und kleineren Staaten des Deutschen Bundes? Von ihnen habe er »im vorigen Jahr zur vollsten Evidenz erfahren, daß sie es für ihre ehrliche Pflicht halten, den Bund aufzugeben, wenn das Interesse oder gar die Sicherheit des eigenen Fürsten oder Landes durch Festhalten am Bunde gefährdet wäre«. Warum sollten sie sich auch anders verhalten? Warum sollten sie beispielsweise einem neuen Rheinbund unter französischem Protektorat widerstreben, zumal die historische Erfahrung gelehrt habe, daß »im allerschlimmsten Falle (also einer Niederlage Frankreichs) Österreich und Preußen sich gegenseitig nichts gönnen« und die Rheinbundstaaten 1813/14 nicht »zu kurz kamen«. »Der Rheinbund hatte seine Lasten«, fuhr er sarkastisch fort, »aber die für einen Fürsten besonders verdrießliche konstitutionelle Unbequemlichkeit war wenigstens nicht darunter, und jeder beglückte seine Untertanen in seiner Weise, wenn er nur die nötigen Truppen nach Frankreich lieferte. Diese Dienstbarkeit hatte ihre schätzbaren Fleischtöpfe und war für die Fürsten nicht so beschwerlich, daß sie, um sich ihr zu entziehen, Land und Leute hätten aufs Spiel setzen und wie jener Kaiser in Bürgers Gedicht ›in Hitz‘ und in Kälte, im Kriegesgezelte, bei Schwarzbrot und Wurst, bei Hunger und Durst‹ um ihre und Deutschlands Freiheit hätten werben sollen.«

Eine »wesentlich andere Gesinnung« hätten die »Nachfolger der Rheinbundfürsten« auch heute nicht. Seit dem Zerfall der Heiligen Allianz, die das ›Dritte Deutschland‹ auf Grund ihrer Stärke bei der Stange gehalten habe, sei die in dieser Gesinnung begründete »innere Morschheit des Bundes« »zur Anschauung und zum Bewußtsein bei Aus- und Inland gekommen« – »das bekannte Lied von Heine ›oh Bund, du Hund, du bist nicht gesund‹ wird bald durch einstimmigen Beschluß zum Nationalliede der Teutschen erhoben werden«, hatte er drei Jahre vorher in einem Privatbrief gehöhnt.

In schonungsloser Nüchternheit bedeutete das: Eine auch nur im äußersten Notfall, im Fall der kriegerischen Bedrohung, aktionsfähige politische Einheit Deutschland existiert selbst in lockerster Form nicht. Eine solche Einheit ist nichts als mehr oder weniger vage historische Erinnerung oder bloße Zielprojektion. Politische Realität haben in Mitteleuropa nur die beiden Großmächte, Österreich und Preußen. Die anderen Staaten werden sich wie Magnetspäne zu den jeweils stärkeren Polen orientieren – auch die Idee des sogenannten Dritten Deutschland wurde von Bismarck mit verächtlicher Handbewegung zur bloßen Fiktion erklärt.

Schon was die militärische Stärke Österreichs angehe, müsse man, so

Bismarck, skeptisch sein, ob nicht »auf den ersten glücklichen Stoß des Gegners ins Innere das ganze künstliche Bauwerk seines zentralisierten Schreiberregiments wie ein Kartenhaus zusammenfallen« werde. Aber selbst wenn man die Widerstandskraft der Monarchie positiver einschätze, sei unübersehbar, daß für ein dauerhaftes Bündnis zwischen Österreich und Preußen, zur Zeit jedenfalls, die elementarsten Voraussetzungen fehlten. Die massive Interessendivergenz, die zwischen beiden Mächten in Mitteleuropa bestehe, werde, selbst wenn es unter äußerem Druck zu einem solchen Bündnis komme, immer dazu führen, daß eine die andere zu übervorteilen und auszumanövrieren versuche. Deutschland sei nun einmal »zu eng für uns beide«, erklärte er bündig.

Er machte allerdings, mit Blick auf die Kamarilla, gleich eine Einschränkung. Sie lautete: »nach der Wiener Politik«. Die vorhandene Interessendivergenz sei nicht etwa schicksalhaft oder naturgegeben. Sie sei das Ergebnis einer Politik, die seit Jahrhunderten danach strebe, Preußen seinen Daseinsraum und seine Entfaltungsmöglichkeiten zu beschneiden. Gegen diese Politik habe Preußen immer wieder Verteidigungskriege führen müssen. »Der deutsche Dualismus hat seit tausend Jahren gelegentlich, seit Karl V. in jedem Jahrhundert regelmäßig durch einen gründlichen inneren Krieg seine gegenseitigen Beziehungen reguliert, und auch in diesem Jahrhundert wird kein anderes als dieses Mittel die Uhr der Entwicklung auf ihre richtige Stunde stellen können.«

Das war ein recht unbekümmerter Umgang mit der historischen Wahrheit, ließ Machtanspruch und Machtrealität ineinander fließen und stilisierte die Politik einer aufstrebenden Großmacht wie der brandenburgisch-preußischen im 17. und 18. Jahrhundert zur bloßen Defensive. Die »Perfidie« Österreichs, so Bismarck, habe Preußen stets aufs neue die Waffen in die Hand gezwungen. Sie sei eine Konstante, von der man bei allen Bündnisüberlegungen ausgehen müsse. Er jedenfalls würde »dem alten Fuchs« auch in einem »neuen Pelz ebensowenig trauen, wie bisher im räudigen Sommerhaar«.

Österreich würde ein Bündnis mit Preußen aller Wahrscheinlichkeit nach nur dazu benutzen, »um sich mit Frankreich und, wenn es sein kann, mit Rußland bessere Bedingungen einer Verständigung auf unsere Kosten zu verschaffen«. »Es wird den Don Juan bei allen Kabinetten spielen, wenn es einen so stämmigen Leporello wie Preußen produzieren kann, und getreu dieser Rolle wird es stets bereit sein, sich auf unsere Kosten aus der Klemme zu ziehen und uns darin zu lassen.« Und selbst wenn es zum Kriege komme, werde es Wien schließlich, im Falle des Sieges ebenso wie im Falle einer Niederlage, so zu drehen versuchen, daß Preußen jedenfalls nichts gewinne oder sogar allein die Zeche zu zahlen habe.

All das floß ihm, nach fünf Jahren nicht selten gehässigen Kleinkriegs am Bundestag, mit Leichtigkeit aus der Feder. Sicherlich war die Feindseligkeit, die hier wie anderswo aus seinen Worten spricht, Ausdruck einer politischen Leidenschaftlichkeit, der die Grenzen zwischen Gegner und Feind immer wieder zu verschwimmen drohten. Auf der anderen Seite paßte ihm die Freigabe solcher Leidenschaft nur zu gut ins Konzept. Mußte er doch vor allem den König und die Kamarilla überzeugen, von denen er sicher sein konnte, daß sie von seiner Denkschrift direkt oder indirekt Kenntnis erhielten. Sie aber hingen nach wie vor, trotz aller Enttäuschungen, an der Idee der Heiligen Allianz, an dem Gedanken des brüderlichen Zusammenwirkens der beiden deutschen Großmächte gegen die Revolution, gegen die drohende Auflösung aller inneren und äußeren Ordnung in Europa. Ihnen mußte Bismarck klarzumachen versuchen, daß Österreich derartigen Zielsetzungen seit jeher fremd, ja, insofern feindlich gegenüberstehe, als es die Grundlagen für ein solches Zusammengehen mit eigener Hand stets wieder zerstöre.

Ein Krieg, so konnte er damit indirekt nahelegen, sei möglicherweise auch von hier aus und nicht nur von der historischen Konstellation und Entwicklung her gesehen unvermeidlich: Mit seiner von nacktem machtpolitischen Egoismus diktierten antipreußischen Politik drohe Wien eine der stärksten Säulen der überlieferten Ordnung in Europa zu zerstören. Zwar würde er, schränkte er vorsichtig ein, niemals einem Präventivschlag das Wort reden und etwa vorschlagen, die gesamte preußische Politik dahin auszurichten, »die Entscheidung zwischen uns und Österreich unter möglichst günstigen Umständen herbeizuführen«. Aber er wolle seine »Überzeugung« nicht verhehlen, »daß wir in nicht zu langer Zeit für unsere *Existenz* gegen Österreich werden fechten müssen, und daß es nicht in unserer Macht liegt, dem vorzubeugen, weil der Gang der Dinge in Deutschland keinen anderen Ausweg hat«.

Als Kern des Ganzen ergab sich: Der Krieg ist unvermeidlich, es gibt keinen anderen Ausweg. Preußen muß um seine Existenz kämpfen, wobei in dem Wort »Existenz« all das mitschwang, was seit der Revolution im Lager der Hochkonservativen, in den Spalten der »Kreuzzeitung« damit im Hinblick auf Preußen innen- wie außenpolitisch an ordnungspolitischen Vorstellungen beschworen wurde. Es sei für Österreich nur noch »eine Frage der Zeit und der Opportunität«, schrieb er zwei Tage später an Leopold von Gerlach, »*wann* es den entscheidenden Versuch machen will, uns die Sehnen durchzuschneiden; *daß* es den Willen dazu hat, ist eine politische Naturnotwendigkeit«. Auch wenn Preußen, sprich die Kamarilla mit Gerlach an der Spitze, den Krieg »fromm vermeiden« wolle: »Österreich wird ihn führen, sobald ihm die Gelegenheit günstig ist.«

Damit stellte sich eine letzte, entscheidende Frage: Begünstigte eine solche antiösterreichische Politik, soviel für sie auch sprechen mochte, nicht letztlich doch die Revolution, indem es die Abwehrkräfte gegen sie zersplitterte? Die Revolution aber, das waren für Leopold von Gerlach und seinen Kreis, anders als etwa für Manteuffel, nicht nur die Liberalen und Demokraten, sondern auch Napoleon III. und mit ihm jene Macht, die, wie Bismarck selber betonte, inzwischen das neue Gravitationszentrum in Europa geworden war.

Zwar ging Bismarck noch nicht so weit, für ein Bündnis Preußens mit Frankreich zu plädieren, wenngleich er bereits früh in deftiger Anschaulichkeit zu bedenken gegeben hatte: »Sehr achtbare Leute, sogar mittelalterliche Fürsten, haben sich schon lieber durch eine Kloake gerettet, als daß sie sich prügeln oder abwürgen ließen.« Doch er sprach sich nachdrücklich für eine Politik der freien Hand und der allseitig guten Beziehungen von der Position des »gesuchten Bundesgenossen« her aus. Und nicht nur das. Sollte es, so erklärte er, »zur Verwirklichung einer russisch-französischen Allianz mit kriegerischen Zwecken«, also zu einem russisch-französischen Krieg gegen Österreich, kommen, »so können wir meiner Überzeugung nach nicht unter den Gegnern derselben sein, weil wir da wahrscheinlich unterliegen, vielleicht, pour les beaux yeux de l'Autriche et de la Diète, uns siegend verbluten würden«.

Was Bismarck hier, kaum verhüllt, ganz nüchtern ins Auge faßte, war die Absicht, Österreich, der Präsidialmacht des Deutschen Bundes, in dem Augenblick in den Rücken zu fallen, in dem Wien außenpolitisch in Schwierigkeiten geriet. Und Erfolg konnte Preußen mit einer solchen Politik nur haben, wenn es sich gleichzeitig sowohl mit Rußland als auch mit Frankreich ins Benehmen setzte.

In der Konsequenz liefen seine Vorschläge daher eben doch auf ein Zusammengehen mit Frankreich hinaus. Das aber hieß für Gerlach über die Ungeheuerlichkeit des mitteleuropäischen Bruderkrieges hinaus: Begünstigung der Revolution, eigenhändige Zerstörung der überlieferten Ordnung aus rein machtegoistischen Interessen. »Mein politisches Prinzip ist und bleibt der Kampf gegen die Revolution«, schrieb er Bismarck ein Jahr später, am 6. Mai 1857: »Sie werden Bonaparte nicht davon überzeugen, daß er nicht auf der Seite der Revolution steht. Er will auch nirgends anders stehen, denn er hat davon seine entschiedenen Vorteile ... Wenn aber mein Prinzip wie das des Gegensatzes gegen die Revolution ein richtiges ist, ... so muß man es auch in der Praxis stets festhalten.«

# Zwischen den Fronten

Zu diesem Zeitpunkt war die Auseinandersetzung über Ziele und Richtung der preußischen Außenpolitik, die sich zwischen Bismarck und seinen hochkonservativen politischen Freunden entwickelte, bereits weit ins Grundsätzliche vorgestoßen. Von Bismarcks abstrakter Schachspiellogik provoziert, hatte Leopold von Gerlach ihm die Gretchenfrage gestellt: Wie er es denn, bei aller Übereinstimmung in der inneren Politik, mit den konservativen Prinzipien in der Außenpolitik halte? Das war nicht ohne inquisitorischen Unterton gewesen. Bismarck sah sich zur Rechtfertigung aufgefordert, wenn er nach allen Belastungen der Vergangenheit nicht endgültig das Vertrauen von dieser Seite und so letztlich die politische Basis verlieren wollte: Friedrich Wilhelms IV. geistiger Zustand gab zu zunehmender Besorgnis Anlaß und ein Mann seines voraussichtlichen Nachfolgers, des Prinzen Wilhelm, war Bismarck schwerlich. Unter diesen Umständen mußten seine prinzipiellen Erläuterungen, deren grundlegende Bedeutung er mit dem Abdruck in seinen Lebenserinnerungen ausdrücklich hervorhob, mit innerer Logik zugleich diplomatische Dokumente sein, Versuche, seine Position so zu begründen, daß ihn nicht der Bannstrahl traf, ein prinzipienloser Opportunist zu sein.

Nichts wäre daher abwegiger, als den berühmten Briefwechsel zwischen Bismarck und Leopold von Gerlach vom Frühjahr und Sommer 1857, was Bismarck angeht, sozusagen als programmatische Bekenntnisschrift zu interpretieren und als Grundsatzdokumentation einer gleichsam im Prinzip prinzipienlosen Realpolitik hinzustellen.

Hier sei, so kann man immer wieder lesen, der Gegensatz zwischen Prinzipien- und Interessenpolitik endgültig und unheilbar aufgebrochen: Auf der einen Seite die von Gerlach repräsentierten Hochkonservativen, die forderten, daß der Kampf gegen die Revolution und für die überlieferte politische und soziale Ordnung übergreifendes Prinzip aller inneren und äußeren Politik bleiben müsse. Und auf der anderen Seite Bismarck, der es ablehnte, die Machtinteressen Preußens einem solchen in der Tendenz und in der ideellen wie historischen Begründung überstaatlichen und übernationalen Prinzip unterzuordnen.

Sieht man genauer hin, ohne sich von dem von Bismarck selber später genährten Vorurteil leiten zu lassen, hier würden Grundsätze einer völlig undogmatischen, ja, bis zur Grundsatzlosigkeit jeder Kombination offenen Außenpolitik entwickelt, so wird sehr deutlich, daß es sich gar nicht um einen Streit um Grundsätze, sondern um Einschätzungen und Methoden gehandelt hat. Ob sich *dahinter* tatsächlich etwas anderes verbarg, wird noch sorgfältig zu prüfen sein, da es hierbei um Grundfragen der Bewertung und Einordnung Bismarcks, seiner Politik und ihrer konkreten Ergebnisse geht. Zunächst aber zu den tatsächlichen Streitpunkten und dem Hintergrund des Konflikts.

In seinen Lebenserinnerungen hat Bismarck das Kapitel, in dem er diesen Konflikt anhand der wichtigsten Briefe ausführlich behandelte, lakonisch mit »Besuch in Paris« überschrieben. Dieser »Besuch« im August 1855, also noch vor der militärischen Entscheidung des Krim-Krieges, bildete in der Tat den entscheidenden Auftakt. Die Initiative für diese erste einer Reihe von Reisen nach »Babylon«, wie er sich Leopold von Gerlach gegenüber ironisch ausdrückte, ging ohne Zweifel von Bismarck selber aus; die Weltausstellung war nur der äußere Anlaß. Er gehörte zu den ersten Politikern, die sich nach dem sich herauskristallisierenden neuen Machtzentrum hin zu orientieren und mit Napoleon III. in persönlichen Kontakt zu gelangen suchten.

Über die Gespräche, die Bismarck hier und später mit dem französischen Kaiser führte, wissen wir verhältnismäßig wenig. Soviel ist jedoch sicher, daß auch Napoleon III. von der ganzen Logik der außenpolitischen Verhältnisse her an dem Kontakt mit dem preußischen Bundestagsgesandten stark interessiert war. Dieser wurde bei ihm als ein Mann eingeführt, der das Vertrauen des preußischen Königs und der konservativen Hofkreise, des »parti du Kreizzeitung«, genieße und gleichzeitig ein unabhängiger Kopf sei, in Frankfurt einen erbitterten Kampf gegen die österreichische Vorherrschaft in Mitteleuropa führe. Ebenso sicher ist wohl, daß Bismarck in Napoleon schon 1855 den möglichen Partner Preußens gegen Österreich sah. Ob ihn darüber hinaus auch der Mann persönlich anzog und beeindruckte, dessen ursprünglich eher phantastisch wirkende politische Ambitionen sich binnen weniger Jahre auf Kosten eines scheinbar allmächtigen liberalen Besitzbürgertums erfüllt hatten und der nun auch in Europa zu einer dominierenden Figur aufstieg, darüber läßt sich nur spekulieren. Das gleiche gilt für die Frage, ob er in ihm etwa gar das lebende Symbol für die Möglichkeiten einer bestimmten Politik und eines bestimmten politischen Systems gesehen hat.

Bismarck selber hat beides immer wieder entschieden bestritten. Er tat dies allerdings jeweils in Zusammenhängen, in denen damit der Vorwurf verbunden war, er plädiere aus Gründen der persönlichen Sympathie für eine Annäherung an Frankreich – so gegenüber Friedrich Wilhelm IV. im September 1855 und dann vor allem gegenüber Leopold von Gerlach. »Wie kann ein Mann von Ihrem Geist«, mit diesen Worten eröffnete Gerlach nach vielfältigen Vorgeplänkeln in den vorangegangenen Jahren Ende April 1857 die große Auseinandersetzung, »das Prinzip einem vereinzelten Manne, wie dieser L(ouis) N(apoleon) ist, opfern. Mir imponiert er auch und zwar besonders durch seine Moderation, die in einem *Parvenu* doppelte Anerkennung verdient, aber er ist und bleibt unser natürlicher Feind, und daß er das ist und bleiben muß, wird sich bald zeigen.« »Der Mann imponiert mir durchaus nicht«, entgegnete ihm Bismarck. Gerlach müsse ihn doch eigentlich kennen: »Die Fähigkeit, Menschen zu bewundern, ist in mir nur mäßig ausgebildet, und vielmehr ein Fehler meines Auges, daß es schärfer für Schwächen als für Vorzüge ist.« Was das von ihm angeblich »geopferte Prinzip« angehe, so verstehe er, offen gesagt, nicht, was Gerlach damit meine. Das 1814/15 wesentlich im Interesse Frankreichs formulierte Legitimitätsprinzip oder gar das Prinzip einer preußisch-französischen Erbfeindschaft?

Natürlich wußte Bismarck nur zu gut, worauf Gerlach hinauswollte. Aber indem er zunächst einmal sozusagen eine Ebene tiefer, bei mehr äußerlich-formalen Gesichtspunkten ansetzte, erhielt er die Möglichkeit, die eigene Position zu erläutern, ohne bei seinem Gegenüber die Reizschwelle zu überschreiten. Und nicht nur das. Indem er von dem formalen Prinzip der Legitimität und nicht von dem substantiellen der Revolution sprach, das Napoleon in Gerlachs Augen verkörperte, vermochte er zugleich, ohne sich in gefährlicher Weise zu exponieren, die Problematik eines Konservativismus aufzuzeigen, der sich nicht auf einen bestimmten Staat, sondern auf Europa insgesamt, auf seine Staatenwelt und auf seine Gesellschaft bezog.

Dürfe man, fragte er rhetorisch, im Ernst preußische Staatsinteressen einem Prinzip wie dem der Legitimität opfern? Welch ein Unterschied bestehe denn zwischen dem antipreußischen Verhalten eines so unbestreitbar legitimen Monarchen wie Ludwig XIV. und dem Napoleons I.? Offenbar sei doch das Entscheidende, wie Frankreich »auf die Lage meines Vaterlandes reagiert«. Das aber hänge von der jeweiligen Konstellation und Interessenlage und nicht davon ab, wie legitim die Herrschaft des französischen Staatsoberhaupts sei. Die Frage der Legitimität eines Herrschers sei ein innenpolitisches und kein außenpolitisches Problem. In der Außenpolitik zähle für ihn »Frankreich, ohne Rücksicht auf die jeweilige Person an seiner Spitze, nur als ein Stein, und zwar ein unvermeidlicher in dem Schachspiel der Politik, ein Spiel, in welchem ich nur *meinem* Könige und *meinem* Lande zu dienen Beruf habe«. Und dann, in einer kühnen Wendung den Vorwurf, er neige aus persönlicher Sympathie für Napoleon III. zu einem Zusammengehen mit Frankreich, gleichsetzend mit der Antipathie eines hochkonservativen Preußen gegen einen illegitimen Herrscher in Frankreich: »Sympathien und Antipathien in Betreff auswärtiger Mächte und Personen vermag ich vor meinem Pflichtgefühl im auswärtigen Dienst meines Landes nicht zu rechtfertigen, weder an mir noch an anderen; es ist darin der Embryo der Untreue gegen den Herrn oder das Land, dem man dient.«

Nicht er, der sich allein vom preußischen Staatsinteresse leiten lasse und nicht von irgendwelchen persönlichen Sympathien, opfere ein Prinzip, so hieß das im Klartext, sondern derjenige, der es mit Rücksicht auf eine ihm nicht genehme Person auf dem französischen Thron riskiere, daß das preußische Staatsinteresse und damit, wie immer in der Geschichte, die Stabilität seiner inneren Institutionen und Verhältnisse Schaden nehme.

Das war zwar sehr geschickt argumentiert und entsprach im übrigen auch ganz seiner Überzeugung. Aber es war ihm sehr wohl bewußt, auf wie glattem Boden er sich hier bewegte. Denn für die älteren Konservativen wie Gerlach stellte sich der Zusammenhang von Innen- und Außenpolitik eben sehr viel anders dar. Sie waren im Geist der Verträge von 1815 durchdrungen von der Notwendigkeit der Systemkonformität. Diese und nicht das auch für sie mehr äußerliche Prinzip der Ebenbürtigkeit des jeweiligen Monarchen beschwor hier der Grundsatz der Legitimität.

Ohne die Antwort Gerlachs abzuwarten, suchte Bismarck daher eine Woche später in einer Art Postskriptum den in diesen Kreisen naheliegenden, wohl auch gelegentlich schon geäußerten Verdacht zu zerstreuen, er sympathisiere in Wahrheit nicht nur mit der Persönlichkeit Napoleons III., sondern sei selber ein »Bonapartist«. Das meinte hier die Hinneigung zu einem System staatlicher Herrschaft, das sich formal auf die plebiszitäre Zustimmung der Massen und nicht auf die Zusammenarbeit mit ständischen Vertretungskörperschaften gründete. Seine Substanz sah man im Zusammenwirken zwischen den Vertretern des mobilen Kapitals, insbesondere der jungen Industrie, und der staatlichen Bürokratie, zwischen Besitzbürgertum und Staat, wobei sich die Träger der Staatsmacht durch Entgegenkommen gegenüber den materiellen Interessen des Bürgertums ihr Machtmonopol sicherten. Das Ganze lief damit zugleich auf eine »Revolution von oben« hinaus.

Im Sinne dieser Interpretation hatte Bismarck bereits Ende 1851 an Gerlach geschrieben: »Der Bonapartismus ist bei uns in Preußen, möchte ich behaupten, älter als Bonaparte, nur in milderer deutscher Form; die letztere hat er einigermaßen abgestreift, als er sich in Gestalt der aus dem Königlich Westfälischen Bulletin übersetzten Hardenbergischen Gesetzgebung in mehr französischer Form introduzierte; jetzt finde ich ihn bei uns vorzugsweise durch die liberalisierende Bürokratie körperlich dargestellt; daß ich ihn in dieser Form nicht anfeinde, werden Sie von mir nicht vermuten.« Wenn man ihn verdächtige, selber eine solche Politik anzuvisieren, so stecke darin nicht mehr als in den Versuchen der Vergangenheit, einen Zusammenhang zwischen außenpolitischer Stellungnahme und innenpolitischen Neigungen zu konstruieren: 1850 habe man ihn und seine politischen Freunde »die Wiener in Berlin« genannt; »später fand man, daß wir nach Juchten rochen und nannte uns Spree-Kosaken«. Seine Antwort sei damals wie heute: »Ich bin preußisch, und mein Ideal für auswärtige Politiker ist die Vorurteilsfreiheit, die Unabhängigkeit der Entschließungen von den Eindrücken der Abneigung oder der Vorliebe für fremde Staaten und deren Regenten.«

Was den Vorwurf, er sei ein heimlicher »Bonapartist«, anging, so beruhigte ihn Gerlach. Dazu glaube er seine innenpolitischen Grundsätze zu gut zu kennen. Aber »eben deswegen« sei es ihm, und damit kam er sofort wieder zum entscheidenden Punkt, »unerklärlich, wie Sie unsere äußere Politik ansehen«. Was er in seinem ausführlichen Schreiben und seiner letzten Denkschrift an Manteuffel vom 18. Mai dargelegt habe, sei in vielen Einzelheiten völlig richtig und beherzigenswert – »aber verzeihen Sie, es fehlt ihm Kopf und Schwanz, Prinzip und Ziel der Politik«. Napoleon sei nun einmal der Mann der Revolution. Er unterliege »den Konsequenzen seiner Stellung eines auf Volkssouveränität gegründeten Absolutismus«. Und da in einem Dreierbündnis zwischen Frankreich, Rußland und Preußen Preußen die schwächste Kraft sein würde, werde sich ein solches Bündnis notwendigerweise zugunsten der sogenannten französischen Interessen, also der »Herrschaft in Italien zunächst und dann in Deutschland«, auswirken. Das aber heiße nichts anderes als Sieg der Revolution mit preußischer Hilfe. Denn daß Frankreich eine solche Expansionspolitik betreiben werde, stehe für ihn außer Frage: »Der revolutionäre Absolutismus ist seinem Wesen nach erobernd, da er sich im Innern nur halten kann, wenn rundum alles so wie bei ihm ist.«

Bismarck hätte der weiteren Debatte nun fraglos mit dem Argument aus dem Weg gehen können, natürlich sei auch er nicht für eine solche Entwicklung. Was er vorschlage, sei nichts weiter als ein mögliches taktisches Zusammengehen, um Frankreich auf die Dauer um so wirksamer eindämmen zu können. Aber das wäre ein Ausweichen vor den Problemen gewesen. Es hätte bei Gerlach und seinem Kreis wahrscheinlich nur ein gesteigertes Mißtrauen provoziert. Außerdem sah Bismarck, und das ist wohl das eigentlich Entscheidende, gar keine prinzipielle Divergenz, sondern nur eine unterschiedliche Einschätzung Napoleons III. und seines Regimes.

Die »Verschiedenheit« ihrer Ansichten, so antwortete er Gerlach Ende Mai, stecke »im Blättertrieb und nicht in der Wurzel«. »Das Prinzip des Kampfes gegen die Revolution erkenne auch ich als das meinige an, aber«, so fuhr er fort, »ich halte es nicht für richtig, Louis Napoleon als den alleinigen, oder auch nur kat' exochen als den Repräsentanten der Revolution hinzustellen.« Gerlach verwechsle hier seiner Meinung nach Form und Inhalt, aber auch Ursprung und gegenwärtige Realität. Revolutionären Ursprungs sei vieles, und mit der Legitimität mancher Herrscherhäuser sei das so eine Sache. Entscheidend sei, ob ein Regime de facto die Bahnen der Revolution verlassen habe und nicht weiter in ihrem Namen missioniere. Schon Napoleon I. wäre die Revolution »recht gern aus seiner Vergangenheit los gewesen, nachdem er die Frucht davon gepflückt und in der Tasche hatte«. Gleiches gelte in noch weit stärkerem Maße für Napoleon III.

Beide seien Erben der Revolution, nicht deren Ursachen: »Louis Napoleon hat die revolutionären Zustände des Landes nicht geschaffen, die Herrschaft auch nicht in Auflehnung gegen eine *rechtmäßig* bestehende Autorität gewonnen, sondern sie als herrenloses Gut aus dem Strudel der Anarchie herausgefischt. Wenn er sie jetzt niederlegen wollte, so würde er Europa in Verlegenheit setzen, und man würde ihn ziemlich einstimmig bitten, zu bleiben.« Das, was man den Bonapartismus nenne, sei offenbar in einem nachrevolutionären Land wie Frankreich die einzige Alternative zu revolutionärer Massenherrschaft oder zur Anarchie. Es sei damit »wahrscheinlich die einzige Methode, nach der Frankreich auf lange Zeit hin regiert werden« könne. Mit Napoleon III. zusammenzugehen, heiße in Wahrheit die Revolution eindämmen – das war der Schluß, den man daraus ziehen mußte, auch wenn Bismarck ihn nicht offen aussprach. Ihre eigentlichen Grundlagen habe die absolutistische Politik der Bourbonen gelegt, eines unbestreitbar legitimen Herrscherhauses: »Der Bonapartismus ist eine Folge, aber nicht der Schöpfer der Revolution«, betonte er in einer an Manteuffel gerichteten Denkschrift drei Tage später noch einmal.

Zu einer Einigung mit Gerlach ist es nicht gekommen. Gerlach beharrte darauf, daß Bismarck das Phänomen des Bonapartismus insofern völlig falsch einschätze, als er übersehe, daß Napoleon III. wie schon sein Onkel nicht Herr, sondern Sklave der Konstellation sei, die ihn an die Macht getragen habe. Er sei der Willkür der für souverän erklärten Massen ausgeliefert. Von ihnen werde er vorangetrieben, und der Zwang, ihre wechselnden Wünsche zu befriedigen, bestimme allein die Richtung seiner Politik. Der Bonapartismus sei, so formulierte er seinen Standpunkt noch einmal ganz scharf, »nicht Absolutismus, nicht einmal Cäsarismus«. Der Absolutismus könne sich »auf ein Jus divinum gründen, wie in Rußland und im Orient«; »er affiziert daher nicht die, welche dieses Jus divinum nicht anerkennen, für die es nicht ist, es sei denn, daß es solchen Autokraten einfällt, sich wie Attila, Mahomet oder Timur für eine Geißel Gottes zu halten, was doch eine Ausnahme ist«. Und Cäsarismus sei »die Anmaßung eines Imperiums in einer rechtmäßigen Republik und rechtfertigt sich durch den Notstand«. Für einen Bonaparte jedoch sei, »er mag wollen oder nicht, die Revolution, das heißt die Volkssouveränität, innerlicher und bei jedem Konflikt oder Bedürfnis auch äußerlicher Rechtstitel«.

Unbeschadet dessen gestand Gerlach seinem Protégé jedoch noch einmal ausdrücklich zu, daß sie »in der Wurzel einig« seien. Ihre »ganze Differenz« liege »allein in der verschiedenen Ansicht des Wesens dieser Erscheinung«; von einem prinzipiellen politischen Meinungsunterschied könne keine Rede sein. Das war für Bismarck bei Lage der Dinge außerordentlich wichtig. Aber entsprach es, was ihn selber anging, der Wahrheit? War das Ganze nicht insofern bloße Spiegelfechterei, als es dem Frankfurter Gesandten in Wirklichkeit allein darum zu tun war, die außenpolitischen Kalkulationen aus dem Geflecht von Prinzipienstarrsinn und Missionseifer zu befreien, ohne seine eigene Position zu gefährden? Ging es ihm nicht bloß darum, alle sich bietenden Argumente zusammenzutragen, um zu beweisen, daß keine der anstehenden außenpolitischen Entscheidungen das Prinzip des »Kampfes gegen die Revolution« in Frage stelle oder auch nur verletze?

Das ist die bis heute gängige Interpretation. Sie wurde zunächst formuliert vom Standpunkt des nationalen Liberalismus und dann von Historikern, die bei aller Unterschiedlichkeit eines verband: daß sie die Grundposition jener einnahmen, die nach dem Urteil eines Gerlach im Lager der »Revolution« standen. Sie waren demgemäß geneigt, jedes Argument gegen eine als völlig anachronistisch empfundene Haltung wie diejenige Gerlachs als Ausdruck höchstens taktisch verschleierter prinzipieller Opposition aufzufassen. Dies zumal dann, wenn es aus der Feder eines Mannes stammte, dessen außenpolitische Praxis im weiteren immer wieder als Inkarnation rein machtpolitisch kalkulierender Realpolitik gefeiert wurde.

Eine solche Interpretation mußte sich allerdings stets einiger eher problematischer Hilfskonstruktionen und psychologisierender Erläuterungen bedienen. So arbeitet sie etwa weithin mit der Annahme eines Bruchs, zumindest einer grundlegenden Neuorientierung in der Bismarckschen Außenpolitik nach 1870/71. Auch erklärt sie das stets gespaltene, wenn nicht ablehnende Verhältnis zu England wesentlich aus dem Mißtrauen gegenüber wechselnden Parlamentsmehrheiten und führt die Beziehung zu Frankreich nach 1871 auf die Grundgegebenheit einer in Versailles endgültig zementierten und letztlich unüberbrückbaren Interessendivergenz zurück. Nimmt man jedoch Bismarcks Argumente und grundsätzliche Äußerungen in den entscheidenden Jahren 1856/57 ernst, so bedarf es solcher Hilfskonstruktionen kaum. Ja, es wird deutlich, daß das vielerörterte Problem des Verhältnisses von Innen- und Außenpolitik im Rahmen seiner Gesamtpolitik so ambivalent oder so kompliziert gar nicht ist, wie es oft dargestellt wurde.

Am Schluß seiner großen Denkschrift vom April 1856, des »Prachtberichts«, findet sich der in diesem Zusammenhang entscheidende Satz, den er dann in vielfältigen Abwandlungen bei den verschiedensten Gelegenheiten wiederholt hat. »Im Jahre 1851, besonders zu Anfang «, so heißt es da zur Frage der Notwendigkeit eines konservativen Interessenbündnisses zwischen Österreich und Preußen, »lagen die Gefahren eines Debordierens der Revolution aus Frankreich und Italien noch näher, und es war eine Solidarität der Monarchien gegen *diese* Gefahr vorhanden . . .; eine ähnliche Situation würde erst wieder da sein, wenn das französische Kaisertum gestürzt wäre. So lange es steht, handelt es sich nicht um Abwehr der Demokraten, sondern um Kabinettspolitik, bei der die Interessen Österreichs eben *nicht* mit den unsrigen zusammenfallen«.

Klarer konnte man es nicht ausdrücken: Solange die im eigenen Land bestehende politische und soziale Ordnung durch Vorgänge außerhalb der eigenen Grenzen, etwa durch ideologisch bestimmte außenpolitische Blockbildungen oder durch das Vordringen internationalistischer revolutionärer Bewegungen in großem Maßstab, nicht gefährdet zu sein schien, solange war eine Außenpolitik möglich, die sich allein an den konkreten politischen wie ökonomischen Machtinteressen des jeweiligen Staates orientierte, sie in wechselnden Konstellationen und Koalitionen, die Gunst der Stunde nutzend, durchzusetzen versuchte. Änderte sich diese Grundvoraussetzung, dann kamen ganz neue Elemente ins Spiel, denen entsprechend Rechnung zu tragen sein würde. Vor allem anderen also stand mit völliger Selbstverständlichkeit – und man kann sich fragen, wo das je in der Geschichte anders war – die Erhaltung jener Ordnung im Innern des eigenen Staates, die den eigenen Interessen, den eigenen Vorstellungen am meisten entsprach und die zugleich der eigenen politischen Machtstellung am dienlichsten erschien.

In diesem »zugleich« steckte freilich, was Bismarck anging, das zentrale Problem. In einer Zeit des Übergangs, des stürmischen wirtschaftlichen, sozialen und über kurz oder lang unvermeidlicherweise auch politischen Wandels waren seine persönlichen Machtinteressen, wenn er wie die Gerlachs konsequent bleiben wollte, an ein sinkendes Schiff geknüpft. Es ist eine ebenso alte wie zählebige Legende, daß er dieses Schiff, die politische und soziale Ordnung des alten Preußen, nicht nur längere Zeit vor dem endgültigen Untergang bewahrt, sondern es sogar in gewisser Weise wieder flottgemacht habe. Darauf beruhe sein historischer Erfolg.

In Wahrheit verhält es sich genau umgekehrt. Wer die Verhältnisse in Preußen um 1840 auch nur ganz oberflächlich mit denen um 1880 vergleicht und dabei in Rechnung stellt, daß die soziale Hierarchie in einer Gesellschaft sich ohne Zuhilfenahme von Fallbeil und Erschießungspeloton gemeinhin nur langsam ändert, dem wird sehr deutlich, daß der Prozeß der Veränderung hier vielleicht stürmischer verlaufen ist als in irgendeinem anderen Land der Erde, Japan etwa ausgenommen. Das bedeutet, auf Bismarck bezogen, daß er eben nicht konsequent geblieben ist und seine eigenen Machtinteressen ihn nun zunehmend forttrieben von den Vorstellungen und Interessen seiner bisherigen politischen Freunde und dann auch der sozialen Gruppe, der er angehörte.

Begonnen hatte er als ständischer Interessenvertreter, als Wortführer des landsässigen Adels gegen einen angeblich nivellierenden und die Gesellschaft von oben revolutionierenden Absolutismus. Sein heimliches Leitbild war gewesen, als Führer einer großen konservativ-aristokratischen Partei in einem in die Bahnen einer ständischen Verfassung zurückgezwungenen monarchischen Staat politische Karriere zu machen. Diese Konzeption besaß schon jetzt, wenige Jahre nach dem vollständigen Sieg über die Revolution und damit über die politische Konkurrenz von bürgerlich-liberaler und demokratischer, aber auch von liberal-aristokratischer Seite, kaum noch eine realistische Basis. Übrig geblieben war eine kleine, hochkonservative Kamarilla unverantwortlicher politischer Ratgeber um den in fast allen Fragen ständig hin- und herschwankenden, von Geisteskrankheit bedrohten Monarchen. Und übrig geblieben war eine mehr und mehr in Lethargie versinkende konservative Partei, die immer öfter von der nach wie vor ganz absolutistisch eingestellten Bürokratie überspielt wurde und zudem jeder einheitlichen Führung zunehmend entglitt. Andererseits war unübersehbar, daß der liberale Flügel der preußischen Aristokratie, der sich in der Wochenblattpartei organisierte, wieder stärkeren Auftrieb erhielt – nicht nur, weil er den voraussichtlichen Thronfolger für sich zu haben, sondern vor allem, weil er angesichts der allgemeinen Entwicklung die realistischere Alternative zu den bürgerlich-liberalen Kräften darzustellen schien, die erneut, obschon noch weitgehend unter der Oberfläche, nach vorne drängten.

Von all dem ist in den Bergen von Briefen, Denkschriften und sonstigen Aufzeichnungen Bismarcks aus jenen Jahren verhältnismäßig wenig die Rede; es dominiert hier ganz das Thema deutscher und europäischer Außenpolitik. Aber gerade darin spiegelt sich der entscheidende Vorgang. Gleichsam unter dem Mantel des Diplomaten, des reinen Außenpolitikers, der sich energisch dagegen wehrte, die Außenpolitik zu stark unter den speziellen Aspekten der Innenpolitik und deren Frontstellungen zu sehen, vollzog er den Übergang vom konservativen Parteipolitiker zu jenem besonderen Typus, wie ihn der Übergang vom monarchisch-bürokratischen Absolutismus zum parteipolitisch-parlamentarischen System nicht nur in Preußen hervorgebracht und begünstigt hat. Es war der Typus des zwischen beiden Systemen balancierenden, relativ selbständigen Kabinettsministers, der dann freilich bei dem Balanceakt das, was er an persönlicher Selbständigkeit gewann, schon bald an sachlicher Selbständigkeit immer mehr einzubüßen drohte.

Ob Bismarck selber je ein Bewußtsein davon gewonnen hat, daß die Zeit in diesem Sinne einen bestimmten Typus von Politiker begünstigte, ist eher fraglich. Wahrscheinlicher ist, daß ihn, sobald er endgültig den Rubikon vom Parteipolitiker im ständischen Sinne zu jenem neuen Typus des »Mannes zwischen den Fronten« überschritten hatte, die anschauliche Analogie mit dem außenpolitischen Interessen- und Erfolgskalkül bestach, wie er es betrieb und betrieben wissen wollte. Wie dem aber auch sei: Die Desillusionierung seiner politischen Erwartungen hinsichtlich der konservativen Partei, die Stellung zwischen den verschiedenen Positionen, in die ihn seine außenpolitischen Überlegungen geführt hatten, die Unsicherheit der monarchischen und ministeriellen Protektion und nicht zuletzt seine im Augenblick brachliegende parlamentarische und rhetorische Begabung – all das führte ihn in jener Zeit mit einer gewissen Logik dazu, seinen politischen Vorteil von einer Situation zu erwarten, in der ein Konflikt konkurrierender Mächte und Interessen aufgrund des Gleichgewichts der wechselseitigen Kräfte keine eindeutige Lösung zuließ und ein Ausgleich auf anderem Wege gefunden werden mußte.

Man hat diese Politik eines prekären Balanceaktes zwischen verschiedenen Mächten und Interessen, dessen einmal gegebene Bedingungen auch unter veränderten Umständen zu erhalten das Gesetz seines politischen Lebens wurde, in Anknüpfung an zeitgenössische Theorien bonapartistisch genannt. Doch eine solche Bezeichnung und die damit beschworene historische Analogie verdeckt, unter Hinweis auf einige äußere Ähnlichkeiten, gerade das Entscheidende. Es liegt nicht nur in der Tatsache, daß Bismarck im Unterschied zu den beiden Napoleon eben kein Autokrat war, vielmehr in weit mehr als formaler Abhängigkeit von einem Herrscher eigenen Rechts sich befand. Es liegt vor allem darin, daß seine ganze Macht dann darauf beruhte, daß zwischen den Herrschaftsansprüchen und Machtpositionen der Vertreter des historischen und denen des sogenannten revolutionären Rechts, zwischen alten und neuen Ordnungsmächten, ein prekäres Gleichgewicht bestand.

Das war im nachrevolutionären Frankreich ganz und gar nicht der Fall. Sowohl Napoleon als auch die Wortführer des parlamentarisch-liberalen Systems beriefen sich auf die Revolution, auf das demokratische Prinzip der Volkssouveränität. Beide fühlten sich durch die Zustimmung des Volkes zur Herrschaft legitimiert. Zwar manipulierten Napoleon I. wie Napoleon III. diese Zustimmung auf direktem Wege wie vor allem durch eine Politik des dosierten Entgegenkommens und der eher demagogischen als realen Zuge-ständnisse nach allen Richtungen. Aber das ändert nichts an der Tatsache, daß die plebiszitäre Zustimmung konstitutiv für ihre Herrschaft war.

Eben das jedoch war bei Bismarck zu keinem Zeitpunkt der Fall. Der Aufbau einer völlig eigenständigen Herrschaftsposition, etwa die Gründung einer ganz auf ihn als Führer eingeschworenen Partei, hätte, obwohl durchaus denkbar, nicht nur einen radikalen Bruch in seiner Politik bedeutet. Ein solches Vorgehen hätte in der Konsequenz mit aller Wahrscheinlichkeit zu einer revolutionären Konfrontation geführt. Denn in diesem Fall hätte Bismarck das vorhandene Gleichgewicht zerstören und dem Prinzip der Volkssouveränität, in welcher Form auch immer, gegenüber dem monarchi-schen Prinzip, dem »historischen Recht«, zum Sieg verhelfen müssen.

An so etwas aber hat Bismarck, überzeugter Royalist, der er war und blieb, bei aller Kombinationsfreudigkeit in keinem Augenblick seines Lebens gedacht. Was er, im Innern wie in den zwischenstaatlichen Beziehungen, anstrebte, war bis zu seinem Sturz eine Politik des Gleichgewichts zwischen den verschiedenen Mächten und Interessen. Hier wie dort mußte es ihm vorrangig darum zu tun sein, daß bei allem Wandel der Dinge die Verteilung der Gewichte annähernd gleich blieb – mit der Konsequenz, daß er, der parlamentarische Konfliktminister, wenig später mit eigener Hand Gegengewichte zu einer exzessiven Macht der Krone installiert hat und im weiteren mit den problematischsten Mitteln das wachsende Gewicht der gesellschaftlichen Kräfte zu neutralisieren suchte.

Ob ein solches prekäres Gleichgewicht sowohl innen- als auch außenpolitisch auf längere Zeit aufrechtzuerhalten sein würde, hat er selber bezweifelt. In beiden Bereichen hat er stets die Überwältigung durch revolutionäre, für ihn politisch nicht mehr domestizierbare Kräfte gefürchtet. Gegen sie suchte er Abwehrfronten zu errichten, die ihrerseits dann mit dem angestrebten Gleichgewichtssystem nur schwer in Einklang zu bringen waren. Daß hingegen seine Gleichgewichtspolitik selber je länger, je stärker ein Bollwerk gegen die Tendenzen der Zeit bildete und damit die Revolution förmlich herbeizuzwingen drohte, hat er stets als Interessentenargument abgewiesen. Eine solche Vorstellung beruhe auf einer völlig unbeweisbaren Fortschritts- und Entwicklungsidee, auf dem Gedanken, man könne Gott in die Karten blicken und den künftigen Lauf der Weltgeschichte vorhersehen; da kam seine ganze Geschichtsauffassung wieder ins Spiel. Und mit dem gleichen Argument parierte er den Vorwurf, der unbedingte Vorrang machtpolitischer Erwägungen blockiere jede konsequente, an eindeutigen Zielvorstellungen und Grundsätzen orientierte Politik. Auch dieser Vorwurf beruhe auf einer maßlosen Überschätzung der Macht des Menschen und einer geradezu blasphemischen Unterschätzung der Macht des Herrn der Geschichte. Politik sei die »Fähigkeit, in jedem wechselnden Moment der Situation das am wenigsten Schädliche oder das Zweckmäßigste« zu tun, erklärte er im Alter; wer mehr von ihr erwarte, ihr gar den Charakter einer »logischen« oder »exakten« »Wissenschaft« geben wolle, betrüge sich selbst und andere.

Aber wie immer er seine Position verteidigen und rechtfertigen mochte – sie selber war völlig eindeutig. Und man kann davon ausgehen, daß sie sich in dieser Form bereits in der Endphase des Krim-Krieges beziehungsweise, von der Innenpolitik her gesehen, im Vorfeld eines grundlegenden innenpolitischen Kurswechsels in Preußen entwickelt hat.

In beiden Bereichen, dem der Innen- wie dem der Außenpolitik , drängte sich damals für jeden, der in irgend einer Form mit der Politik Preußens befaßt war, der Versuch einer grundlegenden Bilanz und Neuorientierung förmlich auf. Bismarck hat ihn in dem Bewußtsein des nun Vierzigjährigen unternommen, daß er sich auch persönlich darüber klar werden müsse, in welche Richtung sein weiteres Leben verlaufen sollte: »Man bildet sich immer noch ein, am Anfang des Lebens zu sein und das eigentliche noch vor sich zu haben«, in Wirklichkeit aber ist man schon »über den Berg und geht nur noch talwärts bis zum Schönhauser Gewölbe«, notierte er am Vorabend seines vierzigsten Geburtstags.

Sollte er sich darauf einstellen, als Diplomat wechselnden, sich möglicherweise auch in ihrer Grundrichtung ändernden Regierungen zu dienen? Sollte er seine Kandidatur für das Außenministerium, von der seit Jahren die Rede war, nun intensiver betreiben? Sollte er in die parlamentarische Tätigkeit zurückkehren oder sogar, auch das lag nicht ganz fern, resignierend auf jede weitere politische Laufbahn verzichten? All das schwang in Bismarcks immer stärker ins Grundsätzliche vorstoßenden Überlegungen mit, mochten sie sich auch hauptsächlich auf den Bereich der Außenpolitik und die hier anstehenden Entscheidungen konzentrieren. Und wenn es dessen überhaupt noch bedurfte, so wurde an den Ergebnissen, zu denen seine Überlegungen führten, und an den Widerständen, die sich gegen sie erhoben, überdeutlich, daß die Voraussetzung seines ganzen politischen Planens weitgehende persönliche Handlungs- und Entscheidungsfreiheit war. Der Grundakkord war nach wie vor, nun freilich nicht mehr bloß emotional wie mit dreiundzwanzig Jahren, sondern mittlerweile auch sachlich fundiert: »Ich will aber Musik machen, wie ich sie für gut erkenne, oder gar keine.« Spätestens zu diesem Zeitpunkt stand für ihn fest, daß jedes Amt unter dem des leitenden Ministers in Preußen für ihn nur eine Stufe auf dem Weg zu diesem Ziel sein könne.

Ebenso fest schien freilich für jeden außer ihm selbst zu stehen, daß diese Ambitionen nicht mehr waren als realitätsferne Zukunftsträumereien eines Mannes, der in Wahrheit wohl gar keine Zukunft mehr hatte. Mochte er auch bereits ein Konzept für die Führung des Amtes haben, das er anstrebte, und auch dafür, sich in ihm auf Dauer zu erhalten – die Aussichten, je dahin zu gelangen, waren in den Monaten, in denen seine Auseinandersetzung mit Gerlach über das Verhältnis von Prinzip und Interesse in der Politik ihren Höhepunkt erreichte, trüber denn je. Und sie blieben es von nun an über Jahre.

Ende Oktober 1857 hatte Prinz Wilhelm die Stellvertretung seines Bruders übernommen, der, seit längerem von geistiger Umnachtung bedroht, inzwischen noch einen Schlaganfall erlitten hatte. Damit kündigte sich definitiv das Ende der Kamarilla und des Einflusses all jener Kräfte an, denen Bismarck seine ganze bisherige politische Laufbahn und die Möglichkeit verdankte, über den ihm durch sein Amt gezogenen Kreis hinaus zu wirken. Bismarck hat sofort versucht, sich auf die neue Situation einzustellen und, anknüpfend an frühere Begegnungen, mit dem Prinzen in nähere Beziehung zu kommen. Aber das brachte ihm nicht mehr ein als das Mißtrauen seiner alten politischen Freunde, das bei einigen weniger Wohlmeinenden wie Edwin von Manteuffel, dem Flügeladjutanten und Chef des Militärkabinetts Friedrich Wilhelms IV., bereits mit Verachtung durchsetzt war. Es hat nicht verhindert, daß er, kaum daß die nun maßgebenden Kreise mit der Übernahme der Regentschaft durch den Prinzen im Herbst 1858 politisch aktionsfähig geworden waren, von Frankfurt abberufen und nach Petersburg versetzt wurde.

Das war formal, in der traditionellen Hierarchie der Botschafterposten, eine Beförderung. In der Sache aber war es eindeutig eine Kaltstellung, ein

»ehrenvolles Exil«, wie er selber es nannte. Denn in der neuen Politik, die nun eingeleitet werden sollte, war Petersburg keine entscheidende Rolle zuge-dacht. Vielmehr vertraute man darauf, daß der russische Ehrgeiz, nach der Niederlage im Krim-Krieg, sich anderen Zielen, etwa in Asien, zuwenden und daß im übrigen die Innenpolitik die Aufmerksamkeit der zaristischen Regie-rung mehr als bisher absorbieren werde.

Die neue Politik Berlins beruhte im wesentlichen auf dem Programm der Wochenblattpartei, das von Bismarck und seinen politischen Freunden so leidenschaftlich bekämpft worden war; noch in seinen Erinnerungen nannte er die Partei verächtlich eine »Coterie« und sprach von dem »windigen Bau der damaligen westmächtlichen Hofnebenpolitik«. Die Einheit dieser soge-nannten Partei war, wie Bismarck nur zu gut wußte, höchst locker. Das Band, das ihre Vertreter untereinander und vor allem mit dem nunmehrigen Prinzregenten verknüpfte, bestand in erster Linie in gemeinsamen außenpoli-tischen Überzeugungen; Moritz August von Bethmann Hollweg, der langjäh-rige enge Vertraute des Prinzregenten und Führer der Wochenblattpartei, wurde bezeichnenderweise nicht etwa Innen-, sondern bloß Kultusminister.

Im Zentrum also stand das Ziel einer selbständigen deutschen Politik Preußens. Sie sollte die »Schmach von Olmütz« tilgen und eine Lösung der deutschen Frage im preußischen Sinne herbeiführen. Zu diesem Zweck erstrebte man ein engeres Zusammengehen mit den Westmächten, insbeson-dere mit England. Gleichzeitig suchte man den rechten, kleindeutsch-national gesinnten Flügel des deutschen Liberalismus, der sich in Gotha zu weitgehen-den Konzessionen bereitgefunden hatte, für sich zu gewinnen.

Das war der Kern. Und selbst hier hatte der Prinzregent Bedenken, ob man damit nicht zu weit gehe und den bürgerlich-liberalen Kräften, wenn auch im Interesse der Macht Preußens und seiner Krone, zu weit entgegenkomme. Diese Bedenken suchten seine Berater mit dem Argument zu zerstreuen, daß ja eben die preußische Macht, die er sich als alter Soldat vor allem als Militärmacht vorstellte, durch eine solche Politik gewaltig gestärkt werden würde. Die preußische Monarchie werde auf diese Weise das Heft noch eindeutiger als bisher in die Hand bekommen.

Hinter einem solchen Argument verbargen sich allerdings, je nach der Person des Betreffenden, sehr unterschiedliche Positionen. Hier war es Ausdruck innerer Überzeugung, dort ein bloßes Mittel, um den Prinzregenten zu beruhigen und nicht kopfscheu werden zu lassen. Gab es doch in der Wochenblattpartei eine nicht kleine Gruppe, die in Wirklichkeit sehr viel mehr wollte als eine verbesserte Neuauflage der Unionspolitik. Mit ihr sympathisierte auch die Frau des Prinzregenten, die Prinzessin Augusta, die die Verhältnisse in Preußen aus der Perspektive ihres Vaterhauses, des weltoffenen und liberalen Sachsen-Weimar, zeitlebens mit großer Skepsis betrachtete.

Was diese Gruppe erstrebte, war die schrittweise Liberalisierung Preußens, war eine wirkliche und nicht nur taktische Allianz mit den führenden Kräften des liberalen Bürgertums im Sinne der Bildung einer neuen, breiteren Elite, war die angemessene Übertragung des englischen Vorbilds auf ein vereinigtes Kleindeutschland. In diesem Sinne beschwor man hier die Tradition des Freiherrn vom Stein und der an England orientierten preußischen Reformer. Zugleich verwies man aber bereits auf die immer deutlicher ins Bewußtsein tretende Tatsache, daß die stürmisch voranschreitende Industrialisierung insbesondere in Schlesien und im Ruhrgebiet mit all den wirtschaftlichen und sozialen Veränderungen in ihrem Gefolge Verhältnisse schuf, wie sie in dieser Form außer in Belgien bisher nur in England vorhanden waren. Nur wenn man daher politisch dem englischen Beispiel folge, so der Schluß, werde man die Revolution und den Umsturz aller Ordnung vermeiden können.

Exponenten dieser Gruppe waren vor allem Bethmann Hollweg selber, der neue Außenminister Graf Schleinitz, sowie der zum Minister ohne Geschäftsbereich ernannte bisherige ostpreußische Oberpräsident Rudolf von Auerswald, einer der Führer der liberalen Aristokratie von 1848 und Sohn eines der engsten Mitarbeiter von Stein und Hardenberg nach 1806. Ihre Mitglieder rückten nun auch sonst, von Bismarck mit höchst zwiespältigen Gefühlen beobachtet, in zentrale Stellungen ein: Pourtalès, der Schwiegersohn Bethmanns, wurde im Januar 1859 Gesandter in Paris, von der Goltz in Konstantinopel, Usedom als Nachfolger Bismarcks Bundestagsgesandter, der langjährige Chefredakteur des »Wochenblatts«, Justus von Gruner, Unterstaatssekretär im Außenministerium.

Dieser Flügel der Wochenblattpartei hat die Erwartungen außerordentlich gefördert, die sich mit dem Amtsantritt des Prinzregenten im Oktober 1858 und mit der Berufung eines neuen Kabinetts Anfang November in der deutschen Öffentlichkeit und vor allem im bürgerlich-liberalen Lager verknüpften. Die sorgfältig vorbereitete Ansprache, die der Prinzregent zur öffentlichen Bekanntmachung des Regierungsprogramms am 8. November 1858 an das neue Ministerium richtete, wurde als Ankündigung und Auftakt einer »Neuen Ära« in der preußischen und deutschen Politik verstanden – mit dem Ergebnis, daß die kurz darauf stattfindenden Wahlen zum preußischen Abgeordnetenhaus zu einer völligen Umkehrung der bisherigen Mehrheitsverhältnisse führten. Die verschiedenen Fraktionen der Konservativen wurden auf etwa ein Viertel ihres bisherigen Besitzstandes, von einhundertundeinundachtzig Mandaten auf siebenundvierzig Sitze, reduziert. Demgegenüber vermochten die von Georg von Vincke geführten Liberalen die Zahl ihrer Mandate mehr als zu verdreifachen, von achtundvierzig auf einhunderteinundfünfzig Sitze; sie verfügten zusammen mit den Liberal-Konservativen vom linken Flügel der Wochenblattpartei mit fast zweihundert Sitzen nun über eine klare absolute Mehrheit.

Besonders die Schlußsätze des Novemberprogramms schienen allen denen recht zu geben, die so lange und allen Enttäuschungen zum Trotz daran festgehalten hatten, daß das Preußen des aufgeklärten Absolutismus, das Preußen der Reformzeit eines Tages an die Spitze des deutschen Liberalismus treten und seine verfassungs- und nationalpolitischen, seine wirtschaftlichen und sozialen Ziele durchsetzen werde.»In Deutschland muß Preußen moralische Eroberungen machen«, so hatte der Prinzregent erklärt,»durch eine weise Gesetzgebung bei sich, durch Hebung aller sittlichen Elemente und durch Ergreifung von Einigungselementen, wie der Zollverband es ist, der indes einer Reform wird unterworfen werden müssen. – Die Welt muß wissen, daß Preußen überall das Recht zu schützen bereit ist. Ein festes, konsequentes und, wenn es sein muß, energisches Verhalten in der Politik, gepaart mit Klugheit und Besonnenheit, muß Preußen das politische Ansehen und die Machtstellung verschaffen, die es durch seine materielle Macht allein nicht zu erreichen imstande ist.«

Über all dem wurden jene Passagen weitgehend übersehen, die die eigentlichen Anschauungen Wilhelms widerspiegelten und insbesondere auch dem Satz, daß Preußen überall als rechtswahrende Macht auftreten müsse, seinen durch und durch konservativen Charakter gaben.»Vor allem warne ich vor der stereotypen Phrase«, so der Prinzregent,»daß die Regierung sich fort und fort treiben lassen müsse, liberale Ideen zu entwicklen, weil sie sich sonst von selbst Bahn brächen... Wenn in allen Regierungshandlungen sich Wahrheit, Gesetzlichkeit und Konsequenz ausspricht, so ist ein Gouvernement stark, weil es ein reines Gewissen hat, und mit diesem hat man ein Recht, allem Bösen kräftig zu widerstehen.«

Im Unterschied zu einer erwartungsvoll und optimistisch gestimmten Öffentlichkeit, die das Ausmaß des Kurswechsels weit überschätzte, hat Bismarck diese Einschränkungen sehr genau registriert.»Das neue Ministerium scheint die besten Absichten zum Widerstande gegen das Drängen nach links zu haben«, schrieb er am 16. November an seinen Bruder Bernhard, der, »Bismarck ins Harmlose des märkischen Rittergutsbesitzers übersetzt«, wie der spätere Reichskanzler Hohenlohe ihn einmal genannt hat, nach wie vor die ererbten Güter bewirtschaftete. Bismarck fügte allerdings unter dem Eindruck der Reaktion der Öffentlichkeit gleich hinzu:»Wieweit es darin bei den obwaltenden Umständen glücklich sein wird, muß der Erfolg lehren.«

Zu dem bei seiner politischen Grundeinstellung und bei seinem Naturell überraschend zurückhaltenden und abwägenden Urteil dürfte erheblich beigetragen haben, daß der sehr kurze außenpolitische Teil der Regierungserklärung geradezu aus seiner Feder hätte stammen können.»Preußen muß mit allen Großmächten«, so hieß es darin,»im freundschaftlichsten Vernehmen stehen, ohne sich fremden Einflüssen hinzugeben und ohne sich die Hände frühzeitig durch Traktate zu binden.« Kombinierte man das mit dem, was, zweifellos aus innerster Überzeugung des Prinzregenten, über die Notwendigkeit der militärischen Stärke Preußens gesagt war, dann war damit eine Politik angedeutet, der Bismarck durchaus zu dienen bereit war. »Wenn die Herren die Fühlung der konservativen Partei behalten«, ließ er bereits am 12. November verlauten, »sich aufrichtig um Verständigung im *Innern* bemühen, so können sie in unseren *auswärtigen* Verhältnissen einen unzweifelhaften Vorzug vor Manteuffel haben, und das ist mir viel wert; denn wir ›waren heruntergekommen und wußten selber nicht wie.‹ Das fühlte ich hier am empfindlichsten.« Er gehe, fuhr er fort, davon aus, daß der innenpolitische Kurswechsel sich in Grenzen halten werde, und sehe vor allem auch in der Ernennung des Fürsten von Hohenzollern die Absicht, »eine Garantie gegen reine Partei-Regierung und gegen Rutschen nach links zu haben«. »Irre ich mich . . ., so werde ich mich unter die Kanonen von Schönhausen zurückziehen und zusehen, wie man in Preußen auf linke Majoritäten gestützt regiert.«

Beim bloßen Zusehen wollte er es dann allerdings doch nicht bewenden lassen. Vielmehr tauchte in dieser Umbruchsituation, von der er ahnte, daß sie über die politische Zukunft Preußens so oder so entscheiden werde, noch einmal kurz und keineswegs ohne verführerische Kraft die Überlegung auf, ob er, wenn es hart auf hart kommen sollte, die staatliche Laufbahn nicht wieder mit der parlamentarischen und parteipolitischen vertauschen sollte: »Die Aussicht auf frischen, ehrlichen Kampf, ohne durch irgend eine amtliche Fessel geniert zu sein, gewissermaßen in politischen Schwimmhosen«, habe für ihn »fast ebenso viel Reiz . . . als die Aussicht auf ein fortgesetztes Regime von Trüffeln, Depeschen und Großkreuzen«. Er werde sich hoffentlich »um zehn Jahre verjüngt fühlen, wenn ich mich wieder in derselben Gefechtsposition befinde wie 48/49«.

Letzten Endes aber war das, wie er wohl selber wußte, eine Art Eskapismus. Denn es war ihm nach den Erfahrungen der jüngsten Vergangenheit sehr klar geworden, daß in einem monarchisch-bürokratischen Staat wie Preußen, in dem die Krone auf ihrem Führungsanspruch beharrte, eine ständisch-parlamentarische Opposition von rechts unter regulären Bedingungen nicht die geringsten Erfolgsaussichten besaß. Sie hätte sich gegen den Monarchen stellen müssen, ohne wie die Linke das alternative Prinzip der Volkssouveränität und somit die Souveränität der jeweiligen Parlamentsmehrheit zu bejahen.

Monarchisches Prinzip oder Volkssouveränität – das war in verfassungsrechtlicher Abstraktion die große Alternative, hinter der sich die verschiedenen politischen und gesellschaftlichen Kräfte und Interessen formierten. Die Neoabsolutisten vom Schlage Manteuffels identifizierten diese Alternative gern mit dem Gegensatz von Staat und Gesellschaft. Sie traten dementsprechend im Namen des monarchischen Prinzips für einen Staat über den Parteien und gesellschaftlichen Kräften ein. Davon war Bismarck nach seiner Herkunft, seinen politischen Überzeugungen und seiner bisherigen Laufbahn weit entfernt. Ihm war im Gegenteil realistisch bewußt, daß der moderne bürokratische Anstaltsstaat auf sehr unterschiedlichen Grundlagen aufruhen konnte. Die Aktionsfähigkeit seiner jeweiligen Lenker mochte sogar, so ahnte er, um so größer sein, je weniger sie sich einseitig an ein bestimmtes Prinzip und die es tragenden Kräfte und Interessen banden.

Aber gerade deswegen war ihm auch ganz klar, daß in einer Situation wie der gegenwärtigen, in der der Herrschaftsanspruch der Krone entscheidend bedroht war, nur diejenigen Aussicht hatten, in die zentralen Machtpositionen vorzudringen, die bereit waren, diesen Herrschaftsanspruch im Prinzip bedingungslos sowohl gegen rechts als auch gegen links zu verteidigen, ihn also praktisch mit dem Staat schlechthin zu identifizieren. Mit anderen Worten: Er wußte, daß, historisch und praktisch gesehen, die neoabsolutistische Doktrin eine bloße Konstruktion, modern gesprochen eine Ideologie war. Er wußte aber ebensogut, daß der Weg ins Zentrum der Macht derzeit nur über ihre praktische Anerkennung, über den monarchischen Staatsdienst führte. Daher war er, so tief ihn die Abberufung aus Frankfurt traf, entschlossen, im Staatsdienst zu bleiben und das für ihn »schlechte Wetter« »im Bärenpelz bei Kaviar und Elennsjagd« abzuwarten.

Dreieinhalb Jahre mußte er noch warten. Anfang März 1859 hatte er seinen Frankfurter Posten an den Grafen Usedom abgeben müssen, den er und seine in Frankfurt ganz heimisch gewordene Frau von da an als intriganten Stellenjäger mit glühender Abneigung verfolgten. Bismarck hasse »seine Feinde bis ins dritte und vierte Glied, aber seine Frau bis ins tausendste«, hat Gerson Bleichröder, der Berliner Bankier, einmal treffend bemerkt, der von nun an, von Meyer Carl von Rothschild empfohlen, für viele Jahrzehnte Bismarcks privater Vermögensberater und -verwalter wurde. Nach einer höchst beschwerlichen sechstägigen Fahrt, teils mit der Postkutsche, teils mit der Eisenbahn, war er Ende des Monats in Petersburg eingetroffen und hatte zunächst wieder einmal im Hotel, im Hotel Demidow am Newskij Prospekt, Quartier genommen. Erst Mitte Juli fand er am Englischen Kai, direkt an der großen Newa-Brücke nach Wassilij Ostrow, ein sehr schönes Haus und konnte die Familie nachkommen lassen.

Die Reise nach Petersburg hatte ihn auch räumlich die Distanz ermessen lassen, die ihn jetzt von den Zentren der Entscheidung trennte. »Rußland hat sich unter unsern Rädern gedehnt, die Werste bekamen Junge auf jeder Station«, berichtete er nach Hause. Seine Ankunft stand im Zeichen letzter, freilich ganz vordergründiger russischer und englischer Bemühungen, den sich ankündigenden militärischen Konflikt über die Zukunft Italiens zwischen Frankreich und Sardinien-Piemont auf der einen, Österreich auf der anderen Seite zu verhindern. Wie weit sich Rußland durch den Geheimvertrag mit Frankreich vom 3. März 1859 bereits festgelegt hatte, konnte Bismarck natürlich nicht wissen. Aber schon in den ersten Gesprächen mit dem russischen Außenminister, dem Fürsten Gortschakow, und dann auch mit dem Zaren selber, der ihn schon bald vor aller Augen favorisierte, wurde ihm völlig klar, daß die Konstellation, die er im sogenannten Prachtbericht vom April 1856 prognostiziert hatte, inzwischen Realität geworden war: Rußland stand eindeutig auf der Seite Frankreichs.

Um so mehr mußte es Bismarck verbittern, daß er gerade in diesem Augenblick, wo in der russischen Hauptstadt die Entscheidungen längst gefallen waren, nach Petersburg verbannt worden war, während in Frankfurt und Berlin praktisch noch alle Wege offen standen einschließlich desjenigen, den er 1856 vorgeschlagen hatte. Obwohl ihm klar war, daß man in Berlin sicher nicht auf seine Ratschläge wartete, konnte er einfach nicht anders, als sich in einer Situation vernehmlich zu Wort zu melden, die seiner Meinung nach »wieder einmal das große Los für uns im Topf« hatte, wie er am 5. Mai an Gustav von Alvensleben, den Generaladjutanten und persönlichen Freund des Prinzregenten, schrieb. Den neuen Außenminister von Schleinitz und den Prinzregenten selber überhäufte er in der Zeit zwischen seinem Eintreffen in Petersburg und dem überraschend schnellen Friedensschluß Anfang Juli 1859 mit »Berichten« und Privatschreiben. Ihr Tenor war in vielfältigen Wendungen und Ausblicken immer der gleiche: Dies ist der Augenblick, wenn nicht die deutsche Frage zu lösen, so doch das Verhältnis zwischen den beiden deutschen Großmächten auf eine bessere und tragfähigere Grundlage zu stellen.

Alle seine Frankfurter Erfahrungen führte er dabei ins Feld, aber auch das, was er an Grundeinsichten über die Interessenlage der einzelnen Mächte gewonnen hatte. Auch der Appell an die speziellen Vorurteile und Vorlieben fehlte nicht, die er bei seinem jeweiligen Adressaten voraussetzte; so wenn er dem Prinzregenten gegenüber die militärischen Fragen und die Notwendigkeit betonte, durch Offenheit und Klarheit auch bei seinem Gegner Vertrauen zu wecken, oder wenn er zu Schleinitz rühmend von dessen Nüchternheit gegenüber »Parteileidenschaften« in der gegenwärtigen Situation sprach und seine staatsmännische Haltung hervorhob.

So reizvoll es ist, dies im einzelnen zu verfolgen und zu beobachten, wie er aus dem in seinen Grundzügen seit langem feststehenden Gesamtkonzept die von ihm vorgeschlagenen einzelnen Schachzüge ableitete und wie flexibel er sich dabei der sich jeweils ändernden Situation anpaßte – es war der Monolog eines Außenseiters, der zu keinem Zeitpunkt wirklich in den Gang der Entscheidungen eingegriffen hat; er selber sprach einmal ebenso nüchtern wie drastisch von dem »Bedürfnis des Gedankenstuhlgangs«. Wie schon die fast hundert Seiten umfassende Denkschrift über den Deutschen Bund und Preußens Stellung in ihm, die er, die Erfahrungen und Argumente einer fast siebenjährigen Tätigkeit in Frankfurt zusammenfassend, dem jetzigen Prinzregenten Ende März 1858 vorgelegt hatte, so dürfte dieser auch seine Petersburger Berichte vom Frühjahr und Sommer 1859 bestenfalls überflogen haben. Und was Schleinitz anging, so konnte Bismarck von diesem Vertrauensmann der Prinzessin Augusta, die ihn als Exponenten reaktionärer Junkerpolitik entschieden ablehnte, kaum ernsthaft glauben, daß er sich ausgerechnet seine Vorschläge zu eigen machen würde; er sei ein bloßer »Haremsminister« gewesen, der »Mignon der Prinzessin«, der »seine Karriere nur Unterröcken zu verdanken« gehabt habe, hat er denn später auch über den nachmaligen Minister des königlichen Hauses verächtlich geurteilt.

Eine Funktion freilich hatte die Flut von Denkschriften und Briefen, mit der der »Pascha«, wie einer seiner Petersburger Untergebenen, der Legationssekretär Kurd von Schlözer, den umtriebigen und ständig gereizten neuen Mann spöttisch nannte, die Berliner Zentrale überschüttete. Hier bot jemand fortlaufend Alternativen zu der von Berlin dann tatsächlich verfolgten Politik an. Wenn diese Politik schließlich doch nicht zu den erwünschten Zielen führen sollte, so lag es nahe, daß man sich ihrer wieder erinnerte und sie durch eine andere Brille zu sehen geneigt war. Dies zumal, wenn ihr Autor nicht von einer grundsätzlich anderen Position ausging, wie das bei den entschieden proösterreichischen Hochkonservativen in Preußen der Fall war, sondern deren Haltung im Gegenteil »vollendete(n) Blödsinn« nannte, der »nicht einmal mehr für den Arzt ein Interesse« habe. »In vielen Berliner Köpfen« sei die Hoffnung offenbar »unzerstörbar«, höhnte er in einem Brief an Otto von Wentzel, einen engen Mitarbeiter der Frankfurter Zeit, »daß Österreich Arm in Arm mit einem starken Preußen den Teufel aus der Hölle jagen werde, um ihn als Konvertiten in der Staatskanzlei anzustellen«.

Die Bedeutung der taktischen Funktion der Bismarckschen Initiativen wird man um so höher einschätzen müssen, als seine ersten Reaktionen auf das Novemberprogramm des Prinzregenten ja sehr deutlich machten, daß man seiner Meinung nach auf diesem Weg außen- wie innenpolitisch vorankommen könne, solange die Regierung das Steuer nur fest in der Hand behalte und sich von der Kammer und der öffentlichen Meinung nicht nach links drängen lasse. Und wenn stimmt, was der ehemalige Demokratenführer Hans Viktor von Unruh über ein Gespräch mit Bismarck Mitte März 1859 in seinen Lebenserinnerungen berichtet, dann hatte er zu diesem Zeitpunkt auch schon ein klares Konzept, wie man den Kurs in diesem Sinne halten und der ins Auge gefaßten Außenpolitik zusätzlichen Wind in die Segel treiben könne.

Bismarck, so Unruh, habe ihm bei seiner Durchreise auf dem Weg nach Petersburg erklärt, Preußens Ziel müsse es sein, »Österreich aus dem eigentlichen Deutschland zu entfernen«. Von den deutschen Mittel- und Kleinstaaten könne es bei der Verfolgung dieses Ziels keinerlei Unterstützung erwarten. Das sei auch »ganz natürlich, weil die Einzelstaaten sehr wohl wüßten, daß Österreich sie nicht aufsaugen könne, während sie Preußen

gegenüber für ihre Existenz fürchteten«. In Mitteleuropa selber stehe
Preußen mit einer solchen Politik völlig isoliert da. Es gebe hier nur einen
denkbaren Alliierten für Preußen,»wenn es denselben zu erwerben und zu
behandeln verstände«: »das deutsche Volk«. Und auf Unruhs Verblüffung:
»Nun, was denken Sie denn . . ., ich bin derselbe Junker wie vor zehn Jahren,
als wir uns in der [preußischen] Kammer kennenlernten, aber ich müßte kein
Auge und keinen Verstand im Kopfe haben, wenn ich die wirkliche Lage der
Verhältnisse nicht klar erkennen könnte.«

»Es gibt nichts Deutscheres als gerade die Entwicklung richtig verstandener
preußischer Partikularinteressen«, hatte er mit anderer Zielrichtung und
anderer Akzentsetzung ein Jahr vorher in der großen Denkschrift für den
Prinzen von Preußen formuliert. Und zweieinhalb Jahre später hieß es in
einem Brief an Rudolf von Auerswald, einen der führenden Männer der
»Neuen Ära«, nochmals ausdrücklich: »Auf die Dauer haben wir nur eine
zuverlässige Stütze (wenn wir sie nicht absichtlich verwerfen), das ist die
nationale Kraft des deutschen Volkes, solange es in der preußischen Armee
seinen Vorkämpfer und die Hoffnung seiner Zukunft erblickt, und solange es
nicht erlebt, daß wir Gefälligkeitskriege für andere Dynastien als die Hohenzollernsche führen.«

Über jene »wirkliche Lage der Verhältnisse«, von der Unruh gegenüber die
Rede war, hat Bismarck sich zwei Jahre später in einem Brief an den mit ihm
seit langem befreundeten jetzigen Kriegsminister Albrecht von Roon sehr viel
offener ausgesprochen. Seiner Meinung nach, so schrieb er ihm am 2. Juli
1861, »lag der Hauptmangel unserer bisherigen Politik darin, daß wir liberal in
Preußen und konservativ im Auslande auftraten, die Rechte unseres Königs
wohlfeil, die fremder Fürsten zu hoch hielten«. Die Politik, die ihm vorschwebe, sei das genaue Gegenteil davon: »Nur durch eine Schwenkung in
unserer ›auswärtigen‹ Haltung kann, wie ich glaube, die Stellung der Krone im
Innern von dem Andrang degagiert werden, dem sie auf die Dauer sonst
tatsächlich nicht widerstehen wird, obschon ich an der Zulänglichkeit der
Mittel dazu nicht zweifele.« Drastisch hatte er das schon 1857 in der großen
Auseinandersetzung mit Gerlach formuliert: »Wir sind eine eitle Nation; es
ist uns schon empfindlich, wenn wir nicht renommieren können, und einer
Regierung, die uns nach außen hin Bedeutung gibt, halten wir vieles zu Gute
und lassen uns viel gefallen dafür, selbst im Beutel.« In maximenhafter
Wiederholung dieses Satzes hieß es auch in dem Brief an Roon: »Wir sind fast
so eitel wie die Franzosen; können wir uns einreden, daß wir auswärts Ansehen haben, lassen wir uns im Hause viel gefallen.«

Zu solchen Erwägungen trat noch das persönliche Machtkalkül. Er glaubte
nämlich allen Anlaß zu haben, auf diese Karte zu setzen. Hatte ihn doch Unruh
als eines der führenden Mitglieder des im Sommer 1859 gegründeten kleindeutschen »Nationalvereins« im September dieses Jahres am Schluß eines

# Entlaſſungszeugniß.

Nummer: Zwei.

## Name des Geprüften und Stand ſeines Vaters:

# Leopold Eduard Otto von Bismarck,

16³⁄₄ Jahre alt, evangeliſcher Konfeſſion, aus Schönhauſen in der Altmark, Sohn des Gutsbeſitzers auf Kniephof in Pommern.

### Zeit des Schulbeſuchs:

Er war 2 Jahre, von Sekunda an, Schüler des Gymnaſii und 1¹⁄₂ Jahr in Prima.

### Aufführung gegen Vorgeſetzte und Mitſchüler:

Stets anſtändig und wohlgeſittet.

### Fleiß:

War zuweilen unterbrochen, auch fehlte ſeinem Schulbeſuche unausgeſetzte Regelmäßigkeit.

### Kenntniſſe:

Sind im Lateiniſchen gut, ſowohl im Verſtändniß der Schriftſteller als in ſeinen ſchriftlichen Uebungen; im Griechiſchen ziemlich gut; im Deutſchen beſitzt er eine ſehr erfreuliche Gewandheit, und in der Mathematik, Geſchichte und Geographie ein befriedigendes Maaß von Kenntniſſen. Von den neueren Sprachen hat er die franzöſiſche und engliſche Sprache mit beſonderem Erfolge betrieben.

### Er wird in Bonn, Genf und Berlin

### Jura und Cameralia

ſtudiren, und wir entlaſſen dieſen fähigen und wohlvorbereiteten Jüngling mit unſeren beſten Segenswünſchen und der Hoffnung, daß er mit erneutem Eifer an ſeiner ferneren wiſſenſchaftlichen Ausbildung arbeiten werde.

Berlin, den 3. April 1832.

## Verordnete Prüfungskommiſſion

### des Berliniſchen Gymnaſiums zum Grauen Kloſter.

6. Bismarcks Abgangszeugnis
vom Gymnasium zum Grauen Kloster in Berlin vom 3. April 1832

7. Bismarck als Mitglied der Landsmannschaft »Hanovera« in Göttingen
Silhouette aus dem Jahr 1832

8. Bismarck an Johanna von Puttkamer
Eine Seite des Briefes vom 23. Februar 1847

9. Johanna von Bismarck geb. von Puttkamer
Gemälde von Jakob Becker, 1859

langen Briefes über die deutsche Frage wissen lassen: »Wie auch bei mir und meinen Freunden die nationale Frage ganz im Vordergrund steht, jeden Hintergedanken ausschließt, können Sie daraus entnehmen, daß wir, auch Herr von Bennigsen [der Vorsitzende des Nationalvereins], uns aufrichtig freuen würden, wenn Ihre Ernennung zum Minister des Auswärtigen erfolgte. Preußen bedarf jetzt mehr als je einer klaren, festen und kühnen Politik. Die kühnste ist die verhältnismäßig gefahrloseste.«

Das dann so vielbeschworene »Bündnis mit dem deutschen Volke« war also von Anfang an in allgemeiner wie in persönlicher Hinsicht als Mittel zum Zweck ins Auge gefaßt – allerdings, und das wird oft übersehen, auch von vornherein zu einem doppelten Zweck. So bedeutsam das innenpolitische Kalkül gewesen ist, so steht doch außer Frage, daß das, was er Unruh gegenüber an außenpolitischen Argumenten anführte, für ihn ein ebenso großes Gewicht besaß, zumal sich beides auf das beste ergänzte. In seinen acht Frankfurter Jahren, in einer ganz bürgerlichen Umwelt und in einer Stadt, in der wesentliche Fäden des Handels und des überregionalen Finanzgeschäfts zusammenliefen, hatte er eine klare Anschauung davon gewonnen, welches Gewicht allgemeine Einschätzungen der Situation und der voraussichtlichen Entwicklung besaßen. Er hatte gesehen, wie wichtig es war, sich mit bestimmten Erwartungen zu verbünden, und wie ausgeprägt auf der anderen Seite die Neigung bürgerlichen Geschäftssinns war, sich mit den voraussichtlichen Siegern rechtzeitig zu arrangieren. Hier hatte er zudem, insbesondere unter dem Eindruck entsprechender österreichischer Aktivitäten, die wachsende Bedeutung einer wirkungsvollen Presse- und Öffentlichkeitspolitik auch im Bereich der auswärtigen Politik erkannt. »Kammern und Presse könnten das mächtigste Hilfsmittel unserer auswärtigen Politik werden«, heißt es in diesen Tagen einmal programmatisch in einem Brief an einen konservativen Parteifreund. Das Gespräch mit Unruh dokumentiert die Einsicht, wie wichtig es sei, mit Meinungen und Hoffnungen derjenigen Politik zu machen, die nicht unmittelbar am Entscheidungsprozeß beteiligt waren – und wie wichtig vor allem auch, ihre Phantasie anzuregen. Dabei ganz unmaskiert und ohne unglaubwürdige Anpassung aufzutreten – »ich bin derselbe Junker wie vor zehn Jahren« –, das wurde hier wie im diplomatischen Verkehr sein eigentliches Erfolgsrezept. Es kehrte bei dem verwirrten Zuhörer die Verhältnisse um, ließ Wahrheit als Taktik und bloße Taktik als Wahrheit erscheinen.

Die Wahrheit war in der Tat ganz einfach. Der Prinzregent hatte durchaus recht: Preußen, der preußische Staat, so wie er war, mußte »moralische Eroberungen« in Deutschland machen. Er mußte sich dadurch »das politische Ansehen und die Machtstellung verschaffen, die es durch seine materielle Macht allein nicht zu erreichen imstande ist«. Nur durfte man das Wort »moralisch« eben nicht bürgerlich-eng nehmen und es vor allem nicht auf die Innenpolitik beschränken, wie das die Liberalen wollten. Moralische Eroberungen, das mußte heißen, daß man die öffentliche Meinung für sich gewann, zuerst in Preußen, dann aber auch darüber hinaus. Dies aber konnte nach Bismarcks Einschätzung, und hier unterschied er sich diametral sowohl von den konservativen als auch von den liberalen Idealisten, am wirkungsvollsten dadurch geschehen, daß man der Öffentlichkeit eine Steigerung von Macht und Ansehen des von ihr repräsentierten Gemeinwesens überzeugend in Aussicht stellte.

Für die Konservativen war das ein opportunistischer Appell an die Volkssouveränität, Bonapartismus, wie sie es nannten. Und für die Liberalen demagogische Bestechung des Volkes, weil damit Erwartungen ohne Rücksicht auf ihren ursprünglichen Inhalt beschworen wurden. Also war die einfache Wahrheit so einfach nun doch wieder nicht. Sie war einfach, wenn man Politik im wesentlichen auf das Prinzip der Selbstbehauptung reduzierte: im Innern im Hinblick auf die vorhandene politische und soziale Ordnung, nach außen im Hinblick auf den eigenen Platz im Mächtesystem und beides einbeziehend und übergreifend auch im Hinblick auf das handelnde Subjekt, den jeweiligen Politiker. Sie war es nicht, wenn man Politik in den Dienst bestimmter Ideen und Programme, einer so oder so verstandenen rationalen Wert- und Weltordnung gestellt wissen wollte. Das aber schien immer noch der vorherrschende Zug der Zeit zu sein, und er war es wohl auch; die Zeugnisse einer grundlegend anderen Auffassung haben ihr Gewicht erst durch die weitere Entwicklung erhalten.

Von daher wird verständlich, warum die »einfache Wahrheit« dieser Politik selbst bei denen zunächst auf wenig Widerhall und Sympathie stieß, in deren Interesse sie konzipiert war. Auch der Prinzregent und die konservativeren seiner Ratgeber wollten zwar letztlich nichts anderes, als durch taktisches Entgegenkommen insbesondere das gebildete und besitzende Bürgertum mit der bestehenden politischen und sozialen Ordnung versöhnen. Aber sie scheuten sich, die Dinge so scharf beim Namen zu nennen. Sie waren vor allem nicht bereit, notfalls, wenn sich die Vertreter des liberalen Bürgertums nicht kooperationswillig genug zeigten, sondern weiter vorwärtsdrängten, auch den großen Konflikt zu riskieren.

Das galt auch für den Prinzregenten – mit vielleicht einer Ausnahme, die eigentlich jedem bekannt sein mußte: Wilhelm sah sich nach seiner ganzen Erziehung und seinem bisherigen Lebensweg in der Reihe der preußischen Soldatenkönige. Wer dieses Selbstverständnis in Frage stellte, hatte mit seinem leidenschaftlichen Widerstand zu rechnen.

Soweit war es freilich noch nicht, als Bismarck im Frühjahr 1859 von Petersburg aus nachdrücklich, aber vergeblich für eine offensive preußische Politik im italienischen Konflikt plädierte, auch wenn die Militärfrage hier bereits eine erhebliche Rolle spielte: Eine etwaige Bundeshilfe für Österreich hatte der Prinzregent davon abhängig gemacht, daß er den Oberbefehl über das Bundesheer erhielt. Noch funktionierte das System der »Neuen Ära«. Es schien durch seine praktischen Erfolge, vornehmlich im Innern, auch jene zu widerlegen, die es, wie Bismarck, zwar nicht grundsätzlich für falsch hielten, aber seine Handhabung scharf kritisierten. Denn die überwiegende Mehrheit der preußischen Liberalen unter Bismarcks altem Gegner, dem Freiherrn von Vincke, bewies durchaus Verständnis für die heikle Situation eines erst mit der Regentschaft betrauten Fürsten, der gegen den erklärten Willen der bisher regierenden Kreise einen neuen Kurs zu steuern suchte. Sie mahnte dementsprechend zu Zurückhaltung und zu Geduld. Und was die Außenpolitik anlangte, die Bismarck bei grundsätzlicher Bejahung ihrer antiösterreichischen Zielsetzung als zu zögernd und unentschlossen verurteilte, so wird man schwerlich sagen können, daß er eine wirkliche Alternative anzubieten hatte.

Schon Preußens Forderung nach dem militärischen Oberbefehl in einem Bundeskrieg und Berlins undurchsichtige Gewehr-bei-Fuß-Haltung hatten Anfang Juli 1859 den österreichischen und den französischen Kaiser veranlaßt, Hals über Kopf einen für beide Seiten eher problematischen Frieden zu schließen, um die Gefahr eines machtpolitischen Vordringens Preußens in Mitteleuropa abzuwenden. Welche Reaktionen hätte dann erst eine Aufkündigung des Bundesverhältnisses durch Preußen oder gar eine militärische Offensive in Richtung Süddeutschland ausgelöst, wie Bismarck sie vorschlug? Auch den Bündnispartner »deutsches Volk« hätte Preußen dabei mit Sicherheit nicht gefunden. Denn die deutsche Öffentlichkeit tendierte in ihrer Mehrheit eindeutig dahin, daß Österreich den Rhein, sprich die Integrität der deutschen Staaten gegenüber französischen Aspirationen, am Po verteidigte. Sie mißbilligte in diesem Sinne bereits die Gewehr-bei-Fuß-Politik der neuen preußischen Regierung. Für eine Ausnützung der Situation etwa zugunsten einer Neuauflage der Unionspolitik oder einer anderen Form kleindeutscher Einigungspolitik waren nur ein Teil der preußischen Liberalen und einige politische Außenseiter wie die Demokraten Arnold Ruge und Ludwig Bamberger oder der spätere Sozialistenführer Ferdinand Lassalle. Man kann also sagen, daß die preußische Politik während des italienischen Konflikts bereits bis zum äußersten gegangen war und daß der Mißerfolg dokumentierte, wie sehr sie ihre Karte schon überreizt hatte.

Das dürfte sich auch Bismarck eingestanden haben. Angesichts der gegebenen Verhältnisse und der ganzen Situation war eben doch nicht das »große Los« für Preußen »im Topf«. Wenn er trotzdem bis fast zuletzt darauf beharrte, so macht das deutlich, daß wohl in der Tat der taktische Gesichtspunkt bereits zu diesem Zeitpunkt eine große, wenn nicht entscheidende Rolle spielte: Nur ein Mißerfolg der jetzt in Berlin tonangebenden Personen und Kräfte, mit deren Grundrichtung er zumindest in der Außenpolitik und hier besonders im Hinblick auf Österreich weitgehend übereinstimmte, konnte ihn von der Peripherie in eine entscheidende Position bringen. Also galt es, den

Mißerfolg vorauszusagen, und zwar mit Argumenten, die andeuteten, daß er einen anderen Weg zum gleichen Ziel wisse.

Ganz in diesem Sinne und eindeutig mit Blick auf den Prinzregenten hat er, der Diplomat, dessen viele Denkschriften seit Jahren von dem Grundsatz beherrscht waren, daß erfolgreiche Machtpolitik im wesentlichen erfolgreiche Bündnispolitik sei, ab Anfang 1859 die Militärfrage hochgespielt. Ob es der geradezu martialische Brief an den General von Alvensleben war, ob sein berühmtes Schreiben an Schleinitz vom 12. Mai 1859 mit dem Satz: »Ich sehe in unserem Bundesverhältnis ein Gebrechen Preußens, welches wir früher oder später ferro et igni werden heilen müssen, wenn wir nicht beizeiten in günstiger Jahreszeit eine Kur dagegen vornehmen« – stets war jetzt davon die Rede, daß alles von der militärischen Macht Preußens abhänge.

Sofort sah er denn auch die Ausbeutbarkeit der regierungsamtlichen Politik, durch die Erlangung des Oberbefehls über das Bundesheer einer etwaigen preußischen Intervention Nachdruck zu verleihen. Dies binde Preußen, so höhnte er, noch enger an den nach aller Erfahrung stets zu Österreich tendierenden Bund. Es verleihe Berlin eine bloß äußerliche und geliehene Macht. Im Namen Deutschlands, hinter dem sich auf dieser Ebene nichts anderes verberge als das egoistische Interesse Österreichs und der Mittel- und Kleinstaaten, lasse sich Preußen abermals und dazu noch freiwillig ans Gängelband nehmen. Es dürfte »an der Zeit sein, uns zu erinnern«, hieß es in provozierender Zuspitzung in dem Schreiben an Schleinitz vom 12. Mai, »daß die Führer, welche uns zumuten, ihnen zu folgen, anderen Interessen dienen als preußischen und daß sie die Sache Deutschlands, welche sie im Munde führen, so verstehen, daß sie nicht zugleich die Sache Preußens sein kann, wenn wir uns nicht aufgeben wollen«. Um der Sache Preußens wirksam dienen zu können, müsse die preußische Staatsführung unmittelbar über eine Armee verfügen, die stark genug sei, um, das schwang dabei stillschweigend mit, notfalls allein in Mitteleuropa dominieren zu können.

Neu war das nicht. So stand es praktisch schon im Programm der »Neuen Ära«. Und diesen Bezug hat Bismarck auch sehr bewußt angesprochen. Als einer der ersten aber hat er ihn, das Ergebnis vorwegnehmend, in den Zusammenhang mit den Erfahrungen während des italienischen Krieges gestellt und der geforderten Aufrüstung zugleich ein ganz konkretes Ziel gegeben. Er berührte damit, wie er genau wußte, eine Lieblingsidee des Prinzregenten: Die »Schmach von Olmütz«, das Werk der »Novemberverräter« von 1850, mit Hilfe einer machtvollen Armee zu tilgen – eine Idee, deren buchstäbliche Ausführung Bismarck sieben Jahre später nur nach langen Kämpfen zu verhindern vermochte, als der nunmehrige König nach der Schlacht von Königgrätz mit seinem siegreichen Heer in Wien einziehen wollte.

Jene kleindeutsch gesinnten preußischen Liberalen, die wie Bismarck selber 1859 eine notfalls bis zum Äußersten gehende antiösterreichische Politik Preußens gefordert hatten, folgten ihm allerdings schon wenig später in seiner Forderung nach einer verstärkten Aufrüstung Preußens. Damit machten sie zunächst das von 1848 her unmittelbar naheliegende Kalkül zunichte, es werde über die Militärfrage zum Bruch nicht bloß mit der liberalen Kammerfraktion, sondern auch mit dem Teil der Regierung kommen, der zu wirklicher Zusammenarbeit mit jener bereit war. So blieb Bismarck vorerst nichts anderes übrig, als abzuwarten und darauf zu hoffen, daß über kurz oder lang doch noch ein grundsätzlicher Konflikt ausbrechen werde. In diesem Sinne konzentrierte er sich in der folgenden Zeit immer stärker darauf, bei allen sich bietenden Gelegenheiten und gegenüber höchst unterschiedlichen Gesprächspartnern die sachlichen Alternativen nicht so sehr zu dem System, wohl aber zu der Praxis der »Neuen Ära« zu formulieren und sich auf diese Weise zu einer personellen Alternative aufzubauen.

»Zwischenzustand« hat Bismarck die Zeit zwischen dem Ende des italienischen Krieges und seiner Berufung zum leitenden Minister im September 1862 in seinen Lebenserinnerungen überschrieben. Das Wort deckt sehr genau die Situation, in der er sich in jenen drei Jahren befand. Es war eine Zeit, die ihn seelisch auf das stärkste angegriffen hat, in der noch einmal der Schatten der Vergeblichkeit über seine ganze Existenz fiel. Ernsthafte Erkrankungen, deren Charakter die Ärzte, bis auf eine zeitweise lebensbedrohende Lungenentzündung im Herbst 1859, nie wirklich zu klären vermochten, und ein laufendes physisches und psychisches Unwohlsein, ein förmlicher »Bankrott seiner privaten Nerven«, gingen Hand in Hand. Ein ganz neuer Ton mischte sich in diesen Monaten in seine private Korrespondenz, ein Nebeneinander von Resignation und Distanz, in dem Formeln christlicher Ergebenheit abwechselten mit Betrachtungen über die Sinnlosigkeit, im raschen Wechsel aller menschlichen Verhältnisse an die Dauerhaftigkeit von irgend etwas zu glauben. »Ich müßte die Dauer und den Wert dieses Lebens sonderbar überschätzen...«, heißt es in einem Brief an Leopold von Gerlach Anfang Mai 1860, »wenn ich mir nicht gegenwärtig halten wollte, daß es nach dreißig Jahren, und vielleicht sehr viel früher, ohne alle Bedeutung für mich ist, welche politischen Erfolge ich oder mein Vaterland in Europa erreicht haben.« Und: »Ich habe vom 23. bis 32. Jahr auf dem Lande gelebt und werde die Sehnsucht, dahin zurückzukehren, nie aus den Adern los, nur mit halbem Herzen bin ich bei der Politik.« »Das Gefühl, irgendwo zu *wohnen*«, klagt er in einem anderen Brief, »ist mir seit Frankfurt ganz fremd geworden.« Wenig später spricht er dann wieder davon, er könne sich gut vorstellen, als Missionschef nach London oder Neapel zu gehen – aber: »ein Umzug ist halbes Sterben«.

Dahinter wird sichtbar, wie nutzlos er sich in seiner jetzigen Stellung fühlte, wie wenig es ihm genügte, Beziehungen zu pflegen, die im Augenblick ganz funktionslos waren und über deren künftige Funktion andere entschieden. Als er im Frühjahr 1860 nach Berlin kam, um an den Sitzungen des Herrenhauses teilzunehmen, vor allem aber wohl, um das Terrain zu sondieren, schien es einen Augenblick so, als ob der Prinzregent auf Drängen seines Ministerpräsidenten, des Fürsten von Hohenzollern, und dessen Vertreters Rudolf von Auerswald sich entschließen würde, das Kabinett nach rechts zu erweitern und Bismarck das Außenministerium zu übertragen. Aber es blieb schließlich bei bloßen Kontakten zwischen ihm und dem Prinzregenten, die sich quälend lange hinzogen, da sich der Prinzregent die Tür nach allen Richtungen offenhalten wollte. Es blieb bei »der geschmacklosen Situation eines Gesandten im Gasthof mit Hintertür-Intrigen gegen seinen Chef«, wie Bismarck es Leopold von Gerlach gegenüber beschrieb.

Bismarck selber wäre augenscheinlich bereit gewesen, auf ein entsprechendes Angebot einzugehen. »Ich tue ehrlich, was ich kann, um unbehelligt nach Petersburg zu gelangen, und von dort der Entwicklung in Ergebenheit zuzusehen«, schrieb er am 12. Mai 1860 an den Bruder: »Wird mir aber der ministerielle Gaul dennoch vorgeführt, so kann mich die Sorge über den Zustand seiner Beine nicht abhalten aufzusitzen.« Zur Begründung gab er an, die Situation sei so verfahren, daß er sich nicht über Gebühr zieren könne, wenngleich die andere Seite nicht davon ausgehen dürfe, »daß ich gar keine Bedingungen machen würde, wenn ich in dieses Kabinette eintreten sollte«. »Wenn wir so vor dem Winde weitertreiben, so ist es Gottes Wunder und besondere Gnade, wenn wir nicht so fest laufen, daß die Fragen von Juden und Grundsteuern bald sehr nebensächlich erscheinen.«

In Wahrheit hatte er wohl eher die Sorge, daß dies seine letzte Chance sein könnte und sich in Zukunft jene Kräfte endgültig durchsetzen würden, deren Ziel die parlamentarische Monarchie nach englischem Vorbild und ein dauerhaftes Bündnis mit den Liberalen waren. Und daran mußte seine Ministerkandidatur scheitern. Zu deutlich war er nicht der Mann, mit dessen Hilfe man hoffen konnte, die Basis des Ministeriums nach rechts zu verbreitern. Er würde, darüber ließ sein Auftreten in Berlin bei aller Vorsicht keinen Zweifel, stets versuchen, das Kabinett gesamtpolitisch auf seinen Kurs zu bringen und es damit über kurz oder lang zu sprengen. Er würde sich nicht einbinden, nicht »zähmen« lassen. Daher mußte er notwendigerweise ausgeschaltet bleiben, wenn der große Kompromiß zwischen den Kräften des Alten und des Neuen eine Chance haben sollte.

Aber hatte ein solcher Kompromiß überhaupt eine Chance? Mußte sich nicht binnen kurzem die Frage stellen: Wer regiert Preußen nun wirklich? Gab es eine Möglichkeit, die Machtfrage zu vermeiden, bevor sich die neue Ordnung der Dinge, das neue Verhältnis zwischen Krone und Parlament und die Männer und Parteien, die es trugen, fest etabliert hatten? Von der Antwort auf diese Frage hing alles weitere ab: die Zukunft Preußens und Deutschlands sowie Bismarcks ganzes politisches Schicksal.

# Vom Heeres-
# zum Verfassungskonflikt:
# die Stunde Bismarcks

Daß es das Lebensgesetz der »Neuen Ära« war, die Machtfrage zu vermeiden, wußten jene, die sie ins Leben gerufen hatten, nur zu gut. Es ging, positiv gewendet, um ein Kondominium durch Kompromiß, um ein System gemeinsamer Herrschaft im Ausgleich der Interessen und Meinungen. Da für jeden Klarsichtigen unübersehbar war, daß alle Zeittendenzen die Kräfte des Neuen und der Veränderung begünstigten, galt es sogar, den Kompromiß eher mehr auf der Rechten anzusiedeln und ihren Vertretern gegenüber mit möglichst großer Schonung vorzugehen. »Nur nicht drängen!«, lautete die von Georg von Vincke ausgegebene Parole.

Trotz dieser Einsicht und der von ihr diktierten politischen Praxis der parlamentarischen Mehrheit der »Neuen Ära« versagte sich ein erheblicher Teil der bisher tonangebenden Gruppen des preußischen Adels, der Gutsbesitzer, hohen Beamten und Offiziere, dem Kompromiß. Er verharrte nach wie vor in starrer Opposition gegenüber allen Versuchen, zu einem Ausgleich mit Liberalismus und Bürgertum zu gelangen. Zahlenmäßig war seine Gefolgschaft inzwischen sehr gering. Mitte der fünfziger Jahre hatte die konservative Partei, wenngleich in verschiedene Fraktionen aufgespalten, noch die absolute Mehrheit der Abgeordneten der Zweiten Kammer gestellt und so beide Häuser des Parlaments eindeutig beherrscht. Bei den Erdrutschwahlen zu Beginn der »Neuen Ära« hatte sie davon nur noch knapp fünfzig Sitze gerettet, und bei den Wahlen im Dezember 1861 brach ihre Position dann fast völlig zusammen: Sie verfügte im Abgeordnetenhaus jetzt nur noch über vierzehn Mandate. Ihre Anhänger waren jedoch nach wie vor im Besitz entscheidender staatlicher und gesellschaftlicher Machtpositionen. Sie aus ihnen zu verdrängen, war bei Lage der Dinge nur auf revolutionärem Wege möglich – durch eine Revolution von unten oder durch eine Revolution von oben.

Ein Appell an die Massen schied selbst für die entschiedensten Liberalen nach den Erfahrungen von 1848 aus. Und gegenüber einer Revolution von oben bestand das nicht von der Hand zu weisende Bedenken, daß sie lediglich einem neuen Absolutismus in die Hände arbeiten werde. So gab es, trotz aller negativen Erfahrungen, auch jetzt noch starke Kräfte im liberalen Lager, die Geduld und Zurückhaltung predigten und dafür eintraten, weiterhin um die noch widerstrebenden konservativen Gruppen zu werben. Allerdings formierte sich gleichzeitig eine entschiedenere Richtung. Sie erklärte, man müsse eben durch und notfalls den Widerstand jener brechen, die nicht zu einem wirklichen Ausgleich bereit seien. Zum eigentlichen Kristallisationskern wurde die Auseinandersetzung um eine Frage, an der sich schließlich nicht nur das Schicksal der »Neuen Ära«, sondern in gewisser Weise die preußisch-deutsche Entwicklung der nächsten zwei Menschenalter entschieden hat: die Auseinandersetzung um die Frage der Reform der preußischen Heeresverfassung.

Diese Frage war in der Substanz zunächst kaum umstritten. Über die Notwendigkeit einer solchen Reform bestand ebenso weitgehende Einigkeit wie darüber, daß sie die Schlagkraft der Armee und damit das machtpolitische Gewicht Preußens stärken müsse. Hatte Preußen vierzig Jahre früher, im Jahr 1820, eine im Vergleich zu Frankreich nur um rund vierzigtausend Mann schwächere Armee gehabt, so betrug der Abstand unterdessen etwa zweihunderttausend Mann, sprich die französische Armee war inzwischen fast dreimal so stark wie die preußische. Ähnliches galt für Österreich, das also Preußen zu diesem Zeitpunkt militärisch noch eindeutig überlegen war, von Rußland mit seiner Riesenarmee von rund einer Million Mann ganz zu schweigen.

Hinzu kam, nicht minder gewichtig, etwas anderes. Das mittlerweile fast ein halbes Jahrhundert alte preußische Wehrgesetz, das 1814 unmittelbar nach dem Abschluß der Freiheitskriege von dem damaligen Kriegsminister Hermann von Boyen ganz aus deren Geist entworfen und formuliert worden war, beruhte im Sinne der Idee einer möglichst engen Verbindung von Staat und Nation auf dem Grundsatz der allgemeinen Wehrpflicht und dem Gedanken der Bildung einer Reservearmee aus allen Gedienten. Dieses Gesetz hatte jedoch inzwischen zu enormen Ungerechtigkeiten geführt. Nur noch ein mit der raschen Bevölkerungsvermehrung ständig sinkender Teil der Dienstpflichtigen konnte eingezogen werden. Eine Vermehrung der regulären Kader kam jedoch aus finanziellen wie dann auch aus prinzipiellen Gründen nicht in Frage. Friedrich Wilhelm IV. hatte nämlich versprochen, ohne Berufung eines Landtags und Erlaß einer Verfassung hier keine Änderung vorzunehmen. So bestand schließlich für mehr als zwei Drittel der Dienstpflichtigen die Möglichkeit, durch Losentscheid von dieser Pflicht befreit zu werden – mit all den Konsequenzen, die ein solches Verfahren zu haben pflegt.

Darüber hinaus funktionierte auch das Prinzip der Reservearmee nur noch sehr bedingt. Die Landwehr ersten und zweiten Aufgebots, die alle Gedienten bis zum vierzigsten Lebensjahr umfaßte und die konzipiert worden war als Armee des »Volkes in Waffen«, wurde zwar vom Grundsatz her von seiten des Bürgertums und der öffentlichen Meinung immer wieder bejaht und gefeiert. Doch in der Praxis wurde sie zunehmend als lästig empfunden, als eine in Beruf und Privatleben hinderliche Verpflichtung. So wurde es beispielsweise immer schwieriger, auch nur halbwegs geeignete Kandidaten für die Wahl zum Landwehroffizier zu finden.

Für jeden, der die Verhältnisse unbefangen betrachtete, war deutlich, daß sich Theorie und Praxis weitgehend auseinanderentwickelt hatten. Die Vorstellung vom »Volk in Waffen«, das auch in dieser Beziehung sein Schicksal aus eigener Kraft gestalte, war nicht nur in ihrer weiteren Perspektive, der Einbettung der Heeresverfassung in eine liberal-demokratische Staatsverfassung, eine bloße Idee geblieben. Es hatte sich zudem gezeigt, daß der vielbeschworene »Geist der Freiheitskriege« eine bloße Illusion war und die preußische Armee sich in nichts von der Armee anderer absolutistischer Staaten unterschied: In der Revolution erwies sie sich in ihrer überwältigenden Mehrheit als treu ergebenes Werkzeug der Krone. Auch die bei dieser Gelegenheit zur Niederschlagung des badischen Aufstandes im Jahr 1849 mobilisierten Landwehrbataillone machten hier keine Ausnahme. Immerhin blieb die Landwehr, von konservativer Seite her beurteilt, ein gewisser Unsicherheitsfaktor. So gab es nach 1848 wie in den Jahrzehnten davor die Bestrebung, sie enger an das aktive Heer, an die Linie zu binden oder sie gar mit ihr zu verschmelzen.

Insgesamt gesehen jedoch steckte in der Heeresfrage, zumal vor dem Hintergrund der Konfliktsituation von 1859, von der Sache her wohl kaum der Zündstoff, den sie dann tatsächlich erlangt hat. Entscheidend wurde vielmehr, daß die Art ihrer Behandlung deutlich machte, auf wie unsicherem Fundament das System der »Neuen Ära« in Wahrheit stand. Vor allem wurde dabei immer unübersehbarer, daß derjenige, der scheinbar alles eingeleitet hatte und auf den sich daher zunächst auch alle Hoffnungen konzentrierten, in seiner Opposition gegen die bisher vorherrschenden Kräfte, Tendenzen und Personen offenbar nicht so sehr von prinzipiellen als von persönlichen Erwägungen und unterschiedlichen Meinungen über Einzelheiten des politischen Kurses geleitet gewesen war. Der Prinzregent zeigte sich gerade hier nun als ein Mann, der ganz in den Fronten der zwanziger und dreißiger Jahre dachte, deren Grundsatzdiskussionen seine Anschauungen ein für allemal bestimmt hatten. »Ein Parlament, welches die Kriegsmacht befehligt, ist der Krone Sturz«, hatte der Historiker Friedrich Christoph Dahlmann, einer der Göttinger Sieben, damals als Quintessenz aller historischen Erfahrung formuliert. Und in solcher Einsicht schien für den jetzigen Prinzregenten der harte Kern des ganzen Problems, der eigentliche Antrieb für jede Initiative des Parlaments auf diesem Gebiet zu stecken.

Wilhelm ging davon aus, daß ein Kompromiß in dieser Frage nicht möglich sein, die andere Seite stets versuchen werde, die Krone entscheidend zu schwächen. In diesem Sinne behandelte er die liberale Kammermehrheit, so sehr diese ständig ihre Bereitschaft zum Kompromiß signalisierte, von vornherein als einen Gegner, den man nach Möglichkeit überspielen und mit einer Politik der vollendeten Tatsachen ausmanövrieren müsse. Natürlich wurde er darin sofort von allen denjenigen auf das lebhafteste unterstützt, die das System der »Neuen Ära« aus grundsätzlichen Erwägungen wie aus Sorge um den Erhalt ihrer Stellung und ihres Einflusses bekämpften. Das mußte, in einem gewissen Automatismus, dann dazu führen, daß die andere Seite sich schließlich so verhielt und so argumentierte, wie der Prinzregent es von Anfang an vorausgesetzt hatte – der damit seinerseits wieder in seiner dogmatischen Betrachtungsweise bestärkt wurde. Der ganze Konflikt lief in gewisser Weise nach dem Schema der »sich selbst erfüllenden Prophezeiung« ab, obwohl die Voraussetzungen dieser Prophezeiung mehr den Auffassungen und Frontstellungen der Vergangenheit als denen der Gegenwart entsprachen. Daran wird im übrigen deutlich, welche nicht zu unterschätzende Rolle die Tatsache gespielt hat, daß der Thronwechsel in Preußen nicht mit einem Generationswechsel verbunden gewesen ist.

Der erste Schritt, den der Prinzregent und seine engsten militärpolitischen Berater mit Gustav von Alvensleben, dem Generaladjutanten, und Edwin von Manteuffel, dem Chef des sogenannten Militärkabinetts, an der Spitze unternahmen, mochte noch wesentlich pragmatisch begründet werden können und außerdem damit, daß man sich des grundsätzlichen Einvernehmens mit dem Parlament in dieser Frage sicher sei. Bei der Demobilisierung im Anschluß an den Frieden von Villafranca ließ man einfach ein paar Kader als Basis für die künftige Heeresvermehrung stehen, obwohl die Mittel dafür noch nicht einmal beantragt waren. Als dann allerdings das weitere Vorgehen im Kabinett beraten und die Reformpläne im einzelnen erörtert wurden, zeigte sich sehr rasch, daß der Prinzregent es für das Vorrecht der Krone ansah, die ganze Frage aus eigener Machtvollkommenheit zu regeln. Jeden Gedanken an ein Entgegenkommen und eine Politik der Kompromisse gegenüber dem Parlament wies er weit von sich. Der Kriegsminister, Eduard von Bonin, inzwischen ein überzeugter Anhänger des Systems der »Neuen Ära«, trat daraufhin sofort zurück – ein Vorgang, dessen grundsätzliche Bedeutung Bismarck noch in seinen Lebenserinnerungen mit der Bemerkung zuzudecken suchte, Bonin habe nicht einmal »ein Schubfach in Ordnung halten« können, »viel weniger ein Ministerium«, er sei also bloß unfähig gewesen und habe daraus schließlich die Konsequenzen gezogen. An Bonins Stelle wurde Anfang Dezember 1859 mit dem General Albrecht von Roon ein erklärter Vertreter der politischen Rechten berufen. Mit ihm kam jener Mann in eine entscheidende politische Position, der bei der Berufung Bismarcks, mit dem er seit langem persönlich befreundet war, eine zentrale Rolle spielen sollte.

Albrecht von Roon, ein Mann von damals sechsundfünfzig Jahren, war der Nachkomme eines verarmten pommerschen Adelsgeschlechts niederländischer Herkunft und in den pietistischen Kreisen der Provinz aufgewachsen. Der wissenschaftlich gebildete, politisch als unbedingt zuverlässig geltende

Generalstabsoffizier hatte sich als Lehrer an der Kriegsschule innerhalb der Armee schon früh einen Namen gemacht. In der Funktion eines militärischen Erziehers des Prinzen Friedrich Karl war er bereits zu Beginn der vierziger Jahre in engeren Kontakt zur königlichen Familie gekommen; ihr jetziges Oberhaupt kannte er von dem preußischen Interventionszug nach Baden 1849, den dieser befehligt und an dem Roon als Generalstabschef eines Armeekorps teilgenommen hatte. 1858 hatte er als nunmehriger Divisionskommandeur in Düsseldorf eine Denkschrift über die Probleme und Gefahren der bestehenden Heeresverfassung vorgelegt und war daraufhin 1859 in eine spezielle Beraterkommission für die Vorbereitung der Heeresreorganisation berufen worden.

Roon teilte, wie die Denkschrift deutlich machte, rückhaltlos die Grundauffassung des Monarchen, daß die Armee ausschließlich ein Instrument in der Hand der Krone und in ihrem Sinne nicht nur nach außen, sondern auch im Innern einsetzbar sein müsse. Und er war, womöglich noch vorbehaltloser als der Prinzregent, von Anfang an entschlossen, mit der Heeresfrage notfalls die Machtfrage zu stellen, also vom Parlament zu verlangen, sich dem Willen der Krone bedingungslos zu beugen. In dem Kabinett der »Neuen Ära«, das bei aller Unterschiedlichkeit der Temperamente und Meinungen auf Kooperation und den Ausgleich unterschiedlicher Auffassungen hin ausgerichtet war, stellte er daher vom ersten Tag an einen Fremdkörper dar, mochte dies auch erst im Lauf der Zeit ganz sichtbar werden, da er zunächst als bloßer Fachminister erschien.

Die Militärvorlage, die Roon am 10. Februar 1860, nur zwei Monate nach seiner Ernennung, im preußischen Abgeordnetenhaus einbrachte, enthielt, rein sachlich gesehen, zunächst nur einen strittigen Punkt, über den eine Einigung unter anderen Umständen wohl leicht denkbar gewesen wäre. Mit der fast allseitig begrüßten Vermehrung der Friedensstärke des preußischen Heeres von einhundertfünfzig- auf rund zweihundertzehntausend Mann wurde unter Hinweis auf die Notwendigkeit, gleichzeitig die Schlagkraft der Armee zu erhöhen, eine Veränderung der Zusammensetzung des Feldheeres im Kriegsfall vorgeschlagen. Bisher setzte sich dieses aus den drei jeweils aktiven sowie den zwei Reservejahrgängen und den sieben daran anschließenden Jahrgängen der sogenannten Landwehr ersten Aufgebots zusammen. Nun sollten die drei ersten Jahrgänge der Landwehr der Reserve zugeschlagen und der Kommandogewalt des aktiven Offizierskorps unterstellt werden. Die vier übrigen sollten zur bisherigen Landwehr zweiten Aufgebots kommen und wie diese künftig im Kriegsfall ausschließlich in der Etappe Dienst tun.

Für die damit verbundene Verjüngung des Heeres und die Entlassung der älteren Landwehrjahrgänge aus der vorderen Linie sprach an praktischen Gründen sicher einiges. Das aber wurde sofort in den Hintergrund gedrängt durch den Verdacht, der Regierung gehe es in Wahrheit um eine Umstrukturierung der Armee im monarchisch-autokratischen Sinne und um eine Zerstörung des in der Landwehr verkörperten Prinzips des »Volkes in Waffen« – jenes spezifischen »Bürgergeistes«, der »das einzige Korrektiv« gegen den stets gefährlichen »militärischen Korpsgeist« bilde, wie Max Duncker, der politische Berater des Kronprinzen, es formulierte. Solcher Verdacht lag um so näher, als das Kriegsministerium auf der erst 1856 auf drei Jahre erhöhten aktiven Dienstverpflichtung beharrte, obwohl viele militärische Fachleute eine zweijährige Dienstzeit für vollauf genügend für die praktische Ausbildung erklärten. Hinzu kam eine Fülle von teils kolportierten, teils unbestreitbar authentischen Äußerungen aus dem Kriegsministerium und aus der Umgebung des Prinzregenten, die erkennen ließen, daß hinter der ganzen Heeresvorlage ein Geist steckte, der mit den Erwartungen, die man an die »Neue Ära« geknüpft hatte, nichts mehr zu tun hatte. Der zur Prüfung der Vorlage eingesetzte Ausschuß des Abgeordnetenhauses unter Vorsitz des Freiherrn von Vincke beschloß daher nach wochenlangen Beratungen mit überwältigender Mehrheit, dem Plenum die Annahme nur für den Fall zu empfehlen, daß die Regierung sich mit einer bloß zweijährigen Dienstzeit für die Infanterie und mit der Erhaltung der Landwehr in ihrer bisherigen Form einverstanden erklärte.

Daß der Prinzregent, der sich in dieser Frage persönlich aufs stärkste engagiert hatte, darauf nicht eingehen konnte, ohne völlig das Gesicht zu verlieren, hätte an sich jedermann klar sein müssen. Ob freilich eine grundsätzlich andere Haltung der liberalen Mehrheit mit dem Ziel, durch ein außerordentliches Entgegenkommen in dieser Frage den Prinzregenten gesamtpolitisch zu gewinnen und zu wirklich vertrauensvoller Zusammenarbeit zu veranlassen, den Dingen noch eine entscheidende Wendung hätte geben können, sei dahingestellt. Außerdem ist es fraglich, ob die Stimmung der Öffentlichkeit und der eigenen Anhängerschaft ihr eine solche Haltung überhaupt erlaubt hätte – ganz abgesehen davon, daß den meisten ihrer Vertreter ein solches taktisches Kalkül ganz fern lag.

Immerhin war ein Teil durchaus noch bereit, über weitgehende Kompromisse mit sich reden zu lassen. Das war nicht zuletzt ein Ergebnis der Einsicht, daß die eigene Position lange nicht so stark war, wie es auf dem parlamentarischen Schauplatz erschien. Aber ein Echo fand man mit dieser Kompromißbereitschaft nicht mehr. Vielmehr machte sich Roon mit nachhaltiger Unterstützung des Prinzregenten und mit zurückhaltender Billigung des Kabinetts, das damit schrittweise seine ursprüngliche Richtung verlor, sofort daran, das Parlament zu überspielen und dessen Anspruch auf Mitbestimmung in dieser Frage exemplarisch abzuwehren. Roon berief sich darauf, daß die neue Heeresvorlage das Wehrgesetz von 1814 nicht grundsätzlich modifiziere, sondern nur seine praktische Ausführung betreffe. Man habe das Ganze dem Abgeordnetenhaus lediglich »aus Entgegenkommen« vorgelegt. Ohne die

Verfassung in irgendeiner Weise zu verletzen, könne man auch ohne dieses vorgehen.

Das war rein formal argumentiert. Denn ohne zusätzliche Finanzmittel, deren Bewilligung unzweifelhaft Sache des Parlaments war, konnte die Heeresreform nicht durchgeführt werden. Außerdem war es sachlich insofern falsch, als das Verhältnis von Landwehr und sogenannter Linie vom geltenden Wehrgesetz festgeschrieben und nicht zur Disposition des Monarchen gestellt worden war.

Dessen ungeachtet wurde das Heer im Laufe des Jahres 1860 nach den Plänen des Roonschen Ministeriums reorganisiert, einschließlich der Auflösung der entsprechenden Landwehrregimenter und der Bildung einer gleichen Zahl von Linienregimentern. Die finanzielle Grundlage für diese Maßnahmen, die mit einem Schlag die militärischen Karriereaussichten der Söhne des preußischen Adels ganz außerordentlich verbesserten, bildete ein im Mai 1860 fast einstimmig verabschiedeter Nachtragshaushalt. Er wurde von der Regierung ausdrücklich als ein Provisorium bis zur endgültigen Klärung der Militärfrage bezeichnet, in Wahrheit jedoch dazu verwendet, vollendete Tatsachen zu schaffen.

Hier vollzog sich, wie immer man im einzelnen argumentieren mochte, eine substantielle Aushöhlung des parlamentarischen Budgetrechts. Der Heereskonflikt ging faktisch schon jetzt in einen Verfassungskonflikt über, mochten sich auch ein großer Teil der Liberalen und der mit ihnen sympathisierende Flügel des Ministeriums bemühen, durch eine nachträgliche Einigung das offene Ausbrechen eines derartigen Konflikts zu verhindern.

Spätestens zu diesem Zeitpunkt muß Bismarck erkannt haben, daß bei geschicktem Taktieren über die Heeresfrage das ganze System der »Neuen Ära« aus den Angeln zu heben sein würde. Für jeden Eingeweihten war inzwischen offenkundig, daß Roon, der Chef des Militärkabinetts Edwin von Manteuffel und mit ihnen fast die gesamte Kreuzzeitungspartei die Konstellation und die dogmatische Voreingenommenheit des Prinzregenten gerade in dieser Frage benutzen wollten, um einen neuerlichen grundsätzlichen Kurswechsel herbeizuführen. Bismarck wußte auch, daß Roon in diesem Zusammenhang an ihn dachte, in ihm einen besonders geeigneten Mitstreiter gegen eine Liberalisierung und Parlamentarisierung Preußens sah. Er wußte allerdings ebenso, daß Manteuffel und eine Reihe von Führern der Kreuzzeitungspartei diese Einschätzung nur begrenzt teilten. Wie der Prinzregent selber, so hielten ihn auch hier viele für zu wenig standfest, für allzu flexibel, sowohl was die Prinzipien als auch was die praktische Politik und die in ihr zu verwendenden Mittel anging.

Das allein erklärt jedoch nicht, warum sich Bismarck, der alles tat, um als personelle wie sachliche Alternative im Gespräch zu bleiben, selbst in den ihm von der räumlichen Distanz und den Verpflichtungen seines Amtes gezogenen

Grenzen kaum an den Versuchen beteiligte, den Konflikt über die bereits bestehenden Gegensätze hinaus weiter zu verschärfen. Entscheidend war vielmehr, daß das taktische Programm und die politischen Ziele Bismarcks und diejenigen Roons und seiner Freunde bei aller scheinbaren äußeren Übereinstimmung in zentralen Punkten auseinanderklafften.

Da war einmal die Außenpolitik, bei der Bismarck befürchten mußte, daß ein neuerlicher Kurswechsel zu einer Renaissance der Verhältnisse in der Ära Manteuffel mit dem ständigen Kampf um das führen werde, was er sein »Ideal« der »Vorurteilsfreiheit«, der »Unabhängigkeit der Entschließungen von den Eindrücken der Abneigung oder der Vorliebe für fremde Staaten und deren Regenten« nannte. Nicht zufällig fällt ein letzter grundsätzlicher Brief an Leopold von Gerlach in diese Zeit. In ihm plädierte Bismarck noch einmal leidenschaftlich dafür, das napoleonische Frankreich nicht aus Gründen des antirevolutionären Prinzips aus allen Koalitionsüberlegungen auszuklammern, »weil man nicht Schach spielen kann, wenn einem sechzehn Felder von vierundsechzig von Hause aus verboten sind«. Aber auch in der Innenpolitik sah er, wenngleich er sich hier verständlicherweise nur sehr zurückhaltend und in ganz allgemeinen Formeln äußerte, daß mit einer Neuauflage der bürokratisch-neoabsolutistischen Repressionspolitik im Stile Manteuffels und Westphalens ebensowenig weiterzukommen sein würde wie mit romantisch verbrämten altständischen Restaurationsideen.

Gerade hier hatte er sich in seiner Frankfurter Zeit und angesichts der vielfältigen Erfahrungen, die ihm das Leben in einer der großen Handels- und Finanzmetropolen des damaligen Europa vermittelt hatte, sehr weit von seinen ursprünglichen Anschauungen entfernt. 1848 war er sich, ungeachtet aller Meinungsunterschiede hinsichtlich des konkreten Interessenstandpunkts, mit seinen hochkonservativen Freunden im Prinzip einig darin gewesen, daß die Wirtschafts- und Sozialreformen der preußischen Reformzeit politisch und gesellschaftlich schädlich gewesen seien. Stein und Hardenberg waren für sie Symbolfiguren absolutistischer Willkür, bürokratischer Veränderungssucht. Nun jedoch sah er sehr viel deutlicher, daß diese Reformen Teil einer übergreifenden und unaufhaltsamen Entwicklung waren und daß der Staat und seine traditionellen Führungsschichten sich dieser Entwicklung im Interesse ihrer Selbsterhaltung anpassen mußten. Das aber reduzierte seinen antibürgerlichen Affekt insofern, als ihm bewußt wurde, daß in einer ganzen Reihe von Bereichen eine natürliche Interessenkonvergenz zwischen grundbesitzendem Adel und Wirtschaftsbürgertum bestand; insbesondere die Frontbildungen in den zollpolitischen Auseinandersetzungen waren für ihn im Grundsätzlichen wie in den Einzelheiten fraglos außerordentlich lehrreich gewesen. Sie hatten ihm den von der Situation her gegebenen Zusammenhang zwischen kleindeutsch-nationaler Idee, wirtschaftlichen Interessen des Bürgertums und dem Großmachtinteresse Preußens, wie er es interpretierte, deutlich werden lassen, einen Zusammenhang, den er seither immer stärker in sein außenpolitisches Kalkül miteinbezog.

Ab wann Bismarck erkannt hat, daß sich all dies nicht nur außen-, sondern auch innenpolitisch ausnützen ließe, daß es vielleicht möglich sein werde, insbesondere von der traditionell liberalen, auf den Grundsätzen von Freihandel, Handels- und Gewerbefreiheit beruhenden preußischen Wirtschaftspolitik her auch hier ganz neue Koalitionen aufzubauen, ist schwer zu sagen. Es spricht manches dafür, daß er, der seit Jahren betonte, daß bei realistischer Betrachtung nicht Prinzipien und gemeinsame Grundsätze, sondern Interessen das Fundament außenpolitischer Koalitionen seien, auch bei der Einschätzung der innenpolitischen Verhältnisse seit längerem insgeheim nicht anders verfuhr.

Die unübersehbaren Erfolge des Systems der »Neuen Ära« vornehmlich bei der politische Integration des Bürgertums haben ihn denn auch viel weniger überrascht und verwirrt als manchen anderen Konservativen. Auch die rasche Überwindung der Wirtschaftskrise von 1857 mit dem nachfolgenden steilen wirtschaftlichen Aufschwung und der anhaltenden Prosperität fügte sich für ihn zwanglos in diesen Zusammenhang: Sie war ihm ein Beleg dafür, daß es eine Art natürlicher Konvergenz verschiedener wirtschaftlicher und sozialer Kräfte und Interessen gab, die sich wohl auch politisch erfolgreich würden bündeln lassen. Und nicht nur das. Er war auch überzeugt, daß in dieser Bündelung durchaus keine so eindeutige politische Zielrichtung steckte, wie mancher meinte. Vielmehr ging er davon aus, daß zumindest ein Teil der Kräfte, die von bürgerlich-liberaler Seite das System der »Neuen Ära« stützten, auch in das politische System eingebaut werden könnte, das ihm vorschwebte. Das aber hieß, daß er sich nicht in eine Position begeben durfte, von der aus ein künftiger Kompromiß ausgeschlossen sein würde.

Außenpolitisch, das wußte er, war das nicht zu befürchten. Hier stand er der kleindeutschen Nationalbewegung, die sich 1859, nach Abschluß des italienischen Krieges, im Nationalverein organisiert hatte, von der Sache her näher als irgend ein anderer konservativer Politiker in Preußen. Dies wurde von jener Seite, wie der Brief Unruhs zeigt, auch schon gelegentlich registriert, während sich das Mißtrauen des Prinzregenten gegen Bismarck gerade auf diesen Sektor konzentrierte. Hingegen mußte er im Bereich der Innenpolitik bei dem Ruf, der ihm voranging, befürchten, daß selbst bei geschicktestem Auftreten jeder Ausgleich auf Dauer unmöglich sein werde, wenn er als ein Mann antrat, der den Konflikt, dem er sein Amt verdankte, allzu offenkundig mit eigener Hand geschürt hatte. Konfliktminister wollte er nur in dem Sinne sein, daß man von ihm die Überwindung eines Konflikts erwarten konnte, nicht aber in dem, daß seine politische Existenz an einen solchen Konflikt gebunden zu sein schien.

Darin steckte fraglos eine gewaltige Überschätzung seiner eigenen Möglichkeiten im Amt des leitenden Ministers. Sie spiegelt wider, für wie dominierend er auch im Bereich der Innenpolitik das reine Interessen- und Erfolgsdenken hielt und wie wenig er Überzeugungen und Prinzipien als eigenständige Kräfte anzuerkennen bereit war. Von solcher Überschätzung ist er dann durch die praktische Erfahrung in den ersten Monaten seines Ministeriums sehr bald abgekommen. Doch vorerst hat sie aus der Überlegung heraus, er dürfe sich im Interesse seiner künftigen Aktionsfähigkeit nicht vorzeitig über Gebühr festlegen, dazu geführt, daß er für seine Verhältnisse außerordentlich zurückhaltend auftrat und sogar Chancen ausließ, die zu ergreifen ihm zu belastend erschien.

Am deutlichsten wurde das bei der sogenannten Huldigungsfrage. Als Friedrich Wilhelm IV., inzwischen geistig völlig verwirrt, am 2. Januar 1861 starb und der Prinzregent als Wilhelm I. den preußischen Thron bestieg, stellte das den ersten Thronwechsel nach dem Übergang zum Verfassungsstaat dar. Es bedurfte daher statt des alten eines ganz neuen Zeremoniells. An die Stelle der traditionellen Erbhuldigung, bei der Herrscher und Ständevertreter wechselseitige Treue- und Verpflichtungsgelöbnisse im Sinne des mittelalterlichen Lehnsrechtes austauschten, mußte eine wesentlich nur noch repräsentative Krönungsfeier des bereits vorher auf die Verfassung vereidigten konstitutionellen Monarchen treten.

Ein solcher Bruch mit der Tradition aber widerstrebte dem über sechzigjährigen neuen König. Er hätte auch hier gern an den Formen festgehalten, die ihm von dem Amtsantritt seines Bruders im Jahr 1840 vertraut waren. Allerdings wäre ihm das sicher unter Hinweis auf den objektiv verfassungsrechtswidrigen Charakter eines derartigen Aktes rasch auszureden gewesen. Setzte dieser doch die Existenz altständischer Korporationen mit eigenen politischen Rechten neben den modernen Vertretungskörperschaften voraus. Statt dessen bestärkten ihn Roon und seine engsten Berater, zumal aus dem militärischen Bereich, in seiner Auffassung. Sie behaupteten, es sei dies eine einmalige Gelegenheit, die fortdauernde Unabhängigkeit und eigenständige Machtstellung der Krone vor aller Augen zu demonstrieren. Damit könne er den bei der Behandlung der Militärfrage so deutlich zutage getretenen Ansprüchen des Parlaments sichtbar Paroli bieten. Daß sie auf diese Weise nicht bloß eine königliche Machtdemonstration, sondern einen Verfassungskonflikt heraufbeschworen, war ihnen persönlich wohl durchaus klar. Die Huldigungsfrage sollte offenkundig der Anlaß sein, zu einem grundlegenden Systemwechsel zu gelangen, der notfalls vor der Verfassung und vor einem Staatsstreich nicht haltmachte.

Der natürliche Kopf für ein solches Unternehmen war in Roons Augen von Anfang an Bismarck. An ihn wandte er sich daher Ende Juni 1861 in aller Offenheit, als sich die Frage im Kabinett, wie er es ausdrückte, »zum Brechen scharf zugespitzt« hatte und der König endlich bereit zu sein schien, den Flügel seines Ministeriums, der am System der »Neuen Ära« festhielt, zu entlassen und endgültig auf Konfliktkurs zu gehen. Bismarck hat sich nicht gescheut, diesen im höchsten Grade entlarvenden Brief Jahrzehnte später in seinen Lebenserinnerungen zu veröffentlichen – offenkundig, um deutlich zu machen, welchen Weg er eben nicht mitzubeschreiten bereit gewesen sei.

Der König könne, so hatte Roon behauptet, nicht nachgeben, »ohne sich und die Krone für immer zu ruinieren«. Die Mehrzahl der Minister könne es ebensowenig: »Sie würden sich die unmoralischen Bäuche aufschlitzen, sich politisch vernichten. Sie *können* nicht anders als ungehorsam sein und bleiben.« Das sei die große Chance. Es komme jetzt alles darauf an, »den König zu überzeugen, daß er ohne affichierten Systemwechsel ein Ministerium finden kann, wie er es braucht«. Denn gebe er jetzt nach, wie ihm selbst seine nächsten Familienmitglieder rieten – gemeint waren die Königin Augusta und der Kronprinz –, »so steuerten wir mit vollen Segeln in das Schlamm-Meer des parlamentarischen Regiments«.

Roon tat also alles, um die formal zentrale Frage, von deren Beantwortung abhing, ob er Bismarck dem König zum Minister vorschlagen konnte, ins richtige Licht zu rücken. Sie lautete, ob er, Bismarck, »die althergebrachte Erbhuldigung für ein Attentat gegen die Verfassung« halte wie die liberalen Minister oder ob er auch der Meinung sei, eine solche Auffassung sei »ein doktrinärer Schwindel, eine Folge politischer Engagements und politischer Parteistellung«?

Natürlich konnte Bismarck Roon nicht antworten, er teile seine Ansicht in dieser Frage nicht. Das hätte ihn möglicherweise die Unterstützung des Mannes gekostet, der selbst im Kreis der ihm politisch Nahestehenden fast als einziger seine Ministerkandidatur ernsthaft betrieb. Aber in der Überzeugung, daß er auf dem vorgeschlagenen Weg wahrscheinlich seine ganze politische Zukunft riskiere und bestenfalls zum bloßen Instrument einer neuen Kamarilla werden würde, ging er in seiner Erwiderung doch sehr weit.

Er verstehe gar nicht, antwortete er in gespielter Naivität, wie der Streit um die Huldigungsfrage »so wichtig hat werden können für beide Teile«. Natürlich habe der König das Recht, »sich von jedem einzelnen seiner Untertanen und von jeder Korporation im Land huldigen zu lassen, wann und wo es ihm gefällt«. Wenn man dieses Recht bestreite, werde man ihn, Bismarck, an des Königs Seite finden – »wenn ich auch an sich nicht von der praktischen Wichtigkeit seiner Ausübung durchdrungen bin«.

Die Stellungnahme war, auch wenn er Roons Frage formal positiv beantwortete, mehr als deutlich. Und Bismarck ging gleich noch einen Schritt weiter. Als Mittel zum Zweck sei die ganze Huldigungsfrage viel zu subtil: »Die gut königliche Masse der Wähler wird den Streit über die Huldigung nicht verstehen und die Demokratie ihn entstellen.« Weit besser wäre es gewesen, »in der Militärfrage stramm zu halten..., mit der Kammer zu brechen, sie aufzulösen und dann der Nation zu zeigen, wie der König zu den Leuten steht«.

Das aber hieß, die höfliche Verbrämung beiseite gelassen: Die Ausbeutung der Huldigungsfrage ist bloße Kamarillapolitik. Sie negiert die Tatsache, daß die Regierung im konstitutionellen Staat popularer Unterstützung bedarf. Will man gegen den Willen der Mehrheit des Abgeordnetenhauses und gegen die mit ihr sympathisierenden Mitglieder der Regierung einen Kurswechsel erzwingen, so muß man über einen demagogisch ausbeutbaren, handfesten Streitpunkt verfügen. Und nicht nur das. Noch wichtiger sei es, Zukunftsperspektiven zu entwickeln, die ebenso attraktiv seien wie die der jetzigen liberalen Mehrheit. Solche Phantasie und Erwartungen mobilisierenden Zukunftsperspektiven aber lägen, und damit kam er wieder zu seinem eigenen Programm, zur Zeit in der Hauptsache auf dem Gebiet der Außenpolitik. Wer der jetzigen liberalen Mehrheit das Wasser abgraben wolle, der müsse hier ansetzen. Um zum Erfolg zu kommen, müsse man also die bisherige Taktik genau umdrehen. Statt im Innern müsse man den popularen Forderungen außenpolitisch entgegenkommen. Auf diese Weise werde man den Liberalen einen erheblichen Teil ihrer Wähler abspenstig machen und die Verhältnisse im Innern im eigenen Sinne konsolidieren.

Ein solches Kalkül war, wenn man die Situation Mitte 1861 im Auge behält und sich im Urteil nicht ausschließlich von der weiteren Entwicklung bestimmen läßt, ausgesprochen kühn. Bismarck stellte sich auf diese Weise über das bloß Taktische hinaus nicht nur gegen Roon und dessen politische Freunde. Er stellte sich auch gegen den König selber, dessen außenpolitische Grundrichtung in der Tat immer noch das war, was Bismarck als »legitimistisch« bezeichnete. Niemals wieder hat Bismarck sich mit solcher Schärfe gegen den Gedanken einer internationalen, überstaatlichen Solidarität der Throne als Grundmaxime der Außenpolitik ausgesprochen wie in diesem Brief. »Ich bin meinem Fürsten treu bis in die Vendée«, so formulierte er in äußerster Zuspitzung, »aber gegen alle anderen fühle ich in keinem Blutstropfen eine Spur von Verbindlichkeit, den Finger für sie aufzuheben.« Und in klarer Einschätzung der Konsequenzen: »In dieser Denkungsweise fürchte ich von der unseres allergnädigsten Herren soweit entfernt zu sein, daß er mich schwerlich zum Rate seiner Krone geeignet finden wird.«

Die Probe aufs Exempel konnte Bismarck bereits wenige Tage später machen. Als er, formell auf der Reise in den Sommerurlaub, am 10. Juli in Berlin eintraf, hatte der König in der Huldigungsfrage bereits nachgegeben und in den bloß repräsentativen Akt einer feierlichen Krönung in Königsberg eingewilligt. Nach dieser Entscheidung war er zur Kur in die Sommerresidenz seines Schwiegersohns, des badischen Großherzogs Friedrich I., nach Baden-Baden gereist. Ob er seinem Gesandten eine Nachricht hinterlassen hat, ihm zu folgen, oder ob sich Bismarck auf eigene Faust dazu entschloß, steht dahin.

Jedenfalls fuhr er sofort weiter und wurde dann auch kurz nach seiner Ankunft zu einer langen Audienz empfangen. In ihr trug er dem König in Frontstellung zu den kleindeutschen Bundesreformplänen der liberalen Fürstengruppe, für die Friedrich von Baden und sein neuernannter Außenminister Franz von Roggenbach den preußischen Monarchen in jenen Tagen zu gewinnen suchten, sein Konzept der künftigen preußischen Außenpolitik insbesondere in der deutschen Frage vor. Das schriftliche Exposé, das er auf Wunsch des Königs unmittelbar nach der Audienz anfertigte, hat er in den folgenden Monaten noch mehrfach überarbeitet, bis es in der sogenannten Reinfelder Denkschrift vom Oktober 1861 seine endgültige Fassung fand – ein deutliches Zeichen dafür, welche grundsätzliche und programmatische Bedeutung er dem Ganzen beimaß.

Programmatisch und grundsätzlich war das, was er dem König darlegte, in der Tat – freilich von einer Art, die einen Mann wie Franz von Roggenbach, dem sein Großherzog die Bismarcksche Denkschrift zugänglich machte, in dem Urteil bestärkte: »Ein grundsatzloser Junker, der in politischer Kanaillerie Karriere machen will.« Bismarck folgte auch hier ganz der Leitlinie, die er schon Roon gegenüber formuliert hatte: Man muß den Wünschen der Nationalpartei entgegenkommen, dann wird man im Innern Ruhe haben. Er schlug vor, Preußen solle sich an die Spitze der Forderung nach einer grundlegenden Reform des Deutschen Bundes stellen und beantragen, zu diesem Zweck eine gesamtdeutsche Vertretungskörperschaft aus Delegierten der einzelnen Landtage zu berufen. Eine solche »*nationale Vertretung des Deutschen Volkes bei der Bundes-Zentralbehörde*« sei »das einzige und notwendige Bindemittel, welches den divergierenden Tendenzen dynastischer Sonderpolitik ein ausreichendes Gegengewicht zu geben vermag«. Sie dürfte aber »zugleich mit einiger Sicherheit dahin führen, daß der bedauerlichen Tendenz der meisten deutschen Landtage, sich vorwiegend kleinlichen Reibungen mit der eigenen Regierung zu widmen, eine heilsame Ableitung auf breitere und gemeinnützigere Bahnen gegeben würde, und die subalternen Streitigkeiten der Ständesäle einer mehr staatsmännischen Behandlung deutscher Gesamtinteressen Platz machten«. Allerdings, so Bismarck ganz offen, könne man kaum damit rechnen, daß die Regierungen der Bundesstaaten einen solchen Bundesreformvorschlag mehrheitlich akzeptieren würden. Worum es zunächst gehe, sei, klar Position zu beziehen und die öffentliche Meinung zugunsten Preußens zu mobilisieren.

Der ganze Plan war also in erster Linie als Instrument zur Sprengung des Bundes und zur Gewinnung popularer Hilfstruppen konzipiert. Das konkrete weitere Vorgehen, etwa die Überlegung, über eine parlamentarische Ausgestaltung des von Preußen beherrschten Zollvereins eine Art Gegenbund zu konstituieren, blieb in Bismarcks Ausführungen ganz skizzenhaft. Das gleiche galt von dem Katalog unabdingbarer preußischer Forderungen, unter denen eine befriedigende Lösung der Oberbefehlsfrage mit Blick auf den Adressaten der späteren Denkschrift an die erste Stelle gerückt war.

Worauf es Bismarck vor allem anderen ankam, das waren die Methode des Vorgehens und das taktische Ziel: Durch eine Demonstration zugunsten der Nationalpartei sollten zugleich die innere Front entlastet und der Bund, sprich Österreich und seine engsten Parteigänger, zur Gegenaktion gezwungen werden. Im Kern liefen die Vorschläge des Petersburger Gesandten darauf hinaus, durch eine Konfrontationspolitik in der deutschen Frage innen- wie außenpolitisch eine neue Konstellation zu schaffen und dann abzuwarten, wie sich die Dinge gestalteten, nachdem man in dieser Weise einen Stein ins Wasser geworfen hatte.

Roggenbachs Vermutung ging damals sogleich dahin, es solle die deutsche Frage benutzt werden, um im Innern zu Lösungen im Sinne der Hochkonservativen zu gelangen und den Verfasser dieser Vorschläge an die Macht zu bringen. Und wie unter den Zeitgenossen etwa der Baseler Jacob Burckhardt, so sind ihm darin viele Historiker unserer Zeit gefolgt und haben den Vorrang der innenpolitischen Motive betont. Das ist nicht zuletzt als eine Reaktion auf die Tatsache zu verstehen, daß über viele Jahrzehnte hin die außen- und nationalpolitische Interpretation weithin das Feld beherrschte und die Frage nach den innenpolitischen Zielsetzungen und Rückwirkungen einer bestimmten Außenpolitik sehr stark zurückgetreten war. Eine solche Umkehr der Betrachtungsweise führt jedoch gerade hier leicht in die Irre oder engt jedenfalls das Blickfeld über Gebühr ein. Denn das Entscheidende und Charakteristische ist eben, wie sich außen- und innenpolitische Argumente und Zielvorstellungen wechselseitig durchdrangen und zu einem spezifischen Grundmuster ordneten. Das Grundmuster wiederum erschließt sich aus der Situation und aus den taktischen Zielsetzungen, die Bismarck über alles Inhaltliche hinaus in ihr leiteten.

Nach der Beilegung des Streits um die Huldigungsfrage war für den Augenblick nicht nur die Krise des Systems der »Neuen Ära« überwunden. Es stand auch, wie Bismarck schon während seines kurzen Aufenthalts in Berlin in Erfahrung gebracht hatte, mit dem bereits fest eingeplanten Übergang des Außenministeriums von Schleinitz auf den Londoner Botschafter Graf Bernstorff eine Initiative in der deutschen Frage im liberalen Sinne in Aussicht. Bismarcks Ziel konnte also in Baden-Baden, von seinem Standpunkt her gesehen, nicht positiv, sondern nur negativ sein. Er mußte mit dem, was er aus dem Stegreif zur preußischen Außenpolitik in der deutschen Frage vortrug, vor allem versuchen, den König gegen die Vorschläge einzunehmen, die ihm von seiten seines großherzoglichen Schwiegersohns und Roggenbachs gemacht wurden, ohne ihn in die Bahnen legitimistischer Politik zurückzudrängen. Er mußte bestrebt sein, die Vorbehalte Wilhelms gegenüber den innenpolitischen Implikationen der kleindeutsch-nationalen Außenpolitik zu unterstreichen und eine Alternative zu entwickeln, die vergleichbare Ergebnisse an Macht- und Prestigegewinn für Preußen und die preußische Krone versprach ohne die innenpolitischen Konsequenzen des liberalen Wegs. »Man könnte«, so hat er seine Zielsetzung einem Parteifreund gegenüber sehr offen formuliert, »eine recht konservative Nationalvertretung schaffen und doch selbst bei den Liberalen Dank dafür ernten.«

Seine Argumentation leitete sich also aus dem Bewußtsein ab, als Gegenspieler aufzutreten, dem es zunächst darum ging, eine Entscheidung zugunsten der konkurrierenden Richtung zu verhindern. Man wird sich daher davor hüten müssen, sie in ihren Einzelheiten zu überschätzen, auch wenn natürlich Elemente des Programmatischen in sie eingingen. Um was sie im Kern kreiste, war, den König von der Überzeugung abzubringen, daß zwischen Außen- und Innenpolitik stets ein wechselseitiger und unauflöslicher Zusammenhang bestehe, daß also die Entscheidung für eine bestimmte Politik in dem einen Bereich die Richtung im jeweils anderen weitgehend determiniere.

Das war Bismarcks alter Kampf gegen die von legitimistischer wie von liberaler Seite verfochtene These von der notwendigen Systemkonformität von Außen- und Innenpolitik. Schärfer als je zuvor hat er hier darüber hinaus deutlich gemacht, wie sich ihm der Zusammenhang zwischen den beiden Bereichen darstellte: Alles hänge, jedenfalls was das Verhältnis der Außen- zur Innenpolitik angehe, vom Erfolg ab, nicht von Gesinnung und Absicht. Eine Regierung, die außenpolitisch Erfolg hat, wird innenpolitisch stets Herr der Lage bleiben. Außenpolitischer Erfolg aber sei nicht das Ergebnis eigener Wünsche, Erwartungen und Überzeugungen. Er sei das Ergebnis eines nüchternen Kalküls, das das eigene Machtinteresse mit übergreifenden Tendenzen und Bedürfnissen zu verknüpfen suchte.

Hier war der rote Faden der ganzen Argumentation. Und von hier aus ergab sich auch das inhaltlich Entscheidende: Der preußische Staat darf sich nicht, wie die Liberalen das wollten, von den nationalen Kräften und Tendenzen in Dienst nehmen lassen. Er muß sie vielmehr in seinen Dienst stellen. Denn in dem einen Fall wird er auch innenpolitisch ihr Werkzeug, im anderen bleibt er auch hier ihr Herr.

Eine solche Instrumentalisierung des nationalen Gedankens, wie sie Bismarck jetzt ganz offen vorschlug, widersprach dem geradlinigen Denken des Königs zutiefst. Nicht daß er sich als Parteigänger der nationalen Bewegung verstanden hätte. Aber es widerstrebte ihm, eine Politik zu betreiben, die aufrichtige Überzeugungen anderer als bloße Mittel einsetzte und damit Elemente bewußter Irreführung enthielt. Bismarck hat dem Rechnung zu tragen versucht, indem er als eigentlich entscheidenden Antrieb des nationalen Gedankens den Wunsch nach Ordnung, Macht und militärischer Sicherheit hervorhob. Das »Bedürfnis, die Kraftentwicklung des deutschen Volkes straffer und einheitlicher zusammengefaßt zu sehen«, mache sich »täglich mit wachsender Entschiedenheit geltend«, so formulierte er in der ersten Fassung der Denkschrift, um in ähnlich allgemeiner Formulierung fortzufahren: »Die in der gesamten Strömung der Zeit liegende Belebung des Nationalgefühls drängt, gleichzeitig mit dem Verlangen, gegen auswärtige Angriffe gesichert zu sein, nach dem Ziele engerer Einigung Deutschlands, mindestens auf dem Gebiete der Wehrkraft und der materiellen Interessen.«

So sehr er sich jedoch bemühte, auf diese Weise die Bestrebungen der konservativen preußischen Staatsmacht und der nationalen Bewegung auch inhaltlich enger aneinander zu rücken – in einer Zeit, in der die liberale und reformerische Komponente des nationalen Gedankens, obschon langsam zurücktretend, noch deutlich ausgeprägt war, ließ sich auf diese Weise der machiavellistische Grundcharakter seiner Vorschläge nur schwer verdecken. Es mußte selbst einer schlichteren Natur als an den Haaren herbeigezogen erscheinen, wenn Bismarck versuchte, den Aufschwung der Nationalbewegung und die Auflösung des Bündnisses zwischen den drei konservativen Ostmächten in einen kausalen Zusammenhang zu bringen. Die Zerstörung des »im Jahre 1815 gegen Frankreich und die Revolution errichtete(n) Defensiv-System(s)« habe, so sein Argument, dem Wunsch nach einer ganz neuen Ordnung erst seine eigentliche Schubkraft gegeben.

Mochte Bismarck den preußischen König in seinen Bedenken gegenüber den kleindeutsch-liberalen Plänen auch bestärken, so gelang es ihm doch nicht, ihn mit seinen eigenen Plänen und vor allem mit der Art des Vorgehens zu befreunden, die ihm vorschwebte. Er dürfte im Gegenteil das Mißtrauen noch verstärkt haben, das Wilhelm ihm auf außenpolitischem Gebiet entgegenbrachte. Dieser Mann schien ihm zu den abenteuerlichsten Kombinationen fähig zu sein. Er würde, einmal im Amt, versuchen, ihn in Bahnen zu lenken, die seinen Anschauungen und Überzeugungen zutiefst widersprachen. »Das fehlte gerade noch, daß ein Mann das Ministerium übernimmt, der alles auf den Kopf stellen wird«, hatte er 1859 dem Herzog von Koburg gegenüber erklärt, der zur liberalen Fürstengruppe zählte. Und das Gespräch in Baden-Baden war kaum geeignet, ihn in diesem Urteil wankend zu machen.

Bismarck hat das offenbar deutlich empfunden. Er hat daraus, man kann sagen für immer, einen entscheidenden Schluß gezogen: daß er sich seinem Monarchen gegenüber so wenig wie möglich auf Grundsatzerörterungen einlassen dürfe, vielmehr versuchen müsse, sein Vertrauen ohne programmatische Festlegungen zu erringen. Dies ist ihm dann in der entscheidenden Situation ein Jahr später, im September 1862, auch gelungen. Es hat die Grundlage dafür geschaffen, daß Bismarck in der jahrzehntelangen Zusammenarbeit stets unbedingt die Führung behielt und seine letzten Ziele vor seinem von Natur aus oft eher vorsichtigen und zurückhaltenden Monarchen jeweils zu verschleiern vermochte.

Vorerst jedoch verließ Bismarck Baden-Baden wenn nicht als Unterlegener, so doch einmal mehr als derjenige, der nicht zum Zuge gekommen war. Roon und möglicherweise auch bereits der König selber hatten ihn innenpolitisch verwenden wollen, als den starken Mann der äußersten Rechten, der nicht Kompromisse, sondern den Kampf und die Entscheidung suchte, wo immer sich das Feld dafür bot. Bismarck aber hatte es nicht nur abgelehnt, sich in der den König so sehr bewegenden Huldigungsfrage ernsthaft zu engagieren. Er hatte auch versucht, den König auf ganz neue Wege zu drängen, die wiederum, jedenfalls äußerlich, an Kompromisse und an die Zusammenarbeit mit Kräften gekoppelt waren, die dieser innerlich bekämpfte. Und das Ganze auf einem Gebiet, auf dem Wilhelm, anders als im Bereich der Innenpolitik, Bismarck seit langem mißtraute, ihn, bei aller unbestreitbaren Klugheit, für unberechenbar und gefährlich hielt.

Die Unbedingtheit seines Charakters trat in diesem Juli 1861 nun eindeutig zutage, nachdem ihn sein Ehrgeiz vorher doch einige Male zum Schwanken gebracht hatte. Bismarck wollte weder ein Werkzeug Roons und seiner Gruppe noch Diener einer zwischen preußischen Machtinteressen und legitimistischen Überzeugungen schwankenden, bei Hof konzipierten Außenpolitik sein. Er wollte selbst entscheiden können oder aber aus dem Spiel bleiben. Von jetzt an stand er gewissermaßen mit verschränkten Armen da und wartete. Für was er stand, mußte nun jedem Eingeweihten klar sein, jedenfalls in der allgemeinen Richtung, und also auch, auf was man sich einließ, wenn man ihn in ein entscheidendes politisches Amt berief. Ob ihm selber in aller Deutlichkeit bewußt war, daß er auch für den König, der sich über der Militärfrage immer mehr verhärtete, die Ultima ratio war, mag dahingestellt bleiben. Aber dazu war er mittlerweile fest entschlossen: sich in keine Bedingungen zwängen zu lassen, die drohten, seinen künftigen Handlungs- und Entscheidungsspielraum über Gebühr einzuengen und ihn in zentralen Fragen zu einem bloß ausführenden Organ werden zu lassen.

Die Konsequenz dieser Haltung mußte auch für ihn auf der Hand liegen. Ohne ins Gewicht fallenden parlamentarischen Rückhalt, ohne eine Partei bei Hof, nachhaltig gestützt nur von Roon, den er eben empfindlich enttäuscht hatte, konnte er kaum hoffen, tatsächlich mit den Vollmachten Minister zu werden, die er erstrebte. Selbst wenn man eine gewisse Koketterie, die Neigung zu einem die eigene Souveränität betonenden Understatement in Rechnung stellt, ist in den Briefen jener Monate ein Ton der Resignation, der Skepsis, was er in politischer Hinsicht noch zu erwarten habe, unüberhörbar. Die Frage, welcher Gesandtschaft er bei freier Wahl den Vorzug geben würde, der Pariser, der Londoner oder der Petersburger, wird hin und her gedreht. Sogar nach Bern zu gehen, erscheint ihm nicht ganz abwegig, obwohl er diese »fixe Idee« gleich selber ironisiert: »Langweilige Orte mit hübscher Gegend ist für alte Leute entsprechend.« Von einer möglichen Berufung zum Außenminister ist zwar immer wieder die Rede, aber stets mit abwehrender Geste.

Vor dem Ministerium habe er »geradezu Furcht, wie vor kaltem Bade«; und: »Ich bin seit meiner Krankheit geistig so matt geworden, daß mir die Spannkraft für bewegte Verhältnisse verloren gegangen ist. Vor drei Jahren hätte ich noch einen brauchbaren Minister abgegeben, jetzt komme ich mir in Gedanken daran vor wie ein kranker Kunstreiter, der seine Sprünge machen soll.« Als ihm Anfang März 1862 das Gerücht zu Ohren kommt, der erst vor wenigen Monaten ernannte neue Außenminister Graf Bernstorff wolle wieder zurücktreten und er sei als Nachfolger vorgesehen, meint er sogar: »Ich glaube nicht, daß es die Absicht ist, würde aber ablehnen, wenn's wäre. Abgesehen von allen politischen Unzuträglichkeiten, fühle ich mich nicht wohl genug für soviel Aufregung und Ärger.«

Sicher wird man solche Äußerungen nicht für bare Münze nehmen können, zumal sie von weitgehend fiktiven Voraussetzungen ausgingen. Aber sie spiegeln doch wider, für wie gering er die Chance einschätzte, unter den Umständen und Bedingungen berufen zu werden, die ihm vorschwebten. Mit solchen Tönen wollte er nicht zuletzt sich selber und seine unmittelbare Umwelt auf das weit Wahrscheinlichere, das endgültige Scheitern seiner Ministerkandidatur, innerlich einstimmen – so schwer es ihm letztlich fallen mochte. Denn in der Tat schienen in jenen Monaten die Grundvoraussetzungen einer Politik, wie er sie ins Auge gefaßt hatte, endgültig zusammenzubrechen.

Bei den Krönungsfeierlichkeiten in Königsberg am 18. Oktober 1861, an denen auch Bismarck teilnahm, hatte sich der Gegensatz zwischen dem König und der liberalen Abgeordnetenhausmehrheit noch einmal außerordentlich verschärft. Empört über die Haltung der Liberalen, die die Mittel für die Heeresreorganisation im Juni wiederum nur als Provisorium bewilligt und sich geweigert hatten, sie in den ordentlichen Haushalt zu übernehmen, hatte er die Abgeordneten als bloße »Ratgeber« der Krone begrüßt. Das bezeugte ein sehr merkwürdiges Verfassungsverständnis. Es wurde noch dadurch unterstrichen, daß bei der Krönung unter den Abordnungen der Armee auch die Kommandeure jener Regimenter erschienen waren, die inzwischen eigenmächtig mit Hilfe der nur provisorisch bewilligten Gelder neu aufgestellt worden waren. Diese Offiziere mußten geradezu als Verkörperung jenes Geistes wirken, der Wilhelm die Rede diktiert hatte, mit der er Anfang Juni 1861 die Sitzungsperiode des Landtags geschlossen hatte. Da die Regierung »weder die Herbeiführung entsprechender gesetzlicher Normen noch die Herstellung regelmäßig geordneter Etatverhältnisse im Ressort der Militärverwaltung aus dem Auge verlieren wird«, hatte es darin im Hinblick auf das Provisorium geheißen, »kann ich über die Form der Bewilligung hinwegsehen, die das Lebensprinzip der großen Maßregel nicht berührt«.

Das war einem erheblichen Teil der bereits vorher in mehrere Gruppen aufgespaltenen liberalen Fraktion dann doch zuviel gewesen. Einen Tag später hatte sich ihr linker Flügel unter dem Namen »Deutsche Fortschrittspartei« endgültig von den nunmehrigen »Altliberalen« und der Richtung des »Linken Zentrums« getrennt, die nach wie vor, wenn auch mit wachsenden eigenen Bedenken, an der Politik des »Nur nicht drängen!« und weitgehender Kompromißbereitschaft festhielten.

Die neue Fortschrittspartei forderte demgegenüber, daß mit den Versprechungen der »Neuen Ära«, so wie ihre Mitglieder sie verstanden hatten, Ernst gemacht werde. Neben der konsequenten Verwirklichung des liberalen Rechts- und Verfassungsstaates im Inneren trat sie vor allem für eine entschiedene Bundesreformpolitik im kleindeutsch-liberalen Sinne ein. Letzteres hatte Bismarck sofort als den Punkt registriert, wo man die neue Partei seiner Meinung nach fassen und in die eigene Strategie einbeziehen, ja, sie innenpolitisch werde domestizieren können; nicht zuletzt hierauf hatten sich seine Baden-Badener Ausführungen ganz konkret bezogen. Aber gerade darin hatte ihm der König nicht folgen wollen. Er sah in der neuen Partei bloß den wiedererstandenen Gegner vergangener Zeiten, die Verkörperung des grundsätzlichen Systemkonflikts seiner Jugend im vormärzlichen Europa, die Revolution im neuen Gewand.

Für den alten Soldaten waren die Fronten nun wieder klar. Sein Entschluß stand sogleich fest, in offener Feldschlacht zu siegen oder unterzugehen und sich nicht auf undurchsichtige Manöver und Winkelzüge einzulassen. Eine ähnliche Stimmung herrschte bei einer ganzen Reihe von Mitgliedern der neuen Partei vor, ungeachtet aller Enttäuschungen der Vergangenheit und ungeachtet der Erfahrung, daß sich für einen Frontalangriff die eigene Position schon einmal als zu schwach erwiesen hatte.

Diese Stimmung erhielt außerordentlichen Auftrieb, als bei den Neuwahlen zum Abgeordnetenhaus am 6. Dezember 1861, die ganz im Zeichen der innenpolitischen Konfrontation standen, die Fortschrittspartei auf Anhieb mit einhundertsechs Sitzen die stärkste Fraktion wurde. Zusammen mit den gleichfalls anwachsenden Altliberalen und dem »linken Zentrum« stellten die Liberalen jetzt rund zweihundertsechzig der insgesamt dreihundertzweiundfünfzig Abgeordneten. Eine entscheidende Machtprobe war nun praktisch unvermeidlich. Beide Seiten rüsteten sich zu einem solchen Entscheidungskampf.

Für die liberale Mehrheit hieß das: volle Durchsetzung des parlamentarischen Budgetrechts und darüber hinaus Bindung der Regierung an den parlamentarischen Mehrheitswillen. Für die Konservativen um Roon: Ablehnung jedes Entgegenkommens und notfalls ein militärischer Staatsstreich zur Bewahrung der bisherigen Machtverteilung in Staat und Gesellschaft.

Seit Ende 1861, seit dem großen Wahlsieg der Fortschrittspartei, wurden im Militärkabinett und im Kriegsministerium ganz konkrete Pläne entwickelt, wie einem angeblich drohenden Volksaufstand nach der über kurz oder lang für unvermeidlich gehaltenen Auflösung der oppositionellen Kammer zu begegnen sein werde. Es war klar, daß man von dieser Seite den König, der sich bereitfand, die entsprechenden geheimen Einsatzbefehle zu unterschreiben, dann dazu bringen wollte, die Verfassung in wesentlichen Teilen außer Kraft zu setzen und zu dem System eines durch konstitutionelle Formen bloß verbrämten bürokratischen Absolutismus zurückzukehren, wie er in der Ära Manteuffel geherrscht hatte.

Allerdings wurde dem König von anderen, nicht zuletzt von Mitgliedern seiner eigenen Familie, seiner Frau und seinem ältesten Sohn, die Zukunftslosigkeit eines solchen Vorgehens, von dem die Öffentlichkeit gerüchteweise rasch erfuhr, eindringlich vor Augen gestellt. Sein Schwiegersohn, der badische Großherzog, der zwei Jahre zuvor in seinem Land einen sehr viel entschiedeneren Kurswechsel vollzogen und die Führer der liberalen Kammermehrheit ohne Vorbehalte und ohne rein taktische Hintergedanken mit der Regierung betraut hatte, beschwor ihn Mitte März 1862, keine antiparlamentarische Politik zu betreiben und die dem Monarchen in der Verfassung angewiesene Stellung über der Regierung und über den Parteien nicht aufzugeben. Es seien die Realitäten des Lebens selber, gegen die er sich damit stellen würde: »Das parlamentarische Wesen ist ja nur ein Abbild des menschlichen Lebens überhaupt, wo die vielfältigsten Ansichten sich kreuzen und jede ihre Berechtigung hat, insofern sie auf guter Überzeugung beruht. Die Parlamente sind nun der berechtigte Ausdruck dieser Überzeugung – ein Kampfplatz, wo Sieg und Niederlage möglich sind, über dem aber die Krone als unparteiischer Richter steht, geehrt von den Siegern und den Besiegten.« Der einzig beschreitbare Weg sei daher der, ein Ministerium zu wählen, das »mit Sicherheit auf die eine oder die andere der hervorragenden Kammerparteien zählen kann«. Gegebenenfalls müsse der König in Wahlen das Land befragen, ob es dieser Regierung und dieser Partei mehrheitlich sein Vertrauen schenke.

Ein solcher Appell an die Wählerschaft war inzwischen in Preußen erfolgt; das bildete den Hintergrund des ganzen Schreibens. Am 6. März 1862 hatte eine wenn auch knappe Mehrheit des Abgeordnetenhauses mit der Annahme eines entsprechenden Antrags des Abgeordneten und Berliner Stadtkämmerers Adolf Hagen die Regierung aufgefordert, den Haushalt so aufzuschlüsseln, daß das Parlament sich vergewissern könne, daß in ihm keine Positionen für die geheime Fortführung der Heeresreorganisation versteckt seien. In Reaktion hierauf hatte der König am 11. März das Abgeordnetenhaus aufgelöst und Neuwahlen ausgeschrieben. Gleichzeitig aber hatte er das eben nicht getan, was ihm sein Schwiegersohn empfahl: eine Regierung zu berufen, die »mit Sicherheit auf die eine oder andere der hervorragenden Kammerparteien zählen« konnte, zu denen keiner von beiden die vierzehnköpfige Fraktion der Kreuzzeitungspartei rechnete. An die Stelle des bisherigen

Ministeriums, das von rechts bis links ein möglichst breites politisches Spektrum zu umfassen suchte, war vielmehr Mitte März ein Kabinett getreten, das man seiner ganzen Zusammensetzung nach nur als eine schroffe Absage an jede weitere Zusammenarbeit mit dem Parlament verstehen konnte. »Wir stehen am Grabe der Neuen Ära«, notierte Max Duncker in diesen Tagen. Regierungschef wurde der bisherige Präsident des dezidiert antiliberalen und reformfeindlichen preußischen Herrenhauses, Fürst Hohenlohe-Ingelfingen. Und an seine Seite trat eine Reihe weitgehend unbekannter konservativer Bürokraten wie der bisherige Breslauer Polizeipräsident Gustav von Jagow, ein Studienfreund Bismarcks, der Innenminister wurde, der Oberkirchenrat Heinrich von Mühler als neuer Kultusminister oder der Berliner Oberstaatsanwalt Leopold Graf zur Lippe als Justizminister.

Die Reaktion der liberalen Öffentlichkeit ließ nicht auf sich warten. »Ich finde, es ist schon ein gutes Zeichen«, höhnte der Berliner Kammergerichtsrat Karl Twesten, einer der Führer der Fortschrittspartei: »Man will ein Ministerium, welches dem Lande und der Volksvertretung ins Gesicht schlägt, und ... muß zu einem obskuren Polizeidirektor und Staatsanwalt greifen, Namen, die nicht nur dem parlamentarischen Leben und dem Publikum, sondern selbst in der Bürokratie fremd sind. Das nächste Mal wird man einen Unteroffizier und einen Polizeisergeanten wählen müssen.« Wie der König ernsthaft hoffen konnte, mit einer solchen profillosen Regierung, die nur als dumpfe Drohung empfunden wurde, aber keine politische Alternative erkennen ließ, die Wahlen zu gewinnen, ist kaum verständlich.

Offenbar glaubte er jedoch tatsächlich, mit massiver Wahlbeeinflussung von seiten der Regierung werde sich eine völlige Umkehr der bisherigen Mehrheitsverhältnisse zugunsten jener politischen Gruppen erreichen lassen, die die Regierung vor allem auch in der Heeresreformfrage mehr oder weniger bedingungslos zu unterstützen bereit seien. »Von Reaktion etc. ist gar keine Rede«, antwortete er dem badischen Großherzog Anfang April 1862, »aber die Wahlen müssen legal beeinflußt werden, um zu einer Kammer zu kommen, mit der man regieren kann.« An dem Programm der Neuen Ära vom 8. November 1858 ändere er »nicht ein Wort«. Er lasse sich jedoch auch nicht in eine Richtung drängen, »wohin«, wie er treuherzig, seine Hoffnungen auf die Wahlen als reines Wunschdenken entlarvend, schrieb, »die Menschen wollen und wohin ich nicht will noch darf«.

In diesem Wunschdenken hat ihn der eigentliche politische Kopf der neuen Regierung, Kriegsminister von Roon, nachhaltig bestärkt – nicht weil er selber ernsthaft an einen Erfolg bei den Wahlen glaubte, sondern weil er auf eine leidenschaftliche Reaktion des Königs setzte, wenn sie erneut eine oppositionelle Mehrheit ins Parlament brachten. Denn einer solchen emotionalen Reaktion bedurfte es, wie Roon nur zu gut wußte, um die Hemmungen und Widerstände zu überwinden, die der von ihm erstrebten Rückkehr zum

System Manteuffel und einem entschlossenen Kampf gegen das Parlament und die hinter seiner Mehrheit stehenden sozialen Gruppen entgegenstanden. Mußte doch eine allein mit den Mitteln des Staatsstreichs und des Verfassungsbruchs durchzusetzende Politik für den König gleichbedeutend erscheinen mit der Preisgabe von Überzeugungen, die ihn seit Jahren geleitet, von Erwartungen, die nicht nur andere, sondern auch er selbst an seine Regierungszeit geknüpft hatten. Da sie zudem unvermeidlicherweise mit einem tiefgreifenden Konflikt in der eigenen Familie verbunden sein würde, war abzusehen, daß nur eine ganz außerordentliche Situation ihn dazu bringen werde, seine Bedenken und Vorbehalte aufzugeben.

Das wußten auch Roons Gegenspieler in der engeren Umgebung des Königs: Königin Augusta, der Kronprinz und der badische Großherzog. Dieser hatte als Haupt der liberalen Fürstengruppe auf die Folgen hingewiesen, die ein derartiger innenpolitischer Kurswechsel für Preußens Stellung in Deutschland und für seine eben vorsichtig eingeleitete deutsche Politik haben werde. Auf derartige Hinweise hatte Wilhelm höchst empfindlich reagiert. Er hatte deutlich gemacht, daß er sich wie im Innern so auch hier auf keinerlei Transaktionen mit der liberalen und nationalen Bewegung mehr einlassen wolle.

An den im Sommer und Herbst des vorangegangenen Jahres mit dem Großherzog, mit Roggenbach und Bernstorff besprochenen Bundesreformideen im Sinne der modifizierten Wiederaufnahme der kleindeutschen Unionspolitik, so Wilhelm, halte er nach wie vor fest. Aber eine solche Bundesreform könne nur aus freien Vereinbarungen der deutschen Fürsten hervorgehen. Auf einen anderen Weg lasse er sich nicht drängen: »Das Verlangen der aufgelösten Kammer, mit Entschiedenheit in der Richtung vorgehend uns treiben zu müssen, ist entschieden die Revolution und der Bürgerkrieg in Deutschland.« Widersetzten sich Österreich und die Mehrheit der deutschen Mittel- und Kleinstaaten den preußischen Plänen, dann müsse man eben abwarten: »Was bleibt übrig? Die Zeit muß wirken und arbeiten und nach und nach der Vernunft die Bahn brechen. Weißt Du einen anderen Weg?«

Dies war in seiner Weise völlig konsequent: Verlangte man im Innern Unterordnung der popularen Kräfte unter die monarchische Führung, so konnte man ihnen nicht außenpolitisch das Gesetz des Handelns überlassen, indem man sich von der Idee der Solidarität und der Kooperation der Throne lossagte. Preußischer Ehrgeiz und eigene nationale Erwartungen hatten zurückzustehen, wenn beide nur mit Mitteln zu befriedigen sein würden, welche Gewalt, Bürgerkrieg und eine wenn auch verschleierte Revolution der bestehenden inneren und äußeren Ordnung als Möglichkeit einschlossen.

Ein knappes halbes Jahr vor Bismarcks Berufung wies Wilhelm mit solchen Argumenten dessen ganzes außenpolitisches Programm, ja, sein gesamtes politisches Grundkonzept noch einmal entschieden zurück. Er nahm jetzt mehr und mehr jene Position ein, die einst Metternich zum Prinzip erhoben hatte: daß der Kampf um die Vorrangstellung der in erster Linie bürokratisch und militärisch fundierten monarchischen Zentralgewalt keine Kompromisse mit der nationalen und liberalen Bewegung dulde, wie vorteilhaft diese auch. im Augenblick erscheinen mochten. Von einer Ernennung Bismarcks zum Außenminister, von der Gerüchte wissen wollten, die sich mit seiner plötzlichen Abberufung aus Petersburg Mitte März 1862, im unmittelbaren zeitlichen Zusammenhang mit der Neubildung des Ministeriums, natürlich erheblich verstärkten, konnte angesichts dessen ernsthaft ebensowenig die Rede sein wie von einem Einlenken im Konflikt mit der Mehrheit des Abgeordnetenhauses.

Viel wahrscheinlicher war bereits zu diesem Zeitpunkt etwas, das allerdings nur wenige ahnten: daß der König resignieren und den Weg für die Alternative freigeben würde, die die nächste Generation, sein eigener Sohn und sein badischer Schwiegersohn, repräsentierte. Denn die Situation mußte immer aussichtsloser erscheinen, zumal als das Ergebnis der Neuwahlen zum Abgeordnetenhaus vom 6. Mai 1862 bekannt wurde, an deren Ausgang der König sich geradezu geklammert hatte. Mit überwältigender Mehrheit entschied sich die Wählerschaft gegen die Regierung und diejenigen politischen Gruppen, die sie und ihre Position in der aktuellen Streitfrage mehr oder weniger offen unterstützten. Trotz massiver Wahlbeeinflussung wurde nicht ein einziger der kandidierenden Minister gewählt. Die konservative Partei verlor weitere drei Mandate und verfügte nur noch über elf Sitze; in acht von zehn preußischen Provinzen errang überhaupt kein Konservativer mehr ein Abgeordnetenmandat, zum Zuge kam die Partei mit ihren hier durchweg adligen Kandidaten bloß noch in Schlesien und Pommern. Auch die sogenannte katholische Fraktion bezahlte ihre Haltung in der Heeresreformfrage mit dem Verlust von einundzwanzig ihrer bisher vierundfünfzig Mandate. Die kompromißbereiten Altliberalen schließlich gingen von etwa neunzig auf rund fünfzig Sitze zurück und spalteten sich unmittelbar anschließend in einen nach wie vor kooperationswilligen Flügel und in einen linken, der fortan durchgängig mit der oppositionellen Mehrheit zusammenging.

Diese Mehrheit, deren überwiegend aus Beamtenschaft und Besitzbürgertum stammende Vertreter außer in Posen und Pommern in allen Einzelprovinzen klar dominierten und in Ostpreußen, Berlin, Brandenburg, der Rheinprovinz und in Westfalen fast sämtliche Abgeordneten stellten, zählte damit einschließlich der ihr zuneigenden fraktionslosen Abgeordneten über etwa zweihundertfünfzig Abgeordnete. Sie verfügte also fast über eine Dreiviertelmehrheit, wobei die nochmals um neunundzwanzig auf einhundertfünfunddreißig Sitze angewachsene Fortschrittspartei weitgehend den Ton angab.

Daß diese gewaltige parlamentarische Mehrheit sich plötzlich zu wesentlichen Zugeständnissen bereitfinden werde, lag natürlich außerhalb jeder vernünftigen Erwartung. Vollends undenkbar war, daß sie sich der monarchischen Führung in der Art unterordnen werde, wie Wilhelm das vorschwebte. Sein politisches Konzept hatte nun, so schien es, im Rahmen der bestehenden verfassungspolitischen Ordnung endgültig jede Basis verloren – zumal er sich einst geschworen hatte, niemals wie sein Bruder mit der Kreuzzeitungspartei zu regieren, und eine liberal-konservative Fraktion nach seinem Geschmack nicht zur Verfügung stand. Bestärkt durch Roon, durch Manteuffel, durch Alvensleben und einem Kreis bloßer Höflinge, hatte Wilhelm sich mehr und mehr in eine Idee von der Rolle der Monarchie und des Monarchen verstrickt, die nicht nur in der Verfassung, sondern auch in der politischen und sozialen Realität kaum noch ein Fundament besaß.

Jene Idee war in seltsamer Weise politisch blutleer, von angeblichen Prinzipien bestimmt, die nur mühsam verdeckten, daß die Krone in neuerlicher Ablösung von der Gesellschaft ihre inhaltlichen Funktionen zu verlieren drohte. Nach 1849 hatte die ständisch-restaurative Richtung der preußischen Konservativen die Krone in den Dienst ihrer Staatsauffassung und damit ihrer Interessen zu stellen sich bemüht, nachdem die Liberalen mit ihrem Versuch gescheitert waren, das einstige Bündnis zwischen Monarchie und Drittem Stand, zwischen König und Bürgertum, in veränderter Form zu erneuern. In Konkurrenz dazu war mit jeweils unterschiedlicher Akzentuierung die Doktrin formuliert worden, die Krone müsse sich den Weg zur Zusammenarbeit mit allen Gruppen der Gesellschaft offenhalten. Sie müsse bestrebt sein, in verschiedenen Koalitionen und zugleich als oberste Ausgleichs- und Schiedsinstanz ihre traditionelle Führungsrolle zu behaupten.

Unbestritten aber war zwischen allen Richtungen geblieben, daß eine Zusammenarbeit mit starken gesellschaftlichen Kräften unerläßlich sei, obschon diese Einsicht bei den bürokratischen Neoabsolutisten vom Schlage Manteuffels mehr durch die Situation, durch die Notwendigkeit zur politischen Kooperation mit den von der Kamarilla repräsentierten altständischen Konservativen erzwungen worden war. Auch der jetzige König hatte sich als Thronfolger und Prinzregent zu dieser Einsicht bekannt. Nun aber befand er sich angesichts der Tatsache, daß die Wahlen offenkundig kein tragfähiges gesellschaftliches Fundament für die von ihm verfolgte Politik mehr erkennen ließen, auf dem Rückzug in die zukunftslose altabsolutistische Position einer rein bürokratischen, militärisch abgesicherten Herrschaft. Daß freilich selbst ihre Wortführer unterdessen glaubten, sie ohne Staatsstreich und förmliche Militärdiktatur nicht mehr aufrechterhalten zu können, ließ ihn letzten Endes auch hiervor zurückschrecken, zumindest jedoch die Alternative der Resignation und Abdankung immer ernsthafter erwägen.

Es war also weit über die konkreten Konfliktfragen hinaus eine ganz außerordentliche Situation, in der Bismarck dann tatsächlich zum Zuge kam, eine Situation, deren Besonderheit und Einmaligkeit zugleich das Besondere und Einmalige seiner politischen Stellung und seiner politischen Möglichkeiten in Preußen begründete. Förmlich verrannt in bestimmte politische Ziele und in die Auffassung, daß ein König in ihm zentral erscheinenden Fragen nicht nachgeben könne, ohne sein Gesicht zu verlieren, war Wilhelm geneigt, sich so oder so aufzugeben – durch Preisgabe seiner bisherigen politischen Grundanschauungen oder durch Rücktritt. Beides hat er mit der Berufung Bismarcks nur um den Preis der Aufgabe seines politischen Führungsanspruchs, der Übertragung der eigentlichen Richtlinienkompetenz an seinen neuen Regierungschef vermieden.

Das mag er damals schon selber geahnt haben. Zu deutlich war bei aller Einkleidung in die Formeln des Fürstendienstes der persönliche Macht- und Führungsanspruch, der ihm hier entgegentrat. Ein neoabsolutistischer Diktator hatte er nicht sein, aber andererseits auch eine dominierende politische Rolle der jeweiligen Parlamentsmehrheit nicht anerkennen wollen – so überließ er sich selber schließlich der Leitung eines Mannes, der ihm einen ehrenvollen Ausweg aus diesem Engpaß verhieß und dafür nichts als eine Blankovollmacht des Vertrauens verlangte. Damit installierte er jene merkwürdige Zwischenform der konstitutionellen Monarchie deutschen Typs zwischen dem älteren Typus einer wesentlich absolutistisch und dem jüngeren einer wesentlich parlamentarisch regierten Monarchie, deren relative Dauerhaftigkeit in Preußen und dann im Deutschen Reich freilich noch von einer ganzen Reihe anderer Faktoren abhängig war.

Immerhin wird man die spezifische Konstellation des Jahres 1862 und die in ihr wirksamen persönlichen Faktoren nicht unterschätzen dürfen. Beides hat, positiv wie negativ, Möglichkeiten geschaffen und Möglichkeiten abgeschnitten. Es hat zugleich die Realitäten in einem entscheidenden Augenblick zugunsten der einen und zuungunsten der anderen Seite verändert. Wer dies übersieht, verstellt sich den Blick auf die Alternativen des historischen Prozesses, auf seine Offenheit für stets neue Entwicklungen und somit auf das Wesen der Geschichte selber.

Nach den Wahlen vom 6. Mai 1862 war während des ganzen Sommers in der Tat noch alles offen – nicht zuletzt aufgrund der Haltung des Königs. Gab er auf, war, zumindest für den Augenblick, der Sieg der linksliberalen Mehrheit besiegelt, da der Kronprinz mehr oder weniger offen mit ihr sympathisierte. Entschloß er sich zur Fortsetzung des Kampfes, dann konnte das zur Stunde der zum Äußersten entschlossenen Neoabsolutisten vom Schlage Roons werden. Noch war zudem nicht auszumachen, ob sich der König schließlich nicht doch den Argumenten seiner nichtmilitärischen Umgebung und der Mehrheit seines jetzigen Ministeriums beugen und in letzter Minute zu einem Kompromiß bereitfinden werde.

In nüchterner Einschätzung der Grundlagen ihrer durch das Dreiklassen-

wahlrecht deutlich begünstigten parlamentarischen Machtposition war ein
erheblicher Teil der liberalen Mehrheit durchaus bereit, der Krone ein
eventuelles Einlenken zu erleichtern, wenn diese nur erkennen ließ, daß sie
künftig die Zusammenarbeit mit dem Parlament ohne Hintergedanken
suchen werde. »In Preußen ist die einzig mögliche Form eines gedeihlichen
Staatslebens jetzt die parlamentarische unter einer verständigen königlichen
Führung«, so formulierte der Historiker Heinrich von Sybel als Mitglied der
Fraktion des Linken Zentrums in einem Brief an den badischen Bundestags-
gesandten Robert von Mohl diese Position: »Das Parlament ohne diese
Führung ist der Aufgabe *noch* nicht gewachsen, und das Königtum ohne
Parlament ist es längst nicht *mehr*.« Ebenso wie Karl Twesten von der
Fortschrittspartei bemühte sich auch Sybel in jenen Wochen, zu einem
Ausgleich auf breiter Basis zu gelangen, der über den gegenwärtigen Konflikt-
fall hinaus eine wirkliche neue Ära im Verhältnis zwischen Krone und
Parlament zu eröffnen versprach.

Eine große Rolle spielte hierbei die Sorge vor den Rückwirkungen einer
weiteren Zuspitzung des Konflikts auf die deutsche Frage und auf die
Erfolgsaussichten des eigenen Programms in diesem Bereich: Die Wortführer
des Kompromisses waren zugleich die Hauptvertreter einer Wiederaufnahme
der preußischen Unionspolitik im liberalen Sinn. Das aber machte sie, selbst
wenn sie einen solchen Gedanken zu diesem Zeitpunkt entrüstet von sich
gewiesen hätten, zu potentiellen Bundesgenossen des Mannes, der ein Jahr
zuvor dem preußischen Kriegsminister erklärt hatte, der »Hauptmangel« der
Politik der jetzigen preußischen Regierung liege darin, »daß wir liberal in
Preußen und konservativ im Ausland« auftreten. Bis zu einem solchen
Bündnis war es allerdings noch ein weiter Weg – ein sehr viel weiterer, als
Bismarck sich ihn in einer Mischung von Menschenverachtung, Geringschät-
zung angeblicher Prinzipien und reinem Erfolgsdenken ursprünglich vorge-
stellt hatte. Für seine eigene Position jedoch und für sein Verhalten in diesen
Monaten war dieser Optimismus zweifelsohne von entscheidender Bedeu-
tung. Er gab ihm die Siegesgewißheit, mit der er den König schließlich zur
Fortführung des Kampfes und zur Aufgabe seiner Abdankungspläne bestimmte.

Nach seiner plötzlichen Abberufung aus Petersburg, die lediglich mit der
Mitteilung verbunden gewesen war, der König behalte sich die endgültige
Entscheidung über seine weitere Verwendung noch vor, es werde sich aber
wohl um London oder Paris handeln, war Bismarck am 10. Mai, vier Tage nach
den Wahlen zum Abgeordnetenhaus, in Berlin eingetroffen. Das erste, was er
hier hörte, war, daß er wahrscheinlich als Nachfolger Hohenlohes zum
Ministerpräsidenten vorgesehen sei, der König sich also offenbar entschlossen
habe, in Reaktion auf den Wahlausgang nun sofort ein Ministerium zu
berufen, das mit vollen Segeln in den offenen Konflikt steuern würde. »Uns

fehlt... bloß noch eine Kleinigkeit«, schrieb Roon am 18. Mai in einem Privatbrief ironisch, »das ist der *Kopf* des Ministeriums.«

Die ausführlichen Gespräche mit dem König, bei denen, nach Bismarcks eigenen Worten, »über alles, nur nicht über künftige Gesandtschaftsposten« geredet wurde, waren offenkundig zu Wilhelms Zufriedenheit verlaufen. Sie hatten manche seiner Bedenken über die »Flatterhaftigkeit« seines möglichen Regierungschefs zerstreut, über das, was die Königin schon Mitte März, anläßlich des letzten Regierungswechsels, zu dem leidenschaftlichen Ausbruch veranlaßt hatte: »Nur um Gottes Willen den nicht zum Minister. Es ist eine ganz falsche Rechnung zu glauben, daß ein Mann wie Bismarck unserem Land dienen kann, der gewiß alles wagt und der Schrecken aller ist, weil er keine Grundsätze hat.« Aber schließlich hatte sich die Überlegung, zunächst einmal die Reaktion des neugewählten Abgeordnetenhauses abzuwarten und nicht sofort alle Türen zuzuschlagen, als stärker erwiesen. Hinzu kam der Wunsch Bismarcks, gleichzeitig als Nachfolger Bernstorffs das Außenministerium zu übernehmen: Ein neuerlicher Verfassungskonflikt in Kurhessen, der abermals zum Bundesproblem wurde, und ein Streit mit Österreich über die Frage der Vereinbarkeit des preußisch-französischen Handelsvertrags mit den preußisch-österreichischen Abmachungen von 1853 hatten es nicht geraten erscheinen lassen, gerade zu diesem Zeitpunkt, sozusagen mitten im Strom, die Pferde zu wechseln.

Das waren sehr pragmatische Erwägungen. Im letzten aber hatte dahinter wieder die Sorge des Königs vor den außenpolitischen Plänen Bismarcks gestanden und vor dem, was dieser auch innenpolitisch an Erwartungen und Zielsetzungen damit verband. Sie hatte ihn fast erleichtert zupacken lassen, als der Ministerkandidat, etwas früher als ursprünglich geplant, am 21. Mai »explodierte« und ultimativ »einen Posten oder meinen Abschied« verlangte. Bernstorff hatte ihn daraufhin, wie seit längerem erwogen, zum Gesandten in Paris vorgeschlagen. Allerdings hatte der König ihm im gleichen Atemzug erklärt, er möge diese Entscheidung nicht als etwas Definitives auffassen. Ja, er hatte offen durchblicken lassen, die Pariser Position sei zunächst nur als eine Art Wartestand zu verstehen.

Nicht anders hat sie Bismarck von vornherein empfunden, auch wenn ihn die Erfahrungen der zwei Wochen in Berlin mit ihrem dauernden Hin und Her, mit der Sprunghaftigkeit und Entschlußlosigkeit fast aller Beteiligten, mit den vorherrschenden Eifersüchteleien und einer geradezu erschreckenden Ziellosigkeit unter denen, die von seiten der Regierung Entscheidungen zu treffen hatten, noch zusätzlich ernüchtert hatten. Einen Umzug in das preußische Gesandtschaftsgebäude mitten in Paris, am Quai d'Orsay, gegenüber den Tuilerien, erwog er gar nicht erst ernsthaft. »Es ist mehr ein Fluchtversuch, den ich mache, als ein neuer Wohnsitz, an den ich ziehe«, faßte er seine Einschätzung wie seine Stimmung am 25. Mai in einem Brief an seine Frau zusammen, die seit Mitte des Monats, ganz unsicher, was nun werden würde, mit den Kindern bei den Eltern in Reinfeld lebte. Schon die nächsten Sitzungswochen des Abgeordnetenhauses vor der Sommerpause, meinte er, würden wohl die Entscheidung bringen: »In acht bis zehn Tagen erhalte ich wahrscheinlich eine telegraphische Citation nach Berlin, und dann ist Spiel und Tanz vorbei.« »Wenn meine Gegner wüßten«, fuhr er in diesem unmittelbar nach der Antrittsaudienz bei Napoleon III. am 1. Juni geschriebenen Brief fort, »welche Wohltat sie mir durch ihren Sieg erweisen würden und wie aufrichtig ich ihn ihnen wünsche!«

Das war sicher nicht ohne die geheime Eitelkeit dessen, der sich in einer bestimmten Situation für unentbehrlich gehalten glaubte. Aber auf der anderen Seite war er doch nüchtern genug zu wissen, daß der Ausweg, den er aus dieser Situation zu zeigen versprach, seinerseits nur ein Versuch, ein Experiment ohne jede Erfolgsgarantie sein würde: »Soll es sein, dann s bogom [mit Gott], wie unsere Kutscher sagten, wenn sie Leine nahmen. Im nächsten Sommer wohnen wir dann vermutlich in Schönhausen.« Hinzu kam, daß ihn bei allem Ehrgeiz und Machtwillen der Preis für die Erfüllung seiner Hoffnungen auch schreckte: die völlige Einbindung in die Verantwortung und das politische Geschäft, der weitgehende Verzicht auf fast alles, was nicht in unmittelbarer Beziehung zu diesem stand, kurz, die Vereinseitigung des ganzen Daseins, die, wie er wußte, bis zur Krüppelhaftigkeit gehen konnte.

Die dreieinhalb Monate, die ihn noch von seiner nun eigentlich für sicher gehaltenen Berufung trennten, hat er daher nicht zufällig noch einmal in einer Art Doppelexistenz verbracht. Einerseits benutzte er sie, um gleichsam vor Ort, und zwar nicht nur in Paris, sondern auch in London, wohin er Ende Juni aus Anlaß der Weltausstellung fuhr, das Terrain für seine künftige Politik zu sondieren. Andererseits brach er noch einmal, wenngleich in dem Bewußtsein einer bloßen Eskapade, aus der Welt aus, die ihn von nun an als einen ihrer Hauptrepräsentanten und wesentlichen Gestalter nicht mehr loslassen sollte – auch wenn er ihr immer einmal wieder zu entrinnen suchte in dem Bewußtsein, daß sie ihn zu ersticken, in der Routine innerlich aufzufressen drohte. So war der Anfang zugleich ein Abschied, das schmerzliche Bewußtsein des Verzichts – auch und gerade weil sein Gegenstand bloße Hoffnung, Erwartung, Möglichkeit blieb.

In Paris war Napoleon III. natürlich über den Stand der Dinge in Berlin und Bismarcks mögliche künftige Rolle weitgehend auf dem laufenden; in diplomatischen Kreisen wie auch in der Presse wurde beides oft genug erörtert. Er empfing ihn daher sogleich als potentiellen Partner auf der europäischen Bühne. In Anknüpfung an ihre Gespräche in den fünfziger Jahren suchte er insbesondere in Erfahrung zu bringen, was Bismarck von den Möglichkeiten einer mehr oder weniger engen preußisch-französischen Kooperation halte. »Er ist ein eifriger Verfechter deutscher Einheitspläne, das heißt kleindeutscher, nur kein Österreich darin«, berichtete Bismarck Ende Juni 1862 in einem Privatschreiben an den Außenminister. Er, Bismarck, sei bei diesem Gespräch »etwas in die Lage Josephs bei der Frau von Potiphar gekommen«. Napoleon habe »die unzüchtigsten Bündnisvorschläge auf der Zunge« gehabt: »Wenn ich etwas entgegengekommen wäre, so hätte er sich deutlicher ausgesprochen.«

Das war am 26. Juni. Einen Tag später folgte Bismarck einer Einladung Napoleons nach Fontainebleau. Hier wurde der französische Kaiser nun doch ganz deutlich. »Glauben Sie«, so gab Bismarck, das Dramatische des Vorgangs bewußt betonend, die entscheidende Passage wörtlich wieder, »daß der König geneigt sein würde, ein Bündnis mit mir zu schließen?« Er habe ihm geantwortet, er sei sicher, daß Wilhelm I. keine persönlichen Vorbehalte gegen ihn habe und daß auch die früheren Bedenken in Preußen gegenüber einem Zusammengehen mit Frankreich weitgehend geschwunden seien. Er sehe jedoch kein unmittelbares »Motiv oder Ziel« für ein solches Bündnis.

Für jeden Eingeweihten steckte in dieser scheinbaren Feststellung natürlich eine Frage. Napoleon ging denn auch sogleich darauf ein, freilich in einer Art, die ihn geradezu als Bismarcks anderes Ich erscheinen ließ: »Ich spreche von einem Bündnis nicht mit Blick auf irgendein abenteuerliches Unternehmen; aber ich finde, daß Preußen und Frankreich so viele gemeinsame Interessen haben, daß darin die Grundlagen für eine enge und dauerhafte Verbindung zu finden sind, solange Vorurteile und Parteigeist sich dem nicht entgegenstellen.« Und dann noch eindeutiger: »Es wäre ein großer Fehler, Ereignisse *schaffen* zu wollen, aber sie treten auch ohne unser Zutun ein und ohne daß wir ihre Richtung und Kraft berechnen können; daher muß man sich rechtzeitig wappnen und nach Mitteln Ausschau halten, um ihnen zu begegnen und von ihnen profitieren zu können.«

Im weiteren Verlauf des Gesprächs habe Napoleon darauf hingewiesen, daß Bismarcks Ernennung und das gleichzeitige Eintreffen des russischen Gesandten in Berlin, des Barons Budberg, in Paris an der Donau offenbar eine Art Panik hervorgerufen hätten. Diese habe dazu geführt, daß der österreichische Botschafter zu Bündnisverhandlungen größten Stils ermächtigt worden sei. Für bare Münze, fügte Bismarck gleich hinzu, um dem Vorwurf naiven Wunschdenkens zu entgehen, brauche man diesen Hinweis natürlich nicht zu nehmen. Auch lasse er es selbstverständlich »dahingestellt« sein, »inwieweit diese Auslassungen unbefangen und worauf sie berechnet waren; aber«, fügte er hinzu, »ganz aus der Luft gegriffen können sie nicht sein«. Es gebe eine bemerkenswerte Aktivität des österreichischen Gesandten, des Fürsten Richard Metternich – bemerkenswert vor allem auch deswegen, weil dieser eine eher »einfache und geschäftlich träge Natur« sei. In London sei man offenbar gleichfalls der Meinung, daß Rußland und Österreich »sich in Paris einander den Rang abliefen, um geheime Verträge mit Frankreich zustandezubringen«.

Im übrigen, fuhr er fort, seine eigene Einstellung zu dem Angebot Napoleons formulierend, spreche dafür jenseits aller Einzelheiten auch die nüchterne Einschätzung der Gesamtsituation. Das Ziel der russischen Politik unter Gortschakow sei nach aller seiner Kenntnis zunächst einmal die »Lösung des westmächtlichen Bundes«. Und was Österreich unter Rechberg angehe, so halte er ihn »*jeder* Kombination für fähig, wenn sie nur zum Übergewicht über Preußen in Deutschland verhilft«: »Man wird in Wien Venetien und das linke Rhein-Ufer opfern, wenn man dafür auf dem *rechten* eine Bundesverfassung mit gesichertem Übergewicht Österreichs gewinnt. Ein sentimentales Deutschtum ist seit Jahrhunderten niemals das leitende Prinzip in der Wiener Hofburg gewesen, und die deutsche Phrase hat dort nur so lange Cours, als sie zum Leitseil für uns oder die Würzburger dient.«

Daß ein französisch-österreichisches Bündnis seit 1852 nicht zustande gekommen sei, liege wirklich nicht an einer fehlenden Neigung Wiens. Es liege allein an dem »Mißtrauen«, das Napoleon »in die Zukunft Österreichs setzt, welches nicht im Stand ist, mit dem zur Zeit mächtigen Wind der Nationalitäten zu segeln«. Aus all dem ziehe er zwar nicht die »Konsequenz, daß wir uns bemühen sollen, mit Frankreich auf bestimmte Artikel ein Bündnis zu schließen, wohl aber, daß wir keine Politik treiben dürfen, bei der wir auf treue Bundesgenossenschaft Österreichs gegen Frankreich zu zählen hätten, und daß wir uns nicht der Hoffnung überlassen müssen, Österreich werde jemals *freiwillig* einer Verbesserung unserer Stellung in Deutschland zustimmen«.

Vor allem letzteres unterstrich noch einmal nachdrücklich, daß Bismarck, obwohl er die Einstellung seines Königs zu der sich von daher förmlich aufdrängenden Kooperation mit Frankreich nur zu gut kannte, nicht bereit war, sein außenpolitisches Programm zu modifizieren oder auch nur zu verschleiern. Dieses Programm war der Grundpfeiler seines ganzen politischen Konzepts – freilich ebensosehr als Mittel zum Zweck wie als Zweck an sich. Jede Änderung drohte das zu zerstören, worauf dieses Konzept auch innenpolitisch und im Hinblick auf seine eigene Zukunft wesentlich beruhte: auf dem Kalkül, daß nur der Erfolg dem Handelnden recht gibt und mit ihm dem, wofür er eintritt und wofür er steht. Nicht die Situation und nicht die Rücksicht auf den König und seine Bedenken konnten daher in dieser Frage für ihn maßgebend sein – das hat zum Beispiel Roon, ganz in dieser Situation befangen und nur darauf aus, die Vorbehalte gegen Bismarck auszuräumen, überhaupt nicht verstanden. Ausschlaggebend war für Bismarck allein die Überlegung, wie er, falls er berufen wurde, außenpolitisch so rasch wie möglich in eine erfolgversprechende Ausgangsposition gelangen könne.

In solchem Sinne hat er auch seine sechstägige Reise nach London Anfang Juli aufgefaßt. Er wurde sowohl von Lord Palmerston, dem Premierminister und langjährigen Leiter der britischen Außenpolitik, als auch von Earl

Russell, dem Außenminister, empfangen. Über seine Gespräche mit den beiden führenden Vertretern des englischen Liberalismus der Zeit vor Gladstone hat er Wilhelm I. selber ausführlich berichtet, gewiß auch in der Absicht, auf diese Weise dem Eindruck entgegenzuwirken, den der Bericht über seine Unterredung mit Napoleon III. machen mußte. Außerdem bot sich ihm hier, und das war ihm nicht weniger wichtig, die Gelegenheit, den König gegen ein mögliches Zusammengehen mit England einzunehmen, wie es ihm von den Vertretern der ehemaligen Wochenblattpartei und der sogenannten liberalen Fürstengruppe mit dem badischen Großherzog und seinem eigenen Sohn an der Spitze seit langem nahegelegt wurde.

So sehr Bismarck sich in anderen Fällen, insbesondere im Hinblick auf das Frankreich Napoleons III., dagegen gewehrt hatte, außenpolitische Koalitionen von innenpolitischen Überlegungen abhängig zu machen – in diesem Fall spielte er die innenpolitische Karte sehr bewußt, um dem König zu suggerieren, eine Kooperation mit England sei ganz unmöglich. Er versuchte ihn auch auf Umwegen zu überzeugen, daß eine kleindeutsche Einigungspolitik unter preußischer Führung, wie sie die liberale Fürstengruppe und der Nationalverein propagierten, in Wirklichkeit gar nicht die Unterstützung Englands finden werde. Dabei flocht er die in seinem eigenen Programm angeblich steckenden innenpolitischen Möglichkeiten außerordentlich geschickt mit ein.

Er sei »einigermaßen überrascht« gewesen, so sein Bericht, über den »Mangel an Verständnis«, den er bei beiden Politikern für »unsere heimischen Zustände« angetroffen habe. Das gelte besonders für den Premierminister Lord Palmerston: »Derselbe betrachtet es als eine unausweichliche Notwendigkeit, daß E.K.M. allerhöchstdero Ministerium aus dem Schoße der oppositionellen Mehrheit des Abgeordnetenhauses wählten. Er kannte die preußische Verfassung nicht näher, leitete aber die Notwendigkeit, die Räte der Krone jedesmal aus der parlamentarischen Majorität zu wählen, aus dem Wesen der repräsentativen Verfassung im allgemeinen ab.« Er, Bismarck, habe versucht, ihm klarzumachen, daß die Dinge sehr viel komplizierter lägen und daß mit der Heeresfrage die, wohl auch für England nicht ganz unwichtige, Stabilität der inneren und äußeren Verhältnisse in Mitteleuropa verbunden sei. In diesem Zusammenhang habe es ihn einigermaßen befremdet, daß sich Palmerston »und, in nur etwas geringerem Grade, auch Lord Russell, in der vollständigsten Unwissenheit über die Richtung befanden, welche auf dem Gebiet der auswärtigen Politik diejenige Partei bei uns verfolgt, aus welcher, nach Ansicht der englischen Minister, ein neues preußisches Kabinett zu bilden wäre«.

Palmerston lege großen Wert darauf, »Preußen gegenwärtig in gutem Einvernehmen mit Österreich bleiben und jede Störung des Friedens unter den Mitgliedern des Deutschen Bundes verhütet zu sehen«. Doch sei ihm völlig unbekannt, »daß gerade nach dieser Richtung hin unsere parlamentarische Majorität, wenn ihr E.M. das Ruder übergeben würde, sehr geringe Bürgschaften gewähre, indem die sogenannte Fortschrittspartei unter den obersten Sätzen ihres Programms eine Behandlung der deutschen Frage verlange, welche notwendig in ziemlich kurzer Zeit zum Bruch mit unsern deutschen Bundesgenossen und vornehmlich mit Österreich würde führen müssen«. Als er, Bismarck, ihm gar noch dargelegt habe, »daß der Widerstand der Majorität in der Militärfrage schwinden und jeder geforderte Betrag für die Armee ohne Schwierigkeiten bewilligt werden würde, falls E.M. sich herbeilassen wollten, die Verwendung der Armee zur Unterstützung einer Politik im Sinne des Nationalvereins in Aussicht zu stellen«, da habe Palmerston dies schlicht für eine »Entstellung der Tatsachen« erklärt, »welche ich mir im Interesse eines reaktionären Parteistandpunktes seiner Meinung nach gestattete«.

Ob das Gespräch, aus dem Bismarck zusätzlich und gleichfalls sehr gezielt noch berichtete, in der schleswig-holsteinischen Frage ständen beide Politiker ganz auf der Seite der dänischen Nationalpartei, tatsächlich so verlaufen ist, sei dahingestellt. Denn letztlich paßte es etwas zu gut in Bismarcks Konzept, England sowohl aus außen-, aber auch aus innenpolitischen Gründen aus allen Kombinationen nach Möglichkeit herauszuhalten.

Zwar dürfte es für ihn eine Überraschung gewesen sein, daß man in London über die inneren Verhältnisse in Preußen und insbesondere über die national-politischen Ziele der Fortschrittspartei nur höchst vage informiert war. Gleich nach der Rückkehr schrieb er aus Paris übereinstimmend an seine Frau und an Roon, »über Preußen wissen die englischen Minister weniger wie über Japan und die Mongolei«. Aber wenn man der Aufzeichnung auch nur im Kern Glauben schenkt, die der sächsische Gesandte Graf Vitzthum sich über ein gleichzeitiges Gespräch zwischen dem ihm eng befreundeten konservativen Oppositionsführer Benjamin Disraeli und Bismarck machte, dann hat Bismarck die Schlußfolgerungen doch sehr viel offener ausgesprochen, die er selber aus der innen- und außenpolitischen Konstellation im Hinblick auf Preußen zog.

Zumindest mag er angedeutet haben, daß eine von ihm geführte preußische Regierung einer Parteinahme Londons – sei es für die liberale Opposition in Preußen selber, sei es für Österreich und die Erhaltung des Bundes oder sei es auch für die dänischen Nationalisten – mit sehr unorthodoxen Maßnahmen begegnen werde. Wenn England sich nicht heraushalte, werde es nichts gewinnen und nur böse Überraschungen erleben, mit Koalitionen konfrontiert werden, die die Berichterstattung der englischen Diplomaten bisher für unmöglich erklärt hatte. Napoleon hat wenig später im Hinblick auf Bismarcks kühne Kombinationen geurteilt: »Ce n'est pas un homme sérieux.« Disraeli aber soll gesagt haben: »Take care of that man! He means what he says.« Ob das allerdings auch die Meinung der beiden führenden außenpolitischen

Vertreter der britischen Regierung zu diesem Zeitpunkt gewesen ist, ist mehr als fraglich.

Für Bismarck hingegen war sein kurzer Besuch in London ohne Zweifel eine Bestätigung: Die eigentlichen Entscheidungen würden in Kontinentaleuropa fallen. England lebte in zu großer Distanz von den Verhältnissen in Mitteleuropa. Es war zu sehr mit anderen Problemen beschäftigt, als daß es sich nicht, solange nur das kontinentale Machtgleichgewicht in etwa erhalten blieb, zurückziehen würde, wenn die Gefahr bestünde, in nicht recht durchschaubare Verwicklungen hineingezogen zu werden.

Darauf setzte Bismarck zumindest bis 1870, und, wie sich zeigte, zu Recht. Wenn Gortschakow sich um eine »Lösung des westmächtlichen Bündnisses« bemühte, so mochte er seine Energie darauf konzentrieren. Er, Bismarck, war überzeugt, daß ein solches Bündnis in Wahrheit, zumindest in einer irgend belastbaren Form, gar nicht existierte und Napoleon die Verständigung mit Preußen nicht nur wünschte, sondern geradezu brauchte. Man würde ihn sogar hinhalten und doch auf ihn zählen können. Der König müsse sich in dieser Hinsicht gar keine Sorgen machen.

Wilhelm war jedoch weit stärker alarmiert, als Bismarck es für möglich gehalten hatte. Unter ausdrücklichem Hinweis auf das Tête-à-tête mit Napoleon III. lehnte er es noch einmal ab, Bismarck das Außenministerium zu übertragen. Er ließ erkennen, daß er ihn, wenn überhaupt, nur innenpolitisch, als ausgesprochenen Konfliktminister, verwenden werde. Bismarck seinerseits war nach wie vor entschlossen, hierauf nicht einzugehen. Andererseits war er durchaus nicht so sicher, wie er später gern vorgab, ob er nicht den günstigen Augenblick zu verpassen drohe, in dem der König auf ihn angewiesen und durch ihn in jeder Richtung beeinflußbar zu sein schien. So drehte er sich in Paris mit wachsender Nervosität förmlich auf der Stelle. »Ich bin nicht sehr gesund, und diese provisorische Existenz mit Spannung auf ›ob und wie‹ ohne eigentliche Geschäfte beruhigt die Nerven nicht«, schrieb er Mitte Juli an Roon.

Er wollte weg, möglichst weit weg, auch räumlich Distanz gewinnen von all dem Hin und Her, den ewigen Spekulationen und Unentschlossenheiten. Das pommersche Gut schien hierfür, auch wenn er Frau und Kinder seit Monaten nicht gesehen hatte, denkbar ungeeignet zu sein. Hinzu kam, daß er dabei über Berlin hätte fahren müssen; er fürchtete, dort wieder über Tage ohne Entscheidung aufgehalten zu werden. So entschloß er sich, nachdem er am 17. Juli endlich den erbetenen sechswöchigen Urlaub erhalten hatte, ins Blaue hinein in Frankreich Urlaub zu machen, mit der vagen Zielrichtung einer Reise durch Südfrankreich und die Pyrenäen.

Nach einem Abstecher nach Trouville, wo ihn die Atmosphäre eines Familienbades sehr rasch langweilte, brach er am 25. Juli mit der Eisenbahn nach dem Süden auf. In fast täglichen Briefen an seine Frau hat er diese immer wieder unterbrochene Reise über Blois, Bordeaux, Bayonne nach San Sebastian und Biarritz geschildert – mit Farben, mit einer Anschaulichkeit und Unmittelbarkeit und mit einem Zugriff auf die Stimmung der Landschaft und des Augenblicks, die jenen anderen Bismarck sichtbar werden lassen, einen Mann von außerordentlicher Sensibilität, der sich bei allem Ehrgeiz und aller politischen Leidenschaft von den Aussichten auf seine Zukunft zugleich bedrängt und eingeengt fühlte, der spürte, daß sie ihm ganz andere Wege, ganz andere Existenzformen verschloß.

Bismarck war allerdings nicht mehr der Mann, sich davon irgendwie überwältigen oder gar aus der Bahn bringen zu lassen. Er wußte inzwischen nur zu gut, daß die Freiheit, die Offenheit, die Ungebundenheit der Empfindung untrennbar zusammenhingen mit der eigenen Verankerung, der Gebundenheit in vielfältiger Hinsicht, daß das, was sich an Perspektiven eröffnete, nicht zu denken war ohne den eigenen festen Standort im Leben. Das unterschied, neben allem anderen, Biarritz von Wiesbaden, die Eskapade von 1862 von der des Jahres 1837. Hier hatte er für sein Inneres eine Form, eine Existenz gesucht. Dort entdeckte er, daß die inzwischen erlangte Form und äußere Existenz ihn innerlich nicht ausgehöhlt, sondern bewahrt hatten.

Biarritz, das war Katharina Orlow, die zweiundzwanzigjährige Frau des russischen Gesandten in Brüssel, Nikolaj Orlow, den er von Petersburg her flüchtig kannte. Bis zu ihrer Ankunft am 7. August hatte er sich zwar sehr wohlgefühlt, viel gelesen, viel gebadet, viele Briefe geschrieben, sich aber auch gelangweilt, in Gedanken nach Berlin geschielt und neue Reisepläne entworfen. Von nun an zählte für ihn nur noch der Tag, das Leben in dem ansonsten nicht weiter aufregenden südfranzösischen Seebad.

Daß er sich sehr rasch in Katharina Orlow verliebt hat, steht außer Frage; er ließ es selbst in aller Unbefangenheit in den Briefen durchscheinen, die er auch jetzt zwei- bis dreimal die Woche an seine Frau schickte. Aber das war doch bei aller Intensität des Gefühls nicht das Eigentliche. Johanna, der Eifersucht in einem vordergründigen Sinne ganz fremd war, mag das sofort gespürt haben. »Kathy«, »seine Nichte«, wie er sie, den Altersunterschied betonend und dadurch auch wieder vermindernd, gern nannte, stürzte ihn in keine inneren Konflikte. Sie veränderte oder verwirrte auch sein Verhältnis zu Johanna in keiner Weise. Sie war vielmehr in ihrer Natürlichkeit, in ihrer Spontaneität, in der Unbekümmertheit ihrer Jugend mitreißend für Bismarck vor allem in dem Sinne, daß er sich selbst, seine eigene Jugend in ihr wiederentdeckte, und das in einer Form, die losgelöst war von all dem, was mit ihr an Unsicherheiten, an innerem Schwanken und an Selbstzweifeln notwendigerweise verbunden gewesen war. Daß das Leben nicht nur in den Hoffnungen auf morgen, den Projektionen der eigenen Ziele und Erwartungen angenehm und lebenswert sei, ja, daß sich ein Gefühl seiner selbst und ein Gefühl für die Schönheiten des Daseins erst im fast absichtslosen Stillstehen entfalten könne – das war es vor

allem, was jene Tage ihm vermittelten. Es waren Tage der Erfüllung und nicht
der Sehnsucht, Tage eines Daseinsgenusses aus sich selbst heraus, für die das
Gefühl der Verliebtheit Stimulans wie äußerer Ausdruck war. Von Grenzen,
überschrittenen oder nicht überschreitbaren, ist weder hier noch später auch
nur in Andeutungen je die Rede gewesen. Ganz offenkundig lag hier
tatsächlich niemals ein Problem.

Es dominierte der Reiz des Unausgesprochenen, der erotischen Sympathie, des Spielerischen, eine durch die äußeren Umstände geförderte wechselseitige Faszination, die auf alles ausstrahlte und alles miteinbezog und
belebte, ohne als Spannung je übermächtig zu werden. Von einer »Zeit voll
Torheit, Fröhlichkeit und Poesie inmitten einer entzückenden Natur«,
sprach Katharina Orlow im Rückblick, von einem »freien unabhängigen
Dasein, das so voller Träume war«. Und fast zehn Jahre später, im Juni 1871,
beschwor Bismarck seinerseits noch einmal die »glücklichen Stunden, das
sorglose Leben, das wir dort führen durften und das so weit entfernt ist von
dieser lärmenden Existenz, deren Mühsale mich heute bedrängen«.

Das war der durchgehende Ton – ein »Paradise lost«, wie er es in einem
Brief an Katharina vom September 1863 nannte, an das ihn in seinem
Zigarrenetui eine ihrer Nadeln, »eine kleine gelbe Blume…, gepflückt in
Superbagnères, Moos vom Port de Vénasque und ein Olivenzweig von der
Terrasse in Avignon« täglich erinnere. Anfang Oktober 1864 hat er, eine
Begegnung mit Napoleon zum Anlaß nehmend, noch einmal eine Reise in die
Vergangenheit unternommen. Und obwohl er selber etwas skeptisch war und
die Amtsgeschäfte ihn nur begrenzt losließen, war der Zauber dieser Vergan-
genheit so mächtig, daß die alte Stimmung wenigstens zeitweise zurückkehrte.

1864 war freilich an eine selbständige Verlängerung des Urlaubs, an eine
Reise ins Unerreichbare nicht mehr zu denken, zu der er am 1. September
1862 mit den Orlows in die Pyrenäen aufgebrochen war. Eine solche Hoch-
gebirgstour war seit einiger Zeit in Mode gekommen. Man bestieg den Pic du
Midi und kampierte dort in einer Hütte, um den Sonnenaufgang über den
Pyrenäen zu erleben. Man wanderte gemeinsam den Col de Vénasque hinauf
und genoß den weiten Blick nach Spanien hinein. In täglichen Ausflügen lebte
man ganz der Natur und der Fülle der ununterbrochen wechselnden äußeren
Eindrücke. Für Bismarck war es vor allem die Bestätigung wiedergewonnener
Kraft und Gesundheit, einer vom Erfolg und unmittelbarer Selbstbestätigung
unabhängigen Lebensfreude. Sie erfuhr aus dem wehmütigen Gefühl, daß
dies alles in wenigen Tagen enden werde, ein bloßes Intermezzo sei, noch eine
besondere Steigerung.

Denn wenn er auch für Tage unerreichbar war und geraume Zeit von allen
Nachrichten abgeschnitten blieb – die Unbekümmertheit hatte Grenzen,
und an keiner Stelle hat er auch nur eine Leine gekappt. Die Orte, wo ihn
Mitteilungen postlagernd erreichen würden, hatte er sorgfältig bezeichnet,

eine etwaige Verlängerung seines Urlaubs dem Außenminister vorsorglich angekündigt. Er hatte auch genau kalkuliert, ob er durch seine Abwesenheit etwa einen entscheidenden Moment zu verpassen drohe. Biarritz und die Pyrenäen lenkten ihn ab, sie zerstreuten ihn, sie gaben seinen Gedanken eine andere als die eine, quälende Richtung, aber eben nicht mehr.

Als er am Abend des 10. September in Toulouse eintraf, da mußte er sich nicht erst mühsam in die Wirklichkeit zurücktasten, gleichsam erst wieder Tritt fassen. Im Gegenteil. Er hatte erwartet, hier ein Schreiben des Außenministers mit der Entscheidung über eine etwaige Kabinettsumbildung vorzufinden. Da er statt dessen nur einen Brief von Roon erhielt, in dem dieser ihm unter dem Datum des 31. August mitteilte, es sei nach wie vor alles in der Schwebe, entschloß er sich sofort und ohne weitere Informationen abzuwarten, diese Entscheidung nun so oder so zu erzwingen. In dieser Form gehe es nicht weiter, antwortete er Roon am 12. September aus Toulouse. Sein Plan sei jetzt, mit Einwilligung Bernstorffs in nächster Zeit nach Berlin zu kommen und alles weitere mündlich zu erörtern: »Bei der Gelegenheit muß ich ins Klare kommen.« Er bleibe sehr gern in Paris, nur könne er hier nicht ständig auf gepackten Koffern sitzen. »Schaffen Sie mir diese oder jede andere Gewißheit, und ich male Engelsflügel an Ihre Photographie!«

Was auf den ersten Blick wie ein ungeduldiges Drängen eines Mannes erscheinen mag, der gar nicht recht auf dem laufenden war, war in Wahrheit ein genau berechneter Vorstoß. Vor seinem Urlaub, Mitte Juli, hatte Bismarck in zwei sorgfältig auf den jeweiligen Empfänger abgestimmten Briefen sozusagen seinen eigenen politischen Feldzugsplan entworfen.

In dem ersten, einem Privatschreiben an Graf Bernstorff, den Außenminister, hatte er nachdrücklich davor gewarnt, sich in irgendeiner Weise vom Abgeordnetenhaus treiben zu lassen und auf diese Weise die Initiative zu verlieren. Seiner Meinung nach müsse die Regierung zwar »jeder unerwünschten Streichung eines Postens der Militärausgaben« »mit ruhiger Bestimmtheit« entgegentreten. Sie sollte jedoch »niemals eine Kabinetts- oder Auflösungsfrage« daraus machen, sondern »die Kammer ihre Arbeit vollenden« lassen: »Je länger die Kammer sitzt und redet, desto günstiger stellt sich die Sache in der öffentlichen Meinung für die Krone.« Fehle es doch der Volksvertretung sichtbar »an Elementen, welche sie vor Langweiligkeit bewahren«. Wenn man schließlich das Haus noch für einen Monat vertage und »die Kreisrichter etwas von den Kosten ihrer Stellvertreter hören« lasse, »so kommen die Herren vielleicht verständiger wieder«. »Geduldige und beharrliche Versuche zur Verständigung führen uns allein durch das Fahrwasser zwischen der Scylla kurhessischer Zustände im Lande und der Charybdis parlamentarischer Herrschaft«, so schloß er. Was seinen eigenen möglichen Eintritt ins Ministerium anging, so erklärte er ihn erst in dem Augenblick für sinnvoll und erstrebenswert, in dem die Etatvorlage als Ganzes an dem

Gegensatz zwischen dem Abgeordnetenhaus auf der einen, dem Herrenhaus und der Krone auf der anderen Seite gescheitert sein würde.

Bismarcks Brief an Roon vom gleichen Tag lautete in der Substanz nicht wesentlich anders. Auch hier lief sein Rat im Kern darauf hinaus, zunächst einmal die Kammer im eigenen Saft schmoren zu lassen. Man müsse darauf vertrauen, daß die Öffentlichkeit über kurz oder lang das Interesse an den endlosen parlamentarischen Redeschlachten verlieren und den Vertretern der Opposition in jeder Weise die Luft ausgehen werde, zumal wenn man den beamteten Abgeordneten, vor allem den Richtern, die rund ein Drittel der etwa zweihundertvierzig Abgeordneten der Linken stellten, mit finanziellen Einbußen drohe. Nur war dies hier alles sehr viel martialischer formuliert, war von der schwierigen Fahrt zwischen der Scylla absolutistischer Willkür und der Charybdis eines siegreichen Parlamentarismus lediglich indirekt die Rede.

Seinen eigenen Eintritt auf dem Höhepunkt des Konflikts verglich er mit dem »Zeigen eines neuen Bataillons in der ministeriellen Schlachtordnung«. Dieses werde »dann vielleicht einen Eindruck« machen, »der jetzt nicht erreicht würde« – »besonders wenn vorher etwas mit Redensarten von Oktroyieren und Staatsstreicheln gerasselt wird«. Dann werde seine »alte Reputation von leichtfertiger Gewalttätigkeit« helfen, und man werde denken, »»nanu geht's los«: »Dann«, so Bismarck siegessicher, »sind alle Zentralen und Halben zum Unterhandeln geneigt.«

Auch seinen Antiparlamentarismus strich er hier sehr viel stärker heraus, nicht zuletzt mit Blick auf den »militärischen Fachmann« Wilhelm, der sich über die Opposition solcher blutiger »Laien« ärgerte, wie es die Mehrzahl der Abgeordneten in seinen Augen war. »Ich bin doch erstaunt von der politischen Unfähigkeit unserer Kammern«, betonte er bewußt herablassend und in der Attitüde des überlegenen Staatsmannes. Vom Bildungsstand her gesehen seien anderswo die Parlamentsmitglieder sicher »auch nicht klüger als die Blüte unserer Klassenwahlen, aber sie haben nicht dieses kindliche Selbstvertrauen, mit dem die unsrige ihre unfähigen Schamteile in voller Nacktheit als mustergültig an die Öffentlichkeit bringt. Wie sind wir Deutschen doch in den Ruf schüchterner Bescheidenheit gekommen? Es ist keiner unter uns, der nicht vom Kriegführen bis zum Hundeflöhen alles besser verstände, als sämtliche gelernte Fachmänner, während es doch in anderen Ländern viele gibt, die einräumen, von manchen Dingen weniger zu verstehen als andere, und deshalb sich bescheiden und schweigen.«

Aber das war Beiwerk, Stimmungsmache zu seinen Gunsten bei einem Mann, dem seit der Huldigungsfrage Zweifel nicht ganz fremd waren, ob Bismarck wirklich der unbedingte Kämpfer für die Macht der Krone sei und nicht vielmehr darauf spekuliere, in einem Balanceakt zwischen ihr und dem Parlament, als eigentlicher Nutznießer des Konflikts, seine eigene Politik betreiben zu können. Letzteres war in der Tat ganz klar Bismarcks Ziel. Im

Sinne dieses Ziels war nun, Mitte September 1862, wie er schon aufgrund des parlamentarischen Terminplans wußte, der entscheidende Augenblick gekommen. Jetzt würde man ihn so brauchen, wie er das angestrebt hatte, als er den Rat gab, sich auf keine Detailverhandlungen mit der Kammer einzulassen: als Retter in höchster Not, als letzten Ausweg. Was er noch im Juli als Hindernis für seinen Eintritt in das Ministerium bezeichnet hatte, die Absicht, ihn jedenfalls nur zum Ministerpräsidenten ohne eigenes Ressort zu ernennen, war nun ohne Bedeutung, nicht weil er ernsthaft bereit gewesen wäre, auf das angestrebte Außenministerium zu verzichten, sondern weil er überzeugt war, daß ihm dieses unter solchen Umständen schließlich in den Schoß fallen werde.

Wie sehr er seinen Schlachtplan in allen Einzelheiten durchdacht hatte, zeigt die Tatsache, daß er bereits Mitte Juli Bernstorff ankündigte, er habe die Absicht, im Anschluß an seinen Urlaub nach Berlin zu kommen und dann alles weitere mündlich zu besprechen. Seine einzige Sorge galt der Möglichkeit, daß sich die Regierung vor der eigentlichen Schlußdebatte und Schlußabstimmung doch noch auf Kompromißverhandlungen einlassen werde. Und so weltvergessen er die Tage in Biarritz scheinbar verbrachte – diese Sorge veranlaßte ihn bezeichnenderweise, sich in dem einzigen politischen Brief, den er während seines gesamten Urlaubs geschrieben hat, noch einmal an Bernstorff zu wenden und ihn davor zu warnen, die bisherige Taktik zu ändern.

»Was das Ministerium im Interesse des eigenen Operationsplans zu erstreben hatte, die Abstumpfung der öffentlichen Meinung«, so hieß es darin unter Hinweis auf Zeitungsberichte über die laufenden Kommissionsverhandlungen des Abgeordnetenhauses, »das bringen ihm diese gewiegten Politiker auf dem Präsentierteller. Es wäre jammerschade, diese Schwätzer jemals aufzulösen; bei mäßigem Feuer langsam gesotten, werden sie ein vortreffliches Ingredienz für unsere konstitutionelle Küche liefern, und die Krone wird ihnen schließlich die Wahrung der königlichen Rechte danken.« Der Briefbogen trägt im übrigen die Initialen »C. O.«, entliehen von »einem russischen Freunde«, wie Bismarck erklärend schrieb – ein zusätzlicher Hinweis, wie konzentriert er auch hier auf den mutmaßlichen Ablauf der Dinge in Berlin blieb und seine eigene Freiheit und Unbekümmertheit in der Einsicht genoß, nichts zu versäumen: Katharina Orlow pflegte gern im Freien, weit weg vom Hotel, ihre Post zu erledigen. Und dabei ist Bismarck offenbar beim Überdenken der ganzen Konstellation der Gedanke gekommen, es sei vielleicht ganz gut, Bernstorff noch einmal ins Gewissen zu reden.

Die ganze Zeit hindurch bewegte sich Bismarck also im Rahmen eines sorgfältig kalkulierten Schlachtplans. Nichts war, wie man in romantischer Überhöhung seiner »Eskapade« gern gemeint hat, spontaner Entschluß. Ob dieser Plan freilich zu dem erstrebten Ziel führen werde, hing, wie Bismarck nur zu gut wußte, kaum von ihm ab. Das ihm zugrundeliegende Kalkül der

Umstände und des Verhaltens der beteiligten Personen konnte jederzeit durchkreuzt werden. Über eine wirkliche Alternative verfügte er, anders als in so vielen Entscheidungssituationen späterer Zeit, diesmal nicht. Lenkte eine Seite ein oder gab der König sogar auf, indem er abdankte, dann hatte er verspielt, wahrscheinlich für immer.

Zunächst hatte die Regierung in Berlin sich ganz so verhalten, wie es Bismarck vorschwebte. Die Abgeordneten blieben bei den Detailberatungen des Haushalts weitgehend unter sich. Signale für eine Kompromißbereitschaft der Regierung, auf die eine nicht unerhebliche Zahl von Abgeordneten der Opposition nach wie vor wartete, waren beim besten Willen nicht zu erkennen. Im Gegenteil: Am 14. und am 18. August erschien in der offiziösen »Sternzeitung« ein Artikel, der die von den Hochkonservativen um Kleist-Retzow und Ludwig von Gerlach vertretene Auffassung hinsichtlich des Budgetrechts allem Anschein nach zur Regierungsmeinung erhob. Nach dieser Auffassung lebte, wenn es zwischen Parlament und Regierung zu keiner Einigung über den von dieser vorgelegten neuen Etatentwurf kam, das Recht der Exekutive wieder auf, von sich aus über die staatlichen Einnahmen und Ausgaben zu verfügen – in Anlehnung an den zuletzt beschlossenen Etat, wenn es besondere Umstände verlangten möglicherweise aber auch abweichend von ihm.

Ganz in diesem Sinne hatte sich Bismarck elf Jahre vorher, in einer seiner letzten Parlamentsreden am 24. Februar 1851, ausgesprochen. Was zu geschehen habe, wenn der von der Regierung ordnungsgemäß vorgelegte Entwurf eines Haushaltsgesetzes nicht verabschiedet werde, so hatte er damals erklärt, »darüber schweigt die Verfassung gänzlich«. »Sie sagt nirgends«, hatte er hinzugefügt, »daß in einem solchen Falle das frühere Recht der Regierung, Ausgaben aus den Staatsmitteln zu machen, abgeschafft sei.«

So deutlich, daß nämlich im Fall eines Konflikts zwischen Parlament und Regierung das Ministerium auf die vorkonstitutionelle, absolutistische Praxis zurückgreifen könne, sagte es der Artikel in der »Sternzeitung« nicht. Aber er verwies wie einst Bismarck darauf, daß die Verfassung hier offenbar nicht vollständig sei. Sie habe eine »Lücke«, welche die Regierung gegebenenfalls durch eigenes Handeln füllen müsse, da sie für den Fortbestand des Gemeinwesens und seiner Institutionen verantwortlich sei. Dieser Hinweis allein genügte, um einen Proteststurm in der Öffentlichkeit hervorzurufen, und zwar weit über den Kreis derer hinaus, die ihrerseits jeden Kompromiß ablehnten.

In der Tat sprach das, was dahinter stand, jedem modernen Verfassungsdenken Hohn. Es hieß nichts anderes, als daß die Krone nur so lange an das Votum der Volksvertretung in Finanzsachen gebunden sei, solange sie sich mit ihr zu einigen vermochte. Sei das nicht der Fall, dann habe sie und nicht das Parlament über die Verwendung der Staatsfinanzen zu entscheiden.

Jeder, der die Entwicklung des parlamentarischen Verfassungsstaates seit den exemplarischen Auseinandersetzungen im England des 17. Jahrhunderts auch nur in Umrissen kannte, wußte, daß ohne volles und uneingeschränktes Budgetrecht, wie es auch die preußische Verfassung dem Parlament einräumte, dieses faktisch machtlos war. Es ihm mit irgendwelchen Tricks entziehen zu wollen, bedeutete, einen kalten Staatsstreich zumindest zu planen.

Die fast einhellige Reaktion der Öffentlichkeit hat dies den Ministern offenbar sehr klar vor Augen geführt und sie vor dieser Konsequenz zurückschrecken lassen. Am 9. September bekannte sich das Kabinett in einem sogenannten Immediatbericht an den König einhellig, also mit Einschluß des Kriegsministers von Roon, zu der Auffassung, daß im Fall der Ablehnung des Haushaltsentwurfs der Regierung »die verfassungsmäßige Grundlage der Verwaltung entzogen« sei. Einen solchen »brennenden Konflikt« könne sie unmöglich »fortdauern lassen«: »Sie würde sonst gänzlich den Boden der Verfassung aufgeben, weil sie sich damit die Befugnis beilegen würde, gegen den ausdrücklichen Beschluß der bestehenden Landesvertretung und ohne gesetzlichen Etat die Staatsausgaben zu bestreiten.«

Die Alternative sei nur noch: sofortige abermalige Auflösung des Abgeordnetenhauses oder, auch wenn die Minister dies nicht offen aussprachen, Einlenken der Regierung. Das Kabinett verwarf damit ausdrücklich die Theorie, die Verfassung habe in diesem Fall eine »Lücke« und diese »Lücke« erlaube es ihm, die Geschäfte auch ohne verabschiedeten Haushalt weiterzuführen. Es wollte damit am Vorabend der entscheidenden Sitzungswoche des Parlaments vom 11. bis zum 18. September den König zu der Einsicht bekehren, daß die Regierung angesichts der Aussichtslosigkeit von Neuwahlen unbedingt versuchen müsse, zu einem Kompromiß zu gelangen.

Dieser Einsicht verschloß sich Wilhelm jedoch nach wie vor. Er erklärte, er werde dem Konflikt nicht ausweichen und in diesem Sinne auch eine Regierung stützen, die ohne gesetzlich verabschiedetes Budget zu regieren bereit sei. Ungeachtet dessen versuchten die Minister, abermals mit Einschluß Roons, während der nun folgenden dramatischen parlamentarischen Verhandlungen doch noch einen Kompromiß mit dem verständigungsbereiten Teil der Opposition zu erreichen. Dies schien tatsächlich zu gelingen. Am 16. September zeichnete sich ab, daß man sich auf der Basis eines von den Abgeordneten Stavenhagen und Sybel vom linken Zentrum und Twesten von der Fortschrittspartei formulierten Antrags zusammenfinden werde, der die Zustimmung zur Heeresreform von der Rückkehr zur zweijährigen Dienstzeit abhängig machte.

Das wäre in der Sache ein fast vollständiger Sieg der Regierung gewesen. Denn die Mehrheit der Militärs hatte eine zweijährige Dienstzeit für vollständig ausreichend erklärt; der Teilerfolg der Opposition hätte sich also wesentlich nur optisch als solcher dargestellt. Aber schon das schien dem völlig verhärteten Monarchen zuviel zu sein. In der entscheidenden Sitzung des Kronrats vom 17. September verwarf er den sich abzeichnenden Kompromiß, auf den einzugehen Roon die Bereitschaft der Regierung kurz vorher im Abgeordnetenhaus zumindest angedeutet hatte. Obwohl die Mehrheit der Minister mit Ausnahme des Innenministers von Jagow, des Justizministers Graf zu Lippe, des Kultusministers von Mühler und des Landwirtschaftsministers Graf Itzenplitz ihn bestürmte, war der König zu keinerlei Einlenken bereit. Er verlangte vielmehr von seinen Ministern kategorisch, sich seinem Willen zu fügen oder die Konsequenzen zu ziehen. Ungeachtet dessen beharrten diese nach einer Unterbrechung der Sitzung, während der das Kabinett weitertagte und die opponierende Minderheit unter die Pflicht des einheitlichen Votums gegenüber dem Monarchen nahm, zunächst auf ihrer Meinung. Darauf befahl der König, nun ganz der allein entscheidende Souverän, jede Kompromißbereitschaft zu widerrufen. Allerdings fügte er gleich hinzu, er werde, falls er keine geeigneten Mitstreiter finde, abdanken und beabsichtige, vorsorglich jetzt schon den Kronprinzen nach Berlin rufen zu lassen.

Es muß dahingestellt bleiben, ob dies zunächst nur ein äußerstes Mittel war, um die widerstrebenden Minister auf seine Linie der unbedingten Konfliktbereitschaft einzuschwören. Im Rückblick ist gleichfalls nicht eindeutig zu entscheiden, ob dieses Mittel erst einmal Erfolg gehabt hat und sich die Minister tatsächlich spontan verpflichteten, unter diesen Umständen unbedingt zu ihm stehen zu wollen, oder ob, was vielleicht wahrscheinlicher ist, der Paukenschlag dieser Ankündigung zunächst einmal bloß allgemeine Verwirrung erzeugte und keine wirklichen Entscheidungen zuließ. Doch es war nun ganz klar, daß der König auf keinen Fall nachzugeben bereit war. Andererseits war vorauszusehen, daß das Abgeordnetenhaus auf die von Wilhelm erzwungene ausdrückliche Zurücknahme aller Andeutungen über eine etwaige Kompromiß- und Konzessionsbereitschaft der Regierung mit aller Schärfe reagieren werde. In der Tat lehnte das Haus am 19. September den Antrag Stavenhagen-Sybel-Twesten mit überwältigender Mehrheit ab; Twesten mußte seine Initiative mit dem Ausschluß aus dem Fraktionsvorstand der Fortschrittspartei bezahlen.

Damit drohte der Konflikt nun Ausmaße anzunehmen, die die Grenzen einer aufs äußerste zugespitzten politisch-parlamentarischen Auseinandersetzung endgültig sprengten. Die Partei des Königs zu ergreifen, hieß in dieser Situation, angesichts der Mehrheitsverhältnisse in Parlament und öffentlicher Meinung, ein hohes, auch persönliches Risiko eingehen. Das aber bedeutete, daß der König, wenn überhaupt, wahrscheinlich nur noch blinde Karrieristen oder politische Desperadonaturen, nicht aber Männer finden würde, die die Fähigkeit besaßen, einen solchen Konflikt politisch durchzustehen und schließlich einen Ausweg aus ihm zu entdecken. Es stand zu befürchten, daß die Krone auf diese Weise den Staat mit eigener Hand in den Abgrund steuern würde.

Mochte Wilhelm daher die Möglichkeit einer Abdankung auch zunächst wesentlich als Druckmittel gegenüber seinem Ministerium verwendet haben – der Gang der Dinge zeigte ihm dann von Stunde zu Stunde deutlicher, daß er diese Möglichkeit wohl ernsthaft erwägen müsse, wollte er nicht in eine Situation geraten, die mit seiner Auffassung vom Amt des Monarchen unvereinbar sein würde.

Niemand hat die Konstellation wohl klarer erkannt als Roon, der Wilhelms Anschauungen weitgehend teilte und alles getan hatte, ihn darin zu bestärken. Doch gerade weil er sie so klar erkannte, ist die Haltung eines kühl kalkulierenden Machiavellismus, die man seinem Handeln in diesen entscheidenden Tagen unterstellt hat, wenig wahrscheinlich. Roon habe diese Grenzsituation mit allen Mitteln herbeigeführt, darunter auch dem, sich selbst auf die Seite der Kompromißbereiten zu schlagen, um dadurch den König zu Entschlüssen zu treiben, zu denen er unter anderen Umständen wohl nicht bereit gewesen wäre. Ganz abgesehen davon, daß der König in dieser letzten Phase eher der Treibende als der Getriebene gewesen ist, erscheint es jedoch mehr als zweifelhaft, daß Roon sich auf ein solches Vabanquespiel eingelassen haben soll. Denn darum handelte es sich angesichts der Tatsache, daß der König jeden Augenblick erkennen konnte, wie isoliert er inzwischen war, und daraus dann Schlüsse zu ziehen drohte, die den eigentlichen politischen Intentionen Roons jedenfalls zuwiderliefen.

Viel wahrscheinlicher ist daher, daß Roon aus der Befürchtung heraus, mit einem weiteren Überziehen der Position das Schiff zum Kentern zu bringen, tatsächlich eine Kurskorrektur für unvermeidlich hielt, es ihm aber nicht gelang, den König dafür zu gewinnen – so wenig wie er ihn ein dreiviertel Jahr vorher von dem Gedanken hatte überzeugen können, notfalls einen militärischen Staatsstreich zu riskieren. War dies so, dann dürfte er sich nach dem entscheidenden Kronrat vom 17. September eher in einem Zustand der Panik als der Befriedigung darüber befunden haben, daß er die Dinge nun in die richtige Bahn gebracht habe. Und aus diesem Zustand ist wohl das berühmte und vielzitierte Telegramm hervorgegangen, das er am Nachmittag des 18. September unter einem vorher vereinbarten Decknamen an Bismarck sandte: »Periculum in mora. Dépêchez-vous.«

Mit diesem Telegramm Roons setzt Bismarcks eigene Darstellung der unmittelbaren Vorgeschichte seiner Berufung ein, die er dreißig Jahre später in seinen Lebenserinnerungen gab. Sie ist ein Meisterwerk der politischen Legendenbildung. Es hat sich als wirksam auch noch dort erwiesen, wo die Kenntnis widersprechender Tatsachen zu kritischerem Urteil und zur Korrektur vieler Einzelheiten zwang. Denn in Wahrheit stimmt daran fast nichts.

Die wirklichen Zusammenhänge sind bewußt zugunsten des Eindrucks verschleiert, der nun wie ein Deus ex machina erscheinende Pariser Gesandte habe das Haus Hohenzollern in einem Augenblick höchster Bedrängnis fast gegen den Willen des damaligen Trägers der Krone gerettet. Er allein, der dann achtundzwanzig Jahre später von dem nun regierenden jüngsten Sproß dieses Hauses, von Wilhelm II., so schmählich entlassen worden sei, habe die Dynastie davor bewahrt, in ein bloßes Schattendasein nach Art des englischen Königs abzugleiten.

Um die Darstellung auf scheinbar sicheren Boden zu stellen, mußte zunächst einmal Roon als die eigentlich treibende Kraft gegen eine Politik der Halbheiten oder der Resignation erscheinen. Daß dieser je zum Einlenken, zu Kompromissen bereit gewesen sei, wurde ebenso verschwiegen wie die Tatsache, daß ein möglicher Ausgleich lediglich an der Halsstarrigkeit des Königs gescheitert war. Darüber hinaus, und das verzerrte nun die Dinge völlig, stellte es Bismarck so dar, als ob er seinerseits nur pflichtgemäß dem verzweifelten Ruf eines prinzipientreuen Kämpfers für die Rechte der Krone gefolgt sei. Daß in Wahrheit die Initiative fast völlig bei ihm selber lag und das berühmte Telegramm in keiner Weise den Charakter eines vereinbarten Stichworts zwischen zwei Verschwörern zugunsten der tödlich bedrohten preußischen Monarchie besaß, konnte niemand der Schilderung entnehmen. Denn Bismarck unterschlug, daß er seit Monaten sein persönliches Erscheinen in Berlin während der voraussichtlich entscheidenden Phase der Auseinandersetzung zwischen Parlament und Regierung über den Heeresetat vorbereitet hatte. Außerdem verschwieg er, daß der König bereits am 16. September, also vor der entscheidenden Zuspitzung der Situation, seiner Bitte zugestimmt hatte, zur Erörterung seiner weiteren Verwendung nach Berlin kommen zu dürfen. »Der König genehmigt, daß Sie jetzt herkommen«, hatte ihm Bernstorff am Abend des 16. telegraphiert und hinzugefügt: »Und ich rate Ihnen, sogleich zu kommen, da Seine Majestät bald wieder abreist.«

Roons Telegramm war somit nicht Stichwort, sondern ganz wörtlich zu nehmen: Bismarck möge sich beeilen, sonst könne er seine Hoffnungen wohl begraben. Daß Roon, nach dem Scheitern des Kompromißversuchs, nun tatsächlich in Bismarck die letzte Rettung vor einer Machtübernahme durch die Liberalen unter dem ihnen mehr oder weniger offen zuneigenden Thronfolger sah, steht außer Frage. Aber ebenso unübersehbar ist, daß er, obwohl er zweifellos von Bernstorff wußte, daß Bismarck in den nächsten Tagen nach Berlin kommen werde, sich in keiner Weise an den taktischen Plan hielt, den dieser ihm einzuschärfen versucht hatte.

Wäre er ihm nämlich gefolgt, dann hätte er nicht seinerseits die Hand zum Kompromiß ausgestreckt. Zielte doch Bismarcks ganzes Kalkül darauf, durch entschiedenes Festhalten an der Regierungsposition eine Situation herbeizuführen, in der sich dem König die Berufung eines ausgesprochenen

Konfliktministers geradezu aufdrängen würde, als den Roon ihn ja immer anbot. Hingegen mußte es im Sinne dieses Kalküls ganz unsinnig erscheinen, mit Kompromißangeboten, die der Monarch als Verrat aufzufassen drohte, die Gefahr unberechenbarer Reaktionen von seiner Seite heraufzubeschwören. Kurz: Roon hatte sich offenbar selber zwei Wege offenhalten wollen. Dabei erschien ihm wegen der immer wieder durchbrechenden Abneigung Wilhelms gegen eine Berufung Bismarcks bis zum 18. September wohl der des begrenzten Kompromisses der gangbarere und erfolgversprechendere.

Es war in Wahrheit der König selber, der als einziger die Taktik konsequent befolgte, die Bismarck in seinen beiden Briefen an Bernstorff und Roon Mitte Juli empfohlen hatte. Von Taktik im Sinne des bewußten Einsatzes bestimmter Mittel zugunsten eines übergreifenden strategischen Plans konnte allerdings kaum die Rede sein. Es war eher das dumpfe und starrsinnige Festhalten an einem stark emotional gefärbten Königsbild, das ihm sein Verhalten als Pflicht erscheinen ließ.

Wilhelm hat dieses Bild in dem Entwurf einer Abdankungsurkunde, den er nach dem schweren Zusammenstoß mit seinem Ministerium am Abend des 17. September formulierte, noch einmal zu fixieren und zu begründen versucht. In geradezu archaisch wirkender Form wurde zunächst in vielfachen Wendungen die Idee des Gottesgnadentums beschworen, die besondere Weihe und Würde des königlichen Amtes, und daraus dann eine besondere Form nicht nur der Verpflichtung, sondern offenbar auch der Einsicht des Landesherrn abgeleitet.

Jener verpflichtenden Einsicht habe er stets in Übereinstimmung »mit den beschworenen Gesetzen« einschließlich der Landesverfassung zu folgen gesucht. Dies sei nun nicht mehr möglich. Vielmehr sei durch das Verhalten der Mehrheit der Abgeordneten »ein Konflikt eingetreten, den Wir mit Unseren Pflichten gegen den Staat und mit den verfassungsmäßigen Bestimmungen nicht in Einklang zu bringen vermögen. Weder mit den Grundsätzen Unseres eigenen Lebens noch mit der glorreichen Geschichte und der Vergangenheit Unseres teuren Vaterlandes können Wir brechen. Dieser Bruch aber wäre nötig, um den bestehenden Konflikt zu beseitigen.«

Das hieß auf gut Deutsch: Er werde sich niemals der Anschauung beugen, daß der Monarch nicht über der Verfassung stehe, sondern selber Verfassungsorgan sei und in dieser Eigenschaft nur in Übereinstimmung mit anderen Verfassungsorganen handeln könne. Finde er hierbei keine ausreichende Unterstützung, so bleibe »kein anderer Ausweg übrig, als auf die Ausübung Unserer Königlichen Rechte zu verzichten und dieselben dem recht- und gesetzmäßigen Nachfolger zu übergeben, der noch keine geschichtliche und bindende Vergangenheit hat«.

Der Nachfolger war jedoch nicht bereit, unter solchen Umständen die Krone zu übernehmen. Vielmehr suchte der Kronprinz in den entscheidenden Gesprächen am 19. und 20. September im königlichen Sommerschloß Babelsberg bei Potsdam seinen Vater davon zu überzeugen, daß ein Thronwechsel zum jetzigen Zeitpunkt weit schwerer wiege als ein sachlich seiner Meinung nach durchaus vertretbares Einlenken: Ein solcher Akt gleiche einer Kapitulation und werde seine eigene Amtsführung von vornherein aufs schwerste belasten.

Man hat seither immer wieder die Frage gestellt, ob der Kronprinz, der spätere Kaiser Friedrich, sich in jener Situation richtig verhalten oder ob er hier nicht eine entscheidende Chance vergeben habe, mit seiner eigenen Zukunft diejenige Preußens und Deutschlands in eine ganz andere Bahn zu lenken. Ganz abgesehen davon, daß niemand voraussehen konnte, daß der bereits fünfundsechzigjährige Monarch ein biblisches Alter erreichen würde, muß man sich dabei jedoch vor Augen halten, daß das, was im Rückblick als geradezu säkulare Weichenstellung erscheint, damals für kaum jemanden erkennbar war. Schloß man einen militärischen Staatsstreich aus, zu dem der König, wie der Kronprinz wußte, trotz allem nicht bereit war, dann mußte die Position der Krone so schwach erscheinen, daß die Alternative Abdanken oder Einlenken auch dann weiterhin bestehen blieb, wenn der Kronprinz zunächst eine Thronübernahme entschieden ablehnte. Auf der anderen Seite hätte ein rasches Eingehen des Kronprinzen auf den Plan seines Vaters ihn, alle persönlichen Rücksichten und Loyalitätsgefühle einmal beiseite gelassen, in vielerlei Hinsicht in eine eher mißliche Lage gebracht. So jedoch konnte er hoffen, daß die Dinge sich auch ohne allzu rasches Zugreifen in der von ihm gewünschten Richtung eines Ausgleichs zwischen Krone und Parlament entwickeln würden – sei es, daß es doch noch zu einem Kompromiß kam, sei es, daß die Krone ihm schließlich ohne jeden Anschein eigenen Zutuns als Retter aus einer allseits als bedrohlich empfundenen Staatskrise zufiel. Zu dieser Hoffnung konnte er sich um so mehr berechtigt fühlen, als der König eine Berufung Bismarcks, auf den sich nun die Hoffnungen all jener konzentrierten, die den Kampf um jeden Preis fortsetzen wollten, immer wieder ausgeschlossen hatte – ob allerdings auch noch bei den Unterredungen am 19. und 20., läßt sich nicht mit Sicherheit sagen.

Jedenfalls hatte sich der Kronprinz bereits eindeutig festgelegt, als Bismarck am 20. September, einem Samstag, nach fünfundzwanzigstündiger Bahnfahrt in Berlin eintraf. Schon ein kurzes Gespräch mit Roon zeigte ihm, daß der Augenblick, auf den er gesetzt hatte, jetzt gekommen war. Bernstorff und der Finanzminister von der Heydt, der als stellvertretender Ministerpräsident de facto Regierungschef war, hatten ihr Rücktrittsgesuch eingereicht. Die Fronten waren völlig verhärtet. Der König war offenbar zum Äußersten, zur Abdankung oder zum bedingungslosen Kampf, entschlossen. »Parlamentsregierung, Volksbewaffnung, hinter dem Parlament der König nichts als Präsident – zu dieser Rolle erniedrige ich mich nicht«, so erklärte er in diesen Tagen. Bismarck war sich jedoch darüber im klaren, daß Wilhelm, was seine Person anging, immer noch zögerte, ja, vor ihm zurückschreckte. »Er hielt mich für fanatischer, als ich war.« Und er mag schon damals geahnt haben, wer dahintersteckte: Es war Königin Augusta, die im Juli 1862 ihre Vorbehalte gegen ihn noch einmal ausdrücklich schriftlich fixiert hatte, Vorbehalte, die in dem Vorwurf hochverräterischer Umtriebe im März 1848 gipfelten.

So kam nun alles darauf an, den König zu gewinnen, und zwar nicht so sehr durch konkrete Vorschläge und ein festumrissenes Programm, als vielmehr durch eine Art emotionaler Überrumpelung, die ganz auf die Gefühle und das monarchische Selbstverständnis abhob, von denen Wilhelm sich leiten ließ. Der Kronprinz, der sich parallel zu den beiden ausführlichen Gesprächen mit dem Vater in einer Serie von Treffen und Unterredungen darum bemühte, die Basis für einen Kompromiß zunächst auf Regierungsseite zu schaffen, hat Bismarck noch am Abend des 20. zu sich gebeten. Offenbar wollte er in Erfahrung bringen, ob von dieser Seite mit überraschenden, die Situation verändernden Vorschlägen zu rechnen sei und was Bismarck überhaupt vorhabe – »ob er gewillt« sei, wie sein Berater Max Duncker ihm die Frage vorformulierte, »in das Ministerium zu treten und mit welchen Voraussetzungen und Zwecken«.

Die Idee, ihn durch das Gespräch als solches zu kompromittieren, also beim König den Eindruck zu erwecken, sein Pariser Gesandter wende sich sogleich und zuerst der aufgehenden Sonne zu, wird Friedrich Wilhelm dabei schwerlich geleitet haben. Bismarck aber sah einen solchen möglichen Eindruck sofort voraus. Er bemühte sich daher, das Gespräch so kurz und so förmlich wie möglich zu halten und ein Eingehen auf die eigentlich substantiellen Fragen zu vermeiden. Schon hier zeigte sich, wie sehr alles auf die augenblickliche Gefühlslage des Königs abzielte und wie richtig er diese einschätzte. Denn in der Tat verfolgte Wilhelm die Aktivitäten seines Sohnes mit all dem Mißtrauen eines Mannes, der sich, wenn auch aufgrund eigener Entscheidungen und Entschlüsse, bereits aufs Altenteil abgeschoben sieht und überall Belege für die Charakterlosigkeit und den Opportunismus seiner Umwelt entdeckt. Bismarck bei seinem Sohn – das war für den König gleichbedeutend mit der Vermutung, daß auch jener sich der kompromißlerischen Strömung angeschlossen habe und auf deren Sieg setze. »Mit dem ist es auch nichts, er ist ja schon bei meinem Sohne gewesen«, soll er Roon nach Bismarcks eigenem Zeugnis erklärt haben, als der Kriegsminister am 21. September in Babelsberg nach dem sonntäglichen Gottesdienst um eine Audienz für den Pariser Gesandten nachsuchte.

Das war der Punkt, an dem Bismarck in der entscheidenden Unterredung am Nachmittag des 22. September 1862 in Babelsberg sogleich ansetzte. Über ihren Verlauf sind wir nur durch ihn selber unterrichtet. Doch es spricht von den Ergebnissen und dem weiteren Gang der Dinge her vieles dafür, daß er sie im Kern richtig wiedergegeben hat.

Worauf es Bismarck ankommen mußte, war, dem König sofort den Eindruck zu vermitteln, er habe in ihm einen unbedingt ergebenen Gefolgsmann, der bereit sei, sich ohne Wenn und Aber für seine Person und seine Rechte einzusetzen. Gelang das, dann waren bei der gegenwärtigen Stimmung und Einstellung des Königs alle sachlichen Divergenzen unwichtig, dann konnte das persönliche Treuegelöbnis die Festlegung auf ein konkretes Regierungsprogramm ersetzen.

Wie dieses Kalkül aufging, hat Bismarck, mit unübersehbarem nachträglichen Triumphgefühl, sehr offen geschildert. Der König habe ihm zunächst die Situation von seinem Standpunkt aus dargestellt und ihm seinen Entschluß mitgeteilt, abzudanken – zu seiner Überraschung, wie Bismarck in seinen Lebenserinnerungen behauptete, was selbstverständlich falsch ist und bloße Konsequenz seines Versuchs, die Vorgeschichte seiner Berufung zu verschleiern. Ohne auf die Abdankungsabsicht näher einzugehen, habe er, Bismarck, dem König daraufhin erklärt, er sei auch unter den gegebenen Umständen bereit, in das Ministerium einzutreten und werde sich an etwaigen weiteren Rücktritten nicht stoßen. Auf die doppelte Rückfrage des Monarchen, ob er sich in diesem Fall ohne Abstriche für die Heeresreform einsetzen und an dieser selbst gegen Mehrheitsbeschlüsse des Abgeordnetenhauses festhalten werde, habe er ohne weitere Umschweife zweimal mit Ja geantwortet. Darauf der König: »Dann ist es meine Pflicht, mit Ihnen die Weiterführung des Kampfes zu versuchen, und ich abdiziere nicht.«

Das war bereits die eigentliche Entscheidung. Überwältigt von dem Ausdruck unbedingter Loyalität und der bedingungslosen Unterstützung der eigenen Position, war es, wenngleich sich Wilhelm selber darüber noch Illusionen hingeben mochte, mehr eine Pflichtübung, wenn er Bismarck jetzt aufforderte, auf der Grundlage eines von ihm persönlich verfaßten Exposés das künftige Regierungsprogramm zu erörtern und festzulegen. Bezeichnenderweise fand dieser zweite Teil der Unterredung auf einem Spaziergang durch den Park des königlichen Schlosses statt.

Bismarck scheute sich im nachhinein nicht, von dem königlichen Exposé als von einem »Elaborat« zu sprechen, von dem er nicht gewußt habe, ob es »schon Erörterungen mit meinen Vorgängern zur Unterlage gedient hatte oder ob dasselbe zur Sicherstellung gegen eine mir zugetraute konservative Durchgängerei dienen sollte«. Jedenfalls gelang es ihm offenbar sehr rasch, den König davon zu überzeugen, daß dies nicht der Augenblick sei, Einzelheiten zu erörtern. Es handle sich »nicht um konservativ oder liberal in dieser oder jener Schattierung, sondern um königliches Regiment oder Parlamentsherrschaft«. »Die letztere« sei »notwendig und auch durch eine Periode der Diktatur abzuwenden«. Der König habe daraufhin den Programmentwurf

kurzerhand zerrissen und sich auf die Basis jenes Vertrauens- und Loyalitäts-
verhältnisses besonderer Art gestellt, das er, Bismarck, ihm mit den Worten
angetragen habe: »Ich fühle wie ein kurbrandenburgischer Vasall, der seinen
Lehnsherrn in Gefahr sieht. Was ich vermag, steht Euer Majestät zur
Verfügung.«

Dies war die entscheidende Grundlage ihrer Zusammenarbeit in den
nächsten sechsundzwanzig Jahren, einer Zusammenarbeit, die in ihrem
wechselseitigen Vertrauensverhältnis und vor allem in der wechselseitigen
Unterordnung, hier unter Einsicht und Willenskraft, dort unter Rang und
monarchische Idee, in der Geschichte fast ohne Beispiel ist. Bismarck hat
sich auf den Vorgang immer wieder berufen, etwa in einem Schreiben an Wilhelm I. vom 1. Dezember 1863, in dem er ihn daran erinnerte, »daß ich
meine Stellung nicht als konstitutioneller Minister in der üblichen Bedeutung
des Wortes, sondern als Euer Majestät Diener auffasse, und Allerhöchstdero
Befehle in letzter Instanz auch dann befolge, wenn dieselben meinen persönlichen Auffassungen nicht entsprechen«. Noch in einem Brief aus Anlaß des
fünfundzwanzigsten Jahrestags seiner Ernennung zum preußischen Ministerpräsidenten heißt es: »Die hohe Stellung, welche ich der Gnade Euer
Majestät verdanke, hat zur Unterlage und zum unzerstörbaren Kern den
Brandenburgischen Lehnsmann und Preußischen Offizier Euer Majestät.«

Darin steckte sicher eine genuine, in ungebrochenen Traditionen verwur-
zelte monarchische Gesinnung, verbunden mit einem inneren Bedürfnis
nach einer festen, im letzten metaphysisch verankerten Ordnung. Auch die
mit den Jahren immer enger werdende menschliche Beziehung zu dem
geraden, nie auftrumpfenden Charakter des achtzehn Jahre Älteren spielte
dabei fraglos eine nicht unerhebliche Rolle. »Der alte Herr war schwer zu
etwas zu bringen, aber wenn man ihn gewonnen hatte, so hielt er auch an dem
Entschlusse fest. Er war treu, gerade, de relation sure. Man konnte ganz auf
ihn bauen«, so hat Bismarck es im Alter liebevoll formuliert. Das Wesentliche aber war, daß es Bismarck in Babelsberg gelang, sich eine Art Blankovollmacht zu verschaffen. Sie räumte ihm eine ganz andere Position und
einen ganz anderen Handlungsspielraum ein, als sie leitende Minister, sei es
in einem absolutistischen, sei es in einem parlamentarischen System, von
Amts wegen selbst unter günstigsten Umständen zu besitzen pflegten.

Als er den König gegen Abend verließ, da war nicht nur seine Ernennung
zum Ministerpräsidenten wie zum Außenminister beschlossene Sache. Er
besaß vielmehr politisch fast völlig freie Hand – freilich unter zwei Bedingungen, die diesen theoretisch gegebenen Spielraum in der Praxis weitgehend
zunichte zu machen schienen, ja, den neuernannten Regierungschef nach fast
allgemeiner Ansicht zum sicheren Scheitern verurteilten: Er mußte die
Heeresreform ohne Abstriche durchsetzen. Und er mußte binnen kurzem
irgendwelche sichtbaren Erfolge vorweisen können.

Beides traute er sich ohne Zweifel zu, für beides hatte er bestimmte Pläne. Aber er mußte dann sehr bald erkennen, daß die Wirklichkeit in vieler Hinsicht anders war, als er sie sich, bei aller Flexibilität und bei allem Denken in Alternativen, aus der Ferne vorgestellt hatte. Und wenn er sich schließlich doch erfolgreich, überaus erfolgreich in ihr zu behaupten vermochte, so lag das nur zum kleineren an ihm, an seinem aktiven Handeln. Es lag vielmehr an einer von ihm wesentlich unabhängigen Konstellation und Entwicklung, die ihn wider jede vernünftige Erwartung begünstigte. »Das lernt sich in diesem Gewerbe recht, daß man so klug sein kann wie die Klugen dieser Welt und doch jederzeit in die nächste Minute geht wie ein Kind ins Dunkle«, sollte er knapp zwei Jahre später, nach seinem ersten großen außenpolitischen Erfolg in der schleswig-holsteinischen Frage, an seine Frau schreiben. Darin spiegelt sich, obwohl ihm als persönliche Grunderfahrung schon lange vertraut, wie sehr die Erfahrungen dieser beiden ersten Jahre seine Zweifel an dem Machbaren, an den Möglichkeiten des Einzelnen, an der Berechenbarkeit der Dinge verstärkt hatten.

Es handelte sich in stärkerem Maße, als irgendeiner der auf den Kampf und auf das überaus selbstbewußte und provozierende Auftreten des neuen preußischen Ministerpräsidenten fixierten Zeitgenossen das ahnte, um Lehrjahre. In ihnen wurde ihm sehr klar, daß seine eigenen Vorstellungen in vielem nicht mehr den Realitäten einer sich in stürmischem Tempo wandelnden Welt entsprachen. Daß er hier, anders als später, noch wirklich zu lernen vermochte, erwies sich dann als die entscheidende Grundlage eines mehr als augenblicklichen Erfolgs, für eine der erfolgreichsten politischen Karrieren der neueren Geschichte, in deren Verlauf sich das Gesicht Preußens, Deutschlands und Europas grundlegend wandelte.

Der Ausgangspunkt für das alles, für jene tiefgreifende Veränderung der inneren und äußeren Landkarte Mitteleuropas, war der 22. September 1862. Insofern ist jener Tag in der Tat ein welthistorisches Datum, ein Datum, das zudem die geschichtliche Bedeutung einer bestimmten personell- und situationsbedingten Konstellation augenfällig hervortreten läßt. Aber was den Erfolg des Mannes und seiner Politik letztlich bewirkte, geht weit über die Konstellation des Augenblicks und der in ihm handelnden Personen hinaus, liegt jenseits der dramatischen Vorgänge jener Tage. Erst hierdurch erhielt das Ganze den Charakter einer entscheidenden Weichenstellung, den nachträglich in der Dramatik des Augenblicks entdecken zu wollen, bloße Dramatisierung wäre. Noch war an jenem 22. September nichts oder doch nur wenig entschieden – das sollte auch der Mann, der nun an der Spitze der preußischen Regierung stand, sehr schnell zu spüren bekommen.

# Konfliktminister

Als Bismarck am Abend des 24. September 1862 seine Ernennung zum Staatsminister und interimistischen Präsidenten des Staatsministeriums in der regierungsamtlichen »Sternzeitung« las, da mag ihm, in einem ersten Augenblick der Entspannung nach all der Dramatik der vergangenen Tage, abrupt klar geworden sein, daß er, bei allem Erfahrungskapital und allem Selbstbewußtsein, in mancher Hinsicht noch einmal ganz von vorne anfangen müsse. Elfeinhalb Jahre war es her, seit er Berlin, die kleine Wohnung an der Dorotheenstraße, verlassen hatte. Damals war er als junger Mann der äußersten Rechten der Revolutionszeit, der sich, mit Ausnahme der Olmütz-Rede, vornehmlich innenpolitisch profiliert hatte und über keinerlei konkrete diplomatische Erfahrungen verfügte, auf einen der wichtigsten Posten der preußischen Diplomatie berufen worden. Inzwischen hatte sich die Situation in gewisser Weise umgekehrt. Der neue Hausherr der Wilhelmstraße 74 und 76, der Präsidialkanzlei und des Auswärtigen Amtes, war jetzt auch bei seinen Gegnern als hochbegabter und ideenreicher außenpolitischer Fachmann anerkannt. Ja, es ging ihm sogar das Gerücht voraus, er sei auf diesem Feld in jeder Richtung offen. Innenpolitisch jedoch galt er nach wie vor als Reaktionär reinsten Wassers, als Wortführer völlig anachronistischer »feudaler« Prinzipien und Interessen, als, wie der hessische Liberale Friedrich Oetker es formulierte, »serviler Landjunker«. Und da er als ausgesprochener Konfliktminister, als ein Politiker antrat, von dem man annahm, daß er auch vor einem offenen Verfassungsbruch und der gewaltsamen Unterdrückung der Opposition nicht zurückschrecken werde, stellte sich zunächst kaum jemand die Frage, ob sich in seinen innenpolitischen Grundanschauungen und Grundeinschätzungen inzwischen nicht ebenfalls ein Wandel vollzogen habe. Erwartungen, Befürchtungen und politische Propaganda gingen in die gleiche Richtung: daß hier ein Mann angetreten sei, der versuchen werde, das Rad der Zeit nicht nur im staatlichen, sondern vor allem auch im gesellschaftlichen Bereich aufzuhalten, ja, zurückzudrehen.

War dies nicht in der Tat sein Ziel? Stand seine Politik nicht von Anfang an unter der Devise, daß es überall gelte, die bestehende Ordnung gegen die angeblich alles unterminierenden Kräfte der Veränderung, der Bewegung, der ›Revolution‹ zu verteidigen? Und war von daher nicht alles Neue, was unter seiner Ägide dann entstand, bloß Mittel zum Zweck, nur eine neue Form für alte Inhalte, lediglich bestimmt, letztere zu bewahren? Kann man in diesem Sinne nicht auch seine ganze, so überaus erfolgreiche Außenpolitik als ein einziges großes Entlastungsmanöver zugunsten der inneren Front interpretieren, einschließlich der drei Kriege, in denen sie zunächst gipfelte? »Man wird überhaupt mit der Zeit darüber klarwerden«, prophezeite Jacob Burckhardt, der große Baseler Historiker, bereits im Herbst 1871, »bis zu welchem Grade die drei Kriege aus Gründen der inneren Politik sind unternommen worden. Man genoß und benutzte sieben Jahre lang die große Avantage, daß alle Welt glaubte, nur Louis Napoléon führe Krieg aus inneren Gründen. Rein vom Gesichtspunkt der Selbsterhaltung aus«, fuhr er fort, »war es die höchste Zeit, daß man die drei Kriege führte. Aber freilich über die weiteren inneren Entwicklungen, die das alles noch mit sich führen wird, dürften uns noch öfter die Augen übergehen.«

In diesen Sätzen steckte bereits alles, was seither an Argumenten für den Vorrang der Innenpolitik im Gesamtzusammenhang der Bismarckschen Politik und für den wesentlich instrumentalen Charakter seiner Außenpolitik zusammengetragen worden ist. Und nicht nur das! Das Ganze gründete schon bei Jacob Burckhardt auf der These, daß die Bismarcksche Politik ausschließlich auf Verteidigung, auf Beharrung und Abwehr ausgerichtet gewesen sei. Das unbestreitbar Schöpferische, Verändernde dieser Politik, die auf vielen Gebieten ganz neue Entwicklungen in die Bahn brachte, erscheint hier als eine Art Nebenprodukt, als Ergebnis einer überaus beweglichen und ideenreichen Vorwärtsverteidigung.

Das trifft, von Bismarck selber her gesehen, sicher einen sehr wesentlichen Punkt. Auf ihn zielten bereits seine altkonservativen Freunde, wenn sie, von ganz anderen Voraussetzungen her und mit ganz anderen Schlußfolgerungen, die Tatsache in das Zentrum ihrer spezifischen Kritik an der Bismarckschen Politik stellten, daß sie in der Verteidigung der gemeinsamen Prinzipien allzu bedenkenlos und beweglich sei. Aber gerade an der altkonservativen Kritik wird das andere deutlich, das die Kritik von der entgegengesetzten Seite seither oft aus dem Auge verloren hat: daß die ursprüngliche Absicht und leitende Idee des jeweils Handelnden nur die eine und oft nicht die wichtigste Seite des historischen Prozesses ist, daß es nicht minder auf das Wie seines Handelns, die Art der Ausführung und der verwendeten Mittel und Methoden ankommt. Anders gesagt: daß das Entscheidende in der jeweiligen Konkretisierung, in Ausgang und Realität liegt.

Bismarck selber hat den Zusammenhang zwischen beidem in spezifischer Weise aufgelöst, indem er das jeweilige Ergebnis des eigenen Handelns und die Frage, wie sich dieses Ergebnis in allgemeinere Entwicklungen einfüge, einem Höheren anheimstellte, sich also in dieser Hinsicht bewußt einer ihm untragbar erscheinenden Verantwortung entzog. Das gab ihm ein Maß an innerer Handlungsfreiheit, über die kaum einer seiner Zeitgenossen verfügte. Den rückschauenden Betrachter aber weist es noch einmal mit besonderem Nachdruck auf die Tatsache hin, daß das Reale, das Werk, das Ergebnis im Licht des Beabsichtigten gar nicht zureichend zu interpretieren ist, dadurch im Gegenteil oft verschleiert und verzerrt wird.

In unserem Zusammenhang, an der Schwelle zu zweieinhalb Jahrzehnten, in denen Bismarck mehr und mehr zur zentralen Figur der deutschen Politik wurde, heißt dies, daß die Frage nach den ursprünglichen Absichten und Motiven noch stärker zurücktreten muß zugunsten der Frage nach den tatsächlichen Ergebnissen und dem Charakter des historischen Prozesses, auf den sie einwirkten und der sie zugleich ständig neu formte. Denn erst von hier aus kann der geschichtlich Handelnde in seinen Leistungen und seinen Grenzen, den von außen gesetzten wie den selbst zu verantwortenden, sichtbar gemacht werden, läßt sich zeigen, welchen Platz er als Einzelner wie als Repräsentant bestimmter politischer und sozialer Tendenzen und Kräfte in der geschichtlichen Entwicklung tatsächlich einnahm.

Das wird schlagartig deutlich, wenn man sich die Situation in Preußen im Herbst 1862 vor Augen führt und die Art, wie Bismarck darauf zunächst reagierte. Diese Reaktion war in jeder Hinsicht, also auch vom Standpunkt reinen Erfolgsdenkens her, unangemessen. Sie zeigte, daß seine Einschätzung der Verhältnisse von der Wirklichkeit weit entfernt war, und zwar in einem nicht bloß augenblicksbezogenen Sinne.

Seit seinem ersten politischen Auftreten hatte sich sein Erfahrungshorizont ohne Frage beträchtlich erweitert. Das galt nicht nur für das Feld, für das er sich inzwischen in besonderem Maße zuständig fühlte: für die Außenpolitik. Es galt auch im Hinblick auf die gesellschaftlichen Verhältnisse und das wirtschaftliche Leben und auf die Veränderungen und Entwicklungstendenzen, die in beiden angelegt waren.

Das Ergebnis theoretischer Aneignung oder gar des Versuchs einer systematischen Durchdringung war das nicht; von der Lektüre entsprechender Schriften oder der Benutzung entsprechender Informationsquellen ist hier wie später nie die Rede. Alles beruhte auf unmittelbarer Erfahrung und Beobachtung, auf persönlichen Gesprächen und der, dann allerdings sehr intensiven, Vorbereitung auf spezielle Aufgaben wie die Frage der Fortführung und Erweiterung des Zollvereins der fünfziger Jahre, schließlich auf zeitweilig recht ausgedehnter Zeitungslektüre. Über der Scharfsichtigkeit, die er sogar auf ihm ferner liegenden Gebieten dabei vielfach bewies, wird man jedoch nicht übersehen dürfen, daß seine Einsichten durch die Art der Information, mit deren Hilfe er sie gewann, in manchem recht begrenzt und oberflächlich blieben.

Das wird besonders deutlich am Fall Rußlands. Von dessen inneren

Verhältnissen, sozialer Struktur und drängenden Problemen hat er auf diesem Weg während der drei Jahre seines Aufenthalts in St. Petersburg nur ein sehr ungenaues Bild erhalten. Ähnliches gilt jedoch auch, und das war für die weitere Entwicklung viel bedeutsamer, für die Situation in Mitteleuropa, und zwar gerade weil die Frankfurter Jahre hier seinen Gesichtskreis in mancherlei Hinsicht erheblich erweitert hatten.

Die speziellen Verhältnisse nämlich, auf die er in Frankfurt und in den unmittelbar angrenzenden Territorien getroffen war und die er aufmerksam beobachtet hatte, waren in vieler Beziehung atypisch. Sie waren jedenfalls nicht repräsentativ für die sich in diesen Jahren stürmisch verändernde politische und gesellschaftliche Konstellation in Preußen selber. Gerade jene Verhältnisse aber haben ihn offenkundig in seiner Einschätzung der künftigen wirtschaftlichen, sozialen und politischen Rolle des Bürgertums bestärkt; in Frankfurt, so betonte er selbst später immer wieder, seien ihm »die Augen aufgegangen«.

Das Bürgertum werde sich, so meinte er aufgrund der dortigen Erfahrungen, durch Druck von unten, durch ein Bündnis oder auch nur die bloße Ankündigung eines Bündnisses der Staatsmacht mit den Bauern und den sozialen Unterschichten erfolgreich in die traditionelle Ordnung zurückzwingen und politisch zähmen lassen. Dabei übersah er, daß das eigentlich dynamische Element der wirtschaftlichen und damit der sozialen Entwicklung der Zeit, die sich seit Beginn der fünfziger Jahre vehement ausbreitende Industriewirtschaft, in diesem Raum nur äußerst schwach ausgebildet war, ja, daß es hier auf den entschiedenen Widerstand von Kräften und Interessen traf, die sich davon bedroht fühlten und die politisch innerhalb der Stadt erheblichen Einfluß besaßen.

Was dieses vorindustrielle Handels- und Gewerbebürgertum einer ehemals reichsstädtischen Republik im staatlichen wie im gesellschaftlichen Bereich anstrebte, war eine bürgerliche Ordnung, die das Herkommen schonte und den Mittelstand begünstigte, die politisch in Grenzen demokratisch, zugleich aber in sozialer Hinsicht wesentlich konservativ war. Das entsprach ganz dem Bild, das Bismarck in Pommern, in der Mark Brandenburg, in Aachen, auch in Berlin von der sogenannten bürgerlichen Bewegung und ihren Vertretern gewonnen hatte. Es war ein Bild, das er in der Person des preußischen Kreisrichters am anschaulichsten verkörpert fand, in jenem, wie er es ironisch skizzierte, »bürgerlichen Gerichtsrat in der Provinz, humanistisch aufgeklärt und ohne Widerstandsfähigkeit gegen das Prinzip der Revolution«.

Ein solches Bild war nicht ganz falsch. Es spiegelte einen Typus und eine politisch-soziale Richtung wider, die, im Vormärz und in der Revolution von 1848 die Szene weitgehend beherrschend, auch jetzt noch vielerorts Erscheinung und Zielsetzung des deutschen Liberalismus bestimmten. Aber es verdeckte den tiefgreifenden Wandel, der sich überall anbahnte, die grundlegende Veränderung der sozialen Landschaft, die politisch auf Dauer nicht ohne Folgen bleiben konnte. Das galt für den Inhalt der Politik wie für ihre äußeren Formen, ihre institutionellen und personellen Voraussetzungen.

Beides hat Bismarck, bei aller Nüchternheit, zunächst nur sehr einseitig erfaßt, und er hat aus seinen Beobachtungen vielfach allzu rasche Schlüsse gezogen. Für die Konsequenzen, die die Auflösung des traditionellen guts- herrlichen Verbandes im Zusammenhang mit der sogenannten Bauernbefrei- ung und dem Eindringen der Grundsätze kapitalistisch-rationeller Betriebs- führung im landwirtschaftlichen Bereich hatte, besaß er aus der unmittelbaren Erfahrung der Jahre vor 1848 sehr wohl einen Blick. Und er sah auch, daß sich im Zuge der stürmischen wirtschaftlichen Veränderungen, vor dem Hinter- grund ganz neuer Markt- und Arbeitsverhältnisse zwischen dem Bürgertum und den durch Bevölkerungsvermehrung und ländlichen Zuzug ständig anwachsenden städtischen Unterschichten immer stärkere Gegensätze her- ausbildeten, die durch gemeinsame politische Prinzipien und Forderungen nur noch mühsam überwölbt wurden; seine Reden in den Jahren zwischen 1848 und 1850 dokumentieren das sehr deutlich. Aus beidem leitete er, und zwar nicht erst nach 1862, etwa unter dem Eindruck der Praxis Napoleons III., sondern bereits 1848/49, die Überzeugung ab, man könne das eigentliche »Volk«, die städtischen und vor allem die ländlichen Unterschichten, gegen das besitzende Bürgertum mobilisieren, dieses praktisch mattsetzen. Was ihm jedoch entging, war die Tatsache, daß die wirtschaftliche Entwicklung nach 1850, die nun mächtig einsetzende Industrialisierung verbunden mit einer langanhaltenden Hochkonjunktur in praktisch allen Bereichen, die Gesamt- konstellation gegenüber der 1848/49 so deutlich zutage getretenen Situation noch einmal in starkem Maße veränderte, wenngleich in der Grundtendenz des ganzen Prozesses kein grundlegender Wandel eintrat und die Vorausset- zungen der sozialen Gegensätze unverändert bestehen blieben, ja, sich noch verstärkten.

Die Veränderung bestand vor allem darin, daß die wirtschaftliche Ent- wicklung weite Teile des Bürgertums außerordentlich begünstigte und seine Stellung erheblich festigte, und zwar nicht nur materiell, sondern vor allem auch politisch. Im Zuge des wirtschaftlichen Aufschwungs der fünfziger Jahre traten die Gegensätze zwischen dem besitzenden und gebildeten Bürgertum im engeren Sinne und den sogenannten kleinbürgerlichen Schichten des Handwerks, des Kleingewerbes und Kleinhandels, die sich 1848 so gravierend geltend gemacht hatten, sehr stark zurück. Zugleich ließ die allgemeine Prosperität die wirtschaftlichen und sozialen Grundsätze des Liberalismus nun im Vergleich zu den Hungerjahren vor 1848 in einem wesentlich positiveren Licht erscheinen – bis tief in die Reihen der jetzt in raschem Tempo entstehenden Industriearbeiterschaft, deren Vertreter zu Beginn der sechziger Jahre noch vielfach auf eine mögliche Zusammenarbeit mit den

Liberalen setzten. Aus all dem erklärt sich der Aufschwung, den der deutsche Liberalismus als politische wie als wirtschaftlich-soziale Bewegung seit dem Ende der fünfziger Jahre erlebte, das Selbstbewußtsein, mit dem seine Wortführer, knapp zehn Jahre nach dem Fiasko der Revolution, eine Beteiligung an der politischen Macht forderten.

Das sei, so kann man von der weiteren Entwicklung her argumentieren, nur eine Scheinblüte gewesen. Gerade der Erfolg der Bismarckschen Politik zeige doch, daß seine auf die Erfahrungen von 1848 gegründete Analyse zutreffend gewesen, daß die sozialen und wirtschaftlichen Interessengegensätze innerhalb der neu entstehenden, der bürgerlichen Gesellschaft bereits unüberbrückbar geworden seien. Doch eine solche Argumentation verkennt, im Banne der ganz anderen Konstellation nach dem Konjunkturumschwung im Gefolge der Krise von 1873, daß Bismarck seinen Erfolg in Wahrheit gar nicht dem Gegeneinanderausspielen von Bürgertum und sozialen Unterschichten verdankte. Er verdankte sie vielmehr der nach einer ganzen Reihe von Rückschlägen mühsam errungenen Einsicht, daß er zu einem Modus vivendi, zu einer Kooperation zumindest mit Teilen des Bürgertums gelangen müsse.

Erst das machte das mit seinem Namen verknüpfte Werk einer inneren und äußeren Staatsgründung möglich und formte den Charakter des kleindeutschen Reiches. Angetreten als Retter der Macht der preußischen Krone und der traditionellen Führungsschichten, mußte er sehr bald erkennen, daß diese Macht nur durch Teilung zu erhalten sei, und zwar nicht durch Teilung des Lagers der Gegner, sondern durch Teilung der Macht mit einem Teil dieser Gegner. Allerdings, so muß man gleich hinzufügen, fiel ihm diese Erkenntnis insofern nicht schwer, als sie, wie schon bald deutlich wurde, seine eigene Macht auf eine sehr viel festere Grundlage zu stellen versprach. Festzuhalten aber bleibt, daß er die gesamte Konstellation zunächst einmal völlig verkannt hat, und dies nicht bloß in vordergründiger Weise. Eine nüchterne, nicht von dem späteren Erfolg geblendete Betrachtung seiner ersten Schritte macht dies augenfällig.

Außer bei der parlamentarisch fast bedeutungslos gewordenen Kreuzzeitungspartei und der zahlenmäßig gleichfalls nicht sehr großen Gruppe der offenen Reaktionäre in Armee und Verwaltung stieß Bismarcks Berufung zum leitenden Minister überall auf größte Skepsis und nahezu einhellige Ablehnung, und zwar sowohl im Land selber als auch außerhalb. Es drohe ein »Säbelregiment im Innern« und »Krieg nach außen«, prophezeite Max von Forckenbeck, der Referent der Budgetkommission und spätere Berliner Oberbürgermeister. Die weitverbreitete »Augsburger Allgemeine Zeitung« charakterisierte den neuen Mann als den »Typus eines die Uniform unter dem Frack versteckenden Ministerpräsidenten«. Sicher, so die »Kölnische Zeitung«, sei Bismarck »unter den Junkern unserer östlichen Provinzen ein seltener Vogel, ein Mann von Geist und Bildung«, dem es weder »an persönlicher Liebenswürdigkeit« fehle »noch an Beredsamkeit und Unternehmungsgeist«. Gerade darum aber sei er um so gefährlicher.

Skepsis und Ablehnung mischten sich allerdings weithin mit der Überzeugung, daß es sich bei dieser Berufung bloß um den letzten, verzweifelten Schritt eines Monarchen handele, der, befangen in den Anschauungen und Überzeugungen der Vergangenheit, mehr und mehr den Kontakt zur politischen und sozialen Wirklichkeit seiner Zeit verloren habe. »Mit der Verwendung dieses Mannes«, so der ebenso bekannte wie einflußreiche Publizist August Ludwig von Rochau in der Wochenschrift des kleindeutsch-liberalen Nationalvereins, »ist der schärfste und letzte Bolzen der Reaktion von Gottes Gnaden verschossen«: »Wenn er auch manches gelernt und verlernt haben mag, ein vollgültiger Staatsmann ist er keinesfalls, sondern nur ein Abenteurer vom allergewöhnlichsten Schnitt, dem es lediglich um den nächsten Tag zu tun ist.« Bismarcks Scheitern galt den meisten als ausgemacht, als eine Sache von Wochen, höchstens von Monaten.

Die Meinung war so weit verbreitet, daß es dem neuen Regierungschef schwer fiel, selbst im eigenen Lager halbwegs geeignete Mitarbeiter zu finden, welche die zurückgetretenen Minister zu ersetzen imstande schienen. Von ganz wenigen Ausnahmen abgesehen, bestand schließlich das Anfang Dezember 1862 definitiv ernannte erste Kabinett Bismarck aus politisch wie fachlich ganz unselbständigen, ja, teilweise offenkundig unzureichenden Männern. Selbst Politiker ähnlicher Couleur zögerten, durch einen Eintritt in das Ministerium möglicherweise ihre Zukunft aufs Spiel zu setzen. Auf einem Brief Kleist-Retzows, des Kampfgenossen der Revolutionszeit, der sich kritisch zu einigen personalpolitischen Entscheidungen äußerte, notierte Bismarck wenig später nüchtern: »Wir sind froh, wenn wir acht Männer finden und halten.« Es war nicht bloß seine Neigung, niemand neben sich gelten zu lassen, die den Rückblick auf sein erstes Ministerium, den er in seinen Lebenserinnerungen gab, auf die Itzenplitz und Lippe, Jagow und Mühler, zu einem förmlichen Panoptikum werden ließ; »nicht im Stande, ihre Ministerien zu leiten«, ohne »Verständnis« für die politische Gesamtlinie, »arbeitsscheu und vergnügungssüchtig« – das waren die Adjektive, mit denen er die meisten von ihnen versah.

Unter diesen Umständen war es nicht verwunderlich, daß der neuernannte Regierungschef, der bereits Mitte Oktober mit seiner Familie demonstrativ die Dienstwohnung in der Wilhelmstraße 76, dem Sitz des Auswärtigen Amtes, bezog, selbst im Lager der »Zentralen und Halben«, auf deren Kompromißbereitschaft er in seinem Brief an Roon von Mitte Juli so sicher gerechnet hatte, keinerlei Entgegenkommen fand: Gerade auch eine opportunistische Einschätzung der Situation ließ es geraten erscheinen, sich mit dem neuen Mann in keiner Weise einzulassen. Das erfuhr Bismarck sehr drastisch, als er bei der ersten sich bietenden Gelegenheit, am 30. September, eine vermeintliche Trumpfkarte zog, von der er seit langem sicher geglaubt hatte, daß sie stechen werde.

In Antwort auf die starre Haltung der Krone hatte das Parlament am 23. September gegen die elf Stimmen der Konservativen den Haushalt unter formeller Streichung sämtlicher Kosten für die Heeresreorganisation, also in einer Form angenommen, die der Monarch erklärtermaßen nicht zu akzeptieren bereit war. Dies hatte Wilhelm in seinem Entschluß vom Vortag, Bismarck zu berufen, nochmals nachhaltig bestärkt. Die Entscheidung des Abgeordnetenhauses, »die Armée Réorganisation rückgängig zu machen«, sei gleichbedeutend mit der Absicht, »den Ruin der Armée und des Landes zu décrétieren«, schrieb der König am Abend des 23. an seine Frau, die sich bis zuletzt leidenschaftlich gegen den neuen Mann ausgesprochen hatte: »Einem solchen Gebahren gegenüber konnte und durfte ich nach meinem Gewissen und meiner Pflicht nicht mehr zaudern, dieser eisernen Stirn eine gleiche entgegenzusetzen.«

Politischen Spielraum besaß die neue Regierung in dieser Situation vorerst kaum. Man erwartete allgemein, daß sie zunächst einmal den Haushaltsentwurf zurückziehen und so versuchen werde, Zeit zu gewinnen – Zeit zur Etablierung im Amt, aber auch zur Vorbereitung neuer Initiativen. Deren Ausgang konnte allerdings nur dann zweifelhaft sein, wenn sie sich unerwarteter Weise zu Zugeständnissen bereitfinden würde. Mochte auch im Hintergrund die Sorge vor einem gewaltsamen Vorgehen des neuen Ministeriums, also vor einem möglichen Staatsstreich, lebendig sein, so gaben sich die Opposition und die ihr zuneigende Öffentlichkeit doch sehr zuversichtlich: Gegen eine überwältigende parlamentarische Mehrheit zu regieren, so hieß es in der Presse immer wieder, werde sich schon bald als unmöglich erweisen.

In der Tat zog die Regierung in Bismarcks erster öffentlicher Erklärung als Ministerpräsident am 29. September den Budgetentwurf mit der als ganz formell empfundenen Erklärung zurück, »daß die Ergebnisse einer sofortigen Beschlußnahme über den Etat von 1863 der zukünftigen Erledigung der streitigen Fragen nicht förderlich sein, sondern die Schwierigkeiten derselben erheblich vermehren würden«. Gleichzeitig kündigte sie mit der Versicherung, damit keinen haushaltsrechtlichen Präzedenzfall schaffen zu wollen, an, sie werde einen revidierten Haushaltsentwurf zusammen mit einem Heeresreorganisationsgesetz zu Beginn der nächsten Sitzungsperiode vorlegen.

Das alles klang, wenn man davon ausging, daß es sich ja um ein neues, bisher nicht einmal vollständiges Kabinett handelte, verfassungsrechtlich völlig korrekt. Das Abgeordnetenhaus überließ es daher zunächst einmal der Budgetkommission, in direkten Verhandlungen mit der Regierung zu klären, ob diese nur auf Zeit spiele, während der sie weitere vollendete Tatsachen zu schaffen beabsichtige, oder ob sie wider alles Erwarten doch auf einen auch im Sinne der Mehrheit tragfähigen Kompromiß hinsteuere.

Wie die dann so berühmt gewordene Kommissionssitzung vom 30. September im einzelnen verlaufen ist, läßt sich nicht mit Sicherheit sagen; es wurde darüber kein Wortprotokoll geführt, und die verschiedenen Berichte divergieren in manchen Punkten. Immerhin erscheint die Gesamttendenz der Ausführungen Bismarcks bei unvoreingenommener Betrachtung völlig eindeutig. Er suchte offenkundig, nicht zuletzt durch die locker-verbindliche Art, in der er sprach, die Atmosphäre zu entspannen, die Gegensätze und den Inhalt des Konflikts herunterzuspielen und den Blick der Abgeordneten wieder auf das angebliche Hauptziel der Heeresreform zu lenken: die Stärkung der preußischen Macht als Voraussetzung einer erfolgreichen Politik Preußens in der deutschen Frage.

Im kritischen Rückblick auf die Revolution von 1848 und die Ursachen ihres Scheiterns hatte sich in weiten Teilen des deutschen Liberalismus in Abwehr der These, die Revolution sei an den inneren Gegensätzen ihrer Träger gescheitert, die Meinung durchgesetzt, der Hauptgrund sei die Vernachlässigung der Machtfrage gewesen. Man habe sich keine tragfähigen Machtpositionen geschaffen, habe vor allem nicht die nun einmal vorhandenen Kräfte und Interessen für die eigenen Ziele einzuspannen versucht. Zum Schaden der eigenen Sache habe man also bloße »Idealpolitik« und keine, wie seit Mitte der fünfziger Jahre das von August Ludwig von Rochau geprägte Schlagwort lautete, »Realpolitik« getrieben.

Diese Argumentation war Bismarck natürlich vertraut. Er wußte auch, daß eine große Zahl von preußischen Liberalen eine Stärkung des preußischen Heeres im Prinzip durchaus befürwortete. Er versuchte daher, wenngleich aus verständlichen Gründen mehr in Andeutungen und mit indirekten Hinweisen, zumindest einen Teil der Abgeordneten davon zu überzeugen, daß seiner Meinung nach die Frontlinien ganz schief verliefen und die innenpolitischen Gegensätze die Gemeinsamkeiten in den weit drängenderen und wichtigeren außen- und nationalpolitischen Fragen zu verdecken drohten. Diese Gegensätze seien im übrigen, fügte er hinzu, von einer verantwortungslosen Presse und einer »Menge ›catilinarischer Existenzen‹, die ein großes Interesse an Umwälzungen haben«, über Gebühr dramatisiert worden. Im selben Zusammenhang und mit der gleichen Zielsetzung formulierte er dann die berühmt gewordenen Sätze: »Nicht auf Preußens Liberalismus sieht Deutschland« – das war ein Seitenhieb auf die halbherzige und weitgehend erfolglose Außenpolitik der »Neuen Ära«, die auch im liberalen Lager nicht unumstritten war –, »sondern auf seine Macht; Bayern, Württemberg, Baden mögen den Liberalismus indulgieren, darum wird ihnen doch keiner Preußens Rolle anweisen; Preußen muß seine Kraft zusammenfassen und zusammenhalten auf den günstigen Augenblick, der schon einige Male verpaßt ist; Preußens Grenzen nach den Wiener Verträgen sind zu einem gesunden Staatsleben nicht günstig; nicht durch Reden und Majoritätsbeschlüsse werden die großen Fragen der

10. Bismarck und Friedrich Wilhelm IV. im Jahr 1848
Zeichnung von Hermann Lüders

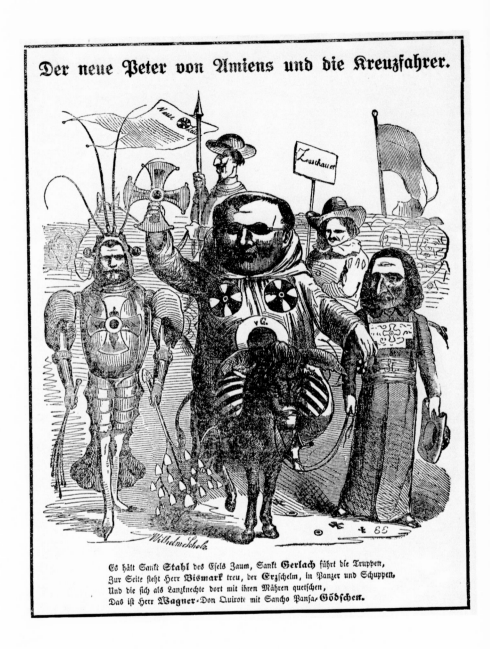

**Der neue Peter von Amiens und die Kreuzfahrer.**

Es hält Sankt **Stahl** des Esels Zaum, Sankt **Gerlach** führt die Truppen,
Zur Seite steht Herr **Bismark** treu, der **Erzschelm,** in Panzer und Schuppen,
Und die sich als Lanzknechte dort mit ihren Mähren quetschen,
Das ist Herr **Wagner**-Don Quixote mit Sancho Panfa-**Göbschen.**

11. Bismarck als Ritter im Krebspanzer in der Gruppe
der Kreuzzeitungspartei
Erste Karikatur auf Bismarck im »Kladderadatsch« vom 4. November 1849

12. Bismarcks erster Frankfurter Wohnsitz an der Bockenheimer Landstraße
Stich aus der Zeit um 1855

13. Bismarcks Petersburger Domizil am Englischen Kai:
das Palais der Gräfin Stenbock
Lavierte Zeichnung aus der Zeit um 1860

14. Der alte Amtssitz des preußischen Ministerpräsidenten
an der Wilhelmstraße in Berlin

Zeit entschieden – das ist der große Fehler von 1848 und 1849 gewesen –, sondern durch Eisen und Blut.«

Was Bismarck hier stichwortartig skizzierte, war bei Licht besehen wohl das weitestgehende Kooperationsangebot im Sinne einer entschieden voranschreitenden kleindeutsch-nationalen Politik, das ein preußischer Regierungschef bislang vorgelegt hatte. Ihm entsprach, daß er sich sofort bereit erklärt hatte, einige als kompromißbereit geltende Liberale wie den Historiker Heinrich von Sybel als Minister in sein Kabinett aufzunehmen. Ja, er deutete sogar an, über die Frage der zweijährigen Dienstzeit mit sich reden zu lassen. Als Gegengabe verlangte er eine Art Burgfrieden auf der Basis des verfassungsrechtlichen Status quo, also den Verzicht des Abgeordnetenhauses auf seinen Vorranganspruch in Haushaltsfragen und damit indirekt, wie das englische Beispiel jedermann lehrte, auch in anderen politischen Fragen.

Um das zu unterstreichen, zeigte er in jenen Tagen seinen Gesprächspartnern einen Ölzweig, den er aus Avignon mitgebracht hatte: Er suche nicht den Konflikt, sondern den Ausgleich, um die Hände für die großen gemeinsamen Aufgaben freizubekommen. Es war ein Appell an die Liberalen zur Güterabwägung, der zugleich widerspiegelte, wie er die Verteilung der Gewichte zwischen nationalen und liberalen Komponenten bei der Mehrheit im liberalen Lager einschätzte.

Mochte er damit auf längere Sicht auch recht behalten – zunächst erhielt er in dieser dramatischen Abendsitzung der Budgetkommission eine Abfuhr, die ihn fast aus der Bahn warf und deren Folgen seine Politik in den nächsten Monaten wesentlich bestimmten. Als erster zeigte ihm Rudolf Virchow, der berühmte Pathologe der Berliner Universität und einer der populärsten und kampfentschlossensten Führer der Fortschrittspartei, ein Mann von eindrucksvoller Statur und großem rhetorischen Talent, daß er sich ohne hinreichende Rückendeckung in der Sache wie in den Formulierungen viel zu weit vorgewagt hatte.

Auf das Angebot einer gemeinsamen Außenpolitik und einer Unterordnung des inneren Konflikts unter diese Gemeinsamkeit ging Virchow mit keinem Wort ein. Vielmehr zielte er sofort auf den schwächsten und publizistisch wie politisch am besten gegen Bismarck verwertbaren Punkt: Der Ministerpräsident wolle offenbar im Interesse seiner innenpolitischen Ziele auf dem Feld der Außenpolitik eine gewalttätige Machtpolitik beginnen.

Hält man sich die außenpolitischen Zielvorstellungen eines erheblichen Teils der liberalen Fraktion vor Augen, so war das nicht ohne heuchlerischen Beigeschmack. Denn Bismarck hatte deutlich Ziele beschworen, die in erster Linie Ziele der kleindeutschgesinnten Liberalen waren, Ziele, deren Durchsetzung, wie man sich hier im Innersten vielfach nicht verhehlte, eine Machtfrage sein würde – mit all den Konsequenzen, die sich daraus ergeben konnten. »Für die Ehre und Machtstellung unseres Vaterlandes, wenn diese

Güter durch einen Krieg gewahrt oder erlangt werden müssen, wird uns niemals ein Opfer zu groß sein«, hatte es im Gründungsprogramm der Fortschrittspartei vom Juni geheißen. Aber das Argument war außerordentlich wirkungsvoll, und zwar nicht nur in der Öffentlichkeit, sondern auch im Hinblick auf all diejenigen einschließlich des preußischen Königs, die dem neuen Ministerpräsidenten gerade auf dem Sektor der Außenpolitik mit erheblichem Mißtrauen begegneten.

Bismarck sah, wie seine geradezu verwirrte Antwort deutlich machte, die Gefahr sofort, aber es war zu spät. Ja, seine unmittelbar anschließende, aus der Erkenntnis dieser Gefahr geborene Beteuerung wirkte förmlich als eine Bestätigung. »Auswärtige Konflikte zu suchen, um über innere Schwierigkeiten hinwegzukommen«, so referierte die »Berliner Allgemeine Zeitung« in ihrer »Kammer-Correspondenz« in indirekter Rede diese Erklärung, »dagegen müsse er sich verwahren; das würde frivol sein; er wolle nicht Händel suchen; er spreche von Konflikten, denen wir nicht entgehen würden, ohne daß wir sie suchten.«

Das war in der Abwehr die präzise Formulierung des Verdachts, für den der Ausdruck »Eisen und Blut«, das anschauliche und eingängige Stichwort bildete. Was drohe, sei eine auf außenpolitische Abenteuer gestützte Gewaltherrschaft, so lautete der fast einhellige Aufschrei der liberalen Presse. »Du weißt, wie leidenschaftlich ich Preußen liebe«, schrieb der Historiker Heinrich von Treitschke am gleichen Tag an seinen Schwager, den späteren badischen Kultusminister und Ministerpräsidenten Wilhelm Nokk: »Höre ich aber einen so flachen Junker wie diesen Bismarck von dem ›Eisen und Blut‹ prahlen, womit er Deutschland unterjochen will, so scheint mir die Gemeinheit nur noch durch die Lächerlichkeit überboten.«

In Unterschätzung des innenpolitischen Gegners und der ihn unterstützenden Kräfte, im Vertrauen auf die Manipulierbarkeit und Korrumpierbarkeit der Abgeordneten wie der öffentlichen Meinung und wohl auch in Überschätzung der Macht der eben übernommenen Stellung hatte Bismarck sich sozusagen selbst ans Messer geliefert; selbst sein treuester Mitstreiter, der Kriegsminister von Roon, sprach auf dem Heimweg von der Kommissionssitzung von »geistreichen Exkursen«, die der eigenen Sache wenig förderlich seien.

Die Gegenseite zögerte natürlich keinen Augenblick, die Situation auszunützen. »Der Mann und das System muß schonungslos angegriffen werden«, schrieb Bismarcks einstiger Baden-Badener Kontrahent, der badische Außenminister Franz von Roggenbach am 3. Oktober an Robert von Mohl, seinen Bundestagsgesandten, den Reichsjustizminister von 1848. So war der Tenor aller liberalen Äußerungen nach der »Eisen-und-Blut-Rede«. Aber gerade in diesem Fall hatte er einen für Bismarck besonders ernstzunehmenden Hintergrund.

Der König hielt sich zu diesem Zeitpunkt abermals in Baden-Baden auf. Und es war unschwer vorauszusehen, daß sein badischer Schwiegersohn und dessen Berater versuchen würden, unter Hinweis auf diese Rede und auf den durch sie ausgelösten Entrüstungssturm innerhalb und außerhalb Preußens das alte Mißtrauen Wilhelms gegenüber den außenpolitischen Plänen und Zielen seines neuen Ministerpräsidenten wieder zu beleben. Allerdings stand Wilhelm noch zu sehr unter dem Eindruck von Babelsberg, der Vorstellung, daß dieser eine bedingungslos zu ihm gehalten habe, während alle anderen ihn verrieten, als daß er dafür zugänglich gewesen wäre: Er verbat sich unmißverständlich und »mit schroffer Heftigkeit« jede weitere Einmischung. »Die ganze Denkart ist verändert, die Prämissen sind falsch, und daher kann man über noch so logisch formulierte Konklusionen nicht diskutieren«, klagte sein badischer Schwiegersohn.

Das konnte Bismarck jedoch nicht wissen. Er hielt es daher bei Lage der Dinge für geraten, dem König am 4. Oktober bei dessen Rückkehr bis Jüterbog entgegenzufahren, um ihn zu beruhigen und ihm etwaige Bedenken und Zweifel im Hinblick auf die Person seines neuen Ministerpräsidenten und dessen politische Pläne auszureden.

In seinen Lebenserinnerungen hat Bismarck diese Szene, bei der der König düster vom Schafott und dem Schicksal englischer Könige und Minister gesprochen und er ihn erst mit einem neuerlichen unbedingten Treuegelöbnis wieder aufgerichtet habe, höchst anschaulich beschrieben. Auch dies ist eine geschickt in Szene gesetzte Legende auf der Linie, er, Bismarck, habe das Haus Hohenzollern praktisch gegen den Willen seines ersten Vertreters politisch gerettet und ihm seine Stellung und Macht bewahrt. Doch der Vorgang als solcher, schon der Entschluß zur Reise zeigt, wie sehr Bismarck zu diesem Zeitpunkt den Boden unter seinen Füßen schwanken fühlte, wie deutlich er spürte, einen entscheidenden Fehler begangen zu haben.

Seine hochmütige Behauptung, daß er es besser als jeder andere, besser jedenfalls als konservative Bürokraten vom Schlage Manteuffels und seiner Adepten verstehe, mit den Abgeordneten und mit der Öffentlichkeit umzugehen, schien eindeutig widerlegt. Er hatte im Gegenteil die Front seiner Gegner durch seine Fehlkalkulation geradezu zusammengeschweißt und sah sich nun einer allem Anschein nach unüberwindlichen Phalanx gegenüber. Und mehr noch: Sein Konzept einer grundlegenden Veränderung der innenpolitischen Allianzen, einer Aufspaltung der Opposition unter Herauslösung der Gruppe jener, denen es vor allem um die nationale Frage und die Vollendung der Wirtschaftseinheit zwischen den Zollvereinsstaaten zu tun war, schien vollständig gescheitert zu sein, zumindest was seine Führungsrolle bei der Verwirklichung eines solchen Konzepts anging.

Damit stellt sich eine Frage, die für die Beurteilung der gesamten weiteren Entwicklung von zentraler Bedeutung ist: Hat Bismarck trotzdem auch weiterhin an diesem Konzept festgehalten oder hat er von diesem Zeitpunkt an ganz andere Lösungen anvisiert? Für das eine spricht auf den ersten Blick der Ausgang, die nach dem Krieg von 1866 und der Gründung des Norddeutschen Bundes erreichte politische Konstellation. Für das andere die nun unmittelbar folgende Entwicklung bis zur ersten mit eindeutigem Erfolg, mit klarem Macht- und Prestigegewinn bestandenen außenpolitischen Konfliktsituation, der großen Krise um Schleswig-Holstein. Die Frage erhält ihr besonderes Gewicht vor allem dadurch, daß mit ihr indirekt die sehr viel weiterreichende nach dem Grundcharakter der mit Bismarcks Namen verbundenen politischen Schöpfung, des Deutschen Reiches von 1871, verknüpft ist. Denn je nachdem, ob man das Bündnis Bismarcks mit einem erheblichen Teil des deutschen Bürgertums als konstitutiv für seine Politik oder doch zumindest für eine ganze Reihe ihrer Elemente einschätzt oder nicht, wird das Urteil über den Charakter dieses Reiches sehr unterschiedlich ausfallen.

Im ersteren Fall wird man sich fragen müssen, ob sich das verbreitete Urteil über das Reich von 1871 als eine Gründung gegen den Geist der Zeit oder besser gesagt gegen den Geist des Bürgertums dieser Zeit nicht zu sehr im Bann von Wunschvorstellungen über die angeblichen Ideale und eigentlichen Ziele dieses Bürgertums bewegt, zumindest was Mitteleuropa angeht. Man wird sich also die Frage zu stellen haben, ob die verfassungspolitische, die rechtliche, die wirtschaftliche, die soziale und auch die geistig-kulturelle Ordnung dieses Reiches, soweit sie institutionell verfaßt war, nicht recht genau die Wünsche und Erwartungen einer breiten Mehrheit des deutschen Bürgertums widergespiegelt hat. Das aber heißt: Wenn die schließliche offene Unterstützung Bismarcks und seiner Politik durch die Mehrheit auch des liberalen Bürgertums nicht nur Beiprodukt des Erfolges dieser Politik war, sondern ihr von vornherein anvisiertes und nie ernsthaft preisgegebenes Ziel, dann erscheint auch der Inhalt und erscheinen die konkreten Ergebnisse dieser Politik in einem völlig anderen Licht.

Ob dies so war, läßt sich freilich nicht eindeutig entscheiden. Ja, man wird sogar sagen müssen, daß eine solche Fragestellung, so wichtig und unentbehrlich sie für ein zusammenfassendes Urteil ist, die historische Realität in gewisser Weise vergewaltigt. Denn sie unterstellt der Realität und den in ihr Handelnden eine Folgerichtigkeit und Eindeutigkeit, die in ihnen zunächst einmal weder subjektiv noch objektiv vorhanden waren.

Bismarcks Schluß aus dem offenkundigen Scheitern des ersten Anlaufs zur Verwirklichung seines taktischen Konzepts war nämlich allen Anzeichen nach sehr viel pragmatischer, ja schlichter. Er müsse sich, so sah er, noch mehr an den konkreten Erfolgsmöglichkeiten des Augenblicks orientieren und sich darüber hinaus immer verschiedene Wege offenhalten, was für ihn fortan zu einer immer virtuoser gehandhabten taktischen Hauptmaxime wurde. Er wurde von nun an sehr viel vorsichtiger und zugleich, bei unbestreitbar konservativer Grundhaltung in allen Fragen der inneren Politik, ambivalenter in den jeweiligen konkreten Zielsetzungen. Auf diese Weise aber nahm der Einfluß der jeweiligen realen Machtkonstellationen, der faktischen Gewichts- verteilung in Staat und Gesellschaft auf seine Politik und ihre Richtung immer mehr zu. Er wurde also, wenn man so will, zunehmend »opportunistischer«. Und hierin steckt eine Antwort auf die Frage, die über die Person und ihr spezifisches Wollen weit hinausgeht.

Gerade weil er sich in erster Linie von dem jeweils Machbaren und Erfolgversprechenden leiten ließ, mußte seine Politik, nach dem gescheiterten Versuch einer Annäherung an einen Teil der liberalen Parlamentsmehrheit, mit innerer Notwendigkeit den Interessen des Bürgertums weit mehr ent- gegenkommen, als es zunächst nach außen hin den Anschein hatte. Die verschärfte politische Gegnerschaft erzwang also förmlich ein sachliches Entgegenkommen, zumal angesichts des Fehlens einer eigenen parteipoliti- schen Machtbasis. Das führte schließlich dazu, daß die konkreten Ergebnisse der Politik des preußischen Staates unter Bismarcks Führung in einem scheinbar völligen Mißverhältnis zu dem sich immer mehr ins Grundsätzliche steigernden Konflikt standen, der die Zeit ihrer Planung und Durchführung beherrschte.

Das wird am deutlichsten an der Wirtschafts- und Handelspolitik, die in ihren leitenden Grundsätzen und konkreten Maßnahmen von der Regierung Bismarck bruchlos fortgesetzt wurde. Zwar muß man sich hier vor allzu schnellen Schlüssen hüten. Diese Politik entsprach, zunehmend auf Liberali- sierung und Freihandel ausgerichtet, seit langem den Interessen der Mehrheit des grundbesitzenden Adels in Preußen. Ein Teil dieses Adels hatte sich zudem vergleichsweise früh, vor allem in Schlesien, auch im industriellen Bereich engagiert; man denke nur an die Schaffgotsch und Pless, Ballestrem und Henckel-Donnersmarck, die alle schon in den vierziger und fünfziger Jahren in großem Stil industrielle Beteiligungen erwarben und eigene Unter- nehmen aufbauten. Es wäre also ganz falsch, in der Tatsache der bruchlosen Fortführung der Wirtschafts- und Handelspolitik der Regierungen der »Neu- en Ära« allein den Beweis dafür zu sehen, daß es in erster Linie um eine Art Bestechung des Wirtschaftsbürgertums gegangen sei, daß dahinter vor allem der Plan gestanden habe, dieses Bürgertum an den konservativen Staat zu binden und von dem Versuch der Durchsetzung liberaler politischer Ziele abzubringen: Hier waren sehr viel unmittelbarere eigene wirtschaftliche Interessen der Konservativen und des Adels im Spiel.

Auf der anderen Seite ist jedoch unübersehbar, daß die vorhandene Interessenkonvergenz zwischen großen Teilen der Landwirtschaft und dem Handel, aber auch nicht unwichtigen Sektoren der jungen Industrie und der gewerblichen Wirtschaft eine Politik außerordentlich begünstigte, deren Ziel die Aufspaltung einer übermächtig erscheinenden Opposition war. Es war daher nur natürlich, daß Bismarck, kaum im Amt, diesen Faktor durch entsprechende Maßnahmen noch zu verstärken und ihn zugleich zu benutzen versuchte, um in der deutschen Frage in seinem Sinne voranzukommen.

Welche Bedeutung der Handels- und speziell der Zollvereinspolitik einerseits außenpolitisch, andererseits im Verhältnis zu den verschiedenen Interessengruppen innerhalb des eigenen Staates wie der anderen Staaten zukam, war Bismarck seit seinen intensiven Frankfurter Erfahrungen hinreichend vertraut. Und man wird davon ausgehen können, daß er auch in den Jahren nach 1859, in denen dieser Komplex ihm von Amts wegen ferner rückte und er dementsprechend in seinen Aufzeichnungen und Berichten kaum noch einen Niederschlag fand, die Entwicklung aufmerksam verfolgt und die Chancen registriert hat, die in ihr lagen. Der bedeutendste Vorgang auf diesem Gebiet, derjenige mit den weitestreichenden Konsequenzen, war der Anschluß Preußens an den 1860 mit dem sogenannten Cobden-Vertrag geschaffenen englisch-französischen Freihandelsraum. Er vollzog sich über einen Handelsvertrag mit Frankreich, der Ende März 1862 abgeschlossen worden war.

Die unmittelbare wirtschaftliche Bedeutung dieses Vertrags war nicht sehr groß. Der preußisch-französische Handel war damals eher noch bescheiden, und auch die Erwartungen im Hinblick auf seine Ausweitung waren nicht gerade überschwenglich. Sein Gewicht erhielt das Abkommen aufgrund seiner mittelbaren Konsequenzen für die wirtschaftliche Entwicklung in Mitteleuropa selber und vor allem aufgrund seiner politischen Auswirkungen. Diese standen von Anfang an auf beiden Seiten im Zentrum aller Überlegungen: Napoleon sah in einem solchen Handelsvertrag einen ersten Anknüpfungspunkt für die Gewinnung einer neuen politischen Klientel neben seiner italienischen, diesmal in Mitteleuropa. Und die preußische Regierung der »Neuen Ära« hoffte schon in den bloßen Verhandlungen mit Frankreich ein neues Druckmittel gegenüber Österreich gefunden zu haben, um dieses zu Zugeständnissen in der deutschen Frage im Sinne der preußisch-kleindeutschen Bundesreformpläne zu bringen.

Dieses Kalkül war allerdings in keiner Weise aufgegangen. Im Gegenzug hatte Österreich fast das gesamte sogenannte dritte Deutschland mit dem Argument gegen Preußen mobilisiert, es handle sich um den Versuch der preußischen Regierung, die übrigen deutschen Staaten wirtschaftspolitisch und somit auch politisch endgültig zu mediatisieren; in der Tat gerierte sich Preußen bei den Vertragsverhandlungen, die in der Sache ja den Zollverein unmittelbar betrafen, in geradezu provozierender Weise als Vormacht dieses Vereins. Ohne in der Sache und in der deutschen Frage vorangekommen zu sein, war Preußen durch die österreichische Gegeninitiative praktisch unter Zugzwang geraten: Wollte es nicht eine schwere diplomatische Niederlage mit erheblichen Folgen für seine gesamte Politik erleiden, dann mußte es mit Frankreich abschließen.

Von der französischen Regierung war Berlin dieser Schritt sehr erleichtert worden. Der wenig später neuernannte preußische Gesandte in Paris konnte sogleich berichten, mit welchem Nachdruck Napoleon III. auf einen weiteren Ausbau der preußisch-französischen Beziehungen dränge. Dem damaligen preußischen Gesandten und jetzigen Ministerpräsidenten hatte das gut ins Konzept gepaßt, nicht jedoch der preußischen Regierung und schon gar nicht dem preußischen König. An die Stelle der erhofften Verständigung mit Österreich drohte eine immer schroffere Konfrontation zwischen den beiden deutschen Großmächten zu treten. Und es erschien ausgemacht, daß Napoleon III. eben darauf im Interesse seiner eigenen Hegemonialstellung in Europa setzte; bezeichnenderweise tauschte er Mitte Oktober 1862 den bisherigen Außenminister Thouvenel gegen den angeblich mehr zu Österreich neigenden Drouyn de l'Huys aus.

In dem Urteil über die eigentlichen Ziele des französischen Kaisers waren sich Konservative wie Liberale weitgehend einig gewesen. Gleichzeitig aber begrüßten beide Seiten von ihren jeweiligen wirtschaftlichen Interessen her den Handelsvertrag mit Frankreich, der faktisch die endgültige wirtschaftliche Trennung Österreichs vom übrigen Deutschland bedeutete -- wenn die kleineren Zollvereinsstaaten sich ihm anschlossen. Da der Fortbestand des Zollvereins für Preußen etwas war, auf das man längst nur noch verbal, um die Partner unter Druck zu setzen, verzichten konnte, schien der Konflikt mit Österreich, den in äußerster Zuspitzung nur ganz wenige wollten, fast unvermeidlich.

Das war die Konstellation, die Bismarck bereits bei seinem Amtsantritt vorfand. Sie ließ ihm, unabhängig von dem, was er in dieser Hinsicht plante und wollte, kaum einen Spielraum. Sie erklärt vielmehr, warum ihm auch von hier aus, wieder relativ unabhängig von einem möglichen langfristigen taktischen Konzept, eine Annäherung an jenen Flügel der Liberalen dringend wünschenswert erscheinen mußte, dessen Hauptziel die Lösung der nationalen Frage im kleindeutschen Sinne war. Und auch nach dem völligen Fiasko dieses Annäherungsversuches blieb der außen- und wirtschaftspolitische Kurs weitgehend vorgezeichnet. Es galt, die österreichische Gegenoffensive zum Stehen zu bringen, die mit der Ablehnung des preußischen Handelsvertrags durch die beiden größten süddeutschen Staaten, durch Bayern und Württemberg, und durch die gleichzeitige Initiative Österreichs und der Mittelstaaten in der deutschen Frage eben einen Höhepunkt erreicht hatte.

Mitte August 1862 hatte Wien den Bundesregierungen den Vorschlag unterbreitet, den Bund durch die Errichtung einer aus Delegierten der einzelstaatlichen Parlamente zusammengesetzten Vertretungskörperschaft auf eine ganz neue Grundlage zu stellen. Dies blieb zwar weit hinter der liberalen Forderung nach einem direkt gewählten deutschen Parlament zurück. Doch die Vertreter des kleindeutschen Flügels des deutschen Liberalismus hatten vor dem Hintergrund des preußischen Verfassungskonflikts große Mühe, das Ganze als bloße Augenwischerei darzustellen, zumal Österreich inzwischen selber in den Kreis der Verfassungsstaaten eingetreten war und das konstitutionelle System im Augenblick ehrlicher handhabe als Preußen.

Mancher war daher geneigt, dies als einen ersten zukunftsweisenden Schritt in Richtung auf eine Lösung der deutschen Frage in nationaler wie in verfassungspolitischer Hinsicht anzusehen. Hinzu kam, daß die Mehrheit der außerpreußischen Öffentlichkeit auch nach dem kleindeutschen Kompromiß von 1849 einer Lösung unter Einbeziehung Österreichs, also formal auf der Basis des Deutschen Bundes als Nachfolger des 1806 untergegangenen Reiches, zuneigte. Ende Oktober 1862 konstituierte sich in Konkurrenz zum kleindeutschen »Nationalverein« der großdeutsche »Reformverein«, der insbesondere im Süden erhebliche Mitgliederzahlen gewann; in München beispielsweise binnen weniger Monate weit über tausend.

Die österreichische Initiative konnte sich also durchaus auf populare Kräfte stützen. Zwar bestanden zwischen deren Zielen und den Zielen der mit Österreich zusammengehenden deutschen Mittel- und Kleinstaaten, denen es vorrangig um die Erhaltung ihrer Selbständigkeit und Souveränität ging, unübersehbare Unterschiede. Ungeachtet dessen drohte Österreich jedoch, von preußischer Seite her gesehen, immer mehr in die Vorhand zu geraten. Dadurch aber war eine schon traditionelle Alternative preußischer Politik bereits bei Amtsantritt Bismarcks verstellt: das Winken mit einem preußisch-österreichischen Ausgleich auf der Basis des Status quo und auf der Grundlage gemeinsamer Staats- und Machtinteressen.

Mit dieser Alternative hatte auch noch die Regierung der »Neuen Ära« gearbeitet, selbst noch während der Handelsvertragsverhandlungen mit Frankreich. Sie hatte dafür fast immer entsprechende Partner in Wien gefunden. Damit schien es nun auf absehbare Zeit vorbei zu sein. Kaum jemand hat das mit größerem Unbehagen registriert als der preußische König. Aber auch Bismarck mußte es bedauern, daß diese Alternative offenbar zusammengebrochen war, selbst wenn er in der Bundespolitik und in der deutschen Frage seit langem eine entschieden antiösterreichische Politik verfolgte. Denn das engte seinen außen- und seinen innenpolitischen Spielraum beträchtlich ein: Dem Angebot zu einer Zusammenarbeit in der nationalen Frage und in der Handels- und Zollvereinspolitik konnte er schwerlich noch in überzeugender Weise die Drohung zur Seite stellen, die Regierung sei auch in der Lage, resolut über entsprechende Wünsche hinwegzuschreiten und ganz andere Lösungen anzustreben.

Das Dilemma wurde bereits drei Tage nach Bismarcks Auftreten vor der Budgetkommission offenkundig, als der neue Ministerpräsident sich gezwungen sah, vor dem zunächst widerstrebenden Herrenhaus eine außenpolitische

Resolution des Abgeordnetenhauses zu verteidigen. In ihr war die Regierung aufgefordert worden, auf dem mit dem preußisch-französischen Handelsvertrag eingeschlagenen Weg voranzuschreiten und sich nicht durch die Opposition einiger Zollvereinsstaaten aufhalten zu lassen, diesen Widerstand vielmehr mit allen Mitteln zu brechen. Das war bei Lage der Dinge eine entschiedene Kampfansage an das mit diesen Staaten offen sympathisierende Österreich und allgemein an die österreichisch-mittelstaatliche Koalition. Es war aber auch, und daher opponierte das Herrenhaus zunächst, obwohl die Mehrheit den Inhalt der Resolution billigte, die Formulierung des Anspruchs der Volksvertretung, die Richtlinien der Außenpolitik mitzubestimmen.

Einen solchen Anspruch lehnte natürlich auch Bismarck entschieden ab. Da sich jedoch im Augenblick praktisch keine Alternative bot, hatte er überhaupt keine Möglichkeit, ihm nachhaltig entgegenzutreten, wollte er sich nicht mit den opponierenden Mitgliedern des Herrenhauses in Formfragen und das Problem eines abstrakten Anspruchs verbeißen. Ohnmächtig mußte er zusehen, wie die liberale Mehrheit sich zum Wortführer preußischer Macht- und Interessenpolitik aufschwang und ihn, der auf diesem Weg geplant hatte, politische Geschäfte großen Stils zu machen, aufgrund seiner Äußerungen in der Budgetkommission gleichsam zum Sicherheitsrisiko auch für die preußische Außenpolitik stempelte.

Nichts lag in solcher Situation für einen Mann wie Bismarck wohl näher, als mit allen Kräften zu versuchen, aus dem Zustand der offenbaren außenpolitischen Alternativlosigkeit herauszukommen und notfalls Gegenpositionen künstlich aufzubauen. Künstlich soll dabei nicht heißen, daß er solche alternativen Konstellationen willkürlich herbeizuführen sich bemüht habe – das hätte seiner Auffassung von den Grundbedingungen jeder erfolgversprechenden Außenpolitik zutiefst widersprochen. Es soll nur heißen, daß er versucht war, ihren Stellenwert und die Chancen, die er ihnen einräumte, gegen seine wirkliche Meinung propagandistisch aufzubauschen.

Das gilt vor allem für die angeblichen Alternativen seiner Politik in der deutschen Frage und damit für seine Politik gegenüber Österreich in den Jahren vor 1866. In Reaktion auf die lange Zeit vorherrschende, sicher in vieler Hinsicht eingleisige Betrachtungsweise, die sich lediglich an dem Ergebnis orientierte, hat nach 1918, nach der Auflösung Österreich-Ungarns und dem militärischen Zusammenbruch des Deutschen Reiches, eine ganze Reihe von Historikern der These zugeneigt, Bismarck habe sich auch hier, wie so oft, bis fast zuletzt, bis zum Ausbruch des Krieges von 1866, jeweils zwei Wege offengehalten. Er habe stets sowohl den möglichen Ausgleich mit Österreich als auch eine Art Herrschaftsteilung in Mitteleuropa auf der Basis des traditionellen Zusammenwirkens der drei konservativen Ostmächte ins Auge gefaßt.

In der Tat gibt es eine ganze Reihe von Zeugnissen, die in diese Richtung zu weisen scheinen. Und man wird auch nicht bestreiten können, daß im Einzelfall die Entscheidung oft schwer fällt, was nun bloßes Druckmittel und was eigentliches Ziel gewesen ist. Das ist jedoch nicht das Wesentliche. Entscheidend ist vielmehr, daß sich im historischen Prozeß selber erwies, daß der traditionelle Weg nicht mehr erfolgversprechend beschreitbar war, ja, daß sogar die Drohung, ihn einzuschlagen, schließlich kaum noch glaubhaft erschien. Von großer, bis heute vielfach unterschätzter Bedeutung war dabei die innenpolitische Entwicklung, zumal in Preußen.

Nach seinem gescheiterten Annäherungsversuch an einen Teil der liberalen Mehrheit war es Bismarck nur noch darum zu tun gewesen, zunächst einmal Zeit zu gewinnen und sich das opponierende Abgeordnetenhaus durch Vertagung für einige Monate vom Hals zu schaffen. Allerdings hatte ihm die Mehrheit des Herrenhauses vorerst einen Strich durch die Rechnung gemacht, indem sie durch einen offenen Verfassungsbruch den Konflikt auf einen neuen Höhepunkt getrieben und damit eine mögliche künftige Einigung noch weiter erschwert hatte. Sie hatte nicht nur, was ihr gutes Recht war, den Haushalt in der vom Abgeordnetenhaus veränderten Fassung ihrerseits abgelehnt. Sie hatte gleichzeitig den Regierungsentwurf verabschiedet und somit in offenem Widerspruch zur Verfassung Rechte der Volksvertretung für sich in Anspruch genommen. Das Abgeordnetenhaus hatte darauf mit verständlicher Leidenschaft reagiert. Selbst sehr gemäßigte Mitglieder sprachen jetzt mit Max Duncker, von einem »Ständekampf«, von einem »Kampf des Bürgertums gegen das Junkertum«, bei dem wohl kaum noch ein Kompromiß möglich sei.

Diese radikale Polarisierung, bei der der neue Regierungschef von liberaler Seite mit Selbstverständlichkeit der Partei des Herrenhauses zugezählt wurde, hatte Bismarcks ursprünglichem Konzept durchaus nicht entsprochen. Er hatte den König in der Thronrede aus Anlaß der vorläufigen Schließung des Landtags am 13. Oktober noch einmal betonen lassen, die Regierung sei nach wie vor um einen Ausgleich bemüht. Sie werde zu gegebenem Zeitpunkt um nachträgliche Billigung, um »Indemnität« für die Ausgaben ersuchen, die im Interesse eines geordneten Fortgangs des Staatslebens notwendigerweise ohne vorangegangene parlamentarische Zustimmung zu leisten sein würden. Ähnliches ließ er in der 1861 gegründeten »Norddeutschen Allgemeinen Zeitung« verlauten, die, ursprünglich als Sprachrohr österreichischer Interessen ins Leben gerufen, von nun an mehr und mehr zum zentralen Organ der neuen preußischen Regierung und ihres Chefs wurde: die Schaltstelle war hier das »Literarische Büro« des Innenministeriums, das die beiden Regierungsräte Ludwig Hahn und Karl Ludwig Zitelmann, ein Frankfurter Mitarbeiter Bismarcks, leiteten.

Auf der anderen Seite konnte in jener Polarisierung zwischen den beiden Kammern des preußischen Parlaments und den hinter ihnen stehenden politischen und sozialen Kräften auch eine große Chance stecken. Bei

geschicktem Taktieren konnte die Regierung aus der unmittelbaren Schuß-
linie geraten und schließlich vielleicht sogar als der lachende Dritte dastehen.
Diesem Ziel diente bereits Bismarcks eindeutig auf die liberale Öffentlichkeit
berechnete Initiative in dem seit Jahren andauernden kurhessischen Verfassungskonflikt: Unter offener Androhung von Gewalt zwang er im November
1862 in flagrantem Gegensatz zu seiner eigenen innenpolitischen Stellung den
auf seine monarchischen Rechte pochenden Kurfürsten zu einer Verständigung mit seiner Landesvertretung. Und dem gleichen Ziel dienten dann seine
Politik gegenüber Österreich und der erste grundsätzliche Schritt, den er in der
deutschen Frage unternahm.

Sachlich war ihm diese Politik in mancherlei Hinsicht vorgezeichnet.
Bismarck ließ von Anfang an keinen Zweifel daran, daß er das österreichisch-
mittelstaatliche Bundesreformprogramm, also zunächst das sogenannte Delegiertenprojekt, bekämpfen und den von Österreich gestützten Widerstand
insbesondere Bayerns und Württembergs gegen die preußische Handels- und
Wirtschaftspolitik mit allen Mitteln zu brechen versuchen werde. Das aber
provozierte mit innerer Notwendigkeit die Frage, ob eigentlich der angeblich
so hochkonservative und um die Erhaltung der traditionellen innenpolitischen Ordnung bemühte neue preußische Ministerpräsident das ganze Gewicht der preußischen Macht zugunsten der außenpolitischen Ziele der
linksliberalen preußischen Fortschrittspartei einzusetzen gedenke.

Diese Frage stellte sich nicht nur in Wien, sondern ebenso in Petersburg und,
von einer anderen Richtung her, in Paris. Von der Antwort, die Bismarck gab
oder die die Gesandten seinen Äußerungen entnehmen zu können glaubten,
hing außenpolitisch für ihn und für Preußen sehr viel ab. Außerdem hatte sie,
angesichts der Verbindungen, die zwischen den Gesandten und ihren Regierungen sowie zwischen ihnen und den verschiedenen politischen Gruppen
innerhalb und außerhalb Preußens bestanden, eine nicht zu unterschätzende
innenpolitische Dimension. Beides war Bismarck fraglos völlig bewußt, als er
in scheinbar rückhaltloser Offenheit im Dezember 1862 in mehreren Gesprächen mit dem österreichischen Gesandten Graf Károlyi seine Position und die
Schlußfolgerungen darlegte, die seiner Meinung nach aus der gegenwärtigen
Lage zu ziehen seien.

Károlyi, seit 1860 der Berliner Gesandte der Hofburg und Nachkomme
eines ebenso reichen wie vornehmen ungarischen Geschlechts, das seit dem
18. Jahrhundert im kaiserlichen Dienst zu den höchsten Staatsämtern aufgestiegen war, zeigte sich von diesen Gesprächen, so betroffen er von Amts
wegen über ihren Inhalt sein mußte, offenkundig fasziniert. Die historischen
Dimensionen, in denen sein Gegenüber argumentierte, die kühle Nüchternheit, mit der er seine Sicht der Dinge skizzierte und die Probleme umriß,
»stichfest« »für die Phrasen von ›Bruderkrieg‹« und »keine andere als
ungemütliche Interessen-Politik« kennend, »Zug um Zug und bar« – all das

hatte einen eigentümlichen Reiz, eröffnete vielfältige Perspektiven und Kombinationen und rückte selbst noch den unverhohlenen Machtanspruch und die brutale Herausforderung in ein irisierendes Licht.

Bismarck ging aus von der Ordnung von 1815 und der politischen Praxis der Jahrzehnte vor 1848, jenem System der Kooperation und des friedlichen Dualismus zwischen den zwei deutschen Großmächten, in dem die Konservativen beider Länder die Voraussetzung für die Erhaltung der bestehenden inneren Verhältnisse in Mitteleuropa sahen. Dieses System, so behauptete er, habe deswegen funktioniert, weil Österreich die preußische Gefolgschaft in den großen Fragen der europäischen Politik damit honoriert habe, daß es Preußen in der »deutschen Politik«, also vor allem in seiner Handels- und Wirtschaftspolitik, weitgehend freie Hand gelassen und sich insbesondere in Preußens »natürlichen Rayon, Norddeutschland«, nicht eingemischt habe.

Das war in dieser Form historisch kaum haltbar. Es bezeichnete aber unter Berufung auf eine Zeit weitgehenden Einvernehmens und fruchtbarer Zusammenarbeit zwischen den beiden Mächten genau den Punkt, auf den alles abzielte: Die damalige Form der Kooperation könne wiederhergestellt werden, wenn Österreich darauf verzichte, sich in den Bahnen der Schwarzenbergschen Politik fortzubewegen, wenn es also den Versuch aufgebe, auf Kosten Preußens die unbedingte Vormachtstellung in Mitteleuropa zu erlangen. Die Fortführung dieses Versuches, so Bismarck nach dem Bericht Károlyis, werde hingegen »über kurz oder lang zum förmlichen Bruch und schließlich zum Kriege führen«: »Nous croiserons les bajonettes«, wie er im letzten Gespräch am 26. Dezember noch einmal betonte.

Wer dies nicht wolle, der müsse auf ein Auseinanderrücken der Mächte, auf eine deutliche Trennung der Einflußsphären und auf eine Abstimmung der beiderseitigen Interessen hinarbeiten. Das hieß für Bismarck konkret, daß Österreich, »anstatt den Schwerpunkt in Deutschland zu suchen« und seine nichtdeutschen Gebiete, vor allem Ungarn, »als Appendix« zu regieren, sich in Zukunft stärker nach Osten und Südosten orientieren, daß es also, wie dann der österreichische Außenminister ironisch formulierte, seinen »Schwerpunkt nach Ofen verlegen« sollte. Als Gegengabe für einen solchen freiwilligen Verzicht Österreichs auf den ohne Krieg niemals durchzusetzenden Vormachtanspruch im nichtösterreichischen Deutschland wäre Berlin bereit, die österreichischen »Vitalinteressen in Italien wie im Orient« zu den seinigen zu machen und dem Kaiserstaat »darin unbedingt bei(zu)stehen«. Österreich könne dann also in Europa wieder mit Sicherheit auf Preußen rechnen. Die österreichischen Staatsmänner sollten sich ernsthaft fragen, ob eine solche Politik dem wohlverstandenen österreichischen Staatsinteresse nicht dienlicher sei als eine Konflikts- und Konfrontationspolitik im Stile Schwarzenbergs, deren Erfolg mehr als zweifelhaft und jedenfalls nur über die Vernichtung Preußens erreichbar sei.

Dies war fraglos ein ebenso kühner, wie, mit seiner offenen Gewaltandrohung, brutaler Vorgriff auf die Zukunft, eine Vorwegnahme der historischen Realität von 1866 beziehungsweise 1867. Ja, er umriß in gewisser Weise bereits die weitere Entwicklung bis hin zum Zweibund zwischen dem Deutschen Reich und Österreich-Ungarn von 1879. Darüber darf man freilich nicht übersehen, daß es sich von preußischer Seite um ein Maximalprogramm handelte, an dessen Realisierbarkeit auf friedlichem Weg Bismarck selber zu diesem Zeitpunkt wohl kaum ernsthaft glaubte. In Berliner Diplomatenkreisen habe man sich, so ein enger Mitarbeiter des preußischen Ministerpräsidenten, als der Vorstoß durch gezielte österreichische Indiskretionen bekannt wurde, gefragt, ob Bismarck geistig noch ganz gesund sei, »denn wie kann ein ganz gesunder Mensch dem Vertreter Österreichs sagen: ›Ihr tätet gut, euren Schwerpunkt nach Ofen zu verlegen‹.« Das Ganze hatte vor allem das Ziel, Wien zu Verhandlungen über eine vielleicht auch für die Hofburg akzeptable Alternative zu der gegenwärtigen Konfrontationspolitik zu bringen.

Dem entsprach, daß Bismarck neben dem Maximalprogramm schon hier eine Art preußisches Minimalprogramm deutlich erkennen ließ. Seine Verwirklichung werde, so ließ er durchblicken, unter Umständen die gleiche Wirkung haben. Das Minimalprogramm konzentrierte sich fast völlig auf die Forderung nach der uneingeschränkten Vormachtstellung Preußens im norddeutschen Raum. Dies war die, wie Bismarck es formulierte, »für unsere politische Existenz notwendige Lebensluft«. In einer vom ersten Weihnachtstag 1862 datierten Denkschrift an den preußischen König ist er sogar so weit gegangen, einen Ausschluß aller jener Staaten aus dem Zollverein ins Auge zu fassen, die sich Berlin nicht unbedingt fügten. Das zielte bei Lage der Dinge vor allem auf Bayern und Württemberg, ließ also auch hier die Bereitschaft erkennen, sich gegebenenfalls ganz auf den norddeutschen Raum bis höchstens zur Main-Linie zu beschränken. Süddeutschland erschien in diesem Zusammenhang als eine Art Pufferzone zwischen den beiden kooperierenden deutschen Großmächten. Die Frage nach dem künftigen Schicksal und der künftigen Gestalt des Deutschen Bundes blieb weitgehend offen; allerdings schloß Bismarck eine Fortführung in seiner bisherigen Form bereits zu diesem Zeitpunkt als unvereinbar mit den preußischen Interessen aus.

Sein Angebot an Österreich lautete im Klartext: statt eines wahrscheinlich blutigen Kampfes um die Vormachtstellung in Mitteleuropa effektive Herrschaftsteilung in diesem Gebiet auf der Basis der gemeinsamen konservativen Ordnungsvorstellungen der traditionellen Eliten beider Länder. Von einem Eingehen auf die Erwartungen und Forderungen der nationalen und liberalen Bewegung war in diesem Zusammenhang mit keinem Wort die Rede. Es dominierte im Gegenteil der Appell an die Solidarität der konservativen Kräfte über alle Staatsgrenzen hinweg; so, wenn Bismarck es nach dem Bericht Károlyis ausdrücklich bedauerte, daß die übrigen deutschen Regierungen und vor allem Österreich durch ihr Verhalten gegenüber Preußen »die Befestigung der inneren konservativen preußischen Politik so sehr erschwerten«.

Auch hier also wurden die Konstellation von vor 1848 und mit ihr die politisch-soziale Grundeinstellung der meisten der damals leitenden Staatsmänner in Mitteleuropa beschworen und damit noch einmal das, was in jener Zeit den Zusammenstoß der beiden deutschen Großmächte verhindert habe: der beiderseitige Verzicht auf eine Initiative in der deutschen Frage und auf den Versuch einer Mobilisierung nationaler Kräfte zugunsten der eigenen Sache. Bismarck deutete damit zugleich an, er werde sein nicht nur in Wien mit größtem Mißtrauen beobachtetes Liebäugeln mit dem außenpolitischen Programm der Fortschrittspartei aufgeben, sobald sich Österreich seinerseits von allen großdeutschen Plänen lossage – von Plänen, wie sie vor allem Julius Fröbel, einer der Führer der großdeutschen Demokraten von 1848, mit nachhaltiger Unterstützung des österreichischen Außenministeriums und mit nicht unbeträchtlicher Wirkung propagierte.

Trotz aller Zuspitzungen und Drohungen war das Ganze wohldosiert. Es zielte auf jene Kräfte im österreichischen Staatsapparat und in der Wiener Hofburg, die, wie ein Teil der Hochkonservativen in Preußen, nach wie vor in einer Politik des Ausgleichs und der Kooperation zwischen den beiden mitteleuropäischen Großmächten ihr politisches Ziel sahen.

Zu ihnen zählte auch Bismarcks einstiger österreichischer Kollege in Frankfurt, der jetzige Außenminister Graf Rechberg. Zwar mißtraute auch er Bismarck zutiefst; er sei, meinte er kurz vor dessen Ernennung zum leitenden Minister in Preußen, »ein Mensch, der imstande ist, den Rock auszuziehen und selbst auf die Barrikade zu treten«. Aber anders als die Mehrzahl seiner Räte war Rechberg, den Bismarck zum Dank einmal höhnisch »einen ungewöhnlich beschränkten Staatsmann« nannte, nur zu geneigt, auf mögliche Alternativen zu hoffen, wie sie ihm hier in verklausulierter Form von dem neuen preußischen Ministerpräsidenten präsentiert wurden.

Nach dem Scheitern des österreichisch-mittelstaatlichen Bundesreformprojekts Ende Januar 1863, bei dem ausgerechnet die Stimme des von Preußen tief gedemütigten hessischen Kurfürsten den Ausschlag gab, begann daher, neben der Vorbereitung einer neuen Bundesreforminitiative großen Stils eine Phase der Sondierungen. In ihr versuchte Rechberg im Einvernehmen mit Kaiser Franz Joseph, der gleichfalls einer österreichisch-preußischen Wiederannäherung unter konservativen Vorzeichen zuneigte, auszuloten, was hinter Bismarcks Äußerungen an Absichten und Plänen steckte.

Schon ein Zweifel an der künftigen Grundrichtung der preußischen Außenpolitik war für Bismarck ein Erfolg. Er vergrößerte außen-, aber auch innenpolitisch seinen Spielraum beträchtlich. Er eröffnete, zumindest theoretisch, in beiden Bereichen wechselnde Kombinationsmöglichkeiten und somit die Chance, dem jeweiligen Partner gegenüber mit einer Veränderung der gegenwärtig bestehenden Koalitionen und Verbindungen zu locken oder auch zu drohen. Dieser Methode hat sich Bismarck seither mit wachsender Virtuosität bedient.

Nicht diese Methode begründete jedoch schließlich den Erfolg der Bismarckschen Politik, sondern eine bestimmte Konstellation, deren Tendenzen sich Bismarck bei allem Taktieren fast rückhaltlos und unter Preisgabe andersgerichteter eigener Überzeugungen und Zielvorstellungen unterwarf. Diese Konstellation hat ihn dazu geführt, daß er in der Außenpolitik, später dann auch in manchen Bereichen der Innenpolitik, de facto das Sachprogramm des kleindeutschen Liberalismus durchsetzte. Er erkannte immer deutlicher, daß diesem Programm in vielerlei Hinsicht die Zeit und die Zukunft gehörte und daß ständig stärker werdende Kräfte in seine Richtung drängten. Und also machte er es sich, Machtmensch, der er war, zu eigen, nahm sozusagen seinen Gegnern politisch die Butter vom Brot. Ipse faciam – das war die Devise und das ganze Geheimnis. Die Richtung, die er einschlug, war von daher sehr viel eindeutiger, als Zeitgenossen und Nachgeborene oft gemeint haben. Sein vielbeschworenes Jonglieren fand in den Realitäten der gegebenen Machtverhältnisse und Interessen seine genau bezeichnete Grenze.

Das gilt zunächst und vor allem für die Außenpolitik. In der Denkschrift vom ersten Weihnachtsfeiertag 1862 sind die langfristigen Ziele bis 1866 mit völliger Eindeutigkeit umrissen: »Befreiung aus dem Netze der Bundesverträge«; Geltendmachen der »volle(n) Schwerkraft« des »dem preußischen Staate innewohnende(n) Gewicht(s)« durch inneren Ausbau und Reform des Zollvereins, sprich durch Einführung des Mehrheitsprinzips und eines direkt gewählten Zollvereinsparlaments, das nicht die einzelnen Staaten, sondern die »vereinsstaatliche Bevölkerung« repräsentieren und sie zu einer Einheit zusammenschließen sollte; bis dahin, also bis Ende 1865, dem Zeitpunkt des Ablaufs der gegenwärtigen Zollvereinsverträge, eine wesentlich dilatorische Politik mit dem Ziel, »die Verwirklichung unserer Absichten für die Zeit vom 1. Januar 1866 an nach Möglichkeit sicher zu stellen, ohne uns durch die Rücksicht auf Scheinerfolge für die Zwischenzeit irre machen zu lassen. Diese Zwischenzeit wird mit diplomatischen Kämpfen über die Gestaltung der auf 1865 folgenden Zukunft unter allen Umständen ausgefüllt sein.«

Das war der Kern dessen, was Bismarck anstrebte. Er ließ zwar vom Ansatz her beide Lösungsmöglichkeiten zu: die großpreußisch-norddeutsche, die er Károlyi gegenüber umschrieben hatte, und die kleindeutsche, in der er mit dem Programm der Fortschrittspartei konvergierte. Aber so sehr er in den nächsten Jahren die erste aus innen- wie außenpolitischen Gründen propagandistisch-taktisch in den Vordergrund zu schieben sich bemühte – es war ihm von vornherein klar, daß die Kräfte, die auf die zweite hindrängten, sich, wenn erst einmal das traditionelle Gefüge Mitteleuropas und der Deutsche Bund gesprengt sein würden, über kurz oder lang als übermächtig erweisen würden. Es war dies nicht nur der kleindeutsche Liberalismus und mit ihm ein großer Teil des deutschen Bildungsbürgertums. Es waren vor allem auch die wirtschaftlichen Interessen der Zollvereinsstaaten und ihrer in Ausrichtung und Marktkalkül entscheidend durch den Zollverein geprägten einzelnen Wirtschaftsbereiche. Und es war nicht zuletzt die immer breitere Volksschichten erfassende nationale Idee, die auf Dauer gänzlich unbefriedigt zu lassen mehr und mehr undenkbar schien.

Für sie alle war eine großpreußisch-norddeutsche Lösung unakzeptabel und höchstens als Übergangszustand vorstellbar. Und da auf der anderen Seite einer solchen Lösung auch im konservativen Lager erhebliche Bedenken entgegenstanden, Bedenken, die sich aus der Legitimitätsidee und dem Gedanken der Solidarität der Throne nährten, war ihre Basis in Preußen selber außerordentlich schwach. Daß es Bismarck trotzdem, zumindest streckenweise, gelungen ist, sie nach innen wie auch auf der europäischen Ebene einigermaßen glaubwürdig als Alternative zu präsentieren und mit ihr zu locken oder zu drohen, gehört zu jenen politischen Leistungen, die seinen Erfolg wesentlich begründeten.

Obwohl man von Wien aus seit Ende Januar 1863 in dieser Richtung vorsichtig zu sondieren begann, dauerte es mehr als ein Jahr, bis es ihm wirklich gelang, seine letzten Ziele soweit zu verschleiern, daß man zu glauben anfing, er selber schwanke zwischen verschiedenen Lösungsmöglichkeiten und es gehe ihm im wesentlichen nur um eine Korrektur der Gewichtsverteilung zwischen den europäischen Großmächten zugunsten der anerkanntermaßen schwächsten unter ihnen. Die Plattform hierfür bot ihm schließlich die europäische Krise um die schleswig-holsteinische Frage, deren Behandlung und Lösung ihn auf dem Höhepunkt seiner politisch-diplomatischen Fähigkeiten sah. Zunächst jedoch hatte er gewissermaßen gegen seinen eigenen Ruf zu kämpfen, den er mit seiner Rede vor der Budgetkommission noch verstärkt hatte: daß er ein außenpolitischer Hasardeur sei, der aus innenpolitischen Gründen machtpolitische Erfolge um jeden Preis suche. Dieser Ruf paßte ganz zu dem Bild, das man sich aus anderen Quellen bisher schon in den europäischen Hauptstädten von dem jetzigen preußischen Ministerpräsidenten gemacht hatte. Und auch seine nächsten außenpolitischen Schritte fügten sich nahtlos in dieses Bild.

Den Anfang bildete der polnische Aufstand vom Januar 1863. Er fand als Werk einer nationalen Befreiungsbewegung sofort die Sympathien fast aller europäischer Liberaler und der mit ihnen aus unterschiedlichen Gründen zusammenarbeitenden Mächte. Vor allem Napoleon III. witterte darin sogleich eine Chance, seinen Einfluß als selbsternannter Protektor der nationalen Bewegung nun auch auf Ostmitteleuropa auszudehnen. Er hoffte, bei dieser Gelegenheit mit jenen Kreisen in Rußland ins Geschäft zu kommen, die einer an Westeuropa orientierten, reformfreudigen Politik das Wort redeten und in diesem Sinne für eine polenfreundliche Haltung eintraten. Da angeblich auch der leitende Minister in Petersburg, Fürst Gortschakow, zumindest zeitweise dieser Richtung zuneigte, sah sich Bismarck plötzlich mit einer doppelten Gefahr konfrontiert: zum einen, daß Rußland sich auf eine Verständigung mit der polnischen Nationalbewegung einlassen und diese so ermutigen würde, über kurz oder lang auch die außerrussischen Gebiete des ehemaligen Polen in ihrem Sinne zu mobilisieren. Und zum anderen, daß es über die polnische Frage zu einer russisch-französischen Allianz kommen werde. In einem solchen Bündnis der beiden kontinentaleuropäischen Flügelmächte sah Bismarck das mutmaßliche Ende aller preußischen Hoffnungen auf Machterweiterung und auf eine Lösung der deutschen Frage, wie sie ihm vorschwebte.

Er bemühte sich daher gegen den Widerstand der Mehrheit seiner gleichfalls eher antirussischen Ministerkollegen mit allen Kräften, einer solchen Entwicklung so rasch wie möglich einen Riegel vorzuschieben. Sein Ziel war, Rußland auf den traditionellen Kurs einer antirevolutionären und somit, zumindest was die Völker Ostmitteleuropas anlangte, antinationalen Allianz zwischen Berlin und Petersburg zurückzuführen.

Dem diente neben einer Reihe anderer Vorstöße vor allem die Mission des Generaladjutanten des preußischen Königs, des Generals Gustav von Alvensleben, der Anfang Februar an den Zarenhof entsandt wurde. Sein Auftrag lautete sehr klar, über eine allgemeine Sondierung der Situation hinaus »eine Verständigung über die Maßregeln anzubahnen, welche von beiden Regierungen gemeinschaftlich zur Unterdrückung des gegenwärtigen Aufstandes oder weiterer ähnlicher Vorgänge angewendet werden können«. »Unserer Ansicht nach ist ... die Stellung beider Höfe der polnischen Revolution gegenüber«, so fügte Bismarck in der Instruktion für Alvensleben hinzu, »sachlich diejenige zweier Bundesgenossen, welche von einem gemeinschaftlichen Feinde bedroht werden.«

In einem eigenhändigen Brief an Gortschakow, den er Alvensleben mitgab, ging er sogar noch einen Schritt weiter: »Wir möchten gern, daß in Bezug auf jede polnische *Insurrektion*, wie in Bezug auf jede Gefahr vom Auslande her, sich das schöne Wort bewahrheite, welches der Kaiser in Moskau zu Goltz gesprochen hat, daß Rußland und Preußen gemeinsamen Gefahren solidarisch entgegentreten, als ob sie *ein* Land bildeten.«

Es handelte sich also um das Angebot zu einer umfassenden, nicht auf den gegenwärtigen Fall beschränkten Zusammenarbeit zwischen Preußen und Rußland, einer Koalition im Stil der Heiligen Allianz. Wenn die Konvention, die Alvensleben am 8. Februar 1863 in Petersburg unterzeichnete, sich auch formell auf das Zusammenwirken der Truppen beider Länder bei der

Verfolgung von Aufständischen einschließlich der Erlaubnis zum wechselseitigen Grenzübertritt beschränkte, so ging sie doch in ihrer tatsächlichen Bedeutung weit darüber hinaus. In seinen Lebenserinnerungen, in denen Bismarck dem Vorgang ein eigenes Kapitel widmete, nannte er das Abkommen einen »gelungene(n) Schachzug, welcher die Partie entschied, die innerhalb des russischen Kabinetts der antipolnische monarchische und der polonisierende panslawistische Einfluß gegeneinander spielten«. Es habe die Weichen für das preußisch-russische Verhältnis der nächsten Jahre gestellt und wichtige Voraussetzungen geschaffen für die Erfolge der preußischen Außenpolitik in jener Zeit.

Diese Einschätzung hat die Geschichtswissenschaft im wesentlichen übernommen, obwohl sie in dieser Form ohne Frage mit Blick auf die von Bismarck außerordentlich beklagte deutsch-russische Entfremdung nach 1890 und die Annäherung des Zarenreiches an Frankreich formuliert worden ist. Streckenweise hat man sogar, sicher gleichfalls nicht unbeeinflußt von aktuellen Hoffnungen oder Befürchtungen, gemeint, daß hier die eigentliche Basis für die deutsche Nationalstaatsbildung gelegt worden sei.

Das ist sicher eine Überschätzung, zumal die russische Politik gegenüber Preußen und den preußischen Ambitionen in Mitteleuropa auch in der Folgezeit weit mehr von Zurückhaltung und Mißtrauen als von Gefühlen der Verpflichtung und jenem Gedanken einer weiterreichenden Solidarität geprägt gewesen ist, wie ihn Bismarck in seinem Brief an Gortschakow zu beschwören suchte. Doch es ist nicht zu übersehen, daß die preußische Haltung in der polnischen Frage und die Konvention Alvensleben zumindest eine weitere russisch-französische Annäherung und damit eine für Bismarcks Zukunftspläne höchst problematische Konstellation verhindert haben. Insofern wird man dem Abkommen nach wie vor eine hohe Bedeutung beimessen müssen, auch wenn sein Ergebnis eher negativer als konstruktiver Natur war und es noch erheblicher Anstrengungen der preußischen Politik bedurfte, Rußland in den Bahnen einer halbwegs wohlwollenden Neutralität gegenüber preußischen Ambitionen in Mitteleuropa zu halten.

Der Preis, den Bismarck für die augenblickliche Verhinderung eines möglichen Zusammengehens der beiden kontinentaleuropäischen Flügelmächte und den Sieg der konservativen Kräfte innerhalb des russischen Staatsapparats zu zahlen hatte, war außerordentlich hoch. Nicht nur, daß er in der liberalen Öffentlichkeit innerhalb und außerhalb Preußens nun auch als Außenpolitiker fast jeden Kredit verlor – es kam in Reaktion auf das russisch-preußische Zusammengehen auch zu einer Ad-hoc-Koalition der beiden Westmächte und Österreichs. Diese sprach sich unter Führung Frankreichs nachdrücklich gegen eine antipolnische Interventionspolitik der beiden Ostmächte aus. Allerdings schätzte Bismarck den inneren Zusammenhalt der neuen Aktionsgemeinschaft und ihre Bereitschaft, Worten unter Umständen auch Taten folgen zu lassen, wohl mit Recht relativ gering ein. Auf das pathetische: »Dies wird *Europa* niemals dulden«, das ihm der englische Botschafter Buchanan auf seine Auskunft, notfalls werde Preußen selber den Aufstand niederschlagen, entgegenhielt, habe er, so berichtete er dem König, nur nüchtern gefragt: »Who is Europe?« Und als der Botschafter, den Bismarck wegen seiner liberalen Neigungen wenig schätzte, darauf antwortete: »Mehrere große Nationen (several great nations)«, habe er ihn mit der weiteren Frage in Verlegenheit gebracht, »ob diese Nationen unter sich in dieser Beziehung einig seien«. Statt einer positiven Antwort habe Buchanan darauf nur erklärt, »daß nach seiner Ansicht die französische Regierung sich in der Unmöglichkeit befinde, eine neue Unterdrückung Polens zu dulden«.

In der Tat erwies sich es dann sehr bald, daß die einzige wirklich treibende Kraft Frankreich war und die beiden anderen sich vorsichtig zurückhielten. Und als sich Bismarck im weiteren Verlauf in geheimem Einvernehmen mit St. Petersburg von der praktisch bedeutungslos gewordenen Konvention lossagte, traf der zwischenzeitlich von Frankreich organisierte diplomatische Gegenstoß nur noch Rußland. Das Zarenreich wurde auf diese Weise noch zusätzlich zu einem engen Zusammengehen mit Preußen gedrängt.

Trotz dieses taktischen Erfolges war die Gesamtbilanz der polnischen Krise für Bismarck alles andere als positiv. Das Verhältnis zu Frankreich, auf das er so großen Wert legte, war schwer belastet. Eine längerfristige Umorientierung Napoleons III. zugunsten Österreichs schien trotz der ungelösten Probleme in Italien nicht ganz ausgeschlossen zu sein. Und vor allem: Österreich hatte in Mitteleuropa mit seiner Haltung einen weiteren erheblichen Prestigegewinn insbesondere auch im liberalen Lager erzielt. Der Kaiserstaat fühlte sich dadurch und durch die mögliche Unterstützung der Westmächte ermuntert, ungeachtet des Scheiterns des Delegiertenprojekts in der deutschen Frage voranzuschreiten und ohne längere Vorabsprache mit Preußen eine Initiative großen Stils vorzubereiten.

Hinzu kam, Wien in seinem Vorhaben noch zusätzlich bestärkend, daß das Verhalten der preußischen Regierung während des polnischen Aufstands die innenpolitischen Fronten in Preußen selber nun völlig verhärtet hatte. Eine auch nur begrenzte Zusammenarbeit zwischen Bismarck und irgendwelchen liberalen Gruppen schien überhaupt nicht mehr denkbar zu sein. Gerade in der deutschen Politik galt Preußen zum gegenwärtigen Zeitpunkt als praktisch aktionsunfähig. Mancher bisher entschieden kleindeutsch Gesinnte begann sich sogar zu fragen, ob die kleindeutsche Position bei Lage der Dinge überhaupt noch haltbar sei oder ob man nicht eine grundlegende Umorientierung ins Auge fassen müsse.

Hierbei waren die polnische Frage und die Art ihrer Behandlung durch die preußische Regierung lediglich ein Punkt unter vielen, auch wenn Bismarcks Haltung gerade jene schockierte, auf deren nationale Hoffnungen er sein eigenes Kalkül gründete. Viel bedeutsamer war die dramatische Zuspitzung des inneren Konflikts in Preußen.

Was Bismarck im Juli 1862 Roon gegenüber siegessicher als seine Taktik im Verhältnis zu den Abgeordneten und zur Öffentlichkeit angekündigt hatte, hatte sich als völlig unbrauchbar erwiesen. Keine seiner Drohungen und Verlockungen hatte auch nur annähernd den gewünschten Erfolg gehabt. Die liberale Presse sorgte dafür, daß jeder Versuch einer Schikane gegenüber einem Vertreter der Opposition, jede angebliche oder tatsächliche Benachteiligung oder Zurücksetzung von Beamten, die ihr zuneigten, allgemein bekannt wurde. Auf der anderen Seite überschüttete sie jede Andeutung möglicher Kompromißbereitschaft in der Sache und jeden Hinweis auf eine etwaige Kooperation mit Hohn, stellte sie als bloßen politischen Bestechungsversuch dar.

Als das Abgeordnetenhaus Mitte Januar 1863 wieder zusammentrat, da wurde sofort deutlich, daß die Mehrheit entschlossen war, sich auf keinerlei Transaktionen einzulassen. Ihr offenkundiges Ziel war, die Regierung so rasch wie möglich zu stürzen und die Berufung eines Ministeriums durchzusetzen, das den Ansichten der Mehrheit zumindest nahestand. »Das gegenwärtige Ministerium«, notierte Bismarcks Privatbankier Bleichröder in jenen Tagen in einem Brief an James Rothschild in Paris, »ist in einer Art mißliebig, wie selten eines in Preußen.«

Bismarck fand sich also sofort mit dem Rücken zur Wand. Niemals wieder bis 1890 ist die Versuchung zum Staatsstreich so nah an ihn herangetreten wie in den folgenden Monaten. Er ist ihr zwar schließlich nur in Ansätzen gefolgt. Aber es ist unübersehbar, daß er in jenen Monaten innenpolitisch mehr und mehr ins Schwimmen geriet und geradezu verzweifelt nach Möglichkeiten Ausschau hielt, wieder einigermaßen festen Boden unter die Füße zu bekommen.

Im Licht des späteren Erfolges ist auch dies vielfach in eine falsche Perspektive geraten. Man hat das, was ein bloßes Herumtasten und theoretisches Herumspielen mit letztlich gar nicht tragfähigen Alternativen war, zu kühnen Vorgriffen auf die Zukunft stilisiert oder darin jedenfalls den unmittelbaren Ausdruck der von ihm ins Auge gefaßten Herrschaftsformen und -methoden sehen wollen. Wieder wird in diesem Zusammenhang die Gestalt Napoleons III. ins Feld geführt, ohne daß deutlich gemacht wird, daß die sozialen Voraussetzungen seiner Herrschaft in einer nachrevolutionären Gesellschaft sich grundlegend von denen unterschieden, die in Preußen bestanden.

Das hat niemand klarer gesehen als Bismarck selber. Bei seinen verzweifelten Versuchen, Auswege aus der innenpolitischen Sackgasse zu finden, hat er zweifellos gelegentlich auch der Frage nachgegangen, ob sich nicht zumindest einzelne Elemente der Herrschaftspraxis Napoleons III. auf Preussen übertragen ließen. Ihren Niederschlag haben Überlegungen dieser Art vor allem in den vielerörterten Gesprächen gefunden, die er im Frühjahr und Sommer 1863 mit Ferdinand Lassalle geführt hat, dem Mitbegründer, ersten Präsidenten und Haupttheoretiker des Allgemeinen Deutschen Arbeitervereins, der ersten Arbeiterpartei in Deutschland. Im Bann der Spekulationen über den nirgends authentisch überlieferten Inhalt dieser Gespräche, die schon die Phantasie der Zeitgenossen auf stärkste bewegten, wird freilich leicht vergessen, daß sie zu keinerlei Ergebnis führten. Bismarck hat sehr bald erkannt, daß mit der Lassalleschen Arbeiterbewegung auf absehbare Zeit kein wirklich nennenswertes und in seinem Sinne brauchbares Potential zur Verfügung stehen würde – mochte er die Gespräche auch in mancherlei Hinsicht anregend finden und noch rückblickend meinen, er würde sich »gefreut haben, einen ähnlichen Mann von dieser Begabung und geistreichen Natur als Gutsnachbar zu haben«.

Lassalle sei ein bloßer »Phantast« und seine »Weltanschauung« reine »Utopie«, so ließ er damals im vertrauten Kreis verlauten. »Politisch willkommen« sei jedoch »seine Gegnerschaft gegen die Fortschrittspartei«. Man »könne deshalb seine Agitation eine Weile fortgehen lassen mit dem Vorbehalt, im geeigneten Moment einzugreifen«. Zwar hat er auch in den folgenden Jahren, besonders im Zusammenhang mit der Frage der Koalitionsfreiheit der Arbeiter, mit der Idee einer politisch gezielten Begünstigung der Arbeiterschaft gelegentlich gespielt. Aber man kann schwerlich sagen, daß er den Gedanken eines möglichen Zusammengehens mit der Arbeiterbewegung, und sei es auch nur im Blick auf eine taktische Mobilisierung gegen das Bürgertum, wirklich ernsthaft verfolgt habe.

Was ihn nachhaltiger beschäftigte, war die Möglichkeit, die Massen der ländlichen Bevölkerung politisch wirkungsvoller als bisher gegen das städtische Bürgertum ins Feld zu führen unter Appellierung an die dort vorhandenen antibürgerlichen, zum Teil antikapitalistischen Affekte und an die stärker konservativ-monarchische Gesinnung. Doch das hatte wenig mit Napoleon III. und seiner Herrschaftspraxis zu tun. Das war taktisches Konzept der jüngeren Generation der preußischen Konservativen seit 1848, seit den Erfahrungen der Revolution, von Bismarck schon damals mitformuliert und praktiziert. Allerdings blieb er auch hier hinsichtlich der praktischen Konsequenzen, sieht man von der intensiven Förderung des 1861 von Hermann Wagener gegründeten »Preußischen Volksvereins« ab, auf bloße theoretische Spielereien verwiesen: Einer Einführung des allgemeinen Wahlrechts oder auch nur einer Wahlrechtsänderung in dieser Richtung hätten der König und die nun wieder tonangebenden orthodoxen Konservativen, vor allem im Herrenhaus, bei Lage der Dinge niemals ihre Zustimmung gegeben.

Was sie erwarteten, war die Zurückdrängung des Mitbestimmungsanspruchs der Volksvertretung auf das Maß der Ära Manteuffel, war die

Zähmung der Opposition mit den Mitteln des absolutistischen Machtstaates. Das war, wie Bismarck sich nicht verhehlen konnte, ganz zukunftslos. Es widersprach in mancherlei Hinsicht auch seinen eigenen Überzeugungen, die ihn einst ins Lager der ständisch-antiabsolutistisch gesinnten Hochkonservativen geführt hatten. Aber er hatte, wollte er nicht resignieren, im Augenblick keine andere Wahl, als diesen Erwartungen zu folgen.

Daß er dabei großes Geschick bewiesen hätte, wird man kaum behaupten können. Gleich zu Beginn der neuen Runde der Auseinandersetzung mit dem Abgeordnetenhaus gab er sich vielmehr abermals, nur drei Monate nach seinem vielzitierten Auftreten vor der Budgetkommission, eine höchst unkluge Blöße, die sich seine politischen Gegenspieler sofort zunutze machten.

In der von Virchow eingebrachten Antwortadresse auf die Thronrede zur Landtagseröffnung, die vor Einführung des parlamentarischen Regierungssystems das Gegenstück zu der in der Thronrede formulierten Regierungserklärung bildete, hatte die Abgeordnetenhausmehrheit noch einmal nachdrücklich ihren Standpunkt bekräftigt, der gegenwärtige Konflikt resultiere aus einem klaren Verfassungsbruch der Regierung. Eine Beilegung des Konflikts sei nur möglich, wenn die Regierung auf den Boden der Verfassung zurückkehre, also praktisch vor der Position der Volksvertretung kapituliere. Diese Schlußfolgerung zeige, so Bismarck in der Aussprache über die Adresse im Plenum am 27. Januar 1863, den wahren Charakter der Auseinandersetzung. Es gehe in Wirklichkeit gar nicht um abstrakte Fragen des Verfassungsrechts und um die praktische Handhabung einzelner seiner Paragraphen. Es gehe um den Versuch der Volksvertretung, bei dieser Gelegenheit über die ihr gesetzten Grenzen in den dem König und der von ihm eingesetzten Regierung vorbehaltenen Macht- und Entscheidungsbereich einzubrechen. »Durch diese Adresse werden dem königlichen Hause der Hohenzollern seine verfassungsmäßigen Regierungsrechte abgefordert, um sie der Majorität dieses Hauses zu übertragen.« »Auf diese Weise«, fuhr er fort, »würde allerdings die souveräne Alleinherrschaft des Abgeordnetenhauses hergestellt werden; aber eine solche Alleinherrschaft ist nicht verfassungsmäßiges Recht in Preußen.«

Die preußische Verfassung sei auf die Idee des Gleichgewichts zwischen den drei gesetzgebenden Gewalten, der Regierung und den beiden Häusern des Parlaments, aufgebaut, und »keine dieser Gewalten kann die andere zum Nachgeben *zwingen*«. Also müßten sie, das sei der innere Sinn eines solchen Verfassungsaufbaus, aufeinander zugehen: »Die Verfassung verweist daher auf den Weg der Kompromisse zur Verständigung.« Statt sich damit zu begnügen und dieses Argument weiter auszubauen, das die Mehrheit der liberalen Verfassungsjuristen der Zeit kaum in Frage gestellt hätte, ja, das dem damaligen bürgerlich-liberalen Staatsideal sehr weitgehend entsprach, preschte Bismarck sofort darüber hinaus. Er suchte die Abgeordneten davon zu überzeugen, daß bei Lage der Dinge sie es seien, die von einem solchen Kompromiß am meisten profitieren würden. »Wird der Kompromiß dadurch vereitelt, daß eine der beteiligten Gewalten ihre eigene Ansicht mit doktrinärem Absolutismus durchführen will«, erklärte er, »so wird die Reihe der Kompromisse unterbrochen, und an ihre Stelle treten Konflikte, und Konflikte, da das Staatsleben nicht stillzustehen vermag, werden zu Machtfragen; wer die Macht in Händen hat, geht dann in seinem Sinne vor, weil das Staatsleben auch nicht einen Augenblick stillstehen kann.«

Aus dem Mund eines Verfassungshistorikers oder eines Rechtsphilosophen mochte das eine realistische Einsicht sein – aus dem Mund des preußischen Ministerpräsidenten jedoch klang es in dieser Situation wie nackter Hohn. Die Reaktion des Hauses war denn auch entsprechend. Sie gipfelte in der vielumjubelten und in ihren Kernsätzen dann immer wieder zitierten Rede des Grafen Schwerin. Schwerin, ein Mitglied des ostelbischen Adels wie Bismarck selber, war ein Mann von unanfechtbar monarchischer Gesinnung und eher konservativer Grundhaltung. Aber er war wie mancher seiner Standesgenossen zugleich durchdrungen von der Notwendigkeit eines wirklichen Ausgleichs mit dem liberalen Bürgertum und daher ein überzeugter Anhänger des Systems der »Neuen Ära«, dem er fast drei Jahre als Innenminister gedient hatte.

Es gehe, so der Graf, gar nicht um die verfassungmäßige Rechts- und Machtstellung der preußischen Krone. Für sie trete das Abgeordnetenhaus ebenso ein wie die Regierung. Und weil dies so sei, weil in diesem Hause niemand ernsthaft an eine Veränderung der in der Verfassung vorgenommenen Verteilung der Gewichte im Staat denke, müsse er mit Nachdruck erklären, »daß ich den Satz, in dem die Rede des Herrn Ministerpräsidenten kulminierte: ›*Macht geht vor Recht*, sprecht Ihr, was Ihr wollt, wir haben die Macht, und also werden wir unsere Theorie durchführen‹, nicht für einen Satz halte, der die Dynastie in Preußen auf die Dauer stützen kann, ... daß vielmehr der Satz, auf dem die Größe unseres Landes beruht und die Verehrung, die das preußische Regentenhaus bisher im Inland wie im Ausland genießt und fort und fort genießen wird, ... umgekehrt lautet: ›*Recht geht vor Macht*: Justitia fundamentum regnorum!‹ *Das* ist der Wahlspruch der preußischen Könige, und er wird es fort und fort bleiben.«

Sicher hatte Bismarck von seinem Standpunkt aus gesehen nicht ganz unrecht, wenn er jene für politische Heuchler hielt, die auf dem linken Flügel der Liberalen diese Sätze eines Mannes am lautesten umjubelten, der sich gleichzeitig gegen die Adresse der Mehrheit wandte und auch hier zur Mäßigung und zum Einlenken riet. Natürlich kämpften auch sie um die Macht, um den vorherrschenden Einfluß im Staat. Natürlich dienten auch ihre Verfassungs-Interpretationen den eigenen Zielen. Und natürlich wollten sie den Einfluß eines Monarchen zurückdrängen, der diesen Zielen zunehmend feindlich gesinnt war. Hier hat ein Teil der Geschichtsschreibung mit einer in ihren Konsequenzen eher problematischen Auffassung vom Wesen der Politik und dem Verhältnis von Verfassungsrecht und Politik noch nachträglich manche schiefe Vorstellung begünstigt. Allzu oft präsentierte sie handelnde Politiker mit klar bestimmbaren Überzeugungen, aber auch Interessen, mit allgemeinen Zielen, aber auch persönlichen Erwartungen als reine Idealisten, die im Kampf gegen die brutale Macht unterlagen.

Die Kategorien dafür stammten freilich aus der Zeit selber, gehörten zu ihrem Stil und bildeten zudem ein Kampf- und Propagandainstrument der Liberalen. Der Sieg der eigenen Sache sollte so nicht nur als gleichsam geschichtsnotwendig, sondern als Konsequenz der wirklichen Durchsetzung des Rechtsgedankens und der Prinzipien einer vernünftigen Verfassungsordnung erscheinen. Das hat Bismarck sicher ebenso unterschätzt wie die von ihm selber beschworene Entschlossenheit seiner parlamentarischen Gegenspieler, sich auf keinen Kompromiß einzulassen und eine Entscheidung im eigenen Sinne zu erzwingen.

Wie in der Budgetkommission nahm auch hier niemand sein verklausuliertes Angebot zu einer möglichen Zusammenarbeit und zum Kompromiß zur Kenntnis. Daran änderte auch nichts, daß er es noch mehrfach wiederholte und etwa in seiner kurzen Entgegnung auf die Rede Schwerins unterstrich, er habe es »nicht als einen Vorteil bezeichnet«, sondern nur als eine Notwendigkeit im Interesse des Staatslebens, daß im Konfliktfall »derjenige, der im Besitz der Macht sich befindet, ... genötigt ist, sie zu gebrauchen«.

Bismarck, so die »Kölnische Zeitung« schon am 16. Januar, sei »ein Mann der glatten Worte«, und daher sei stets größte Vorsicht am Platz. Man wollte im liberalen Lager aus seinen Äußerungen bewußt nur die Drohung und die Ankündigung weiterer Verfassungsverletzungen heraushören. Denn, so das sicher nicht unberechtigte Kalkül der Opposition, konnte es sich Preußen, konnten es sich die preußische Krone und der zahlenmäßig kleine, schroff rückwärtsgewandte Flügel der traditionellen Führungsschicht trotz der konkreten Machtmittel, über die sie unzweifelhaft verfügten, wirklich leisten, Parlament und Verfassung durch einen Staatsstreich zu beseitigen und zu einem rein autokratischen Regime zurückzukehren? Würde man sich damit nicht innen- wie außenpolitisch völlig isolieren in einer Zeit, in der es bei nahezu jedermann als ausgemacht galt, daß man nicht nur auf die objektiven Interessen, sondern auch auf die subjektiven Wünsche, Hoffnungen und Erwartungen immer breiterer Volksschichten Rücksicht nehmen müsse? War also, kurz gesagt, das gegenwärtige Regime in Preußen nicht notwendigerweise zum Scheitern verurteilt und deshalb jeder Kompromiß mit ihm bloß kompromittierend?

Auf Rußland konnten sich die Anhänger dieses Regimes als Gegenbeispiel schwerlich berufen. Rußland war ein in jeder Hinsicht rückständiges Land.

Dort galten, darin war man sich in der europäischen Öffentlichkeit weitgehend einig, besondere Bedingungen. Preußen hingegen, das Land des aufgeklärten Absolutismus, das Land der großen Reformen zu Beginn des Jahrhunderts, konnte nach allgemeiner Auffassung, wie sie gerade in der außerpreußischen Reaktion auf den Verfassungskonflikt zutage trat, keine derartige Sonderstellung beanspruchen. Man war sogar eher noch bereit, eine solche dem mit schweren Integrationsproblemen belasteten Vielvölkerstaat Österreich einzuräumen. Wenn Preußen eine dezidiert antipopulare, in der Sprache und Anschauung der Zeit antinationale Politik betreiben würde, dann würde es sich nicht nur selber völlig ins Abseits bringen. Es würde sich damit auch so schwächen, daß seine Führung den revolutionären Umsturz gleichsam heraufbeschwören, sich ihr eigenes Grab schaufeln würde.

Bei allem Pragmatismus und bei aller leidenschaftlichen Befangenheit in der Situation konnte sich gerade ein Mann wie Bismarck, der die wachsende Bedeutung des popularen Faktors in dem ihm besonders naheliegenden Bereich der Außenpolitik so nüchtern in Rechnung stellte, kaum darüber getäuscht haben, daß diese Einschätzung der Gesamtsituation von seiten der Opposition nicht ganz falsch war. Er hätte sich der dann später vielzitierten Auffassung Ferdinand Lassalles wohl kaum angeschlossen, der meinte, die Opposition verschanze sich hinter großen Worten und einem abstrakten Rechtsstandpunkt, weil sie spüre, daß ihr jede wirkliche Macht fehle, und weil sie nicht mehr wage, an die Massen zu appellieren. Er sah vielmehr, daß hinter der Opposition eine wirtschaftlich und sozial aufsteigende Schicht stand, deren Selbstbewußtsein in einer Zeit außerordentlicher Prosperität überall in Europa ständig wuchs und deren Ansprüchen man auf Dauer nicht mit reiner Negation begegnen konnte. In einer Rede vor dem Abgeordnetenhaus, in der er der Opposition vorhielt, ihre Einheit sei nur eine Einheit der Kritik und sie stelle sich den Ausgleich der Interessen allzu einfach vor, hat er dies gleichsam wider Willen zu erkennen gegeben. »Der Weg, den ein preußisches Ministerium überhaupt gehen kann«, so erklärte er, »ist so sehr breit nicht; derjenige, der weit links steht, wenn er Minister wird, wird nach rechts rücken müssen, derjenige, der weit rechts steht, wenn er Minister wird, wird nach links rücken müssen, und man hat für die weiten Abschweifungen der Doktrin, wie man sie als Redner, als Abgeordneter entwickeln kann, auf diesem schmalen Pfade, auf dem die Regierung eines großen Landes wandeln kann, keinen Raum.«

Um so erbitterter war er, daß es ihm in keiner Weise gelang, die Einheit der Opposition aufzubrechen, daß vielmehr praktisch alle seine Äußerungen und konkreten politischen Schritte von deren linkem Flügel dazu benutzt wurden, diese Einheit in der gemeinsamen Abwehr jeweils noch fester zu verklammern. Er glaubte, die möglichen Einbruchstellen, insbesondere auf dem Gebiet der Außenpolitik, zu kennen. Und er fand sie von aufmerksamen Gegenspielern abgeriegelt, die ihn gleichzeitig immer wieder zu Äußerungen provozierten, die in der Öffentlichkeit eher entlarvend als überzeugend wirkten. So wenn er das Abgeordnetenhaus Ende Januar 1863 nochmals, in Abwehr eines entsprechenden Vorwurfs, darüber »beruhigen« zu müssen glaubte, »als ob eben dieser innere Konflikt uns veranlassen könnte, ›in Aussicht auf äußere Verwicklungen ein Mittel zur Ausgleichung des inneren Zerwürfnisses zu finden‹: Das Mittel wäre schlimmer als das Übel selbst, und ich habe schon bei früheren Gelegenheiten eine solche Politik, die mir auch damals Schuld gegeben wurde, als eine frivole bezeichnet.«

All dies versetzte ihn in wachsende Erregung, brachte zunehmend Emotionen ins Spiel, die sich in unkontrollierten Ausbrüchen, in phantasievollen Zukunftsspekulationen und in Attacken gegen die Opposition entluden, die auch von seinen eigenen politischen Zielen her gesehen nur noch als unbedacht und unklug gelten konnten. So wenn er in der ohnehin schon sehr erregten Debatte des Abgeordnetenhauses über die polnische Frage und die Konvention Alvensleben Ende Februar 1863 die Stimmung dadurch noch weiter anheizte, daß er über die äußerst schroffe Zurückweisung jedes Mitbestimmungs-, ja Mitberatungsanspruchs des Parlaments hinaus ausgerechnet einen der Führer des prononciert nationalen Flügels der Liberalen, Viktor von Unruh, persönlich aufs schärfste angriff und ihn und seine politischen Freunde als notorische Berufsrevolutionäre hinstellte.

Später, nach 1866, hat er das umzudeuten versucht: Er habe dem schwankend gewordenen König gegenüber den starken Mann herauskehren und zeigen müssen, wie man mit dem Abgeordnetenhaus umgehen könne und daß von dort keine Gefahr drohe. In Wirklichkeit war die Situation wohl genau umgekehrt: Er selber fühlte sich in die Ecke gedrängt und mußte befürchten, daß der König über kurz oder lang erkennen würde, wie schwach und zunehmend rückhaltlos die Position seines Ministerpräsidenten war. So suchte er förmlich neue Konfliktstoffe, die von den sachlichen Streitfragen ablenkten und auf beiden Seiten Emotionen und ungesteuerte Aggressionen freisetzten.

Als Taktik konnte man das nur noch sehr begrenzt bezeichnen; ein klares Ziel war kaum noch zu erkennen. Es war vielmehr ein verzweifelter Kampf ums politische Überleben. Er gipfelte, nach einer Serie von massiven Brüskierungen des Parlaments, darin, daß Roon und ihm folgend die gesamte Regierung im Rahmen der parlamentarischen Auseinandersetzungen um das Kriegsdienstgesetz dem Parlamentspräsidenten das Recht bestritten, Mitgliedern der Regierung gegenüber von seinem Hausherrenrecht Gebrauch zu machen, sie also gegebenenfalls zu unterbrechen und zur Ordnung zu rufen. Mochte man dafür rechtlich sogar einiges ins Feld führen können – politisch war es ein Affront ohnegleichen. Verlangte doch die Regierung damit bei Lage der Dinge, daß sich das Parlament jede Attacke von dieser Seite bis hin zu persönlichen Verunglimpfungen einzelner Mitglieder schweigend anhören müsse und daß der Präsident zu keinem Zeitpunkt das Recht habe, dagegen einzuschreiten.

Auf diese förmliche Kriegserklärung der Regierung konnte das Abgeordnetenhaus nur mit der Gegenerklärung antworten, nun seien die Brücken endgültig abgebrochen. Mit der überwältigenden Mehrheit von zweihundertneununddreißig gegen einundsechzig Stimmen beschloß es am 22. Mai 1863 eine Adresse an den König, die in den Sätzen gipfelte: »Das Haus der Abgeordneten hat kein Mittel der Verständigung mehr mit diesem Ministerium; es lehnt seine Mitwirkung zu der gegenwärtigen Politik der Regierung ab. Jede weitere Verhandlung befestigt uns nur in der Überzeugung, daß zwischen den Ratgebern der Krone und dem Lande eine Kluft besteht, welche nicht anders als durch einen Wechsel der Personen, und mehr noch, durch einen Wechsel des Systems ausgefüllt werden wird.«

Von nun an überschlugen sich die Ereignisse. Der König lehnte es ab, die Parlamentsdeputation zu empfangen, die die Adresse überreichen sollte. Er antwortete dem Abgeordnetenhaus vier Tage später schriftlich in einer Schärfe, wie sie von dieser Seite zumindest in der Öffentlichkeit bisher unbekannt gewesen war; selbst einem Teil der Minister mit dem Innenminister Graf Eulenburg an der Spitze ging diese Tonart zu weit. Er müsse, so Wilhelm, in dieser nicht von der Regierung gegengezeichneten Erklärung, »mit allem Ernst... dem Bestreben des Hauses der Abgeordneten entgegentreten, sein verfassungsmäßiges Recht der Teilnahme an der Gesetzgebung als ein Mittel zur Beschränkung der verfassungsmäßigen Freiheit Königlicher Entschließungen zu benutzen«. Auf diese Weise wolle man »eine verfassungswidrige Alleinherrschaft des Abgeordnetenhauses anbahnen«: »Dies Verlangen weise ich zurück. Meine Minister besitzen Mein Vertrauen, ihre amtlichen Handlungen sind mit Meiner Billigung geschehen, und Ich weiß es ihnen Dank, daß sie sich angelegen sein lassen, dem verfassungswidrigen Streben des Abgeordnetenhauses nach Machterweiterung entgegenzutreten.«

Einen Tag später, am 27. Mai 1863, ließ er den Landtag »schließen«, also die Sitzungsperiode für beendet erklären, ohne von seinem Recht zur Auflösung des Parlaments vorerst Gebrauch zu machen; in diesem Fall hätte binnen einer bestimmten Frist neu gewählt werden müssen, und das wollte man vermeiden. Und wieder fünf Tage später, am 1. Juni 1863, unterzeichnete er, formal gestützt auf das Notverordnungsrecht der Regierung außerhalb der Sitzungsperioden des Parlaments, eine von Bismarck schon seit längerem geplante Presseverordnung. Sie stellte die Presse auch inhaltlich weitgehend unter die Oberaufsicht der Regierung, gab dieser allein aufgrund der »allgemeinen Haltung« eines Blattes das »Recht« zu Beschlagnahme und Verbot. Das bedeutete praktisch die Aufhebung der Pressefreiheit, die Knebelung der öffentlichen Meinung, die sich bisher fast einhellig gegen die Regierung und ihre Politik ausgesprochen hatte; von den etwa dreihunderttausend Zeitungen, die täglich in Preußen verkauft wurden, unterstützten mehr als fünf Sechstel die Haltung der Opposition. Dementsprechend wurde der Schlag gegen die Presse fast allgemein als Auftakt zu einer Diktatur auf dem Verordnungsweg, durch »Ordonnanzen«, verstanden, wie man solche Verordnungen, die Erinnerung an die berüchtigten französischen Juliordonnanzen Karls X. von 1830 beschwörend, nannte.

Die Reaktion darauf stellte innerhalb und außerhalb Preußens alles Bisherige in den Schatten. Ihr schloß sich zum Jubel der Liberalen sogar der preußische Kronprinz an. Nachdem er in Schreiben an Bismarck und an seinen Vater nachdrücklich gegen den Schritt der Regierung protestiert hatte, bedauerte er bei einem Empfang der Stadt Danzig zu seinen Ehren am 5. Juni in aller Öffentlichkeit, daß es zu einer solchen Steigerung des Konflikts gekommen sei, und erklärte ausdrücklich, er persönlich habe nichts damit zu tun.

So war zugleich offengelegt, daß die Frage Königs- oder Parlamentsherrschaft sich in der Praxis gar nicht in dieser Schärfe zu stellen brauchte. Sie maskierte lediglich die Tatsache, daß sich hier ein Monarch in absolutistischer Willkür über die Meinung und die Wünsche der Mehrheit der Bevölkerung des von ihm regierten Landes hinwegzusetzen suchte.

Einen Augenblick mochte es so scheinen, als ob der Konflikt dadurch eine völlig neue Qualität erhalten habe. Wenn sich sogar der Thronfolger offen mit der Opposition solidarisierte, dann drohte die Position der Regierung und des regierenden Monarchen unhaltbar zu werden. Dies nicht zuletzt, weil sich gerade die entschiedensten »Ordnungskräfte« nun fragen mußten, ob eine Fortdauer des Konflikts die Ordnung nicht nachhaltiger gefährde als alles andere. Es zeigte sich jedoch sehr bald, daß dem Kronprinzen eine Politik, die bewußt in diese Richtung zielte, völlig fern lag. Zwar blieb er bei seiner Überzeugung und ließ Bismarck wissen, er befinde sich »in prinzipiellem Gegensatz« zu dem von ihm verfolgten politischen Kurs und betrachte »diejenigen, welche Seine Majestät den König...auf solche Wege führen« als die »allergefährlichsten Ratgeber für Krone und Vaterland«. Aber gleichzeitig versprach er dem aufs höchste aufgebrachten Vater, er werde sich in Zukunft mit öffentlichen Äußerungen zurückhalten. Am Ende dominierte der Eindruck von Schwäche und Unentschlossenheit, und daraus erwuchs die Enttäuschung bei all jenen, die an die Danziger Rede des Kronprinzen große Hoffnungen geknüpft hatten; das Ganze erwies sich als bloße »Episode«, wie Bismarck den entsprechenden Abschnitt seiner Lebenserinnerungen spöttisch überschrieb.

Ausgemacht war dieser Ausgang freilich nicht gewesen, und es war auch nicht vorauszusehen gewesen, daß sich der König zu einem offenen Verfassungsbruch würde verleiten lassen, wie ihn die Presseverordnung ohne Zweifel darstellte. Nachdem er diesen Schritt jedoch einmal getan hatte, war er stärker als je an seinen Ministerpräsidenten gebunden und auf ihn und auf sein politisches Geschick angewiesen. Angesichts dieser Tatsache kann man leicht versucht sein, den Akzent auf die immer festere Etablierung Bismarcks in der Macht zu legen und die Entwicklung bis zum Sommer 1863 vornehmlich von hier aus zu sehen und zu beurteilen. Aber dem steht gegenüber, daß der Preis für eine solche Befestigung in der Macht außerordentlich hoch war, zumal diese Macht fast ausschließlich auf Leben und Gesundheit eines Mannes von nunmehr sechsundsechzig Jahren gründete. Zu hoch, möchte man meinen, für jemanden, der eines mit Sicherheit nicht war: ein Politiker des Status quo, ein Mann, dem es genügte, das einmal Erreichte zu bewahren.

Wollte man nämlich nicht zur förmlichen Errichtung einer neoabsolutistischen Diktatur unter vollständiger Beseitigung der Verfassung voranschreiten – und wenig spricht dafür, daß Bismarck dies ernsthaft erwogen hat, und noch weniger dafür, daß der König dabei mitgemacht hätte –, dann war die Regierung jetzt fast völlig paralysiert. Die Chance, sich zwischen den miteinander ringenden Parteien und den hinter ihnen stehenden sozialen Gruppen zu bewegen, eine Chance, die sich im Herbst 1862 einen Augenblick zu eröffnen schien, war vertan. Statt des »Ständekampfes«, von dem Max Duncker gesprochen hatte, war es nun zu einer immer schrofferen Konfrontation zwischen der Regierung auf der einen und dem »Volk« auf der anderen Seite gekommen. Obwohl Bismarck mit einigen Gründen bezweifeln mochte, daß zwischen »Volk« und Abgeordnetenhausmehrheit unbedingte Identität der Meinungen und Interessen herrschte, war die rechtliche Basis der gegenteiligen Ansicht und mehr noch ihre Basis in der öffentlichen Meinung unanfechtbar. Sie ließ sich durch keine Presseverordnung von oben und keine noch so geschickte Öffentlichkeitsarbeit erschüttern.

Behauptung im Amt und in der Macht hieß in jener Situation nicht viel. Ohne das Instrument der Gesetzgebung, ohne Rückhalt in der Öffentlichkeit, ohne nennenswerte Unterstützung für ihre sonstigen Ziele und Pläne war diese Macht ohne wirkliche Substanz, unfähig, sich konstruktiv geltend zu machen – zumindest innenpolitisch. Hinsichtlich der auswärtigen Beziehungen schien hingegen die Handlungsfreiheit der Regierung, wie die einen triumphierend, die anderen voller Besorgnis konstatierten, wesentlich weniger beschränkt. Die Vermutung lag daher von vornherein nahe, daß sie versuchen werde, diesen Bereich kompensatorisch für den anderen einzusetzen, durch außenpolitische Erfolge von der Stagnation und den Konflikten im Innern abzulenken. Allerdings war auch hier die Hoffnung der Gegner, daß solche Erfolge zunehmend weniger ohne die Unterstützung der jeweiligen nationalen oder einzelstaatlichen Öffentlichkeit, ohne die zumindest akklamatorische und psychologische Mitwirkung populärer Kräfte und demokratisch legitimierter Interessen möglich sein würden.

Die Reaktion der Mächte auf die höchst unpopuläre Haltung der preußischen Regierung während des polnischen Aufstands schien dies nachhaltig zu bestätigen. Sie schien jenen in Preußen recht zu geben, die davor warnten, die von hier drohende Gefahr zu überschätzen. Was im Gegenteil besorgt machen müsse, sei, daß andere Regierungen, in diesem Fall vor allem die österreichische, versuchen würden, die Situation zu ihren Gunsten auszunutzen und Preußen zu überspielen.

Dies war in der Tat, wie dann Anfang August 1863 aller Welt deutlich wurde, der Plan Wiens. Die preußischen Liberalen sahen sich dadurch einem schwerwiegenden inneren Konflikt ausgesetzt. Die Frage war: Sollten sie gegenüber den großdeutschen Bundesreformplänen eines offenbar zu innerer Liberalisierung entschlossenen Österreich trotz der Lage in Preußen an ihrem kleindeutschen Konzept festhalten und dabei möglicherweise in höchst verwirrender Weise die Bismarcksche Außenpolitik unterstützen? Oder aber sollten sie einen entscheidenden Kurswechsel vollziehen? Eine genaue Prüfung der österreichischen Vorschläge, die doch weit hinter den Erwartungen der liberalen Seite zurückblieben, hat ihnen dann allerdings die Entscheidung vergleichsweise leicht gemacht. Dabei kam noch hinzu, daß ihre Vertreter ja gar nicht offiziell Stellung zu nehmen brauchten und sich im großen und ganzen auf eine Kommentierung der sehr rasch fallenden Entscheidung beschränken konnten.

Ungleich schwieriger, ja, außerordentlich bedrohlich war hingegen die Lage, in die Bismarck selber durch die österreichischen Vorschläge geriet. Eine neuerlichen Vorstoß Wiens in der Frage einer Reform des Deutschen Bundes und damit zur Lösung der deutschen Frage hatte er wie alle Welt erwartet. Er wurde dann jedoch offenkundig überrascht von der Geschicklichkeit, mit der man in Wien unter strategischer Leitung des Referenten für deutsche Angelegenheiten im Außenministerium, des Freiherrn von Biegeleben, zu Werk ging.

Bei einem eigens zu diesem Zweck arrangierten Zusammentreffen in Gastein, wo sich Wilhelm I. gerade zur Kur aufhielt, lud Kaiser Franz Joseph den preußischen König am 3. August zu einer Art Gipfelkonferenz der deutschen Bundesfürsten in Frankfurt am Main ein. Als Termin war bereits der 16. August vorgesehen. Gegenstand des Treffens sollte die Beratung und Beschlußfassung über einen breitangelegten österreichischen Bundesreformplan sein. Über seinen konkreten Inhalt äußerte sich der Kaiser allerdings nur in groben Zügen und in sehr unbestimmten Formulierungen. Die österreichische Politik suchte also den preußischen König, unter bewußter Umgehung seines Ministerpräsidenten, genau an dem Punkt zu fassen, für den Wilhelm in Preußen so leidenschaftlich focht: Sie beschwor den monarchischen Gedanken und somit die Idee der monarchischen Solidarität. Die Bundesfürsten, an ihrer Spitze der österreichische Kaiser und der preußische König, sollten es wie einst 1814/15 in Wien in die Hand nehmen, die Verhältnisse in Mitteleuropa neu zu ordnen. Sie sollten von ihrer Souveränität Gebrauch machen und damit alle jene in Schranken weisen, die sie in der einen oder anderen Weise als Gallionsfiguren mißbrauchen wollten.

Dies zwang Bismarck gleichsam in einen Zweifrontenkampf. Sofort entschlossen, die österreichische Initiative nicht nur in Einzelheiten, sondern generell zum Scheitern zu bringen, mußte er, nur zwei Monate nachdem der Verfassungskonflikt mit der Schließung des Landtags und dem Erlaß der Presseverordnung seinen Höhepunkt erreicht hatte, seinen König dazu bringen, sich ganz auf die Position des streng konstitutionellen Monarchen zurückzuziehen, der ohne seinen verantwortlichen Minister keine weiterreichenden Entscheidungen zu treffen vermag. Denn nur so war dem Argument des österreichischen Kaisers einigermaßen überzeugend zu begegnen, es bedürfe keiner langen Vorkonferenzen und Vorabsprachen: Die regierenden Monarchen könnten die notwendigen Beratungen und Beschlüsse sozusagen in einem Akt auf der Konferenz selber vornehmen und damit aller Welt demonstrieren, daß sie das Heft fest in der Hand hätten. Unter dem Zwang der Umstände durchbrach nun Bismarck selber die Fiktion monarchischer Selbstregierung. Er veranlaßte den König, sich auf den klassischen Satz des konstitutionellen Staatsrechts zu berufen, der da lautete: »Le roi règne, mais il ne gouverne pas – Der König herrscht, aber er regiert nicht.«

Das erste Mal, in seinem Schreiben an den österreichischen Kaiser vom 4. August, in dem er die Einladung zwar nicht annahm, aber auch nicht definitiv ablehnte, tat Wilhelm dies, von Bismarck hart bedrängt, noch in verklausulierter Form. Er schlug vor, daß zunächst einmal Ministerkonferenzen der Hauptmächte des Bundes stattfinden sollten, »über deren Ergebnis schließlich von den Souveränen die Entscheidung zu treffen sein wird«. Die österreichische Regierung ließ sich jedoch auf dieses Ausweichmanöver nicht ein. Sie bestand auf dem Treffen, das am 17. August in feierlicher, die Vergangenheit des Alten Reiches beschwörender Form in der ehemaligen Wahl- und Krönungsstadt eröffnet wurde. Auf Wiens Initiative hin faßte der Fürstentag sogleich den Beschluß, den preußischen König noch einmal ausdrücklich um seine Teilnahme zu bitten. Der sächsische König Johann, dem man ein besonders enges Verhältnis zu Wilhelm nachsagte, wurde beauftragt, ihm diese Bitte nach Baden-Baden zu überbringen.

Nun mußte der preußische König Farbe bekennen. Wilhelm war zunächst bereit nachzugeben; »fünfundzwanzig regierende Herren und ein König als Kurier«, da könne er doch gar nicht anders. Bismarck jedoch, der ihn, gefaßt auf »Frankfurter Windbeuteleien«, begleitet hatte, bot bis hin zur Rücktrittsdrohung alles auf, was in seiner Macht stand, um ihn davon abzubringen; er »wolle wohl als sein Sekretär mitgehen, aber nicht als sein Ministerpräsident«. Der König, so berichteten Augenzeugen über die dramatischen Auseinandersetzungen, sei in seiner Erregung in Weinkrämpfe ausgebrochen. Bismarck selber habe, als er den Monarchen nach langen Stunden verließ, im Vorzimmer erst einmal eine riesige Waschschüssel zertrümmert, um sich Luft zu verschaffen.

Im Hintergrund stand bei beiden das Bewußtsein, daß es sich hier in vielerlei Hinsicht um eine Entscheidung von weitestreichender Bedeutung, um eine grundlegende Weichenstellung handelte. Schließlich beugte sich der König seinem Ministerpräsidenten. Er entschloß sich, die Einladung abermals abzulehnen und die Begründung zu akzeptieren, die ihm Bismarck dafür in die Feder diktierte. Er könne seine »Entschließungen«, so Wilhelm in den entscheidenden Sätzen des Briefes, »erst dann feststellen, wenn durch geschäftsmäßige Bearbeitung der Angelegenheit von Seiten Meiner Räte die zu erörternden Abänderungen der Bundesverfassung, in ihrem Verhältnisse zu der berechtigten Machtstellung Preußens und zu den berechtigten Interessen der Nation, eingehend geprüft sein werden. Ich bin es Meinem Lande und der Sache Deutschlands schuldig, vor einer solchen Prüfung der einschlägigen Fragen, keine Mich bindenden Erklärungen gegen Meine Bundesgenossen abzugeben; ohne solche aber würde Meine Teilnahme an den Beratungen nicht ausführbar sein.«

Darin steckte neben dem höchst bedeutsamen Formalen auch schon, aufs engste mit diesem verknüpft, das Inhaltliche der preußischen Ablehnung. Österreich hatte in seinem Bundesreformplan, der den Vertretern der einzelnen Bundesstaaten erst am 16. August 1863, einen Tag vor der Eröffnung des Frankfurter Fürstentages, offiziell und mit allen Einzelheiten mitgeteilt wurde, vorgeschlagen, neben dem bisherigen Gesandtenkongress eine Reihe von Zentralinstitutionen zu errichten. Hierdurch wie vor allem durch eine starke Erweiterung seiner Kompetenzen, der »Zwecke des Deutschen Bundes«, sollte der Bund im bundesstaatlichen Sinne umgestaltet werden. An seine Spitze sollte ein fünfköpfiges Bundesdirektorium treten, gebildet von dem österreichischen Kaiser, dem preußischen und dem bayerischen König als ständigen und zwei turnusmäßig wechselnden weiteren Mitgliedern. Ferner waren neben dem fortbestehenden Bundestag eine periodisch tagende Versammlung der deutschen Fürsten sowie eine gleichfalls regelmäßig zusammentretende Versammlung von »Bundesabgeordneten« vorgesehen. Ihre Mitglieder sollten aber wiederum nicht direkt, sondern von den einzelstaatlichen Parlamenten bestimmt werden. Und schließlich war geplant, zur Vereinheitlichung der Rechtsprechung einen Bundesgerichtshof ins Leben zu rufen – als eine Konsequenz der angestrebten gemeinsamen Gesetzgebung auf vielen Gebieten, insbesondere auf dem Gebiet der »Wohlfahrt«, worunter damals die Wirtschafts, Handels- und Zollpolitik zu verstehen war.

Gegen all dies, gegen die »Schwarzenbergsche Politik in der posthumen Gestalt des Fürstenkongresses«, wie es Bismarck noch in seinen Lebenserinnerungen nannte, machte er durch den Mund des preußischen Königs und dann auch, in weit ungeschminkterer Form, in der »Norddeutschen Allgemeinen« mit Nachdruck Front. Er tat es mit dem doppelten Argument, das Ganze widerspreche der »berechtigten Machtstellung Preußens« und den »berechtigten Interessen der Nation«, wobei zwischen beidem ein innerer Zusammenhang beschworen wurde.

Vom Zollverein und von dem offenkundigen Versuch Österreichs, das, was in ihm politisch angelegt war, nun mit Hilfe des Bundesreformplans aus den Angeln zu heben, war dabei offiziell nirgends die Rede, obwohl Bismarck in seiner Weihnachts-Denkschrift von 1862 ja gerade diesen Bereich als das eigentliche Objekt aller künftigen diplomatischen Auseinandersetzungen bezeichnet hatte. Auch die Idee einer kleindeutschen Lösung der deutschen Frage und möglicher Koalitionsbildungen in ihrem Sinne tauchte formell mit keinem Wort auf. Doch der ganze Komplex bildete unter dem Stichwort der »berechtigten Machtstellung Preußens« und der »berechtigten Interessen der Nation« den substantiellen Inhalt der drei formalen Bedingungen, unter denen Preußen sich nach Bismarck bereiterklären würde, die am 1. September 1863 mit großer Mehrheit verabschiedete Bundesreformakte auch seinerseits zu akzeptieren. Sie lauteten: ein Vetorecht beider deutscher Großmächte bei Kriegserklärungen des Bundes, wenn es sich nicht um die Abwehr eines Angriffs auf unmittelbares Bundesgebiet handelt; Parität zwischen ihnen in der Leitung des Bundes; und schließlich an Stelle der Delegiertenversammlung eine »wahre, aus direkter Beteiligung der ganzen Nation hervorgehende Nationalvertretung«.

Während es sich bei den beiden ersten Bedingungen um schon traditionelle preußische Forderungen handelte, die seit 1850 gegen jeden österreichischen oder mittelstaatlichen Bundesreformplan ins Feld geführt worden waren, ging die dritte, insbesondere in ihrer Begründung, weit darüber hinaus: Sie spielte sozusagen die Nation gegen die Fürsten aus. Auch bei Annahme der preußischen Forderung nach einem Vetorecht der beiden Großmächte in der Frage von Krieg und Frieden und nach Parität mit Österreich bei der Leitung des Bundes sei, so erklärte das preußische Staatsministerium in seiner zusammenfassenden Stellungnahme zur Frankfurter Reformakte vom 15. September 1863, »die Aufgabe einer Vermittlung der divergierenden dynastischen Interessen Behufs Erleichterung der einheitlichen Aktion des Bundes nicht gelöst«: »Den Streit derselben durch die Majoritätsabstimmungen der im Direktorium vertretenen Regierungen kurzer Hand zu entscheiden, scheint uns weder gerecht noch politisch annehmbar. Das Element, welches berufen ist, die Sonderinteressen der einzelnen Staaten im Interesse der Gesamtheit Deutschlands zur Einheit zu vermitteln, wird wesentlich nur in der Vertretung der deutschen Nation gefunden werden können.«

Damit stellte sich das preußische Konfliktministerium, nachdem sein Leiter den preußischen König bei der Auseinandersetzung um die österreichische

Einladung veranlaßt hatte, sich formell auf die Position des streng konstitutionell gesinnten Monarchen zurückzuziehen, in dem entscheidenden Punkt auf den Boden der Forderungen der liberalen Nationalpartei. Es erklärte sich solidarisch mit deren Auffassung, daß die deutsche Frage nicht durch die Monarchen und Regierungen allein, sondern nur im Zusammenwirken mit der deutschen Nation und durch Berufung eines sie vertretenden deutschen Parlaments gelöst werden könne.

Dies war ein außerordentlicher Vorgang. Er eröffnete, da die preußischen Forderungen öffentlich erhoben wurden, für jedermann ganz neue und weitreichende Perspektiven. Die überwiegende Mehrheit der liberalen Zeitgenossen sah darin allerdings bloße Taktik. Man bezweifelte, daß die preußischen Gegenvorschläge »von einer solchen Regierung überhaupt ernstlich gemeint sein könnten«, wie es der Dachverband der kleindeutschen Nationalpartei, der Nationalverein, in einer Resolution gegen die Frankfurter Reformakte Mitte Oktober formulierte.

Das Ziel sei, so argumentierte man, in doppelter Weise ein bloß negatives. Es gehe Bismarck nur um die Abwehr der österreichischen Vorschläge und um die Verwirrung und womöglich Spaltung der inneren Opposition, und hierfür sei ihm jedes Mittel recht. »Der plumpe Versuch des Ministeriums Bismarck«, hieß es in der Wochenschrift des Nationalvereins Anfang Oktober 1863, »die Eifersucht des preußischen Volksgeistes gegen Österreich zu einer neuen Stütze seiner wankenden Existenz zu machen, wird elendiglich zuschanden werden.«

Dieser Vorwurf eines rein taktischen Kalküls ist sicher auch im nachhinein nicht ganz von der Hand zu weisen. Andererseits lag die Forderung nach Berufung eines deutschen Parlaments ganz auf der Linie des Weges, den Bismarck schon seit Jahren als den allein erfolgversprechenden bei der Suche nach einer Lösung der deutschen Frage im preußischen Sinne bezeichnet hatte und den er auch im weiteren immer wieder zu beschreiten suchte: den eines Zusammengehens mit der kleindeutschen Nationalpartei und den hinter ihr stehenden Kräften – auch wenn er dabei stets nur vage von dem »deutschen Volk« oder der »deutschen Nation« sprach. Er hatte freilich immer nur, und hier löst sich der scheinbare Widerspruch, ein wesentlich taktisches Zusammengehen im Auge, eine Unterstützung des preußischen wie des eigenen Machtanspruchs durch jene Kräfte. Das Ganze, bemerkte er in einem Erlaß an Bernstorff, beruhe »nicht auf einer politischen Theorie, sondern auf materiellen preußischen Interessen«: »Nicht die deutschen Regierungen, sondern das deutsche Volk in überwiegendem Teile hat mit uns gleiches Interesse. Preußen braucht ein Gegengewicht gegen die dynastische Politik der Regierungen und kann dasselbe nur in der Nationalvertretung finden.«

Über der Frage nach den Antrieben und taktischen Motiven Bismarcks darf jedoch das eigentlich Entscheidende nicht in den Hintergrund geraten, daß sich nämlich auf diese Weise eine Kooperation auf vielen Gebieten ergab, deren praktische Konsequenzen und tatsächliche Ergebnisse über das Beabsichtigte dann weit hinausgingen. Anders gewendet: Über der unbestreitbaren Geschicklichkeit, mit der Bismarck, wenn auch erst nach mehreren Anläufen, vor allem die Kräfte des nationalen Liberalismus vor seinen Wagen zu spannen vermochte, darf man nicht übersehen, daß die Richtung, in der sie zogen, niemals in sein Belieben gestellt war und daß die Mittel, die er einsetzte, ihn zugleich abhängig machten.

Im Herbst 1863 war diese Dimension der preußischen Antwort auf die Frankfurter Reformakte noch weitgehend verborgen. Ihre Funktion, mit für Österreich unannehmbaren Forderungen die ganze Initiative zu blockieren, erfüllte sie, zumal eine sich ankündigende europäische Verwicklung über die schleswig-holsteinische Frage dann nach Meinung Wiens eine Kooperation mit der anderen deutschen Großmacht unbedingt zu fordern schien. Auf die Nationalpartei hingegen und die innerpreußische Opposition blieb sie ohne Eindruck. »Nur das deutsche Volk selbst in einem freigewählten Parlament kann über sein Verfassungsrecht entscheiden«, betonte die Wochenschrift des Nationalvereins noch einmal programmatisch.

In den Wahlkampf, zu dem die Auflösung des Abgeordnetenhauses Anfang September den Startschuß gab, zogen das linke Zentrum und die Fortschrittspartei mit der Devise des kompromißlosen Kampfes gegen die Regierung Bismarck. Sie errangen damit Ende Oktober 1863 einen überwältigenden Sieg, ungeachtet der Knebelung der Presse und massiver Wahlbeeinflussungsversuche der Regierung, aber eben auch ungeachtet des Verhaltens des Ministeriums in der Bundesreformfrage und seiner Absichtserklärungen auf diesem Gebiet. Obwohl sich vor allem die den Liberalen zuneigenden Beamten, aus deren Kreis weit mehr als die Hälfte ihrer Abgeordneten stammten, immer stärkeren Pressionen ausgesetzt sahen, verfügte die liberale Opposition mit mehr als siebzig Prozent der Sitze nun über eine noch erdrückendere Mehrheit als bisher. Und da sie diese unter der Parole des unbedingten Kampfes gegen die Regierung gewonnen hatte, war an einen Ausgleich praktisch nicht mehr zu denken; unter der gegenwärtigen Verfassung habe die preußische Monarchie keine Chance, ließ Bismarck wenige Tage nach der Wahl dunkel-drohend verlauten.

Nach der sofortigen Aufhebung der Presseverordnung durch das Parlament, die in der Öffentlichkeit als eklatante Niederlage der Regierung gefeiert wurde, tat dessen Mehrheit in den nächsten Wochen alles, um zu demonstrieren, daß man zu ernsthaften Verhandlungen mit dem im Amt befindlichen Kabinett nach wie vor nicht bereit sei. In der Sache wiederholte sich die Prozedur vom Vorjahr: Ablehnung des auf der dreijährigen Dienstzeit beharrenden Militärgesetzentwurfs der Regierung, entsprechende Kürzung des Haushalts, scharfer Protest gegen die Annahme dieses Haushalts in der von der Regierung vorgelegten Form durch das Herrenhaus, Anprangerung der gesamten Regierungspolitik als verfassungswidrig, da ihr die haushaltsrechtliche Grundlage fehle.

Da eine weitere Auflösung des Parlaments nach den zuletzt gemachten Erfahrungen sinnlos erschien, blieb, von der Regierung her gesehen, als einziger Ausweg die abermalige Schließung des Landtags – diesmal jedoch ohne den Schatten jenes Arguments des konstitutionellen Staatsrechts, der König müsse stets um die Übereinstimmung zwischen dem Mehrheitswillen des Volkes und dem Mehrheitswillen des Parlaments besorgt sein: Er müsse also notfalls durch Schließung beziehungsweise Auflösung des Parlaments auf die Wiederherstellung einer solchen Übereinstimmung hinwirken. Die Regierung, das schien nun unwiderleglich zu sein, schaffte sich die Volksvertretung vom Halse, um ohne sie und insofern gegen den erklärten Willen der Mehrheit des preußischen Volks ihre Ziele durchzusetzen.

Über diese Ziele bestand freilich in der Öffentlichkeit zunehmend Unklarheit. »Selbst in der Geschichte von Byzanz wird sich kaum ein ähnliches Bild von Altersschwäche und Verworrenheit auffinden lassen, wie es von dem gegenwärtigen preußischen Regiment dargeboten wird«, hieß es in einem Leitartikel in der Wochenschrift des Nationalvereins Ende August 1863 sarkastisch. Was wollte der Mann eigentlich positiv, der sich nun immerhin bereits ein Jahr im Amt des preußischen Ministerpräsidenten und Außenministers behauptete? War er wirklich allein auf Abwehr, auf Bewahrung, auf Verteidigung des Status quo eingestellt, ein später Metternich, der verzweifelt nach Wegen Ausschau hielt, um dem Druck des politischen und sozialen Wandels auszuweichen? Erschöpften sich seine politischen Ziele tatsächlich im Machtbesitz und Machterhalt? Oder aber wartete er in Wahrheit nur geduldig auf eine Gelegenheit, die Gesamtkonstellation zu seinen Gunsten auf den Kopf zu stellen und die Initiative an sich bringen, auf ein äußeres Ereignis, das alles veränderte?

Seit seinem Amtsantritt hatte man immer wieder geargwöhnt, er werde versuchen, durch außenpolitische Erfolge, durch überraschende Schachzüge auf diesem Feld von der inneren Situation abzulenken und für sich Stimmung zu machen. Als sich daher im Herbst 1863 die schleswig-holsteinische Frage erneut zuspitzte, sahen Freund wie Feind darin sofort eine Art Testfall für seine eigentlichen Absichten und weiterreichenden Pläne wie auch für seine Fähigkeit, sie zu verwirklichen. Gelang es ihm jetzt, in einer die politischen Leidenschaften tief aufwühlenden Situation, den Dingen eine entscheidende Wendung zu geben oder hatte man ihn, hier in Furcht, dort in Hoffnung, maßlos überschätzt? Wenn je, so entschieden in dieser Frage Erfolg oder Mißerfolg über seine ganze politische Zukunft.

# Das Ende
## oder ein neuer Anfang?

Für Bismarck, für die liberale Nationalbewegung, für die gesamte internationale Konstellation und Entwicklung ist die schleswig-holsteinische Frage von schlechthin entscheidender Bedeutung geworden. So unumstritten dies ist, so unumstritten ist auch, daß es sich bei dieser Frage in Entstehung und Fortgang um eines der in den Einzelheiten kompliziertesten Probleme in den Staatenbeziehungen des 19. Jahrhunderts handelt. Nur drei Männer, so hat Palmerston, der englische Außenminister, es einmal glossiert, hätten sie je in allen ihren Verästelungen erfaßt: Der eine sei tot, der andere darüber verrückt geworden, und der dritte, er selber, habe alles wieder vergessen. Wer freilich die dramatischen Konsequenzen verstehen will, die sich aus ihr schließlich ergaben, der kommt nicht umhin, sich auf diese komplizierte Vorgeschichte zumindest in groben Zügen einzulassen.

Auch nach 1852, nach der Regelung der Erbfolgefrage durch die Großmächte, waren die in Personalunion mit der dänischen Krone verbundenen Herzogtümer Schleswig, Holstein und Lauenburg ein neuralgischer Punkt der internationalen Politik geblieben. Das galt für das Verhältnis der beteiligten und interessierten Staaten, und es galt insbesondere für die beiden in diesen Gebieten konkurrierenden Nationalbewegungen, die deutsche und die dänische. Die Tendenz der dänischen bestand ganz offenkundig darin, die Personalunion zu einer Realunion auszuweiten, also die Herzogtümer entgegen den internationalen Vereinbarungen voll in den dänischen Staat einzugliedern, zumindest jedoch Schleswig zu einer dänischen Provinz zu machen. Diese Tendenz hatte sich im Verlauf der fünfziger Jahre in Dänemark selber mehr und mehr durchzusetzen vermocht. Bereits 1855 war eine dänische Gesamtstaatsverfassung verabschiedet worden, die dem Zentralparlament in Kopenhagen weitgehende Gesetzgebungs- und Finanzrechte in den Herzogtümern einräumte.

Dagegen hatten sowohl der Deutsche Bund als Garant der Rechte des zum Bund zählenden Herzogtums Holstein als auch die beiden Großmächte als Signatarmächte des Londoner Protokolls protestiert. Preußen war allerdings, entsprechend der von dem damaligen preußischen Bundestagsgesandten verfolgten politischen Linie, gleichzeitig bestrebt gewesen, eine Einschaltung des Bundes und dessen mögliche Aufwertung durch direkte Verhandlungen der beiden deutschen Großmächte mit Dänemark zu verhindern. Das war zwar nicht ganz gelungen. Aber die Gegenaktionen hatten damit doch sehr viel an Nachdruck und Überzeugungskraft verloren, zumal man zunächst weder in Wien noch in Berlin daran interessiert war, die ganze Angelegenheit hochzuspielen.

Immerhin hatte sich der Bundestag im August 1858 entschlossen, dem dänischen König mit Bundesexekution in Holstein und Lauenburg zu drohen, falls er die Gesamtstaatsverfassung für diese beiden Gebiete nicht außer Kraft setze. König Friedrich VII. hatte sich dieser Drohung schließlich unterworfen. Doch das höchst unerwünschte Ergebnis sah so aus, daß Schleswig, abermals im Widerspruch zum Londoner Protokoll, de facto von Holstein getrennt und ohne den Rückhalt durch dieses und damit indirekt durch den Bund noch fester in den dänischen Staatsverband einbezogen worden war. Auf diesem Weg war die dänische Regierung nach 1858 immer weiter vorangeschritten. Sie hatte Ende März 1863 die Rechtsverbindlichkeit des Schleswig betreffenden Teils der Londoner Vereinbarungen formell bestritten und Sonderrechte nur noch für Holstein und Lauenburg anerkannt.

Damit war der Gegensatz zwischen Deutschen und Dänen auf einen neuen Höhepunkt getrieben worden. Träger war auf deutscher Seite vor allem der 1859 gegründete kleindeutsch und liberal orientierte Deutsche Nationalverein, der inzwischen annähernd zwanzigtausend Mitglieder zählte. Zu seinen wesentlichen Programmpunkten gehörte von Anfang an eine Lösung der schleswig-holsteinischen Frage im deutschen Sinne. Es gelte, hieß es in seiner Wochenschrift Ende April 1863, »nicht allein die verpfändete Ehre der Nation: Es gilt auch eine Stellung zu gewinnen und zu befestigen, die für den Schutz unserer Küsten, für die Entfaltung unserer Seemacht, für die ganze politische Zukunft Deutschlands von unberechenbarer Wichtigkeit ist«.

Nicht zuletzt mit Blick auf den unmittelbaren Zusammenhang der schleswig-holsteinischen Frage mit den nationalen und liberalen Bestrebungen hatte der Bund, anders als die beiden deutschen Großmächte, die sofort in identischen Noten gegen den dänischen Rechtsbruch protestierten, nur zögernd reagiert. Er hatte sich damit, zu Bismarcks geheimer Genugtuung, in den Augen der Nationalbewegung noch weiter diskreditiert. Erst Anfang Juli 1863 hatte er beschlossen, das seit 1858 ruhende Verfahren einer Bundesexekution gegen den dänischen König als Herzog von Holstein und Lauenburg wiederaufzunehmen, und diesen gleichzeitig aufgefordert, den Bestimmungen des Londoner Protokolls mit einer Verfassung Genüge zu tun, die mit den Rechten Holsteins auch diejenigen Schleswigs wahrte.

Mit jener Aufforderung hatte der Bund seine Kompetenzen formell überschritten. Denn einerseits gehörte er nicht zu den Signatarmächten des Londoner Protokolls und andererseits wurde die Autonomie Holsteins und

Lauenburgs von der dänischen Regierung zwar in Einzelheiten bestritten, aber insgesamt nicht angetastet. Kopenhagen benutzte daher die Gelegenheit, über das unbedingte Festhalten an seinem Standpunkt hinaus für den Fall des Versuchs einer tatsächlichen Bundesexekution seinen Austritt aus dem Bund anzukündigen. Die dänische Regierung verband dies mit der Feststellung, man werde jeden weiteren Schritt als Kriegserklärung des Bundes an Dänemark auffassen. Darauf beschloß der Bundestag am 1. Oktober 1863 die Bundesexekution gegen Holstein und beauftragte neben den beiden deutschen Großmächten auch Sachsen und Hannover, diese zu vollziehen.

Von nun an hatten sich die Ereignisse förmlich überschlagen. In Sorge vor einer Ausweitung des Konflikts hatten sowohl London als auch Paris ihre Vermittlung angeboten. Ihr Angebot war von Dänemark zwar angenommen worden, das heißt man hatte sich zu neuerlichen Verhandlungen auf der europäischen Ebene bereiterklärt. Gleichzeitig hatte man jedoch die Einverleibung Schleswigs in den dänischen Staat durch beschleunigte Verabschiedung einer neuen Gesamtstaatsverfassung weiter vorangetrieben. Und genau zu diesem Zeitpunkt, zwei Tage nach der Verabschiedung der neuen Verfassung durch den dänischen Reichstag am 13. November 1863, war König Friedrich VII. gestorben. In dem Augenblick, in dem die Thronfolgeregelung in Kraft treten sollte, der das Londoner Protokoll von 1852 die Zustimmung der Großmächte garantiert hatte, waren also deren Grundbedingungen in eklatanter Weise verletzt worden. Da zudem die rechtlichen Voraussetzungen für eine Erbfolge des sogenannten Protokollprinzen Christian IX. von Schleswig-Holstein-Sonderburg-Glücksburg in Holstein und somit indirekt in Schleswig nicht gegeben waren, da die holsteinischen Stände dieser Thronfolgeregelung bisher nicht die erforderliche Zustimmung gegeben hatten, schien rechtlich alles zugunsten der widerstrebenden Schleswig-Holsteiner zu sprechen.

Die Mächte, insbesondere die beiden deutschen Großmächte, hatten jetzt, so die fast einhellige Meinung in der deutschen Öffentlichkeit, die Wahl zwischen Recht und Macht. Dabei stehe auf der Seite des Rechts nicht nur das positive, sondern auch das natürliche Recht, das Selbstbestimmungsrecht der Völker. In diesem Sinne fand der Herzog von Augustenburg, der seinerzeit auf seine Rechte verzichtet hatte, die fast einhellige Unterstützung der deutschen Öffentlichkeit, als er angesichts der neuen Situation zwar nicht für sich, wohl aber für seinen Sohn die Erbfolge in Schleswig und Holstein reklamierte. Bereits am 16. November zeigte dieser dem Bund an, er habe als Herzog Friedrich VIII. den Thron bestiegen.

Die Welle der nationalen Begeisterung, unter deren Eindruck eine spontan zusammentretende »Landesversammlung« der Schleswig-Holsteiner Friedrich VIII. den Treueid leistete, schien einen Augenblick alle Bedenken hinwegzuspülen, die einem solchen, internationalen Vereinbarungen widersprechenden Vorgehen entgegenstanden: Die Mehrheit der deutschen Mittel- und Kleinstaaten erklärte sich für den Augustenburger und für die Anerkennung eines selbständigen Fürstentums Schleswig-Holstein. Das war die Situation in der zweiten Novemberhälfte 1863. Nicht ohne Besorgnis und zwiespältige Gefühle registrierten viele der Führer der liberalen Opposition in Preußen, welche außerordentliche Chance sich der preußischen Regierung hier zu bieten schien. Um so überraschter war man selbst in der engsten Umgebung des preußischen Ministerpräsidenten, daß Bismarck die Chance scheinbar völlig übersah und sich dem keineswegs ungefährlichen Vorwurf aussetzte, mit den deutschen auch die preußischen Interessen hintanzustellen.

Sein Kokettieren mit der nationalen Bewegung, sein Eintreten für ein deutsches Parlament, seine angebliche Entschlossenheit, eine Lösung der deutschen Frage im kleindeutschen Sinne voranzutreiben, ja, sein vielbeschworenes diplomatisches Geschick erschienen jetzt in einem eher diffusen Licht. War, so fragte man sich, auch hier die Bewahrung des Status quo um jeden Preis sein eigentliches Ziel? Erwies er sich jetzt auch auf dem Gebiet der Außenpolitik als der, als den man ihn innenpolitisch längst zu kennen glaubte: als Reaktionär reinsten Wassers, dem jede Veränderung verhaßt war und der sich an alles klammerte, was ihr entgegenstand, mochte es auch noch so brüchig sein?

Statt Preußen an die Spitze der nationalen Bewegung zu führen, statt die preußische Militärmacht, die doch angeblich zu diesem Zweck verstärkt worden war und noch weiter verstärkt werden sollte, für die deutsche Sache zu mobilisieren, berief sich der preußische Regierungschef auf die Heiligkeit internationaler Verträge. Und statt die Aktivitäten des Bundes zu unterstützen und den preußischen Anspruch auf eine Führungsrolle in diesem Bund zu wahren, ging es ihm offenbar nur darum, das preußisch-österreichische Verhältnis wieder auf den alten Stand der Jahre vor 1848 zu bringen – unter Verzicht auf alle Reformpläne und Lösungsvorschläge in der deutschen Frage.

So erbittert man darüber im Lager der nationalen Bewegung und der liberalen Opposition, aber auch im Kreis der ehemaligen »Wochenblattpartei« um Schleinitz, von der Goltz und Bernstorff war, so angenehm überrascht war man in Wien und in den Hauptstädten der übrigen Großmächte. In Wien mußte man einem nationalen Pronunciamento notwendigerweise mit Mißtrauen begegnen. Eine Entfesselung nationaler Leidenschaften konnte sich für den Vielvölkerstaat nur verhängnisvoll auswirken; der jüngste Bundesreformvorschlag mit seiner Ablehnung eines direkt gewählten Parlaments hatte noch einmal gezeigt, daß sich auch die vorandrängenden Kräfte bewußt waren, wie schmal hier der Grat war. Die Gefahr, daß sich Preußen diese Schwäche zunutze machen könne, war seit 1848 ständig präsent. Sie schien nun mit der Krise um Schleswig-Holstein aufs höchste akut zu werden.

Es waren aber nicht nur die nationalen Implikationen der ganzen Frage, die Sorge vor Rückwirkungen auf Venetien, auf Böhmen, auf Ungarn – der Kaiserstaat drohte durch den sich abzeichnenden Konflikt auch sonst fast auf der ganzen Linie ins Hintertreffen zu geraten. Schleswig-Holstein lag geographisch weit außerhalb seiner eigentlichen Macht- und Interessensphäre, hingegen unmittelbar in derjenigen Preußens. Jede direkte Einmischung enthielt die Gefahr einer unmittelbaren Konfrontation auf ungünstigstem Terrain. Hinzu kam, daß eine Preisgabe internationaler Abmachungen gerade im Fall Österreichs äußerst gefährlich schien, da, wie sich im Krim-Krieg und im italienischen Krieg gezeigt hatte, kaum ein anderer Staat so auf die Existenz und das Funktionieren einer von den Großmächten garantierten europäischen Rechtsordnung angewiesen war.

Angesichts dessen war man in Wien außerordentlich erleichtert, als der preußische Ministerpräsident und Außenminister sogleich seine Bereitschaft zu engster Zusammenarbeit in der ganzen Frage signalisierte. Das galt in erster Linie für den österreichischen Außenminister, den Grafen Rechberg, Bismarcks Frankfurter Kollegen in den fünfziger Jahren. Er hatte die im Kern antipreußischen Aktivitäten seiner von Ludwig von Biegeleben angeführten Räte bisher schon eher skeptisch beobachtet und war stärker als sie von der Lebensnotwendigkeit eines friedlichen Ausgleichs mit Preußen überzeugt gewesen. Immerhin hatte er ihren Vorstoß in der Bundesreformfrage mitgetragen und sich, in Abwehr der preußischen Forderungen, auf das eingelassen, was Bismarck spöttisch eine Politik des »unternehmende(n) Leichtsinn(s)« nannte. Nun aber erschien Rechberg das preußische Minimalprogramm, das der preußische Ministerpräsident neben seinem Maximalprogramm knapp ein Jahr früher in den Gesprächen mit dem österreichischen Gesandten Graf Károlyi entwickelt hatte, auf einmal in einem ganz neuen Licht. Ja, er stellte sich die Frage, ob Bismarck, durch die Erfahrungen auf innenpolitischem Gebiet belehrt, mittlerweile auch auf dem Feld der Außenpolitik ein sehr viel konservativerer Politiker geworden war, als es bisher den Anschein hatte, ein Politiker, der, ungeachtet fortbestehender machtpolitischer Ambitionen, doch sehr viel stärker in den Kategorien der europäischen Rechts- und Machtordnung dachte.

Die gleiche Frage stellte man sich auch in den Kabinetten der übrigen Großmächte. Man neigte hier schließlich mehr und mehr zu der Annahme, daß sich die schleswig-holsteinische Frage unter diesen Umständen als doch nicht so brisant erweisen würde, wie man ursprünglich annehmen mußte. Natürlich blieb überall ein latentes Mißtrauen. Vor allem Napoleon III. konnte es sich schwer vorstellen, daß Bismarck ganz darauf verzichten würde, die nationale Karte zu spielen. Dennoch war unübersehbar, daß sich das Bild, das man sich von dem preußischen Regierungschef gemacht hatte, nach dem offenen Ausbruch der Krise um Schleswig-Holstein erheblich veränderte.

Konfrontiert man diesen Wandel der Einschätzung seiner Person auf der internationalen Bühne, die zunehmende Neigung, in ihm nicht einen Störenfried, sondern einen Mitgaranten der europäischen Ordnung zu sehen, mit dem schließlichen Ergebnis, der Annexion der umstrittenen Gebiete durch Preußen und der Isolierung Österreichs, das schließlich ohne einen ins Gewicht fallenden Bundesgenossen in den Entscheidungskampf um die Vormachtstellung in Mitteleuropa ging, dann ist man leicht geneigt, auch dies bereits für das Ergebnis einer im höchsten Grade machiavellistischen Politik zu halten. Wie so oft beruht freilich auch hier das Urteil, das sich nicht selten mit geheimer Bewunderung für einen solchen vollendeten Machiavellismus verbindet, auf der Annahme einer inneren Folgerichtigkeit des Handelns, der konsequenten Durchsetzung eines langfristigen Plans, die vom Ergebnis auf die Absicht, sozusagen von der Tat auf den Täter schließt.

Bismarck hat mit nachträglichen Selbstinterpretationen, die er ganz bewußt zur Aufwertung seines politischen Prestiges einsetzte und die ihn gelegentlich selbst völlig überzeugten, diese Sicht noch zusätzlich unterstützt. In Wahrheit aber wird man gerade in der schleswig-holsteinischen Frage davon ausgehen müssen, daß neben dem sehr allgemeinen Ziel, daß am Ende für Preußen etwas herauskommen müsse, zunächst einmal überwiegend negative Faktoren sein Verhalten und seine Aktionen bestimmten. Das Ergebnis stellte gleichsam die Diagonale aus einem Parallelogramm zu vermeidender Übel dar, und der preußische Ministerpräsident wußte zunächst vor allem, was er nicht wollte.

Da war einmal die feste Entschlossenheit, eine Aufwertung des Bundes unbedingt zu verhindern. Dieser sollte weiterhin als unfähig erscheinen, die Interessen Deutschlands und der deutschen Staaten wirksam zu vertreten. Hinzu kam die Sorge, daß Österreich versucht sein könnte, seine Bundesreform-Mehrheit vom August zu einer großen Offensive gegen Preußen und zugunsten der endgültigen Etablierung der eigenen Vormachtstellung in Mitteleuropa zu benutzen. Eine Initiative in dieser Richtung schien, so problematisch sie vom österreichischen Staatsinteresse her gesehen im Kern sein mochte, auch insofern nicht ganz ausgeschlossen zu sein, als die Führungsmächte des sogenannten Dritten Deutschland, Bayern, Württemberg und Sachsen, auf die Errichtung eines neuen Mittelstaates setzten. Dieser werde, so hofften sie, die Gewichte in einem reformierten Bund unter österreichischer Führung noch weiter zu ihren Gunsten verschieben und die Macht Preußens zusätzlich herabdrücken.

Ein weiterer negativer Bestimmungsgrund war für Bismarck der Prozeß der österreichisch-französischen Annäherung. Er war durchaus nicht sicher, ob diese Annäherung von seiten Napoleons III. bloß taktisch gemeint war oder ob sich mit ihr ein größeres Geschäft anbahnte mit möglichen Zugeständnissen Österreichs in Italien zugunsten einer Befestigung seiner Macht in Mitteleuropa; vielleicht war der französische Kaiser inzwischen ernsthaft der Meinung, Österreich stelle angesichts seiner inneren Strukturprobleme und der Lage seiner Staatsfinanzen für Frankreich langfristig eine geringere Gefahr dar als Preußen.

Außerdem bedrückte Bismarck die ständige Sorge vor einem Zusammengehen zwischen Paris und Petersburg. Sie vermehrte sich jetzt noch dadurch, daß Rußland im weiteren Verlauf die Thronkandidatur des Großherzogs von Oldenburg, eines Verwandten des Zarenhauses, unterstützte und sich damit der französischen Position einer Lösung der Frage nach dem Nationalitätenprinzip in der Sache stark annäherte. Schließlich spielte eine gewisse, wenn auch wohl nicht zentrale Rolle die Tatsache, daß der Augustenburger eindeutig der liberalen Fürstengruppe zuneigte und mit ihr das kleindeutsche Programm favorisierte. Sein Erfolg drohte bei Lage der Dinge anderen Kräften zugute zu kommen. Er drohte auch im kleindeutschen Rahmen die Front der politischen Gegner Bismarcks zu stärken – dies zumal, wenn ein solcher Erfolg etwa mit der Unterstützung Englands zustande kommen sollte, auf dessen Beistand bei der Lösung der deutschen Frage der kleindeutsche Liberalismus und die ihm nahestehenden deutschen Fürsten immer gesetzt hatten. Eine solche Möglichkeit von vornherein abzuschneiden und England so lange wie möglich auf seinem Kurs der unbedingten Erhaltung des internationalen Status quo in Europa zu halten, war von daher, aber auch aus anderen Erwägungen heraus ein weiteres bestimmendes Element seiner Politik in der schleswig-holsteinischen Frage.

Für die Annahme einer weitgehenden Bestimmung seines Handelns sozusagen vom Negativen her, von dem Kalkül, wie sich bestimmte Gefahren am ehesten vermeiden ließen, spricht im übrigen nicht nur die Analyse der konkreten Situation, seiner einzelnen Äußerungen und Maßnahmen. Dafür spricht vielleicht noch mehr sein ganzes politisches Grundkonzept, seine Grundauffassung vom Wesen der Politik und der Rolle des Einzelnen in ihr. Nicht zufällig hat er sie auf dem Höhepunkt seines Erfolges in der schleswig-holsteinischen Frage am eindrucksvollsten formuliert. Es war dies ein Erfolg, der, wie er nur zu genau wußte, in wesentlichen Punkten nicht das Werk eigener Planung und genialer Ausnutzung der Situation in deren Sinne, sondern der ihn begünstigenden Umstände war – wenngleich er natürlich nicht »wie ein Fähnrich« in die Sache hineingezogen war, ohne sich »den Weg klarzumachen, den ich vor Gott verantworten kann«, wie er es einem engen Mitarbeiter gegenüber ganz zu Anfang der Krise einmal formuliert hat. Und er wußte auch, daß die Umstände den besonders begünstigen, der sich von ihnen leiten läßt, ihnen Lösungen abgewinnt und sie ihnen nicht aufzuzwingen versucht.

In diesem Sinne erscheint Bismarcks Politik in der schleswig-holsteinischen Frage geradezu als Paradebeispiel einer durch und durch unorthodoxen, weitgehend von den Umständen und wechselnden Gegebenheiten geleiteten, kurz pragmatischen Politik: als ein Paradebeispiel ihrer Möglichkeiten, aber auch ihrer Grenzen. Letztere lagen vor allem in ihrem Ansatz, in den Vorentscheidungen, die ihre Grundrichtung bestimmten und, dem Handelnden selbst oft kaum bewußt, den Kreis möglicher Alternativen von vornherein einengten.

An der Spitze rangierte die Überzeugung, daß die ganze Frage nur durch Krieg gelöst, wie ein gordischer Knoten nur mit dem Schwert durchhauen werden könne. Ihr hatte er bereits Ende Dezember 1862 in einem Schreiben an den preußischen Gesandten in Karlsruhe, Graf Flemming, und dann Anfang Februar 1863 dem preußischen König gegenüber Ausdruck gegeben, als er zu dem Vorschlag des Großherzogs von Oldenburg Stellung nahm, der Bund solle, obwohl nicht Unterzeichner, das Londoner Protokoll aufgrund der dänischen Rechtsbrüche für hinfällig erklären. Diese Überzeugung war die Leitlinie, von der aus er die Einzelprobleme entschied, die sich im weiteren Verlauf stellten, und die vor allem die Schritte bestimmte, die er unternahm, um die Lösung anderer Probleme in seinem Sinne voranzutreiben.

Im Zentrum standen das Verhältnis zu Österreich und die weitgehende Ausschaltung des Deutschen Bundes, und zwar in demonstrativer, die Zukunft bestimmender Absicht. Als Hauptinstrument diente ihm das Argument der Heiligkeit internationaler Verträge, jener Verträge, die er insgeheim für unhaltbar hielt. Mit anderen Worten: Da er von vornherein nur eine Lösung sah, nämlich die kriegerische, hatte er sowohl Zeit als auch Abstand, die rasch wechselnden Situationen und Konstellationen jeweils auf ihre Möglichkeiten hin durchzukalkulieren und die Voraussetzungen für ein etwaiges Endergebnis zu erkunden, das ja mit der Kriegsentscheidung, wie immer sie fallen mochte, noch keineswegs gegeben war. Das erklärt, warum seine im einzelnen höchst pragmatische, stets ernsthaft mit mehreren Möglichkeiten operierende Politik im Rückblick zugleich den Eindruck einer von vornherein höchst zielbewußten Entschlossenheit vermittelt.

An ihrem Anfang stand eine radikale Umkehr der Fronten in Mitteleuropa. Ihre Tragweite wurde allerdings den leidenschaftlich engagierten Zeitgenossen vorerst kaum bewußt. Preußen und Österreich, die sich auf Bismarcks Initiative Ende November, Anfang Dezember 1863 zunächst formlos auf eine gemeinsame Politik der unbedingten Einhaltung der Verträge von 1852 verständigt hatten, bildeten plötzlich gegenüber der ihrerseits immer stärker kooperierenden Gruppe der Mittel- und Kleinstaaten eine feste Aktionseinheit. Sie sprachen der von dieser Gruppe gebildeten Bundestagsmehrheit, »der in dem Netze der Vereinsdemokratie gefangenen Politik der Kleinstaaten«, wie Bismarck verächtlich formulierte, das Recht ab, den Bund als eigenständigen Faktor auf dem Feld der internationalen Politik ins Spiel zu bringen.

Das ergab sich ad hoc, war Resultat der Tatsache, daß sich im Bundestag aus ganz unterschiedlichen Motiven ihrer einzelnen Mitglieder eine pro-augustenburgische Mehrheit gebildet hatte, die in Übereinstimmung mit der deutschen Nationalbewegung einen Bundesstaat Schleswig-Holstein unter Führung des Augustenburgers durchsetzen wollte. Es hatte jedoch zur Konsequenz, daß damit der Bund nun nicht mehr nur von einer, sondern von beiden deutschen Großmächten prinzipiell in Frage gestellt wurde. Er wurde auf diese Weise bereits zu einem Zeitpunkt, an dem er erstmals in seiner Geschichte aufgrund seiner Politik die Unterstützung und Zustimmung breiter Bevölkerungsgruppen fand, in seiner Existenz tödlich getroffen. Denn es zeigte sich sehr bald, daß weder Preußen noch Österreich bereit waren, sich ihre Außenpolitik durch den Bund vorschreiben zu lassen. Ja, beide schreckten nicht davor zurück, angesichts der nun einmal gegebenen Situation offen zu bekunden, daß über die Gültigkeit und Verbindlichkeit von Bundesbeschlüssen in letzter Instanz die beiden deutschen Großmächte zu entscheiden hätten.

Das fand seinen Ausdruck vor allem in einer zweiseitigen Vereinbarung, die Károlyi und Bismarck am 16. Januar 1864 in Berlin unterzeichneten. Sie war von außerordentlich weitreichender Bedeutung. Denn wenn beide Mächte das »Recht« beanspruchten, sich über Entschließungen des Bundes hinwegzusetzen, so war nicht einzusehen, warum dies in Zukunft nicht auch eine Macht allein tun könne.

In Abwehr einer Reihe von Bundesbeschlüssen, die de facto auf die Etablierung der Herrschaft des Augustenburgers in Schleswig und Holstein zielten, konstatierten Preußen und Österreich, sie würden jede weitere Maßnahme des Bundes in dieser Richtung »als unvereinbar mit der Verfassung des Bundes und dessen Kompetenz überschreitend« und somit als ungültig ansehen. Konkret handelte es sich um die Frage der Besetzung Schleswigs durch Bundestruppen und um das Problem, welchem Ziel eine solche auch von Preußen und Österreich befürwortete Besetzung dienen solle. Die Bundestagsmehrheit hatte dabei immer unverhohlener die Schaffung vollendeter Tatsachen zugunsten des Augustenburgers vor Augen. Preußen und Österreich hingegen strebten eine »Pfandbesetzung« als Zwangsmaßnahme gegenüber Dänemark und dem dänischen König an. Sie sollte Kopenhagen veranlassen, die Bestimmungen des Londoner Protokolls in vollem Umfang zu erfüllen, also die Novemberverfassung zurückzunehmen.

So jedenfalls lautete die offizielle Begründung, die beide Mächte ebenfalls am 16. Januar in einem kurzfristigen Ultimatum an Dänemark noch einmal unterstrichen. Ernsthaft konnte jedoch auch Österreich nun nicht mehr im Zweifel darüber sein, daß das Londoner Protokoll und seine Bestimmungen bei Lage der Dinge nur noch den Rechtstitel für ein gemeinsames preußisch-österreichisches Einschreiten bildeten. Eine faktische Rückkehr auf den

Boden dieses Protokolls schien höchst unwahrscheinlich zu sein. Die preußisch-österreichische Vereinbarung sprach dies auch ganz offen an: »Für den
Fall, daß es zu Feindseligkeiten in Schleswig käme«, hieß es darin, »und also
die zwischen den Deutschen Mächten und Dänemark bestehenden Vertrags-
Verhältnisse hinfällig würden, behalten die Höfe von Preußen und Österreich
sich vor, die künftigen Verhältnisse der Herzogtümer nur in gegenseitigem
Einverständnis festzustellen.«

Damit war eine zweite zentrale Entscheidung endgültig gefallen: Wien
hatte sich nun definitiv an Preußen gebunden. Es hatte ausdrücklich erklärt, es
werde einer Lösung nur dann zustimmen, wenn auch Berlin einverstanden sei.
Das aber bedeutete, daß man auch in dieser Hinsicht etwaige Bundesbeschlüs-
se, die in eine andere Richtung zielten, von vornherein für unerheblich
erklärte und auf diese Weise den Bund endgültig ausschaltete. Und es hieß
auch, daß Berlin Wien von nun an jederzeit dazu zwingen konnte, sich
entweder den preußischen Wünschen zu unterwerfen oder aber sich über ein
Gebiet in einen Konflikt einzulassen, das seiner eigenen Einfluß- und
Interessensphäre ganz fern lag.

Einen solchen Konflikt hätte der Kaiserstaat zudem von einer höchst
ungünstigen Ausgangsposition aus ins Auge fassen müssen. Denn in der
besonderen Situation konnte Wien weder mit der Unterstützung des Bundes
noch der der deutschen Öffentlichkeit rechnen – es sei denn, die österreichische Regierung vollzog eine völlige, die eigene Politik radikal desavouierende
Kehrtwendung. Man versteht daher, warum Bismarck, während die verbündeten preußisch-österreichischen Truppen unter dem Oberbefehl des preußischen Generalfeldmarschalls Friedrich von Wrangel seit Anfang Februar
1864 Schleswig besetzten, den Augenblick für gekommen hielt, zumindest im
engsten Kreis, im Rahmen des preußischen Ministerrats, das Kriegsziel zu
nennen, das ihm jetzt vorschwebte. Nicht die Integrität der dänischen
Monarchie unter den Bedingungen des Londoner Protokolls sei, so erklärte er
am 3. Februar, sein Ziel, sondern die Vereinigung der Elb-Herzogtümer mit
Preußen.

Abermals setzte er die weitere Entwicklung, die Ausweitung des Konflikts
zu einem förmlichen Krieg mit Dänemark, mit Selbstverständlichkeit voraus.
Die Hoffnung auf Verständigungslösungen, wie man sie in Wien hegte,
behandelte er als bloßes Spielmaterial, um eine vorzeitige Diskussion gemeinsamer Kriegsziele zu verhindern. Hier also sah er schon sehr früh kaum noch
ein ernsthaftes Problem. »Es ist noch nicht dagewesen, daß die Wiener Politik
in diesem Maße en gros und en detail von Berlin aus geleitet wurde«, hatte er
schon am 24. Dezember 1863 triumphierend an den preußischen Botschafter
in Paris, Graf Robert von der Goltz, geschrieben.

Was ihn viel mehr bewegte, war die Haltung seines eigenen Königs. Dieser
neigte, von Schleinitz, von der Goltz und seinem badischen Schwiegersohn

beeinflußt, mehr und mehr dazu, gleichfalls den Augustenburger zu favorisieren. Er hoffte, auf diese Weise zu einem Frieden mit der Bundestagsmehrheit und mit der deutschen Nationalbewegung zu gelangen, ja, vielleicht sogar Gelegenheit zu finden, eine Neuauflage der Unionspolitik in Gang zu bringen. Während Bismarck auf der europäischen Ebene die Fäden mehr und mehr in die Hand zu bekommen glaubte, drohten sie ihm sozusagen im eigenen Haus zu entgleiten.

Schon Anfang Dezember 1863 hatte er gemeint, zur schärfsten Waffe, zum Rücktrittsangebot, greifen zu müssen, um den König auf seiner Linie zu halten – »seit Schleswig-Holstein«, so Bismarck sechzehn Jahre später, habe er seinem Monarchen »alles schrittweise abringen müssen«, »immer den Kabinettsrevolver zur Hand«. Und die Rücktrittsdrohung allein schien ihm nicht einmal zureichend. Statt in dieser Phase der Opposition gegenüber bereits vorsichtig auf mögliche interessante Ergebnisse der preußischen Interventionspolitik abheben zu können, glaubte er sich gezwungen, die Tonart noch einmal erheblich zu verschärfen, um den König erneut an die Priorität des inneren Konflikts zu erinnern.

Den Anlaß, dem König im Hinblick auf die innenpolitische Situation seine Unentbehrlichkeit zu demonstrieren, bot Bismarck die Debatte über eine Anleiheforderung der Regierung im Zusammenhang mit der schleswig-holsteinischen Krise am 21. und 22. Januar 1864. Da die ablehnende Haltung der Mehrheit von vornherein feststand, wäre es für ihn, zumal in einer so brisanten außenpolitischen Situation, ein leichtes gewesen, sich auf eine knappe und vorsichtige Darlegung der Position der Regierung zu beschränken. Doch er ergriff sofort die Offensive und beschuldigte die Mehrheit, in Umkehr des so oft gegen ihn verwandten Arguments, sie stelle ein außenpolitisches Problem ganz in den Dienst des innenpolitischen Streits und lasse sich in ihrer Haltung einmal mehr völlig hiervon bestimmen. »Das Hauptmotiv« der zu erwartenden Ablehnung sei »der Mangel an Vertrauen zu dem jetzigen Ministerium, darin konzentriert sich alles, das ist der Brennpunkt Ihrer ganzen Argumentation«. Worum es gehe, sei auch hier wieder, »die Alleinherrschaft dieses Hauses in Preußen herzustellen«. Wenn man auf seiten der Opposition ehrlich sei, dann würde man offen zugeben, »daß es sich hier um einen Kampf handelt über die Herrschaft Preußens zwischen dem Hause der Hohenzollern und dem Hause der Abgeordneten«. Folge die Regierung in dieser Situation den Wünschen der Mehrheit, fuhr er fort, dann wären ihre Mitglieder nicht mehr »Königliche Minister«, sondern »Parlamentsminister«: »Wir würden *Ihre* Minister sein, und dazu, das hoffe ich zu Gott, werden wir nicht kommen!«

Der eigentliche Adressat dieser Scharfmacherei war eindeutig der schwankend gewordene König, von dem Bismarck einen Tag vor dieser Rede, auch hier mit dem Ziel der Mobilisierung entsprechender Gegenkräfte, an Roon geschrieben hatte: »Ich habe das Vorgefühl, daß die Partie der Krone gegen die Revolution verloren ist, weil das Herz des Königs im anderen Lager und sein Vertrauen mehr seinen Gegnern als seinen Dienern zugewandt ist.« Aber das konnte in der Öffentlichkeit niemand wissen. Es war ein eher zweischneidiger Erfolg, wenn sich der König mit der zwei Tage später neuerlich verfügten Schließung des Landtags noch einmal demonstrativ hinter seinen Ministerpräsidenten und dessen Politik stellte. Zwar suchte Bismarck in seiner Rede bei der Schlußsitzung erneut jeden möglichen Zweifel daran zu verscheuchen, diese Übereinstimmung erstrecke sich nicht mit innerer Notwendigkeit auch auf den Bereich der Außenpolitik. Er sprach von dem »Bestreben« des Abgeordnetenhauses, »die auswärtige Politik der Regierung einem verfassungswidrigen Zwange zu unterwerfen«, ja, von der Tendenz, für den Fall eines kriegerischen Konflikts in Deutschland selber »im voraus gegen das preußische Vaterland Partei« zu nehmen. Gerade dieser Versuch, jede andere als die von ihm, Bismarck, verfolgte Außenpolitik als Kapitulation vor der innenpolitischen Opposition darzustellen, zeigt jedoch, wie sehr er mit dem Rücken zur Wand kämpfte und wie gefährlich ihm ausgerechnet seine Außenpolitik zu diesem Zeitpunkt zu werden drohte.

Einige Vertreter der Opposition haben dies sehr klar erkannt und versucht, es politisch auszubeuten. An ihrer Spitze stand wiederum Rudolf Virchow. Gleichfalls unübersehbar an die Adresse des Königs gewandt erklärte er in jener Debatte, Bismarck werde immer mehr zum reinen Kreuzzeitungsmann, wie sein Zusammengehen mit Österreich mit dem Ziel der unbedingten Erhaltung des Status quo zeige: »Er ist nicht mehr der Mann, wie er hier eingetreten ist mit dem Gefühle, er werde durch eine energische äußere Politik etwas ausrichten.«

In Abwehr dieses in der gegenwärtigen Situation einigermaßen gefährlichen Arguments ließ Bismarck einen Augenblick lang sozusagen das Visier fallen. Er habe, so antwortete er Virchow, »nach dem Satze gehandelt: ›Flectere si nequeo superos, Acheronta movebo!‹ Ich habe, als ich herkam, allerdings die Hoffnung gehegt, daß ich noch bei andern als bei mir die Neigung finden könnte, den Parteistandpunkt unter Umständen dem allgemeinen vaterländischen Interesse zu opfern. Ich will nicht näher hervorheben, um niemand zu verletzen, inwieweit und bei wem ich mich darin getäuscht habe; getäuscht aber habe ich mich, und natürlich wirkt das auf meine politische Stellung und Beziehungen ein.«

Hier blitzte ganz kurz auf, was nach wie vor, selbst auf dem Höhepunkt des Konflikts, sein eigentliches Ziel war: ein Zusammengehen mit der nationalen Bewegung und mit dem kooperationsbereiten Teil des Bürgertums. Aber dieses Ziel war für ihn im Moment gerade durch die Abkürzung verstellt, die sich vielen, darunter zunehmend dem preußischen König, auf dem Weg dahin zu bieten schien. In der großen Auseinandersetzung mit Robert von der Goltz, dem Pariser Botschafter, der immer mehr das Ohr des Königs zu gewinnen drohte, hat er klar gemacht, warum in seinen Augen eine Unterstützung des Augustenburgers und der ihn tragenden Volksbewegung das Gegenteil von dem bewirken werde, was man damit zu erreichen hoffe.

Goltz, der seit Jahren tendenziell ähnliche politische Ziele verfolgte wie Bismarck, vor allem was die Verbindung einer konservativen Innenpolitik mit einer kleindeutsch-nationalen Außenpolitik anging, hatte den preußischen Regierungschef aufgefordert, die einmalige Chance zu ergreifen und sich an die Spitze der Schleswig-Holstein-Bewegung und der sie unterstützenden deutschen Mittel- und Kleinstaaten zu stellen. Wenn er anders handele, so setze er »nicht allein« seine »Zukunft, sondern diejenige der Dynastie, die Großmachtstellung Preußens, die Existenz der konservativen Partei aufs Spiel«: »Die faktische Lostrennung eines deutschen Landes von Deutschland, mitten im 19. Jahrhundert, ohne Schwertstreich, das wäre der Bruch mit Preußens Beruf.«

Bismarcks Antwort auf diesen Brief eines Mannes, der sich dem König kaum verhüllt als personelle und sachliche Alternative zu der derzeitigen preußischen Außenpolitik präsentierte und auch Bismarck gegenüber schließlich ganz offen von einer mit dem monarchischen Prinzip unvereinbaren »Diktatur des Ministers der auswärtigen Angelegenheiten« sprach, fiel ebenso scharf wie grundsätzlich aus. Wer werde denn der Sieger sein, so hieß es in dem entscheidenden Brief vom 24. Dezember 1863, wenn Preußen sich zu einem Zusammengehen mit den Regierungen der Mittel- und Kleinstaaten zugunsten des Augustenburgers entschlösse? Selbst wenn man wider jedes Erwarten »an der Seite von Pfordten, Koburg und Augustenburg, gestützt auf alle Schwätzer und Schwindler der Bewegungspartei«, den mit Sicherheit zu erwartenden Widerstand der übrigen europäischen Großmächte überwinden werde – der Kampfpreis sei dann »ein Großherzog mehr in Deutschland, der aus Sorge für seine neue Souveränität am Bunde gegen Preußen stimmt«. Und wenn man dies nicht wolle, wenn man die Gelegenheit zu benutzen versuche, die deutsche Frage im preußisch-kleindeutschen Sinne zu lösen? Dann gab es dazu nur einen Weg – Bismarck sprach ganz bewußt in der Vergangenheit, um anzudeuten, daß seiner Meinung nach eine solche Chance sowieso schon vorbei sei: »Wir mußten... unseren Verbündeten *durch* eine Reichsverfassung den Boden unter den Füßen wegziehen und dennoch dabei auf ihre Treue rechnen. Mißlang das, wie zu glauben, so waren wir blamiert; gelang es, so hatten wir die Union *mit* der Reichsverfassung«, also mit der Verfassung von 1849. Man mache sich also auf diese Weise und noch dazu mit höchst unsicheren Erfolgsaussichten zum bloßen Vollstreckungsorgan des kleindeutschen Liberalismus.

Das wollte auch Goltz nicht. Er stand im Gegenteil einer »Einigung von oben«, einer kleindeutschen Bundesreformpolitik im konservativen Sinne näher als den von Roggenbach im einzelnen formulierten Vorstellungen der liberalen Fürstengruppe und versuchte dem König einzureden, man könne bei dieser Gelegenheit »das Gagernsche Programm ohne Reichsverfassung... verwirklichen«. Zwar wich Bismarck der naheliegenden Frage aus, wie er selbst sich denn den weiteren Gang der Dinge vorstelle; er könne sich schwerlich über seine »letzten Gedanken« frei gegen Goltz auslassen, »nachdem Sie mir politisch den Krieg erklärt haben«. Doch er deutete immerhin so viel an, daß zumindest dem rückschauenden Betrachter die Zielrichtung sehr deutlich wird.

Alles, so orakelte er, sei in Europa in Gärung und Bewegung. Frankreich suche förmlich Konflikte, wie Goltz selber berichtet habe. Die polnische Frage schwele weiter; auch in Galizien drohe eine Revolution. »Rußland hat zweihunderttausend Mann über den polnischen Bedarf auf den Beinen und kein Geld zu Phantasie-Rüstungen, muß also mutmaßlich doch auf Krieg gefaßt sein.« »Ich bin es«, fuhr er fort, »auf Krieg und mit Revolution kombiniert.« Und um keinen Zweifel daran zu lassen, daß ihm diese Diagnose durchaus ins Konzept paßte, fügte er hinzu: »Ich bin dabei in keiner Weise kriegsscheu, im Gegenteil, bin auch gleichgültig gegen revolutionär oder konservativ, wie gegen alle Phrasen. Sie werden sich vielleicht sehr bald überzeugen, daß der Krieg auch in meinem Programme liegt.«

Das war nicht ausschließlich mit Blick auf Schleswig-Holstein, auf den sich anbahnenden Konflikt mit Dänemark formuliert. Es war diktiert von jener Grundüberzeugung, die er im Zusammenhang mit dem Krim-Krieg und der von ihm hier vorgeschlagenen Politik einmal in die Worte gefaßt hatte: »Die großen Krisen bilden das Wetter, welches Preußens Wachstum fördert, indem sie furchtlos, vielleicht auch sehr rücksichtslos von uns benutzt wurden.« Nur auf dem Schlachtfeld werde sich letzten Endes eine Lösung der deutschen Frage finden lassen. Dieser Einsicht müsse sich alles andere unterordnen: »Unsere Stärkung kann nicht aus Kammern- und Preßpolitik, sondern nur aus waffenmäßiger Großmachtpolitik hervorgehen, und wir haben nicht nachhaltiger Kraft genug, um sie in falscher Front und für Phrasen und Augustenburg zu verpuffen.«

Bismarck bestritt keineswegs, daß ein Zusammengehen mit der kleindeutschen Nationalbewegung erstrebenswert sei. »Vielleicht«, so formulierte er bewußt vage, »werden noch andere Phasen kommen, die Ihrem Programm nicht sehr fern liegen.« Nur den Stellenwert wollte er ganz klargestellt wissen. Er ergab sich für ihn aus der seiner Meinung nach unbestreitbaren Tatsache, daß eine Politik, die sich ihre spezifische Richtung und ihre konkreten Schritte nicht von der internationalen Situation und den in ihr liegenden Chancen, sondern von anderer Seite vorschreiben lasse, zum Scheitern verurteilt sei.

Es wird an dieser Auseinandersetzung mit dem Vertreter eines konkurrierenden Modells konservativer kleindeutscher Einigungspolitik ganz deutlich, daß die Bismarcksche Politik im Kern – und das machte sie seinem König stets unheimlich – Konfliktpolitik gewesen ist. Eine wirkliche Änderung des Status quo auf der internationalen Ebene hielt er nur durch Krieg für erreichbar. Die Idee friedlicher Veränderung erschien ihm als eine bloße Phantasie. Und ebenso sah er in jedem einen politischen Illusionisten, der annahm, Veränderungen einschneidender Art auf diesem Feld könnten auf Dauer ohne Änderungen in den inneren Verhältnissen erreicht und erhalten werden.

Es war kein Zufall, daß er in dem Brief an Goltz Krieg und Revolution fast in einem Atemzug nannte. So wie der Krieg nicht selten eine direkte oder indirekte Antwort auf Revolutionen darstellte, so war er, wie Bismarck sehr genau wußte, zugleich selber eine Revolution, und zwar nicht nur der Staatenbeziehungen, sondern, in Rückwirkung und Impuls, auch der inneren Fronten und Ordnungen. Die Konsequenz, die er aus solcher Einsicht zog, war ebenso pragmatisch wie revolutionär. Sie lautete: In einer entscheidenden Konfliktsituation kann dem Handelnden alles als Mittel dienen. Eben das verleihe ihm einen außerordentlichen Vorsprung.

Wann Bismarck in der schleswig-holsteinischen Frage zum ersten Mal den möglichen Ausgangspunkt für den ganz großen, die deutsche Frage entscheidenden Konflikt gesehen und ab wann er demgemäß eine solche Mobilisierung aller sich bietenden Kräfte ins Auge gefaßt hat, läßt sich nur schwer sagen. Fraglos hat ihn die Auseinandersetzung mit Goltz und seinen Vorschlägen bereits in diese Richtung gedrängt. Auf der anderen Seite ließ ihn die außerordentlich ungünstige innenpolitische Konstellation um die Jahreswende 1863/64 zunächst noch zögern und alles der weiteren Entwicklung anheimstellen.

Der weitere Gang der Dinge hat dann freilich sehr bald alle Unsicherheiten beseitigt. Er hat die Bahn für das eröffnet, was viele Zeitgenossen mit dem Blick auf die Ergebnisse die »deutsche Revolution« nannten. Wie alle Revolutionen, so entwickelte sich auch diese nach ihren eigenen Gesetzen oder, besser gesagt, nach den allgemeinen Bedingungen, die in sie eingingen und auf sie einwirkten. Indem Bismarck sich ihrer als Mittel bediente, eröffnete er ihnen zugleich die Bahn, wurde sozusagen zu ihrem Geschäftsführer wider Willen. Auf dem Höhepunkt seiner politischen Laufbahn ging das, was er an Ergebnissen herbeiführte, stärker als jemals zuvor oder jemals später, über die Ziele hinaus, die er im Auge hatte – vielleicht das Signum individueller historischer Größe überhaupt und auch ihr stärkstes Paradox.

Nach der weitgehenden Ausschaltung des Bundes und dem vereinbarten selbständigen Vorgehen der beiden deutschen Großmächte hatte sich der Konflikt um Schleswig-Holstein und um die politische Zukunft der Herzogtümer, wie vorauszusehen, zu einem förmlichen österreichisch-preußisch-dänischen Krieg entwickelt. In ihm traten die beiden deutschen Mächte anfangs sozusagen als selbständige Vollzugsorgane des internationalen

Rechts auf, also des Londoner Protokolls von 1852. Zu dem entscheidenden Kurswechsel kam es Anfang März 1864, als sich Preußen und Österreich, nach einem bis dahin nur bedingt erfolgreichen Feldzug, unter Hinweis auf die unnachgiebige Haltung Dänemarks ihrerseits von den Londoner Vereinbarungen lossagten und beschlossen, den Krieg über Schleswig hinaus nach Jütland zu tragen und somit den dänischen Kernstaat anzugreifen. Dieser Kurswechsel brachte es mit sich, daß Wien sich den Rückweg endgültig abschnitt. Der Kaiserstaat verzichtete nämlich auch jetzt auf eine feste Vereinbarung über das Kriegsziel, das künftige Schicksal der Herzogtümer, und ließ sich von preußischer Seite mit allgemeinen Formeln und der Aussicht auf eine Einigung vor einer künftigen Friedenskonferenz abspeisen. Künftig wurde die österreichische Politik in dieser Frage tatsächlich »en gros und en détail von Berlin aus geleitet«. Bismarck besaß nun die Möglichkeit, von hier aus manövrierend in die österreichische Gesamtpolitik einzugreifen.

Diese überaus günstige preußische Position wurde durch den Verlauf des Feldzugs noch gestärkt. Kurz vor der Eröffnung einer Konferenz der Großmächte am 25. April 1864, zu der England Ende Februar 1864 nach London eingeladen hatte, errangen preußische Truppen mit der Erstürmung der Düppeler Schanzen am 18. April 1864 einen großen, wenngleich mit schweren Verlusten bezahlten militärischen Sieg. Er erlaubte es Bismarck, in London von einer Position der Stärke aus zu verhandeln.

Mit Rücksicht auf die nicht zu unterschätzende Gefahr der Formierung einer wenn auch heterogenen antipreußischen Koalition, vor der sein eigener König ihn immer wieder eindringlich warnte, taktierte er jedoch äußerst behutsam. Wie gegenüber Österreich, so legte er sich auch hier hinsichtlich des Kriegsziels nicht fest. Er stellte es scheinbar den übrigen Mächten anheim, eine tragfähige Lösung auszuhandeln. Dabei vertraute er von Anfang an darauf, daß eine solche Lösung angesichts der divergierenden Interessen der Mächte kaum zu finden sein werde. Hinzu kam, was ihm in diesem Fall durchaus willkommen war, daß London außer den Signatarmächten des Protokolls von 1852 auch den Deutschen Bund eingeladen hatte: Dessen Konferenzbevollmächtigter, der sächsische Außenminister Graf Beust, brachte, auch wenn der bayerische Versuch gescheitert war, ihn namens des Bundes auf den Augustenburger festzulegen, eine weitere nur schwer zu integrierende Position ins Spiel. Ohne daß Bismarck seine Karten aufdecken mußte, schleppte sich die Konferenz über Wochen ergebnislos dahin. Sie gelangte erst nach dem Scheitern aller Kompromißversuche in ein Stadium, in dem der preußische Regierungschef seine Position einen Augenblick ernsthaft bedroht sah.

Den wesentlichen Anteil an dem für ihn und für Preußen zunächst so günstigen Verlauf der Londoner Konferenz hatte fraglos der eigentliche Kriegsgegner. Obwohl sich Dänemark am 9. Mai zu einem befristeten

Waffenstillstand bereitfand, blieb es in der Sache im Vertrauen auf die schließliche Hilfe Englands und die eigene militärische Kraft ganz und gar unnachgiebig. Den Kompromißvorschlag einer reinen Personalunion zwischen Dänemark und den Herzogtümern bei völliger politischer Unabhängigkeit beider Gebiete lehnte man in Kopenhagen kategorisch ab. Da gleichzeitige Sondierungen über eine mögliche Teilung Schleswigs zur Arrondierung des dänischen Staates unter Preisgabe der restlichen Gebiete ebenfalls auf keinerlei Entgegenkommen von dänischer Seite stießen, geriet die Konferenz mehr und mehr in eine Sackgasse.

Es standen nun de facto nur noch Lösungsmöglichkeiten zur Debatte, die einseitig die eine oder die andere Seite begünstigten. Die Konstellation war inzwischen eindeutig so, daß die von Kopenhagen erhoffte Parteinahme Englands zugunsten Dänemarks zur sofortigen Sprengung der Konferenz und zu einem in seinen Ausmaßen kaum zu berechnenden kriegerischen Konflikt zwischen den verschiedenen Großmächten geführt hätte – ein Schritt, zu dem sich die englische Regierung ungeachtet der prodänischen Stimmung eines Großteils der englischen Öffentlichkeit dann doch nicht entschließen konnte.

So blieben, wie Bismarck Ende Mai der österreichischen Regierung gegenüber nüchtern Bilanz ziehend feststellte, praktisch nur noch drei, im Kern zwei Lösungen, wenn man den von Frankreich vorgeschlagenen Kompromiß einer Teilung des Gebiets nach dem Nationalitätenprinzip, also auf der Basis einer Volksabstimmung, einmal beiseite ließ; versprach ein solcher Vorschlag doch kaum die Zustimmung der von diesem Prinzip bedrohten Vielvölkerstaaten Österreich und Rußland zu finden. Die beiden Lösungen waren: entweder die politische Selbständigkeit Schleswig-Holsteins im Rahmen des Deutschen Bundes, sei es unter dem Augustenburger, sei es unter der oldenburgischen Linie des Hauses Gottorp, oder aber die Annexion durch Preußen.

Damit war der Punkt erreicht, an dem der »dünne Faden« zu reißen drohte, an dem Preußen nach Bismarcks Worten Österreich bislang mit sich »gezogen« hatte. Obwohl der preußische Ministerpräsident in seiner Verhandlungsinstruktion für den Wiener Gesandten scheinbar eine ganz klare Reihenfolge aufstellte und die mögliche Vereinigung mit Preußen erst an dritter Stelle nannte, für den Fall eines Scheiterns der augustenburgischen oder der oldenburgischen Lösung, war die Katze nun endgültig aus dem Sack. Es war klargestellt, daß die preußische Regierung die Möglichkeit einer Annexion sehr ernsthaft erwog; sie wurde seit einigen Wochen auch in der preußischen Öffentlichkeit, nicht ohne massiven Anstoß von oben, ventiliert. Es war ein mit Bismarck seit vielen Jahren eng befreundetes prominentes Mitglied der Konservativen Partei, Graf Arnim-Boitzenburg, der im Mai 1864 eine Petition zugunsten der Annexion lancierte, die dann binnen weniger Wochen mehr als siebzigtausend Unterschriften fand.

Hinzu kam, daß Bismarck seinen Gesandten gleichzeitig einen Katalog harter preußischer Forderungen an den Augustenburger vortragen ließ: Dieser müsse »Bürgschaften für ein wirklich konservatives Regiment« geben, sich zu diesem Zweck »von seinen bisherigen Umgebungen und Verbindungen« frei machen und statt der Verfassung von 1848 eine modifizierte altständische Verfassung einführen. Selbst Rechberg konnte sich kaum noch dem Eindruck entziehen, daß Preußen bei nicht völliger Willfährigkeit des Herzogs versuchen werde, diese und dann auch die oldenburgische Lösung zu torpedieren.

Das Ganze lief also einmal mehr auf das Programm einer Herrschaftsteilung in Mitteleuropa hinaus, das Bismarck im Dezember 1862 entwickelt hatte. Als Preis eines engen Zusammengehens der beiden deutschen Großmächte auch in der Zukunft forderte er die preußische Herrschaft über die Dänemark gemeinsam abgenommenen Herzogtümer – sei es indirekt, durch einen sich in jeder Beziehung völlig unterwerfenden monarchischen Vasallen, sei es direkt, durch förmliche Annexion.

Damit war die österreichische Politik an einem Kreuzweg angelangt. Sie mußte sich jetzt entscheiden, ob sie auf dem bisher beschrittenen Weg weitergehen oder im letzten Augenblick umkehren wollte. Wer, wie die Mehrzahl der Räte in Rechbergs Ministerium und wie die starke großdeutsche Partei in der österreichischen Regierung und Öffentlichkeit, nach wie vor eine Lösung der deutschen Frage im österreichischen Sinne, im Sinne des Frankfurter Bundesreformplans, für möglich und durchsetzbar hielt, der mußte für letzteres eintreten. Wer aber, wie Rechberg selber, an einer solchen Möglichkeit mehr und mehr verzweifelte und ständig nach Alternativen Ausschau hielt, wie die sowohl von innen als auch von außen bedrohte Stellung des österreichischen Staates gefestigt und längerfristig gesichert werden könne, den mußte die von Bismarck immer wieder präsentierte Idee einer konservativen Allianz zwischen den beiden deutschen Großmächten ungeachtet aller Gegenargumente nach wie vor faszinieren.

Das Ergebnis war, daß die österreichische Politik unentschieden blieb. Zwar griff man in Wien angesichts der preußischen Annexionsabsicht nun die bislang strikt abgelehnte augustenburgische Lösung auf. Das Außenministerium beauftragte die österreichischen Konferenzbevollmächtigten, sich dafür in London einzusetzen. Aber es fehlte, wie man in Berlin rasch erkannte, eine wirkliche Entschlossenheit, daraus entschiedene Konsequenzen zu ziehen und eine solche Lösung auch um den Preis eines möglichen Bruchs mit Preußen durchzusetzen.

Bismarck sah daher nur ein geringes Risiko darin, sich auf der Londoner Konferenz hinter den österreichischen Vorschlag zu stellen, der, zur größten Enttäuschung Dänemarks, statt einer schroffen Ablehnung durch die englische Regierung nur deren Gegenvorschlag einer Teilung Schleswigs nach der Volkstumsgrenze provozierte.

Schon im Vorfeld der Verhandlungen hielt es der preußische Ministerpräsident freilich, nicht zuletzt mit Blick auf die Haltung seines Königs, für geraten, den Thronprätendenten, den Erbprinzen Friedrich von Augustenburg, mit den sehr weitgehenden Forderungen zu konfrontieren, die er bereits der österreichischen Regierung gegenüber skizziert hatte. Dies geschah in einer damals wie später vielerörterten nächtlichen Unterredung im Auswärtigen Amt am 1. Juni 1864.

Der Augustenburger, der vorher von König Wilhelm äußerst wohlwollend empfangen worden war, war sich selbstverständlich darüber im Klaren, daß er Preußen, von dessen Haltung und künftigen militärischen Erfolgen alles abhing, weit entgegenkommen müsse – sehr viel weiter, als die ihn tragende Volksbewegung es, zumindest außerhalb Preußens, für gerechtfertigt halten würde. Dennoch gab es Grenzen, die zu überschreiten für ihn nicht nur, wie er es selber später darstellte »gegen seine Ehre«, sondern auch politisch selbstmörderisch gewesen wäre: Als reine Marionette Preußens und der verhaßten Regierung Bismarck konnte und durfte er nicht dastehen.

Bei dieser Ausgangslage war es für Bismarck ein leichtes, den Augustenburger auszumanövrieren. Der Erbprinz konnte entweder zu allem Ja und Amen sagen: zu den genannten Punkten sowie zur Errichtung eines preußischen Kriegshafens und damit zu einer radikalen Beschränkung auch der militärischen Souveränität. Dann hätte er vermutlich seine Basis im Land selber, aber auch bei der nationalen Bewegung und bei den mittelstaatlichen Regierungen verloren: Daß Bismarck für eine entsprechende Verbreitung und Interpretation der Zugeständnisse gesorgt hätte, darf man ohne weiteres unterstellen. Oder aber der Erbprinz konnte gewisse Einwände erheben, wie er das dann tatsächlich tat. Dann lieferte er Bismarck, dessen König, der österreichischen Regierung, den übrigen Mächten und, in entsprechend dosierter Form, auch der preußischen Öffentlichkeit gegenüber den gewünschten Beweis, er biete nicht genügend Garantien für eine positive Nachbarschaft, er sei undankbar und folge lediglich einem neuen kleinstaatlichen Egoismus.

Wie der Augustenburger sich verhielt, war also fast ohne Belang. Damit erübrigen sich auch alle Fragen, ob er in dieser oder jener Hinsicht geschickter hätte sein können. Was Bismarck als angeblichen »Gesamteindruck der dreistündigen Unterredung« »zusammenfaßte«, stand praktisch vom ersten Augenblick an fest, war Ziel der ganzen Unterhaltung: »Daß der Erbprinz uns nicht mit dankbaren Gefühlen betrachtet, sondern als unwillkommene Mahner, zu deren möglichst unvollständiger Befriedigung er bereit ist, den Beistand der Stände und auch Österreichs in Bewegung zu setzen«. Bismarck wollte kein mehr als dem Namen nach selbständiges Schleswig-Holstein, und der Augustenburger hatte nur zu entscheiden, ob er eine Art fürstlicher Regierungspräsident werden wollte oder nicht.

Ein rückhaltloses Eingehen des Erbprinzen auf die preußischen Wünsche hätte das Verhältnis Preußens zu Österreich wohl vorübergehend erleichtert. Aber es hätte auf Dauer die preußische Manövrierfähigkeit, die man jetzt errungen hatte, wieder eingeschränkt. Man wird daher mit einigen Gründen annehmen können, daß Bismarck auch dann noch versucht hätte, die Kandidatur des Augustenburgers zu Fall zu bringen. Jetzt aber hatte er, nach den zu erwartenden Bedenken und Einwänden des Augustenburgers, bereits alle Argumente in der Hand, um seinem König und dann auch der österreichischen Regierung gegenüber die augustenburgische Lösung für untragbar zu erklären – sowohl vom preußischen als auch allgemein vom konservativen Interesse her.

Die äußeren Umstände erlaubten es Bismarck, sich offiziell ganz zurückzuhalten und damit einer neuerlichen antipreußischen Reaktion in der deutschen Öffentlichkeit auszuweichen. Während er nämlich insgeheim und für den Notfall nun die oldenburgische Karte präparierte, indem er vor allem Rußland gegenüber die preußische Unterstützung einer entsprechenden Kandidatur in Aussicht stellte, lief sich die Londoner Konferenz definitiv an der Frage der Modalitäten einer möglichen Teilung Schleswigs fest.

Nach wochenlangem Hin und Her, bei dem die preußische Seite eine Einigung ganz bewußt noch dadurch erschwerte, daß sie ihrerseits den von Frankreich favorisierten und von Österreich und Rußland strikt abgelehnten Vorschlag einer Volksabstimmung aufgriff, gingen die Beauftragten der Mächte schließlich am 25. Juni ohne Beschluß auseinander. Sie überließen die Entscheidung dem weiteren Waffengang zwischen Dänemark und den beiden deutschen Staaten. Ja, mehr noch: Das Prinzip der gemeinsamen Verantwortung der Großmächte bei internationalen Streitfragen solchen Ausmaßes wurde von ihnen in diesem Fall de facto preisgegeben, obschon vor allem London verbal noch daran festhielt und eine englische Intervention eine Zeitlang nicht ganz ausgeschlossen erschien.

Die endgültige militärische Niederlage Dänemarks war danach bloß noch eine Frage der Zeit. Nachdem preußische Truppen bereits am 28. Juni in einem die deutsche Öffentlichkeit erneut stark beeindruckenden Unternehmen auf die Insel Alsen übergesetzt waren und man in Kopenhagen nun endgültig an der englischen Hilfe verzweifelte, schloß Dänemark am 1. August 1864 einen Vorfriedensvertrag, der im endgültigen Wiener Frieden vom 30. Oktober dann nur noch bestätigt wurde. In ihm verzichtete der König von Dänemark auf alle seine Rechte in den Herzogtümern Schleswig, Holstein und Lauenburg zugunsten des österreichischen Kaisers und des preußischen Königs.

Damit war ein wesentliches Ziel der deutschen Nationalbewegung erreicht. Die bisher so verketzerte Politik der beiden deutschen Großmächte erschien nun in einem ganz neuen Licht. Allerdings hatte das gemeinsame preußisch-österreichische Eintreten zugunsten des Augustenburgers auf der Londoner

Konferenz auch die Erwartung geweckt, die beiden Mächte würden ihren Siegespreis jetzt einfach weitergeben – eine Erwartung, die bei manchem nicht mehr ganz ungetrübt war, zumal sich insbesondere in Preußen selber eine ständig wachsende Zahl von Stimmen zugunsten einer preußischen Annexion erhob. Österreich wurde so erneut vor die Frage gestellt, ob man, nach Abschluß des Krieges, nicht einen entscheidenden Kurswechsel vornehmen und versuchen solle, gemeinsam mit den traditionellen Partnern im Bund und im Zusammenwirken mit der Schleswig-Holstein-Bewegung die augustenburgische Lösung notfalls auch gegen Preußen durchzusetzen.

Eine solche Entwicklung war unschwer vorauszusehen gewesen. Sie war vom preußischen Standpunkt her gesehen durchaus nicht ungefährlich. Und es läßt sich nur schwer abschätzen, wie der weitere Verlauf gewesen wäre, wenn Österreich bereits zu jenem Zeitpunkt entschlossen auf diese Bahn eingeschwenkt wäre. Daß es das nicht tat, hatte eine ganze Reihe von Gründen. Man kann Wiens Zurückschrecken vor diesem Weg nicht allein der angeblichen Unfähigkeit und Unentschlossenheit der österreichischen Politik anlasten.

Zu den Hauptgründen zählte die äußerst schwierige finanzielle Lage, in der sich Österreich seit längerem befand und die durch die Belastungen des Krieges noch verschärft worden war; die Staatsschuld betrug unterdessen mehr als das Fünffache der gesamten Jahreseinnahmen, während diejenige Preußens kaum über die eines Jahres hinausging. Die enorme Schuldenlast bei stagnierenden Einnahmen schuf vor allem innenpolitisch außerordentliche Probleme und legte es nachdrücklich nahe, zum gegenwärtigen Zeitpunkt jeden außenpolitischen Konflikt zu vermeiden – es sei denn, man wollte sich bankrotteurhaft in einen solchen hineinstürzen, weil man gar keinen Ausweg mehr sah. Hinzu kam, daß die traditionelle Koalition im Bund nach der Entwicklung der letzten Monate in sich und im Verhältnis zu der alten Vormacht eine höchst brüchige Basis abzugeben versprach, falls man sie angesichts der Tatsache, daß sich in ihrem Schoß inzwischen auch eine oldenburgische Partei gebildet hatte, überhaupt noch zusammenbekommen würde. Und schließlich blieb eine, wenn auch noch so lockere Partnerschaft mit der Schleswig-Holstein-Bewegung etwas, wovor man in Wien nach wie vor zurückscheute. Dies zumal, als sich nicht absehen ließ, wie das an einer oldenburgischen Thronfolge interessierte Rußland darauf reagieren und wie Frankreich sich verhalten würde, das nur allzu offenkundig auf die eine oder andere Weise wieder ins Geschäft zu kommen suchte.

Bismarck hat diese Überlegungen und Sorgen der österreichischen Seite in realistischer Einschätzung der Gefahren einer pro-augustenburgischen Initiative des Kaiserstaates schon früh ganz zielbewußt genährt. Gleichzeitig hat er Rechberg und den ihm nahestehenden Kreisen, aber auch Franz Joseph selber gegenüber die Vorteile hervorgehoben, die eine Fortsetzung der engen

Zusammenarbeit für beide Mächte und für die Erhaltung der traditionellen Ordnung in Mitteleuropa haben werde. »Wir betrachten«, hieß es in einem Erlaß an den preußischen Gesandten in Wien vom 14. Juni programmatisch, »den dänischen Konflikt wesentlich als eine Episode im Kampf des monarchischen Prinzips gegen die europäische Revolution, und wir entnehmen unsere Richtschnur für die Behandlung der Frage der Herzogtümer den Auffassungen, welche wir von ihrer Rückwirkung auf jene größere Zeitfrage haben.« Das wichtigste Ergebnis der bisherigen Behandlung der schleswig-holsteinischen Angelegenheit durch die beiden deutschen Großmächte sei der »Fortschritt der konservativen Gesinnungen«, den man bereits jetzt konstatieren könne. Dies auszubauen und zu sichern, müsse das eigentliche Ziel sein. Man dürfe daher, hieß es in dem noch aus der kritischen Phase des Krieges stammenden Schriftstück, »die großen konservativen Interessen, welche wir verteidigen«, auch nicht »um eines augenblicklichen guten Verhältnisses zu England willen aufs Spiel setzen«. Das gleiche gelte, fügte Bismarck in einem weiteren Erlaß vom gleichen Tag hinzu, für die Beziehungen zu Frankreich. Sollte Paris einen Krieg vom Zaun brechen wollen, so werde man Frankreich bei Lage der Dinge in »einträchtigem Zusammenwirken« der »drei kontinentalen Großmächte nebst dem übrigen Deutschland« leicht in Schach halten, selbst wenn die französische Macht dabei »durch die italienische verstärkt« werde. Ein solches »einträchtiges Zusammenwirken« nämlich wäre nicht nur »durch die Natur der Sache geboten«. Es werde auch »durch die Gesinnung der Monarchen und der leitenden Staatsmänner verbürgt«. Denn man sei sich hier doch wohl völlig im Klaren, daß »der Sieg Frankreichs der Sieg der Revolution wäre«.

Gerade die Denunzierung Frankreichs als Fackelträger der Revolution, verbunden mit der Vision einer Wiederherstellung der Allianz der drei konservativen Ostmächte und dem verschleierten Angebot einer unbedingten Verteidigung der österreichischen Interessen in Italien, enthüllt den ausgeprägt taktischen Charakter der ganzen Argumentation. Es waren Versatzstücke aus dem politischen Programm und Glaubensbekenntnis der Hochkonservativen in Berlin und Wien, mit dem Bismarck sich oft genug kritisch und distanzierend auseinandergesetzt hatte. Wenn er seiner Frau aus Karlsbad von »einem schweren Tage mit Kaiser- und Rechberg-Arbeit« berichtete, so spürt man förmlich, wie ihm dabei das Bild eines störrischen Gauls vorschwebte, den es mit allen Mitteln vor den Wagen zu spannen galt.

Ungeachtet dessen hat man hierin wiederum den Auftakt zu einer Politik sehen wollen, die, nicht zuletzt im konservativen Interesse, ernsthaft nach Alternativen zu einer kriegerischen Lösung des deutschen Dualismus mit allen damit wahrscheinlich verbundenen innen- und außenpolitischen Konsequenzen suchte. Die dafür ins Feld geführten Argumente und Belege wiegen nicht leicht, zumal sie mit viel Geist und mit Blick für die großen Zusammenhänge vorgetragen worden sind. Im letzten freilich bleiben die darauf gegründeten Thesen und Interpretationen im Reich der Spekulationen. Aus dem verständlichen Bestreben heraus, den Gang der Dinge nicht zu eingleisig zu sehen, unterschätzen sie schon im Ansatz das Element der Gebundenheit der Bismarckschen Politik. Sie schreiben ihr eine Freiheit zu, die sie de facto gar nicht besaß. Das wird sehr deutlich, wenn man das Ergebnis nüchtern analysiert, zu dem diese Politik zunächst einmal führte.

Dieses Ergebnis war der Entwurf einer preußisch-österreichischen Konvention, den Bismarck und Rechberg nach viertägigen Verhandlungen in Schönbrunn am 24. August ihren Monarchen vorlegten. In ihn ging all das ein, was Bismarck in den letzten Wochen der österreichischen Seite in immer neuen Vorstößen an Argumenten zugunsten eines Fortbestands, ja eines möglichen Ausbaus der Schleswig-Holstein-Allianz der beiden deutschen Großmächte vorgetragen hatte. Darüber hinaus spiegelte sich in ihm jenes preußische Minimalprogramm, das Bismarck dem österreichischen Gesandten im Dezember 1862 als Basis eines künftigen Zusammengehens der Mächte skizziert hatte. Nur die geographische Hauptzielrichtung, der Schwerpunkt künftiger österreichischer Interessenpolitik, war in der Konkretisierung leicht modifiziert, ohne daß sich an der Tendenz, dem Prinzip des Ausgleichs durch klare Abgrenzung der Einflußsphären, etwas änderte: Als eigentliche Stoßrichtung Wiens wurde jetzt Italien, die Revision der Verträge von 1859 und insbesondere die Wiedereingliederung der Lombardei in den Kaiserstaat, genannt. Dafür garantierte Wien Berlin, für den Fall des Erfolges der ins Auge gefaßten Revisionspolitik, die Zustimmung zu einer Annexion der Herzogtümer und somit die Anerkennung der unbedingten preußischen Vormachtstellung im norddeutschen Raum. Der Kaiserstaat verlangte nur, daß die damit verbundene Gewichtsverschiebung auch im Bund durch die Aufnahme einiger österreichischer Gebiete ausgeglichen werde, die bisher nicht zum Bundesgebiet gehörten.

Hinter dem Ganzen stand also die österreichische Bereitschaft, sich, zumindest in der Sache, künftig auf eine paritätische Leitung des Bundes, auf eine Bundespolitik einzulassen, die wie im Vormärz das Instrument einer einvernehmlichen Politik der beiden deutschen Großmächte sein sollte. In diesem Sinne war es zu verstehen, daß beide Seiten ihre Entschlossenheit noch einmal unterstrichen, dem Bund die Art der Lösung der schleswig-holsteinischen Frage auf jeden Fall vorzuschreiben und sich auf keinerlei Transaktionen mit den übrigen Bundesmitgliedern einzulassen.

Was derartigen Überlegungen zugrunde lag, scheint sogar noch im Rückblick ganz außerordentliche Perspektiven zu eröffnen. Es scheint eine Alternative zur kleindeutschen Nationalstaatsbildung aufzuzeigen, die in ganz andere Dimensionen hätte führen und Europa vielleicht vor vielem hätte bewahren können. Noch war das Nationalitätenprinzip, noch war die nationale Idee trotz Napoleon, trotz der Sympathien der englischen Öffentlichkeit für ihre Träger und Wortführer, trotz der Erfolge von 1859 faktisch kaum über Westeuropa hinausgekommen. Noch dominierten in ganz Mittel- und Osteuropa die historisch gewachsenen Staaten, die in ihrer je speziellen Kulturtradition und religiösen Überlieferung, in den Gemeinsamkeiten von Geschichte und Sprache, in ihrer Wirtschaftsverfassung und Verwaltungsorganisation und nicht zuletzt in dem Einheitsbewußtsein ihrer Untertanen eben doch mehr waren als bloße dynastische Zusammenballungen. Noch repräsentierte Österreich, mochte es auch mit Problemen belastet sein, mit denen andere in dieser zugespitzten Form nicht konfrontiert waren, im Prinzip den vorherrschenden Staats- und Gesellschaftstypus in jenen Gebieten und nicht, wie wenige Jahrzehnte später, eine fast archaisch wirkende politische und soziale Sonderform, ein Monument einer immer mehr versinkenden geschichtlichen Vergangenheit. Und noch mochte es denkbar erscheinen, daß jene Grenze, die die westeuropäischen Revolutionen des 18. Jahrhunderts nur stellen- und zeitweise überschritten hatten und jenseits derer vor allem die gesellschaftliche Struktur noch wesentlich traditionell bestimmt war, auch weiter gehalten und möglicherweise befestigt werden könne; der Konventionsentwurf faßte im Hinblick auf Italien ja sogar eine Art Roll back ins Auge.

An all das klammerte sich das konservative Denken der Zeit. Und es ist nicht verwunderlich, daß im weiteren Verlauf, im Licht der verheerenden Siegeszüge eines übersteigerten Nationalismus sowie dramatischer sozialer Umschichtungen und Umbrüche, dessen Argumente in eine neue Perspektive rückten.

Das darf jedoch nicht blind dafür machen, daß eine solche Betrachtungsweise schon damals Ausdruck eines bloßen Wunschdenkens war. Ihre Wortführer suchten sich krampfhaft zu verhehlen, daß in Wirklichkeit die Formen die Inhalte längst überlebt hatten und daß die eigentliche Revolution nicht an Idee und äußere Macht, sondern an eine unaufhaltsam voranschreitende Veränderung aller wirtschaftlichen und gesellschaftlichen Verhältnisse gebunden war. Was sich einem solchen stärker als je in der Vergangenheit verankerten Denken als Möglichkeiten darstellte, entbehrte weitgehend des Realitätsbezugs, einer effektiven Realisierungschance, und zwar bezeichnenderweise auch auf der mehr vordergründigen tagespolitischen Ebene. Denn es war letztlich unübersehbar, und Bismarck hat es als der nüchterne Pragmatiker, der er war und blieb, schwerlich übersehen, daß für eine Renaissance der vormärzlichen Abgrenzungs- und antirevolutionären Blockpolitik selbst auf dem Feld der aktuellen Mächtebeziehungen alle Voraussetzungen fehlten.

Wer, so muß man sich fragen, hatte außer Wien selber – und auch hier war ein anderer Kurs denkbar – in Europa ein Interesse daran, sich in eine antifranzösische Front einzureihen und dies unter dem Banner des Kampfes gegen die Revolution? England schied, das wußte man natürlich auch in der Hofburg, von vornherein aus. Und Rußland? Auch da gab es eine an Stärke ständig wachsende prowestliche, profranzösische Partei. Sie lenkte die Aufmerksamkeit zunehmend auf die Fragen der inneren Politik, auf die unerläßlichen Sozialreformen, vor allem auf dem Lande, im Bereich der Agrarverfassung, wo mit der Aufhebung der Leibeigenschaft 1861 ein erster wichtiger Schritt getan worden war, aber auch auf die drängenden Probleme des Justizwesens, der Verwaltungsstruktur und des gesamten Erziehungs- und Bildungsbereichs. Für eine Art Kreuzzugsbereitschaft, um die es sich ja gehandelt hätte, da sich französische und russische Interessen kaum noch irgendwo ernsthaft überschnitten, fehlten also auch in Rußland zu diesem Zeitpunkt die eigentlichen Voraussetzungen. Hinzu kam noch, daß die Interessenverlagerung aus dem europäischen in den asiatischen Raum, zu der es nach dem Krim-Krieg gekommen war, nach wie vor die außenpolitische Blickrichtung wesentlich bestimmte.

Es blieben die Staaten des Deutschen Bundes. Aber auch da war die Konstellation, etwa gegenüber 1859, inzwischen erheblich verändert. In dem Maße, in dem die beiden deutschen Großmächte immer enger zusammenzuarbeiten schienen, hatten sich die Mittel- und Kleinstaaten ihrerseits stärker zusammengeschlossen. Die Ziele, welche die einzelnen Regierungen dabei verfolgten, waren zwar nicht einheitlich. Dennoch sprach in keinem Fall etwas für eine dezidiert antifranzösische Politik. Man sah im Gegenteil in Napoleon III. eine Art natürlichen Protektor, der die eigenen Bestrebungen unterstützen könne.

Bei Licht besehen bot sich also nur Preußen als Partner einer antifranzösischen und als antirevolutionär verstandenen Revisionspolitik an. Das aber war fraglos eine zu schwache Basis für einen politischen Kurs, der auf Offensive und Konflikt hinauslief. Es entsprach daher einer ganz nüchternen Einschätzung der Situation, daß sich sowohl der österreichische Kaiser als auch der preußische König weigerten, den Entwurf ihrer beiden Außenminister zu ratifizieren.

Eine nicht von Wunschdenken getrübte Betrachtungsweise muß jedoch noch einen Schritt weitergehen. Zielte, so muß man sich fragen, die vorgeschlagene Partnerschaft, deren Modalitäten zwar wesentlich von der österreichischen Seite, von Rechberg, formuliert worden waren, die in ihrer Substanz aber auf Vorschläge Bismarcks zurückging, von preußischer Seite nicht von Anfang an auf Ablenkung und Täuschung? Sollte sie nicht bloß das Leitseil sein, an dem die preußische Politik Österreich auch weiterhin hinter sich herziehen konnte, bis Berlin es in einer für Wien ungünstigen Konstellation zu kappen für gut befinden würde? Haben also jene doch recht, die die gesamte Entwicklung vom dänischen Frieden bis 1866 hauptsächlich unter dem Aspekt der planmäßigen Vorbereitung des kriegerischen Konflikts von preußischer Seite sehen, der Weichenstellung für den Entscheidungskampf um die Führung in Mitteleuropa?

In solcher Zuspitzung ist die Frage sicher falsch gestellt. Denn sie suggeriert wiederum, diesmal von der anderen Seite, eine Freiheit der Entscheidung, mögliche Alternativen, die es in Wahrheit in der Form gar nicht gegeben hat. Auch in diesem Zusammenhang war nicht die Absicht des Handelnden das eigentlich Zentrale, sondern der Zwang der Umstände, dem sich der Handelnde mehr oder weniger geschmeidig anpaßte. Mit anderen Worten: Ob Bismarcks Politik gegenüber Österreich von Anfang an unehrlich, auf Täuschung und Überlistung angelegt war oder nicht, ist letzten Endes eine sekundäre Frage. Entscheidend ist, daß sie den Anschein der Täuschung und Überlistung im nachhinein gewinnen mußte, wollte sie nicht selber scheitern – scheitern an der Unrealisierbarkeit ihrer vorgeblichen oder tatsächlichen Ziele.

Denn soviel steht jenseits aller Absicht der unmittelbar Beteiligten fest: Die Substanz und Basis einer preußisch-österreichischen Partnerschaft zu diesem Zeitpunkt war von Beginn an so schwach, daß sie unmöglich Dauer erlangen konnte. Sie richtete sich nicht nur gegen den Geist der Zeit, gegen die liberale wie die nationale Idee und gegen die vorherrschenden Tendenzen des internationalen Systems und seiner Hauptträger. Sie widersprach auch ganz konkreten und letztlich unüberwindlichen Interessen und praktischen Vorentscheidungen, die längst gefallen waren.

Dies zeigte sich bereits unmittelbar nach Schönbrunn, als Österreich gleichsam die Probe auf das von Bismarck eben noch so nachdrücklich beschworene Sonderverhältnis zwischen beiden Staaten zu machen suchte. Es ging um die wirtschafts- und handelspolitischen Beziehungen beider Länder: um das Verhältnis Österreichs zu dem von Preußen beherrschten deutschen Zollverein.

Seit 1862, seit Abschluß des preußisch-französischen Handelsvertrags und der Gegenoffensive Österreichs, die in dem Vorschlag der Bildung einer mitteleuropäischen Freihandelszone vom Juli 1862 gipfelte, war Wien Schritt für Schritt zurückgewichen. In geradliniger Fortführung der von Preußen seit Jahren verfolgten Politik, die von den wichtigsten wirtschaftlichen Interessengruppen des Landes nachhaltig unterstützt wurde, hatte Bismarck sich allen österreichischen Vorstößen gegenüber gänzlich unnachgiebig gezeigt. Er hatte sich, wie in der Dezemberdenkschrift von 1862 angekündigt, ganz darauf konzentriert, den Zollverein anläßlich der spätestens 1865 fälligen Vertragsverlängerung noch fester zusammenzuschließen und gegenüber Österreich abzuschotten. Um dieses Ziel zu erreichen, hatte er sich nicht gescheut, Ende 1863, also auf dem ersten Höhepunkt der schleswig-holsteinischen Krise, den Zollvereinsvertrag vorsorglich zu kündigen. Damit sollten die beteiligten Regierungen unter den verstärkten Druck der Interessenten und ihrer eigenen fiskalischen Interessen gebracht werden.

Gerade an der Zollvereinsfrage zeigt sich freilich entgegen allen Versuchen,

Bismarck als den ganz frei Handelnden darzustellen, wie sehr er selber der Gebundene war. Der Zollverein bildete inzwischen ein so festes Interessengeflecht, daß ein Ausbrechen aus ihm oder eine Auflösung zugunsten anderer Kombinationen kaum noch ernsthaft möglich zu sein schien. Die Verhandlungen um seine Erneuerung waren daher, so zäh und langwierig sie sich hinzogen, lediglich ein Pokerspiel um Einzelheiten.

Zumindest galt dies für die nord- und mitteldeutschen Staaten, die sich denn auch mehr oder minder rasch den Bedingungen der preußischen Vormacht unterwarfen. Nicht ganz so sicher war das Verhalten der beiden süddeutschen Königreiche Bayern und Württemberg und in ihrem Gefolge Hessen-Darmstadts und Nassaus. Davon war Bismarck schon in der Dezemberdenkschrift von 1862 ausgegangen. Sein Károlyi gegenüber angedeutetes preußisches Minimalprogramm spiegelte nicht zuletzt die Eventualität wider, daß sich Bayern und Württemberg tatsächlich entschließen könnten, aus dem Verein auszuscheiden.

Freilich wäre ein solcher Schritt politisch nur sinnvoll gewesen, wenn er den Auftakt zu einer konkurrierenden Initiative größeren Stils gebildet hätte. Der eigentliche Organisator des Widerstands, der bayerische Außenminister Ludwig von der Pfordten, ein außerordentlich beweglicher und ideenreicher Kopf, der unter anderen Umständen vielleicht das Zeug gehabt hätte, zu einem großen Gegenspieler Bismarcks zu werden, war sich dessen völlig bewußt. Sein Versuch einer Torpedierung der Zollvereinsverhandlungen zielte daher auf die von Bayern seit Jahrzehnten immer wieder verfolgte Idee der Schaffung eines dritten Machtzentrums in Mitteleuropa. Mit ihm, so der zentrale Gedanke, sollte sich ein Kerndeutschland mit entsprechender Anziehungskraft auf alle deutschen Gebiete konstituieren.

Eine solche Idee jedoch war, und das besiegelte ihr Schicksal, trotz der eher proösterreichischen als propreußischen Grundhaltung ihrer Verfechter, für die österreichischen Konservativen wie für die Wortführer der Interessen des österreichischen Gesamtstaates unannehmbar. Sie enthielt in sich die Gefahr der Auflösung des Vielvölkerstaats durch die Schaffung eines außerhalb Österreichs liegenden und von diesem nicht zu kontrollierenden nationalen Gravitationszentrums. Als Protektor einer in ihrem Sinne operierenden Staatengruppe kam Österreich daher, so sehr man in Wien geneigt war, sie in ihren konkreten Aktionen als Gegengewicht gegen Preußen zu unterstützen, ernsthaft nicht in Frage. Auf der anderen Seite wurde erneut deutlich, daß sich diese wesentlich aus politischen Gründen aus dem Zollverein hinausdrängenden Staaten keineswegs großösterreichischen Zollunionsplänen in der Tradition Schwarzenbergs zu unterwerfen gedachten; eine solche radikale Umorientierung erschien für die einheimische Wirtschaft schlechterdings unzumutbar.

Bei dieser Lage der Dinge, die nun wirklich nicht durch das persönliche

Geschick Bismarcks herbeigeführt worden war, sondern sich aus den Umständen, den vorhandenen Interessen und vorgegebenen Entscheidungen ergab, konnte man in Wien auch auf wirtschafts- und handelspolitischem Gebiet nur noch auf eine partnerschaftliche Lösung im Sinne des »Geistes von Schönbrunn« hoffen. Der Plan einer mitteleuropäischen Zollunion mit allem, was an politischen Zielsetzungen dahinter stand, besaß, wie sich Rechberg eingestehen mußte, endgültig keine Realisierungschance mehr. Es konnte nur noch, analog zu der inzwischen scheinbar erreichten allgemeinpolitischen Verständigung, um ein handels- und wirtschaftspolitisches Sonderverhältnis mit Berlin und dem Zollverein gehen.

Selbst gegen ein solches Sonderverhältnis sprachen sich jedoch die wirtschaftspolitischen Fachleute in Preußen mit Rudolf von Delbrück an der Spitze nachdrücklich aus. Angesichts der beiderseitigen Interessenlage, so ihr Argument, sei der Spielraum für tragfähige Kompromisse gleich Null, und das Ganze werde nur zu neuen Spannungen führen. Mit gleicher Begründung wandten sie sich gegen den Wunsch Rechbergs, in den neu abzuschließenden Zollvereinsvertrag abermals eine Bestimmung aufzunehmen, wonach noch vor Ablauf dieses Vertrages über eine mögliche Zollunion mit Österreich verhandelt werden sollte. Auch damit lege man nur den Keim zu neuerlichen Konflikten und drücke sich vor einer ehrlichen und befreienden Klärung der ganzen Situation.

Beides war von der Sache her schwer zu widerlegen. Und der Nachweis ist bis heute nicht gelungen, daß die Stellungnahme Delbrücks und seiner Räte nicht von rein wirtschaftspolitischen Erwägungen, sondern von nationalpolitischen Präferenzen und antiösterreichischen Vorbehalten bestimmt war – von einer der eigenen Regierung feindlichen Tendenz ganz zu schweigen, von der Bismarck auf dem Höhepunkt der Auseinandersetzung sprach. Der preußische Regierungschef hat sich denn auch, so sehr er sich zunächst über den ganzen Vorgang erregte, der Logik der Gegenargumente nicht verschlossen. Ja, sie bildeten für ihn schließlich, ruhiger geworden, einen weiteren Beleg dafür, daß die von den Konservativen beider Seiten favorisierte Wiederherstellung einer antirevolutionären Allianz zwischen Preußen und Österreich eine bloße Illusion sei.

Allerdings setzte er sich auch dann noch nachdrücklich dafür ein, Rechberg optisch so weit wie möglich entgegenzukommen. Es sei, so hatte er Ende August 1864 in einem Brief an die Minister von Bodelschwingh und von Itzenplitz betont, »von der größten Wichtigkeit, uns den guten Willen des Wiener Kabinetts zu sichern, und innerhalb des letzteren die Stellung der dem preußischen Bündnis günstigen Minister zu befestigen«. Rechberg müsse, wiederholte er mehrmals, auch nachdem die Entscheidung praktisch schon gefallen war, in die Lage versetzt werden, in der Öffentlichkeit und auch seinem Kaiser gegenüber den Eindruck zu erwecken, es sei noch gar nichts

15. Bismarck als Gesandter in Paris
Aufnahme aus dem Jahr 1862

16. Bismarck während einer Sitzung im preußischen Abgeordnetenhaus
Stich aus dem Jahr 1862

17. Der Interessenkonflikt zwischen Österreich und Preußen:
Graf Rechberg und Bismarck am Konferenztisch
Karikatur im »Kladderadatsch« vom Juni 1864

18. Cohen-Blinds Attentat auf Bismarck am 7. Mai 1866
Stich aus dem Jahr 1866

No. _9040_ des Katasters.

Diese Nummer ist in allen Eingaben anzugeben.

## Klassificirte Einkommensteuer.

Euer _Excellenz_ sind von der unterzeichneten Kommission für das Jahr 1866 in die _16_te Steuer-Stufe _eingeschätzt_ worden. Die Steuer beträgt nach Abzug der Mahl- und Schlachtsteuervergütung

jährlich _460_ Thlr.

Die Steuer wird durch einen bestallten Steuererheber, der sich im Laufe eines jeden Quartals in Ihrer Wohnung einfinden, und den vierteljährlichen Betrag der Steuer mit _115_ Thlr. ___ Sgr. einfordern wird, erhoben. Derselbe wird Ihnen eine von zwei Kassen-Beamten vollzogene Quittung der Kasse vorlegen, gegen welche eine gültige Zahlung an die Kasse erfolgt.

Es steht Ihnen aber auch frei, die Steuer direct zur Kasse des Haupt-Steuer-Amtes für directe Steuern, Markgrafenstraße Nr. 47, abzuführen. Unterbleibt die Zahlung an den Steuererheber und zahlen Sie die Steuer auch nicht praenumerando zu rechter Zeit selbst zur Kasse, so tritt die exekutivische Einziehung der Steuer ein.

Der Steuererheber ist autorisirt, auf Ihren Wunsch auch größere Zahlungen als den vierteljährlichen Betrag anzunehmen und in Ihrem Namen an die Kasse abzuführen. Er ist gehalten, über derartige Ueberzahlungen auf dem der Quittung angehängten Formular der Interims-Quittung zu quittiren, welches er nach acht Tagen gegen die Quittung der Kasse auszutauschen verpflichtet ist.

**Der Steuererheber hat keine Gebühren zu fordern.** Er verliert sein Amt, wenn er Gebühren fordert oder auch nur freiwillig angebotene Belohnungen unter irgend einem Vorwande annimmt.

**Damit dem Steuererheber vergebliche Gänge erspart werden, werden Sie dringend ersucht, von einer etwaigen Veränderung Ihrer Wohnung sofort hierher Anzeige zu machen.**

Gegen die erfolgte Feststellung der Steuerstufe steht Ihnen die bei dem Vorsitzenden der unterzeichneten Einschätzungs-Kommission — Markgrafenstraße Nr. 47 — einzureichende Reklamation an die Bezirks-Kommission binnen 3 Monaten präklusivischer Frist offen.

Es steht Ihnen aber auch innerhalb der ersten 6 Wochen dieser dreimonatlichen Frist frei, nach Ihrer Wahl, entweder durch schriftliche oder mündliche Verhandlungen, persönlich oder durch Vermittelung von höchstens zwei Vertrauensmännern oder durch andere Beweismittel der unterzeichneten Einschätzungs-Kommission die erforderliche Ueberzeugung von einer etwaigen Ueberbürdung durch die erfolgte Abschätzung zu verschaffen, um solchergestalt von der Einschätzungs-Kommission selbst eine berichtigte Steuer-Veranlagung zu erwirken.

Wenn Sie den letztgedachten Weg einschlagen wollen, — durch welchen übrigens der Lauf der dreimonatlichen Präklusivfrist zur Anbringung der förmlichen Reklamation an die Bezirks-Kommission nicht aufgehalten wird, — so haben Sie Ihren diesfälligen Antrag ebenfalls an den Vorsitzenden der unterzeichneten Einschätzungs-Kommission schriftlich zu richten.

Zugleich werden Sie darauf aufmerksam gemacht, daß nach §. 36. des Gesetzes die Zahlung der veranlagten Steuer weder wegen einer förmlichen Reklamation an die Bezirks-Kommission, noch wegen eines Antrages auf Berichtigung der Steuer-Veranlagung bei der Einschätzungs-Kommission aufgehalten werden darf, die Zahlung der Steuer vielmehr in dem Ihnen hier mitgetheilten Betrage mit Vorbehalt des Anspruches auf Erstattung des zu viel Bezahlten bis zur anderweitigen Feststellung stets zu den bestimmten Terminen erfolgen muß.

Berlin, den 19. December 1865.

## Die Einschätzungs-Kommission für Berlin.

_Schaffer_

PREUSS. BERLIN

Stand: Königl. Minister Präsident u. Minister des auswärtigen Angelegenheiten Graf von Bismarck Schönhausen

Wilhelmstr. 74

19. Bismarcks Einkommensteuerbescheid für das Jahr 1866

entschieden und man werde auf der neuen Basis eines besonderen Verhältnisses zwischen beiden Staaten bald positiv vorankommen.

Doch einer solchen Politik hat sich der preußische König schließlich entschieden widersetzt, und zwar, gestützt auf die Prognosen der wirtschafts- und handelspolitischen Fachleute, gerade mit dem Argument, man könne die jetzt erreichten guten Beziehungen zu Wien nur erhalten, wenn man der österreichischen Öffentlichkeit und politischen Führung reinen Wein einschenke und sie über das Mögliche und Unmögliche nicht im Unklaren lasse. Während einer kurzen Abwesenheit Bismarcks von Berlin fiel nach einer Rücktrittsdrohung Delbrücks die Entscheidung, auf keinen der österreichischen Wünsche einzugehen und eine Zollunion definitiv auszuschließen, also in dem neuen Zollvereinsvertrag keine neuerlichen Verhandlungen vorzusehen. Zwar wurde diese Entscheidung erst nach Bismarcks Rückkehr Ende Oktober konkret vollzogen und Österreich mitgeteilt. Dennoch war der Akt, obschon weniger in der Sache als in der Frage seiner formalen Behandlung, eine Entscheidung gegen Bismarck. Sie zeigte sehr deutlich die Grenzen einer Ausgleichspolitik mit Österreich in Preußen selber, auch und gerade wenn man sie mit Bismarck rein vom machtstaatlichen Interesse her interpretierte.

Diese Grenzen wurden zum gleichen Zeitpunkt auch in Österreich sichtbar. Die großdeutsche Partei unter Führung des Staatsministers von Schmerling bestürmte den Kaiser, sich von Bismarck und dem offenkundig ganz auf dessen Linie eingeschwenkten eigenen Außenminister nicht weiter vorantreiben zu lassen. Auf diesem Weg werde man, wie die Behandlung der eigenen handels- und zollpolitischen Wünsche durch Berlin sehr deutlich zeige, nichts gewinnen und in der Zukunft alles verlieren. Die Idee eines preußisch-österreichischen Kondominiums im mitteleuropäischen Raum verschleiere, daß Österreich durch die Art seines jetzigen Zusammengehens mit Preußen die Grundlagen seiner bisherigen Vormachtstellung mehr und mehr einbüße. Diese Grundlagen lägen in dem Bündnis mit den deutschen Mittel- und Kleinstaaten und in der Unterstützung all jener Kräfte und Interessen, die Preußen und einer preußischen Vorherrschaft widerstrebten.

Zwar war Franz Joseph nach dem offenkundigen Mißerfolg des Frankfurter Projekts und den sichtbaren Erfolgen der preußisch-österreichischen Zusammenarbeit in der schleswig-holsteinischen Frage nicht bereit, auf diese Argumentation wirklich einzugehen und einen neuerlichen Kurswechsel im Sinne der großdeutschen Partei vorzunehmen. Aber er blieb nicht unbeeindruckt von der Tatsache, daß sein von dieser Seite so sehr angefeindeter Außenminister offenbar selber von immer stärkeren Zweifeln befallen wurde, ob die von ihm vorangetriebene Politik eines Ausgleichs mit Preußen tatsächlich auf Voraussetzungen beruhe, die der österreichischen Sache dienlich seien.

Jene Voraussetzungen, so hatte Bismarck Rechberg gegenüber ständig betont, seien die konservative Idee, das Prinzip der antirevolutionären Solidarität der Throne und die Ordnungsfunktion der beiden deutschen Großmächte im mitteleuropäischen Raum. Das hatte er auch nach Schönbrunn in ausführlichen Privatbriefen mehrfach wiederholt. »Einigkeit Deutschlands gegen innere und äußere Feinde«, »Wiederherstellung der Grundlagen monarchischen Regiments« und »Unschädlichmachung der Revolution«, das seien, so hieß es etwa in einem Brief vom 8. September 1864, die gemeinsam angestrebten Ziele und die Grundlage »einer *aktiven* gemeinsamen Politik«.

Was den österreichischen Außenminister jedoch zunehmend kopfscheu machte, war nicht nur die Tatsache, daß die Betonung solcher Gemeinsamkeiten in immer unübersehbarerem Zusammenhang stand mit dem Ausbleiben konkreter Fortschritte in der Zollfrage. Weit mehr noch beunruhigte ihn die Radikalität, mit der Bismarck alles beiseite schob, was nicht unmittelbar den sehr eng definierten machtpolitischen Interessen beider Seiten zu dienen geeignet schien. Ihren Höhepunkt erreichte diese Tendenz in einem Brief vom 29. September 1864. In ihm suchte Bismarck einmal mehr die Bedeutung der Zollfrage im Rahmen des Gesamtkonzepts einer künftigen Zusammenarbeit herunterzuspielen und Rechberg davon zu überzeugen, daß die in jeder Hinsicht unnachgiebige Haltung Preußens auf diesem Gebiet das Eigentliche nicht berühre.

Das Fundament einer solchen Zusammenarbeit sei, so betonte der preußische Regierungschef, das konvergierende machtpolitische Interesse beider Staaten und nichts anderes. Aus diesem Grunde setze er sich mit aller Kraft für sie ein, also »nicht aus dem Bewußtsein gemeinsamer Zugehörigkeit zum Deutschen Reiche, sondern lediglich aus meiner Beurteilung der Interessen Preußens und seiner Krone«. So sollte es, fuhr er fort, auch Rechberg halten: »Ich glaube . . ., daß wir des Fortschritts unserer gemeinsamen Bahn sicherer werden würden, wenn wir uns beiderseits auf den praktischen Boden der Kabinettspolitik stellten, ohne uns die Situation durch die Nebel trüben zu lassen, welche aus den Doktrinen deutscher Gefühlspolitiker aufsteigen.«

Das sollte Rechberg gegen die Argumente der großdeutschen Partei und seines Kollegen Schmerling immunisieren. Aber es war gleichzeitig geeignet, einen Mann wie den österreichischen Außenminister, der doch auch ein konservativer Prinzipienpolitiker war, aufs höchste zu alarmieren und die alten Bedenken wieder zu beleben, die die freimütigen Äußerungen seines Bundestagskollegen in den fünfziger Jahren einst bei ihm erregt hatten. »Es erschwert die Geschäftsführung in einem nicht gewöhnlichen Grade«, so hat er es Franz Joseph gegenüber formuliert, als er ihm Bismarcks Brief vorlegte, »wenn man es mit einem Mann zu tun hat, der den politischen Zynismus so offen bekennt, daß er die Stelle meines Briefes, daß wir die Aufrechterhaltung des Bundes und der wohlerworbenen Rechte der deutschen Fürsten zur

Grundlage unserer Politik nehmen müßten..., mit der haarsträubenden Phrase beantwortet, daß wir uns beiderseits auf den praktischen Boden der Kabinettspolitik stellen, ohne uns die Situation durch Nebel trüben zu lassen, welche aus den Doktrinen deutscher Gefühlspolitik aufsteigen. Eine solche Sprache ist eines Cavour würdig. Das Festhalten an der Rechtsbasis ist eine nebelhafte Gefühlspolitik! Die Aufgabe, diesen Herren in Schranken zu halten, ihn abzubringen von seiner vergrößerungssüchtigen Utilitätspolitik..., übersteigt die menschlichen Kräfte.«

Ganz so resignativ, wie es klang, mochte das nicht gemeint sein. Aber da Franz Joseph zur Zeit keinen anderen Weg sah, als an der Zusammenarbeit mit Preußen festzuhalten, mußte er den Eindruck gewinnen, daß Rechberg, in seinen weiterreichenden Erwartungen schwer enttäuscht, nicht mehr der rechte Mann sei, diese Politik erfolgreich fortzusetzen. »Leider sehr wahr«, schrieb er an den Rand seines Briefes, »allein die Allianz mit Preußen ist unter den gegebenen Verhältnissen doch die allein richtige, und es müssen daher die undankbaren Bemühungen fortgesetzt werden, Preußen in der richtigen Bahn und auf dem Boden des Rechtes zu erhalten.«

Rechbergs Entlassung Ende Oktober 1864 markierte also gar keinen Kurswechsel. Sein Nachfolger, Graf Mensdorff-Pouilly, ein gelegentlich in diplomatischen Funktionen verwendeter, politisch farbloser Kavalleriegeneral, der zuletzt Generalgouverneur in Galizien gewesen war, sollte vielmehr die preußisch-österreichische Kooperationspolitik, wenngleich auf einer sozusagen illusionsloseren Ebene, fortsetzen. Allerdings war das nicht einmal im Land selber ganz deutlich. Die großdeutsche Partei reagierte daher auf die Ernennung Mensdorffs mit verstärkter Aktivität und bemühte sich nach Kräften, eine neue Politik zu inaugurieren. Ihr vor allem von Ludwig von Biegeleben formuliertes Ziel war, über ein Bündnis mit den Mittel- und Kleinstaaten und eine Verständigung mit Napoleon III. die Voraussetzungen für eine neuerliche Bundesreforminitiative im österreichischen Sinne zu schaffen. Dabei schreckte sie auch vor einer Konfrontation mit Preußen nicht zurück.

Das war die völlige Umkehr dessen, was, von Biegeleben mit eigener Hand zu Papier gebracht, in Schönbrunn vereinbart worden war. Es zeigt, daß auch in Wien grundlegende Alternativen bereitlagen, daß man auch hier ständig mit Täuschung und Überlistung des gegenwärtigen Partners spielte. Der große Unterschied war nur, daß man in Wien zu keinem Konsens, zu keinem wirklichen Entschluß über den einzuschlagenden Kurs kam und ständig zwischen den möglichen Alternativen hin- und herpendelte, während in Berlin die Entscheidung nun doch sehr rasch fiel.

Mit Rechberg war derjenige gestürzt, der nach Bismarcks Einschätzung von einer zugleich nüchternen wie altkonservativen Betrachtungsweise her unter Umständen bereit gewesen wäre, die mitteleuropäische Ordnung im Sinne einer preußisch-österreichischen Herrschaftsteilung zu modifizieren. Jetzt aber werde sich über kurz oder lang die antipreußische Tendenz wieder durchsetzen; es werde eine Situation entstehen, in der Preußen seinen Interessen möglicherweise nur noch gewaltsam Geltung verschaffen könne. »Gewinnt die Schmerlingsche Politik in Wien die Oberhand«, hatte der preußische Regierungschef seinem König schon am 10. Oktober aus Biarritz prophezeit, »so müssen wir außer dem Streben nach der Anlehnung an die Westmächte auf die Herstellung der intimeren Beziehungen zwischen Österreich und den Mittelstaaten gefaßt sein; vermutlich«, hatte er hinzugefügt, »würde Österreich alsdann unverzüglich in der Holsteinschen Sache mit Anträgen im mittelstaatlichen Sinne am Bunde vorgehen.«

Sicher hatte Bismarck eine solche Möglichkeit niemals aus dem Auge verloren; bezeichnenderweise hatte er noch in Schönbrunn den französischen Botschafter in Wien, den Herzog von Gramont, beiseite genommen und ihm sehr weitgehende Avancen bezüglich eines preußisch-französischen Zusammengehens gemacht. Aber das war bei ihm nichts Besonderes. Es gehörte zu seinem üblichen Verfahren, ständig alle Möglichkeiten zu ventilieren und die Dinge, soweit es sich machen ließ, in Fluß zu halten – ein Verfahren, das Zeitgenossen wie Historiker immer wieder verwirrt und zu oft unhaltbaren Konstruktionen verführt hat.

Nach Rechbergs Sturz jedoch hat Bismarck, faßt man seine Äußerungen unter Berücksichtigung der jeweiligen taktischen Nebenabsichten zusammen, offenkundig kaum noch eine Chance gesehen, mit Österreich unter den gegenwärtigen Bedingungen zu einem auch nur temporären Ausgleich zu gelangen. Rechbergs Sturz war für ihn gewissermaßen die Probe aufs Exempel, daß die Idee einer antirevolutionären Blockbildung zwischen Preußen und Österreich nicht stark genug sei, in der Realität der vorhandenen Kräfte und Interessen eine zu schwache Verankerung habe, um der Erweiterung und Befestigung der preußischen Machtstellung dienen zu können – dem einzigen Ziel, das er selber mit ihr verfolgte. Die konservative Idee ließ sich also offenkundig nicht im Sinne des preußischen Machtinteresses instrumentalisieren, die Konstellation von 1815 nicht zugunsten Berlins, einer preußischen Vormachtstellung, umkehren. So blieb nun in der Tat nur noch das, was er schon immer als Möglichkeit ins Auge gefaßt und, ohne daraus ein genaues Programm zu entwickeln, umkreist hatte: die Instrumentalisierung nicht der konservativen Idee mit allem, was daran hing, sondern der liberalen und der nationalen Idee, der Realität der neu sich ausprägenden Kräfte und Interessen.

Bisher waren es nur einzelne Faktoren gewesen, die er als Instrumente einzusetzen gedacht hatte: handelspolitische Interessen, die kleindeutsche Idee, das Repräsentationsprinzip. Sie ließen sich als Versatzstücke in einen wesentlich konservativen Gesamtzusammenhang einbauen. Nun jedoch sah er sich vor die Notwendigkeit gestellt, sie so zu bündeln, daß die Befürchtung nahelag, in die Rolle des Zauberlehrlings zu geraten, der Kräfte beschwört, die, auf ein bestimmtes Ziel angesetzt, sich schließlich der Kontrolle mehr und mehr entziehen.

Ein Bewußtsein dafür hat Bismarck, trotz des Drucks zu entscheiden und zu handeln, fraglos besessen. Das »Acheronta movebo« war nicht nur eine seiner Lieblingsredensarten – er kannte auch den Zusammenhang, in dem dieser Satz stand. Und er blieb sich stets im klaren, wie groß die Risiken einer Politik waren, die sich auf einen Appell an die »Unterwelt« einließ. Es war eines, sich auf unorthodoxe Art Hilfstruppen anzuwerben, ein anderes, eine ganze Armee von Kräften zu mobilisieren, die zwar kurzfristig auf ein gemeinsames Ziel hin zu konzentrieren sein mochten, die aber über einen längeren Zeitraum hin schwerlich ohne weitgehende Zugeständnisse im Gleichschritt zu halten sein würden.

Das erklärt zusätzlich, warum er, obwohl von der Unvermeidlichkeit des Zusammenstoßes nun endgültig überzeugt, das ganze Jahr 1865 hindurch bei an sich recht günstiger internationaler Konstellation eher schwankte: Es war nicht von der Hand zu weisen, daß die Entwicklung, einmal in Gang gebracht, über das anvisierte Ziel hinausschießen und das von ihm oft zitierte skeptische »fert unda nec regitur« sich sogar in seinem ersten Teil als übertriebene Hoffnung erweisen würde. Durch die nun wieder häufiger werdenden Klagen über die Last der Amtsgeschäfte und die Unfreiheiten seines Daseins ist sehr deutlich zu spüren, daß sich Bismarck an einem Kreuzweg empfand. Er ahnte, daß der nächste Schritt ihn endgültig von der Vergangenheit trennen und in eine höchst ungewisse Zukunft führen werde.

Seine Schleswig-Holstein-Politik und die innere Entwicklung seit seinem Amtsantritt hatten ihn, auch wenn das in dieser Form gar nicht seine ursprüngliche Absicht gewesen war, in gewisser Weise in die Vergangenheit zurückgeführt. In beiden Bereichen, dem der inneren wie der äußeren Politik, hatte er das ursprüngliche Mißtrauen der Konservativen besänftigt. Er erschien nun, mehr als jemals zuvor, auch innerlich als ihr Mann, als unbedingter Gegner aller die überlieferte Ordnung grundsätzlich in Frage stellenden Tendenzen der Zeit. Mit ihm, so konnte man glauben, war das alte Preußen, der monarchische Machtstaat auf ständisch-traditioneller Grundlage, wiederauferstanden. Die Versuchung mochte für Bismarck recht naheliegen, solchen Einschätzungen und damit verbundenen Erwartungen weiterhin zu folgen und in der Wiederaufrichtung und Stärkung preußischer Macht im traditionellen Rahmen sein eigentliches Ziel zu sehen.

Er war jedoch nicht nur ehrgeizig, sondern auch nüchtern genug, um klar zu erkennen, daß dies, gerade vom altpreußischen Standpunkt her betrachtet, nur noch eine Scheinalternative war. Preußen konnte sich in seiner inneren und äußeren Gestalt nur behaupten, wenn es darüber hinaus drängte, wenn es, um sich im Kern zu bewahren, sich an die Spitze der Veränderungen setzte. Die Alternative sei, so hat er es in Parallele zu seiner Äußerung über eine mögliche Revolution formuliert, Hammer oder Amboß zu sein, ein Drittes gebe es in einer solchen Zeit des Umbruchs nicht. Von dem Schulbuchbild des Schmiedes war er, was seine Person anlangte, dabei weit entfernt: Es ging um überindividuelle Kräfte und Interessen. Die Chance des Handelnden bestand allein darin zu versuchen, diese Kräfte und Interessen in einer bestimmten Situation, in einem günstigen Augenblick, so mit- und gegeneinander zu verbinden, daß sie, gleichsam in ihrem Parallelogramm, einen den eigenen Intentionen entsprechenden Lösungsversuch favorisierten.

Sein Zögern in den Monaten nach Rechbergs Sturz war also zugleich ein Abwarten, ein Warten auf eine Konstellation, die nicht nur eine kleine, sondern eine große Lösung erlauben würde. Eine solche Lösung sollte den preußischen Staat nicht bloß aus den Fesseln des Deutschen Bundes und des deutschen Dualismus befreien. Sie sollte auch aus der inneren Pattsituation herausführen, die unter den gegenwärtigen Umständen trotz aller starken Worte auf beiden Seiten unüberwindlich erschien.

Daß Bismarck nun endgültig bereit war, gegen alle Erwartungen seiner jetzigen politischen Freunde eine Umkehr auch der inneren Fronten ins Auge zu fassen, scheint bei nüchterner Betrachtungsweise ebenso deutlich wie die Tatsache, daß eine derartige Konstellation im Augenblick nicht in Sicht war. Von den Voraussetzungen, die in ihr gegeben sein mußten, war bislang nur eine erfüllt, und sie formal auch erst zum Teil: die Sicherung des Fortbestandes des Zollvereins in seiner bisherigen Form und unter Akzeptierung des Freihandelsvertrags mit Frankreich.

Im Oktober 1864 hatten sich die beiden süddeutschen Königreiche Bayern und Württemberg und in ihrem Gefolge Hessen-Darmstadt und Nassau entschlossen, die preußischen Bedingungen zu akzeptieren und einer Vertragsverlängerung um weitere zwölf Jahre zuzustimmen. Im Mai 1865 trat ein entsprechendes Abkommen definitiv in Kraft. Zwar war damit nun, ein zweifellos höchst bedeutsamer Vorgang, die Grundvoraussetzung des preußischen Minimalprogramms von 1862 entfallen: die Eventualität eines Ausscheidens Süddeutschlands aus dem gemeinsamen Zoll-, Handels- und Wirtschaftsraum. Aber um das damalige Maximalprogramm mit Aussicht auf Erfolg in Angriff nehmen zu können, mußten zumindest drei wesentliche Bedingungen erfüllt sein: eine sich zur Kampfentschlossenheit steigernde Konfliktbereitschaft der preußischen Führungskräfte, die zum Teil eben noch der Idee einer hochkonservativen Doppelherrschaft der beiden deutschen Großmächte in Mitteleuropa nachgehangen hatten; eine internationale Konstellation, die, wie im dänischen Krieg, aber nun in einem weitaus größeren Rahmen, eine Isolierung des Konflikts auf die Hauptbeteiligten und ihre unmittelbaren Parteigänger als möglich und durchsetzbar erscheinen ließ; und schließlich die Etablierung eines preußischen Konflikt- und Kriegsziels in der politischen Öffentlichkeit innerhalb und außerhalb Preußens, das, wenn auch vielleicht nur im Hinblick auf die Perspektiven, die sich hinter ihm eröffneten, attraktiv genug erschien, um zumindest in einigen Kreisen einen Umden-kungsprozeß in Gang zu setzen und eine Neuformierung der politischen Fronten einzuleiten. Daß das Geld, das man für einen Krieg brauchte, angesichts des Konflikts mit dem Abgeordnetenhaus schwer zu beschaffen war, spielte natürlich eine gewichtige Rolle. Doch von entscheidender, den Zeitpunkt bestimmender Bedeutung, wie man jüngst gemeint hat, war es kaum: Auch als die Finanzierung weitgehend gesichert war, wartete Bismarck noch zu, bis ihm die genannten Kardinalbedingungen einigermaßen erfüllt zu sein schienen.

Bei der ersten dieser Bedingungen war das relativ rasch der Fall, ungeachtet der fortbestehenden Bedenken, welche Folgen ein übergreifender Konflikt mit der traditionellen konservativen Vormacht Mitteleuropas möglicherweise haben werde. Die von der anderen Seite jederzeit beliebig verschärfbaren Probleme eines Kondominiums sozusagen vor der eigenen Haustür waren zu groß, als daß sie nicht die Bereitschaft genährt hätten, dieser Situation unter allen Umständen, auch um den Preis einer bewaffneten Auseinandersetzung, ein Ende zu machen. In der entscheidenden Sitzung des preußischen Kronrats am 29. Mai 1865 verständigte man sich nicht nur darüber, daß das Ziel die Annexion der Herzogtümer durch Preußen sein müsse. Man akzeptierte mit der zunächst mehr technisch gemeinten, von dem Kalkül der Chancen eines militärischen Erfolgs diktierten Bemerkung Moltkes, »daß zur Erreichung dieses Ziels Preußen auch einen Krieg gegen Österreich nicht zu scheuen haben würde«, zugleich die Möglichkeit des kriegerischen Konflikts – mit Ausnahme des Kronprinzen, der sich aufs schärfste gegen die Überlegung verwahrte, einen »Bürgerkrieg in Deutschland« zu führen.

Schwieriger stand es mit der Erfüllung der zweiten Bedingung. Zwar versicherte Bismarck in der Kronratssitzung vom 29. Mai, wie Moltke notier-te, bei einem preußisch-österreichischen Krieg »würden voraussichtlich Frankreich und Rußland in einer wohlwollenden Neutralität verharren« – England hielt er nach dessen Verhalten in der Schlußphase der schleswig-holsteinischen Krise offenbar nicht einmal mehr der Erwähnung für wert. In Wahrheit war die Haltung Frankreichs nach wie vor ungewiß. Es stand zu erwarten, daß Paris jedenfalls ein entscheidendes Wort mitzureden beanspruchen und versuchen würde, sich seine Stellungnahme von der einen oder anderen Seite honorieren zu lassen. Und wie Rußland dann möglicherweise reagieren würde, war gleichfalls noch nicht abzusehen. Es bedurfte hier noch genauerer Sondierungen und näherer Absprachen, wollte man nicht das Risiko eines großen europäischen Krieges eingehen.

Vorsicht empfahl sich um so mehr, als nach dem sich bereits abzeichnenden

Scheitern des französischen Versuchs, in Mexiko Fuß zu fassen, allgemein erwartet wurde, daß Napoleon III. seine Hauptaufmerksamkeit erneut Mitteleuropa zuwenden werde. Obwohl die internationale Situation nach Abschluß des Wiener Friedens für Preußen nicht ungünstig war, günstiger jedenfalls als seit vielen Jahren, hatte Bismarck von hier aus doch gute Gründe, für eine Vertagung der endgültigen Entscheidung zu plädieren und ungeachtet zunehmender Reibungen mit Österreich von einem zu raschen Vorandrängen abzuraten.

Hinzu kam, und das war wohl der eigentlich entscheidende Grund für sein vieldiskutiertes Zögern und Lavieren während des ganzen Jahres 1865, daß das Kriegsziel einer Annexion der Herzogtümer weder populär noch umfassend genug zu sein schien, um mit seiner Hilfe einen wirklichen Einbruch in die Front der öffentlichen Meinung und der politischen Gruppierungen innerhalb und außerhalb Preußens zu erzielen. Doch gerade dies erschien aus zwei Gründen dringend wünschenswert, ja, geradezu unerläßlich: zur Verstärkung der preußischen Position vor einem Krieg und während eines Krieges und für die Chancen der Ausnützung eines möglichen preußischen Sieges.

Handelte es sich bei einem Krieg um nicht mehr als um eine bloße territoriale Machterweiterung Preußens, dann war das einerseits eine förmliche Aufforderung an die übrigen Mächte, Kompensationen zu verlangen, ganz so wie bei fast allen bisherigen sogenannten Kabinettskriegen. Andererseits bestand bei einer solchen Ausgangslage die Gefahr, daß sich unter dem Stichwort des Bruderkriegs wie unter der Devise des Kampfs gegen den brutalen Machtstaat eine zwar heterogene, aber mächtige antipreußische Koalition mit starken Stützpunkten auch in Preußen selber zusammenfinden werde. Und selbst wenn es gelang, beide Hindernisse erfolgreich zu überwinden, stand zu befürchten, daß jede Neugestaltung die alten Frontstellungen erneut provozieren und in sich verewigen werde. Kurz, ein Krieg war auch bei einem militärischen Erfolg in vieler Hinsicht wenig aussichtsreich, wenn er nicht andere Perspektiven bot und andere Ziele beschwor als die Erwerbung einer zusätzlichen preußischen Provinz.

Zwar hatten die Aussicht auf einen territorialen Siegespreis und die militärischen Erfolge Preußens im dänischen Krieg bereits eine Reihe von einflußreichen Vertretern der Opposition in ihrer bisherigen Einschätzung Bismarcks und seiner Politik etwas schwankend gemacht; an ihrer Spitze standen der Historiker Heinrich von Treitschke und die von ihm stark bestimmten »Preußischen Jahrbücher«. Insgesamt gesehen verharrte die Opposition jedoch in ihrer unbedingten Ablehnung der Regierung und jedes Kompromisses. Es war kaum anzunehmen, daß sich daran unter den gegebenen Umständen etwas änderte, wenn Preußen die Annexion in der einen oder anderen Form durchsetzen würde. Im Gegenteil: Der Großteil der Opposition war nach wie vor auf die augustenburgische Lösung festgelegt. Sie galt als die eigentlich nationale im Gegensatz zu der partikularistisch-preußischen. Der Gedanke, daß letztere im Endeffekt der nationalen Sache dienlicher sein werde, fand, obwohl bereits mehrfach artikuliert, vorerst ein geringes Echo.

Die unterschiedlichen Standpunkte waren sehr deutlich geworden, als der Landtag auf Betreiben Bismarcks, gegen den Widerstand der nachhaltig mit dem Staatsstreich liebäugelnden Gruppe um den Generaladjutanten Edwin von Manteuffel, Mitte Januar 1865 wieder zusammengerufen worden war. Sämtliche zentralen Vorlagen der Regierung – das zum fünften Mal vorgelegte Militärdienstgesetz, ein im Prinzip durchaus nicht unpopuläres und nach den Erfahrungen des dänischen Krieges dringend notwendiges Gesetz über den Ausbau der preußischen Kriegsmarine sowie das Haushaltsgesetz – scheiterten schließlich an der überwältigenden Mehrheit des Abgeordnetenhauses. Und in den Debatten darüber wie über die zahlreichen Einschüchterungsversuche der Regierung gegenüber Vertretern der Opposition zeigte sich von Mal zu Mal deutlicher, wie versteinert die Fronten waren. Es verstärkte sich der Eindruck eines ausweglosen Stellungs- und Grabenkriegs.

In all der Erstarrung zeichnete sich allerdings eine Entwicklung ab, die aufmerksame Beobachter auf seiten der Opposition höchst bedenklich stimmen mußte. Zwar wurde ihre verfassungsrechtliche Basis in der eigentlichen Kernfrage, dem Streit um den Haushalt und um den Anspruch der Regierung, im Konfliktfall auch ohne verabschiedeten Haushalt regieren zu können, in der Öffentlichkeit nach wie vor kaum ernsthaft in Frage gestellt. Aber ansonsten schien das Verhältnis von Recht und Macht nicht mehr ganz so eindeutig zu sein wie zu Beginn des Konflikts. Das hatte seinen Grund vor allem darin, daß die Opposition in dem über die Jahre außerordentlich gesteigerten Gefühl der praktischen Ohnmacht immer häufiger ein Interventions- und Entscheidungsrecht auch dort beanspruchte, wo dies von der Sache wohl begründet erschien, jedoch nicht von der Verfassung und von bestehenden Rechtsvorschriften gedeckt wurde. So suchte sie Maßnahmen der Verwaltung auf direktem Weg wieder rückgängig zu machen oder formal korrekt zustande gekommene Gerichtsurteile zu annullieren. Das Ergebnis war, daß man die These der Regierung ungewollt unterstützte, im Staat, im Bereich des öffentlichen Rechts, seien alle Rechtsfragen letzten Endes Machtfragen. Denn, so konnte man argumentieren, das Verhalten der Mehrheit des Abgeordnetenhauses zeige, daß es ihr gar nicht um die Bewahrung des geltenden Rechts, sondern um die Durchsetzung ihres mit wechselnden Rechtsargumenten verhüllten Machtanspruchs gehe.

Das war, selbst wenn es im Einzelfall leicht widerlegbar sein mochte, insgesamt nicht ungefährlich. Es war geeignet, eine andere, für die Opposition gleichfalls sehr problematische Tendenz zusätzlich zu unterstützen: daß sich die Öffentlichkeit langsam an das herrschende und nun auch noch außenpolitisch und militärisch erfolgreiche Regime gewöhnte und begann, den im einzelnen recht komplizierten Streit um die verschiedenen Rechtspositionen tatsächlich auf die Frage von Machtanspruch und Machtwirklichkeit zu reduzieren.

All das steckte noch ganz in den Anfängen; es zeigte sich zunächst mehr in der schleswig-holsteinischen Frage als im Bereich der Innenpolitik. Aber es enthielt eine Tendenz zum Rechtsrelativismus, zur einseitigen Betonung des Machtgedankens, deren weit über den gegenwärtigen Konfliktfall hinausreichende Gefahren sich gerade die besonnenen Köpfe der Opposition je länger, je weniger verhehlen konnten. Ungeachtet aller Gegensätze gab es daher hinter den Kulissen Versuche, in der ursprünglichen Streitfrage, dem Problem der Heeresreform und insbesondere der dreijährigen Dienstzeit, zu einem Kompromiß zu gelangen und damit möglicherweise die Voraussetzungen zu schaffen für einen Ausgleich in der Budgetfrage, dem verfassungsrechtlichen Kernproblem.

Den Anstoß dazu hatte bezeichnenderweise die Regierung selber gegeben, indem sie zu Beginn der Sitzungsperiode sehr klar erkennen ließ, daß sie auf einem solchen Weg wohl zur Verständigung bereit sein werde. »Geben Sie die Idee, Ihr Budgetrecht an der Militärfrage zu probieren, auf«, hatte Innenminister Graf Eulenburg am 24. Januar 1865 im Abgeordnetenhaus erklärt, während Bismarck eine gleichfalls stark auf Ausgleich gestimmte Rede im Herrenhaus hielt. »Suchen Sie irgend ein anderes Thema, irgend ein anderes Feld, auf dem Sie glauben, Ihr Recht geltend machen zu müssen ... Sie werden die Regierung bereit finden, soweit nicht faktische Zustände es unmöglich machen, der Auslegung der gesetzlichen Paragraphen Raum zu geben, auf der Sie bestehen. Lassen Sie die Militärfrage vom Schauplatze verschwinden«, fuhr Eulenburg geradezu beschwörend fort, »dann wird sie uns als eine Lehre dienen für künftige Zeiten; dann wird der ganze Kampf, den wir seit drei Jahren kämpfen, und der, wenn Sie in diesem Punkte nicht nachgeben, unabsehbar fortgekämpft werden wird, doch zum Heile des Vaterlandes dienen und mehr zur Entwicklung des Verfassungslebens beitragen, als Sie glauben.«

Als jedoch eine Gruppe von Abgeordneten unter Führung des Kriegsministers der »Neuen Ära«, von Bonin, darauf einging und einen vom Standpunkt der Opposition her gesehen sehr weitgehenden Kompromißvorschlag in der Heeresfrage vorlegte, der nur noch auf der Festlegung der Friedenspräsenzstärke der Armee bestand, da fand dieser Vorschlag dann doch nicht die Zustimmung der Regierung. Die Kompromißbereiten fühlten sich düpiert, ihre Gegner im eigenen Lager bestärkt, und statt zu einer Auflockerung kam es seit April zu einer zusätzlichen Verhärtung der Fronten.

Was allerdings zu diesem Zeitpunkt nur ganz wenige Eingeweihte wußten, war, daß Bismarck selber hier eine schwere Niederlage erlitten hatte. Er war nachdrücklich an die Fesseln erinnert worden, die in den Bedingungen lagen, unter denen er sein Amt angetreten hatte. Gegen das Votum des gesamten Kabinetts, also einschließlich des Kriegsministers, hatte es der König abgelehnt, auch nur einen Schritt entgegenzukommen, nachdem er schon die Rede Eulenburgs scharf kritisiert hatte. »Jede Art von Kontingentierung der Stärke der Armee« sei, so hatte er erklärt, eine Schmälerung »der Königlichen Macht«.

Dahinter stand der Chef des Militärkabinetts, General Edwin von Manteuffel, und mit ihm jene Gruppe, die den Monarchen auf den Weg des Staatsstreiches und der Errichtung einer absolutistischen Militärdiktatur, zu einem »inneren Düppel«, treiben wollte. Und so sehr Bismarck insgeheim schäumen mochte, so konnte er sich doch zu diesem Zeitpunkt dem Votum seines Königs, dessen Grundlagen, eine ganz absolutistische Amtsauffassung, er selbst seit Jahren verstärkt hatte, nur beugen. Die später in solchen Fällen immer wieder erfolgreich praktizierte Rücktrittsdrohung kam bei Lage der Dinge nicht in Frage. Dazu waren, wie Bismarck wußte, die Chancen des innenpolitischen Ausgleichsversuchs zu schwer zu berechnen, war die außenpolitische Situation zu kompliziert. Hinzu kam, daß der zur Debatte stehende Gegenstand dem König wie kein anderer am Herzen lag. Der Ministerpräsident zog jedoch aus dem ganzen Vorgang einen für den weiteren Gang der Dinge entscheidenden Schluß: daß er den Einfluß der Gruppe um Manteuffel erst brechen müsse, bevor er eine Entscheidung in der Frage der Herzogtümer, dem Verhältnis zu Österreich und zum Deutschen Bund suchte. Andernfalls drohte er Gefahr zu laufen, daß eine solche Entscheidung jener Gruppe und nicht ihm selber und der von ihm verfolgten Politik zugute kam.

Auch aus diesem Grund plädierte er in der Sitzung des Kronrats Ende Mai 1865, zu der der König, ohne ihn vorher zu konsultieren, die führenden Militärs, also auch Manteuffel, geladen hatte, für eine Vertagung der definitiven Beschlußfassung über die ganze Frage. Er tat dies um so nachdrücklicher, als Manteuffel, der bis dahin eher der Idee einer konservativen Blockpolitik mit Österreich zugeneigt hatte, kurz zuvor, stets um engste Tuchfühlung mit dem Monarchen besorgt, ins Lager der Kriegspartei übergewechselt und daher durch einen solchen Beschluß nicht von diesem zu trennen war.

Für Bismarck war dies jedoch nicht der einzige Vertagungsgrund. Ebenso wichtig waren außenpolitische Motive, die nach wie vor ganz ungeklärte Frage, wie sich die übrigen Großmächte, insbesondere Frankreich, verhalten würden. Und von gleich großem Gewicht war, daß nach Ansicht des Regierungschefs für ein erfolgreiches Vorgehen Preußens und vor allem für eine erfolgreiche Ausnutzung eines Sieges in der öffentlichen Meinung und in der Stimmung der Bevölkerung entscheidende Voraussetzungen zu fehlen schienen.

Der Blick hierauf bestimmte, ungeachtet des Scheiterns des neuerlichen Anlaufs, zu einem Ausgleich zu gelangen, sein Auftreten gegenüber dem

Abgeordnetenhaus in den folgenden Monaten. Zwar kam es immer wieder zu Zusammenstößen, zumal Bismarck nur zu gut wußte, daß die Gruppe um Manteuffel bloß auf weitere Belege angeblicher Nachgiebigkeit und Schwäche lauerte, um ihn beim König ins Zwielicht zu rücken. Aber gleichzeitig ließ er bei verschiedenen Gelegenheiten durchscheinen, ein Neuanfang sei von ihm aus gesehen jederzeit möglich.

So betonte er etwa am 1. Juni 1865 in der dann sehr erregten Debatte über ein Anleihebegehren der Regierung, das auf den militärischen Ausbau der Kieler Bucht und die Vergrößerung der preußischen Flotte zielte, er könne es »nur bedauern, daß bei so vielen vorhandenen Punkten des Einverständnisses doch eine Verständigung über die auswärtige Politik zwischen uns stets mißlingt«: »Könnten wir uns rechtzeitig klar im voraus über alle Pläne der Zukunft Ihnen gegenüber aussprechen, ich glaube, Sie würden mehr davon billigen, als Sie bisher zu tun sich getrauen.«

Es mangelte dabei nicht an ironischen Floskeln über die außenpolitische Befähigung mancher Abgeordneter, auch nicht an neuerlichen Attacken gegenüber den angeblichen Versuchen der Opposition, den dem Parlament in der Verfassung gesetzten Rahmen zu seinen Gunsten zu sprengen. Aber der Grundtenor blieb das kaum verhüllte Angebot, in der Außenpolitik zusammenzuarbeiten. Bismarck ging so weit zu erläutern, warum er im Unterschied zu Sprechern der Opposition nicht der Meinung sei, daß sich anläßlich der Verhandlungen über die Erneuerung des Zollvereins mit einigem Druck »politische Vorteile zugunsten einer bundesstaatlichen Vereinigung« hätten durchsetzen lassen – woraus jeder entnehmen konnte, daß er mit dem Ziel sich ganz einverstanden sei. In diesem Sinne enthielt denn auch der Schlußsatz seiner Rede, bei aller Ambivalenz und Schärfe der Formulierung, ein sehr klares Programm. Er könne nicht leugnen, so umriß er es gleichsam vom Negativen her, »daß es mir einen peinlichen Eindruck macht, wenn ich sehe, daß angesichts einer großen nationalen Frage, die seit zwanzig Jahren die öffentliche Meinung beschäftigt hat, diejenige Versammlung, die in Europa für die Konzentration der Intelligenz und des Patriotismus in Preußen gilt, zu keiner anderen Haltung als zu der einer impotenten Negative sich erheben kann. Es ist dies, meine Herren, nicht die Waffe, mit der Sie dem Königtum das Szepter aus der Hand winden werden, es ist auch nicht das Mittel«, fügte er warnend hinzu, »durch das es Ihnen gelingen wird, unseren konstitutionellen Einrichtungen diejenige Festigkeit und weitere Ausbildung zu geben, deren sie bedürfen.«

Damals wie später ist diese Taktik als eine Politik mit Zuckerbrot und Peitsche gedeutet worden. Die Tatsache, daß die Sitzungsperiode wenig später mit schroffsten Angriffen Bismarcks gegen die Mehrheit endete, scheint diese Deutung ebenso zu bestätigen wie seine Äußerung in der nachfolgenden Ministerratssitzung, »mit der bestehenden Verfassung« werde man auf die Dauer »nicht regieren« können: »Eine tiefgreifende Änderung derselben« sei »nicht zu vermeiden«. Man wird sich jedoch fragen müssen, ob beides nicht nur sein eigenes innenpolitisches Dilemma dokumentierte.

Sein Versuch, mit der Mehrheit ins Gespräch zu kommen, war abermals gescheitert. Auf der anderen Seite stand eine Gruppe bereit, die riet, das ewige Lavieren aufzugeben und mit einem Staatsstreich Remedur zu schaffen. Hielt man das im Innersten für eine falsche Politik, ohne doch im Augenblick eine realisierbare Alternative anbieten zu können, dann drängte es sich bei Lage der Dinge förmlich auf, die Konkurrenz im eigenen Lager verbal zu überspielen, um auf diese Weise Zeit zu gewinnen. Die Schroffheit des Tons gegenüber den Abgeordneten, die Drohung mit neuen Kampfmaßnahmen und die bezeichnenderweise reichlich vage Äußerung über einen etwaigen Entscheidungsschlag gegen die Opposition – all das kann ebensogut als Mittel interpretiert werden, um Vorwürfe aus den eigenen Reihen abzuwehren. Diese Vorwürfe gipfelten in der Behauptung, er sei nicht entschlossen genug und lasse die günstige Gelegenheit verstreichen, durch eine Radikalkur den ganzen Konflikt mitsamt seinen Wurzeln zu beseitigen.

Löst man sich auch hier von angeblichen Plänen und Absichten und konzentriert sich auf die tatsächlichen Abläufe und Ergebnisse, so scheint jedenfalls sehr viel für eine solche Deutung zu sprechen. Denn in der Tat hat Bismarck in den folgenden Monaten einerseits deutlich auf Zeitgewinn gespielt und andererseits eben keinen Staatsstreich vorbereitet. Er hat vielmehr unbeirrt an seinem Programm festgehalten, zumindest einen Teil der bisherigen Opposition für sich und für seine Politik zu gewinnen. Gleichzeitig hat er alles daran gesetzt, Edwin von Manteuffel, der ihm auch außenpolitisch, zumal im Hinblick auf ein mögliches Zusammenspiel mit Frankreich, immer wieder ins Handwerk zu pfuschen versuchte, aus der Umgebung des Königs und aus Berlin zu entfernen – was ihm mit dessen »Beförderung« zum Gouverneur von Schleswig im August 1865 schließlich gelang.

Einen Zeitgewinn stellte vor allem die neuerliche Verständigung mit Österreich in der sogenannten Konvention von Gastein vom August 1865 dar, eine Verständigung, die kaum noch jemand für möglich gehalten hatte. Rückblickend hat man auch sie in den Zusammenhang einer Politik der grundsätzlichen Alternativen in der deutschen Frage zu stellen versucht. Doch ihre Vorgeschichte und die unmittelbar darauf einsetzende weitere Entwicklung sprechen bei nüchterner Betrachtungsweise eine sehr eindeutige Sprache: Das Ganze war, von Preußen her gesehen, eine Station, die letzte, auf dem Weg zum großen Konflikt.

Seit Rechbergs Rücktritt hatte sich das preußisch-österreichische Verhältnis trotz der offen bekundeten Absicht Franz Josephs, an der Zusammenarbeit mit Preußen festhalten zu wollen, laufend verschlechtert. Selbst wenn man dabei alle Schwierigkeiten und Probleme in Rechnung stellt, die sich aus der gemeinsamen Verwaltung der Herzogtümer notwendigerweise ergaben, wird man sagen müssen, daß diese Verschlechterung eindeutig auf das preußische Konto ging. Auf alle erdenkliche Weise hatte Berlin den Österreichern vor Augen geführt, daß sie hier, hoch im Norden, weitab von ihrem natürlichen Einflußgebiet, letztlich nichts verloren hätten und im Interesse eines künftigen guten Einvernehmens besser daran täten, das Feld möglichst bald zu räumen. Es war nur konsequent gewesen, daß Österreich darauf mit einer schrittweisen Wiederannäherung an die proaugustenburgische Bundesmehrheit reagiert hatte: Überließ es die Herzogtümer, jetzt oder später, Preußen, dann stand es vor aller Welt als Düpierter da und drohte in Deutschland einen möglicherweise tödlichen Prestigeverlust zu erleiden.

So standen sich die beiden Mächte bereits im Sommer 1865 in offener Konfrontation gegenüber. Preußen hatte in einer dem Wiener Kabinett Ende Februar übermittelten grundsätzlichen Stellungnahme klargemacht, daß es sich mit einem selbständigen Staat Schleswig-Holstein nur einverstanden erklären würde, wenn sich dieser sowohl in militärischer als auch in wirtschaftlicher Hinsicht völlig der preußischen Oberhoheit unterwerfe. Darüber hinaus lehnte Berlin nach wie vor jede Beteiligung des Bundes mit Nachdruck ab. Die preußische Regierung forderte Österreich immer wieder eindringlich auf, an dem bisherigen Prinzip der alleinigen Verantwortung und Entscheidung der Großmächte festzuhalten. Wien hingegen suchte nun immer deutlicher den Anschluß an seine alte Bundeskoalition und an die proaugustenburgische Mehrheit in der deutschen Öffentlichkeit. Bereits Anfang April erklärte sein Vertreter am Bundestag, Österreich sei zur Abtretung seiner Rechte an den Augustenburger bereit, wenn Preußen dasselbe tue.

Gleichzeitig ließ die österreichische Regierung jedoch in vertraulichen Mitteilungen erkennen, man sei bei entsprechendem Entgegenkommen Preußens zu einer Änderung dieser Haltung bereit; die Rede war von territorialen Kompensationen in Süddeutschland oder in Schlesien, von den hohenzollernschen Fürstentümern oder der Grafschaft Glatz. Darauf ließ sich Berlin mit keinem Worte ein. Die Antwort bestand vielmehr in der mehrfach, am 31. Juli ultimativ wiederholten Aufforderung, gemeinsam gegen die augustenburgische Bewegung in den Herzogtümern vorzugehen, da diese die öffentliche Ordnung und die Autorität der neuen Landesherren gefährde. Falls Österreich nicht mitziehe, so die preußische Regierung, werde man allein vorgehen. Da Wien dies schwerlich dulden konnte, wäre damit der offene Konflikt sofort unvermeidlich gewesen.

In dieser Situation setzte sich in Wien noch einmal die Partei eines konservativen Ausgleichs mit Preußen durch. Ihre Hauptwortführer, der Außenminister Graf Mensdorff und der persönliche Vertraute des Kaisers, Graf Moritz Esterhazy, argumentierten vor allem damit, daß die innere Situation in Österreich, die wachsende Gefährdung durch liberale und nationalrevolutionäre Strömungen im Zeichen einer sich ständig verschlechternden wirtschaftlichen und finanziellen Lage, einen solchen Konflikt verbiete.

Die innenpolitische Lage war in der Tat höchst prekär. Sie wurde noch dadurch erschwert, daß es dem Führer der großdeutschen Partei, dem Innen- und Staatsminister Schmerling, nicht gelang, das Verhältnis zu dem ungarischen Landesteil auf eine befriedigende neue Basis zu stellen. Als Schmerling angesichts dessen resignierte und Ende Juni seinen Rücktritt einreichte, war die Partie praktisch entschieden.

Wenn Bismarck gerade jetzt unter Einsatz aller Mittel, nicht zuletzt finanzieller Pressionen, nachsetzte, so bezeugt das noch einmal mit aller Deutlichkeit, daß er der Idee eines konservativen Ausgleichs auch nicht das geringste preußische Opfer zu bringen bereit war. Er machte vielmehr, als Wien Verhandlungsbereitschaft signalisierte, sofort klar, daß das Entgegenkommen allein bei Österreich liegen müsse. Und während er am Kurort des preußischen Königs in Gastein mit dem direkten Vertrauensmann des Kaisers und der Gruppe um Esterhazy, dem Wiener Gesandten in München, Graf Blome, die entsprechenden Verhandlungen führte, ließ er in Paris und auch am Sitz der italienischen Regierung in Florenz sondieren, wie man sich hier im Fall eines kriegerischen Zusammenstoßes zwischen den beiden deutschen Großmächten verhalten werde. Er operierte also ganz offenkundig am Rande eines Krieges, dessen Finanzierung seit Mitte Juli 1865, wesentlich durch die Aktivitäten seines Bankiers Bleichröder, auch ohne entsprechende Beschlüsse des Parlaments garantiert zu sein schien.

Dem entsprach der Druck, den er auf Österreich und auf den österreichischen Unterhändler ausübte. Nur diese Pressionen machen verständlich, warum sich Wien schließlich in der von Franz Joseph und Wilhelm am 20. August 1865 ratifizierten Konvention von Gastein zu Zugeständnissen bereitfand, die seine Position in der schleswig-holsteinischen Frage endgültig untergruben und darüber hinaus sein Verhältnis zu seinen Anhängern im außerösterreichischen Deutschland aufs schwerste erschütterten. Der Kaiserstaat erklärte sich mit einer faktischen Herrschaftsteilung in den Herzogtümern einverstanden: Wien erhielt die Verwaltung Holsteins, Preußen diejenige Schleswigs, seine Rechte an Lauenburg verkaufte der österreichische Kaiser für zweieinhalb Millionen dänische Taler an den preußischen König. Gleichzeitig stimmte die österreichische Seite der Einbeziehung beider Territorien in den Deutschen Zollverein und der Etablierung fester Verkehrs- und Nachrichtenverbindungen zwischen Preußen und Schleswig durch holsteinisches Gebiet zu.

Das Ganze war, mochte es auch durch wohlklingende Formeln und preußische Verneigungen vor dem österreichischen Partner notdürftig verschleiert sein, ein eindeutiger Triumph Berlins und seines leitenden Mannes.

Bismarcks Erhebung in den erblichen Grafenstand am 15. September 1865, dem Tag der formalen Besitzergreifung des Herzogtums Lauenburg durch Preußen, dokumentierte vor aller Welt, wie die preußische Krone die Leistung ihres ersten Ministers einschätzte. »Preußen hat in den vier (!) Jahren, seit welchen ich Sie an die Spitze der Staatsregierung berief«, hieß es in dem entsprechenden Schreiben Wilhelms, »eine Stellung eingenommen, die seiner Geschichte würdig ist und demselben auch eine fernere glückliche und glorreiche Zukunft verheißt.«

Zunächst war in den Verhandlungen in Gastein davon die Rede gewesen, daß die faktische Herrschafts- und Verwaltungsteilung definitiv sein, daß Preußen und Österreich jeweils ein Herzogtum annektieren sollten. Das hätte den Sturm in der deutschen Öffentlichkeit und bei den traditionellen Bundesgenossen Wiens zweifellos noch vergrößert. Denn damit wäre eine weitere, seit Jahrzehnten immer wieder gegen Dänemark ins Feld geführte Forderung der deutschen Seite, das Prinzip der Unteilbarkeit der Herzogtümer, preisgegeben worden. Daher hatte das österreichische Kabinett vorgeschlagen, das Ganze als Provisorium zu bezeichnen und an dem Prinzip der gemeinsamen Verantwortung beider Monarchen für das Schicksal der Herzogtümer festzuhalten.

Bismarck war darauf sofort bereitwillig eingegangen. Was jedoch wie ein freundliches Entgegenkommen aussah und als Auftakt für die von Wien und seinem neuen leitenden Minister, dem Grafen von Belcredi, erstrebte Politik enger preußisch-österreichischer Zusammenarbeit verstanden werden mochte, war in Wahrheit kühle Berechnung. Denn mit der Fortschreibung des Provisoriums behielt Preußen die Möglichkeit, jederzeit Feuer an die Lunte zu legen, also Österreich über die Frage einer definitiven Regelung in einen neuen Konflikt hineinzuzwingen. Es war der grundlegende und schließlich tödliche Irrtum der Wiener Politik zu glauben, der konservative Ausgleich mit Preußen lasse sich zu anderen als den von Bismarck im Dezember 1862 skizzierten Bedingungen des Auseinanderrückens der Mächte und der scharfen Abgrenzung der beiderseitigen Interessen- und Einflußsphären erreichen.

Die vieldiskutierte Frage nach der Bedeutung von Gastein läßt sich von daher auch für die österreichische Seite ganz klar beantworten. Die Konvention dokumentierte die Unfähigkeit der in Wien herrschenden Partei, einen de facto bereits gefaßten Entschluß konsequent zu vollziehen und die nötigen Opfer wirklich zu bringen. Dieser Entschluß hieß: Preisgabe der großdeutschen und gemäßigt-liberalen Bundesreformpolitik, Hinwendung zu einer Reorganisation des österreichischen Gesamtstaates unter entsprechender Berücksichtigung des Gewichts Ungarns, Ausgleich mit Preußen, um die Hände für die Lösung dieses Problems freizubekommen.

Mit der personellen Umgestaltung der Regierung im Juli 1865 und der Außerkraftsetzung der liberalen Gesamtstaatsverfassung von 1861, mit der zunehmenden Begünstigung des ungarischen Elements in der österreichischen Politik und mit der endgültigen Abkehr von den Zielen der Schleswig-Holstein-Bewegung und der proaugustenburgischen mittel- und kleinstaatlichen Regierungen wurde dieser Entschluß bereits in wesentlichen Punkten durchgesetzt. Vor der letzten Konsequenz, der freiwilligen Preisgabe des Siegespreises im dänischen Krieg und darüber hinaus der bisherigen Bundesbeziehungen zugunsten eines langfristigen Ausgleichs mit Preußen, schreckte die österreichische Politik jedoch nach wie vor zurück. So aber gab Gastein gar keinen Sinn, signalisierte nur Schwäche und Unentschlossenheit und nicht die Bereitschaft zu einer wirklich neuen Politik.

Natürlich wird man sich fragen müssen, ob eine solche kühne Vorwegnahme der faktischen Ergebnisse von 1866 unter Vermeidung eines Kriegs und unter für Österreich günstigeren Bedingungen überhaupt möglich und durchsetzbar gewesen ist. Auf der anderen Seite wird von hier aus noch einmal ganz deutlich, daß es für Bismarck im Vorfeld von 1866 eben nicht um Alternativen des Ziels, sondern allein um Alternativen der Methoden ging. Wenn sich das Ziel, die preußische Vorherrschaft jedenfalls bis zur Main-Linie und die Beseitigung der bis zum Ausbruch der Schleswig-Holstein-Krise herrschenden Bundesverhältnisse, auf dem Weg einer preußisch-österreichischen Generalvereinbarung erreichen ließ – um so besser. Wenn nicht: »Flectere si nequeo superos, Acheronta movebo.«

Doch das war leichter gesagt als getan. So überzeugt Bismarck nach der Fixierung einer neuen Übergangslösung in Gastein auch sein mochte, daß ein kriegerischer Konflikt über kurz oder lang unvermeidbar sei, so fraglich mußte es nach wie vor erscheinen, ob sich Hilfstruppen aus der »Unterwelt«, also aus dem, was die Konservativen das »Lager der Revolution« nannten, wirklich rekrutieren lassen würden.

Sicher wandte sich die allgemeine Empörung der deutschen Öffentlichkeit über den »schändlichen Kuhhandel« von Gastein vorwiegend gegen Österreich: Wien hatte, so mußte es scheinen, ohne unmittelbar einsehbares direktes Interesse wie Preußen und unter Preisgabe der eben noch bekundeten Rechtsüberzeugung die Interessen der Nation und der Schleswig-Holsteiner geopfert. Darüber hinaus verstärkte sich, wie in der Diskussion über den Fortbestand und die künftigen Ziele der gesamtdeutschen Schleswig-Holstein-Bewegung und ihrer Organisationen deutlich wurde, in Teilen insbesondere des preußischen Liberalismus die Überlegung, ob eine Lösung der deutschen Frage auf dem von Bismarck beschrittenen Weg erfolgreicher Machtpolitik im Augenblick nicht Vorrang haben müsse vor der Lösung der Verfassungsfrage im eigenen Sinne. Man begann sich, wie der ehemalige Außenminister und jetzige Minister des königlichen Hauses von Schleinitz, der Vertraute der Königin, schon Ende Oktober 1865 bitter formulierte, »vor der erfolgreichen Gewalttat (zu) beugen«. Und schließlich verband man in

Florenz wie in Paris, den beiden »Vororten der Revolution« in Europa nach konservativem Verständnis, mit einem preußisch-österreichischen Konflikt die von Bismarck im stillen immer wieder genährte Erwartung, bei dieser Gelegenheit territorial und machtpolitisch auf die eigene Rechnung zu kommen.

Aber all dies waren und blieben doch unsichere Elemente in einem Erfolgskalkül, zu dessen Aktivposten nicht einmal, wie man heute weiß, das feste Vertrauen auf eine wohlwollende Neutralität Rußlands gerechnet werden konnte. Auch hier gab es ständige Schwankungen, und in Petersburg blieb die Versuchung, ein Wort mitzureden, ebenso groß wie die Neigung, Österreich seine Haltung im Krim-Krieg abermals heimzuzahlen.

Nichts zeigt wohl besser, für wie brüchig Bismarck die eigene Basis hielt, als seine Erwägung, im Notfall auch an die nationalrevolutionären Bewegungen innerhalb des Vielvölkerstaates Österreich zu appellieren. Das hätte in der Tat geheißen, Kräfte zu mobilisieren, deren Begünstigung dem eigenen Staat über kurz oder lang sehr gefährlich werden konnte; man denke nur an die polnische Minderheit in Preußen.

So gut in mancher Hinsicht die Ausgangsposition mittlerweile geworden sein mochte – ein Krieg mit Österreich und seinen mutmaßlichen Verbündeten unter den Bundesstaaten blieb nach wie vor ein außerordentliches Risiko. Das galt auch für den rein militärischen Bereich. Trotz der Niederlage in Italien und trotz der immer tiefergreifenden Sparmaßnahmen im Militäretat schien die österreichische Militärmacht der preußischen immer noch zumindest ebenbürtig zu sein. Und ob die preußischen Kräfte rein zahlenmäßig ausreichen würden, um gleichzeitig einen Vielfrontenkrieg gegen die kleineren Bundesstaaten zu führen, erschien manchem zweifelhaft. Selbst wenn dies der Fall sein würde, drohte ein langer Krieg, der die Gefahr einer Intervention der übrigen Großmächte ebenso vergrößern würde wie die Neigung, das Ganze mit einem Kompromiß zu beenden. Eines der ersten Opfer eines solchen Kompromisses wäre dann über kurz oder lang fraglos Bismarck selber geworden, der die Sache angezettelt, aber zu keinem wirklich befriedigenden Ergebnis geführt haben würde.

Es ist daher, nimmt man alles zusammen, ganz falsch, von einer Politik des kalkulierten und kalkulierbaren Risikos zu sprechen, die Bismarck im Vorfeld von 1866 geführt habe. Er selber hat, in Interpretationen des eigenen Erfolgs, diese Legende genährt, und viele Historiker haben sie ihm nachgesprochen, sogar jene, ja, gerade jene, die die Ernsthaftigkeit der von ihm angeblich anvisierten und je nach den Umständen vorangetriebenen Alternativen betonten: Dadurch erschien er vollends als der Mann, der das Spiel in allen Phasen souverän und fast risikolos beherrschte, da er sich stets einen Ausweg offenhielt.

In Wahrheit hat er gerade 1866, bei aller klugen Berechnung im einzelnen, bei allem unbezweifelbaren Geschick und der Fähigkeit zum Abwarten, eben doch den vollen Einsatz gewagt, alles auf eine Karte gesetzt in einem Spiel, in dem neben Geschicklichkeit und Beherrschung der Spielregeln im entscheidenden Moment Zufall und Glück den Ausschlag gaben; nicht zufälligerweise rechneten selbst an der Berliner Börse die meisten bis zuletzt mit einem Sieg der Donaumonarchie. Die ganz natürliche Neigung zum nachträglichen Durchrationalisieren des historischen Prozesses droht hier im Zeichen des erfolgreichen Ausgangs wesentliche Voraussetzungen des Erfolgs zu verdecken. Zugunsten eines im Rationalen, in der Fähigkeit zur Beherrschung aller Verhältnisse und Situationen übersteigerten Bildes des großen Mannes wird damit leicht in den Hintergrund gedrängt, was für die mithandelnden Zeitgenossen das »Unberechenbare« an ihm war. »Wenn es einmal Sturm gibt, wird sich zeigen, daß wir auf hohen Wellen besser schwimmen können als andere Leute«, hatte er 1865 einmal prophezeit. Das aber mußte sich erst noch erweisen.

# *1866*

Seit den fünfziger Jahren hatte Bismarck immer wieder betont, daß man das bisherige Bundesverhältnis einst »ferro et igni heilen« müsse, da sich Preußen und Österreich unter den gegebenen Umständen die »Lebensluft weg-atmeten«. Und er hatte, bei aller Offenheit gegenüber neuen Entwicklungen, wiederholt sehr genaue Pläne für die Erreichung dieses Ziels entwickelt: weitgehende Ausschaltung des Bundes bei einem solchen Konflikt, Draußen-halten Rußlands und Englands, Gewinnung zumindest der wohlwollenden Neutralität Frankreichs und vor allem Mobilisierung der kleindeutschen Nationalbewegung für die eigenen Ziele und Zwecke. Keines dieser Ziele hatte er bisher definitiv erreicht. Ja, es war bereits vorauszusehen, daß sich eine solche Konstellation, die freilich eine Idealkonstellation gewesen wäre, nicht bieten werde. Aber selbst als schließlich deutlich wurde, daß irgendeine Sicherheit des Erfolgs von den Ausgangsbedingungen her nicht zu gewinnen sein werde, hat er nicht gezögert, »nochmals in der bewußten Lotterie« einer die eigene Existenz aufs Spiel setzenden Machtpolitik im Stil Friedrichs des Großen zu setzen, wie er es Ende November 1851 dem österreichischen Bundestagsgesandten Graf Thun angekündigt hatte.

Dies war zugleich das gerade hier nicht zu unterschätzende Element des Individuellen in der Entscheidung von 1866. Sicher wies vieles in diese Richtung, war manches auch bereits mit dem Zollverein, den Beschlüssen von 1848/49 und der Formierung der politischen Gruppierungen in Mitteleuropa in ihrem Sinne vorentschieden. Aber was auch immer an bestimmenden Faktoren in den Entscheidungsprozeß einging – sein konkretes Ergebnis hing von dem Prozeß selber ab und damit von denen, die in ihm, sei es planvoll, sei es situationsbedingt, handelten. Bismarck gehörte, so sehr sich schließlich alles zueinanderfügte, fraglos zu den letzteren: Was im Herbst 1866 Wirklich-keit geworden ist und die weitere Entwicklung entscheidend bestimmte, hat er in dieser Form durchaus nicht bewußt vorausgeplant. Das gab ihm Vorsprung und Überlegenheit gegenüber fester Planenden, gegenüber denjenigen, die sich in starreren Bahnen bewegten. Es kündigte aber auch schon an, was in Abhängigkeit von der eigenen, ad hoc ins Leben gerufenen Schöpfung der Preis des Erfolgs sein konnte.

Seit Gastein, seitdem endgültig klargeworden war, daß Österreich sich auch
unter einer hochkonservativen, dem liberal-großdeutschen Zentralstaats-
konzept abgeneigten Regierung nicht zu einem Ausgleich mit Preußen unter
den von Bismarck einst genannten Bedingungen bereitfinden werde, ging der
preußische Regierungschef entschlossen auf den Konflikt zu. Seine Entschlossenheit hieß konkret: Mobilisierung und Ausnutzung aller Faktoren, die der
österreichischen Position zu schaden und die preußische zu verbessern
geeignet erschienen, ohne Rücksicht auf die Folgen, die sich aus ihrer
Kombination und aus dem ergeben mochten, was damit an Entwicklungen
und selbstläufigen Prozessen etwa in Gang gebracht wurde. »Soll Revolution
sein, so wollen wir sie lieber machen, als erleiden« – das war jetzt die Devise.
Und Bismarck unterwarf sich ihr in einem Maße, daß sich seine alten
konservativen Freunde schließlich entsetzt von ihm abwandten.

Sein erster Schritt war, möglichst weitgehende Verwirrung nicht so sehr
über das Ziel zu stiften, das er anstrebte, als über die Wege, die er vermutlich
einschlagen werde. So hoffte er, alles in Fluß zu halten und die jeweiligen
Reaktionen für die eigenen Entscheidungen benutzen zu können. In diesem
Sinne ließ er Anfang September 1865 Napoleon III. auf dessen als Vorschlag
getarnte Erkundigung mitteilen, er habe keineswegs die Absicht, jetzt mit der
kleindeutschen Nationalbewegung zusammenzugehen. Er bemerke vielmehr
mit Genugtuung, daß sich die Regierungen der kleinen und mittleren Bundesstaaten, die dieser durchaus nicht wohlwollend gegenüberständen, immer
stärker an Preußen anschlössen. Gleichzeitig gab er für die Presse die Sprach-
regelung aus, die Unterstützung, welche die Nationalbewegung und ein Teil
der deutschen Öffentlichkeit bei ihrer Beurteilung des Vertrags von Gastein
durch die englische und die französische Regierung erführen, zeige, was man
von Kräften zu halten habe, die sich vom Ausland abhängig zu machen bereit
seien: Es sei daher die Pflicht Österreichs als Präsidialmacht des Deutschen
Bundes, gemeinsam mit Preußen gegen jene Kräfte vorzugehen. Und während er hier Preußen als Bollwerk des Status quo und der konservativen Kräfte
darstellte, wies er wenig später den neuernannten Gouverneur in Schleswig,
von Manteuffel, an, in seiner Personalpolitik die Vertreter der »sogenann-
te(n) nationale(n) Partei« zu begünstigen – »ohne eine zu große Bedenklichkeit wegen der sonstigen Stellung dieser Männer zu hegen«. »Wenn Mensdorff wieder in Würzburger Politik verfällt«, ließ er zehn Tage später
verlauten, werde er nicht zögern, Wien seinerseits »etwas Schwarz-rot-gold
unter die Nase zu reiben«. Das gelte auch für Österreichs deutsche Klientel:
»Ein deutsches Parlament würde die Sonderinteressen der Mittel- und
Kleinstaaten in gehörige Schranken weisen.« Sie würden dann schon merken,
daß es besser sei, Preußen nicht zu reizen. »Was wollen die kleinen Fürsten?«,
höhnte er: »Die Regierungen sind reaktionärer als ich – der auch die
Bewegungspartei benutzen würde, wenn es Preußens Vorteil erheischt –, sie

wollen vor allem auf ihren Thronen bleiben, fürchten sich wohl vor uns, aber noch mehr vor der Revolution.« Einen möglichen Gegenzug dieser Mittel- und Kleinstaaten, beispielsweise im Sinne der Triaspolitik von der Pfordtens, schloß er also für sich selber völlig aus: »Wenn unter den mittelstaatlichen Ministern sich ein Ephialtes fände, die große deutsche Nationalbewegung würde ihn und seinen Herrn erdrücken.« Gleichzeitig aber verwendete er eine solche Eventualität Österreich gegenüber als etwas, worauf man durchaus gefaßt sein müsse.

Hinter dem Dunstschleier bewußt widersprüchlicher Äußerungen, die freilich erkennen lassen, welche Elemente er für sich zu nutzen hoffte, trieb er die Konfrontation mit Österreich zielbewußt voran. Neben einem ständigen Kleinkrieg in den Herzogtümern, der sich um Personal- und Verwaltungsfra- gen, um die Stellung zu der nach wie vor proaugustenburgischen Volksbewe- gung wie um die Behandlung des Thronprätendenten selber drehte, baute er sowohl auf der deutschen als auch auf der europäischen Ebene ständig neue Positionen und Fronten auf. Auf der deutschen, indem er den seit Gastein außerordentlich verstärkten Gegensatz zwischen Österreich und den Mittel- und Kleinstaaten auf der einen sowie zwischen dem Kaiserstaat und den liberalen und nationalen Kräften auf der anderen Seite zu vertiefen suchte. Und auf der europäischen, indem er den natürlichen Gegner Österreichs im Süden, das neue Königreich Italien, mit wirtschaftlichen Zugeständnissen und dem kaum noch versteckten Hinweis umwarb, daß es bei einem preußisch- österreichischen Krieg Venetien gewinnen könne. Außerdem bemühte er sich, ohne sich hinsichtlich eines möglichen materiellen Entgegenkommens je festzulegen, Napoleon III. so nahe wie möglich an Preußen heranzuziehen. Frankreich, so der Eindruck, den er in Paris zu vermitteln bestrebt war, werde mit einer Begünstigung Preußens jedenfalls etwas gewinnen, und sei es auch nur eine dauerhafte Verstärkung seiner kontinentalen Vormachtstellung.

Obwohl man in Wien nach Gastein, beschäftigt mit den drängenden inneren Problemen des Landes, geneigt war, sich etwas vorzumachen, konnte man je länger, je weniger übersehen, worauf das alles hinauslief – selbst wenn nur ein Teil der preußischen Aktivitäten sichtbar und bekannt wurde. Doch man konnte sich auch jetzt nicht entschließen, den letzten Schritt zu tun und mit Holstein die bisherige Stellung Österreichs in Mitteleuropa um den Preis einer großräumigen Herrschaftsteilung und Kooperation mit Preußen freiwillig zu opfern.

So blieb nichts anderes übrig, als die Herausforderung anzunehmen und zu versuchen, die alten Bundesgenossen in Mitteleuropa zurückzugewinnen. Als erster Schritt in diese Richtung erschien die Tatsache, daß am 23. Januar 1866 unter offenkundiger Duldung der österreichischen Regierung eine von Tau- senden besuchte Volksversammlung in Altona stattfand, die für die Einberu- fung einer schleswig-holsteinischen Ständeversammlung demonstrierte.

Zwar bestritt man in Wien dann nachdrücklich, diese Aktion inhaltlich in irgendeiner Weise gebilligt oder gar etwas mit ihrem Zustandekommen zu tun gehabt zu haben. Auf den geharnischten Protest der preußischen Regierung gegen diese angebliche Begünstigung des Versuchs, die Beschlüsse von Gastein rückgängig zu machen, reagierte die österreichische jedoch, und das war das Entscheidende, nun endgültig mit dem Entschluß, gegen Preußen Front zu machen. Man müsse jetzt, so Graf Esterhazy, zumindest »die Zähne zeigen«.

Tonart und Inhalt des preußischen Protestes ließen dem Wiener Kabinett kaum eine andere Wahl. Da war davon die Rede, daß Wien offenbar den einst vereinbarten Kampf gegen »den gemeinsamen Feind beider Mächte, die Revolution«, aufzugeben bereit sei. Man stehe nicht mehr zum Inhalt geschlossener Verträge, ja, versuche, mit revolutionären Kräften zu paktieren. Nehme der Kaiserstaat von dieser Politik nicht sofort Abstand, dann sei der Schluß unvermeidlich, daß die von Preußen »aufrichtig angestrebte intime Gemeinsamkeit der Gesamtpolitik beider Mächte sich nicht verwirklichen läßt«. In diesem Fall müsse die preußische Regierung für ihre »ganze Politik volle Freiheit gewinnen und von derselben den Gebrauch machen, welchen wir dem Interesse Preußens entsprechend halten«. Mit dieser von Bismarck eigenhändig formulierten Drohung endete der zur direkten Mitteilung bestimmte Erlaß an den preußischen Gesandten in Wien. Offener konnte man es nicht sagen. Entweder Österreich verzichtete in Holstein auf jede eigenständige Politik, unterwarf sich hier völlig den Interessen der norddeutschen Vormacht, wenn es sich schon nicht zur Abtretung entschloß – oder aber ein Zusammenstoß war unvermeidlich.

Mit dem Beschluß, nicht noch einmal zurückzuweichen, den der österreichische Ministerrat unter Vorsitz Franz Josephs am 21. Februar 1866 in Ofen faßte, war die Kriegsentscheidung praktisch schon gefallen. Österreich sei keine Macht, so wurde dem eigenen Gesandten als Instruktion mitgeteilt, »die sich ohne Schwertstreich an Ehre, Einfluß und Ansehen verkleinern und aus wohlerworbenen Stellungen verdrängen« lasse.

Zwar waren sich die österreichischen Minister einig, »die Wahrung der Ehre und Würde des Landes sowie seiner Interessen« nochmals »auf diplomatischem Wege« zu versuchen; konkrete Kriegsvorbereitungen sollten zunächst nur »auf dem Papier« getroffen werden. Aber an der Bereitschaft, Preußen nun so oder so in den Weg zu treten, konnte kein Zweifel mehr bestehen. Und diese Bereitschaft bedeutete bei der Haltung der regierenden Kreise in Preußen unausweichlich den Krieg.

Auf einer Zusammenkunft des preußischen Kronrats, die eine Woche nach der Sitzung des österreichischen Ministerrats, am 28. Februar 1866, stattfand, gingen die Teilnehmer mit Ausnahme des Kronprinzen davon aus, daß ein Krieg praktisch unvermeidbar sei. Ohne ihn bewußt herbeiführen zu wollen, so die fast einhellige Meinung des Gremiums, müsse man das Schwergewicht jetzt auf die diplomatische und politische Vorbereitung der militärischen Auseinandersetzung legen.

Das war lediglich die offizielle Festlegung und Bestätigung dessen, was bereits seit geraumer Zeit feststand – mochten den König auch bis zuletzt, bis an die Schwelle des Krieges, immer wieder Skrupel und Bedenken befallen, die seinen Regierungschef zwangen, bei ihm, wie die Eingeweihten es ausdrückten, »jeden Morgen den Uhrmacher (zu) spielen, der die abgelaufene Uhr wieder aufzieht«. Bedeutsam war diese Kronratssitzung vor allem deswegen, weil Bismarck in ihr nun das eigentliche Kriegsziel Preußens formulierte und die Mittel skizzierte, mit deren Hilfe es erreicht werden sollte.

In einem großen historischen Rückblick auf die Entwicklung des preußisch-österreichischen Verhältnisses und auf die Situation in Mitteleuropa seit dem Ende des Alten Reiches fegte er alles vom Tisch, was in den letzten Jahren an Plänen über einen möglichen Ausgleich, über eine dauerhafte Verständigung und Herrschaftsteilung diskutiert worden war, auch alles, was man im konservativen Lager an Erwartungen und Zielsetzungen damit seit langem verknüpft hatte. Preußen, so Bismarck, sei »die einzige lebensfähige politische Schöpfung, die aus den Ruinen des alten deutschen Reiches hervorgegangen sei«. Hierauf beruhe sein berechtigter Anspruch, »an die Spitze von Deutschland zu treten«. Österreich hingegen habe »das nach diesem Ziele gerichtete natürliche und wohlberechtigte Streben Preußens aus Eifersucht von jeher bekämpft, indem es die Führung Deutschlands, obwohl selbst dazu unfähig, Preußen nicht gegönnt habe«.

Dieser Kampf habe stets »nur einzelne Unterbrechungen zu bestimmten vorübergehenden Zwecken« erfahren. So sei insbesondere die Gründung des Deutschen Bundes nicht als ein Versuch anzusehen, den Konflikt wirklich zu beenden. Der Bund sei vielmehr »von Anfang an nur als ein Mittel zur wirksamen Verteidigung der deutschen Lande gegen Frankreich aufgefaßt worden«. Er habe »niemals eigentlich nationales Leben gewonnen«. Alle Versuche Preußens, ihn in diesem Sinne umzugestalten, seien »an dem Widerstande Österreichs gescheitert«.

Bismarck scheute sich in diesem Zusammenhang nicht, das Jahr 1848 als eine große Chance für die preußische Politik zu bezeichnen: »Hätte Preußen damals die Bewegung anstatt auf der Tribüne mit dem Schwerte zu leiten und zu beherrschen versucht, so würde wohl ein günstiger Erfolg zu erreichen gewesen sein.« Das war zugleich die Formulierung seines eigenen taktischen Konzepts. Nun, so hieß das, müsse Preußen endgültig mit der deutschen Nationalbewegung, deren natürlicher Führer es sei, zusammengehen, diese allerdings auch entschlossen in seinem Sinne leiten.

Was Bismarck in der entscheidenden Sitzung des preußischen Kronrats, in Anwesenheit seiner beiden Hauptkonkurrenten aus dem eigenen Lager, des

Generals von Manteuffel und des preußischen Botschafters in Paris, des Grafen von der Goltz, entwickelte, war das kleindeutsche Programm einschließlich der geschichtlichen Begründung, die vor allem auch nichtpreußische Historiker wie der Sachse Heinrich von Treitschke oder der Pfälzer Ludwig Häusser ihm gegeben hatten. Preußen, so hatte man hier immer wieder betont, müsse die Speerspitze der nationalen Bewegung sein. Dabei hatten martialische Töne, gerade nach den Erfahrungen von 1848, nicht gefehlt. Was aber, wenn sich nicht nur Österreich, sondern auch ein Teil der mittleren und kleineren Bundesstaaten einer solchen Einigungspolitik widersetzten, wenn also außer dem österreichischen Kaiser noch andere legitime Monarchen ihr Veto dagegen einlegen würden? Konnte man ernsthaft erwägen, sich dann gewaltsam über die vielbeschworene Grundlage jeder konservativen Ordnung, über das monarchische Prinzip, hinwegzusetzen?

Die Antwort, welche die Mehrheit der Vertreter des kleindeutsch gesinnten Liberalismus darauf gab, war klar. Theodor Mommsen, der berühmte Althistoriker, selbst prominentes Mitglied der preußischen Fortschrittspartei, hatte sie ein halbes Jahr vorher in einem offenen Brief an den Vorsitzenden des deutschen Abgeordnetentags, in dem er sich im Interesse der deutschen Zukunft von der Schleswig-Holstein-Bewegung lossagte, brutal formuliert: Es müsse Schluß sein mit jenem »Souveränitätsschwindel«, »der an dem Marke Deutschlands zehrt«. Jetzt stehe es »mit Flammenschrift geschrieben, daß unsere Wahl liegt zwischen Unterordnung unter den deutschen Großstaat oder Untergang der Nation«. Es war jedoch auch die Antwort des angeblich so hochkonservativen preußischen Regierungschefs. »Wir kommen dahin«, hatte er schon Mitte September 1861 warnend an einen Parteifreund geschrieben, »den ganzen unhistorischen, gott- und rechtlosen Souveränitätsschwindel der deutschen Fürsten, welche unser Bundesverhältnis als Piedestal benutzen, von dem herab sie Europäische Macht spielen, zum Schoßkind der konservativen Partei Preußens zu machen.« Und an Roon: »Ich bin meinem Fürsten treu bis in die Vendée, aber gegen alle anderen fühle ich in keinem Blutstropfen eine Spur von Verbindlichkeit, den Finger für sie aufzuheben.«

Ob das Legitimitätsprinzip überhaupt die Grundlage einer internationalen Ordnung sein könne, war bereits in den fünfziger Jahren die große Streitfrage zwischen ihm und Leopold von Gerlach gewesen. Gerlach hatte schon damals geahnt, daß sich ihre Wege über kurz oder lang trennen würden. Mit Prinzipien, so Gerlach, könne man nicht nach bloßen Nützlichkeitserwägungen umgehen, sie für den Hausgebrauch bewahren und sich ansonsten nicht um sie scheren.

So war damals auch die Meinung des jetzigen Königs gewesen. Noch 1861 hatte Bismarck in seinem Brief an Roon hinzugefügt: »In dieser Denkungsweise fürchte ich von der unseres allergnädigsten Herren so weit entfernt zu sein, daß er mich schwerlich zum Rate seiner Krone geeignet finden wird.«

Nun aber fand auch Wilhelm nichts mehr dabei, daß sein Ministerpräsident die jetzt erstmals ganz mit den Interessen der deutschen Nation identifizierten Machtinteressen Preußens über die Idee der Solidarität der gekrönten Häupter stellte; sein Einwand war nur noch, es dürften keine Kronen rollen, und auch das war wenige Monate später vergessen. Was der Kronprinz Ende November 1865 »Otto Annexandrowitschs Seeräuberpolitik« genannt hatte, hatte sich endgültig durchgesetzt. Ja, Grundsätze in der Politik, hat Bismarck im Alter einmal gespottet – mit ihnen sei es so, wie der Frankfurter Rothschild zu seinem ersten Buchhalter zu sagen pflegte: »Herr Meier, bitte, was habe ich heute für Grundsätze in bezug auf amerikanische Häute?«

In solch »realpolitischer« Grundhaltung stimmte der Kronrat Bismarck auch darin zu, daß man jetzt verstärkt versuchen müsse, mit den beiden Hauptgegnern der Ordnung von 1815 und ihrer Prinzipien, dem Königreich Italien und dem napoleonischen Frankreich, ins Gespräch und zu Abmachungen zu kommen. Im Falle Italiens hieß das, daß man um des eigenen Erfolgs willen einer auf revolutionärem Weg emporgekommenen Macht helfen wollte, das Nationalitätenprinzip gegen das historische Recht durchzusetzen. Und wenn die Linie gegenüber Frankreich auch nach wie vor die blieb, sich auf keine festen Versprechungen einzulassen, so hatte Bismarck doch schon im Herbst der französischen Regierung gegenüber betont, das natürliche Feld für französische Expansionswünsche liege »überall da, wo man französisch spricht in der Welt«.

Daß für Preußen das Nationalitätenprinzip nun gleichfalls höher stehe als das historische Recht und die überlieferte Ordnung, hatte er Paris gegenüber auch damit angedeutet, daß er eine Teilung Schleswigs nach diesem Prinzip in Aussicht stellte. Doch was bisher noch im Bereich der bloßen Sondierungen geblieben war, als machiavellistischer Schachzug gelten konnte, der, wie Gastein bewiesen hatte, jederzeit wieder rückgängig gemacht werden konnte, wurde jetzt zur offiziellen preußischen Politik erklärt. Damit war der Rubikon definitiv überschritten, hatte Preußen der traditionellen Ordnung Mitteleuropas endgültig den Kampf angesagt. Das Land der erfolgreichen Gegenrevolution war selber zum Revolutionär geworden.

Das galt auch, obwohl es im Grundsatz wie im Detail noch weniger diskutiert wurde, für die Frage der künftigen Innenpolitik und die innenpolitischen Koalitionsbildungen. Obwohl Bismarck zwischen der nationalen Bewegung, auf die Preußen sich stützen und die es zugleich leiten müsse, und der liberalen Opposition nachdrücklich unterschied, so konnte doch niemand ernsthaft darüber im Zweifel sein, daß beide zumindest in Teilen identisch waren und man eine Politik der Annäherung an die Opposition in Gang zu bringen sich entschloß. Es wurde, hieß es im Protokoll der Kronratssitzung nüchtern, »auf den vorteilhaften Einfluß hingewiesen«, den das Ganze »auf die Lösung des inneren Konflikts ausüben würde«. Hinzu kam, daß die

Preisgabe der Grundsätze einer traditionell-legitimistischen Außenpolitik zumindest die Hochkonservativen in Opposition zur Regierung bringen mußte. Diese würde daher, wollte sie nicht jede Basis verlieren, über kurz oder lang gezwungen sein, sich nach neuen Verbündeten umzusehen.

Freilich – Einsicht in objektive Notwendigkeiten und dementsprechende programmatische Äußerungen und Beschlüsse waren eines, ihre praktische Verwirklichung war etwas ganz anderes. Der Katalog dessen, was zur Vorbereitung eines erfolgreichen Kampfes gegen Österreich nötig erschien, war nun in der Tat klar formuliert: Bündnis mit der kleindeutschen National-bewegung und, in unausweichlicher Konsequenz daraus, Annäherung zumin-dest an Teile der liberalen Opposition; Versuch einer Verständigung mit den übrigen Staaten des Deutschen Bundes; Gewinnung Italiens und der wohlwol-lenden Neutralität Frankreichs; Abschirmung des Ganzen gegenüber Ruß-land und England. Unter dem Eindruck des späteren Erfolgs wird jedoch leicht übersehen, daß, trotz kühner und ideenreicher Initiativen der Bismarck-schen Politik, nur ein Bruchteil dieser Vorbedingungen erfüllt war, als es im Sommer 1866 zum Zusammenstoß kam. Das Risiko entscheidend herabzu-mindern und für den Fall unerwarteter Verwicklungen und eines zum Kompromiß zwingenden Ausgangs eine Auffangposition zu schaffen, war in Wahrheit nur sehr begrenzt gelungen. Es blieb ein Lotteriespiel, in dem das Glück der Waffen entschied.

Die Armeeführung hatte im Vertrauen auf die Stärke des preußischen Heeres nur eine Bedingung gestellt: Durch ein Offensivbündnis mit Italien müsse, so Moltke, der Generalstabschef, eine zweite Front im Süden des Kaiserstaates geschaffen werden. Und hier gelang in der Tat der einzig wirklich durchgreifende Erfolg. Er war, obwohl die Voraussetzungen dafür durch den glühenden Wunsch Italiens, in den Besitz Venetiens zu kommen, sehr günstig erschienen, durchaus nicht selbstverständlich. Denn Bismarck hatte diese Karte schon zu früh, im Vorfeld von Gastein, gespielt. Er mußte daher erst einmal das nur zu verständliche Mißtrauen der italienischen Regierung abbauen, als Bauer in dem Schachspiel zwischen Berlin und Wien benutzt zu werden.

Dies gelang nach langen und schwierigen Verhandlungen mit dem General Govone, einem an der Krim und bei Magenta ausgezeichneten, noch relativ jungen Offizier. Ihn hatte der italienische Ministerpräsident La Marmora, nachdem zunächst eine Sondermission Moltkes nach Florenz geplant gewesen war, im März 1866 als seinen persönlichen Vertrauensmann nach Berlin geschickt, wo Govone einmal kurzzeitig als Militärattaché gedient hatte. Am 8. April wurde ein auf drei Monate befristeter Geheimvertrag unterzeichnet. In ihm verpflichtete sich Italien, Österreich in dem Augenblick den Krieg zu erklären, in dem es zu einem kriegerischen Konflikt zwischen Preußen und Österreich kommen würde. Darüber hinaus sicherten sich beide Mächte zu, keinen »Frieden oder Waffenstillstand ohne gegenseitige Zustimmung« zu schließen. Ein Zwang, eine solche Zustimmung zu geben, bestehe für Preußen erst dann, so hieß es ausdrücklich, wenn Österreich mit der Abtretung des lombardo-venetianischen Königsreiches an Italien auch bereit sei, »österreichische Landstriche, die an Bevölkerung diesem Königreich gleichwertig sind«, Preußen zu überlassen.

Die endgültige Entscheidung der italienischen Regierung, einem solchen Vertrag zuzustimmen, war erst gefallen, nachdem Napoleon III., von Florenz um seinen Rat gefragt, die Italiener dazu ermuntert hatte. Napoleon hatte aber gleich hinzugefügt, daß er damit für Frankreich keine Verpflichtung eingehe. Sein Kalkül war völlig klar. Er wollte in dem Konflikt, der sich anbahnte, die Rolle des lachenden Dritten, des erfolgreichen und dann entsprechend zu honorierenden Vermittlers spielen. Dementsprechend war er bestrebt, sich nicht vorzeitig festzulegen.

Das hat Bismarck, der Napoleon aus vielen Unterredungen persönlich gut kannte, schnell durchschaut. Er hat daraus den Schluß gezogen, daß an eine wohlwollende Neutralität im Sinne einer dauerhaften Begünstigung der preußischen Politik und ihrer Ziele oder gar einen entsprechenden Neutralitätsvertrag nicht zu denken sei. Seine auch jetzt streng durchgehaltene Linie, in der Frage möglicher künftiger Kompensationen nicht über vage Andeutungen und den Hinweis auf französisches Sprachgebiet hinauszugehen, war daher mehr von negativen als, wie eine national gesinnte Geschichtsschreibung gern gemeint hat, von positiven Erwägungen hinsichtlich der Abwehr französischer Ansprüche auf deutschsprachige Gebiete bestimmt. Eine Festlegung versprach bei Lage der Dinge wenig. Sie drohte nur den Appetit und die Neigung zu erhöhen, sich von der anderen Seite noch mehr versprechen zu lassen und beides dann addiert auf die Schlußrechnung zu setzen.

Daß der preußische Ministerpräsident die Grundtendenz der französischen Politik völlig richtig eingeschätzt hatte, zeigte sich sehr deutlich an der Art, mit der Paris im weiteren Verlauf den Vorstoß Wiens gegen ein etwaiges preußisch-französisches Zusammengehen aufnahm, von dem man hier befürchtete, er könne jeden Tag vertraglich fixiert werden. Für die insgeheim längst beschlossene Neutralität ließ sich Frankreich in der französisch-österreichischen Geheimkonvention vom 12. Juni 1866 auch im Fall eines österreichischen Sieges die Abtretung Venetiens garantieren. Dadurch wurde der österreichisch-italienische Krieg zu einer völligen Sinnlosigkeit. Paris erreichte darüber hinaus, wenngleich nur in mündlicher Form, eine Reihe sehr weitgehender Zusicherungen über die künftige Gestaltung der Verhältnisse in Mitteleuropa.

Frankreich werde, so Paris, im Fall eines österreichischen Sieges keinen Einspruch gegen eine territoriale Vergrößerung des Kaiserstaates in diesem Raum erheben, jedenfalls nicht, solange sie in Kombination mit einem reorganisierten Deutschen Bund nicht das europäische Gleichgewicht bedrohe. Auf diese in einer eigenen Note fixierte französische Zusicherung antwortete die österreichische Seite mit der mündlichen, also nicht wechselseitig abgezeichneten Erklärung, daß Wien »keinen Einwand zu erheben haben würde gegen eine territoriale Umgestaltung, welche Sachsen, Württemberg und sogar Bayern auf Kosten mediatisierter Fürsten vergrößern und aus den Rheinprovinzen einen neuen unabhängigen deutschen Staat machen würde«. Das Ganze lief auf einen machtpolitisch noch verstärkten Rheinbund hinaus, und darauf ließ sich Österreich ein. Auch der Preis, den Paris im gegebenen Moment von Preußen fordern würde, versprach kein geringerer zu sein. Der Konflikt der beiden deutschen Großmächte sollte, das war das große Ziel, die französische Hegemonie in Kontinentaleuropa endgültig sichern.

Angesichts dessen wird man schwerlich davon sprechen können, Bismarck habe mit seiner Hinhaltepolitik gegenüber Frankreich einen großen diplomatischen Erfolg erzielt. Sein Spielraum war hier de facto gleich Null, die abwartende Neutralität Frankreichs beschlossene Sache. Nur ein unerwartet schneller militärischer Erfolg, der alle Berechnungen über den Haufen warf, konnte verhindern, daß das französische Kalkül so oder so aufging.

Auf der anderen Seite war es eben dieses Kalkül, das England und besonders Rußland veranlaßte, zunächst abzuwarten. Beide Staaten waren besorgt, durch eine vorzeitige Festlegung in die Hinterhand zu geraten und vom französischen Kaiser einmal mehr überspielt zu werden. Denn das napoleonische Frankreich und nicht das Bismarcksche Preußen galt nach wie vor als die eigentliche Zentralmacht der europäischen Politik. Das große Spiel, so die verbreitete Meinung, werde erst beginnen, wenn das kleine Spiel, jenes zwischen Österreich und Preußen, gelaufen oder wenigstens in sein entscheidendes Stadium gekommen sein würde.

Nur wenn man sich das vor Augen hält, versteht man die allgemeine Konsternation nach Königgrätz und Nikolsburg und den tieferen Grund der französischen Devise »Rache für Sadowa«. Die europäische Machtverteilung war plötzlich und handstreichartig wenn nicht umgestülpt, so doch sehr entscheidend verändert. Und dies, ohne daß der Areopag der europäischen Mächte dem vorher, zumindest stillschweigend, zugestimmt hatte.

Auf dem Feld der internationalen Politik begünstigte Bismarck also letzten Endes doch die gegebene Konstellation, ohne daß man seinen eigenen Anteil an ihrem Zustandekommen, wie oft geschehen, überschätzen darf. Demgegenüber blieb er im Bereich der nationalen und der eng damit zusammenhängenden inneren Politik zunächst praktisch gänzlich erfolglos. Wie stets seit seinem ersten großen Anlauf in der Rede vor der Budgetkommission im September 1862 verfielen seine Bemühungen, mit der kleindeutschen Nationalpartei ins Gespräch und zu einem Ausgleich zu kommen, dem fast allgemeinen Verdikt der Unglaubwürdigkeit. Wer sollte auch die Vorstöße eines Mannes, der noch immer keine Gelegenheit ausließ, der Vertretung dieser Nationalpartei im Innern Preußens mit aller Härte entgegenzutreten, für mehr als bloße Taktik halten?

Die neuerliche kurze Sitzungsperiode des Parlaments im Januar und Februar 1866 hatte wiederum nicht nur keine Annäherung gebracht, sondern abermals zu einer Verschärfung der Gegensätze geführt. Gleich nach Zusammentritt des Hauses hatte die Opposition, wiederum auf Antrag Virchows, einen Beschluß durchgesetzt, der die in Gastein verabredete Personalunion des Herzogtums Lauenburg mit der preußischen Krone ohne Zustimmung des Parlaments für ungültig erklärte. Das zielte, jenseits aller damit verbundenen Rechtsfragen, eindeutig auf eine erneute Demonstration, daß die Opposition auch im Bereich der Außenpolitik zu keinerlei Zusammenarbeit bereit sei.

Ob das angesichts der unbestreitbaren Erfolge dieser Politik in der schleswig-holsteinischen Frage und angesichts des wachsenden Eindrucks, den sie auf die öffentliche Meinung in Preußen machten, politisch klug war, sei dahingestellt. Es war jedenfalls Ausdruck eines sehr klaren Konzepts. Es bestand darin, jedem Versuch, die Einheit und Geschlossenheit der Opposition über die Außenpolitik aufzubrechen, von vornherein einen Riegel vorzuschieben – und sei es um den Preis der Schaffung neuer Streitpunkte.

Vergebens hatte Bismarck noch einmal den Verdacht zurückgewiesen, »daß ich in meinem politischen Verhalten die äußere Politik nur als Mittel für die innere und für die Förderung des Kampfes der Regierung gegen parlamentarische Ansprüche benutzte«: »Mir sind die auswärtigen Dinge an sich Zweck«, so hatte er geradezu maximenhaft erklärt, »und stehen mir höher, als die übrigen.« Wie könne man einem Mann in dieser Beziehung Glauben schenken, so neben Virchow vor allem die Juristen Rudolf Gneist und Karl Twesten, der auch nach jüngster Erfahrung jedes und alles benutze, um die liberale Opposition und einzelne ihrer Vertreter zu schikanieren, in die Enge zu treiben, politisch auszumanövrieren?

Mit größter Leidenschaft hatten die Abgeordneten in diesem und in anderem Zusammenhang Bismarck den Sündenkatalog der Regierung vorgerechnet. Besonders böses Blut hatten beispielsweise das rechtswidrige Verbot eines Festbanketts Kölner Bürger für die rheinischen Abgeordneten im Vorjahr und der anschließende Einsatz von Polizei und Militär zur gewaltsamen Verhinderung dieses Festes gemacht. Und nicht minder groß war die Erregung über den Versuch gewesen, die Immunität der Abgeordneten zu beschränken und sie für angeblich falsche Tatsachenbehauptung und -verbreitung strafrechtlich verantwortlich zu machen.

Vorkommnisse solcher Art kamen wieder und wieder zur Sprache. An einen Ausgleich war schließlich weniger denn je zu denken gewesen. Am 22. Februar 1866 hatte der König das Parlament, begleitet von schweren

Vorwürfen des Ministerpräsidenten an die Adresse der Opposition, abermals schließen lassen.

Ungeachtet dessen hielt Bismarck unbeirrt an der Notwendigkeit des Zusammengehens mit der Nationalbewegung fest. Ja, er trat jetzt mit konkreten Vorschlägen hervor, die, sollten sie Erfolg haben, ein solches Zusammengehen voraussetzten. Es handelte sich um seinen alten Plan der Berufung eines deutschen Parlaments, das dann über die Reform und Neugestaltung der Verhältnisse der mitteleuropäischen Staaten zueinander beschließen sollte.

Das Ziel dieses Planes, der im März 1866 die Form eines offiziellen Antrags Preußens im Bundestag annahm und als solcher am 9. April, einen Tag nach Unterzeichnung des Angriffsvertrags mit Italien, dort vorgelegt wurde, war von Anfang an ein doppeltes. Zum einen sollte mit der Mobilisierung der kleindeutsch-national gesinnten Öffentlichkeit der bevorstehende Konflikt mit Österreich vor allem im Hinblick auf Frankreich und das von ihm so nachhaltig propagierte Nationalitätenprinzip aus der Sphäre der rein machtpolitischen Auseinandersetzung zwischen zwei europäischen Großmächten herausgeführt und zugleich die preußische Position gestärkt werden; »ein deutsches Parlament hilft uns mehr als ein Armeekorps«, bemerkte Bismarck in diesen Tagen einmal lakonisch. Und zum anderen ging es darum, die mittleren und kleineren deutschen Bundesstaaten unter Druck zu setzen.

Die entscheidende Änderung gegenüber der ursprünglichen Formulierung dieses Plans im Jahr 1861, in der Baden-Badener beziehungsweise der Rheinfelder Denkschrift, lag darin, daß das vorgeschlagene Parlament sich nun nicht mehr aus Delegierten der einzelnen deutschen Landtage zusammensetzen, sondern aus allgemeinen und direkten Wahlen hervorgehen sollte. Das war, so mußte es scheinen, ein durch und durch revolutionärer Akt, ein Appell an das Volk als gleichsam höchste Instanz. Es war allerdings der Appell eines Mannes, der damit revolutionäre wie höchst konservative Ziele verfolgte. Revolutionäre insofern, als die Nation gegen die bestehende territoriale und machtpolitische Ordnung in Mitteleuropa, gegen die den preußischen Zielen widerstrebenden Kräfte in den einzelnen Bundesregierungen aufgerufen wurde. Und höchst konservative, weil, jedenfalls auf den ersten Blick, die Nation zugleich gegen die liberale Opposition ins Feld geführt wurde – gegen eine Opposition, die das Volk zu repräsentieren beanspruchte, es jedoch, nach Bismarck, in Wahrheit gar nicht tat.

Das Volk, so hatte er in den letzten Jahren immer wieder erklärt, sei in Wirklichkeit konservativ, sei königstreu und in diesem Sinne national. »Direkte Wahlen ... und allgemeines Stimmrecht«, ließ er dem bayerischen Ministerpräsidenten von der Pfordten Ende März mitteilen, »halte ich für größere Bürgschaften einer konservativen Haltung als irgendein künstliches, auf Erzielung gemachter (!) Majoritäten berechnetes Wahlgesetz.« Und am

19. April an den preußischen Botschafter in London, Graf Bernstorff: »In einem Lande mit monarchischen Traditionen und loyaler Gesinnung wird das allgemeine Stimmrecht, indem es die Einflüsse der liberalen Bourgeoisklassen beseitigt, auch zu monarchischen Wahlen führen.«

In diesem Sinne hatte er auch in Preußen, wo »neun Zehntel des Volkes dem König treu« seien und »nur durch den künstlichen Mechanismus der Wahl um den Ausdruck ihrer Meinung gebracht würden«, die Einführung des allgemeinen und direkten Wahlrechts gelegentlich erwogen. »Die Anhänger des drei Taler-Zensus haben offenbar noch nicht gelernt, daß die Bourgeoisie stets die Pflegerin der Revolution gewesen ist, das ›Volk‹ unter drei Taler aber zu neun Zehnteln aus guten Royalisten besteht«, hieß es schon 1854 in einem Brief an einen Parteifreund. Und auch in der Abwehr des österreichischen Bundesreformprojekts hatte er im Herbst 1863 bei seinem Vorschlag eines direkt gewählten deutschen Parlaments zumindest Andeutungen in dieser Richtung gemacht.

Es ist nur zu verständlich, daß all dies die Phantasie seither aufs stärkste beschäftigt hat. Der innenpolitisch hochkonservative Mann im Bündnis mit der Demokratie, sprich mit den sozialen Unterschichten, gegen die traditionellen wie gegen die neuen, bürgerlichen Eliten – ein solches hochmachiavellistisches Konzept besaß und besitzt eine außerordentliche Faszinationskraft. Darüber werden freilich die eigentliche Zielsetzung und der Erfolg, insbesondere das Erfolgskalkül, nur zu leicht übersehen. Schärfer ausgedrückt: Es werden Bismarck in diesem Zusammenhang Erwartungen und politische Pläne unterstellt, die er gar nicht besaß.

Der preußische Antrag war eben nicht, auch nicht in Teilen, konstruktiv, sondern rein destruktiv gemeint. Daß er für die Bundestagsmehrheit unannehmbar sein würde, war mit ziemlicher Sicherheit vorauszusehen; das ist kaum umstritten. Ebenso vorauszusehen war jedoch, und das wird in der Konzentration auf die weitläufigeren Perspektiven des Ganzen und auf seinen angeblich enthüllenden Charakter zumeist übersehen, daß der Vorschlag auch im Lager der direkt Angesprochenen, der künftigen Wähler, nur ein sehr begrenztes Echo finden würde. Bismarck rechnete hier nicht mit spontaner und lebhafter Zustimmung. Sein eigentlicher Adressat war ein ganz anderer: die bürgerlich-liberale Bewegung, die er auf diese Weise unter Druck zu setzen gedachte. Er wollte die Mächte der »Unterwelt« nicht wirklich mobilisieren und, auf sie gestützt, regieren, sondern sie dem liberalen Bürgertum vorführen, mit ihnen drohen.

Mit dem allgemeinen Wahlrecht, das wußte er sehr genau, verband die Mehrheit der Liberalen seit 1848, seit der Zuspitzung der sozialen Gegensätze im Verlauf der Revolution, die größten Sorgen. Es war durchaus nicht abwegig anzunehmen, daß die Perspektive des schon damals vielbeschworenen bonapartistischen Regimes sie veranlassen könnte, einzulenken und sich zu einem

Ausgleich zu verstehen. Dies zumal, als Bismarck nicht mit Sirenentönen sparte, ein solcher Ausgleich werde den Liberalen nicht nur in der Sache, im Hinblick auf ihre nationalen Ziele, sondern auch parteipolitisch zugute kommen. So wenn er im Anschluß an seine Äußerung im Abgeordnetenhaus Anfang Februar 1866, er trenne Außen- und Innenpolitik sehr sorgfältig voneinander, und die »auswärtigen Dinge« ständen ihm »höher als die übrigen«, bemerkte: »Und Sie, meine Herren, sollten auch so denken, denn Sie könnten ja, was Sie im Innern etwa an Terrain verlieren möchten, unter einem etwaigen liberalen Ministerium, was vielleicht auch nicht ausbleiben wird, sehr rasch wiedergewinnen.«

Auf Dauer sind solche Hinweise auf den parteipolitischen Nutzen einer außenpolitischen Zusammenarbeit und auf den zu erwartenden Zuzug aus den starken liberalen Parteien außerhalb Preußens, die auf eine bereits laufende innerparteiliche Diskussion zielten, nicht ohne Wirkung geblieben. Zunächst jedoch ging die Rechnung in keiner Weise auf. Die kleindeutsch-national und liberal gesinnte Öffentlichkeit nahm die Drohung, die in dem Parlamentsvorschlag steckte, einfach nicht ernst. Damit verlor auch die Verlockung, die dahinter stand, ihre Bedeutung.

Zwar hatten liberale Publizisten oft genug das Gespenst des Bonapartismus an die Wand gemalt. Aber es zeigte sich nun sehr deutlich, daß dies vorwiegend ein Propagandainstrument war, daß man selber nicht an derartige Gefahren glaubte. Daß es Bismarck tatsächlich gelingen könne, sich mit Hilfe des demokratischen Wahlrechts eine ihm ergebene parlamentarische Mehrheit zu verschaffen, nahmen nur einige Phantasten an, die sich, wie der Nachfolger Lassalles als Präsident des Allgemeinen Deutschen Arbeitervereins, Johann Baptist von Schweitzer, ständig selber eine demokratische Mehrheit zusammenträumten. Und selbst da bedurfte es zur Unterstützung dieser Einschätzung wohl einiger Gelder aus der Regierungskasse. Die große Mehrheit hingegen sah darin nicht nur ein allzu durchsichtiges, sondern auch ein unrealistisches Kalkül und verhielt sich entsprechend. Wenn Bismarck so weitermache, so der »Kladderadatsch«, müsse die Zeitschrift ihr Erscheinen einstellen; da könne sie nicht mithalten.

Angesichts der Tendenz in der öffentlichen Meinung stand praktisch bereits fest, daß sich auch die Regierungen der mittleren und kleineren Bundesstaaten durch den preußischen Antrag in keiner Richtung unter Druck setzen lassen würden. Schon die Antwort auf den ersten preußischen Vorstoß vom 24. März, wie man sich im Konfliktfall verhalten werde und wie man sich zur Frage einer Bundesreform stelle, hatten erkennen lassen, daß die überwältigende Mehrheit nicht bereit war, einen Kurswechsel vorzunehmen und die preußischen Pläne zu unterstützen. Als dann der preußische Antrag präsentiert wurde, da mußte es schon als ein Entgegenkommen gelten, daß die Bundestagsmehrheit ihn nicht sofort verwarf, sondern ihn zur Prüfung an einen Ausschuß verwies. Daß es zu diesem Beschluß kam, ging nicht zufällig auf eine Initiative der bayerischen Regierung und ihres Ministerpräsidenten von der Pfordten zurück.

Bei dem Versuch Bismarcks, den sich abzeichnenden Konflikt zwischen den beiden deutschen Großmächten aus der Sphäre des rein machtpolitischen Interessenkonflikts herauszulösen, ihn so eng wie möglich mit der deutschen Frage zu verbinden und auf diese Weise die preußische Position nach Möglichkeit zu stärken, nahm Bayern von Anfang an eine Schlüsselstellung ein. Bereits am 14. Februar hatte er den preußischen Gesandten in München, den Prinzen Reuß, angewiesen, bei dem bayerischen Ministerpräsidenten vorsichtig zu sondieren, »wie weit, wann und in welcher Richtung auf ein Vorgehen seinerseits« in der »deutschen nationalen Frage« etwa »zu rechnen sein dürfte«.

Von der Pfordten hatte auf diesen Anstoß hin eine mögliche friedliche Lösung des preußisch-österreichischen Konflikts skizziert: Man sollte erwägen, den norddeutschen Raum einschließlich der Herzogtümer zur alleinigen preußischen Macht- und Einflußsphäre zu erklären und die Bundesverfassung entsprechend abzuändern. Darauf ließ Bismarck ihm unter dem 8. März als erstem und einzigem deutschen Regierungschef den preußischen Parlaments-antrag in ersten Umrissen, am 24. März in extenso unterbreiten und um seine Zustimmung bitten.

Das zeigt mit völliger Eindeutigkeit, worauf das Ganze hinauslief: Die übrigen Bundesstaaten sollten mit der Drohung einer Majorisierung nicht nur von unten, durch ein deutsches Parlament, sondern zugleich durch die größten und bevölkerungsstärksten Mitgliedsstaaten neben Österreich, durch Bayern im Süden und Preußen im Norden, veranlaßt werden, über eine Neugestaltung der Verhältnisse in Mitteleuropa zu verhandeln und sich bereits jetzt auf neue Koalitionen einzustellen. Wiederum war der Parlamentsvorschlag ein Mittel zum Zweck, um ganz anderen Lösungen den Weg zu ebnen.

Im Unterschied zu den Liberalen ging von der Pfordten darauf zunächst ein. Von einer wirklichen Zustimmung zu Bismarcks angeblichen Plänen konnte allerdings keine Rede sein, und schon gar nicht von einem Auftakt zu einer künftigen vertrauensvollen Zusammenarbeit in der deutschen Frage. Von der Pfordten glaubte vielmehr, den Antrag und darüber hinaus die Politik dessen, der ihn vorbereitete, im Interesse Bayerns und einer möglichen bayerischen Hegemonialstellung im Süden Deutschlands benutzen zu können. Damit stellte er sich, und hier liegt das eigentlich Wichtige, genau auf die Ebene, auf der Bismarck selber sich mit all seinen Überlegungen und Vorschlägen bewegte: Daß in der Politik jeder jeden als Mittel zum Zweck zu benutzen suchen und sich auf ein angebotenes Spiel stets in der Hoffnung einlassen wird, den anderen erfolgreich zu überspielen.

Daß die Liberalen in ihrer Mehrheit nicht nach diesem Schema handelten und sich erst einmal auf nichts einließen, war Bismarcks Fehlkalkulation. Sie zeigt noch einmal die tiefe Kluft, die zwischen beiden Seiten hinsichtlich ihrer Grundauffassung vom Wesen der Politik bestand. Was Bismarck und seine hochkonservativen Freunde schon seit langer Zeit zunehmend innerlich entfremdet hatte, das trennte ihn auch von der liberalen Mehrheit.

Hier wie dort dominierte, zumindest im eigenen Bewußtsein, der Anspruch, nicht so sehr Interessen- als Überzeugungspolitik zu treiben. Man war davon durchdrungen, Ziele zu verfolgen, die mehr waren als die Ziele einer bestimmten politischen und sozialen Gruppe. Beides relativierte in gewisser Weise die Frage des augenblicklichen Erfolgs oder Mißerfolgs und schützte, wenngleich in Grenzen, vor den Versuchungen des Opportunismus. Es machte jedoch auch unbeweglich, dogmatisch, zu kleinen Schritten unfähig und enthielt zudem einen gesamtpolitischen, gesamtgesellschaftlichen Absolutheitsanspruch, der tendenziell keinen Kompromiß kannte. So lag, wenn man so will, ein tieferer historischer Sinn dahinter, daß beide Positionen in der konkreten Entscheidung von 1866 faktisch auf der Strecke blieben. Erst dadurch eröffnete sich die Möglichkeit eines Ausgleichs, einer Politik, deren Kategorien nicht allein in Triumph oder Unterwerfung bestanden.

Daran war Bismarck allerdings nur indirekt beteiligt, als Hauptexponent einer schließlich überaus erfolgreichen Machtpolitik, deren Ergebnisse viele der bisherigen Positionen in ihrer Basis zerstörten und allgemein zum Umdenken zwangen. Zunächst einmal scheiterte sein Versuch vollständig, die kleindeutsch-liberale Nationalbewegung ins Spiel zu bringen, und zwar eben an der Haltung ihrer Führer, sich auf nichts einzulassen, was den eigenen Überzeugungen widersprach, selbst wenn es sich taktisch vielleicht im eigenen Sinne verwenden und ausbeuten lassen würde.

So entglitt allen Überlegungen von bayerischer Seite die Grundlage, als Exponent einer effektiven Bundesreformpolitik und eines friedlichen Ausgleichs zwischen den beiden deutschen Großmächten seinen eigenen Interessen im süddeutschen Raum dienen zu können. München fand sich schließlich nur noch bereit, der preußischen Politik zu helfen, das Gesicht zu wahren, indem man verhinderte, daß die Bundestagsmehrheit den preußischen Parlamentsantrag sofort ablehnte.

Auch wenn der Bundestag damit formell in die Diskussion der preußischen Vorschläge eintrat, so konnte es niemanden darüber hinwegtäuschen, daß Bismarcks Plan, auf diese Weise im Vorfeld des kriegerischen Konflikts mit Österreich eine Neuformierung der Fronten in Mitteleuropa herbeizuführen, auch auf dieser Ebene vollständig fehlgeschlagen war. Es war nun klar, daß die überwiegende Mehrheit der deutschen Bundesstaaten sich auf die Seite Österreichs stellen und daraus im Kriegsfall auch militärisch die Konsequenzen ziehen werde.

Dies sowie die Sorge vor einem überraschenden preußisch-italienischen

Überfall bewog die österreichische Staatsführung Ende April endgültig, auf Kriegskurs zu gehen. Die Formel, man sei in Wien »zum Kriege resigniert« gewesen, die Zar Alexander damals prägte, läßt hier unter dem Eindruck des Ausgangs leicht einen falschen Eindruck entstehen: Wenn man sich nur mit schweren Bedenken definitiv zum Krieg entschloß, so weniger aus Sorge, wie er ausgehen werde. Bestimmend war vielmehr, neben finanziellen Erwägungen, die Befürchtung, durch den Kampf mit einer konservativen Macht wesentliche Grundlagen der eigenen Herrschaft zu zerstören.

Jedenfalls suchte man nun in Wien, von der Unvermeidbarkeit des Zusammenstoßes überzeugt, das Gesetz des Handelns an sich zu reißen. In einer Note vom 26. April wurde der preußischen Regierung unter faktischer Preisgabe der Gasteiner Konvention angekündigt, Österreich werde die Entscheidung über das Schicksal der Herzogtümer dem Bund überlassen, ihn also zum Schiedsrichter anrufen. Das bedeutete bereits eine Art Kriegserklärung. Denn es war klar, daß sich die Mehrheit des Bundes für einen neuen Mittelstaat entscheiden werde. Und ebenso klar war, daß Preußen nicht daran dachte, eine solche Entscheidung zu akzeptieren.

Immerhin gab es noch den ganzen Mai hindurch Versuche, den Krieg im letzten Augenblick zu verhindern. Sie gingen von bayerischer und dann von quasi privater Seite aus, von dem Bruder des österreichischen Statthalters in Holstein, Anton von Gablenz, der, selbst preußischer Untertan, seit Ende April mit einem eigenen Plan zwischen Berlin und Wien hin- und herreiste. Kern dieser Versuche war stets eine Herrschaftsteilung in Mitteleuropa, die Preußen Norddeutschland weitgehend überließ. Nach dem von Bismarck zunächst recht positiv aufgenommenen Vorschlag, den Gablenz unterbreitet hatte, sollten die Herzogtümer mit Ausnahme Kiels, das als Kriegshafen Preußen direkt zugedacht war, einen eigenen Staat unter einem preußischen Prinzen bilden. Letzten Endes aber war der Augenblick für solche Kompromisse vorbei. Beide Seiten drängten, Österreich in dieser letzten Phase offener als das nach außen hin scheinbar kompromißbereitere Preußen, auf eine kriegerische Entscheidung. Es ging jetzt eigentlich nur noch um die Besetzung der besseren Ausgangspositionen.

Diese schienen schließlich für Österreich fast auf der ganzen Linie günstiger zu sein als für Preußen. Der Geheimvertrag des Kaiserstaates mit Frankreich vom 12. Juni wirkte als Krönung einer für Wien sehr positiven Entwicklung. Ja, er mochte zu diesem Zeitpunkt schon mehr als Sicherung gegen die Folgen einer preußischen Niederlage denn als Initiative zur Schwächung des Gegners gelten. Die Versuche Bismarcks hingegen, für den bevorstehenden Kampf neue Bundesgenossen in Mitteleuropa zu werben oder wenigstens den Kreis der Neutralen zu erweitern, waren endgültig gescheitert; selbst die unmittelbar bedrohten benachbarten Mittelstaaten Sachsen und Hannover waren nicht zu einer Änderung ihres bisherigen politischen Kurses zu bewegen gewesen. Es blieben als Verbündete nur die direkt an Preußen grenzenden nord- und mitteldeutschen Kleinstaaten. Auch alle Bemühungen, mit der kleindeutschen Nationalbewegung ins Gespräch zu kommen, waren im Sand verlaufen. Das gleiche galt für entsprechende Vorstöße gegenüber der innerpreußischen Opposition. Die Auflösung des preußischen Parlaments am 9. Mai 1866 zog unter beides einen gewissen Schlußstrich, mochte diese Auflösung auch mit der Hoffnung verbunden sein, daß Neuwahlen unter veränderten Umständen zu einem für die Regierung günstigeren Ergebnis führen würden.

Bismarck war es also nicht gelungen, den Ring der Feindseligkeit und Isolierung zu durchbrechen, der ihn und sein Ministerium nach wie vor umgab. Wie ein Symbol mochte in diesem Zusammenhang das Attentat wirken, das der Tübinger Student Ferdinand Cohen-Blind, ein Stiefsohn des im Londoner Exil lebenden badischen Revolutionärs von 1848/49 Karl Blind, am Nachmittag des 7. Mai 1866 Unter den Linden auf den preußischen Regierungschef verübte – übrigens fast auf die Stunde genau zu dem Zeitpunkt, als an den Berliner Zeitungsständen die »Kreuzzeitung« mit dem Artikel »Krieg und Bundesreform« erschien, in dem sich einer seiner politischen Mentoren, Ludwig von Gerlach, in dramatischen Wendungen von ihm und seiner »revolutionären Politik« lossagte. Der Attentäter hatte Bismarck auf dem Fußweg zwischen den Bäumen aufgelauert, auf dem der preußische Ministerpräsident wie oft ohne jede Begleitung vom königlichen Palais zur Wilhelmstraße zurückkehrte. Er verfehlte ihn zunächst, und Bismarck gelang es, ihn eigenhändig zu entwaffnen, wobei zwei weitere Schüsse, die Cohen-Blind während des Handgemenges abgab, ihn bloß streiften.

Selbst dieser Versuch eines politischen Mordes führte jedoch zu keinem erkennbaren Stimmungsumschwung. Sogar Äußerungen des Bedauerns über das Scheitern des Unternehmens waren nicht selten. »Das Attentat gegen diesen, von einem ganzen Volk einmütig verdammten Attentäter hat nichts Überraschendes«, meinte der in Stuttgart erscheinende »Beobachter«, das Organ der württembergischen Demokraten: »Es wird sich niemand getrauen, den jungen Mann für einen schlechten Deutschen zu erklären, der sein Leben daran gegeben hat, um das Vaterland von einem solchen Unhold zu befreien.« »Alles wird dominiert«, so der Bonner Historiker Heinrich von Sybel eine Woche nach dem Anschlag, »durch den bitteren, zähen, allgemeinen Haß, den die Mißregierung im Innern in den letzten vier Jahren hervorgerufen und den leider gerade Bismarck durch seine Bedeutung und durch seine Allüren auf seine Person konzentriert hat.«

Dem Scheitern des Anschlags eine symbolische Bedeutung im positiven Sinne einzuräumen, war außer dem König und dem Kreis seiner unmittelbaren Mitarbeiter nur Bismarck selber bereit. »Mehrmals hatte ich den Eindruck«, so ein Freund der Familie, der bei Bismarcks Rückkehr und erster

Erzählung zugegen war, »daß er sich jetzt als Gottes ›auserwähltes Rüstzeug‹ fühlte, um seinem Vaterlande Segen zu bringen.« Die Unterstreichungen in den beiden Andachtsbüchern, die Bismarck seit vielen Jahren stets bei sich führte, zeigen zusätzlich, wie sehr ihn das Ganze in seiner Grundüberzeugung bestärkte, daß über Erfolg und Mißerfolg im Leben des Einzelnen wie der Gemeinschaften der Wille eines Höheren entscheide – allerdings auch, in welchem Maße er gerade zu diesem Zeitpunkt einer solchen Bestärkung bedurfte.

Denn neben der Situation in Preußen und innerhalb des nun zur Entscheidung aufgerufenen Deutschen Bundes war in dieser letzten Phase auch die außenpolitische Entwicklung auf der europäischen Ebene für den preußischen Regierungschef nicht gerade ermutigend. Daß Napoleon III. in eben diesen Tagen einen Anlauf nahm, die preußisch-italienische Allianz mit dem Angebot an Florenz aufzubrechen, er werde Venetien für Italien kampflos von Österreich beschaffen, wußte Bismarck nicht. Aber es war ihm klar, daß der französische Kaiser bestrebt war, Preußen auf irgendeine Weise enger an die Leine zu nehmen und es auf bestimmte Bedingungen zu verpflichten.

Wie ein Damoklesschwert hing vor allem die Sorge über ihm, Napoleon könne einen europäischen Kongreß zur friedlichen Regelung der offenen Fragen vorschlagen und Rußland dafür gewinnen. In Petersburg nämlich fand das Argument zunehmend offene Ohren, Preußen stelle sich, wie sein Parlamentsantrag zeige, in Wahrheit mehr und mehr an die Spitze nationalrevolutionärer Bestrebungen. Berlin werde damit, allen gegenteiligen Bekundungen zum Trotz, zu einer Gefahr für die traditionelle Ordnung in Europa.

Für wie bedenklich Bismarck diese Entwicklung hielt, läßt sich an der Tatsache ablesen, daß er alles daransetzte, derartige Behauptungen zu widerlegen. In diesem Zusammenhang erschien ihm, und das dokumentiert die ganze leidenschaftliche Unbedingtheit seiner Natur, das Attentat auf seine Person geradezu wie ein Geschenk des Himmels. Noch am gleichen Abend wies er den preußischen Gesandten in St. Petersburg, Graf von Redern, an, Gortschakow »und womöglich Seine Majestät den Kaiser selbst« darauf aufmerksam zu machen, »daß der Mordversuch auf mich von einem württembergischen *Republikaner* ausgegangen, und daß demnach wenigstens die süddeutschen Revolutionäre mich nicht als einen Förderer ihrer Pläne, sondern als den Vertreter des monarchischen Prinzips ansehen und zu beseitigen suchen und gerade in meinen deutschen Reformen wie ich selbst das Hindernis ihrer Pläne sehen, daß also meine Stellung doch eine andere ist, als dem Kaiser dargestellt worden«.

Fast gleichzeitig allerdings leitete er ein Unternehmen ein, das, wäre es in Petersburg bekannt geworden, dort alle Zweifel beseitigt hätte, daß Bismarck alles andere war als ein Konservativer im Sinne des monarchischen Prinzips und der Heiligen Allianz. Es hätte als definitiver Beweis dafür gegolten, daß der preußische Regierungschef bereit war, mit jeder denkbaren Macht und politischen Bewegung zu paktieren, wenn es nur dem preußischen Interesse diente. Mit dem erklärten Ziel des Aufbaus einer dritten, einer inneren Front gegenüber Österreich nahm Bismarck Verbindung zu ungarischen Revolutionären auf, die nach der Niederschlagung der ungarischen Revolution im August 1849 emigriert waren.

Der erste Anstoß ging von dem preußischen Gesandten in Florenz, von Graf Usedom, aus. Dieser hatte gute Kontakte zu ungarischen Emigrantenkreisen in Italien, die sich an der Erhebung der Italiener gegen die Habsburger Monarchie zum Teil aktiv beteiligt hatten und im Risorgimento das Vorbild für einen Erfolg der eigenen Sache sahen. Gleichzeitig wußte Usedom, daß König Viktor Emanuel bereits die Mobilisierung einer ungarischen Hilfstruppe für den Fall eines Krieges mit Österreich erwog – in unmittelbarer Umgebung des Monarchen tat mit dem General Stefan Türr ein Mann als Adjutant Dienst, der in der Armee Garibaldis gekämpft hatte und die ungarisch-italienische Waffenbrüderschaft förmlich verkörperte.

Zwar ging Bismarck auf Usedoms Vorschlag von Mitte Mai, Preußen könne doch ähnliches erwägen und mit Florenz auch in dieser Beziehung gemeinsame Sache machen, zunächst nur sehr zurückhaltend ein. Ja, er warnte, keinen unüberlegten, nicht sorgfältig abgeschirmten Schritt zu unternehmen. In Wahrheit jedoch hatte er zu diesem Zeitpunkt selbst schon, alte Ideen und Verbindungen wieder aufnehmend, einen ganz ähnlichen Faden geknüpft.

Dieser Faden lief zu einem Obersten der ungarischen Revolutionsarmee von 1848/49 namens Kiss de Nemeskér. Kiss, ein Schwager des ehemaligen französischen Außenministers Thouvenel, war inzwischen Berater des Prinzen Napoleon, eines zum Senator und General erhobenen Vetters des Kaisers. Als Sprecher der ungarischen Emigranten spielte er hinter den Kulissen eine offenbar nicht unerhebliche Rolle. Ob Kiss sich in dieser Eigenschaft oder als Emissär bestimmter Kreise der französischen Politik seit der ersten Maiwoche in Berlin aufhielt, läßt sich nicht ausmachen. Jedenfalls wurde er hier zum Mittelsmann für die entscheidenden Informationen und Kontakte. Sie führten schließlich dazu, daß Bismarck den General Türr über Usedom nach Berlin bat und mit ihm und dem wenig später hinzugezogenen General Klapka, einem der prominentesten ungarischen Revolutionäre von 1848/49, eingehend über den Aufbau einer ungarischen Legion verhandelte.

Die Dinge gediehen rasch so weit, daß Bismarck bereits am 11. Juni, einen Tag nach Türrs Ankunft, Usedom anwies, der italienischen Regierung die Erstattung der Hälfte der Kosten für ein solches Unternehmen verbindlich zuzusagen und sie um einen Vorschuß anzugehen, damit das Unternehmen von dort aus sofort in Gang gebracht werden könne. »Ich verfolge mit dem ruhigsten Gewissen mein Ziel, das mir als richtig für meinen Staat und für Deutschland erscheint«, erklärte er einem französischen Journalisten in diesen Tagen: »Was die Mittel angeht, so bediene ich mich derer, die sich mir mangels anderer darbieten.«

Durch eine Indiskretion, die der angeblichen Unterbewertung der Rolle der italienischen Armee während des Krieges von 1866 durch Preußen und die deutsche Öffentlichkeit entgegenwirken sollte, ist der ganze Vorgang nicht erst der Nachwelt, sondern, zumindest in Umrissen, schon Mitte 1868, zu einem für Bismarck höchst ungünstigen Zeitpunkt, bekannt geworden. Am 21. Juli 1868 benutzte La Marmora, der zwei Jahre zuvor nicht nur Ministerpräsident, sondern zugleich Oberbefehlshaber der italienischen Truppen gewesen war, eine Rede in der italienischen Kammer zu der Mitteilung, er habe sich damals weitgehend an den preußischen Vorschlägen und Wünschen orientiert. Nicht Italien, sondern Preußen sei es gewesen, das seinerzeit die gemeinsame Linie verlassen habe. Zum Beweis verlas La Marmora eine Depesche Usedoms vom 17. Juni 1866, in der dieser ihn, in diplomatisch sehr ungewöhnlicher Form, aufgefordert hatte, sofort direkt nach Wien zu marschieren, auf diese Weise »die österreichische Macht ins Herz zu treffen« und sich »im Zentrum der kaiserlichen Monarchie selbst« mit den preußischen Truppen zu vereinigen. Und nicht nur mit den preußischen Truppen. Vielmehr erwarte und hoffe Preußen, so Usedom weiter, daß ein »aus nationalen Elementen gebildetes Korps«, von Schlesien aus in Marsch gesetzt, sich innerhalb der Monarchie mit den »nationalen Streitkräften, die sich bald bilden würden«, vereinigen und dann gleichfalls auf Wien marschieren werde.

Die Sensation dieser Mitteilung aus streng geheimen Akten war ungeheuer. Zwar bestritt Bismarck sofort jede Beteiligung und versuchte das Ganze als eine eigenmächtige Initiative des Gesandten hinzustellen, die in der Sache von ganz unhaltbaren Voraussetzungen und bloßen Annahmen ausgegangen sei. Aber das glaubte natürlich kaum jemand. Alle Welt war überzeugt, daß Usedom im Auftrag und mit voller Billigung der preußischen Regierung gehandelt habe. Was man vielfach geargwöhnt hatte, schien nun eindeutig belegt zu sein: Um seine Ziele zu erreichen, scheute dieser Mann vor nichts zurück. Er, der angebliche Verteidiger der traditionellen Ordnung und des monarchischen Prinzips, war bereit gewesen, sich um des Erfolgs willen mit erklärten Feinden dieser Ordnung und dieses Prinzips zu verbinden. Wo gab es, fragte man sich vielerorts, für diesen Mann eigentlich eine Grenze?

Allerdings hat man damals wie später den Stellenwert des Ganzen vielfach falsch eingeschätzt. Das gilt vor allem für seine Aussagekraft hinsichtlich des Gesamtcharakters der Bismarckschen Politik. Wenn man über Heinrich von Sybels glorifizierende und apologetische Geschichte der Reichsgründung einmal gesagt hat, in ihr sei der Tiger Bismarck zu einem Hauskätzchen umfrisiert worden, so herrscht seither vielfach die umgekehrte Neigung vor. Der Tiger soll nun als möglichst brutal und gefährlich erscheinen und insbesondere als völlig bedenkenlos in der Wahl seiner Mittel.

Wenn der preußische Regierungschef auch bereit gewesen ist, alles mögliche als Mittel zum Zweck zu benutzen und die etwaigen Konsequenzen vorerst auf sich beruhen zu lassen, so ist er über einen bestimmten Punkt doch bewußt nie hinausgegangen: Das Mittel durfte nicht Zweck, der jeweilige Gegner und das, wofür er stand, durften nicht vernichtet werden. Konkret hieß das, daß auch das Bündnis mit den revolutionären Kräften nur dazu dienen sollte, den Gegner zu einer Güterabwägung zu zwingen. Das Ziel war, ihn angesichts der von diesen Kräften drohenden Gefahren zum Einlenken zu bewegen.

Dabei setzte er, wesentlich unter dem Eindruck der Erfahrungen von 1848/49, stets voraus, daß sich jene Kräfte beherrschen lassen würden. Die Gefahr bestand in seinen Augen, extreme Situationen einmal beiseite gelassen, jeweils nur in der Phantasie ängstlicher Gemüter. Ob er sich hier nicht täuschte und ob er vor allem nicht übersah, daß die Bedrohungen ganz anderen Faktoren entsprangen, als er meinte, steht auf einem anderen Blatt. Jedenfalls wird man selbst im Hinblick auf die für Preußen äußerst gefährliche Situation im Mai und Juni 1866 nicht sagen können, daß er eine Politik des »Alles oder Nichts« betrieben habe.

Davon riet ihm nicht nur die eigene Klugheit, sondern die gesamte Lage ab. Zwar spottete er gern über jene, die ständig auf Europa und auf die europäische Öffentlichkeit verwiesen und auf das, was diese angeblich nicht hinzunehmen bereit seien. Aber er wußte sehr gut, daß es hier Grenzen gab, die zu überschreiten in unabsehbare Risiken führte. Und er wußte auch, daß der Satz »Wer den Frieden will, der bereite sich für den Krieg« noch in der Umkehrung eine allgemeine Wahrheit enthielt. Wer also einen Krieg zur Durchsetzung bestimmter Ziele für unvermeidlich hielt, der mußte dafür sorgen, daß der Krieg nicht zusätzliche Ziele freisetzte. Andernfalls drohte er alle Grenzen zu sprengen und der Hand des Politikers zu entgleiten.

Den Krieg auf diese Weise unter dem Primat der Politik zu halten, sollte sich als ebenso schwierig erweisen wie der Balanceakt, den Bismarck im Vorfeld des Krieges vollführte, um eine Intervention wenn nicht Europas, so doch der beiden kontinentalen Vormächte, Frankreichs und Rußlands, zu verhindern. Wie vorauszusehen gewesen war, propagierte Napoleon III. erneut die Idee eines Kongresses der europäischen Großmächte und der direkt Beteiligten. Auf ihm sollte versucht werden, die strittigen Punkte auf dem Verhandlungsweg zu lösen. Nach längerem Hin und Her gelang es dem französischen Kaiser, sowohl England als auch Rußland dafür zu gewinnen. Am 24. Mai 1866 erging eine gemeinsame Einladung dieser Mächte an Österreich, Preußen, Italien und an den Deutschen Bund, dessen völkerrechtliche Selbständigkeit damit noch einmal ausdrücklich unterstrichen wurde. Als spezielle Gesprächspunkte schlugen die Einladenden ohne vorherige Verständigung mit den Beteiligten die Frage nach dem künftigen Schicksal Schleswig-Holsteins, die italienische Frage und das Problem einer Reform des Deutschen Bundes vor, jedenfalls soweit es die Interessen der übrigen Mächte und das europäische Gleichgewicht berühre.

Bismarck war sich völlig darüber im Klaren, daß ein Erfolg des Kongresses nur auf Kosten jener Ziele möglich sein werde, die Preußen anstrebte. Denn der Kongreß würde natürlicherweise vom Status quo ausgehen und versuchen, Modifikationen auf dem Weg wechselseitiger Kompensationen auszuhandeln. Auf der anderen Seite wußte er, daß gerade Preußen die Einladung unmöglich ablehnen konnte. Würde Berlin doch dann als diejenige Macht erscheinen, die die bestehende Ordnung einseitig und ohne Rücksicht auf die Meinungen und Interessen der übrigen Mächte zu ändern beabsichtige.

Österreich hingegen war in einer wesentlich anderen Lage. Es trat für die Erhaltung des Bestehenden, einer bisher international akzeptierten Rechtsordnung ein. Es konnte vor allem im Hinblick auf die »italienische Differenz«, von der in dem Einladungsschreiben die Rede war, argumentieren, der geplante Kongreß stelle schon im Ansatz, in der Formulierung der Tagesordnung, all dies in Frage.

Das war die Position, die Wien dann im Vertrauen auf die eigene Stärke und auf einen Erfolg der eingeleiteten Verhandlungen mit Frankreich tatsächlich bezog. Man machte die Annahme der Einladung von der vorherigen Zusage aller Kongreßteilnehmer abhängig, keiner territorialen Vergrößerung und keinem Machtzuwachs irgendeiner Seite zuzustimmen.

Vom Ausgang her mag diese Entscheidung Wiens eher fragwürdig erscheinen, nicht zuletzt in taktischer Hinsicht. Sie befreite Preußen in einer Art negativer Zusammenarbeit zwischen den beiden kriegsentschlossenen Parteien von der Sorge einer gemeinsamen Intervention der übrigen europäischen Mächte. Und sie ließ Österreich wenn auch nicht als Angreifer, so doch als eine Macht erscheinen, die sich jeder internationalen Kooperation zur gemeinsamen Überwindung von Spannungen und Krisen widersetzte. Hält man sich aber die Situation Ende Mai/Anfang Juni 1866 und die zu erwartende Haltung der beteiligten Mächte vor Augen, dann rückt die österreichische Reaktion in ein wesentlich anderes Licht.

Von praktisch keiner der beteiligten Mächte konnte Wien eine vorbehaltlose und aktive Unterstützung seiner Position erwarten. Hingegen mußte es befürchten, daß seine Sache auch auf dem Kongreß in die Defensive gedrängt werden würde – eine Lage in der sich der Kaiserstaat seit langem befand, und zwar weniger gegenüber Preußen als gegenüber den Kräften des Liberalismus, der nationalen Idee, der wirtschaftlichen Entwicklung und des daraus resultierenden Opportunismus der meisten seiner bisherigen Partner. Daß in einer solchen Situation ein entschlossener Angriff die beste Verteidigung sei, war so abwegig nicht. Wenn aufgrund mancherlei Illusionen schon viele Chancen versäumt worden waren, so mußte das nicht heißen, daß man das, was sich zumindest der Wiener Hofburg als eine aussichtsreiche Gelegenheit darstell-

te, abermals zugunsten eines jetzt mit Sicherheit eher fragwürdigen Kompromisses preisgeben mußte. Es läßt sich unschwer vorstellen, in welchen Tönen
die Kühnheit eines solchen Entschlusses bei einem umgekehrten Ausgang von
vielen Seiten gepriesen worden wäre.

Am 1. Juni 1866, an dem die österreichische Regierung den Konferenzplan
und die Einladung faktisch ablehnte, tat sie den entscheidenden Schritt zum
Krieg. In einer offiziellen Erklärung ihres Frankfurter Gesandten von Kübeck
legte sie an diesem Tag die Entscheidung über das Schicksal der Herzogtümer
in die Hände des Bundestags. Wien sagte sich damit von Gastein ebenso los wie
von jeder denkbaren Fortsetzung einer Politik des Ausgleichs mit Preußen.
Die erwartete Reaktion erfolgte prompt. In einem Erlaß an die preußischen
Gesandten bei den entscheidenden Mächten, in Paris, London, Florenz und
St. Petersburg, sowie an den Münchener und den Bundestagsgesandten nahm
Bismarck am 4. Juni den Fehdehandschuh mit dem offiziell mitzuteilenden
Satz auf, »daß wir in diesem Verfahren der österreichischen Regierung nur die
Absicht einer direkten Provokation und den Wunsch, den Bruch und den
Krieg zu erzwingen, erblicken können«. Fünf Tage später, am 9. Juni, nach
dem endgültigen Scheitern des Konferenzplanes, drangen preußische Trup-
pen in Holstein ein, ohne daß es zu dem beabsichtigten Zusammenstoß kam.
Und wieder einen Tag später legte Preußen in Frankfurt einen Bundesreform-
plan vor, der auf den Ausschluß Österreichs aus dem Bund und auf eine neue
Form der Herrschaftsteilung im Bund, nunmehr zwischen Bayern und
Preußen, zielte.

Irgendwelche Erfolgschancen räumte man in Berlin dem Vorschlag selbstverständlich nicht ein. Er enthielt vielmehr die offizielle Formulierung des
über die definitive Erwerbung Schleswig-Holsteins hinausgehenden preußischen Kriegsziels und damit die informelle Kriegserklärung an Österreich.
Dessen Antwort war klar und einkalkuliert: Die Wiener Regierung stellte am
11. Juni den Antrag, zum Schutz der »inneren Sicherheit Deutschlands und
der bedrohten Rechte seiner Bundesglieder« das nichtpreußische Bundesheer zu mobilisieren. Sie fand damit erwartungsgemäß in der Hals über Kopf
erfolgenden Abstimmung drei Tage später die Mehrheit. Außer Preußen
selber sprachen sich nur die Hansestädte, die beiden Mecklenburg, Holland
für Luxemburg und eine Reihe mitteldeutscher Kleinstaaten dagegen aus,
während sich das Großherzogtum Baden als einziger Staat außerhalb des
unmittelbaren preußischen Machtbereichs der Stimme enthielt. Darauf erklärte der preußische Bundestagsgesandte von Savigny in einer längst vorbereiteten Erklärung den Bundesvertrag für »gebrochen« und »erloschen« und
seine eigene Tätigkeit für »beendet«. Auch das ganz kurz befristete preußische Ultimatum an Hannover, Sachsen und Kurhessen, sich für neutral zu
erklären und darüber hinaus den preußischen Bundesreformplan anzunehmen, diente allein noch der definitiven Klärung der Fronten. Die Ablehnung

löste denn auch sofort als erste Kriegshandlung den Einmarsch preußischer Truppen in diese Staaten und als unmittelbare Reaktion darauf einen Bundesbeschluß aus, den bedrängten Bundesmitgliedern so rasch wie möglich militärisch zu Hilfe zu kommen und Preußen mit Gewalt auf den Boden des Bundesrechts zurückzuzwingen.

Man befand sich damit auf bundesrechtlich komplizierten, die Juristen noch lange beschäftigenden Wegen, ohne formelle Kriegserklärung, in einem Krieg, den viele seit langem für unvermeidlich, ja, allen Bedenken zum Trotz, für notwendig erklärt und in dessen Eventualität andere eine Katastrophe von unübersehbaren Ausmaßen und Konsequenzen gesehen hatten. Aber was war das, aus dem Abstand von mehr als einem Jahrhundert her gesehen, für ein Krieg? Ein deutscher »Bruderkrieg«? Der erste Einigungskrieg? Ein Kabinettskrieg des 18. Jahrhunderts mit den Mitteln des 19.? Ein bereitwillig gewählter Ausweg aus inneren Konflikten? Oder ein historisches Fatum, Ergebnis einer unheilvollen, nicht mehr wirklich auf friedliche Weise regulierbaren Konstellation?

Für sämtliche Deutungen haben schon die Zeitgenossen jeweils eine Fülle von Argumenten zusammengetragen, und es sind seither nur wenige neue hinzugekommen. Ihr Gewicht freilich und ihr Stellenwert haben sich seither ständig verändert, je nach der historischen Situation und Erfahrung, die das Urteil im Augenblick bestimmten. Nicht nur die Einschätzung des Krieges generell, die Bereitschaft, in ihm wenn nicht ein legitimes Instrument, so doch eine Art ultima ratio der Politik zu sehen, hat sich unter dem Eindruck zweier Weltkriege grundlegend gewandelt. Auch seine angebliche Rechtfertigung durch die Ziele, die mit seiner Hilfe durchgesetzt wurden, ist nicht nur moralisch, sondern auch inhaltlich mehr und mehr ins Zwielicht geraten.

Wie stand es denn, so mußte man sich angesichts der weiteren Entwicklung fragen, um seine, von den Zeitgenossen noch kaum bestrittene, wenngleich in ihren praktischen Konsequenzen nur zum Teil bejahte schöpferische Kraft? Haben sich nicht die Ergebnisse, die er herbeiführte, als höchst unstabil erwiesen, als Gestaltungen von sehr geringer historischer Dauer und Substanz? Und hat er auf der anderen Seite nicht viel Positives zerstört, was vielleicht in ganz anderer Richtung entwicklungsfähig gewesen wäre? War er letztlich nicht nur ein Zeichen für die Unfähigkeit, Konflikte wirklich schöpferisch zu bewältigen und zu dauerhaften neuen Synthesen zu gelangen?

Solche Fragen sind notwendig und legitim, ja, sie drängen sich vom weiteren Gang der Dinge her förmlich auf. Allerdings stehen sie ihrerseits noch zu sehr im Bann einer Auffassung, die der Krieg von 1866 und der von 1870/71 begünstigt und die dann die Weltkriege scheinbar bestätigt haben: Daß der Krieg generell der große Beschleuniger, ja, Veränderer der historischen Entwicklung gewesen sei und diese inhaltlich gleichsam eigenständig bestimmt habe.

Gerade das aber trifft für die Bismarckschen Kriege von 1866 und 1870/71 im Unterschied zu den beiden Weltkriegen, sieht man auf die Kriege als solche, ihren Verlauf und ihre unmittelbaren Ergebnisse, nicht oder doch nur sehr begrenzt zu. Sie waren Bismarcksche Kriege nicht im Sinn einer eher vordergründigen Kriegsschuldfrage, sondern in dem Sinn, daß sie jeweils dem zum Durchbruch verhalfen, was Bismarck an Interessen und Zielen im Prinzip auch auf friedlichem Weg, also auf dem Weg des Ausgleichs und Kompromisses, unter Berücksichtigung der Interessen und Ziele der jeweils anderen Seite für durchsetzbar und erreichbar hielt.

Sicher reduzierte sich mit dem kriegerischen Erfolg die Bereitschaft zu Zugeständnissen, nahm die Neigung zu, den gleichsam vorweggenommenen Kompromiß zu oktroyieren. Aber mit einer einzigen, freilich verhängnisvollen Ausnahme, der Annexion von Elsaß und Lothringen, blieb es in beiden Fällen eben bei einem solchen von vornherein anvisierten Kompromiß. Dieser beanspruchte lediglich die Widersprüche zu beseitigen, die zwischen Form und Inhalt, zwischen den europäischen und insbesondere mitteleuropäischen Rechts- und Vertragsverhältnissen und der realen Machtverteilung im weitesten Sinne, also nicht nur auf der staatlichen und zwischenstaatlichen Ebene, entstanden waren.

Der Krieg erschien als ein Instrument des gewaltsamen Ausgleichs. Er erschien als ein Mittel, die innere und äußere Ordnung in Europa, so wie Bismarck sie verstand, in modifizierter Form zu bewahren, indem man verhinderte, daß jene Widersprüche zwischen Form und Inhalt schließlich übermächtig wurden und sich eigenständig entluden. Hier wird bereits hinter dem Bild des rücksichtslosen, stets kriegsbereiten preußischen Machtpolitikers dasjenige des europäischen Friedenspolitikers nach 1871 sichtbar, so sehr sich beide Bilder auf den ersten Blick zu widersprechen scheinen. Was beide ineinanderrückt, ist eben das, was zugleich die Kriege von 1866 und 1870/71 charakterisiert: Daß hier wie dort nichts eigentlich Neues anvisiert, sondern unter möglicher Bewahrung des Bestehenden nur dem eine neue Form zu geben versucht wurde, was inhaltlich bereits vorhanden war und so oder so nach Geltung und Durchsetzung drängte.

Die Kriege von 1866 und 1870/71 und ihre Ergebnisse erscheinen von daher als das Minimum dessen, was an Veränderung unerläßlich war. Ja, man wird sogar sagen können, daß derjenige, der ihren Verlauf und ihre Ergebnisse wesentlich mitbestimmte, in dem Versuch, die neuen, auf solche Veränderungen drängenden wirtschaftlichen, sozialen, nationalen und im engeren Sinne staatlich-politischen Kräfte zu kanalisieren, so weit ging, daß die alten Spannungen zwischen Form und Inhalt schon bald wieder aufbrachen und erneut zum bestimmenden Thema wurden.

Es waren also, so revolutionär viele ihrer inneren und äußeren Ergebnisse und nicht zuletzt die Wirkungen und Anstöße waren, die von ihnen ausgingen, in mancherlei Hinsicht, wenn man es bewußt paradox formulieren will, konservative Kriege. Hinsichtlich der Machtverteilung im Innern wie im zwischenstaatlichen Bereich und der Definition der politischen und sozialen Werthierarchien blieben sie in Verlauf und Resultat an der unteren Grenze dessen, was hier an Wandel gerade im Interesse der Bewahrung entscheidender Elemente des Bestehenden unvermeidlich erschien. »Die Einigung Deutschlands«, so hat Bismarck es im Alter einmal lapidar formuliert, »war eine konservative Tat.« Die sogenannten Einigungskriege waren in diesem Sinne adäquate Mittel eines Mannes, der bei der Verfolgung seiner im Kern konservativen, auf die Bewahrung der Grundstruktur des Bestehenden ausgerichteten Ziele kühn oder auch bedenkenlos genug war, alles zu benutzen, was dem wirkungsvoll zu dienen versprach.

Allerdings war sich Bismarck bewußt, daß er sich an einer höchst gefährlichen Grenze bewegte und daß er gerade in diesem Fall leicht zum Zauberlehrling werden konnte. Um die langfristigen Wirkungen der kriegerisch durchgesetzten Veränderungen, die den Nachgeborenen vornehmlich beschäftigen, hat er sich dabei weniger bekümmert. Sie entzogen sich nach seiner Überzeugung weitgehend den Berechnungen und Einwirkungsmöglichkeiten des unmittelbar Handelnden. Wohl aber hat er sich mit einer an den Rand der völligen physischen und psychischen Erschöpfung führenden Intensität darauf konzentriert, das Instrument des Krieges in jeder Phase ganz fest in der Hand zu behalten.

Das war sozusagen die stillschweigende Voraussetzung, unter der er es ohne große innere Skrupel ergriffen hatte. Es mußte selbst im Fall eines Mißerfolges ein kontrollierter Krieg bleiben. Denn sonst drohte statt kontrollierter Veränderungen im inner- wie im zwischenstaatlichen Bereich der Durchbruch unkontrollierter Entwicklungen. Es drohte dann statt der in ihren Auswirkungen kontrollierten »Revolution von oben« die Revolution von unten. »Wenn wir in der jetzigen Gestaltung des Bundes einer großen Krisis entgegengehen sollten«, so hat er das im Vorfeld des Konflikts mit Blick auf den kalten Krieg innerhalb des Bundes einmal formuliert, »so ist eine vollständige revolutionäre Zerrüttung in Deutschland bei der Haltlosigkeit der gegenwärtigen Zustände die wahrscheinlichste Folge. Einer solchen Katastrophe kann man lediglich durch eine rechtzeitige Reform von obenher vorbeugen.«

Die Gefahr wurde, wie Bismarck wußte, durch die Art des Krieges erheblich vergrößert, den die preußische Armeeführung unter dem entscheidenden Einfluß des Generalstabschefs Helmuth von Moltke zu führen gedachte. Geplant war von vornherein kein begrenzter Krieg im Stil der Kriegführung des 18. Jahrhunderts, der den zwar weitausgreifenden, jedoch genau umschriebenen und damit begrenzten politischen Zielen entsprach. Geplant war ein unbegrenzter, ein »absoluter« Krieg, der auf die möglichst vollständige Vernichtung der militärischen Kraft des Gegners zielte.

Wohl hatte Clausewitz, der diese Art der Kriegführung in Anlehnung an die napoleonische Praxis im einzelnen analysiert und in ihren Methoden und Konsequenzen dargestellt hat, sie ganz in den Dienst der Politik gestellt wissen wollen. Dennoch war unübersehbar, daß die prinzipielle Unbegrenztheit des militärischen Ziels in der Tendenz leicht auf eine Entgrenzung der politischen Ziele hinauslaufen konnte. Jedenfalls war während des Krieges mit der Neigung von seiten der militärischen Führung zu rechnen, auf eine Unterordnung aller politischen Entscheidungen und Maßnahmen unter das militärische Ziel zu drängen – ganz zu schweigen von dem, was eine solche Art der Kriegführung an zerstörerischen und irrationalen Leidenschaften, an Rachebedürfnissen auf der einen, an völlig übersteigerten Erwartungen auf der anderen Seite freizusetzen drohte.

Bismarcks gleichsam zusätzliches Glück im Krieg von 1866 bestand über den militärischen Erfolg als solchen hinaus darin, daß all dies wegen der überraschenden Kürze des Feldzugs nur sehr begrenzt zum Tragen kam. Das erste Gefecht verlief für die preußische Seite noch eher ungünstig: Am 27. Juni lieferte ihr die hannoversche Armee unter dem General von Arentschildt bei Langensalza eine erfolgreiche Abwehrschlacht, von deren Prestige, so wenig sie die militärische Niederlage des Welfenstaates aufzuhalten vermochte, dessen Anhänger noch lange zehrten. Doch dann gingen die Pläne Moltkes in einem Ausmaß auf, das selbst die preußische Führung überraschte. Das strategische Konzept, die im böhmischen Becken aufmarschierende österreichische Armee durch den getrennten Aufmarsch dreier preußischer Angriffsarmeen zu desorientieren und dann in einer Umfassungsschlacht zu schlagen, führte am 3. Juli 1866 zwischen Königgrätz und Sadowa zu einem überwältigenden Erfolg. Obwohl er für die militärischen Perfektionisten als nicht ganz vollständig erschien, da ein Großteil der österreichischen Armee im letzten Augenblick entkommen konnte, bedeutete er praktisch bereits die militärische Entscheidung des Krieges. Denn wenn Wien sich auch gegenüber den Italienern in der Schlacht von Custozza vom 24. Juni siegreich behaupten konnte und diese schließlich noch zur See in dem Gefecht bei Lissa vom 20. Juli niederrang – mit Königgrätz war die eigentliche Macht des Kaiserstaates gebrochen und eine völlige Eroberung des Landes allein auf politischem Weg, durch einen baldigen Friedensschluß, aufzuhalten.

Ihn erstrebte auch Bismarck. Seine Hauptkriegsziele waren bereits erreicht: freie Hand Preußens im norddeutschen Raum, Auflösung des Deutschen Bundes und Beseitigung der österreichischen Vormachtstellung beziehungsweise des österreichischen Vormachtanspruchs in Mitteleuropa. Nun ging es in erster Linie um die endgültige Sicherung des Erreichten. Dabei hatte der preußische Regierungschef mit zwei ganz unterschiedlichen, gleichsam in negativer Form kooperierenden Gegenkräften zu kämpfen: mit Napoleon III., der sein ganzes Kalkül über den Haufen geworfen sah und die Zeit

zwischen eigentlicher Kriegsentscheidung und Friedensschluß dazu zu benutzen suchte, wenigstens noch einen Teil seiner ursprünglichen Ziele und der
ihm bereits von Österreich gemachten Zugeständnisse durchzusetzen. Und
mit jenen innerhalb der preußischen Führung, die sich jetzt in ihren Zielen
ganz an dem überwältigenden militärischen Erfolg zu orientieren begannen.
    Zu ihnen gehörte auch der preußische König. Es zählte zweifellos zu den
schwersten Belastungen in der politischen Laufbahn Bismarcks, die diplomatische Abwehrschlacht gegenüber Napoleon III. verbinden zu müssen mit der
Bekämpfung aller Versuche, die Grenzen der ursprünglichen Zielsetzungen
zu überschreiten. Es war nicht nur die Freude an der Formulierung, wenn er
noch im Alter einmal bemerkte:»Meine beiden größten Schwierigkeiten
waren, zuerst den König Wilhelm nach Böhmen hinein- und dann ihn wieder
herauszubekommen.«
    Das Ganze wurde noch dadurch kompliziert, daß Bismarck innerhalb dieser
Grenzen auf ein weit radikaleres Vorgehen drängte, als es der König zunächst
mit der konservativen Idee und mit seinem Gerechtigkeitsgefühl für vereinbar
hielt: Daß einige seiner fürstlichen Amtsbrüder, die gegen ihn gekämpft
hatten, Thron und Land verlieren, während andere weitgehend ungeschoren
davonkommen sollten, schien ihm erst einmal nicht nur zutiefst ungerecht,
sondern auch im Prinzip gefährlich. Lieferte man doch damit den Grundsatz
des monarchischen Gottesgnadentums mit eigener Hand der Willkür der
Macht, dem angeblichen Recht des Stärkeren aus. Wer würde noch an das
monarchische Prinzip glauben, wenn einer seiner Hauptwortführer, der
preußische Monarch, altangestammte Herrscher wie den König von Hannover, den hessischen Kurfürsten und den Herzog von Nassau kurzerhand vom
Thron stieß? Und wenn schon friderizianische Machtpolitik, warum dann
ausgerechnet Österreich, aber auch Sachsen, die eigentlichen Gegner,
schonen, statt sich hier mit Land und Geld schadlos zu halten?
    Bismarcks eindringlichstes Argument in diesem Zusammenhang war, daß
ein Frieden mit Österreich ohne Intervention von dritter Seite nur so zu haben
und eine Ausweitung des Krieges mit höchst ungewissem Ausgang nur so zu
vermeiden sein werde. »Wenn wir nicht übertrieben in unseren Ansprüchen
sind und nicht glauben, die *Welt* erobert zu haben«, hatte er schon am 9. Juli an
Johanna geschrieben, »so werden wir auch einen Frieden erlangen, der der
Mühe wert ist. Aber wir sind ebenso schnell berauscht wie verzagt, und ich
habe die undankbare Aufgabe, Wasser in den brausenden Wein zu gießen und
geltend zu machen, daß wir nicht allein in Europa leben, sondern mit noch drei
Mächten, die uns hassen und neiden!«
    Das Gewicht und der Realismus dieses Arguments waren schwerlich zu
bestreiten. Bereits am 5. Juli hatte Napoleon III. einen entsprechenden
österreichischen Vorstoß zum Anlaß genommen, sich einzuschalten, indem
er seine Vermittlung zwischen den kriegführenden Parteien anbot. Natürlich

enthielt dieses Angebot zugleich eine stillschweigende Drohung. Bismarck beeilte sich daher, darauf einzugehen. Im Kreis seiner Vertrauten allerdings bemerkte er dazu zähneknirschend: »Nach einigen Jahren wird Louis voraussichtlich diese Parteinahme gegen uns bedauern; sie kann ihn teuer zu stehen kommen.«

Als parteilich mochte die französische Intervention in der Tat erscheinen, wenn Napoleon III. sie auf das Angebot Österreichs zur Abtretung Venetiens gründete und auf diese Weise die Kriegskoalition zwischen Preußen und Italien auseinanderzumanövrieren suchte. Aber etwas anderes wäre vom französischen Interessenstandpunkt her ja auch völlig sinnlos gewesen. Preußen war nun einmal der militärische Sieger, und Kompensationen waren lediglich mit Druck auf den Sieger und nicht mit dessen Begünstigung zu erreichen.

Um derartige Kompensationen ging es denn auch in den Verhandlungen zwischen Berlin und Paris in erster Linie. Sie wurden in den folgenden Wochen teils zwischen der preußischen Gesandtschaft in der französischen Hauptstadt und der dortigen Regierung, teils zwischen Bismarck und dem französischen Gesandten Benedetti im preußischen Hauptquartier geführt.

Die Taktik, die Bismarck dabei jenseits aller Einzelheiten anwandte, war die des Hinhaltens. Sie glich einer nicht unriskanten Gratwanderung. Denn obwohl die französische Armee und die französische Öffentlichkeit auf eine effektive Intervention nicht eingestellt und nicht vorbereitet waren – ein unbezweifelbarer Pluspunkt der preußischen Politik –, war Frankreich als Macht auch so noch bedrohlich genug. Auf unkontrollierte Reaktionen des französischen Kaisers, der innenpolitisch längst nicht mehr so fest im Sattel saß wie in den fünfziger und beginnenden sechziger Jahren, durfte man es daher auf keinen Fall ankommen lassen. Vor allem durfte man ihm nicht den Eindruck vermitteln, er sei auf dem Weg, zu einer bloßen Figur auf dem Schachbrett seines noch immer nicht ohne heimliche Sympathie beobachteten preußischen Gegenspielers zu werden.

Die Geschicklichkeit und das Einfühlungsvermögen, die Bismarck dabei in den folgenden Wochen bewies, waren ohne Zweifel außerordentlich. Sie zeigen ihn auf dem Höhepunkt seiner in langen Jahren gegen mancherlei innere Widerstände erworbenen diplomatischen Fähigkeiten. Eine in diesem Zusammenhang besonders leicht bramarbasierende nationale Geschichtsschreibung hat hier das Entscheidende in der Überbetonung des Erfolgs und des geschickten Ausspielens des Gegners nur zum Teil zu erfassen vermocht. Der eigentliche ganz große Erfolg Bismarcks bestand darin, daß es ihm gelang, das Verhältnis zu Frankreich und insbesondere zu Napoleon III. innerhalb des überhaupt nur Menschenmöglichen zu schonen und zu bewahren. Es gelang ihm, indem er sich nicht nur jeden äußeren Ausdruck des Triumphes versagte, sondern alles als Ergebnis der Umstände darzustellen und im übrigen die

Zukunftsperspektiven auch aus französischem Blickwinkel weitgehend offen zu halten suchte.

Darüber verliert die vieldiskutierte Frage, zu welchen Opfern der preußische Regierungschef notfalls bereit gewesen wäre, wenn sich die Dinge für Preußen ungünstiger entwickelt und sich der französische Druck noch verstärkt hätte, viel von ihrem Gewicht. 1866 handelte Bismarck in erster Linie als preußischer Staatsmann, der genau wußte, daß die offene Feindschaft Frankreichs, selbst wenn man ihren Folgen für den Augenblick aufgrund einer günstigen Konstellation zu entgehen imstande sei, für Preußen und für die Bewahrung dessen, was es an Land und zusätzlicher Macht zu erwerben im Begriff stand, höchst gefährlich, ja, vielleicht sogar lebensbedrohlich sein würde. Eine französisch-österreichisch-russische Koalition zur Bewahrung beziehungsweise Wiederherstellung des Status quo in Kontinentaleuropa war nicht bloß ein unrealistischer Alptraum. Gegen ihn mußte man zumindest in zwei Richtungen Dämme bauen. Da noch ganz offen zu sein schien, ob dies im Fall Österreichs in Zukunft gelingen werde, und die russische Position durchaus nicht so sicher war, wie man lange Zeit gemeint hat, erschien Frankreich nicht so sehr als der potentielle nächste Kriegsgegner denn als möglicher Partner. Ihn sich als solchen zu erhalten, gegebenenfalls um den Preis kleinerer, im nationalen Sinne deutscher Gebiete, konnte, ja, durfte Bismarck im Interesse des Staates, den er bisher allein repräsentierte, prinzipiell nicht ausschließen.

Ihm war allerdings bewußt, daß er die Schwelle hier mit Rücksicht sowohl auf seinen König als auch auf sein künftiges Verhältnis zur deutschen Nationalbewegung sehr hoch legen mußte. Aber daß er ein solches Geschäft unter allen Umständen und a limine ausgeschlossen hätte, wird man nicht sagen können. Darauf beruhten seine innere Flexibilität wie seine Glaubwürdigkeit als Partner in den Verhandlungen mit der französischen Seite.

In diese Verhandlungen trat Bismarck mit dem großen Trumpf ein, der in der preußischen Selbstbeschränkung auch angesichts eines triumphalen militärischen Erfolgs lag. Wenn Napoleon III. insgeheim befürchtet haben mochte, Preußen werde nun, unter Berufung auf das nationale Prinzip, sogleich die Hand nach dem Süden Deutschlands ausstrecken, so wurde er angenehm überrascht. Süddeutschland, so ergab sich aus den Verhandlungen, die von der Goltz in Bismarcks Auftrag mit Napoleon III. und der französischen Regierung führte, sollte auch nach preußischer Auffassung nach der Auflösung des Deutschen Bundes ganz unabhängig bleiben. Es sollte möglicherweise einen eigenen Staatenbund, einen Süddeutschen Bund bilden. Preußen beanspruche nur die, allerdings uneingeschränkte, Vorherrschaft über den Norden Deutschlands. Gegen eine etwaige Volksabstimmung in den national gemischten Gebieten Nordschleswigs über das künftige Schicksal dieses Landesteils habe man im übrigen in Berlin keine Bedenken.

All dies entwickelte von der Goltz nicht sofort als preußisches Programm. Er ließ es, in Abstimmung und Absprache mit Bismarck, als Ergebnis der Verhandlungen erscheinen. Der Botschafter vermittelte Napoleon III. so den Eindruck, er selber agiere in der Rolle des kompromißstiftenden Maklers, der auf seine eigene Rechnung komme. Ob die zusätzliche Äußerung des Botschafters, Preußen werde im Fall des glücklichen Ausgangs der ganzen Sache wohl über eine kleinere Landabtretung im Süden, etwa über die Wiederherstellung der sogenannten Grenzen von 1814, mit sich reden lassen, ganz so eigenmächtig war, wie es die bis heute vorherrschende Meinung im Anschluß an entsprechende Äußerungen Bismarcks will, sei dahingestellt. Jedenfalls paßte sie sehr gut in die Gesamtkonstellation. In ihr ging es von Preußen her gesehen vor allem darum, dem französischen Kaiser Gegenwart und Zukunft in einem für Frankreich erfolgversprechenden Licht zu zeigen.

Im Hinblick auf die zu erwartende Reaktion der deutschen Nationalbewegung und ihre mögliche Benutzung durch Preußen verhielt sich Napoleon III. zunächst sehr vorsichtig und zögernd. Als er dann doch auf die Andeutungen des preußischen Botschafters einzugehen suchte und zunächst die Grenzen von 1814 und schließlich, in einem förmlichen Vertragsentwurf vom 5. August 1866, sogar die gesamte bayerische Pfalz und die linksrheinischen Gebiete Hessens einschließlich Mainz forderte, traf er auf ein klares Nein Bismarcks. Es war verbunden mit der offenen Drohung, notfalls die Kräfte des deutschen Nationalismus gegen Frankreich zu entfesseln.

Inzwischen nämlich hatte sich die Situation entscheidend verändert. Angesichts der unübersehbaren Tatsache, daß eine französische Intervention zugunsten Österreichs kaum noch zu erwarten stand, Paris sich vielmehr offenkundig bereits mit dem Sieger arrangierte, hatte sich die politische Führung des Kaiserstaates ihrerseits entschlossen, auf einen raschen Frieden hinzuarbeiten. Dies nicht zuletzt, weil die im Gewand eines französischen Vermittlungsvorschlags erscheinenden preußischen Bedingungen außerordentlich maßvoll erschienen. Von direkten Landabtretungen war keine Rede. Auch die übliche finanzielle Kriegsentschädigung, die Preußen von Wien forderte, hielt sich, was bei dem Stand der österreichischen Staatsfinanzen besonders wichtig war, in engen Grenzen; sie wurde schließlich, nach Abzug preußischer Schulden, auf zwanzig Millionen Taler festgesetzt. Die Zeche, so hatte Bismarck unter Zustimmung des französischen Kaisers schon bald ganz offen erklärt, sollten andere bezahlen: Hannover, Kurhessen, Nassau und die bisherige Freie Stadt Frankfurt, die nicht nur der Sitz des aufzulösenden Bundestags, sondern vor allem der bedeutendste Finanz- und Handelsplatz Mitteleuropas war. Sie alle sollten in ihrer eigenstaatlichen Existenz ausgelöscht, sollten ebenso preußische Provinz werden wie die so lange und so heiß umkämpften Elbherzogtümer Schleswig und Holstein, die jetzt jedermann als der natürlich preußische Siegespreis erschienen.

Was unter diesen Umständen einem raschen preußisch-österreichischen Friedensschluß entgegengestanden hatte, war nur noch der Widerstand im eigenen, im preußischen Lager gewesen: Wien ließ lediglich verbal Bedenken spüren, seine nord- und mitteldeutschen Bundesgenossen auf diese Weise über die Klinge springen zu lassen. Bismarck hat jenen Widerstand in seinen Lebenserinnerungen noch zusätzlich dramatisiert. Auch da spielten aktuelle Momente wieder eine entscheidende Rolle: der Ärger über den angeblichen Versuch des jüngsten Sprosses der Hohenzollerndynastie, seinen, Bismarcks, Anteil an den Erfolgen der preußischen Politik und an der Grundlegung des künftigen deutsch-österreichischen Verhältnisses in den Hintergrund zu drängen. Aber auch die von solchen Momenten und der weiteren Entwicklung und Erfahrung unbeeinflußten unmittelbaren zeitgenössischen Zeugnisse lassen erkennen, daß es hier in der Tat um einen sehr tiefreichenden und grundsätzlichen Konflikt ging.

Neben allen vordergründigen Erwartungen einer siegreichen Armee und einer triumphierenden Führungsschicht handelte es sich um das Ziel des Krieges, um die Früchte des Sieges. Wilhelm I. artikulierte mit seinen Bedenken gegenüber den von Bismarck formulierten preußischen Friedensbedingungen, stellvertretend für viele Gleichgesinnte in der preußischen Armee- und Staatsführung, ein tiefer gehendes Unbehagen über den sich abzeichnenden Ausgang des Ganzen. Worauf wollte der Mann hinaus, so fragte man sich hier, der die preußische Monarchie im Inneren vor der Revolution, nach außen vor weiterer Demütigung und weiterem Machtverfall zu retten versprochen hatte und der nun so offenkundig am Ziel war? Hatten etwa diejenigen recht, die prophezeit hatten, es würden manchem noch die Augen übergehen, der sich seiner bedienen zu können glaubte? Wollte er etwa gar den Siegern den Sieg verkürzen, um schließlich als der einzig wirklich Triumphierende dazustehen?

Solche Fragen waren naheliegend und verständlich. Die Antwort freilich liegt tiefer. Sie liegt in der Einsicht, die Bismarck von der ganz überwiegenden Mehrheit der Sieger unterschied und seine überragende Stellung in den nächsten Jahren begründete. Es war die Einsicht, daß der Sieg bisher äußerst vordergründig sei, daß immer noch, ja, gerade jetzt die Devise gelte: »Soll Revolution sein, so wollen wir sie lieber machen als erleiden.« Und Bismarck war in der Tat fester als je entschlossen, sie zu machen.

# Die »Revolution von oben«

»Wenn trotz dieser pflichtmäßigen Vertretung vom *Besiegten* nicht *das* zu erlangen ist, was Armee und Land zu erwarten berechtigt sind, das heißt eine starke Kriegskostenentschädigung von Österreich als dem Hauptfeind oder Landerwerb in einigem in die Augen springenden Umfang, ... so muß der *Sieger* an den Toren Wiens in diesen sauren Apfel beißen und der Nachwelt das Gericht dieserhalb überlassen.« Das war, notiert am Rand des Bismarckschen Votums zur Frage der Friedensbedingungen, die Entscheidung, zu der sich Wilhelm I. nach langen, quälenden Auseinandersetzungen bereitgefunden hatte, in deren Verlauf der angeblich so unerschütterliche preußische Ministerpräsident, an der Grenze eines »Nervenbankrotts«, mehrfach in Weinkrämpfe ausgebrochen war.

Die vom preußischen König angerufene Nachwelt hat die Schonung Österreichs fast einhellig als eine der ganz großen Leistungen Bismarcks gefeiert, als einen Akt weiser Mäßigung, der alles weitere, vor allem den erfolgreichen Abschluß der kleindeutschen Nationalstaatsbildung, erst ermöglicht habe. Dieser Akt ging über den unmittelbaren macht- und außenpolitischen Zusammenhang weit hinaus. Es handelte sich bei ihm, das spürte der preußische Monarch in seiner nüchternen Art sehr wohl, um mehr als um ein real- und machtpolitisches Interessenkalkül. Es ging auch um mehr als ein möglichst perspektivenreiches außenpolitisches Arrangement, mochte Bismarck diesen Gesichtspunkt in seinen Verhandlungen mit den Vertretern anderer Mächte wie im eigenen Lager auch immer wieder besonders betonen. Es ging zugleich um das künftige Fundament des preußischen Staates und zwar sowohl in innenpolitischer Hinsicht als auch in territorialer und machtpolitischer.

Im Augenblick ihres höchsten Triumphes im herkömmlichen, absolutistisch-militärischen Sinne sollte sich die preußische Monarchie in doppelter Weise selbst beschränken. Zum einen sollte sie auf eine handfeste »Rache für Olmütz«, beispielsweise auf einen Einmarsch in Wien, verzichten. Zum anderen sollte sie zugestehen, daß in ihrem Namen Grundprinzipien der traditionellen Herrschaftsordnung zu einer bloßen Fiktion erklärt wurden, womit man offen einräumte, daß ein moderner Großstaat auf wesentlich anderen Grundlagen beruhe und seine Kraft und seinen inneren Zusammenhalt längst anderen Faktoren verdanke.

Das neue Preußen und der sich abzeichnende neue mittelbare Herrschaftsraum um sein Staatsgebiet, der spätere Norddeutsche Bund, würden, so hieß
das, auch in dieser Hinsicht wesentlich neue, in ihrer Grundstruktur entscheidend veränderte politische Gebilde sein. Nicht dem traditionellen Schema des
expandierenden Fürstenstaates der Zeit Friedrichs des Großen, an den sich
der preußische König und seine Generale in jenen Tagen besonders gern
erinnerten, sollte die Entwicklung folgen, sondern einem ganz anderen
Konzept: der Umsetzung äußerer, militärisch-machtpolitischer Erfolge in
innenpolitische Strukturveränderungen. Obwohl diese langfristig der Sache
und Stellung der Monarchie dienlicher sein mochten als alles andere, erschienen sie zunächst wie ein Zurückweichen ausgerechnet im Augenblick des
Sieges.

Auch im innenpolitischen Bereich ging es für Bismarck also um die
Alternative: Siegfrieden oder Verständigungsfrieden. Der preußische König
hat dies in den Verhandlungen, die über die Friedensbedingungen im Kreis der
preußischen Führungsspitze in dem kleinen mährischen Städtchen Nikolsburg
geführt wurden, vorerst nur dunkel geahnt. Sein Sohn, der Kronprinz,
hingegen, der mit Bismarck spätestens seit den Vorgängen um die Danziger
Rede im Sommer 1863 völlig zerfallen war, hat rasch erkannt, daß Bismarck
von der Basis der neuen Situation aus nicht nur gegenüber Österreich, sondern
auch innenpolitisch zu Mäßigung und Verständigung bereit und neue Wege zu
beschreiten entschlossen war. Er hat ihn nicht zuletzt aus diesem Grund
nachhaltig unterstützt. Unter seinem Einfluß gab der König schließlich seinen
Widerstand auf. So konnte am 26. Juli 1866 im fürstlich Dietrichsteinschen
Schloß in Nikolsburg, dem Familiensitz der Frau des amtierenden österreichischen Außenministers, wo der König und sein engster Stab seit dem 18. Juli
residierten, der Vorfriede mit Österreich auf der von Bismarck vorgezeichneten Basis geschlossen werden. Der endgültige Friedensschluß folgte einen
knappen Monat später, am 23. August, in Prag.

Dieser Frieden enthielt zwei zusätzliche Zugeständnisse an die französische
Politik, die zugleich der endgültigen Abwehr weitergehender französischer
Kompensationswünsche dienten: Er legte formell fest, daß in den nördlichen
Gebieten Schleswigs eine Volksabstimmung über die künftige staatliche
Zugehörigkeit stattfinden solle – wozu es nie gekommen ist. Und er bestimmte, daß die süddeutschen Staaten fortan, allein oder im Verbund, »eine
internationale unabhängige Existenz haben« sollten; eine mögliche Verbindung zwischen einem etwaigen Südbund und dem geplanten Norddeutschen
Bund dürfe diese internationale Unabhängigkeit des Südens nicht in Frage
stellen.

Beide Zugeständnisse erschienen Bismarck kaum gravierend. Die Volksabstimmung in Schleswig hatte er selbst in dem Bewußtsein angeboten, daß ihre praktische Durchführung weitgehend ins Belieben Preußens gestellt sein würde. Und was die Zementierung der Main-Linie anging, so bot die betreffende Bestimmung außen- wie innenpolitisch von seinem Standpunkt aus nicht unerhebliche Vorteile. Außenpolitisch, weil sie neben der Demonstration der Selbstbeschränkung Preußens, neben der damit verbundenen Beruhigung der Befürchtungen der europäischen Großmächte die Möglichkeit enthielt, süddeutsche Sorgen vor einem neuen Rheinbund und französisches Mißtrauen gegenüber Preußen und der deutschen Nationalbewegung gegeneinander auszuspielen. Und innenpolitisch, weil sie die sowieso ins Auge gefaßte Konzentration auf Norddeutschland und auf die politische Stabilisierung in diesem Raum zusätzlich begründete und auch gegenüber der liberalen und nationalen Bewegung als zunächst unvermeidbar erscheinen ließ. Sie stellte damit einen weiteren Damm gegen ein Überborden nationaler Kräfte, gegen die Ausbildung einer selbstläufigen, möglicherweise kaum noch zu kontrollierenden nationalrevolutionären Bewegung dar, wie sie sechs Jahre zuvor in Italien zu beobachten gewesen war.

In Kombination beider Elemente gelang es Bismarck bereits im unmittelbaren zeitlichen Zusammenhang mit dem Prager Frieden und seiner Mainlinienbestimmung, die süddeutschen Staaten näher an Preußen heranzuziehen und die nationalen und liberalen Kräfte des Südens auf Distanz zu halten. Unter ausdrücklichem Hinweis auf französische Ambitionen in Süddeutschland veranlaßte er die Regierungen von Bayern, Württemberg und Baden dazu, neben den Friedensverträgen mit Preußen geheime Schutz- und Trutzbündnisse für den Fall eines französischen Angriffs abzuschließen; Hessen - Darmstadt wurde wegen angeblicher profranzösischer Neigungen des dortigen Regierungschefs Dalwik beiseite gelassen. Gleichzeitig suggerierte er der nun mehrheitlich rasch auf die Linie Preußens einschwenkenden liberalen Bewegung in Süddeutschland, sie müsse sich gerade im Interesse der nationalen Sache in Geduld üben, die Konsolidierung im Norden abwarten und im Süden für die hier bislang durchaus nicht sehr populäre Idee des kleindeutschen Nationalstaats wirken. Man könne, so jetzt Bismarcks Argumentation bis ins unmittelbare Vorfeld des deutsch-französischen Krieges von 1870/71, nun einmal nicht mit dem Kopf durch die Wand. Man müsse die Dinge reifen lassen und auf eine günstige Konstellation warten.

Einigermaßen überzeugen konnte ein solches Argument allerdings nur unter der Voraussetzung, daß Bismarck jetzt prinzipiell als ein Wortführer der nationalen Sache angesehen wurde. Das aber bedingte eine grundlegend veränderte Haltung zumindest zu Teilen des Liberalismus. Denn dieser war nach wie vor der Hauptträger des nationalen Gedankens, ein antiliberaler Nationalismus noch keine massenbewegende Kraft.

In der Tat ist es nach Königgrätz und Nikolsburg in verhältnismäßig kurzer

Zeit zu einer solchen Annäherung zwischen Bismarck und einem Teil der Liberalen gekommen, nachdem der preußische Ministerpräsident schon vor dem Krieg angekündigt hatte: »Wenn wir gesiegt haben, sollen Sie Verfassung genug haben.« Wie schon damals scheiden sich allerdings die Geister bis heute an der Frage, ob die liberale Seite bei diesem Schritt bloßer Selbsttäuschung unterlag, basierend auf einem Gemisch von Opportunismus und Leichtgläubigkeit, oder ob es zureichende Gründe gab, den bisherigen Standpunkt und die Einschätzung der politischen Situation sowie der in ihr steckenden eigenen Chancen zu revidieren. Hat, so kann man die Frage zuspitzen, jener Teil des deutschen liberalen Bürgertums, der sich jetzt mehr und mehr zu einer, wenngleich kaum je vorbehaltlosen und vollständigen Zusammenarbeit mit Bismarck entschloß, seine eigene Vergangenheit, seine politischen Überzeugungen und Ziele verraten und an ihre Stelle die bloße Anbetung des Erfolgs und den Maßstab der Förderung der eigenen materiellen Interessen gesetzt? Oder aber ist er einem Kalkül gefolgt, dem man innere Rationalität, praktische Erfolgschancen auch im Sinne der eigenen Überzeugung und Ideale und insofern historische Plausibilität nicht absprechen kann?

Die Antwort auf diese Frage ist für die Beurteilung der weiteren Entwicklung von zentraler Bedeutung. Gerade deswegen muß man sich davor hüten, der weitverbreiteten Neigung zu folgen, den Vorgang einseitig vom schließlichen Ausgang her zu sehen – ohne Beachtung der Tatsache, daß hierbei noch ganz andere, damals kaum vorauszusehende Faktoren eine Rolle gespielt haben. Letztlich unpolitische Rechthaberei erhält dann leicht den Anstrich höchster politischer Weisheit und Moral, während der Versuch, bestimmte in Gang befindliche Entwicklungen und real vorhandene Kräftekonstellationen aktiv zu beeinflussen und womöglich im eigenen Sinne auszunutzen, im Zeichen des schließlichen Mißerfolgs als von vornherein problematisch und hinsichtlich seiner Motive verdächtig erscheint.

Hält man sich nüchtern die Situation vor Augen, mit der sich der preußische und deutsche Liberalismus und das deutsche liberale Bürgertum im Sommer 1866 konfrontiert sahen, so wird man einräumen müssen, daß sie ebenso verwirrend wie verführerisch war. Königgrätz war ohne Frage ein Sieg des politischen Gegners, mochte der überwältigende militärische Erfolg auch viele Liberale, zumal in Preußen, nicht unbeeindruckt lassen und zu Überlegungen darüber führen, welche außerordentlichen Perspektiven er eröffne; es sei schon »ein wunderbares Gefühl, dabei zu sein, wenn die Geschichte um die Ecke biegt«, notierte sogar Theodor Mommsen damals. Die Monarchie, die mehrheitlich schroff antiliberale Armeeführung, das verhaßte Konfliktministerium unter Bismarck und die gesamte hochkonservative Führungsschicht des Landes gingen daraus nicht nur gestärkt hervor, sondern sie hatten nun auch weite Schichten der Bevölkerung hinter sich und drohten zum neuen Kristallisationskern der nationalen Einigungserwartungen zu werden.

Schon die Neuwahlen zum Abgeordnetenhaus am Tag der Schlacht von Königgrätz, am 3. Juli 1866, also noch bevor der Sieg bekannt war, hatten gezeigt, daß die Stimmung massiv umzuschlagen begann. Die Konservativen waren um mehr als hundert Sitze von bisher fünfunddreißig auf einhundertundsechsunddreißig emporgeschnellt. Demgegenüber hatten Linkes Zentrum und Fortschrittspartei fast ebensoviel eingebüßt und waren von bisher zweihundertsiebenundvierzig auf einhundertachtundvierzig Mandate zurückgegangen. Sie hatten damit ihre parlamentarische Mehrheit verloren, da zu vermuten stand, daß sich die Altliberalen mit nunmehr vierundzwanzig statt bisher neun Sitzen auf die andere Seite schlagen würden.

Man war sich angesichts der Erfolge von Regierung und Armee in den folgenden Tagen und Wochen im liberalen Lager völlig im klaren, daß dies erst der Anfang einer für die eigene Sache höchst ungünstigen Entwicklung sei. Der viel verhöhnte Bismarcksche Plan der Berufung eines deutschen Parlaments auf der Basis des allgemeinen Wahlrechts, der in der offiziösen Presse unter verschiedenen Aspekten immer wieder auftauchte, erschien nun in einem völlig anderen, für die liberale Opposition ernsthaft bedrohlichen Licht. Es stellte sich jetzt scheinbar nur noch die Frage, ob Bismarck den militärischen und außenpolitischen Triumph innenpolitisch auf einem mehr bonapartistischen oder, wie es der Militärpartei und wohl auch dem Monarchen selber vorschwebte, mehr traditionell-neoabsolutistischen Weg umsetzen werde.

Um so größer waren das Erstaunen und die Verwirrung, war auf hochkonservativer Seite die Empörung, als Anfang August 1866, nach einer ganzen Reihe eher zweifelnd aufgenommener Hinweise und versteckter Ankündigungen in den Wochen davor, endgültig zur Gewißheit wurde, daß Krone und Regierung eine Verständigung mit der liberalen Opposition anstrebten und den jahrelangen Konflikt durch einen Kompromiß zu beenden bemüht waren. Die königliche Regierung, so hieß es in der Thronrede, mit der am 5. August 1866 der neugewählte Landtag eröffnet wurde, halte zwar weiterhin daran fest, »daß die Fortführung einer geregelten Verwaltung, die Erfüllung der gesetzlichen Verpflichtungen gegen die Gläubiger und die Beamten des Staates, die Erhaltung des Heeres und der Staatsinstitute Existenzfragen des Staates waren«. Die Exekutive habe also in einer Art Notstand gehandelt und aus ihm ihre Legitimation bezogen, auch ohne ordnungsgemäß verabschiedetes Budget Ausgaben zu tätigen und die Geschäfte zu führen. Die Regierung räume jedoch ein und habe das im übrigen nie bestritten, daß ihrem Handeln »die gesetzliche Grundlage«, wie sie verfassungsrechtlich eindeutig vorgeschrieben sei, gefehlt habe und daß dieser Zustand im allseitigen Interesse nicht fortdauern dürfe. Daher werde sie das Parlament um nachträgliche Zustimmung der ohne eine solche gesetzliche Grundlage verfügten Ausgaben angehen. Sie werde um »Indemnität« bitten – was begrifflich den Verzicht des

Parlaments auf Sanktionen und in psychologisch äußerst geschickter Form die stillschweigende prinzipielle Anerkennung eines entsprechenden Rechts der Volksvertretung einschloß. »Ich hege das Vertrauen«, darin gipfelte die von Bismarck in jeder Nuance sorgfältig kalkulierte Rede des Monarchen, »daß die jüngsten Ereignisse dazu beitragen werden, die unerläßliche Verständigung insoweit zu erzielen, daß meiner Regierung in bezug auf die ohne Staatshaushaltsgesetz geführte Verwaltung die Indemnität, um welche die Landesvertretung angegangen werden soll, bereitwillig erteilt und damit der bisherige Konflikt für alle Zeit... zum Abschluß gebracht werden wird.«

Was war, diese Frage mußte sich jedermann innerhalb und außerhalb Preußens stellen, davon zu halten? Der Schritt der Regierung warf praktisch alles über den Haufen, was man sich, auf der Rechten wie auf der Linken, bisher an Vorstellungen über den preußischen Ministerpräsidenten gemacht hatte. Hier wie dort hatte man in ihm den Mann gesehen, der das Parlament, die Volksvertretung, nach Möglichkeit auszuschalten versuche, dessen Leitbild der autoritäre Obrigkeitsstaat auf monarchisch-militärischer Grundlage sei und der alles, also auch die Außenpolitik, vorrangig unter solchem Aspekt betreibe. Äußere, machtpolitische Erfolge, so hatten es die Sprecher der Opposition, an ihrer Spitze Virchow und Twesten, seit Jahren wiederholt, dienten nur solchen Zwecken. Sie seien Elemente einer durchgängigen »Tendenzpolitik«, »in welcher die auswärtigen Verhältnisse nur zu einem Objekt um des inneren Konfliktes willen gemacht werden«. Und nun erklärte derselbe Mann den ganzen Verfassungskonflikt und vieles, was im Zusammenhang damit an grundsätzlichen Positionen aufgebaut worden war, wenn nicht für eine Panne, so doch für eine Art Mißverständnis, das man schnellstens aus der Welt schaffen müsse. Ja, er warb offen um eine parlamentarische Mehrheit und ließ den König in der Thronrede erklären: »In einträchtigem Zusammenwirken werden Regierung und Volksvertretung die Früchte zur Reife zu bringen haben, die aus der blutigen Saat, soll sie nicht umsonst gestreut sein, erwachsen müssen.«

Das sei der Höhepunkt des Machiavellismus, der Versuch, den innenpolitischen Gegner zum scheinbaren Teilhaber des Erfolgs zu machen und ihn von der sicheren Position des eigentlichen Siegers her zu korrumpieren, erklärten die einen: Virchow und Hoverbeck, Schulze-Delitzsch und Harkort, Jacoby und Waldeck. Sie plädierten für die entschiedene Ablehnung der Indemnitätsvorlage. Zustimmung, so Waldeck in einem beschwörenden Appell, sei gleichbedeutend mit der »Abschwörung alles dessen, wofür die Opposition in der Konflikts-Zeit gekämpft hat«.

Man habe sich womöglich in mancher Beziehung doch geirrt und die vielen versteckten oder auch ganz offenen Kooperationsangebote seit der Rede vor der Budgetkommission im Herbst 1862 vielleicht allzu rasch vom Tisch gefegt, so die anderen: Twesten und Forckenbeck, Unruh und Lasker, Duncker und

Siemens. Jedenfalls müsse man jetzt, nachdem, wie Twesten sich ausdrückte, die Geschichte selbst dem Ministerium Bismarck »die Indemnität erteilt« habe, gerade auch im Interesse der eigenen Sache die neuerliche Offerte sorgfältig prüfen.

Beide Seiten haben natürlich gesehen, daß gerade eine solche Spaltung der bisherigen Opposition ein Hauptziel der ganzen Aktion sein könne. Aber das Argument, daß man auf jede eigenständige Politik verzichte und sich selber dazu verurteile, nur noch positiv oder negativ auf ein vermutetes taktisches Kalkül der Gegenseite zu reagieren, wenn man die eigene Entscheidung davon abhängig mache, schien hier wie dort unabweisbar zu sein. Und da keine Gruppe die andere überzeugen konnte, war die Auflösung der bisherigen Opposition in zwei selbständige Fraktionen und Parteien schließlich unausweichlich. Der Bruch vollzog sich im Lauf des Winters 1866/67. Neben die Fortschrittspartei trat nun die Nationalliberale Partei. Sie erklärte sich unter Führung des Hannoveraners Rudolf von Bennigsen, des bisherigen Vorsitzenden des Deutschen Nationalvereins, in national- und außenpolitischer Hinsicht unbedingt, in innenpolitischer Hinsicht bedingt zur Zusammenarbeit mit Bismarck bereit.

Der eigentliche Gründungstag dieser neuen Partei, auf die sich Bismarck von nun an zwölf Jahre lang in vielen Fragen parlamentarisch stützen sollte, war bereits der 3. September 1866, der Tag, an dem das preußische Abgeordnetenhaus nach dreitägiger parlamentarischer Schlacht über die Indemnitätsvorlage der Regierung abstimmte und die Hälfte der bisherigen liberalen Opposition, trotz zum Teil schwerer Bedenken, sich für die Zustimmung entschied. Es war aber auch der Tag, und man wird das eine nicht ohne das andere beurteilen können, an dem sich auch die Konservativen an einen Kreuzweg geführt sahen. Zwar stand von vornherein fest, daß sie der Regierungsvorlage zustimmen würden; ein Widerspruch hätte keinen Sinn gegeben. Aber es ließ sich nicht verkennen, daß die Mehrheit der Konservativen den meisten Unternehmungen der Regierung und Bismarcks seit Königgrätz und dem großen konservativen Wahlsieg vom selben Tag mit zunehmendem Unbehagen und innerem Widerstand begegnete.

Der hochkonservative Flügel unter Ludwig von Gerlach hatte sich schon vor dem Krieg von Bismarck und den zu erwartenden revolutionären Konsequenzen seiner Politik losgesagt. Sie liefere, so Gerlach in dem entscheidenden Artikel der »Kreuzeitung« vom 8. Mai 1866, Deutschland dem politischen und sozialen Umsturz und dem Schiedsspruch des Diktators an der Seine aus. »Österreich Preußen Hand in Hand, sonst Deutschland außer Rand und Band«, hatte er in holperigen Versen seine politischen Freunde noch einmal zu beschwören versucht.

Dem war die große Mehrheit der Konservativen nicht gefolgt, auch wenn viele insgeheim einräumten, daß die einseitige Betonung des preußischen

Machtinteresses, die Vertreibung legitimer Fürsten und die Nichtachtung aller Tradition im außenpolitischen Bereich Hand an die Wurzel zentraler konservativer Überzeugungen und Prinzipien legten und die eigene Position auf Dauer unglaubwürdig zu machen drohten. Als jedoch deutlich wurde, daß auch im Innern vieles von dem zur Disposition gestellt wurde, für das man seit Jahren in den politischen Kampf geführt worden war, daß man die Früchte des Sieges mit dem daran ganz unbeteiligten bisherigen Gegner teilen sollte, da wuchs die Unruhe bedrohlich an. »Mit den Feinden wird man fertig, aber die Freunde!« stöhnte Bismarck schon Anfang August 1866.

Unversehens sahen sich prinzipientreue Konservative und jene, die in Bismarck hauptsächlich das geeignete Werkzeug für die Durchsetzung ihrer eigenen Überzeugungen und Interessen gesehen hatten, Seite an Seite mit dem nach wie vor in Opposition verharrenden Flügel der Liberalen. Hier wie dort beobachtete man, wenngleich von diametral unterschiedlichen Standpunkten aus, wie eine Gruppe von sogenannten Realpolitikern im eigenen Lager all das mehr oder weniger beiseite räumte, was bisher Grundlage, Ziel und Inhalt des politischen Handelns gewesen war. Auf konservativer Seite war dies die sogenannte freikonservative Vereinigung unter dem Vorsitz des Grafen Bethusy-Huc, eines schlesischen Gutsbesitzers, der seit 1862 im Abgeordnetenhaus saß. Aus dieser Vereinigung, einer Fraktion in der Fraktion, entwickelte sich schließlich eine eigene, die Freikonservative Partei. Ihre Zusammenarbeit mit Bismarck war sehr viel vorbehaltloser und ging sehr viel weiter als die der Nationalliberalen; man nannte die Partei, die sich vorwiegend aus hohen Diplomaten und Beamten, Vertretern insbesondere der schlesischen und der rheinischen Hocharistokratie und einer Reihe von Unternehmern rekrutierte, später denn auch die »Partei Bismarck sans phrase«. Dies änderte jedoch nichts an der Tatsache, daß sich damit eine Art Doppelfraktion der Mitte zu konstituieren begann, die zumindest in der Gesetzgebung mehr und mehr Funktionen einer Regierungspartei oder besser gesagt einer Regierungskoalition übernahm.

All dies vollzog sich, wie der vorangegangene Krieg und Friedensschluß, in einem geradezu atemberaubenden Tempo. Und da es inhaltlich wie zeitlich mit der Integration der annektierten Staaten in das preußische Staatsgebiet und der Errichtung des Norddeutschen Bundes im Herbst und Winter 1866/67 verknüpft war, mußte sich Zeitgenossen und Nachwelt der Eindruck geradezu aufzwingen, man habe es hier mit einem Teil eines übergreifenden revolutionären historischen Prozesses zu tun, der, von oben, von seiten der Exekutive, in Gang gesetzt und gesteuert, alle Bande der Tradition und der überlieferten Ordnung sprengte und überall etwas ganz Neues in die Bahn brachte.

»Revolution von oben« – so hieß das Stichwort, mit dem man damals wie später die eigene Verwirrung zu bannen und die grundlegend veränderte

Situation zu deuten versuchte. Es sei dies »die deutsche Revolution in Kriegsform, geleitet von oben statt von unten, der Natur der Monarchie gemäß«, meinte der in Heidelberg lehrende Schweizer Staatsrechtler Johann Caspar Bluntschli, ein Mann der liberalen Mitte, bereits im Juni 1866. Und der Historiker Heinrich von Treitschke resümierte am Ende des Jahres: »Unsere Revolution wird von oben vollendet, wie begonnen, und wir mit unserem beschränkten Untertanenverstande tappen im Dunkeln.«

Vor dem »Versinken in die Revolution« hatte Ludwig von Gerlach von der anderen Seite des politischen Spektrums her schon Anfang Mai 1866 gewarnt, und seine Gesinnungsfreunde innerhalb und außerhalb Preußens sahen diese Warnung jetzt in vollem Umfang bestätigt. »Nun ist aber die Revolution von oben durch Euch in Mode gekommen«, so der österreichische Feldmarschall Freiherr von Hess im Oktober 1866 an den greisen Wrangel, den Waffenbruder im dänischen Krieg: »Wehe Euch doppelt, wenn sie Euch nach hinweggespültem Rechtsgefühl in der Flut der Zeiten einmal selbst ergreift! Dann seid Ihr verloren!« »Revolution machen in Preußen nur die Könige«, pflegte Bismarck solchen Warnungen damals selbstbewußt entgegenzuhalten, wobei er die Tatsache als solche gerade auch im Hinblick auf seine eigene Politik nicht in Abrede stellte. Später war er dessen nicht mehr ganz so sicher, und Marx' Wort von dem »königlich-preußischen Revolutionär«, der ungewollt das Geschäft ganz anderer politischer Kräfte besorge, hätte ihn vielleicht doch eher nachdenklich gemacht.

Aber das lag 1866 noch im weiten Feld. Mit der Kategorie der »Revolution von oben« glaubte man damals auf der Rechten wie auf der Linken zumindest einen Ansatz für die Deutung der höchst verwirrenden Tatsache gefunden zu haben, daß sich ohne eine Revolution im bisher üblichen Verständnis, ja, unter scheinbar konservativem Vorzeichen in kürzester Zeit grundlegende Veränderungen in den verschiedensten Lebensbereichen vollzogen.

In der Tat stellt das Jahr 1866 in der Geschichte Mitteleuropas eine ganz entscheidende Zäsur dar, eine viel tiefere als die eigentliche Reichsgründung von 1870/71, die in mancherlei Hinsicht nur noch das in Realität umsetzte, was dort schon angelegt war. Die äußere und vor allem auch die innere Ordnung des alten Deutschland, seine Parteienlandschaft wie sein Verfassungssystem, seine vorherrschenden Rechtsprinzipien in Wirtschaft, Gesellschaft und Staat wie viele seiner bisherigen politischen und gesellschaftlichen Normen wurden durch die Ereignisse dieses Jahres grundlegend verändert. Aber so scharf der Einschnitt auch war – in Wahrheit handelte es sich doch nur um das Durchbrechen sehr viel tiefer angelegter, längerfristiger Entwicklungstendenzen, gleichsam um das Öffnen des Vorhangs vor einer schon längst aufgebauten Szenerie. Dementsprechend bleibt jede Interpretation vordergründig, die das Ganze wesentlich unter dem Aspekt der politischen Manipulation durch einen großen Einzelnen darstellt und dramatisiert.

Wohl war der Anteil dieses Einzelnen außerordentlich groß. Das Jahr 1866 zeigt Bismarck zweifellos auf einem Höhepunkt politischer Gestaltungsfähigkeit und Durchsetzungskraft. Aber gerade deswegen erscheinen hier die Voraussetzungen und die Grundstruktur seiner politischen Leistung in vollster Klarheit: die unbedingte Entschlossenheit und Bereitschaft, mit dem Strom der Zeit zu fahren, geleitet allein von dem Ziel der Selbstbehauptung der Macht der eigenen Person und des eigenen Staates. Dieser Strom der Zeit – und das hat die Einsicht in die Zusammenhänge oft verstellt – verlief freilich anders, bewegte sich mit anderem Tempo und wurde von anderen Strömungen beherrscht, als es zeitgenössisches und späteres Wunschdenken oft wahrhaben will. Anders ausgedrückt: Daß Bismarck 1866 und 1870/71 ein Bollwerk gegen den Geist der Zeit errichtet habe, ist eine Formel wohlmeinender Selbsttäuschung, welche die Realitäten der historischen Entwicklung in Deutschland nicht zur Kenntnis nehmen will und die Gestalt eines Einzelnen benutzt, um sich, mit Vorliebe gestützt auf das idealisierte englische Beispiel, ganz andere Entwicklungsmöglichkeiten vorzugaukeln.

In Wahrheit spiegelt gerade die Politik Bismarcks mit ihrem vorwiegend machtorientierten, oft bis zur völligen Grundsatzlosigkeit gehenden Opportunismus diese Realitäten in nüchterner Klarheit. Er sah, daß in seiner Zeit von allen denkbaren Möglichkeiten eine parlamentarische Mehrheit die beste Grundlage für eine starke und aktionsfähige, auch gegenüber der Krone und ihrem jeweiligen Träger vergleichsweise unabhängige Exekutive bot. Also verschaffte er sie sich dort, wo sie bei Analyse der gesamten politischen, wirtschaftlichen und sozialen Situation und ihrer sich abzeichnenden Entwicklungstendenzen am solidesten begründet zu sein schien – unbekümmert um ideologische Einwände und um Frontbildungen von gestern. Er sah, daß die Macht Preußens wirkungsvoll und dauerhaft letztlich nur im Zusammenwirken mit der kleindeutschen Nationalbewegung und insbesondere mit den durch den Zollverein mehr und mehr auf Kleindeutschland fixierten Wirtschaftsinteressen im Land selber und in den Nachbarstaaten vergrößert werden könne. Also verfolgte er, ohne Alternative je ganz auszuschließen, einen außenpolitischen Kurs, der in seinen Konsequenzen nach und nach alle anderen Möglichkeiten abschnitt. Und schließlich und vor allem: Er sah schon sehr früh, daß eine bestimmte politisch-gesellschaftliche Konstellation, ein Gleichgewichtszustand zwischen den Kräften und Mächten der Vergangenheit und jenen, die sich im Zuge eines grundlegenden wirtschaftlichen und sozialen Wandlungsprozesses neu entfalteten, die Macht des Staates, der politischen Exekutive und ihres Chefs, außerordentlich begünstigte. Also suchte er diesen Gleichgewichtszustand mit allen Kräften auch institutionell zu fixieren, indem er die Entwicklung, die gleichsam naturwüchsig auf ihn hinführte, noch zusätzlich unterstützte – völlig unbekümmert um den Vorwurf, er besorge damit das Geschäft des politischen Gegners. Das Zentrale war: Sicherung und Erhaltung der Macht, seiner eigenen und die der Institutionen, auf die diese gründete und die sie stärkten.

In diesem Sinne betrieb Bismarck in den Monaten und Jahren nach Königgrätz die Begründung und den inneren Ausbau des Norddeutschen Bundes, der seinerseits dann die Gestalt des kleindeutschen Reiches entscheidend bestimmte. Dieser Bund war die politische Umsetzung einer höchst realistischen Grundeinsicht in den Gang der wirtschaftlichen, der gesellschaftlichen und der politischen Entwicklung, also weit mehr Vollzug dessen, was an der Zeit war, als eine individuell-manipulatorische Schöpfung. Er wurde formal bereits vor Abschluß des endgültigen Friedensvertrages mit Österreich ins Leben gerufen, durch ein Abkommen, das Preußen am 18. August 1866 mit fünfzehn norddeutschen Kleinstaaten unterzeichnete. Dem Abkommen traten in den folgenden Wochen sämtliche ehemaligen Bundesstaaten nördlich der Main-Linie bei; Hessen-Darmstadt in buchstabengetreuer Respektierung dieser vor allem Frankreich zugesagten Grenzlinie nur mit seiner Provinz Oberhessen. Die Vertragspartner verpflichteten sich, auf der Grundlage der preußischen Bundesreformvorschläge vom 10. Juni 1866 einen neuen Bund ins Leben zu rufen. Er sollte getreu diesen Vorschlägen eine Verfassung erhalten, die zunächst von den Bevollmächtigten der Bundesregierungen »festzustellen« und dann einem Bundesparlament »zur Beratung und Vereinbarung« vorzulegen sei – einem Parlament, das nach dem Reichswahlgesetz von 1849, also nach dem allgemeinen, gleichen und direkten Wahlrecht, zu wählen sein würde.

Sieht man von den Annexionen einerseits und der Beschränkung auf die Gebiete nördlich des Mains andererseits ab, so hielt Preußen an allen Hauptpunkten fest, die es im unmittelbaren Vorfeld des Krieges als dessen politisches Ziel proklamiert hatte. Doch das Ganze erschien nun in einem völlig neuen Licht. Vor Königgrätz hatte die überwiegende Mehrheit der deutschen Öffentlichkeit und der angesprochenen Regierungen die preußischen Vorschläge als taktischen und propagandistischen Schachzug verstanden, als ein Mittel, den bisherigen Bund zu sprengen und alle jene hinter sich zu sammeln, die, aus welchen Gründen auch immer, mit den bestehenden Verhältnissen unzufrieden waren. Jetzt wurde deutlich, daß es Berlin damit doch ernst gewesen war. Hinter dem, was als bloße Taktik erschienen war, stand offenbar eine klar umrissene Konzeption für die Neugestaltung der inneren Ordnung Mitteleuropas.

Wie in vielen anderen Bereichen geriet auch hier das Bild ins Wanken, das man sich bislang von dem preußischen Ministerpräsidenten gemacht hatte. Auch in dieser Beziehung sah man sich veranlaßt umzudenken, wobei allerdings sehr schnell die eigenen Wünsche die Richtung angaben. Über der Tatsache, daß Bismarck dem neu zu errichtenden Bund offenkundig eine stärker bundesstaatliche Form mit einer gesamtstaatlichen Volksvertretung als einigender Klammer zu geben beabsichtigte, übersah man im liberalen und nationalen Lager zunächst einmal die Einschränkungen, mit denen das Ganze umgeben war.

Ausgangspunkt blieb nach wie vor das staatenbündische Prinzip: ein Bund der Monarchen und Regierungen, die sich unter prinzipieller Wahrung der einzelstaatlichen Souveränität zusammenschlossen. Nach Bismarcks erklärter Absicht sollte sich daran nichts ändern. Das gemeinsame Parlament, die Zusammenfassung der bewaffneten Macht, das Bundespräsidium und die Kompetenzen gemeinschaftlicher Organe sollten Gegengewichte zu den zentrifugalen Tendenzen eines Staatenbundes bilden, die man aus den jahrzehntelangen Erfahrungen mit dem Deutschen Bund nur zu gut kannte. Sie sollten jedoch nicht ihrerseits dominieren oder gar eine Entwicklung zum nur noch formal bundesstaatlich strukturierten Einheitsstaat vorbereiten, wie ihn beispielsweise der Historiker Heinrich von Treitschke forderte. Das läßt sich an dem Entwurf der Verfassung für den neuen Bund ganz klar ablesen, der schließlich Mitte Dezember 1866 den Bevollmächtigten der verbündeten norddeutschen Regierungen vorgelegt wurde. Er war in den wichtigsten Punkten Bismarcks persönliches Werk und spiegelt sehr genau wider, wie er die Gewichte verteilt wissen wollte.

Auf dieser Gewichtsverteilung lag der Hauptakzent. Von Anfang an hatte Bismarck die liberale Grundauffassung, eine Verfassung müsse in erster Linie der Beschränkung der Macht dienen und sie entsprechend verteilen, als unpolitisch oder als Verschleierung damit verbundener Machtansprüche beiseite geschoben. Neben dem allgemeinen Prinzip, den Gebrauch und die Verteilung der politischen Macht normativ zu regeln und sie dadurch berechenbar zu machen, gebe es keine generellen Verfassungsgrundsätze. Eine Verfassung müsse, so hatte er zwischen 1848 und 1851 in immer neuen Wendungen betont, in ihrer Grundstruktur, solle sie nicht ein bloßes Stück Papier bleiben, ein Produkt der geschichtlichen Entwicklung des jeweiligen Gemeinwesens sein. Nur wenn man die effektive Machtverteilung in Staat und Gesellschaft berücksichtige, werde eine Verfassung Bestand haben.

Während des Verfassungskonflikts hatte er diese Auffassung bis zum äußersten verschärft. Wenn es zu keiner Einigung zwischen den Verfassungsorganen komme, dann gehe eben der, der die eigentliche Macht habe, in seinem Sinne vor. Auch bei der Indemnitätsfrage war er davon nicht grundsätzlich abgerückt. Er selber wie der Monarch hatten im Gegenteil erklärt, im Fall eines Notstands würden sie auch in Zukunft wohl nicht anders handeln können. Gleichzeitig trat jedoch hier, in dem machtpolitischen Zukunftskalkül, das verfassungspolitische Grundkonzept besonders deutlich hervor: Es galt, sich mit den neuen gesellschaftlichen Kräften zu verständigen, um ein vorauszusehendes Abbröckeln der bisherigen Fundamente der staatlichen Macht rechtzeitig zu kompensieren.

Jenes machtpolitische Zukunftskalkül zog allerdings nicht bloß den bürgerlichen Mittelstand in Rechnung, obwohl er sicher zu diesem Zeitpunkt im Vordergrund aller Überlegungen stand. Es zielte, wenn auch in weit vagerer Form, auf breitere Schichten. Es suchte sie, sei es als Gegengewicht zu einem verstärkten Machtanspruch des Bürgertums, sei es als eigenständigen Faktor, miteinzubeziehen. Als Instrument sollte dabei das allgemeine und direkte Wahlrecht dienen. An ihm hielt Bismarck daher nachdrücklich fest. Ja, er wollte es als unverzichtbaren Bestandteil der neuen Verfassung von vornherein festgelegt sehen. Erst als nach den verbündeten Regierungen auch der preußische Landtag gegen erhebliche Widerstände sowohl von konservativer als auch von liberaler Seite das »Wahlrecht der Revolution« für das künftige Parlament des Norddeutschen Bundes akzeptiert hatte, schienen ihm die Voraussetzungen für eine Verfassungsgesetzgebung in der von ihm anvisierten Richtung endgültig gegeben zu sein.

Als ob er das unterstreichen wollte, trat er kurz nach der entscheidenden Abstimmung Mitte September 1866 einen längeren Urlaub an, aus dem er erst Anfang Dezember zurückkehrte. Er verbrachte ihn, nach dem wohl strapaziösesten Sommer seiner ganzen Laufbahn, als Gast des Fürsten Putbus auf der Insel Rügen. Während dieser Kur in Putbus entwarf er, von den laufenden Geschäften abgeschirmt, in zwei berühmt gewordenen Diktaten vom 30. Oktober beziehungsweise vom 19. November die Grundzüge der neuen Verfassung, die im Kern die bis 1918 gültige Verfassung des Deutschen Reiches werden sollte.

In der Form waren die sogenannten Putbuser Diktate eher locker formulierte Anregungen für diejenigen, die im Staatsministerium mit der Vorbereitung eines Verfassungsentwurfs beauftragt waren. Angesichts des Einflusses und der Autorität jedoch, die Bismarck inzwischen weit über seine eigentliche Amtsstellung hinaus besaß, erschienen sie de facto als unbedingt verbindliche Richtlinien.

Ihr Ausgangspunkt waren die bereits vorliegenden ersten Entwürfe von Lothar Bucher und Robert Hepke, beide Vortragende Räte im Außenministerium, und von Max Duncker, dem langjährigen Berater des Kronprinzen, der in gleicher Eigenschaft wie Bucher und Hepke im Staatsministerium tätig war. Bismarcks Hauptkritik zielte zunächst darauf, die Entwürfe seien »zu zentralistisch bundesstaatlich für den dereinstigen Beitritt der Süddeutschen«. »Man wird sich«, fuhr er fort, »in der Form mehr an den Staatenbund halten müssen, diesem aber praktisch die Natur des Bundesstaates geben mit elastischen, unscheinbaren, aber weitgreifenden Ausdrücken.« Deshalb empfehle es sich, als »Zentralbehörde« »nicht ein Ministerium, sondern ein(en) Bundestag« vorzusehen, ein Gremium also von bevollmächtigten Vertretern der einzelnen Bundesregierungen wie im bisherigen Deutschen Bund. »Je mehr man an die früheren *Formen* anknüpft«, bemerkte er in diesem

Zusammenhang, »um so leichter wird sich die Sache machen, während das Bestreben, eine vollendete Minerva aus dem Kopfe des Präsidiums entspringen zu lassen, die Sache in den Sand der Professorenstreitigkeiten führen würde.« Das war, fast schnoddrig formuliert, genau das, worum es ging: keine allgemeine Verfassungsdiskussion, möglichst weitgehende Kontinuität nach außen hin – dann »wird sich die Sache machen« lassen.

Die Sache – das war die feste und dauerhafte Etablierung der Hegemonie des preußischen Staates und der preußischen Regierung. Sie war der oberste Bezugspunkt, von dem aus sich alles andere ableiten und entscheiden ließ, das Ausmaß möglicher Modifikationen und Kompromisse ebenso wie die Frage der formalen und inhaltlichen Ausgestaltung der einzelnen Institutionen. Die Leichtigkeit und Schnelligkeit, mit der Bismarck auf diesem Feld seine Entscheidungen traf und mit der er sich dann sogar mit scheinbar sehr weitreichenden Änderungen einverstanden erklärte, seine Flexibilität und formale Unbekümmertheit finden hier ihre Begründung: Alles, was diesem Hegemonialanspruch entgegenwirkte oder ihn auch nur im entferntesten zu gefährden schien, wurde verworfen. Über alles andere war Bismarck bereit, mit sich reden zu lassen.

So bewegte er in dem ersten wie in dem zweiten Diktat scheinbar ganz zentrale Probleme mit vergleichsweise leichter Hand hin und her, etwa die Frage der künftigen Gestaltung der Bundesexekutive oder die Überlegung, ob aus dem »Bundestag«, also dem Gremium, das zunächst als eigentliche »Zentralbehörde« vorgesehen war, eines Tages eine Art Oberhaus nach englischem Vorbild werden solle. Sogar die Entscheidung darüber, »ob dem König von Preußen eine Stellung als Oberhaupt des Reiches oder die eines primus inter pares den anderen Mitgliedern des Bundes gegenüber« eingeräumt werden solle, wollte er zunächst offen lassen. »Die Herstellung eines monarchischen Bundesstaates oder Deutschen Kaiserreiches wird formell mehr Schwierigkeiten haben«, so bemerkte er dazu, »als die Durchführung des zweiten Systems, welches sich den hergebrachten Bundesbegriffen anschließt und deshalb leichter bei den Beteiligten Eingang findet, auch wenn es«, wie er, den entscheidenden Punkt mit voller Offenheit betonend, fortfuhr, »Preußen dieselbe dominierende Stellung sichert.« »Die Form, in welcher der König die Herrschaft in Deutschland übt, hat mir niemals eine besondere Wichtigkeit gehabt«, so hat er es rückblickend zwei Jahre später formuliert, »an die Tatsache, daß Er sie übt, habe ich alle Kraft des Strebens gesetzt, die mir Gott gegeben.« Und der König von Preußen, das hieß eben in erster Linie die preußische Regierung mit ihm an der Spitze.

An eine effektive Machtteilung mit dem »Bundestag«, dem späteren »Bundesrat«, war nicht einen Augenblick gedacht. Ihn beabsichtigte er von Anfang an über die preußischen Vertreter in allen entscheidenden Fragen in seinem Sinne zu lenken. Dabei hatte er stets den Fall des »Beitritts der

Süddeutschen« im Auge: Es sollte sichergestellt sein, daß das Gremium auch dann an der kurzen Leine der preußischen Regierungspolitik blieb.

Dieses Konzept hat er in den Debatten des sogenannten verfassungsberatenden Reichstags des Norddeutschen Bundes, dessen rund dreihundert Mitglieder am 24. Februar 1867, zwölf Tage nach ihrer Wahl, im Weißen Saal des königlichen Schlosses zu ihrer konstituierenden Sitzung zusammentraten, mit aller Härte und der wiederholten Drohung verteidigt, notfalls das ganze Verfassungs- und Einigungswerk hieran scheitern zu lassen. Vor allem die von den Liberalen geforderte Errichtung eigenständiger und verantwortlicher Bundesministerien hat er strikt abgelehnt. Was hier schließlich als formaler Kompromiß herauskam, war bei Licht besehen kein Kompromiß, sondern ein eindeutiger Sieg Bismarcks und eine klare Niederlage auch der Nationalliberalen um Bennigsen.

Auf Antrag des fraktionslosen Rittergutsbesitzers Carl von Saenger, eines regierungstreuen Altliberalen, der engste Beziehungen zu Max Duncker hatte, beschloß die Reichstagsmehrheit, das Amt des preußischen Präsidialgesandten beim Bundesrat mit einer speziellen politischen Verantwortlichkeit zu belasten. Es sollte zu einem eigenständigen Verfassungsorgan, gewissermaßen zum einzigen Bundesministerium werden. Für dieses Amt war schon in dem unter Bismarcks Leitung »festgestellten« Verfassungsentwurf der preußischen Regierung vom 9. Dezember 1866 der alte Traditionen beschwörende Name »Bundeskanzler« gefunden worden. Zu diesem Zeitpunkt war noch davon die Rede gewesen, daß es der bisherige preußische Bundestagsgesandte Karl Friedrich von Savigny, Bismarcks Jugendfreund, übernehmen solle. Wenig später aber hatte Bismarck erkannt, welche Möglichkeiten in dieser Funktion steckten. Und von da an hatte es für ihn nur noch einen Kandidaten gegeben. Der Mehrheitsbeschluß des Reichstages war gleichsam die Krönung seiner Bestrebungen; es spricht alles dafür, daß der Saengersche Antrag unter seinem unmittelbaren Einfluß formuliert wurde.

Es war daher geradezu eine Ironie, daß das Ganze dann als »Amendement Bennigsen« in die Geschichte eingegangen ist. Bennigsen hatte aus verfahrenstechnischen Gründen den Antrag Saengers mit seinem eigenen verknüpft, einem Antrag, der über die Verantwortlichkeit des Bundeskanzlers hinaus auf verantwortliche Bundesministerien, also auf eine kollegial organisierte Bundesregierung, zielte. Unter dem massiven Druck der preußischen Regierung und ihres Ministerpräsidenten nahm der Reichstag am 27. März 1867 jedoch nur den ersten Teil des Antrags an und verwarf den zweiten. Er beseitigte so im Zeichen eines angeblichen Kompromisses gerade das, was auch betont kooperationsbereiten Liberalen wie Bennigsen unerläßlich erschien, um die Macht der Exekutive und vor allem die des Mannes an ihrer Spitze in Schranken zu halten.

Ansonsten verhielt sich die politisch sehr heterogene Mehrheit des Reichstages in der konkreten Situation und unter den gegebenen Umständen ganz so, wie es Bismarck bei der Ausarbeitung der Verfassung vorgeschwebt hatte. Seine Absichten hatte er in den vergleichsweise knappen Bemerkungen der Putbuser Diktate über die Rolle und Funktion des künftigen Zentralparlaments, des »Reichstags«, sehr klar formuliert. »An dem vor dem Kriege verkündeten Programm«, so betonte er in dem ersten Diktat, »daß Bundesgesetze durch Übereinstimmung der Majorität des Bundestages mit der Volksvertretung entstehen, halten wir fest.« Diese Gesetzgebungstätigkeit müsse so schnell wie möglich in Gang kommen. Das war pragmatisch begründet, hob auf die Notwendigkeit ab, dem neuen Gemeinwesen auch von der Rechtsordnung her eine gemeinsame Basis zu geben. Dahinter aber stand die Überlegung, die Volksvertretung vom ersten Tag an in Atem zu halten und mit sachlicher Arbeit einzudecken. Einerseits wollte er das neue Parlament sowohl aus Gründen des innenpolitischen Gleichgewichts als auch mit Blick auf eine Mobilisierung der Gesamtnation aufgewertet wissen; es sei als »Anker der Rettung und Kitt für unsere Einheit« konzipiert gewesen, so hat er es fünfzehn Jahre später in einer Reichstagsrede formuliert. Andererseits ging es ihm darum, die politische Dynamik und Stoßkraft der Volksvertretung unter Kontrolle zu halten und Risiken für seine eigene Machtstellung weitestgehend auszuschließen. Das machen seine Bemerkungen im Anschluß an die Grundsatzdirektive zur Stellung des künftigen Zentralparlaments sehr deutlich.

Offenkundig von Bedenken befallen, ob das allgemeine Wahlrecht allein ausreichen werde, das liberale Bürgertum unter genügenden politischen Druck von unten zu setzen, gab er zu erwägen, ob es sich nicht sogar empfehle, den Reichstag »aus verschiedenen Wahlprozessen hervorgehen zu lassen«. So wäre es etwa denkbar, die Hälfte der Abgeordneten nach dem allgemeinen Wahlrecht zu bestimmen und die andere Hälfte nach einem extensiven Zensuswahlrecht. Sein Plan lief darauf hinaus, mit einer eigenen Vertretung einer Art Finanzaristokratie die sozialen Gegensätze gleichsam zu institutionalisieren; gedacht war an die hundert Höchstbesteuerten der jeweils rund einhunderttausend Einwohner zählenden Wahlkreise.

Allerdings betonte er selber sogleich, daß er »diese Fragen ihrer Bedeutung nach nicht in die erste Linie« stelle. Immerhin läßt der Plan die Grundtendenz klar erkennen, die er hinsichtlich des Parlaments verfolgte. Erst aus ihr wird der Satz verständlich, den er an das Ende des ersten Putbuser Diktats stellte: »Die Hauptsache ist mir: keine Diäten, keine Wahlmänner, kein Census, es sei denn, daß letzterer so weit greift, wie oben angedeutet.« Im Klartext hieß das: Es sollte auf keinen Fall ein aus Diäten versorgter Berufspolitiker entstehen, ein »gewerbsmäßiger Parlamentarier«, der seine politische Existenz auf eine parteipolitische Basis stützte, die durch das indirekte Wahlverfahren organisatorisch zusätzlich verfestigt wurde.

»Die Diäten sind die Besoldung des gebildeten Proletariats zum Zwecke des gewerbsmäßigen Betriebes der Demagogie«, erklärte der preußische Regierungschef bei einer Besprechung mit den Vertretern der verbündeten Regierungen einmal in schärfster Zuspitzung. Was Bismarck vorschwebte, war der seinem Wahlkreis auch von der bürgerlichen Lebensstellung her aufs engste verbundene und verpflichtete Honoratiorenpolitiker, auf den die Regierung, sei es durch Entgegenkommen, sei es durch Drohungen und direkte Appelle an die Urwählerschaft, unmittelbar einwirken konnte. In diesem Sinne und in Erinnerung an die erhöhte Widerstandskraft der Beamtenabgeordneten der Konfliktszeit schlug er im weiteren sogar einen Passus vor, der den Beamten das passive Wahlrecht entzog. Das Ziel müsse »eine lebendige, mit dem Volk in ununterbrochener Wechselwirkung stehende Volksvertretung« sein, so hat er das später in der Öffentlichkeit, seine wahren Motive verschleiernd, begründet: Sie könne seines Erachtens nur dann entstehen, wenn »eine große Anzahl der beschäftigten Klasse des Volkes unmittelbar repräsentiert« werde.

Bismarck war jedoch Politiker genug, um auf diesem Konzept nicht dogmatisch zu beharren. Insbesondere in der Frage des passiven Wahlrechts der Beamten, bei der der Reichstag, der selbst zu fast zwei Dritteln aus Beamten bestand, mit Nachdruck auf der gegenteiligen Position beharrte, gab er dann doch nach. Damit aber wurde sein Sieg in der Diätenfrage, wie sich bald zeigte, für die Praxis bedeutungslos. Er führte im Gegensatz zu Bismarcks Intentionen sogar dazu, daß die Beamtenschaft im parlamentarischen Raum weiterhin dominierte und das Element direkter wirtschaftlicher und sozialer Interessenvertretung vorerst eher schwach ausgeprägt blieb.

Mit Blick auf die künftige Zusammenarbeit mit der neuen liberalen Mittelpartei kam Bismarck der achtzig Köpfe zählenden Fraktion der Nationalliberalen auch in der so heiß umstrittenen Budgetfrage ein gutes Stück entgegen. Abweichend von dem ursprünglichen Entwurf erklärte er sich mit der jährlichen Vorlage eines detaillierten Haushaltsgesetzes einverstanden. Eine Ausnahme machte nur der Heeresetat, der zunächst festgeschrieben wurde. Die Festschreibung wurde jedoch zeitlich befristet. Man kam nach längerem Hin und Her überein, das Budgetrecht des Reichstages mit Ablauf des Jahres 1871 auch auf diesen Bereich auszudehnen.

Alle faktischen oder scheinbaren Zugeständnisse Bismarcks in den Verfassungsberatungen des Reichstags des Norddeutschen Bundes können jedoch über eines nicht hinwegtäuschen: Die Verfassung des neuen Staatswesens, die am 16. April 1867 mit überwältigender Mehrheit gegen nur dreiundfünfzig Stimmen angenommen wurde und im Sommer in Kraft trat, war in ihren wichtigsten Punkten nicht ein Kompromiß, sondern ein eindeutiger Triumph des Mannes, der wenig später als Bundeskanzler mit außerordentlicher Machtfülle ausgestattet an die Spitze des neuen Staates trat.

Das war, neben der Durchsetzung des Prinzips der kaum verschleierten preußischen Hegemonie, der zweite entscheidende Punkt. Von der Verwirklichung einer besonderen Staatsidee, der Weiterentwicklung bestimmter Traditionen kann man nur sehr begrenzt sprechen, auch wenn darüber damals wie später von Juristen wie Historikern mehr oder weniger Geistreiches gesagt und geschrieben worden ist. Im Gegenteil. Geht man von den verschiedenen verfassungsrechtlichen Ausformulierungen einer konservativen Staatsidee in den Jahren vor 1866 und von Bismarcks eigenen Positionen in der Revolution und der nachfolgenden Reaktionszeit aus, von denen in der Konfliktszeit ganz zu schweigen, dann wird augenfällig, daß die Stärke wie die Schwäche dieser Verfassung gerade in ihrer weitgehenden Distanz zu Prinzip, System und Dogmatik bestanden. Jeder Versuch, diese Distanz zu verringern und der Verfassung nachträglich einen Systemcharakter aufzuzwingen, führt nicht nur in die Irre, sondern verstellt auch den Blick auf das Wesentliche. Dieses lag in der Einsicht und Überzeugung, daß sowohl der erfolgreiche Gebrauch von Macht als auch die Bewahrung von Macht jeweils an Bedingungen gebunden seien, die sich der Abstraktion und Verallgemeinerung weitgehend entzögen. »Theoretisch kann man viel darüber sagen«, so hat es Bismarck elf Jahre später formuliert, »praktisch war sie [die Verfassung] der Abdruck dessen, was damals tatsächlich vorhanden und was in der Folge dessen möglich war, mit der geringen Ausdehnung und Richtigstellung, die sich damals im Augenblick machen ließ.«

Nur die Institutionalisierung und Inpflichtnahme real vorhandener Kräfte und Entwicklungstendenzen, hatte es schon bei Montesquieu geheißen, erlaube ein geordnetes, organisch voranschreitendes Gemeinwesen. Doch über diesen allgemeinen Grundsatz konservativen Staatsdenkens, den man dem normativen Denken der Aufklärung und des Liberalismus entgegenhielt, ging Bismarck weit hinaus, wie er in manchem hinter ihm zurückblieb. Ihm kam es darauf an, mit Hilfe einer Verfassung eine bestimmte machtpolitische Konstellation, aber auch bestimmte vorherrschende Ideen und Erwartungen zu benutzen, um einerseits Machtpositionen zu stabilisieren, andererseits den Gebrauch der Macht zu erleichtern: die »schwere Hemmung« so gering wie möglich zu halten, »welche in der Friktion des künstlichen Räderwerks eines konstitutionellen Staates liegt«, wie es einmal in bezeichnender Formulierung in dem noch ungeglätteten Entwurf eines Briefes an Wilhelm I. hieß.

Beides war, wie der preußische Regierungschef wußte, oft schwer miteinander zu vereinbaren. Denn das eine setzte Festigkeit, das andere Beweglichkeit voraus. Aber gerade in der gegebenen Situation einer sich immer stärker ausprägenden Pluralität der Positionen und Interessen, insbesondere der agrarisch-ständisch-traditionellen auf der einen, der gewerblich-mobil-dynamischen, zukunftsorientierten auf der anderen Seite, schien ihm eine Verfassung wie kaum etwas anderes geeignet zu sein, beides miteinander zu verbinden. Sie war ihm also zugleich Instrument und Plattform. Dabei war er sich, nicht zuletzt aufgrund der Erfahrungen aus der Konfliktszeit und aufgrund der Krisen, in die das System Napoleons III. immer tiefer geriet, völlig bewußt, daß sie ihm als Instrument nur erfolgreich dienen konnte, wenn er sich selber fest auf ihren Boden stellte und ihre Spielregeln auch für den Fall einer augenblicklichen Niederlage anerkannte.

Von dieser Auffassung ausgehend, distanzierte Bismarck sich nachdrücklich von dem vor allem im Zusammenhang mit den Diskussionen über das allgemeine Wahlrecht mehrfach vorgetragenen Vorwurf, Napoleon III. und sein Regime seien das eigentliche Vorbild seines Verfassungsentwurfs. Wer meine, so erklärte er zum Beispiel in der Reichstagssitzung vom 28. März 1867, es handle sich hier um »ein tief angelegtes Komplott gegen die Freiheit der Bourgeoisie in Verbindung mit den Massen zur Errichtung eines cäsarischen Regiments«, der verkenne die eigentliche Absicht. Und in der Tat: Sein politisches Grundkalkül, wie es in der Verfassung seinen Niederschlag fand, zielte gerade nicht wie das Napoleons auf die politische Ausschaltung des Bürgertums. »Arbeiterbataillone zu formieren und die ärmeren Klassen gegen das Besitzbürgertum aufzureizen«, wie es Karl Twesten von seiten der nationalliberalen Fraktion formulierte – darin sah er höchstens ein Drohmittel, aber kein Erfolgsrezept. Es ging ihm vielmehr darum, in dem zur Zusammenarbeit bereiten Teil des Bürgertums eine zusätzliche Stütze seiner eigenen Macht zu finden. Auf diese Weise suchte er eine von beiden Seiten abgestützte Mittelposition zwischen den noch unentschieden miteinander ringenden Kräften der Vergangenheit und der Zukunft, zwischen den statischen und den vorandrängenden Elementen der Gesellschaft zu erlangen. Das ganze Kalkül beruhte auf dem Zwang zum Kompromiß, der in der gegebenen Konstellation selber lag und der die Regierung als natürlichen Vermittler begünstigte – freilich nur temporär, solange nämlich der ausgeprägte Übergangscharakter der Zeit anhielt und das Gleichgewicht der gegensätzlichen Kräfte annähernd erhalten blieb, die ihr Gesicht bestimmten.

Das war allerdings zu diesem Zeitpunkt, zumindest auf der politischen Ebene, nur bedingt der Fall. Der militärische und außenpolitische Triumph der hochkonservativen Armee- und Staatsführung und der mit ihnen verbündeten Kräfte, der allgemeine Stimmungsumschwung nach Königgrätz und die Bereitschaft, sich dem Erfolg zu unterwerfen, hatten zu einer außerordentlichen Stärkung der Kräfte der Beharrung geführt, die noch wenige Jahre zuvor auf breiter Front in die Defensive gedrängt gewesen waren. Es galt daher, das war die durchgehende Linie der Bismarckschen Politik seit Königgrätz und Nikolsburg, die Gewichte neu auszutarieren, und zwar nicht nur vordergründig, sondern in der Substanz selber. Dem diente die Indemnitätsvorlage. Dem diente die Verfassung mit ihrer, wie Bismarck es ausdrückte, »parlamentarischen Hochdruckmaschine«, dem nach dem allgemeinen Wahlrecht gewählten Reichstag, mit dem er auf alle widerstrebenden Kräfte »Pression...

ausüben«, »Territion durch parlamentarische Bewegungen« bewirken wollte – wobei er mit Blick auf die künftige Konkurrenz zwischen Reichstag und preußischem Abgeordnetenhaus freilich auch bereits ins Auge faßte, eines Tages »den Parlamentarismus durch den Parlamentarismus zu stürzen«. Und dem dienten vor allem die grundlegenden Reformen, die sogleich nach Konstituierung des neuen Bundesstaates eingeleitet wurden.

Wer diese Reformen allein unter dem Aspekt der politischen Ablenkung des liberalen Bürgertums betrachtet, greift mit Sicherheit zu kurz, obwohl dies ein Bismarck durchaus nicht unerwünschter Nebeneffekt gewesen ist. Schon 1848/49 hatte er seine Parteifreunde immer wieder auf die grundlegende Bedeutung »materieller Interessen« im politischen Leben und aller praktischen Maßnahmen auf diesem Gebiet hingewiesen. Und er wußte nur zu gut, daß jeder Eingriff in die bestehende wirtschaftliche und soziale Ordnung gerade in einer Zeit des Umbruchs ein Politikum ersten Ranges darstellte, ja, daß hiermit zentrale Entscheidungen für die Zukunft getroffen wurden. Es kann also keine Rede davon sein, daß er sich über die Auswirkungen und die Tragweite jener Reformen nicht im klaren gewesen ist, die nach 1867 unter seiner politischen Verantwortung ins Werk gesetzt wurden. Er hat vielmehr die unmittelbaren und längerfristigen Konsequenzen dieser Reformen, die wesentliche rechtliche Voraussetzungen für die weitere Ausbildung und Entfaltung der modernen Industriegesellschaft in Mitteleuropa schufen, sehr bewußt in sein politisches Kalkül einbezogen.

Allerdings muß man hierbei gleich eine für die Einschätzung seiner Politik zentral wichtige Einschränkung machen. Er sah und akzeptierte Auswirkungen und Tragweite der eingeleiteten Reformen. Doch er tat dies letzten Endes nur, weil er den Prozeß selber, den sie mit vorantrieben und in dem sie ein Faktor unter anderen waren, für unausweichlich hielt. Wie in der Politik insgesamt, so beugte er sich auch hier dem ehernen »unda fert nec regitur«. Die Idee, man könne den Prozeß der sich in immer rascherem Tempo vollziehenden Auflösung der überlieferten wirtschaftlichen und sozialen Ordnung auf Dauer aufhalten und jene Ordnung bewahren, wies er mit schonungsloser Nüchternheit ab. Ihn abzubremsen, ihn zu kanalisieren, ihn in Grenzen zu steuern – das hielt auch er prinzipiell für möglich. Auf dieser Überzeugung beruhten alle seine positiven wie negativen Maßnahmen in diesem Bereich. Aber sich ihm entgegenzustellen, hieß für ihn, von ihm überrollt oder beiseite geworfen zu werden.

Er trat also als ein Reformer wider Willen auf, als jemand, der sich vor die von ihm so oft beschworene Alternative gestellt sah, Hammer oder Amboß zu sein. Es ging seiner Meinung nach darum, sich entweder an die Spitze einer zwar nicht bejahten, aber für unaufhaltsam gehaltenen Entwicklung zu stellen und sie, die Dinge dabei sogar beschleunigend, in seinem Sinne zu beeinflussen und zu benutzen oder von ihr über kurz oder lang an den Rand gedrückt zu werden. Daß dies so oder so geschehen würde, war die Grundüberzeugung der meisten Liberalen, auch und gerade der Kooperationsbereiten. Bismarck hingegen hatte die Zuversicht, daß er sich durch begrenztes Entgegenkommen und immer neues Austarieren der Gewichte werde halten können.

Darüber darf man jedoch etwas anderes nicht übersehen: das weit über alle politischen Kalkulationen hinauswirkende und die Zukunft bestimmende nüchterne Faktum, daß es eine nach wie vor als konservativ eingeschätzte Regierung war, die nach 1866 entscheidende Voraussetzungen für die Beschleunigung des Prozesses des wirtschaftlichen und sozialen Wandels, der »Modernisierung« in Mitteleuropa schuf. Daß politischer Fortschritt und sozialer Wandel unmittelbar zusammengehörten, wurde somit grundsätzlich in Frage gestellt. Die Ambivalenz des Fortschritts wurde gerade angesichts seiner Beschleunigung jetzt schlagartig sichtbar. Viele begannen sich mit dem altliberalen Baseler Historiker Jacob Burckhardt erschreckt zu fragen, ob Freiheit und ein wirklich menschenwürdiges Dasein in den alten Ordnungen nicht viel besser aufgehoben gewesen seien. »Ein bestimmtes und überwachtes Maß von Misere mit Avancement und in Uniform, täglich unter Trommelwirbel begonnen und beschlossen, das ist's, was logisch kommen müßte«, malte sich Burckhardt 1872 die Zukunftsperspektive aus und sprach von dem Europa der geistlosen »durchgehenden Nachtzüge«, das an die Stelle Alteuropas treten werde.

So brachte, eine Ironie der Geschichte, die Beschleunigung des Fortschritts eine zunehmende Skepsis gegenüber dem Fortschritt hervor, die dann wieder den Konservativen zugute kam. In beiden Fällen erwies sich Bismarck als Nutznießer und als treibende Kraft jener Entwicklung: Als die Faktoren, die er nach 1866 begünstigt hatte, zu stark zu werden drohten, bediente er sich des wachsenden Fortschrittspessimismus weiter Kreise des Bürgertums, um erneut gegenzusteuern und das Gewicht der anderen Seite wieder zu verstärken.

Zunächst aber bot sich den Zeitgenossen ein einigermaßen erstaunliches und die Phantasie nachhaltig beschäftigendes Schauspiel. Der seit vier Jahren als Erzpriester der Reaktion, des politischen und sozialen Rückschritts verschriene preußische Ministerpräsident suchte nicht nur innen- und außenpolitisch den Weg des Verständigungsfriedens. Er schickte sich auch an, dem von ihm wesentlich geschaffenen Staatswesen des Norddeutschen Bundes die modernste Wirtschafts- und Sozialverfassung, Rechtsordnung und Verwaltungsstruktur in ganz Europa zu geben.

Bismarcks ganz persönlicher Anteil an diesem großen und folgenreichen Reformwerk ist dabei nicht zu unterschätzen. Das gilt nicht nur für die politischen Grundlinien, für das zugrunde liegende politische Kalkül, sondern auch für viele einzelne Aspekte. Doch die praktische Durchführung, die sachliche und politische Koordination des Ganzen lagen in den Händen eines

anderen, der nun für ein Jahrzehnt die Zusammenarbeit zwischen der
preußischen Staatsführung und den Liberalen, ihre Möglichkeiten und ihre
Grenzen, geradezu verkörperte, in den Händen Rudolf von Delbrücks. Man
spricht daher zu Recht von einer »Ära Delbrück«. Sie begann mit der
Berufung des bisherigen leitenden Beamten des preußischen Handelsministeriums zum Präsidenten des neugegründeten Bundeskanzleramtes im August
1867 und endete mit seinem Entlassungsgesuch vom April 1876, im Vorfeld
eines allgemeinen Kurswechsels.

Die Linie, die Delbrück wirtschaftspolitisch und, untrennbar damit verbunden, auf dem Feld der allgemeinen Politik verfolgte, war Bismarck seit
vielen Jahren vertraut. Schon in den fünfziger Jahren, während seiner
Frankfurter Gesandtenzeit, hatten die beiden nahezu Gleichaltrigen in der
Zollvereinsfrage und bei der Bekämpfung österreichischer Anschluß- und
Änderungswünsche aufs engste zusammengearbeitet. Zwar hatte sich Delbrück von früh an mehr oder weniger offen zu den Positionen des kleindeutschen Liberalismus bekannt, hatte er in diesem Sinne im Frühjahr 1862 das
ihm angebotene Handelsministerium in einem zunehmend auf innenpolitischen Konfliktkurs gehenden Kabinett abgelehnt. Doch in den Sachfragen der
Wirtschafts- und Handelspolitik hatte sich immer wieder ein großes Maß an
Übereinstimmung zwischen ihm und Bismarck ergeben. Das galt nicht nur für
die Zollvereinsfrage der fünfziger Jahre. Es galt für fast alle wirtschafts- und
handelspolitischen Grundsatzentscheidungen bis 1866, nicht zuletzt für den
Bismarck so sehr willkommenen preußisch-französischen Handelsvertrag
von 1862. An diesen Entscheidungen war Delbrück jeweils an führender
Stelle beteiligt gewesen. Daß das preußische Staatsinteresse in fiskalischer wie
ganz allgemein in machtpolitischer Hinsicht am besten durch eine liberale
Wirtschaftspolitik und durch die Zusammenarbeit mit dem Bürgertum auf
diesem Gebiet gewahrt werde, war eine Einsicht, in der Bismarck vor allem
anderen durch die Argumente und den unbestreitbaren Erfolg der praktischen Maßnahmen Delbrücks bestärkt wurde. Ja, er hat diese Einsicht durch
den fachlich weit Überlegenen überhaupt erst gewonnen.

Von einer, sei es direkten oder auch nur indirekten Steuerung Bismarcks
durch Delbrück und die hinter ihm stehenden Kräfte wird man deswegen nicht
sprechen können. Wenn Bismarck der von Delbrück propagierten Wirtschaftspolitik nach 1866 nun auch im Innern den Weg völlig freigab, so tat er
dies in sorgfältiger Abwägung der Probleme und alternativen Möglichkeiten.
Es kann keine Rede davon sein, daß er sich der eigentlichen Motive derjenigen
nicht bewußt gewesen wäre, die in diese Richtung drängten.

Was Delbrück in seiner neuen Amtsstellung an wirtschaftspolitischen
Reformen einleitete, lief vorrangig unter dem Stichwort der Rechtsvereinheitlichung, der Anpassung an die Normen, die in Preußen herrschten; in
seiner drastischen Art sprach Bismarck von einem »Verordnungsdurchfall«,

der auf die alten und neuen Untertanen niedergegangen sei. Das begann mit der gesetzlichen Etablierung des Prinzips der Freizügigkeit im gesamten Bundesgebiet und der Vereinheitlichung des Maß- und Gewichtsystems. Es folgten die Verabschiedung eines zunächst auf den norddeutschen Raum beschränkten »Deutschen Handelsgesetzbuches« und die Errichtung eines obersten Handelsgerichts mit Sitz in Leipzig. Den Höhepunkt bildete schließlich, im Juni 1869, die Verabschiedung einer auf dem Grundsatz der allgemeinen Gewerbefreiheit aufgebauten Gewerbeordnung. Mit ihr wurde die innere Vereinheitlichung des neuen Wirtschaftsraums abgeschlossen, der mit der Einführung eines norddeutschen Strafgesetzbuches Ende Mai 1870 endgültig auch ein einheitlicher Rechtsraum wurde.

Vereinheitlichung und Anpassung waren jedoch nur die Titel, unter denen sich praktische Veränderungen größten Ausmaßes vollzogen. Besonders einschneidend für die Betroffenen war die Tatsache, daß in den außerpreußischen Gebieten in kürzester Zeit die bisherigen gesetzlichen Kalkulationsgrundlagen und Schutzinstitutionen wegfielen. Man sah sich mit einem Schlag in das kalte Wasser einer weitgehend liberalisierten Wirtschaft gestürzt, in dem jene rasch dominierten, die daran seit langem gewöhnt waren.

Diese nachträgliche Eroberung Norddeutschlands durch die preußische Wirtschaft war aber nur ein, obschon als besonders dramatisch empfundener Aspekt. Viel wichtiger war es, daß jetzt die Idee der Selbstregulierung der Wirtschafts- und damit der Sozialordnung endgültig zum Prinzip erhoben wurde, der Staat also diesen Bereich weitgehend freigab. Darin sah und sieht man vielfach einen Triumph des Liberalismus. Er habe manches von dem kompensiert, was ihm auf politischem Gebiet im engeren Sinne versagt geblieben sei, selbst wenn er ihn zugleich immer stärker zu einer bloßen Klassen- und Interessenpartei gemacht habe, mit schwindender gesamtgesellschaftlicher Integrationskraft und Repräsentationsfähigkeit. Betrachtet man aber die Dinge nicht so sehr dogmengeschichtlich als historisch, dann zeigt sich sehr rasch, daß sie doch erheblich anders lagen.

Gerade in Preußen haben sich Wirtschaftsliberalismus und politischer Liberalismus schon früh, im Gefolge der Reformzeit und ihrer konkreten Auswirkungen, getrennt. Das gilt auch für die jeweiligen Trägerschichten. Während sich der grundbesitzende Adel mehr und mehr zum Wirtschaftsliberalismus und zum Laisser-faire-Prinzip auch in sozialer Hinsicht bekehrte, wurde das mittlere Bürgertum immer skeptischer. Es sah die Auflösung der traditionellen Wirtschafts- und Sozialverfassung in steigendem Maße unter dem Aspekt der Instrumentalisierung dieses Prozesses durch den Staat und durch die sich der Entwicklung geschickt anpassenden traditionellen Eliten. Seine Vertreter entwarfen dann sogar so etwas wie ein Leitbild einer nicht nur vorindustriellen, sondern in mancher Hinsicht vorkapitalistischen »bürgerlichen Gesellschaft«. Ein solches Leitbild stellten sie der sich ausbildenden modernen Wirtschaftsgesellschaft als politisches Ideal gegenüber und versuchten in seinem Zeichen, einen allzu raschen Übergang zu jener Wirtschaftsgesellschaft zu verhindern, deren soziale Folgen man zunehmend als verhängnisvoll empfand.

So wird begreiflich, warum im Süden Deutschlands, dem eigentlichen Zentrum des deutschen Liberalismus, der Prozeß der wirtschaftlichen Liberalisierung im Vergleich zu Preußen eher zögernd vorankam. In allen süddeutschen Staaten wurde beispielsweise das Prinzip der Gewerbefreiheit erst in den sechziger Jahren und auch dann nur gegen erhebliche Widerstände durchgesetzt. Wenn auf der anderen Seite eine Stadt wie Mannheim, die im Süden in der ersten Hälfte des 19. Jahrhunderts eine Art Vorreiter der wirtschaftlichen und sozialen Entwicklung bildete, sehr bald auch ein Zentrum der kleindeutschen Einigungsbestrebungen unter preußischer Führung wurde, so zeigt dies, daß es ganz bestimmte Gruppen des Bürgertums waren, die, nicht zuletzt aus eigenem wirtschaftlichen Interesse, besonders nachhaltig für diesen Weg plädierten. Sie taten dies sogar noch, als der »preußische« Weg politisch in ein eher düsteres Licht geriet. Man müsse, so ihr Argument, auf den Fortschritt vertrauen, ganz gleich, wer ihn herbeiführe und aus welchen Motiven dies geschehe.

Hierin ist ihnen jedoch die überwiegende Mehrheit der süddeutschen Liberalen vor 1866, während des preußischen Verfassungskonflikts, nicht gefolgt. Auch nach Königgrätz, nach der Verständigung der preußischen Regierung mit der Mehrheit des Abgeordnetenhauses, erhoben sich immer wieder Stimmen, die warnend auf die offenbare Ambivalenz eines Fortschritts nach preußischem Muster hinwiesen. Für sie war gerade die Tatsache, daß sich eine konservative Staatsführung so nachdrücklich zum Wirtschaftsliberalismus bekannte, ein zusätzlicher Beleg dafür, daß der innere Zusammenhang zwischen liberaler Wirtschaftsverfassung und freiheitlicher politischer Verfassung doch nicht so unproblematisch und direkt war, wie die Ideologen des Wirtschaftsliberalismus gern behaupteten. Zwar waren auch sie mehrheitlich der Meinung, daß ein freier Staat ohne eine freie Wirtschaft auf Dauer nicht denkbar sei. Aber sie bezweifelten, daß umgekehrt eine liberale Wirtschaftsverfassung notwendig eine freiheitliche politische Verfassung nach sich ziehe.

Solche Zweifel fielen im Süden Deutschlands auf fruchtbaren Boden. Als Bismarck mit dem inneren Ausbau des Zollvereins die süddeutschen Staaten näher an den Norddeutschen Bund heranziehen und den Wirtschaftsliberalismus auch hier als wirksames Integrationsinstrument einsetzen wollte, da erlebte er eine böse Überraschung: Die Wahlen zum sogenannten Zollparlament vom Frühjahr 1868 gingen ganz anders aus als erwartet. Und selbst die liberalen Abgeordneten, die dann als Vertreter des Südens in Berlin erschienen, verhielten sich sehr viel skeptischer und zurückhaltender, als es der preußische Ministerpräsident zunächst einkalkuliert hatte.

Es ist also einigermaßen problematisch, hinsichtlich der wirtschaftlichen Reformen während der Zeit des Norddeutschen Bundes allzu pauschal von einem Triumph des Liberalismus zu sprechen. Auch von einem direkten politischen Geschäft, in dem der Liberalismus für sein Entgegenkommen und Stillhalten auf anderen Gebieten entschädigt worden sei, kann nur mit großen Einschränkungen die Rede sein. Es dominierten da sehr viel unmittelbarere Erwägungen der Staatsräson: das direkte, nicht zuletzt auch fiskalische Interesse des preußischen Staates an einem liberalen Wirtschaftssystem. Dieses System hatte sich bereits in der Vergangenheit zugunsten des Staates und der Stärkung seiner inneren und äußeren Macht hervorragend bewährt. Deshalb lag nichts näher, als nun auch die letzten Beschränkungen zu beseitigen und in den Genuß aller Vorteile einer sich ungehemmt entfaltenden Wirtschaft zu kommen.

Das galt allerdings nur für den, der sich, auf das unmittelbare staatliche Machtinteresse konzentriert, ganz von den Bedenken gegenüber den sozialen Konsequenzen eines solchen Systems freigemacht hatte, wie sie zumal von konservativer Seite so oft vorgebracht worden waren. Für jemanden also, der wie Bismarck die Grenzen des Machbaren sehr viel enger definierte als viele konservative Etatisten und der um den Preis des Verzichts auf dirigistische Eingriffe in einen als unaufhaltsam eingeschätzten wirtschaftlichen und sozialen Veränderungsprozeß innerhalb dieser Grenzen die Macht und Autorität des Staates zur höchsten Entfaltung zu bringen strebte. Der Machtgedanke schob sich auf diese Weise endgültig vor jede gesellschaftspolitische Ziel- und Gestaltungsvorstellung.

Eine solche Entwicklung beruhte freilich auf einer ganz bestimmten Voraussetzung, daß nämlich die traditionelle Elite des Landes, der grundbesitzende Adel der ostelbischen Gebiete, durch die vollständige wirtschaftliche Liberalisierung in seiner bisherigen ökonomischen und gesellschaftlichen Stellung nicht bedroht, sondern im Gegenteil begünstigt wurde. Aber unbeschadet dessen war der Vorgang als solcher doch von einschneidender Bedeutung. Er erlaubte eine zumindest mittelfristige Stabilisierung des traditionellen politischen Systems und der mit ihm gegebenen politischen Machtpositionen. Denn er befreite es, zumindest zeitweilig, von dem Verdacht, bloßes Bollwerk der überlieferten, mehr und mehr funktionsunfähig werdenden Wirtschafts- und Sozialordnung zu sein. Dadurch, daß man hier sozusagen die Leinen kappte, konnte der Staat jetzt sogar zunehmend als Organ eines »vernünftigen Gesamtwillens« jenseits der einzelnen Fraktionen der Gesellschaft und ihrer Interessenkonflikte erscheinen und dargestellt werden – ganz so, wie ihn die Staatsphilosophie des deutschen Idealismus und die frühliberale Staatslehre einst postuliert hatten.

Von einer solchen Ideologisierung des Staatsgedankens ist Bismarck selber weit entfernt gewesen. Sie mußte ihm, der zeit seines Lebens als ein Konservativer empfand, obwohl er gerade auf diesem Gebiet ganz und gar nicht als ein Konservativer handelte, im Innersten widerwärtig sein. Es gibt genügend Beispiele dafür, wie er bis ins hohe Alter reagierte, wenn ihm der Staat als ein forderndes, »berechtigtes« Abstraktum, als »ideale« Verkörperung des Gemeinwesens, in seiner privaten Sphäre, in seiner Eigenschaft als Gutsbesitzer, Steuerzahler oder Geschäftsmann begegnete.

Was für die Wirtschaftspolitik und das wirtschaftspolitische Reformwerk in der Zeit des Norddeutschen Bundes gilt, trifft letzten Endes auf alle anderen Reformen dieser Zeit zu. Sie alle liefen, mochte dies den meisten Zeitgenossen auch kaum bewußt werden, auf eine Stärkung des Staates auf dem Weg über die endgültige Abkehr von alten Bindungen, Ordnungen und Formen, über die entschiedene Modernisierung seiner Institutionen und Instrumente hinaus.

Das wird am deutlichsten im Bereich der Verwaltungsreform. Sie war schon in der Zeit des Absolutismus stets ein Indiz für den voranschreitenden Prozeß der Verselbständigung des Staates von der traditionellen Gesellschaft und ihren Ordnungen gewesen. In Preußen war dieser Prozeß, der seinen Höhepunkt bezeichnenderweise in der Französischen Revolution fand, nach 1806, durch die Stein-Hardenbergschen Reformen teils vorangetrieben, teils auch wieder aufgehalten worden. Suchte man doch in Anlehnung an das englische Vorbild die neu zu schaffende Bürgergesellschaft gleich an der Verwaltung zu beteiligen. Dadurch schuf man ein Nebeneinander von staatlicher Zentralverwaltung und Selbstverwaltung, das erhebliche Reibungselemente enthielt. Außerdem führte es im weiteren Verlauf dazu, daß der Staat auf seiner unteren und mittleren Ebene, im Bereich der Lokal- und Regionalverwaltung, stärker als je zuvor in die Hände der traditionellen Führungsschichten geriet.

Bismarck hatte in seiner Jugend, vor 1848, zu jenen gehört, die das neue System, welches die eigene soziale Schicht so sehr begünstigte, ganz entschieden gegen alle staatlichen Änderungsversuche verteidigten. Auch nach 1848, in den fünfziger Jahren, war er mehrfach gegen die geringfügigen Zugeständnisse aufgetreten, die der Staat der Revolution gemacht hatte, etwa auf dem Sektor der gutsherrlichen Gerichtsbarkeit. Nach 1866 jedoch hat er sich bei der verwaltungsmäßigen Eingliederung der annektierten Gebiete, bei dem Aufbau einer Bundesbürokratie und bei den Vorstößen der Ministerialbürokratie, den Verwaltungsaufbau zu straffen und die Bindung an die Zentrale zu verstärken, entschieden auf die Seite der Wortführer einer starken und einheitlichen Staatsverwaltung gestellt. Ja, er ist in der Folgezeit immer häufiger für eine Ausweitung des bürokratischen Apparats eingetreten, der bisher allein auf einen »Ackerbau treibenden Staat« zugeschnitten gewesen sei. So schlug er bereits in den sechziger Jahren ein eigenes staatliches »Kontrollamt« für die Börse vor. Außerdem plädierte er schon früh für Institutionen, die sich der »Lage der arbeitenden Klassen« aktiv annehmen sollten.

Es steht nur in scheinbarem Widerspruch hierzu, daß Bismarck zu Beginn der siebziger Jahre eher zu den Gegnern der längst überfälligen Verwaltungsreform auf der lokalen und regionalen Ebene gehörte, zu der sich der Innenminister Graf Eulenburg unter dem Druck von Freikonservativen und Nationalliberalen schließlich gedrängt sah. Diese Verwaltungsreform zielte auf eine neuerliche Verstärkung der Selbstverwaltungskörperschaften, die in ihrer Kompetenz seit der neoabsolutistischen Ära Manteuffel stark beschnitten worden waren. Mochte die Reform auch neuen sozialen Schichten zugute kommen, so lief das Ganze doch abermals auf eine Schwächung des bürokratischen Zentralstaates hinaus.

Bismarcks scheinbar konservative Argumente in diesem Zusammenhang verdeckten also nur die Tatsache, daß ihm ein Abbau zentralstaatlicher Verwaltungskompetenzen, so zuwider ihm diese im Einzelfall als Privatmann sein mochten, gegen die von ihm im Grundsatz und im allgemeinen verfolgte politische Linie ging. Bezeichnenderweise aber hat er sich, als es über diese Frage zu Beginn der siebziger Jahre zum Konflikt zwischen der nationalliberalen und freikonservativen Abgeordnetenhausmehrheit und dem Herrenhaus kam, das zäh an den traditionellen Rechten seiner Mitglieder im lokalen Bereich festhielt, dann doch auf die Seite des Abgeordnetenhauses geschlagen. Zwar war ihm der Gedanke wenig angenehm, neue gesellschaftliche Mitbestimmungsinstitutionen auf der lokalen und regionalen Ebene zu etablieren und somit einer möglichen Opposition eine zusätzliche Basis zu verschaffen. Aber noch weniger behagte ihm die Idee, den von ihm geleiteten Staat wieder in den Geruch zu bringen, er sei extrem sozialkonservativ und ein Grundhindernis für jeden Fortschritt. Das war, wie er wußte, gefährlicher als alles andere, und zwar nicht nur im Hinblick auf augenblickliche parteipolitische Bündnisse, sondern auf seine politische Stellung insgesamt. Wenn man ihm weiterhin Schwierigkeiten mache und ihn auf einen extremen Rechtskurs zu drängen versuche, so hatte er Anfang 1868 seinen konservativen Kritikern entgegengeschleudert, »so sollt Ihr eine Kreisordnung bekommen, die so aussieht, als wäre sie von lauter Kreisrichtern gemacht worden«. Sie würden dann sehen, wo sie mit ihrer »republikanischen Zerfahrenheit« hinkämen.

Daß die Konservativen auf die Hilfe ihres einstigen Bannerträgers nur noch sehr bedingt rechnen konnten, zeigte sich auch an dem jahrelangen Ringen um die Rechtseinheit zunächst des Norddeutschen Bundes, dann des Reiches. Obwohl Bismarck sich in der Sache kaum einschaltete, lief der ganze Prozeß der Rechts- und Verfahrensvereinheitlichung, der Regelung des Instanzenwegs und der endgültigen Verstaatlichung des Gerichtswesens mit Einschluß der letzten Reste der gutsherrlichen Gerichtsbarkeit doch unmittelbar unter seiner politischen Verantwortung. Und er war es, der den gemeinsamen Widerspruch partikularistischer und konservativer Kräfte schließlich überwand.

Die endgültige Durchsetzung des modernen, bürokratisch-zentralisierten Anstaltsstaats in Mitteleuropa mit allen seinen für die Entfaltung der Industriegesellschaft so wichtigen Rechtsformen und Institutionen ist also wesentlich Bismarcks Werk gewesen. Auch in der eigenen Biographie tut sich hier eine Kluft auf zwischen dem hochkonservativ-ständischen Protest gegen die politische Unzuverlässigkeit und gegen die überall eingreifende Willkür des bürokratischen Anstaltsstaats im Vorfeld und in der Revolution von 1848 und jenen Maßnahmen und Entscheidungen, die nach 1866 diesen bürokratischen Anstaltsstaat auf den bisherigen Höhepunkt seiner Macht und seines Einflusses brachten. Es ist nicht verwunderlich, daß Weggenossen wie Gegner – die meisten Zeitgenossen waren nacheinander das eine wie das andere – sich keinen Reim mehr auf den Mann zu machen vermochten, der in vergleichsweise kurzer Zeit einen so langen Weg zurückgelegt hatte.

Was war das Verbindende, das Element der Kontinuität und der Verläßlichkeit in all der offenbaren Grundsatzlosigkeit? Konnte man, ohne sich etwas vorzumachen, ernsthaft noch zu einem anderen Schluß kommen als zu dem, daß hier ein durch und durch opportunistischer Machtpolitiker am Werk war, der alles dem Erfolg und dem Erwerb und der Sicherung persönlicher Macht unterordnete? Ludwig Bamberger, ein dem linken Flügel der Liberalen zuneigender Politiker und Journalist, der Bismarck, fasziniert von dessen Persönlichkeit und Erfolgen, in jenen Jahren als einer der ersten porträtierte und seine Politik zu deuten versuchte, hat diese Frage entschieden bejaht. Aber er hat gleichzeitig unterstrichen, daß gerade auf der sogenannten Grundsatzlosigkeit in einer Art historischer Pattsituation zwischen den Kräften des Alten und des Neuen Bismarcks Erfolg beruhe. Anders formuliert: Er sei der Mann der Stunde, weil diese den opportunistischen Balanceakt verlange, sollte nicht alles stagnieren.

Das entsprach der Auffassung vieler Zeitgenossen, vornehmlich auf seiten der politischen Linken. Es dämpfte zugleich die Verwirrung und auch das Unbehagen darüber, daß man sich aus sachlichen Gründen, im Interesse des eigenen Programms und der eigenen politischen Ziele, immer wieder genötigt sah, die Bismarcksche Politik inhaltlich zu unterstützen, obwohl man mehrheitlich nach wie vor sicher war, daß sie in ihren Motiven und geheimen Zielsetzungen kaum mit den eigenen Überzeugungen und Interessen übereinstimmte. Doch war diese Deutung richtig? Trifft sie auch noch aus der Distanz von mehr als hundert Jahren das Wesentliche?

Zunächst einmal wird man festhalten müssen, daß sie ihrerseits den historischen Prozeß sehr stark mitbestimmt hat, selbst also ein historisches Faktum ersten Ranges darstellte. Denn die Tatsache, daß Bismarck auf dem Höhepunkt seines Erfolgs sowohl in dem Bereich der Innen- als auch in dem der Außenpolitik nach 1866 von großen Gruppen in beiden politischen Lagern, dem der Konservativen wie dem der Liberalen, als rein erfolgsorientierter, opportunistischer Machtpolitiker angesehen wurde, schuf ein Vertrauensdefizit, das sich nur unter Preisgabe von Grundpositionen seiner bisherigen Politik hätte kompensieren lassen. Gerade seine Erfolge und die Mittel, mit denen sie errungen wurden, zerstörten in der gegebenen Situation alte Loyalitäten und Bindungen, ohne neue entstehen zu lassen. Sie führten zu einer Isolierung, in der nur noch der ständige Erfolg, die offenkundige eigene Unentbehrlichkeit und die Konzentration und Verschränkung von effektiven Machtpositionen Halt und Sicherheit boten.

Bismarck geriet also geradezu unter den Druck der durch seine Aktionen und Methoden provozierten Einschätzungen und Deutungen seiner Politik; er drohte gleichsam von dem Bild überwältigt zu werden, das man sich von ihm machte. Das ist das eine. Zum anderen wird man sagen können, daß ihn in jenen Jahren die Kategorie des Machbaren, des Erfolgversprechenden, des politisch Weiterführenden stärker als je zuvor beherrscht hat. Er erschien zu Recht mehr und mehr als ein Mann, bei dem die Erfolgsaussichten wenn nicht ausschließlich, so doch wesentlich die Richtung des Handelns bestimmten. Diese Grundhaltung machte ihn in einem übergreifenden Sinne zu einem Mann der Zeit, der ihren Strömungen und vorherrschenden Tendenzen zum Durchbruch verhalf. Sie bedrohte jedoch schon bei einem ersten falschen Schritt seine ganze politische Existenz. Denn kaum jemand hatte Anlaß, sich mit ihm persönlich zu identifizieren, in ihm eine Symbolfigur für eine bestimmte politische Richtung und Überzeugung zu sehen.

Es gibt eine Reihe von Anzeichen, daß Bismarck die Gefahr, die darin für ihn persönlich wie für das von ihm verkörperte politische System lag, nach 1866 immer deutlicher gesehen hat. Die Gefahr konnte tödlich werden, wenn es nicht gelang, in die neu entstehende politische und gesellschaftliche Ordnung ein Element einzubauen, das jenseits aller noch so geschickten machtpolitischen Gewichtsverteilung und jenseits alles rein erfolgsorientierten Finassierens integrierend wirkte und neue Loyalitäten stiftete.

Ein solches Element lag freilich schon bereit, und Bismarck hatte es bereits vielfältig für seine Zwecke eingesetzt. Es war der nationale Gedanke. Auch hier stellt allerdings das Jahr 1866 eine Zäsur dar. In den Jahren davor überwog das rein taktische Moment, der Versuch, die nationale Partei für seine konkreten machtpolitischen Ziele einzuspannen. Dieses Moment blieb zwar auch nach 1866 erhalten und zählte bis zu seiner Entlassung zu den Hauptfaktoren seiner Politik. Doch nun kam in verstärktem Maße die Einsicht hinzu, daß der nationale Gedanke längst nicht mehr das Panier einer bestimmten Partei und einer bestimmten politisch-sozialen Gruppe und deren spezieller Interessen bildete und in diesem Sinne eingesetzt werden konnte. Sein Signum und seine Kraft bestanden mittlerweile vielmehr darin, daß er über alle politischen, über alle Standes- und Interessengrenzen und auch über die konfessionellen Schranken hinweg verbindend wirkte. »Wir würden auf die deutsche Nationalkraft als auf eine geeinigte nicht mehr rechnen können«, betonte Bismarck unter dem Eindruck dieser Entwicklung in jenen Jahren einmal, »wenn es uns nicht gelänge, den bisher bestehenden religiösen Frieden in Deutschland zu erhalten.« Der nationale Gedanke und alles, was daran an Hoffnungen und Erwartungen hing, wandelte sich nach 1866 von einer entschiedenen Oppositionsideologie, die er noch 1848/49 gewesen war, zu einer Integrationsideologie. Sie überlagerte von der Rechten bis zur Linken des politischen Spektrums bestehende Loyalitäten, mochten diese nun politischer, sozialer, dynastisch-einzelstaatlicher oder konfessioneller Natur sein. Das aber hieß, daß sich eine Mobilisierung des nationalen Gedankens einer Regierung geradezu aufdrängen mußte, die ihrerseits dahin tendierte, sich von solchen überkommenen Loyalitäten und Bindungen zu befreien und die von daher gesetzten Grenzen zu überschreiten.

Es steckte also erheblich mehr als ein verstärktes taktisches Entgegenkommen gegenüber der nationalen Partei, insbesondere den Nationalliberalen, dahinter, wenn sich die Regierung Bismarck nach 1866 immer stärker mit der nationalen Idee verband. Es spiegelte sich darin das Bedürfnis, ja, der Zwang wider, die bei aller bewußten Anknüpfung an die Vergangenheit in wesentlichen Punkten neue politische und soziale Ordnung auch auf eine neue Grundlage zu stellen. Es galt, ihr einen anderen inneren Zusammenhalt zu geben und in diesem Sinn politisch »die Diagonale der Kräfte« zu ziehen, »die tatsächlich vorhanden sind«, wie Bismarck Ende Mai 1870 im Reichstag des Norddeutschen Bundes erklärte.

Der Appell richtete sich vor allem an die Konservativen, an deren Adresse er Anfang 1867 im Herrenhaus formuliert hatte: »Ein großer Staat regiert sich nicht nach Parteiansichten, man muß die Gesamtheit der Parteien, die im Lande vorhanden sind, in Abwägung bringen und aus dem Resultat dieser sich eine Linie ziehen, der eine Regierung als solche folgen kann.« Der Satz verriet die Einsicht, daß der in traditionellen Ordnungsvorstellungen verankerte dynastische Staatsgedanke nicht mehr über genügend integrierende Kraft verfüge, um das neu Geschaffene fest zusammenzufassen und innerlich zu stabilisieren.

Diese Einsicht bedeutete einen völligen Bruch mit den alten politischen Freunden und ihren Anschauungen. Sie führte Bismarck zu der Erkenntnis, daß das monarchische Prinzip und das darauf gegründete Herrschaftssystem nur dann politisch überleben könnten, wenn sich seine Exponenten mit dem nationalen Gedanken verbanden, ja, geradezu seine Bannerträger wurden. Hier wird deutlich, warum Bismarck den kleindeutschen Nationalstaat dann unbedingt als einen Bund der deutschen Fürsten gegründet sehen wollte und sich nach Kräften bemühte, das populare und parlamentarische Element, auf das er sich inzwischen schon in sehr starkem Maße stützte, bei dieser Gelegenheit, auch optisch, hintanzuhalten: Es sollten der unübersehbare

Gewichtsverlust des dynastischen Faktors ausgeglichen und die neue, die nationale Legitimation der Dynastien unterstrichen werden.

Darin steckt bereits die Antwort auf die vielerörterte Frage, ob es Bismarck im Prinzip möglich gewesen wäre, bei dem Erreichten für einen längeren Zeitraum stehen zu bleiben. Sie lautet ganz klar: nein. Und dies nicht so sehr, weil Bismarck auf die Unterstützung der Nationalliberalen angewiesen war und deren Geduld nicht hätte überfordern können. Entscheidend waren vielmehr Momente, die in der Struktur der ganzen von ihm nach 1866 ins Leben gerufenen Ordnung begründet lagen. Ihr fehlte der eigentlich stabilisierende und integrierende Faktor, solange der Staat nicht zugleich Nationalstaat war und damit alle die Erwartungen unterschiedlicher Art auf sich konzentrierte, die eine sich ständig erweiternde Öffentlichkeit mit einem solchen Staat verband. Es bestand also nach 1866 ganz eindeutig eine innere Notwendigkeit, in der nationalen Einigungspolitik voranzukommen und zu solchem Zweck die Ergebnisse von 1866 zu revidieren.

Dem steht scheinbar entgegen, daß Bismarck selber in jenen Jahren immer wieder bestritten hat, daß es einen solchen Zwang gebe. Er sei nicht bereit, sich treiben zu lassen und dabei unkalkulierbare Risiken einzugehen. Nachdrücklich hat er in diesem Zusammenhang vor der »wortreichen Unruhe« gewarnt, »mit der Leute außerhalb der Geschäfte nach dem Stein der Weisen suchen, der sofort die deutsche Einheit herstellen könne«. Dahinter verberge sich »in der Regel eine flache und jedenfalls impotente Unbekanntschaft mit den Realitäten und ihren Wirkungen«. Man könne die Uhr vorstellen, »die Zeit geht aber deshalb nicht rascher, und die Fähigkeit zu warten, während die Verhältnisse sich entwickeln, ist eine Vorbedingung praktischer Politik«.

Solche Äußerungen lassen sich jedoch auch als Versuch interpretieren, mit allen Mitteln dem Eindruck entgegenzuwirken, man sei auf rasche Erfolge angewiesen. Und in der Tat haben sie wohl vor allem darauf gezielt. Denn Bismarck wußte nur zu gut, daß er innen- wie außenpolitisch eine erhebliche Gefahrenzone zu durchschreiten hatte und daß er auf diesem Weg unter Druck und in Abhängigkeit von anderen Kräften zu geraten drohte. Er mußte daher vortäuschen, er habe weder einen festen Aktionsplan noch irgendwelche präziseren Zeitvorstellungen. Er rechne vielmehr, was die weitere Entwicklung angehe, mit vergleichsweise langen Fristen und sei im übrigen bereit, sich auf der erlangten Basis eines norddeutschen Bundesstaates unter preußischer Führung fest einzurichten.

Wie sehr dies bloße Taktik war, zeigt eine nüchterne Betrachtung der Entwicklung im Vorfeld des Krieges von 1870/71 und der Reichsgründung mit aller Deutlichkeit. Freilich nur unter der Bedingung, daß man sich dabei nicht auf die Kategorien einer Kriegsschulddiskussion einläßt, die einen Täter dingfest zu machen sucht und alles vorwiegend, wenn nicht gar ausschließlich, unter diesem Aspekt zu betrachten geneigt ist. Nur dann wird klar, daß die

Bismarcksche Politik nach 1866, auch und gerade was die äußere Politik anlangt, von dem Bewußtsein der Unfertigkeit der Gesamtsituation beherrscht war. In ihr steckten für Preußen und für Bismarcks eigene Person und Stellung Gefahren, die zu Aktionen und Entscheidungen förmlich drängten. So mußte entgegen eigenen Äußerungen nicht Zuwarten, sondern Handeln seine Devise sein.

Dem widerspricht nicht, daß er es über weite Strecken hin vorzog, reagierend zu handeln, also seine eigenen Aktionen auf Aktionen anderer aufzubauen. Da er sich unter Zugzwang wußte, lag nichts näher, als die entscheidenden Züge aus der scheinbaren Defensive zu führen, um dem jeweiligen Gegner nicht den Vorteil einer abwartenden Ruhestellung zukommen zu lassen. Daß der in der Sache Angreifende formal der Verteidigende sein müsse, gehörte von Anfang an zu Bismarcks politischen Maximen. Und daß ein inzwischen um ganz Norddeutschland bis zum Main erweitertes Preußen, das seine Hand nach dem Süden Deutschlands ausstreckte, als eine Macht erscheinen mußte, die nicht bloß eine kleine zusätzliche Korrektur, sondern eine weitere erhebliche Veränderung zu ihren Gunsten anstrebte, stand für Bismarck außer Frage, im Unterschied zu einer gleichsam ein natürliches Recht auf Einigung reklamierenden Nationalbewegung und ihren historiographischen Nachfahren. Er hätte sich wohl kaum ernsthaft auf die Sophismen eingelassen, mit denen Zeitgenossen wie Historiker auf deutscher Seite dann die Tatsache zu verdecken suchten, daß die deutsche Politik nach 1866, nimmt man den Status quo als Maßstab, sich eindeutig in der Offensive, die der anderen Mächte, voran diejenige Frankreichs, sich in der Defensive befand.

Allerdings hat die französische Politik selbst nicht unwesentlich dazu beigetragen, jene Tatsache zu verdunkeln. In einer ebenso schlecht vorbereiteten wie durchgeführten Aktion versuchte sie im Frühjahr 1867 sowohl nach außen als auch im Innern den fatalen Eindruck zu korrigieren, den ihre verschiedenen Manöver im Jahre 1866 provoziert hatten.

Es ging um das Großherzogtum Luxemburg. Dieses hatte dem Deutschen Bund seit seiner Gründung im Jahr 1815 als altes, seinerzeit mit den österreichischen Niederlanden verbundenes Reichsterritorium angehört. Nach 1815 in Personalunion mit dem Königreich der Vereinigten Niederlande verbunden, war es 1839 unter Zustimmung der europäischen Großmächte zwischen Holland und dem neuen Königreich Belgien geteilt worden. Der kleinere Teil mit der Bundesfestung, der Stadt Luxemburg, war unter der Oberhoheit des holländischen Königs geblieben, 1842 dem Deutschen Zollverein beigetreten und beherbergte seit Jahrzehnten eine Bundesgarnison preußischer Truppen. Diese Garnison war nach dem Prager Frieden, der das Großherzogtum zu einem selbständigen europäischen Kleinstaat werden ließ, zunächst nicht abgezogen worden, da sich Preußen auf die bestehenden zweiseitigen Verträge mit Holland berief. Das brauchte nicht zu besagen, daß

Preußen entschlossen war, das Land vor jedem äußeren Zugriff zu schützen oder gar die Festung zu einem westlichen Vorposten auszubauen. In Paris war man eher geneigt, darin die faktische Absicherung eines möglichen Kompensationsobjektes durch Preußen zu sehen – war doch von einer derartigen Kompensation in den preußisch-französischen Verhandlungen seit Juli 1866 immer wieder die Rede gewesen.

Als Paris freilich im Winter 1866/67 als Ausgleich für sein bisheriges Stillhalten und im Interesse weiteren guten Einvernehmens von Preußen verlangte, den holländischen König zu einer Abtretung des Gebiets an Frankreich zu veranlassen, da verschanzte sich Bismarck hinter dem Argument, er könne angesichts der mit Sicherheit zu erwartenden negativen Reaktion der deutschen Öffentlichkeit sowie des preußischen Königs und seiner Generale unmöglich initiativ werden. Zwar ließ er den Eindruck bestehen, er habe im Prinzip nichts gegen eine solche territoriale Veränderung zugunsten Frankreichs. Aber gleichzeitig verwies er Paris auf den Weg direkter Verhandlungen mit dem holländischen König. Außerdem machte er zur Bedingung, daß Preußen im Fall einer Einigung zwischen Paris und Den Haag in der Öffentlichkeit als der Überrumpelte und nicht als geheimer Mitwisser erscheinen müsse. So erreichte er schließlich genau die Position, auf die es ihm ankam: Er, der die eigentlich einschneidenden neuerlichen Veränderungen des im Prager Frieden besiegelten Status quo anstrebte, handelte jetzt aus der scheinbaren Defensive und bekam von hier aus die Fäden immer fester in die Hand.

Die Geschäftsgrundlage des französischen Vorstoßes war das Angebot an Preußen vom August 1866, in Zukunft zu beiderseitigem Nutzen aufs engste zusammenzuarbeiten. Zwischen Bismarck und dem französischen Botschafter in Berlin, Benedetti, war in der zweiten Augusthälfte verabredet worden, daß unter der Voraussetzung und auf der Basis einer solchen Zusammenarbeit Frankreich nichts gegen die Einbeziehung der süddeutschen Staaten in den preußischen Herrschaftsraum einwenden werde. Dafür rechne man auf die Unterstützung Preußens bei der Erwerbung nicht nur Luxemburgs, sondern auch Belgiens.

Das war der Entwurf einer zweiseitigen Vereinbarung gewesen, und Bismarck hatte daran fraglos sehr aktiv mitgearbeitet. Allerdings ließ er sich im weiteren als ein einseitiges Angebot Frankreichs darstellen. Benedetti hatte nämlich im Vertrauen auf den künftigen Partner und auf den Erfolg der Verhandlungen die für einen Diplomaten kaum verzeihliche Ungeschicklichkeit begangen, den Entwurf, so wie er besprochen worden war, handschriftlich zu formulieren und ihn Bismarck zur Vorlage beim preußischen König zu überlassen. Alle seine Bemühungen, das verfängliche Dokument wieder in seinen Besitz zu bekommen, waren gescheitert.

In den Gesprächen während des Herbstes und Winters 1866/67 hatte man sich weitgehend auf der Stelle bewegt. Zwar hatte Bismarck nicht erkennen lassen, daß er einen anderen Kurs zu steuern beabsichtige. Aber er hatte sich hinsichtlich Luxemburgs immer zurückhaltender geäußert. So war der Vorstoß, den Frankreich mit der Aufnahme von Verhandlungen mit dem holländischen König im März 1867 unternahm, nicht allein von dem Wunsch diktiert, zu einem konkreten, auch innenpolitisch verwertbaren Erfolg zu gelangen. Er war zugleich ein Versuch, die Stagnation in den beiderseitigen Beziehungen zu überwinden und die preußische Politik aus der Reserve zu locken. Dies gelang dann auch, freilich in einer Art, die den Verdacht nahelegte, Bismarck habe Verlauf und Ausgang des Ganzen exakt vorausberechnet und die französische Politik bewußt aufs Glatteis geführt.

Dafür gibt es bis heute keinen sicheren positiven Beweis. Tatsache ist jedoch, daß sich Paris düpiert fühlte und die entsprechenden Konsequenzen daraus zog. Und dies war das Entscheidende. Denn von nun an war klar, daß sich eine kleindeutsche Einigung, also die Einbeziehung der vier süddeutschen Staaten in den Norddeutschen Bund, nur noch gegen den mehr oder weniger offenen Widerstand Frankreichs werde durchsetzen lassen.

Ganz gleich also, ob man von einer bewußten Inszenierung Bismarcks oder von einer ereignisgeschichtlichen Verkettung von Umständen ausgeht – am Ende der sogenannten Luxemburger Krise standen sich Preußen und Frankreich frontal gegenüber. Und überrascht war Bismarck davon mit Sicherheit nicht. Von seiner politischen Grundauffassung her war er von vornherein überzeugt gewesen, daß Frankreich alles daran setzen werde, eine weitere Machtverschiebung in Europa zu seinen Ungunsten zu verhindern. Alles was Bismarck nach Königgrätz und Nikolsburg Frankreich gegenüber unternahm, ging von der Voraussetzung aus, daß die französische Politik nicht das geringste Interesse daran haben könne, zum Schirmherrn einer kleindeutschen Einigung zu werden. Paris werde vielmehr stets versuchen, Preußen für seine Interessen einzuspannen und schließlich ohne Gegenleistung zu überspielen. Von der Möglichkeit eines friedlichen und langfristigen Interessenausgleichs ist in diesem Fall von seiten Bismarcks ernsthaft nie die Rede gewesen. Er hielt im Gegenteil seit Anfang 1867 einen kriegerischen Konflikt mehr und mehr für unvermeidlich. Als er 1870 aus erbeuteten französischen Akten erfuhr, daß eine Gruppe in der französischen Politik einen Ausgleich wohl tatsächlich für möglich gehalten und an ein Entgegenkommen Preußens geglaubt hatte, war er ehrlich erstaunt und überrascht.

So sah er auch in der luxemburgischen Initiative Frankreichs einen Akt, bei dem er mit Selbstverständlichkeit davon ausging, daß Frankreich mit ihm noch anderes im Auge habe: in erster Linie die vorsorgliche Eindämmung Preußens. Es sei »schwer«, darin »nicht das Bestreben zu erkennen«, schrieb er seinem Pariser Botschafter Anfang 1867, »uns vor den Augen Deutschlands und Europas zu kompromittieren und eventuell zu isolieren«.

In der Tat lag es nahe, daß Frankreich die erfolgreiche Erwerbung Luxemburgs, das ja immerhin im Sinne eines vorwiegend historisch orientierten deutschen Nationalgedankens für den künftigen deutschen Nationalstaat reklamiert werden konnte, dazu benutzen werde, den Anspruch Preußens zu untergraben, Schutzmacht aller außerösterreichischen Deutschen zu sein. Von da aus gesehen war es ganz konsequent, wenn Bismarck während der französisch-holländischen Verhandlungen, die laufenden Beratungen über die künftige militärische Zusammenarbeit zwischen Nord und Süd als Anlaß benutzend, die bisher geheimen Schutz- und Trutzbündnisse mit drei der vier süddeutschen Staaten veröffentlichen ließ. Dies konnte dazu dienen, derartige negative Konsequenzen bereits im Vorfeld abzufangen und Frankreich gegenüber zu demonstrieren, daß man Geschäfte nur gegen Barzahlung mache. Daß der holländische König gerade die Veröffentlichung zum Anlaß nahm, einen möglichen Verkauf Luxemburgs an Frankreich von der ausdrücklichen preußischen Zustimmung abhängig zu machen, mochte als eine unglückliche Verkettung von Umständen und als höchst individuelle Entscheidung Wilhelms III. erscheinen. Und wie verhielt es sich mit der Tatsache, daß Bismarck in Reaktion darauf eine parlamentarische Interpellation der Nationalliberalen regelrecht bestellte und damit einen antifranzösischen Proteststurm heraufbeschwor? Auch hier ließ und läßt sich ohne weiteres argumentieren, dies sei der einzige Ausweg aus einem offenkundigen Dilemma gewesen: entweder zuzustimmen und damit Preußens Stellung als deutsche Schutz- und Vormacht zu diskreditieren oder aber ohne äußeren Druck abzulehnen und auf diese Weise als diplomatischer Fallensteller für die Zukunft jede Glaubwürdigkeit in Paris einzubüßen.

So aber blieb der Zweifel, ob Bismarck nicht tatsächlich, wie er immer wieder versicherte, zum Entgegenkommen bereit gewesen und das Ganze nur an französischem Ungeschick sowie an der Überängstlichkeit des holländischen Königs gescheitert sei. Diese Deutung gewann in den folgenden Wochen und Monaten sogar an Gewicht. Die preußische Regierung setzte nunmehr alles daran, Frankreich einen ehrenvollen Abgang zu ermöglichen. Auf der anschließenden Konferenz der Großmächte in London stimmte Berlin einer Neutralisierung Luxemburgs zu. Außerdem bemühten sich seine Diplomaten wie die regierungsnahe Presse nach Kräften, trotz der nachklingenden Erregung in Deutschland, diese Lösung als einen klaren Erfolg der französischen Politik hinzustellen.

Ungeachtet dessen dominierte in Paris fortan die Überzeugung, daß eine Zusammenarbeit mit Preußen auf der Basis der Sicherung und des Ausbaus der bisherigen, halbhegemonialen Stellung Frankreichs in Europa, sprich unter der Voraussetzung einer Art Juniorpartnerschaft Berlins, nicht möglich sein werde. Wohl war auf dem Höhepunkt der Luxemburger Krise und der nationalen Erregung in Deutschland offenkundig geworden, daß Bismarck es gegen den Rat mancher Heißsporne und auch gegen den Rat des preußischen Generalstabschefs von Moltke über jene Frage nicht zu einem Krieg kommen lassen wollte. Aber das konnte seinen Grund auch in der nüchternen Überlegung haben, daß die Situation für einen solchen Krieg noch nicht reif und das Risiko daher in jeder Beziehung zu hoch sei. Im Norden war noch nicht einmal die Verfassung verabschiedet, so daß sich die gesamte innere Ordnung theoretisch noch grundsätzlich revidieren ließ. Und ob der Süden geschlossen mitziehen und sich im Fall eines gemeinsamen Erfolges dann ohne weiteres in den Norddeutschen Bund einfügen werde, erschien zumindest zweifelhaft. Kurz, es sprach zu diesem Zeitpunkt auf preußischer Seite mancherlei gegen einen Krieg mit Frankreich, nicht nur Bismarcks vielzitierter nachdenklicher Satz: »Wenn wir Krieg bekommen, wird uns gleich eine ganze Serie bevorstehen: wer das erste Mal unterliegt, wird nur die Zeit abwarten, bis er wieder Atem geschöpft hat, um von Neuem zu beginnen.« Auf der anderen Seite bemerkte der Kanzler bereits Anfang Juli 1867 im vertrauten Kreise kühl: »Luxemburg war das Äußerste unserer Friedfertigkeit, ist der Friede damit nicht gesichert, dann ist er nicht zu halten.«

Von einer ähnlichen Lagebeurteilung unter entgegengesetztem Vorzeichen ging auch die französische Politik aus. Paris war daher nun fest entschlossen, den bisherigen Weg der Kontrolle der mitteleuropäischen Entwicklung durch den Versuch der Einbindung Preußens in eine gemeinsame Allianz zu verlassen und den der direkten Eindämmung Berlins durch den Aufbau eines entsprechenden Bündnissystems zu beschreiten. Der Partner, der sich dafür in erster Linie anbot, war Österreich. Schon während der Luxemburger Krise streckte die französische Politik entsprechende Fühler aus. Nach einer Reihe diplomatischer Sondierungen kam es Ende August 1867 in Salzburg und, anläßlich der Weltausstellung, im Oktober 1867 in Paris zu zwei demonstrativen Treffen der beiden Kaiser.

In Wien führte inzwischen einer der entschiedensten Gegenspieler der preußischen Politik in der Vergangenheit, der bisherige sächsische Außenminister Friedrich Freiherr von Beust, die äußeren Geschäfte des Kaiserreiches. Nach der Entscheidung von 1866 hatte Berlin seine Entlassung in Dresden regelrecht erzwungen. Nichts lag näher, als daß Beust, den niemand geringerer als Schwarzenberg einmal »meinen besten Leutnant« genannt hatte, in seinem neuen Amt mit allen Kräften versuchen werde, jene Entscheidung zu revidieren. Nach dem Ausgleich Ende Juni 1867 war er mit dem Titel »Reichskanzler« zugleich zum Regierungschef ernannt worden und damit endgültig zu einer der Zentralfiguren der österreichischen Politik aufgestiegen. Da ihm seit langem besonders gute persönliche Beziehungen zu Paris nachgesagt wurden, mußte er geradezu als der Wunschpartner einer sich neu orientierenden französischen Politik und insofern als Inkarnation der Preußen nun drohenden Gefahren erscheinen.

Beust war jedoch ein nüchterner Realist oder, wie es seine Gegner damals wie später ausdrückten, ein reiner Opportunist. Er ließ sich vor allem von dem leiten, was in dem jeweiligen Staat politisch am leichtesten durchsetzbar und am ehesten erfolgverheißend erschien. »Vom Ochsen kann man nichts anderes erwarten als Rindfleisch und von Beust nichts anderes als eine ehrgeizige, intrigante sächsische Hauspolitik, namentlich so lange das Königreich Sachsen den Rahmen abgibt für das zu verherrlichende Bild Friedrich Ferdinands von Beust«, hatte Bismarck bereits als Bundestagsgesandter gehöhnt. Obschon Beusts eigentliches politisches Ziel ohne Frage die Revision der Entscheidung von 1866 war, mußte er sich schon bald eingestehen, daß keine der beiden politisch führenden Nationen des Reiches, weder die deutsche noch die ungarische, eine solche Revision mit den sich dafür anbietenden Mitteln ernsthaft erstrebte. Die deutsche nicht, da kaum jemand einen neuen »Bruderkrieg« an der Seite Frankreichs zu führen bereit war. Und die ungarische nicht, da eine solche Revision ihre gleichberechtigte Stellung in der Monarchie wieder in Frage gestellt hätte.

Hinzu kam, daß ein Bündnis mit Frankreich mit der Zielrichtung einer Revision in Mitteleuropa geradezu als eine Einladung an Rußland wirken konnte, sich zugunsten Preußens einzuschalten und sich dann auf dem Balkan auf Kosten Österreichs schadlos zu halten. Solche Überlegungen waren der russischen Politik in der Tat nicht fremd. Bismarck sah sich schon bald mit dem Angebot einer engeren preußisch-russischen Zusammenarbeit konfrontiert, von dem er seinerseits, so wichtig ihm die russische Rückendeckung sein mußte, gar nicht begeistert war. Befürchtete er doch, daß dies der Auftakt zu einem Versuch Petersburgs sein könne, seine beherrschende Machtstellung in Kontinentaleuropa aus den Jahren nach 1848/49 wiederzugewinnen.

So gab es für Beust zahlreiche Gründe, dem Werben der französischen Politik eher zurückhaltend zu begegnen und die Frage einer möglichen Allianz dilatorisch zu behandeln. Wien forderte insbesondere eine stärkere Berücksichtigung seiner Balkan- und Orient-Interessen, also konkret eine französische Unterstützung auch für den Fall eines Zusammenstoßes mit Rußland. »Frankreich muß entweder entschieden gegen die russische Politik der Türkei und Österreich gegenüber auftreten oder uns sichere Garantien gegen die russischen Übergriffe durch ein gemeinsames Abkommen mit Rußland gewähren«, so Beust in dem Verhandlungsprogramm, das er Franz Joseph vor dessen Treffen mit dem französischen Kaiser in Salzburg vorlegte. Darauf aber wollte sich Paris nicht einlassen aus Furcht, dann in völlige Abhängigkeit von den Entschlüssen und der Politik Wiens zu geraten und sich Petersburg definitiv zum Feind zu machen.

Über all dies konnte man zunächst in Berlin nur Vermutungen anstellen. So mußte die Gefahr eines möglichen Zusammengehens von Frankreich und Österreich nicht zuletzt im Hinblick auf die Person Beusts als sehr viel größer erscheinen, als sie es, rückblickend gesehen, tatsächlich war – mochte Bismarck auch von Beust meinen, wenn man »von dessen Fähigkeiten seine Eitelkeit... substrahiere«, bleibe »als Rest wenig oder nichts«. Der österreichische Gesandte in Berlin, Graf Wimpffen, sprach von »ernsten Besorgnissen« Bismarcks und der preußischen Regierung im Anschluß an die Zusammenkunft in Salzburg, die französische Diplomatie gar von »fieberhafter Unruhe«. Und selbst Englands Botschafter, Lord Loftus, meldete vorsichtig-abwägend »einiges Mißtrauen, nicht ohne Elemente der Beunruhigung«.

Jeder Schritt in Richtung einer verstärkten Annäherung an den Süden schien von daher nach der Krise um Luxemburg mit erheblichen zusätzlichen Risiken belastet zu sein. Auf der anderen Seite erschienen Fortschritte in der nationalen Frage nicht nur wünschenswert, sondern geradezu lebensnotwendig für den Bestand des von Bismarck errichteten politischen Systems und für seine eigene Stellung. Der Kanzler des Norddeutschen Bundes begann daher nun eine Gratwanderung, bei der er sich völlig bewußt war, daß jeder falsche Schritt, jeder Mißerfolg ihn außen- oder innenpolitisch an den Abgrund bringen konnte.

Seine Taktik blieb auch in dieser Situation die gleiche wie bisher. Er versuchte, so gut es ging im Hintergrund und in der Defensive bleibend, Entwicklungen anzustoßen oder doch zu fördern, die dann ihrerseits den jeweiligen Partner zum Handeln zwangen und es ihm selbst erlaubten, die neue Situation, scheinbar bloß reagierend, zu benutzen. Das galt für die deutsche Politik im engeren Sinne, also insbesondere für die Politik gegenüber den süddeutschen Staaten. Es galt aber ebenso für die sie flankierende und schließlich dynamisierende europäische Politik.

In der deutschen Politik war Bismarck bemüht, auf dem Weg über einen Ausbau bestehender Einrichtungen und Beziehungen, also formell unter strikter Wahrung des Status quo, einen Punkt zu erreichen, an dem sich, wie er hoffte, eine gewisse Selbstläufigkeit ergeben werde. Es handelte sich dabei zum einen um Bestrebungen, die süddeutschen Staaten über eine Anpassung des süddeutschen an das preußisch-norddeutsche Heeressystem und über die praktische Koordinierung der Zusammenarbeit immer enger an den Norddeutschen Bund heranzuziehen – um Bestrebungen, die allerdings bis 1870 keinen wirklich durchschlagenden Erfolg hatten. Zum anderen setzte Bismarck auf die vorhandene enge wirtschaftliche Verbindung des Zollvereins, mit anderen Worten: auf eine Karte, die er seit vielen Jahren mit großem Erfolg gespielt hatte.

In den preußisch-französisch-österreichischen Gesprächen des Jahres 1866 über die künftige Gestaltung der Verhältnisse in Mitteleuropa war die seit über dreißig Jahren bestehende wirtschaftliche Verbindung zwischen Nord und Süd von keiner Seite in Frage gestellt oder auch nur ernsthaft berührt worden. Von Wien nicht, da völlig klar war, daß die Entscheidung von 1866 zugleich die endgültige Entscheidung des jahrelangen Streits über das Verhältnis des Kaiserstaates zum Zollverein darstellte. Und von Paris nicht, da der Zollverein die Verbindung zwischen dem west- und dem mitteleuropäischen Wirtschaftsraum garantierte, an der Frankreich aufgrund seiner eigenen wirtschaftlichen Interessen höchst gelegen war. So konnte Bismarck mit ziemlicher Sicherheit davon ausgehen, bei Maßnahmen auf diesem Gebiet keine äußeren Einsprüche befürchten zu müssen. Es lag daher nicht nur nahe, über einen inneren Ausbau des Zollvereins zu einer engeren Verklammerung zwischen den süddeutschen Staaten und den Staaten des Norddeutschen Bundes und damit zu einer Vorentscheidung auf der staatlichen Ebene zu gelangen. Es bot sich auch an, diesen Ausbau zu benützen, um die Kräfte der nationalen Bewegung auf einer neuen, zwischenstaatlichen Ebene institutionell ins Spiel zu bringen.

Jenem Ziel diente die Verwirklichung eines Planes, der erstmals im Vorfeld der Revolution von 1848 aufgetaucht war. Ursprünglich präsentiert von Anhängern des kleindeutschen Liberalismus, war er seither von verschiedener Seite und in verschiedenen Variationen mehrfach in die Debatte geworfen worden. Im Kern ging es um zweierlei. Einmal sollten die periodisch tagenden Zollkonferenzen von Regierungsvertretern der beteiligten Staaten zu einem ständigen Gremium, zu einem »Zollbundestag« in Anlehnung und in Konkurrenz zum Bundestag des Deutschen Bundes, umgestaltet werden. Zum anderen sollte neben diesen Zollbundestag eine Vertretung der Zollbürger, ein »Zollparlament«, treten. Dahinter stand das doppelte politische Programm der Umwandlung eines quasi staatenbündischen in einen bundesstaatlichen Verein und der inneren Umgestaltung des Ganzen im parlamentarisch-demokratischen Sinne. Beides sollte zum Vorbild und zum Vehikel für die Veränderung der Verhältnisse im Vereinsgebiet allgemein werden.

Diese Zielsetzung war so klar, daß niemand im Zweifel sein konnte, was es bedeutete, als die preußische Regierung, wie von Bismarck bereits Mitte März vor dem Reichstag des Norddeutschen Bundes angekündigt, auf den von ihr einberufenen Konferenzen der Vertreter der Zollvereinsstaaten Anfang Juni 1867 in Berlin jenen Plan aufgriff und ihn mit dem ganzen politischen, aber auch wirtschaftlichen Gewicht Preußens durchsetzte. Nachdem man bisher nicht so recht vorangekommen war, suchte Berlin, so mußte es in Paris und Wien, in München und Stuttgart erscheinen, populare Kräfte zu mobilisieren. Sie sollten die Dinge von unten her voranbringen oder wenigstens aus dieser Richtung Druck ausüben – so wie Bismarck es mit seinen Bundesreformvorschlägen vom Frühjahr und Sommer 1866 schon einmal versucht hatte.

Bismarck setzte nach dem Scheitern des Versuchs vom Frühjahr 1867, im unmittelbaren Zusammenhang mit der luxemburgischen Krise eine Anschlußbewegung auf der Ebene der Staaten und Regierungen auszulösen, nun sozusagen eine Ebene tiefer an. Das war nicht ganz ungefährlich, und zwar nicht nur vom Standpunkt unbeweglicherer monarchisch-konservativer Traditionalisten, sondern auch von seinem eigenen her. Es drohte das ohnehin erheblich angewachsene Gewicht parlamentarisch-demokratischer Kräfte noch zu verstärken und auf längere Sicht eine erhöhte Abhängigkeit von ihnen zu erzeugen. Doch es schien Bismarck angesichts einer außenpolitischen Konstellation, in der nur eine Verkettung besonders günstiger Umstände eine grundlegende Veränderung herbeiführen konnte, der einzige Weg zu sein, um zu Fortschritten zu gelangen.

Allein auf diesem Weg konnten seiner Meinung nach die süddeutschen Staaten unter Druck und Zugzwang gebracht werden. Es galt, eine Situation zu schaffen, in der eine Verletzung der Bestimmungen des Prager Friedens und der preußisch-französischen Absprache mit der Begründung gerechtfertigt erscheinen würde, daß andernfalls nicht nur eine Zerstörung des innenpolitischen Status quo in Mitteleuropa, sondern auch ein gefährliches Überborden der nationalen Kräfte über den kleindeutschen Raum hinaus drohe. Nach ihrer erfolgreichen Mobilisierung gedachte sich Bismarck als Bändiger der Kräfte des Nationalismus in innen- wie in außenpolitischer Hinsicht zu präsentieren. Die kleindeutsche Einigung sollte als das Minimum eines dafür notwendigen Entgegenkommens erscheinen.

Das Vorhaben setzte allerdings voraus, daß Anziehungskraft, ja, Unwiderstehlichkeit der nationalen Bewegung in Nord und Süd eindeutig zutage traten. Die nationale Partei mußte also bei den vergleichsweise kurzfristig angesetzten Wahlen zum Zollparlament im Februar/März 1868 einen mehr oder weniger triumphalen Wahlsieg erringen.

Für diese Wahlen, die lediglich in den süddeutschen Staaten stattfanden, da der Norden durch die bereits gewählten Abgeordneten des Reichstags des Norddeutschen Bundes vertreten wurde, galt das neue Wahlrecht des Nordens und nicht das sogenannte Zensuswahlrecht mit der Bedingung eines Mindesteinkommens oder -eigentums, nach dem in allen süddeutschen Staaten bisher die Landtage gewählt wurden. Das norddeutsche Wahlrecht drängte sich im Hinblick auf die innere Homogenität des neuen Gremiums unmittelbar auf. Es sollte aber auch dazu dienen, das Gewicht des erwarteten popularen Votums zu verstärken. Tatsächlich jedoch führte es, zur größten Enttäuschung und Bestürzung der Vertreter der kleindeutschen Nationalpartei, aber auch Bismarcks, zur Offenlegung eklatanter politischer und sozialer Gegensätze im Süden.

Selbst im anschlußwilligen Baden, das von einer überwältigenden liberalen Parlamentsmehrheit beherrscht wurde, brachten die Wahlen die nationale Partei an den Rand einer Niederlage. In Bayern und Württemberg triumphierten mit der späteren Patriotenpartei und der württembergischen Volkspartei sowie einer Reihe von partikularistischen Gruppen politische Kräfte, die sich zwar in eigener Zielsetzung und politischer Grundhaltung stark voneinander unterschieden, aber in einem einig waren: in dem Protest gegen eine »Verpreußung« des Südens im Heeres- und Schulwesen, im wirtschaftlichen wie im administrativen Bereich, in der Sorge vor einer innenpolitischen »Gleichschaltung« der eigenen Verhältnisse mit dem politischen System Preußens. Nicht zu unterschätzen war auch das konfessionelle Argument, die Furcht vor einer Majorisierung durch das protestantische Preußen. So errang die kleindeutsche Nationalpartei, die eben weniger als nationale denn als »preußische« Partei erschien, in den beiden süddeutschen Königreichen gerade zwölf von insgesamt fünfundsechzig Mandaten. Selbst wenn man die beiden anderen süddeutschen Staaten in die Rechnung einbezog – nur Hessen-Darmstadt wählte ganz überwiegend kleindeutsch-liberal –, blieb die Bilanz mehr als ernüchternd: Von den insgesamt einundneunzig Abgeordneten des Südens einschließlich Luxemburgs, das ja nach wie vor zum Zollverein gehörte, fielen sechsundzwanzig an die Nationalpartei im Sinne der national-liberalen beziehungsweise der freikonservativen Fraktion des Reichstags des Norddeutschen Bundes. Und selbst unter ihnen teilten manche insgeheim viele der Bedenken, die im Wahlkampf zur Sprache gekommen waren.

Auch wenn man das Moment der Protestwahlen und übersteigerter, insbesondere wirtschaftlicher Befürchtungen in Rechnung stellte, machten die Zollparlamentswahlen vom Frühjahr 1868 augenfällig, daß der Bismarckschen Politik im Süden Deutschlands das populare Fundament noch weitgehend fehlte. Der Kurswechsel nach 1866 hatte hier zwar die liberalen Parteien, nicht jedoch die breiteren Volksschichten beeindruckt. Das Zusammengehen eines Teils des liberalen Bürgertums mit dem expandierenden preußischen Macht- und Obrigkeitsstaat hatte im Gegenteil in verstärktem Maße die Sorge vor einer spezifischen Form besitzbürgerlicher Klassenherrschaft mobilisiert, vor einer unheiligen Allianz zwischen einem noch halbabsolutistischen Staat und den traditionellen Eliten auf der einen, den neuen bürgerlichen Kräften auf der anderen Seite.

Sorgen solcher Art waren bereits von einem Teil der demokratischen Linken während der Revolution von 1848/49 genährt worden. Sie wurden jetzt auch von der katholischen Bewegung im Süden aufgegriffen, die in ihren kultur- und kirchenpolitischen Auseinandersetzungen mit dem Liberalismus zunehmend an breite Volksschichten appellierte und dabei auch die vorhandenen wirtschaftlichen und sozialen Interessengegensätze ins Spiel brachte. Das hatte, wenngleich parteipolitische und taktische Überlegungen eindeutig dominierten, eine ganze Reihe positiver Aspekte und Nebenwirkungen: Vor allem ließen sich katholische Kirche und katholische Bewegung auf diese Weise in weniger konservativem Sinne als bisher auf die soziale Frage und die Konsequenzen des wirtschaftlichen und gesellschaftlichen Wandels ein; zum Hauptexponenten dieser Richtung wurde in jenen Jahren der Mainzer Bischof Wilhelm von Ketteler. Insgesamt jedoch kam damit ein stark demagogisches

Element in die Auseinandersetzung. Es hat erheblich dazu beigetragen, die politischen und sozialen Gegensätze in einem Ausmaß zu verschärfen, das letztlich den Gegnern jeder Veränderung und jeden Fortschritts in die Hände arbeitete. Diese Tendenz hatte der wenig später aus der Pariser Emigration zurückkehrende Ludwig Bamberger vor Augen, als er unmittelbar nach den Entscheidungen von 1866 von dem »Gespenst« eines angeblich vom Besitzbürgertum begünstigten »Cäsarismus« sprach, »mit welchem jetzt die Säuglinge auf der Schwäbischen Alb in Furcht und Schlaf gesungen werden«.

Immerhin hat das »Gespenst« seine Funktion vorerst einmal voll erfüllt. Auf parlamentarisch-demokratischem Weg, auf dem Weg über eine Mobilisierung populärer Kräfte, war in der Einigungsfrage, wie Bismarck es vorschwebte, im Augenblick nicht voranzukommen. Und der Kanzler des Norddeutschen Bundes hat sich von da an gehütet, einen weiteren Schritt in diese Richtung zu unternehmen. Als knapp zwei Jahre später von seiten der nationalliberalen Fraktion, durch den Mund eines ihrer prominentesten Sprecher, des Abgeordneten Eduard Lasker, offiziell angeregt wurde, Baden in den Norddeutschen Bund aufzunehmen und dadurch eine populäre Anschlußbewegung auszulösen, da hat er das geradezu schroff zurückgewiesen. So gehe das nicht. Jeder Fortschritt auf diesem Feld hänge allein von der internationalen Konstellation und den einhelligen Entschlüssen der süddeutschen Regierungen ab.

Noch einmal durfte der preußische Regierungschef die in den meisten Hauptstädten Europas vorherrschende Meinung nicht aufs Spiel setzen, die überwiegende Mehrheit der nichtösterreichischen Deutschen strebe in einen kleindeutschen Nationalstaat unter preußischer Führung. Dazu war sie auf dem Feld der internationalen Politik ein zu wichtiges, ja, unentbehrliches Element. Denn nur mit Hilfe dieses positiven Vorurteils ließ sich das hauptsächlich von Frankreich nun immer wieder vorgebrachte Argument, Preußen schicke sich an, das europäische Gleichgewicht zu zerstören, wenn auch nicht entkräften, so doch gleichsam vor weit bedrohlichere Zukunftsperspektiven rücken. Wer sich einer kleindeutschen Einigung durch Preußen und in dem skizzierten Rahmen vernünftiger Selbstbeschränkung widersetze, so lautete das stillschweigende Gegenargument, der beschwöre eine Explosion des Nationalismus herauf – zunächst in Mitteleuropa, aber mit absehbaren Folgen auch in anderen Teilen des Kontinents, vor allem im Osten und Südosten. Und dann werde statt einer Gleichgewichtsordnung, wie sie Preußen weiterhin anstrebe, sehr bald das Chaos herrschen.

Das war ein eingängiger Gedanke. Er berührte sich mit dem, was viele Politiker und Publizisten in Europa befürchteten, insbesondere in England und in Rußland, von deren Haltung für die preußische Politik so viel abhing. Praktisch vorführen aber konnte Bismarck den angeblich so bedrohlichen Nationalismus nur unter ganz bestimmten Bedingungen, unter den Bedingungen einer äußeren Bedrohung beziehungsweise einer Verletzung des nationalen Selbstgefühls. Das aber hieß, die preußische Politik mußte auch in dieser Beziehung in der scheinbaren Defensive verharren und abwarten, bis sich eine Gelegenheit bot, über eine Mobilisierung des Nationalgefühls voranzukommen, die von außen ausgelöst wurde.

Damit war klar, daß vom Gang der internationalen Politik mehr abhing als Gunst oder Ungunst der äußeren Bedingungen. Nur von hier, dieser Eindruck mußte sich angesichts der Entwicklung im Süden geradezu aufdrängen, war eine Veränderung der Gesamtkonstellation zu erwarten, die auch im innerdeutschen Verhältnis zwischen Nord und Süd eine grundlegend neue Situation zu schaffen versprach. Kamen doch auch nach den Zollparlamentswahlen die Gegenkräfte gegen einen kleindeutschen Nationalstaat unter preußischer Führung, gegen eine Einbeziehung des Südens in den Norddeutschen Bund immer weiter voran. Und dieser Vorgang wiederum, der in dem Wahlsieg der Patriotenpartei in Bayern 1869 und dem anschließenden Rücktritt des mit Bismarck kooperierenden bayerischen Ministerpräsidenten, des Fürsten Hohenlohe, gipfelte, blieb auf die kleindeutsch-nationalen Parteien im Süden nicht ohne Rückwirkungen. Auch hier wurde man, angesichts der Wahlniederlagen und der Entwicklungstendenzen in der öffentlichen Meinung zunehmend kritischer gegenüber den nach 1866 eingenommenen Positionen. Man unterstrich, keinesfalls gewillt zu sein, sich vom Norden gleichschalten zu lassen. Ja, hie und da kamen sogar großdeutsche Neigungen wieder zum Vorschein. Die breitangelegte Pressekampagne, die Bismarck seit dem Spätherbst 1868 gegen Beust und seine revisionistische Deutschland-Politik inszenierte, ist auch in diesem Zusammenhang zu sehen.

Hält man sich alle jene Vorgänge vor Augen, so werden sowohl die Grundlinien als auch die Taktik der Bismarckschen Politik nach 1868 unmittelbar einsichtig. Es wird verständlich, warum er sich wieder weitestgehend auf die internationale Politik konzentrierte und alle Vorstöße aus dem Innern, die in unerwünschter Weise auf sie einzuwirken drohten, mit steigender Nervosität abwehrte. Gleiches gilt für die Linie, die er dabei verfolgte. An nichts mußte ihm so sehr gelegen sein wie an dem Auftauchen internationaler Probleme, die den außenpolitischen Hauptkontrahenten Frankreich zum Handeln und möglicherweise zu riskanten Aktionen zwangen und es Preußen erlaubten, die sich dann bietende Situation in seinem Sinne zu nutzen.

Bismarck ist allerdings nicht der Versuchung verfallen, entsprechende Konstellationen selbst zu schaffen. Das mußte nach seiner Überzeugung mit einiger Sicherheit dazu führen, daß sich der, der so etwas versuchte, schließlich im eigenen Netz verfing. »Daß die deutsche Einheit durch gewaltsame Ereignisse gefördert werden würde, halte auch ich für wahrscheinlich«, hieß es in diesem Sinne in einem Erlaß an den Münchener Gesandten von Werthern Ende Februar 1869: »Aber eine ganz andere Frage ist der Beruf, eine gewaltsame Katastrophe herbeizuführen... Ein willkürliches, nur nach subjektiven Gründen bestimmtes Eingreifen in die Entwicklung der Geschichte hat immer nur das Abschlagen unreifer Früchte zur Folge gehabt; und daß die deutsche Einheit in diesem Augenblick keine reife Frucht ist, fällt meines Erachtens in die Augen.«

Bismarcks eigene Haltung trifft auch in diesem speziellen Fall sehr viel besser seine vielfach variierte Formulierung von dem Wanderer im Walde, der zwar die allgemeine Richtung weiß – die kannte er sehr genau –, aber nicht die Stelle, an der er aus dem Walde heraustreten wird. »Ich wenigstens bin nicht so anmaßend zu glauben, daß unsereiner Geschichte *machen* könnte«, schrieb er in jenen Monaten einmal an Gottfried Kinkel, einen Mann aus dem demokratischen Lager von 1848/49, der inzwischen als Professor der Kunstgeschichte in Zürich lebte und über alle einstigen politischen Barrieren hinweg in der nationalen Frage den Kontakt mit ihm suchte: »Meine Aufgabe ist, die Strömungen der letzteren zu beobachten und in ihnen mein Schiff zu steuern, wie ich kann. Die Strömungen selbst vermag ich nicht zu leiten, noch weniger hervorzubringen.«

Auf die konkrete Situation bezogen hieß das: Der französischen Politik nach einem von langer Hand vorbereiteten und vorausberechneten und dann im einzelnen generalstabsmäßig durchgeführten Plan eine Falle zu stellen, widersprach der Grundstruktur seiner Politik, im Taktischen wie im Grundsätzlichen. Mit irgendwelchen moralischen Erwägungen hatte das nichts zu tun; eine »ungesuchte Gelegenheit«, »etwa ein(en) Umsturz in Frankreich oder ein(en) Krieg anderer Großmächte unter sich« zu benutzen, lehnte er ganz und gar nicht ab. Entscheidend war vielmehr seine Überzeugung, daß jede planende Vorausberechnung in der Politik mit so vielen Unbekannten arbeiten muß, daß sie nur sinnvoll ist, wenn der Planende und Vorausberechnende sich stets zugleich auf eine entsprechende Vielzahl von möglichen Verläufen und unterschiedlichen Ergebnissen einstellt. »Es hieße das Wesen der Politik zu verkennen, wollte man annehmen, ein Staatsmann könne einen weitaussehenden Plan entwerfen und sich als Gesetz vorschreiben, was er in einem, zwei oder drei Jahren durchführen wolle«, so hat er es im Alter einmal ausgedrückt.

Darin steckt etwas, das logisch völlig klar ist, bei der historischen Urteilsbildung jedoch nicht selten außer acht gelassen wird, zumal es der Handelnde selber rückblickend begünstigt: Was zunächst bloß als eine Möglichkeit unter vielen sich vage darbot, was dann, immer noch neben anderem, mit wechselnder Konzentration und wechselnden Erfolgserwartungen, benutzt und schließlich einem bis zuletzt ungewissen Ausgang zugeführt wurde, erscheint vom Ausgang her, wenn er mit Erfolg verbunden war, sofort als ein geschickt eingefädelter Plan, als kühnes Geniestück oder, je nach Standort, als abgefeimte Teufelei. Nur wenn man sich das klar macht, wird man zu einem historisch abgewogenen und einigermaßen gerechten Urteil über die vieldiskutierte unmittelbare Vorgeschichte des Krieges von 1870/71 gelangen. Die Frage der Verantwortung und somit die der »Kriegsschuld« wird entgegen weitverbreiteter Meinung davon allerdings nur am Rande berührt. Keine Seite ist innerlich widerstrebend in diesen Krieg hineingestolpert oder gar hineingerissen worden. Hier wie dort galt es in seinem Vorfeld bei den entscheidenden Männern als ausgemacht, daß das Instrument des Krieges die ultima ratio der Politik und ein, wenn auch äußerstes Mittel zur Konfliktlösung sei, das man entsprechend anwenden könne. Das aber bedeutet, daß die Frage nach der Verantwortung eine Frage nach dem Erfolgskalkül sein muß, welches die eine und die andere Seite damit verband, nach den Motiven also, die eine kriegerische Zuspitzung eines Konflikts als letztlich gar nicht unwillkommen erscheinen ließen. Und die Antwort auf diese Frage ergibt sich allein aus dem Gesamtzusammenhang und der Gesamtbewertung und nicht aus der Analyse von eher diffusen und in sehr wechselnden Zusammenhängen stehenden Einzelinitiativen und Einzelaktionen, auch wenn diese im Rückblick eine unmittelbare und entlarvende Kausalkette zu bilden scheinen. Sehr richtig hat der österreichische Historiker Heinrich von Srbik einmal bemerkt: »Niemals dringt die Erörterung der ›Kriegsschuld‹ in die Tiefe der Dinge ein.«

Ihren Ausgang nahm die Krise von 1870, die den preußisch-französischen Krieg auslöste, von der sogenannten Hohenzollernschen Thronkandidatur, dem Plan, einen Prinzen aus dem Haus Hohenzollern auf den vakanten spanischen Thron zu erheben. Dieser war durch einen Linksputsch spanischer Militärs vakant geworden, die im September 1868 die noch ganz absolutistisch regierende Isabella II. aus dem Haus Bourbon vertrieben hatten und nun unter Führung des Generals Prim für Spanien eine parlamentarische Monarchie nach englischem Muster anstrebten.

Bei der Suche nach einem geeigneten Monarchen ergab sich für die neuen Machthaber, wollten sie Spanien mit der Erhebung eines Granden nicht der Gefahr endloser Rivalitätskämpfe und eines Bürgerkriegs aussetzen, sofort das übliche Problem: Es galt einen König zu finden, den die übrigen Fürsten Europas entsprechend den herrschenden dynastischen Gesetzen als ebenbürtig anerkennen würden. Dies setzte Zugehörigkeit zu einem jetzt oder ehemals regierenden Hause voraus. Es verwies die spanische Militärregierung, wie 1830 die Belgier und 1832 die Griechen, auf Mitteleuropa, auf das Gebiet des zwei Menschenalter zuvor untergegangenen Heiligen Römischen Reiches, die Heimat Hunderter einst selbständiger und mithin ebenbürtiger Herrscherhäuser. Ein zeitlich kaum zweieinhalb Jahre zurückliegender Vorgang lenkte den Blick dabei zusätzlich auf ein ganz bestimmtes Haus, auf die süddeutsche Nebenlinie der Hohenzollern, die nach der Revolution von 1848 ihre Selbständigkeit zugunsten der preußische Hauptlinie aufgegeben hatte:

Gleichfalls nach einem Staatsstreich war im April 1866 der zweite Sohn des Fürsten Karl Anton, des ehemals regierenden Herren von Hohenzollern-Sigmaringen, als Carol I. zum rumänischen König gewählt worden.

Daß die Wahl der nach Berufung eines Parlaments und der Verabschiedung einer liberalen Verfassung neu ins Amt gekommenen spanischen Regierung unter General Prim im Anschluß an verschiedene andere Sondierungen und Überlegungen auf den Erbprinzen dieses Hauses, den Prinzen Leopold, fiel, lag also nicht so fern. Inwieweit es frühzeitig entsprechende Anregungen von preußischer Seite gegeben hat, läßt sich nicht mehr eindeutig feststellen. Sicher aber ist, daß der preußische Regierungschef die spanische Entwicklung im allgemeinen und die Thronfolgefrage im besonderen von Anfang an mit großer Aufmerksamkeit beobachtet hat. »In unserem Interesse liegt es«, hieß es in einer telegraphischen Anweisung für das Auswärtige Amt Anfang Oktober 1868, »daß die spanische Frage als Friedens-Fontanelle offen bleibe, und eine Napoleon angenehme Lösung ist schwerlich die für uns nützliche.« Daß der Gedanke einer engeren, dynastisch fundierten Verbindung zwischen Berlin und Madrid sogleich als eine für Preußen »nützliche« Lösung erscheinen mußte, lag auf der Hand.

Auf der anderen Seite ergibt sich aus den Quellen unmißverständlich, daß der Stellenwert des Ganzen für Bismarck und für die preußische Politik vorerst untergeordneter Natur gewesen ist. Dies vor allem, weil sich lange Zeit hindurch nicht absehen ließ, in welche Richtung die Überlegungen und Entschließungen der spanischen Militärs und der einzelnen politischen Parteien definitiv gehen würden und welche Erfolgsaussichten eine mögliche Kandidatur überhaupt haben werde. Zu ernsthaften Sondierungen der ganzen Frage und des spanischen Terrains ist es, nach einem Vorspiel im Frühjahr 1869, von preußischer Seite erst seit dem Winter 1869/70 gekommen, als sich abzeichnete, daß aus der Sache wirklich etwas werden könne.

Zuvor überwog ganz offensichtlich die Sorge vor einem, wenn auch indirekten Prestigeverlust für den Fall eines erfolglosen Engagements. Als der französische Botschafter in Berlin, Benedetti, Bismarck im Mai 1869 auf die Gerüchte über eine mögliche Kandidatur eines hohenzollernschen Prinzen für den spanischen Thron ansprach, bekam er eine sehr eindeutige Antwort: Weder der von bestimmten Kreisen in Spanien ins Auge gefaßte Kandidat noch sein Vater hätten positiv reagiert. Auch der preußische König als der Chef des Hauses Hohenzollern stehe solchen Überlegungen mehr als skeptisch gegenüber.

Das war natürlich in dieser Form nicht für bare Münze zu nehmen. Es zeigte jedoch, daß der preußische Ministerpräsident von Anfang an die Gefahr sah, daß die französische Politik eine solche Kandidatur gegen Preußen ausbeuten und als Beleg für eine alle Grenzen sprengende expansive preußische Machtpolitik hinstellen konnte – so sehr ihn der französische Vorstoß darin bestärken mochte, daß in dem Ganzen auch nicht unerhebliche politische Chancen steckten.

Ein derartiges Vorgehen mußte sich der französischen Seite in der Tat regelrecht aufdrängen. Bestand doch ein manifestes, nicht zuletzt auch innenpolitisch motiviertes Interesse der französischen Regierung, der preußischen Politik dort erfolgreich entgegenzutreten, wo sie nicht durch die Kategorie des nationalen Interesses gedeckt zu sein schien. Auf diese Weise konnte man sich erneut als Wahrer der europäischen Ordnung darstellen und vielleicht sogar ganz konkrete Kompensationsgewinne erzielen, ohne in fataler Weise in Konflikt mit dem Nationalitätenprinzip zu geraten.

Die napoleonische Außenpolitik war seit 1866 in einer Zwickmühle, die das von ihren Erfolgen sehr stark abhängige politische System Napoleons III. insgesamt berührte. Sie hatte von Anfang an auf eine Revision der Ordnung von 1815 im Sinne des nationalen Gedankens gesetzt und sich mit jenen Kräften und Mächten verbündet, die in die gleiche Richtung strebten. Diese große Linie hatte sie, ungeachtet aller Schwankungen und Rückversicherungsversuche, auch gegenüber den Entwicklungen in Mitteleuropa verfolgt. Sie hatte demgemäß ihre politische Sympathie über weite Strecken hin Berlin und nicht Wien zugewandt. Die Begünstigung der scheinbar schwächeren zweiten deutschen Großmacht und des territorial und machtpolitisch weniger weit ausgreifenden kleindeutschen Nationalismus werde, so hatte man gehofft, am besten dem französischen Machtinteresse dienen. Sie werde einen neuen Beweis für die napoleonische Grundthese liefern, daß dieses Interesse in einer nationalstaatlichen Ordnung Europas am besten aufgehoben sei, ja, daß eine solche Ordnung der französischen Hegemonie Dauer verleihen werde.

Jenes Kalkül war durch den Gang der Entwicklung, durch Königgrätz und Nikolsburg, aufs schwerste erschüttert worden. Von daher drängte sich eine Revision der französischen Außenpolitik geradezu auf – eine Tatsache, die Bismarck sofort mit größter Nüchternheit in Rechnung stellte. Auf der anderen Seite drohte eine solche Revision, und das wurde das eigentliche Dilemma der französischen Politik, die Grundlagen des napoleonischen Systems zu unterminieren.

Dieses System beruhte im Kern darauf, daß weite Kreise der französischen Öffentlichkeit der Meinung waren, es garantiere, trotz mancher Nachteile, die Interessen der Nation: wirtschaftlichen und sozialen Fortschritt, gesellschaftlichen Frieden, Wohlstand und nationale Ehre. Das Kaiserreich erschien, und darauf beruhten seine unbestreitbaren politischen Erfolge, als Geschäftsführer des Fortschritts und eines künftigen Völkerfriedens, Napoleon in dieser Hinsicht als Gegenbild des traditionellen, mit Stillstand und Reaktion verbündeten Monarchen. Gab Napoleon diese von seiner Presse und Propaganda immer wieder nachdrücklich unterstrichene Position preis, indem er sich nicht mehr nur aus angeblich taktischen Gründen, sondern nun unübersehbar auch in der Sache selbst mit jenen verbündete, die die bestehende Ordnung mit allen Mitteln gegen populare Kräfte und Interessen zu verteidigen suchten, dann war nicht bloß sein Nimbus, dann war sein ganzes System bedroht.

Wie sehr das bereits der Fall war, zeigte sich daran, daß die zu Beginn der fünfziger Jahre erfolgreich beiseite gedrückten politischen Parteien nun wieder mehr und mehr nach vorne drängten und eine Reetablierung des parlamentarisch-konstitutionellen anstelle des plebiszitär-pseudodemokratischen Systems forderten. Zu dem endgültigen Scheitern des mexikanischen Abenteuers, des Versuchs, mit Maximilian I., dem jüngeren Bruder des österreichischen Monarchen, eine Art Satellitenkaisertum in der Neuen Welt zu errichten, kam die Schlappe mit Luxemburg. Außerdem mußten, weit schlimmer noch, die französische Wirtschaft und Finanzwelt im Gefolge von 1866 einen empfindlichen Rückschlag auf den europäischen Märkten erleben. In Paris kursierte in jenen Tagen in Abwandlung der Propagandaparole des Regimes: »L'empire c'est la paix« die Devise: »L'empire c'est la baisse«. Angesichts all dessen sah sich Napoleon III. 1869 zu weitgehenden verfassungspolitischen Zugeständnissen an die Parteien und die Opposition gezwungen, zu Konzessionen, die aus dem Kaiserreich praktisch eine parlamentarische Monarchie machten. Im sogenannten Empire libéral hatten fortan das Parlament und die Parteien ein zumindest gleichgewichtiges Wort mitzureden.

Die napoleonische Rechte hatte sich bis zuletzt nach Kräften bemüht, diese Entwicklung aufzuhalten. Ihre Vertreter setzten dabei nach wie vor auf außenpolitische Erfolge. Angeführt von dem französischen Botschafter in Wien, dem Herzog von Gramont, sahen freilich auch sie das gleichsam systemimmanente Dilemma der französischen Außenpolitik, das darin lag, daß sie sich nicht vom nationalen Prinzip, von dem Gedanken lossagen konnte, Wortführer der Völker und ihrer wahren Interessen zu sein. Sie suchten nun einen neuen Weg zu beschreiten, um dem Dilemma zu entgehen.

Dieser Weg unterschied sich grundsätzlich von dem, den die französische Politik vor 1866 eingeschlagen hatte und an dem ein Teil der napoleonischen Diplomatie mit dem Staatsminister Rouher an der Spitze auch nach 1866 noch festzuhalten bestrebt war. Man bestritt, daß es eine wirkliche Allianz zwischen der expandierenden Großmacht Preußen und der deutschen Nationalbewegung gebe. Preußen betreibe, so das Argument schon unmittelbar nach der Entscheidung von 1866, in Wahrheit gar keine deutsche, sondern eine großpreußische Politik. Sie diene zudem allein den Interessen der politischen und sozialen Reaktion. Es sei daher nicht nur im französischen, sondern auch im wahren Interesse des deutschen Volkes, das das napoleonische Frankreich stets vor Augen habe, »Rache für Sadowa« zu nehmen und die Entscheidung von 1866 zu revidieren.

Das Ganze lief also darauf hinaus, die angebliche Identität von preußischem und nationaldeutschem Interesse in Frage zu stellen und jede sich bietende Gelegenheit zu ergreifen, das Gegenteil zu demonstrieren. Was aber konnte dafür geeigneter sein als eine dynastische Frage, von der man sicher zu sein glaubte, daß sie die deutsche Öffentlichkeit kaum bewegen werde, und die auf der anderen Seite für Frankreich von erheblicher Bedeutung war? Mußte, wenn sich Preußen auf eine hohenzollernsche Thronkandidatur in Spanien einließ, nicht für jedermann deutlich werden, daß Berlin eine rücksichtslose Macht- und Konfliktpolitik betrieb, die mit den Interessen des deutschen Volkes gar nichts zu tun hatte, diesem vielmehr die Feindschaft anderer Nationen einhandelte? So signalisierten die Gerüchte aus Spanien der französischen Regierung und insbesondere der napoleonischen Rechten nicht nur eine Gefahr, sondern zugleich eine erhebliche Chance: die Chance, Preußen ohne großes Risiko eine empfindliche Niederlage beizubringen und vielleicht doch noch die innenpolitisch so sehr erwünschte Kompensation für 1866 zu gewinnen. Und diese Chance hat die französische Politik im weiteren durchaus erfolgreich genutzt – bis sie in letzter Minute einen entscheidenden Fehler beging.

Beide Seiten, die preußische wie die französische, sahen in der spanischen Thronfolgefrage also schon relativ früh eine Möglichkeit, im Sinne der eigenen Interessen und Ziele Bewegung in die internationale Szenerie zu bringen. Daß dies auch für die französische Seite gilt, läßt sich nicht zuletzt daran ablesen, daß Paris es vermied, durch ein klares Wort in Madrid von vornherein einen Riegel vor die ganze Angelegenheit zu schieben. Denn daß die spanische Regierung nicht gegen den erklärten Willen eines so mächtigen Nachbarn gehandelt haben würde, war klar und mußte auch Paris klar sein. Man kann daraus nur folgern, daß sich die französische Regierung zumindest die Möglichkeit eines Pokerspiels offenhalten und den potentiellen Partner bei einem solchen Spiel nicht schon im Vorfeld davon abhalten wollte, sich darauf einzulassen und einen Einsatz zu wagen.

Jedenfalls wurde Berlin die Entscheidung nicht abgenommen, ob man in der Frage in irgendeiner Weise aktiv werden solle. Bismarck befand sich dadurch in einer Situation, die er unbedingt hatte vermeiden wollen. Er mußte sich exponieren, mußte wenn auch nicht die Offensive ergreifen, so doch Schritte tun, auf die die andere Seite möglicherweise lauerte. Daß er damit gespielt hat, das Ganze abzublasen, daß ihn die Sorge, in eine Falle zu stolpern, häufig bewegt hat, wird man ohne weiteres annehmen können. Wenn er trotzdem in den ersten Monaten des Jahres 1870 die Initiative ergriffen und beide Seiten, die spanische und das Haus Hohenzollern, nachdrücklich zugunsten einer Thronerhebung des Erbprinzen Leopold bearbeitet hat, so lag der Grund dafür in seiner zunehmend pessimistischen Einschätzung der Gesamtsituation.

Auf der internationalen Ebene schien nicht nur die Annäherung zwischen Paris und Wien einige Fortschritte zu machen. Auch die Einstellung der englischen Regierung und der englischen Öffentlichkeit zu Frankreich und zu dem napoleonischen Regime begann sich seit den Verfassungsreformen von 1869 und der Berufung des konstitutionell und liberal gesinnten Emile Ollivier zum Ministerpräsidenten am 2. Januar 1870 für Frankreich positiv zu verändern. Und in Rußland begünstigte die preußische Weigerung, sich aktiv für die russischen Balkan- und Schwarzmeer-Interessen zu engagieren, jene Kräfte, die vor einer indirekten Unterstützung der ständigen Machterweiterung Preußens ohne sichtbare Gegenleistung warnten.

Vor allem aber gab die Entwicklung in Mitteleuropa vom Standpunkt Bismarcks allen Anlaß zu negativen Zukunftsperspektiven. Die antipreußische Grundströmung im Süden wuchs ständig an. Und auch im Norden mehrten sich die Stimmen vornehmlich von katholischer und bisher außerpreußischer Seite, die auf die Kehrseite der Entscheidungen von 1866 hinwiesen. Manches, was bislang als bloßes Durchgangsstadium zum deutschen Nationalstaat, als Vorstufe und als vorläufig erschienen war, nahm jetzt, unter dem Aspekt eines sehr viel längeren Weges zu diesem Ziel, einen anderen Charakter an. Der eine oder andere begann sich auch im Lager der Nationalliberalen wieder zu fragen, ob die nationale Idee für Bismarck nicht nach wie vor nur Mittel zum Zweck sei. Ging es dem Kanzler vielleicht auch jetzt gar nicht um die Verwirklichung der deutschen Einheit, sondern ausschließlich um die Sicherung von Machtinteressen: um die des preußischen Staates, die seines Standes und vor allem die seiner eigenen Person?

Abermals brach in dieser Situation das elementare Defizit an Vertrauen auf, das ihn stets latent umgab. Es setzte ihn und das von ihm verkörperte politische System nun regelrecht unter Erfolgszwang. Noch konnte er, das spürte er genau, ernsthaft nicht einen Augenblick stillstehen, ohne vieles wieder in Frage zu stellen. Er war, wie die Krise um den Finanzminister von der Heydt und die Haushaltspolitik der Regierung vom Herbst 1869 zeigten, trotz aller Erfolge innenpolitisch durchaus nicht absolut Herr der Situation. Und die Sorge war keineswegs abwegig, daß die Entwicklung, die er selbst so sehr angetrieben und beschleunigt hatte, eines nicht zu fernen Tages über ihn hinweggehen würde.

Nur wenn man sich diese Gesamtkonstellation vor Augen hält, die Bismarck selber ebenso scharfsichtig wie illusionslos registrierte, kann man verstehen, warum er sich mit der spanischen Thronfrage, seiner bisherigen Taktik zum Trotz, schließlich doch auf etwas einließ, bei dem sich Gefahren und Chancen vom preußischen Standpunkt aus gesehen die Waage hielten und bei dem das Risiko eines Mißerfolges und einer Niederlage außerordentlich hoch war: Ein Gegenstand, der mehr Erfolg versprach, war nicht in Sicht, und Bismarck mußte unbedingt vorankommen.

In ihre entscheidende Phase geriet die ganze Angelegenheit Ende Februar 1870, als nach beiderseitigen Sondierungen der spanische Staatsrat Don Salazar y Mazarredo als Beauftragter der spanischen Regierung zunächst in Düsseldorf bei den Sigmaringern, dann in Berlin, beim Chef des Gesamthauses, das offizielle Angebot einer Thronkandidatur unterbreitete. Sowohl Karl Anton als auch der preußische König hatten nach wie vor größte Bedenken. Doch Bismarck setzte nun alle seine Überredungskunst und alle sich überhaupt nur anbietenden Argumente ein, um diese Bedenken zu zerstreuen. Sein Schreiben an den preußischen König vom 9. März 1870, in dem er seinen Standpunkt noch einmal zusammenfaßte und erläuterte, ist geradezu ein Musterbeispiel für seine Art, ad hominem zu sprechen. Er führte darin all das ins Feld, was derjenige, den er gewinnen wollte, an offenen oder geheimen Leitvorstellungen, an Ideen und Illusionen, an Wünschen und Hoffnungen in sich bewegte.

Ein Hohenzoller auf dem Thron Karls V. – das werde, so malte er seinem König aus, jenseits aller praktischen Vorteile in militärisch-diplomatischer wie in handelspolitischer Hinsicht außerordentliche Konsequenzen für die Stellung der Dynastie insgesamt und für Preußens Stellung in Deutschland haben. »Das Haus Hohenzollern« werde damit schon bald »das Ansehen und die hohe Weltstellung einnehme(n), welche nur in den Habsburgischen Antezedentien seit Karl V. eine Analogie haben«. Schon bisher sei »bei uns der Stolz auf eine ruhmreiche Dynastie eine gewaltige moralische Triebfeder zu der deutschen Machtentwicklung Preußens« gewesen: »Diese Triebkraft wird mächtig wachsen, wenn dem früher so wenig befriedigten Bedürfnis der Deutschen nach Anerkennung im Auslande eine unvergleichliche Weltstellung der Dynastie entgegenkommt.« Lehne das Haus Hohenzollern hingegen ab, so stoße man nicht nur eine »Nation von sechzehn Millionen Menschen, welche um Rettung aus der Anarchie bittet«, zurück. Man beschwöre, wenn die schon ins Auge gefaßte Kandidatur eines Wittelsbachers zum Zuge komme, entweder eine mit den »antinationalen Elementen in Deutschland« sympathisierende »ultramontane Reaktion im Innern« herauf oder aber die Republik. Diese werde ihrerseits dann möglicherweise einen entsprechenden Systemwechsel in Frankreich mit Freisetzung eines vehementen antideutschen Nationalismus nach sich ziehen. Verantwortlich für eine solche negative Entwicklung werde die öffentliche Meinung in Deutschland schließlich diejenigen machen, »von denen die Ablehnung der spanischen Krone ausgegangen ist«. In einem solchen Fall würden die Dynastie der Hohenzollern und mit ihr die preußische Regierung geschwächt statt gestärkt aus dem Ganzen hervorgehen. Mit ihrem Ansehen werde auch ihre Machtstellung erheblich vermindert werden.

Die Vorstellung, daß das Haus Hohenzollern mit der Erringung des spanischen Throns sozusagen endgültig mit dem Haus Habsburg, dem Haus

Karls V., gleichziehen werde, die Betonung der unbedingten Führungsrolle der Monarchie im politischen Leben, die Beschwörung eines nationalen wie internationalen Prestigegewinns größten Ausmaßes zugunsten seiner Dynastie – all dies mußte den preußischen König aufs stärkste beeindrucken. Es würde, so hoffte Bismarck, seine Bedenken in den Hintergrund drängen, zumal sein Minsterpräsident mit keinem Wort auf mögliche Verwicklungen mit Frankreich einging; er sagte im Gegenteil eine solche Gefahr eher für den Fall einer Ablehnung und der damit verbundenen Komplizierung der ganzen Situation voraus.

Doch der König blieb eher skeptisch und rang sich nur dazu durch, die Entscheidung der Sigmaringer zu tolerieren. Beeindruckt hat die Bismarcksche Argumentation hingegen bis ins unsere Tage eine ganze Reihe von Historikern, die darin mehr zu sehen glaubten als nur den Versuch, den Widerstand des Königs durch ganz auf seine Person berechnete Argumente zu überwinden. Der dahinter aufscheinende Gedanke einer übernationalen Machtstellung der Dynastie der Hohenzollern sei, so das Argument, Teil eines großangelegten Konzepts gewesen. Dieses sei im Letzten auf die Errichtung eines nationalen Kaisertums als entscheidende politische Instanz und zugleich als Integrationsklammer eines deutschen Nationalstaates hinausgelaufen.

Zum Beweis wird vor allem auf den seit Anfang 1870 von Bismarck ventilierten Plan verwiesen, dem preußischen König in seiner Eigenschaft als Inhaber des Präsidiums des Norddeutschen Bundes, wie die nicht gerade eingängige offizielle staatsrechtliche Formulierung lautete, den Kaisertitel zu übertragen. Hier sei das Gegenstück, das eigentliche Fundament für den Versuch zu finden, durch eine weitere Thronerhebung eines Hohenzollernprinzen das nationale und internationale Ansehen der Hohenzollern-Dynastie zu steigern: Über den Chef der Dynastie als künftigem Kaiser sollte dieser Prestigegewinn unmittelbar dem Norddeutschen Bund zugute kommen. Es sollte dessen Attraktivität auf die Bevölkerung der süddeutschen Staaten schließlich unwiderstehlich machen. Dabei sei als weitere Überlegung hinzugetreten, daß die Thronbesteigung eines Prinzen aus der katholischen Nebenlinie des Hauses konfessionelle Bedenken gegen einen kleindeutschen Nationalstaat unter Führung des protestantischen preußischen Königshauses besänftigen werde.

Auf den ersten Blick erscheint dies alles recht einleuchtend. Sieht man jedoch genauer hin, dann wird rasch deutlich, daß es sich dabei um eine bloße Konstruktion handelt, welche die realen Zusammenhänge weitgehend auf den Kopf stellt. Daß Bismarck, das Ergebnis der Zollparlamentswahlen und die weitere politische Entwicklung im Süden vor Augen, ernsthaft geglaubt haben soll, die Errichtung eines norddeutschen Kaisertums werde plötzlich eine vehemente Anschlußbewegung auslösen, ist wenig wahrscheinlich.

Außerdem lag es auf der Hand, daß eine solche Rangerhöhung des Inhabers des Präsidiums des Norddeutschen Bundes die Bedenken der süddeutschen Regierungen und Monarchen, insbesondere des bayerischen, eher noch verstärken mußte.

Die Funktion des insgesamt nicht sehr glücklichen und dann auch bald ad acta gelegten Plans war wohl eine ganz andere – wie so oft hat sich Bismarck auch hier über seine Motive nur widersprüchlich und jeweils ganz situationsbezogen geäußert. Einmal sollte der immer unruhiger werdenden nationalen Partei innerhalb des Norddeutschen Bundes etwas angeboten werden, woran sich Phantasie und Zukunftserwartungen in politisch vergleichsweise ungefährlicher Weise erneut entzünden konnten. Vor allem aber, und das war wohl der eigentlich zentrale Punkt, sollte damit den übrigen Mächten demonstriert werden, daß Preußen sich jetzt ganz auf den inneren Ausbau seines neuen Herrschaftsgebiets konzentriere und unter solchem Aspekt auch die formale Gleichstellung mit den drei anderen Kaiserreichen des Kontinents anstrebe. Dafür spricht, daß der Plan in dem Augenblick von der Bildfläche verschwand, in dem ihn Frankreich und in dessen Gefolge England nicht als Ausdruck der Selbstbescheidung, sondern als den expansiver nationaler Aspirationen interpretierten. Wenn also überhaupt ein Zusammenhang zwischen dem Kaiserplan und der spanischen Thronfolge bestanden hat – der eine wurde zu den Akten gelegt, als das andere wirklich aktuell wurde –, dann höchstens der, daß damit die preußischen Aktivitäten in der spanischen Frage noch zusätzlich abgeschirmt und der defensive Gesamtcharakter der preußischen Politik noch einmal unterstrichen werden sollte.

Ob die spanische Thronfrage schließlich jene Bewegung erzeugen würde, von der Bismarck reagierend zu profitieren hoffte, blieb fast bis zum Schluß offen. Ebenso offen blieb demgemäß der mögliche Ausgang des Ganzen. Eine kriegerische Zuspitzung, ein friedlicher Ausgleich, eine klare diplomatische Niederlage der einen oder der anderen Seite oder auch eine überraschende Auflösung des ganzen Problems durch innerspanische Entwicklungen – all das schien bis fast zuletzt möglich zu sein.

Der Gedanke der situationsbedingten Offenheit der ganzen Konstellation war schon vielen rückblickenden Zeitgenossen geradezu unerträglich, und er ist es vielen Historikern bis auf den heutigen Tag geblieben. Seit mehr als hundert Jahren wird daher mit beträchtlichem Scharfsinn im einzelnen nach dem eigentlichen Plan, der exakten politischen Zielprojektion Bismarcks gefahndet: Bewußte Herbeiführung eines Einigungskrieges? Nur Wegbereitung für eine solche Einigung durch eine diplomatische Niederlage der französischen Seite? Oder gar Krisenmanagement gegenüber einem unverantwortlich beziehungsweise aggressiv handelnden Frankreich? Dabei wird jedoch vom Ansatz her gerade das Eigentümliche der Bismarckschen Politik verfehlt. Denn eben eine solche Zielprojektion enthielt sie nicht oder doch nur sehr begrenzt. Sie verfuhr mehrgleisig auch insofern, als sie alle Möglichkeiten nicht nur als Ergebnis, sondern im gleichen Atemzug als Ausgangspunkt für dann wiederum ganz neue Aktionen und insbesondere auch Gestaltungen einkalkulierte.

Demgemäß enthalten sowohl Bismarcks eigene, zudem fast stets taktisch gemeinte Äußerungen als auch diejenigen der einzelnen mithandelnden Zeitgenossen Belege für alle in der konkreten Situation überhaupt nur denkbaren Pläne und Zielvorstellungen. Wenn Bismarck in verschiedenen Zusammenhängen und bezogen auf ganz verschiedene historische Situationen rückblickend des öfteren bemerkt hat, die Geschichte habe sich hier selbst ihre Bahn gebrochen, so ist das im Kern weder Vernebelung noch Identifikation erfolgreichen Handelns mit der Geschichte selbst. Es ist vielmehr die Einsicht nicht nur in die Grenzen eigenen Planens und Handelns, sondern vor allem auch, und das ist das Charakteristische, in die Notwendigkeit, dieses eigene Planen und Handeln immer wieder ganz bewußt unter den Vorbehalt der situationsbedingten Vorläufigkeit zu stellen.

Einen derartigen Vorbehalt hat Bismarck gerade bei der Behandlung der spanischen Thronfolgefrage stets gemacht. Es war dies, wie er nur zu genau erfahren hatte, eine Frage, bei der alles von der augenblicklichen Konstellation abhing. Mitte März 1870 hatten, allen seinen Bemühungen und Argumenten zum Trotz, zwar alle übrigen Mitglieder des preußischen Kronrats, nicht aber der König selber einer Kandidatur des Erbprinzen Leopold zugestimmt. Da sich der potentielle Kandidat weigerte, die Kandidatur ohne ein entsprechendes Votum Wilhelms anzunehmen, schien sich die ganze Frage damit von selbst zu erledigen. Am 20. April ließen Leopold und sein Vater der spanischen Regierung sogar formell einen ablehnenden Bescheid zukommen. »Die Spanische Sache hat einen elenden Verlauf genommen«, zog Bismarck Mitte Mai 1870 in einem Brief an Delbrück Bilanz: »Die zweifellose Staatsräson ist den fürstlichen Privatneigungen und ultramontanen Frauen-Einflüssen untergeordnet worden. Die Verstimmung hierüber«, fuhr er fort, »lastet seit Wochen schwer auf meinen Nerven.«

Es war sicher nicht von ungefähr, daß es eine Lebererkrankung war, die Bismarck seit Mitte April von Berlin fernhielt. Denn nicht nur die Haltung seines Königs machte ihm zu schaffen. Es kam noch ein anderer, nicht weniger gewichtiger Faktor hinzu. Während ungeachtet des Widerstands des Königs die Sondierungen und die Gespräche mit Madrid die ganze Zeit hindurch weiterliefen, hatte sich in Paris die gesamtpolitische Situation, von der seit der Einführung des Empire libéral und seit der Berufung des Ministeriums Ollivier auszugehen gewesen war, erneut in einschneidender Weise verändert.

Die napoleonische Rechte, die sich zu den Zugeständnissen gegenüber der politischen Opposition nur höchst widerwillig und unter dem Druck der Umstände bereit gefunden hatte, benutzte den Prestigegewinn, den diese Zugeständnisse dem Kaisertum eingebracht hatten, um sie halb wieder zurückzunehmen: Am 8. Mai 1870 wurde die französische Nation aufgefordert, in einer Volksabstimmung die in den letzten Jahren eingetretenen Verfassungsänderungen zu billigen. In den Text wurde auf Betreiben der Rechten der Halbsatz eingefügt, das französische Volk »genehmige« bei dieser Gelegenheit auch den Senatsbeschluß vom 20. April 1870. Für den nicht genau Informierten mußte es scheinen, als ob dieser Beschluß des napoleonischen Senats, in dem die bisherige Führungsgruppe des Regimes den Ton angab, ganz auf der Linie der zur Abstimmung gestellten Verfassungsreformen liege. In Wahrheit aber betonte der Text Grundsätze, die mit diesen Reformen nur schwer vereinbar waren und auf eine Restauration des napoleonischen Systems hinausliefen. Vor allem wurde darin unterstrichen, daß der Staatschef nach wie vor der eigentliche Träger der politischen Verantwortung gegenüber der »Nation« sei, also nicht die von einer Parlamentsmehrheit getragene Regierung. Es stehe ihm demgemäß frei, jederzeit in einem Plebiszit an das souveräne Volk zu appellieren.

Das hieß, daß man entschlossen war, im Fall eines Konflikts Parlamentsmehrheit und Volk unter Einsatz aller dem Staatsapparat zur Verfügung stehenden Mittel der Beeinflussung und der vielfach praktizierten demagogischen Vereinfachung gegeneinander auszuspielen. Ohnmächtig mußten jene, die die liberalen Reformen erzwungen hatten und nun natürlich für sie einzutreten genötigt waren, zusehen, wie sich dieses Verfahren schon bei dem Plebiszit über das Reformwerk bewährte. Zwar gab es bei der Abstimmung in den größeren Städten viel mehr Nein-Stimmen als sonst bei napoleonischen Plebisziten, aber die überwältigende Mehrheit, mehr als achtzig Prozent, billigte formell mit den Verfassungsreformen zugleich ihre Einschränkung und faktische Relativierung.

Das unmittelbare Ergebnis dieses Erfolgs der Reformgegner, der freilich mit einem weiteren Vertrauensverlust bei einem großen Teil der geistigen Führungsschichten des Landes erkauft wurde, war die neuerliche Umbildung der Regierung am 15. Mai 1870. Obwohl Ollivier als Aushängeschild des Ausgleichs mit der parlamentarischen Linken an ihrer Spitze blieb, wurde ihre Grundrichtung auch in personeller Hinsicht wesentlich verändert. Mit dem Herzog von Gramont trat der Hauptwortführer der napoleonischen Rechten und ihr starker Mann in das Kabinett ein. Er übernahm von dem zum Ausgleich und zu vorsichtiger Zurückhaltung neigenden Grafen Daru das Außenministerium. Damit setzte sich auf außenpolitischem Gebiet jene Gruppe endgültig durch, die eine entschieden antipreußische, auf eine Revision der Entscheidungen von 1866 ausgerichtete Politik propagierte und mit ihrer Hilfe das innenpolitische Fundament des Regimes stärken wollte.

Daß Bismarck von dieser Entwicklung völlig überrascht worden sei, wird man kaum sagen können. Dafür lag sie zu sehr auf der Linie dessen, was er in nüchterner Einschätzung der objektiven Interessenlage der anderen Seite von vornherein einkalkuliert hatte. Doch die Veränderungen der politischen Konstellation in Paris markierten auch für ihn einen tiefen Einschnitt: Die Palette der auf der internationalen Ebene zu erwartenden französischen Reaktionen verschob sich damit ganz wesentlich. Das galt vor allem für die unbedingte Entschlossenheit, nicht nur ein weiteres Ausgreifen Preußens keinesfalls zu dulden, sondern jede Möglichkeit zu ergreifen, die preußische Politik aktiv und demonstrativ in die Schranken zu weisen und auf diese Weise die Verschiebungen in der machtpolitischen Gewichtsverteilung nach 1866 wieder auszugleichen. Das konkrete Objekt, auf das sich die Blicke Napoleons III. und seiner Regierung in diesem Zusammenhang richteten, war wohl vor allem Belgien. Das aber bedeutete, daß die spanische Thronfrage und eine mögliche Thronkandidatur eines Hohenzollern von der französischen Seite, falls sich ihr irgendeine Möglichkeit dazu bot, benutzt werden würde, Preußen in den Weg zu treten. Ein Mann wie Bismarck, der gerade die französische Szenerie seit zwei Jahrzehnten so genau kannte und verfolgte wie kaum ein anderer, konnte sich darüber nicht im Unklaren sein.

Was also Bismarck an verschiedenen Verläufen und Ergebnissen vor dem 15. Mai für denkbar und möglich gehalten haben mochte – nun mußte ihm klar sein, daß an der Konfrontation kein Weg vorbeiführte, wenn Preußen die Hohenzollern-Kandidatur weiter betrieb. Sein Entschluß, erneut aktiv zu werden und am 28. Mai den Sigmaringern die Annahme der Kandidatur mit der Bemerkung dringend zu empfehlen, sie würden damit »*beiden* Ländern«, Deutschland und Spanien, einen »Dienst« erweisen, spiegelt eindeutig wider, daß er dieser Konfrontation nicht mehr ausweichen wollte, weil er sie von der beiderseitigen Interessenlage her nun für unvermeidbar hielt. Und da sich beide Seiten eine schwere diplomatische Niederlage nicht zuletzt aus innenpolitischen Gründen kaum leisten konnten, stand ein kriegerischer Zusammenstoß jetzt unmittelbar ins Haus.

Zumindest war er eine Möglichkeit, mit der man hier wie da rechnen mußte. Natürlich hätten es sowohl Paris als auch Berlin, von Scharfmachern auf beiden Seiten abgesehen, vorgezogen, ihr jeweiliges politisches Ziel ohne Krieg, mit Hilfe einer schweren diplomatischen Niederlage der Gegenseite zu erreichen. Das ist eine so offenbare Banalität, daß man sich wundert, warum darüber auf beiden Seiten so verbissene Auseinandersetzungen geführt worden sind. Die These, Bismarck habe bis zuletzt nur auf eine solche diplomatische Niederlage Frankreichs gezielt, den Krieg habe schließlich die Gegenseite durch ihr unkontrolliertes und maßloses Verhalten ausgelöst, verkennt wie ihr französisches Gegenstück, daß die Chancen, dem anderen ohne Krieg eine so schwere und politisch folgenreiche Niederlage beizubringen, in der gegebenen Situation von vornherein äußerst gering waren. Ein solcher Versuch der Entlastung der einen oder der anderen Seite geht also von ganz fiktiven Voraussetzungen aus. Er ist getragen von der Vorstellung, die im Augenblick in die Enge gedrängte Macht hätte sich ohne Ausspielung aller Mittel, zu denen hier wie dort mit Selbstverständlichkeit auch das Mittel des Krieges gezählt wurde, geschlagen geben können. Doch da dies realistischerweise kaum zu erwarten war, war eine kriegerische Zuspitzung das Wahrscheinliche, ein nachhaltiger Erfolg ohne Krieg hingegen ein kaum in ein ernsthaftes Kalkül einzusetzender Glücksfall. Denn zu seinen Bedingungen hätte letzten Endes wenn nicht der sofortige Sturz, so doch ein von dieser auf Dauer kaum zu verkraftender Autoritätsverlust der gegnerischen Regierung gehört.

Man hat argumentiert, Bismarck habe ja gerade einen solchen Zwang zur Flucht nach vorne dadurch zu vermeiden gesucht, daß er die Fiktion einer völligen Unbeteiligtheit der preußischen Regierung an der ganzen Angelegenheit aufgebaut habe. Tatsächlich hat er alles getan, um diese Fiktion aufrechtzuerhalten und die andere Seite nicht in den Besitz des Gegenbeweises kommen zu lassen. Als er ohne Kenntnis des nach wie vor widerstrebenden preußischen Königs Anfang Juni den Vortragenden Rat im Außenministerium Lothar Bucher zum zweiten Mal in geheimer Mission nach Madrid schickte, da instruierte er ihn, das Ganze zwar mit größter Aktivität, aber als eine rein dynastische, quasi private und nicht als staatliche Angelegenheit zu behandeln. Dementsprechend solle er Madrid dringend nahelegen, nur mit Sigmaringen direkt zu verhandeln.

Diese Linie hat der preußische Regierungschef auch in den folgenden Wochen strikt eingehalten. Die Annahme der Kandidatur durch den Erbprinzen Leopold am 19. Juni sowie die Zustimmung des preußischen Königs zwei Tage später wurden als Vorgänge behandelt, denen er, wie er schon am 11. Juni an den Kronprinzen schrieb, »eine *amtliche* Bedeutung nicht beilege«. Bismarck selber hielt sich, als er diesen Brief verfaßte, auf seinem Gut Varzin auf, wohin er sich bereits am 8. Juni zu Urlaub und Kur zurückgezogen hatte. Dort war er für alle offiziellen Kontakte praktisch unerreichbar. Auch das gehörte zu seinem Plan, so unbeteiligt wie nur möglich zu erscheinen.

Aber konnte er ernsthaft hoffen, mit dieser Fiktion die Gegenseite zu täuschen? Glaubte er tatsächlich, daß sie ihm notfalls erlauben würde, einem Gegenstoß auszuweichen, in der Sache nachzugeben, ohne vor der Öffentlichkeit das Gesicht zu verlieren? Das ist kaum anzunehmen. Er hatte wohl im Gegenteil von vornherein eine Situation vor Augen, in der die französische Regierung versuchen würde, jene Fiktion zu durchstoßen. Bei dieser Gelegenheit werde sie, so stand zu erwarten, in der einen oder anderen Form das wahre Motiv ihrer Gegeninitiative, nämlich die Eindämmung Preußens und seiner nationalen Ambitionen, preisgeben. Dann, so die naheliegende Überlegung, werde mit einem Schlag das deutsche Nationalgefühl ins Spiel kommen: Die Nation würde sich in ihrer preußischen Schutzmacht gedemütigt fühlen und entsprechende Gegenmaßnahmen verlangen. Damit aber würden alle Bedenken und Reserven gegenüber Preußen und einer preußischen Führung zumindest zeitweise in den Hintergrund gedrängt werden. Es stand dann eine Art nationaler Einheitsfront der weit überwiegenden Mehrheit der vorhandenen Parteien und politischen Kräfte zu erwarten mit entsprechenden Rückwirkungen auf die weitere Gestaltung der Verhältnisse in Mitteleuropa.

Alles lief demgemäß darauf hinaus, Frankreich, dessen Reaktionen mit einiger Sicherheit vorauszusehen waren, in eine ungünstige Ausgangsposition hineinzumanövrieren. Es galt Paris international und besonders vor der deutschen Öffentlichkeit als die Macht hinzustellen, die einen beliebigen Anlaß benutze, um ihre hegemoniale Machtstellung auf Kosten Preußens neu zu befestigen und zu sichern. Nach dem ursprünglichen Plan sollte die französische Politik so weit wie möglich mit vollendeten Tatsachen konfrontiert und die Frist zwischen der offiziellen Bekanntgabe der Kandidatur und der eigentlichen Königswahl nach dem vom spanischen Parlament am 7. Juni 1870 verabschiedeten Königswahlgesetz nach Kräften verkürzt werden. Das mißlang, wobei ein Fehler bei der Dechiffrierung eines Telegramms des spanischen Verhandlungsführers in Deutschland eine entscheidende Rolle spielte: Der Termin der Wahl wurde dadurch von der spanischen Regierung erst auf den 1. August und nicht, wie beabsichtigt, auf einen Zeitpunkt unmittelbar nach Bekanntmachung der offiziellen Annahmeerklärung des Erbprinzen festgesetzt.

Dies war jedoch nicht von so zentraler Bedeutung, wie man oft angenommen hat. Als die »spanische Bombe«, wie Wilhelm I. sich ausdrückte, am 2. Juli 1870 »platzte«, der spanische Ministerpräsident die Kandidatur des Hohenzollern dem französischen Botschafter offiziell mitteilte, da konzentrierte sich die französische Reaktion sofort fast ausschließlich auf Preußen. Hier suchte Paris die Entscheidung. Knapp achtundvierzig Stunden nach der spanischen Mitteilung, am 4. Juli, erschien der französische Geschäftsträger Le Sourd anstelle des verreisten Benedetti im Auswärtigen Amt in Berlin und verlangte Auskunft über den Anteil der preußischen Regierung an dem Ganzen. Am selben Tag sah sich der preußische Botschafter in Paris, Freiherr von Werther, mit scharfen Vorwürfen und Drohungen nicht nur des französischen Außenministers, sondern auch des Ministerpräsidenten Ollivier konfrontiert. Der Staatssekretär im Auswärtigen Amt Thile äußerte sich weisungsgemäß, »daß die Angelegenheit für das preußische Gouvernement nicht existiere«. Demgegenüber ließ sich Werther zu Bismarcks größtem Unwillen insofern in Diskussionen über die Frage ein, als er zusagte, dem preußischen König bei einem seit längerem geplanten Besuch in Bad Ems, wo sich Wilhelm gerade zur Kur aufhielt, direkt Bericht zu erstatten.

Wiederum zwei Tage später hielt der Herzog von Gramont seine sogleich angekündigte und mit großer Spannung erwartete Rede in der französischen Kammer. Mit ihr verließ er den Bereich der mehr oder weniger geheimen diplomatischen Verhandlungen und legte die Regierung nun in aller Öffentlichkeit fest. »Wir glauben nicht«, so erklärte er unter dem stürmischen Beifall der überwiegenden Mehrheit des Hauses, »daß die Achtung vor den Rechten eines Nachbarvolkes uns verpflichtet zu dulden, daß eine fremde Macht, indem sie einen ihrer Prinzen auf den Thron Karls V. setzt, dadurch zu unserem Nachteil das gegenwärtige Gleichgewicht der Mächte Europas stören und so die Interessen und die Ehre Frankreichs gefährdet.« Noch hoffe die französische Regierung in dieser Beziehung »auf die Weisheit des deutschen und auf die Freundschaft des spanischen Volkes«. Aber, fuhr er fort, »wenn es anders kommen sollte, so würden wir, stark durch Ihre Unterstützung und durch die der Nation, unsere Pflicht ohne Zaudern und ohne Schwäche zu erfüllen wissen«.

Die Drohung war ebenso eindeutig wie massiv: Wenn die Thronkandidatur des Erbprinzen Leopold aufrechterhalten werde, dann werde Frankreich mit allen ihm zu Gebot stehenden Mitteln intervenieren. Da mit Sicherheit zu erwarten stand, daß Spanien vor solchem massiven Druck über kurz oder lang kapitulieren werde, zumal sowohl England als auch Rußland erkennen ließen, daß sie für die französische Drohung Verständnis hätten, mußte eine Aufrechterhaltung der Kandidatur selbstmörderisch erscheinen – es sei denn, die andere Seite, Preußen, war unter allen Umständen zum Krieg entschlossen, ganz gleich, wie günstig oder ungünstig im Augenblick die Voraussetzungen dafür sein mochten.

Sich in dieser Weise treiben und es einfach darauf ankommen zu lassen, war freilich Bismarcks Sache nicht. Er trat deshalb nun hinter der Nebelwand der Fiktion, es handele sich um eine reine Familienangelegenheit des Hauses Hohenzollern, und zwar seiner süddeutsch-katholischen Nebenlinie, scheinbar den Rückzug an. Sein Ziel sei gewesen, so hat er Mit- und Nachwelt glauben zu machen versucht, auf diese Weise dem französischen Gegenstoß auszuweichen. Nur habe ihm dann der König in seiner unbedingten Geradlinigkeit und Friedensliebe, im Klartext: seiner politischen Ungeschicklichkeit, fast einen Strich durch die Rechnung gemacht. Indem Wilhelm von sich aus die Rücknahme der Kandidatur seitens des Erbprinzen betrieb und sich darüber hinaus in Verhandlungen mit dem nach Bad Ems geeilten französischen Botschafter Benedetti einließ, habe er Preußen in eine äußerst schwierige Lage gebracht. Erst die Maßlosigkeit der französischen Forderungen, die in dem Verlangen gipfelten, der König möge seine Zustimmung zu einer solchen Kandidatur für alle Zukunft ausschließen, habe die Partie gerettet.

Sie habe ihm, Bismarck, die Möglichkeit gegeben, Gegenmaßnahmen einzuleiten.

Es ist dies sicher die am sorgfältigsten stilisierte und am farbigsten und anschaulichsten ausgeschmückte historische Legende, die Bismarck in die Welt gesetzt hat. Ganze Generationen haben sie für bare Münze genommen, und auch die Mehrzahl der Historiker hat sie mit kleineren oder größeren Abstrichen akzeptiert. Dabei liegen, nüchtern betrachtet, Kalkül und Taktik Bismarcks in dieser letzten Phase geradezu auf der Hand. Der prompte Rückzug in einer Angelegenheit, die auf preußischer Seite seit langem vorbereitet und betrieben worden war, mußte in Paris als ein Zeichen der Schwäche der preußischen Position erscheinen. Das aber mußte den Gedanken geradezu aufdrängen, diese Schwäche für die eigenen innen- wie außenpolitischen Ziele so weit wie möglich auszunutzen – es sei denn, man durchschaute, daß gerade dies die Absicht der anderen Seite war. Doch das war angesichts der nationalen Erregung in Frankreich und der Versuchung, sie politisch auszubeuten, wenig wahrscheinlich.

Wo aber sollte ein solcher Versuch angesichts der Tatsache, daß die preußische Regierung sich offiziell nicht ansprechen ließ und Bismarck nicht einmal erreichbar war, anders ansetzen als beim preußischen König, auf den die Lesart, es handele sich um eine reine Familienangelegenheit des Hauses Hohenzollern, noch zusätzlich hinwies. Bei kaum jemand jedoch konnte Bismarck die zu erwartende Reaktion so genau voraussagen wie bei Wilhelm I., jenem Mann, mit dem er seit vielen Jahren in engstem Kontakt lebte und von dessen Verhalten und Entscheidungen seine ganze politische Existenz abhing. Der spanischen Thronkandidatur eines Prinzen aus seinem Haus von Anfang an abgeneigt und zugleich entschieden gegen einen weiteren Krieg, würde er, das war mit an Sicherheit grenzender Wahrscheinlichkeit zu erwarten, alles daran setzen, die französische Seite zu besänftigen und zufriedenzustellen – und sie damit zu weiterem Vorpreschen förmlich herausfordern.

Denn Paris mußte ja versuchen, über den König schließlich auch die preußische Regierung irgendwie ins Spiel zu bringen und aus ihrer Reserve zu locken. Nur so konnte sie der irritierenden, einen vollen Erfolg verhindernden Behauptung begegnen, Preußen als Staat sei von dem Ganzen nicht betroffen: Was auch immer geschehe, lasse die preußische Regierung kalt und berühre sie nicht. Nur wenn hier ein Einbruch gelang, war Frankreich wirklich der Sieger. Es war also vorauszusehen, daß die französische Regierung die Schraube sozusagen immer weiter anziehen würde. Und ebenso war vorauszusehen, daß dabei ein Punkt erreicht werden würde, an dem es für die preußische Seite ein leichtes sein werde, französische Forderungen vor der deutschen und internationalen Öffentlichkeit als unerträgliche, weit über den gegebenen Anlaß hinausgehende Zumutungen darzustellen.

Auf diesen Augenblick wartete Bismarck seit dem »Platzen« der »spanischen Bombe« mit einiger Gelassenheit. Erst am 12. Juli 1870 verließ er Varzin, um über Berlin nach Bad Ems zu reisen. Seine Gelassenheit gründete auf der Überzeugung, nun doch noch die so sehr erstrebte Position scheinbarer Defensive erlangt zu haben. Als ihn nach eingehenden Lagebesprechungen in Berlin am Abend des 13. Juli der berühmt gewordene Bericht aus Bad Ems über den letzten Stand der Entwicklung und die Unterredungen des Königs mit dem französischen Botschafter erreichte, da handelte er keineswegs, wie er später glauben machen wollte, aus einer plötzlichen Eingebung und aus dem Gefühl der spontanen Rettung vor einer drohenden Niederlage heraus. Er handelte in der Erkenntnis, daß der Moment für die entscheidende Gegenaktion nun gekommen sei, auf die alle seine Überlegungen und Planungen seit Tagen zielten.

Am 9. Juli war Benedetti im Auftrag seiner Regierung das erste Mal beim preußischen König in Ems vorstellig geworden. Er hatte ihn um seine Stellungnahme zu der ganzen Frage und um Auskunft darüber gebeten, wie er sich angesichts der französischen Haltung die weitere Entwicklung vorstelle. Wie verabredet, hatte Wilhelm bei dieser Gelegenheit die Bismarcksche Lesart vorgetragen: Er sei in der Frage nicht als König von Preußen, sondern als Chef des Hauses Hohenzollern um Rat und Einwilligung gebeten worden. Seine Zustimmung habe er kaum verweigern können. Denn es sei um eine Entscheidung gegangen, die lediglich die Sigmaringer zu treffen und zu verantworten hätten. Demgemäß könne er auch nicht versuchen, die Entscheidung umzustoßen.

Tatsächlich jedoch hat er gleich danach, am 10. Juli, an den Fürsten Karl Anton geschrieben und dem Erbprinzen den Verzicht auf die Kandidatur zumindest nahegelegt. Dessen Reaktion erfolgte prompt: Am 12. Juli ließ der Erbprinz erklären, er sei kein Kandidat mehr. Damit hielt Wilhelm die Sache für erledigt und den Konflikt für beigelegt. Er war daher ehrlich befremdet, als die französische Regierung sich damit nicht zufrieden gab. Sie verlangte über den preußischen Botschafter in Paris neben der formellen Zustimmung zu diesem Verzicht eine Erklärung des Königs, er habe mit seiner Einwilligung in die Kandidatur den Interessen und der Ehre der französischen Nation nicht zu nahe treten wollen. Über ihren eigenen Botschafter forderte sie den preußischen Monarchen zudem noch auf, sich bindend festzulegen, er werde einer neuerlichen Kandidatur niemals seine Zustimmung geben.

Wilhelm war zwar bereit, im Interesse der Vermeidung eines Konflikts sehr weit zu gehen. So bemühte er sich auch jetzt noch, den Verhandlungsweg offenzuhalten. Doch ein förmliches Entschuldigungsschreiben und eine Garantieerklärung in der geforderten Art waren mit dem Ansehen einer Großmacht und ihres Herrscherhauses auch in seinen Augen kaum vereinbar. Jedenfalls aber konnte er nun nicht mehr allein handeln; er mußte seine Regierung einschalten, also endlich das tun, worauf es Paris ankam. Indem er sich jedoch erst jetzt mit dem berühmt gewordenen Telegramm an Bismarck wandte und ihn ermächtigte, die darin enthaltenen Nachrichten in einer ihm geeignet erscheinenden Form zu veröffentlichen, hatte er, geleitet von dem Bestreben, einen Konflikt wenn irgend möglich zu vermeiden, ohne es zu wissen jene Eskalation der Forderungen herbeigeführt, auf die der Kanzler gesetzt hatte.

Nun war es Bismarck ein leichtes, unter Zurückdrängung der ursprünglichen Streitfrage Frankreich vor aller Welt und insbesondere vor der deutschen Öffentlichkeit als die Macht hinzustellen, welche die offenkundige Friedensliebe und Kompromißbereitschaft des preußischen Königs benutzen wolle, um diesen und mit ihm Preußen und die auf Preußen als auf ihre Schutzmacht vertrauende deutsche Nation zu demütigen. Nachdem Paris durch Madrid auf amtlichem Weg der Verzicht des Erbprinzen auf die Kandidatur mitgeteilt worden sei, so hieß es in der von Bismarck auf zwei Sätze verkürzten »Emser Depesche«, die am späten Abend an alle preußischen Vertretungen ging und sogleich veröffentlicht wurde, habe die französische Regierung den preußischen König durch ihren Botschafter darauf verpflichten wollen, »niemals wieder seine Zustimmung zu geben, wenn die Hohenzollern auf ihre Kandidatur zurückkommen sollten«: »Seine Majestät der König hat es darauf abgelehnt, den französischen Botschafter nochmals zu empfangen, und demselben durch den Adjutanten vom Dienst sagen lassen, daß Seine Majestät dem Botschafter nichts weiter mitzuteilen habe.« Im Original war nur von »einem Adjutanten« die Rede, und das »nichts weiter mitzuteilen« bezog sich ganz konkret auf den gegenwärtigen Informationsstand.

Die Reaktion auf diese ebenso lakonische wie provozierende Mitteilung, die jede weitere Verhandlung ausschloß, war mit völliger Sicherheit vorauszusehen. Eine solche Ohrfeige konnten Napoleon III. und seine Regierung, wollten sie politisch überleben, nur mit der Kriegserklärung beantworten. Sie erfolgte nach dem Mobilmachungsbeschluß des französischen Ministerrats vom 14. Juli 1870 am 19. Juli. Damit war auch formal der in den Schutz- und Trutzbündnissen mit den süddeutschen Staaten vorgesehene Bündnisfall gegeben. In der Sache lag die Entscheidung der süddeutschen Regierungen seit Tagen fest: Die überwiegende Mehrheit der deutschen Öffentlichkeit stand seit der Emser Depesche hinter der preußischen Regierung und dem angeblich schwer gekränkten preußischen Monarchen.

Angesichts dessen schwand in den Hauptstädten der übrigen Großmächte der letzte Rest an Neigung, sich aktiv in den Konflikt einzuschalten, geschweige denn, sich direkt an ihm zu beteiligen, was beispielsweise im Fall Österreich-Ungarns lange Zeit nicht auszuschließen gewesen war. Bismarcks vielzitierter Coup mit Benedettis handschriftlichem Vertragsentwurf von 1866 unterstützte dann nur noch die allgemeine Tendenz der Mächte, sich herauszuhalten. Als der Entwurf, in dem von einer Erwerbung Belgiens durch Frankreich die Rede war, ohne das Entstehungsdatum, also mit dem Schein größter Aktualität, am 25. Juli in der »Times« erschien, war auch Londons Entscheidung, vorerst nicht einzugreifen, längst gefallen.

Bismarck hatte es zum zweiten Mal binnen vier Jahren erreicht, einen kriegerischen Konflikt Preußens mit einer anderen europäischen Großmacht politisch und diplomatisch so abzuschirmen, daß kein anderer Staat sich daran zu beteiligen einen unmittelbaren Anlaß und ein direktes Interesse hatte. Wie 1866 waren auch diesmal die maßgeblichen Gruppen und Kräfte in den übrigen Staaten davon überzeugt, daß dieser Krieg unerträglich gewordene Spannungen reguliere – Spannungen, die sich nicht zuletzt aus dem Widerspruch zwischen formalen Ansprüchen und der politisch-gesellschaftlichen Realität ergeben hätten. Außerdem herrschte auch jetzt wieder die Meinung vor, der Krieg werde in seinen voraussichtlichen Ergebnissen an der unteren Grenze dessen bleiben, was an Veränderungen offenkundig unvermeidlich sei. Anders gewendet: Der Schwebezustand, in dem sich das preußisch-französische Verhältnis und vor allem die Frage des künftigen Schicksals der süddeutschen Staaten und damit die Lage in Mitteleuropa insgesamt befanden, erschien nachgerade bedrohlicher als eine Klärung dieser Probleme mit Waffengewalt. Dies zumal, als es sich um einen Konflikt zwischen zwei Staaten handelte, deren Führer sich aller Erfahrung nach der Grenzen bewußt waren, die dem Ergebnis einer solchen Klärung von den Interessen der übrigen Mächte her gesetzt waren.

Man erwartete in den Hauptstädten Europas einen politisch begrenzten und in seinen Zielen von vornherein fixierten Krieg. Das galt in erster Linie mit Blick auf die preußisch-deutsche Seite. Das preußische Kriegsziel erschien sehr klar: Die Einigung des außerösterreichischen Deutschland durch Einbeziehung der süddeutschen Staaten in den nach 1866 geschaffenen norddeutschen Bundesstaat. Die meisten der neutralen Politiker und ein Großteil der europäischen Öffentlichkeit gingen davon aus, daß mit seiner Durchsetzung ein zentraler Unruheherd in Europa beseitigt sein werde. Demgegenüber hielt man es für weniger ausgemacht, ob die französischen Bestrebungen, den preußischen Vormarsch in Mitteleuropa aufzuhalten, nicht im Fall des Erfolges in ein neuerliches Hegemoniestreben umschlagen würden. Daher beobachtete man von neutraler, zumal von englischer Seite – hier war die »Times«-Veröffentlichung natürlich sehr wirkungsvoll – Frankreich zunächst mit mehr Mißtrauen und sympathisierte eher mit der preußischen Seite.

Das änderte sich sprunghaft, als nach einer Serie überraschend schneller preußisch-deutscher Siege die kaiserliche Hauptarmee am 2. September bei

Sedan geschlagen wurde und mit der Gefangennahme Napoleons III. das Kaiserreich zusammenbrach. Damit, so die weitverbreitete Meinung, hatte Preußen in einem zweiten Königgrätz sein Ziel erreicht. Jetzt war es an Berlin, den kriegerischen Konflikt so rasch wie möglich zu beenden und weiteres Blutvergießen zu verhindern. Dies um so mehr, als die neugebildete provisorische Regierung in Paris sogleich Verhandlungs- und Friedensbereitschaft signalisierte und sich von dem »napoleonischen« Krieg distanzierte.

Statt jedoch hierauf einzugehen, konfrontierte die preußische Regierung Paris mit einer Forderung, die einen Friedensschluß in weite Ferne rückte und die Situation vollständig veränderte, ja, grundlegende Zweifel über Charakter und Zielsetzung der preußisch-deutschen Politik weckte: mit der Forderung nach der Abtretung des Elsaß und eines Teils von Lothringen. War dies, so fragte man sich nun überall in Europa, von preußischer Seite vielleicht gar kein in seinen politischen Zielen klar begrenzter, auf die nationale Einigung Deutschlands im kleindeutschen Sinne zielender Krieg, kein Krieg, wie ihn Bismarck und Preußen 1866 mit der Schonung Österreichs und seines territorialen Bestands vorgeführt hatten, sondern ein solche Grenzen sprengender Eroberungskrieg, in dem das Erreichte die jeweiligen Wünsche und Ziele bestimmte?

Dies war zweifelsohne die entscheidende Frage, die sich auch im Rückblick stellt. War jene Politik der sorgfältigen Berücksichtigung der Interessen der übrigen Großmächte, der Bewahrung der Grundlagen des europäischen Mächtesystems trotz aller Veränderungen zugunsten Preußens etwa nur Tarnung bis zu dem Zeitpunkt, an dem der Hohenzollern-Staat stark genug erschien, sich aller Fesseln zu entledigen? Im Zuge der weiteren Entwicklung haben viele auch außerhalb Frankreichs diese Frage bejaht. Demgegenüber hat die Mehrzahl der deutschen Zeitgenossen zunächst davon gesprochen, hier sei nur, bei sich bietender günstiger Gelegenheit, vergangenes Unrecht wiedergutgemacht worden. Es seien Gebiete an Deutschland zurückgekommen, die über viele Jahrhunderte zum Reich gehört hätten und fest mit dem deutschen Kulturraum verbunden gewesen seien. Mit Eroberungspolitik habe das nichts zu tun gehabt, und von einem Auftakt zu einer europäischen Hegemonialpolitik könne man schon gar nicht sprechen.

Der weitere Gang der Ereignisse ließ dann jedoch immer deutlicher hervortreten, welche Hypothek die Annexion von Elsaß und Lothringen darstellte und welches politisch schwerwiegende Mißtrauen sie dem Reich und seiner Politik eingebracht hat. Dementsprechend wuchs auf deutscher Seite die Neigung, sie als einen einmaligen politischen Mißgriff Bismarcks unter dem Druck der Militärs und vor allem auch der deutschen Öffentlichkeit hinzustellen. Jene Meinung hielt sich allerdings nur so lange, wie Bismarcks Außenpolitik nach 1871 als Muster einer besonnenen und erfolgreichen Friedenspolitik im Gegensatz zu den imperialistischen Abenteuern und der Prestigepolitik seiner Nachfolger erschien – das Ganze ist geradezu ein Paradebeispiel für die Abhängigkeit historischer Urteile vom Gang der historischen Entwicklung selber. Als man unter dem Eindruck der national-sozialistischen Außenpolitik die Frage der Kontinuität in einem neuen und schärferen Licht zu sehen begann, da drängte es sich förmlich auf, die Gewichte ganz anders zu verteilen. Man neigte jetzt dazu, Bismarck als den eigentlich Verantwortlichen hinzustellen, der die Nation auf die verhängnis-volle Bahn der Eroberungspolitik geführt habe. Hierbei spielte nicht zuletzt der Wunsch eine Rolle, die historischen Vorbelastungen des sich nun so positiv entwickelnden deutsch-französischen Verhältnisses etwas zu mildern.

Doch einer nüchternen Überprüfung hielt auch diese Deutung nicht lange stand. Es steht heute außer Frage, daß schon gleich nach den ersten Siegen der verbündeten deutschen Armeen spontan und von verschiedenster Seite in der deutschen Öffentlichkeit die Forderung nach einem territorialen Siegespreis, nach Wiedergewinnung der »alten deutschen Reichsgebiete im Westen« erhoben wurde. Ebenso unbestreitbar ist allerdings, daß Bismarck zu seinem Entschluß, Elsaß und einen Teil Lothringens von Frankreich zu fordern und sich auf keinen Kompromiß einzulassen, völlig selbständig und keineswegs unter äußerem Druck gelangt ist. Er hat sich also nicht an das vielbeschworene Vorbild von 1866, der weitgehenden Schonung der gegne-rischen Großmacht, gehalten. Ja, 1866 rückt dadurch sogar unter Umstän-den in ein ganz anders Licht: Diente etwa die damalige weise Mäßigung gegenüber Österreich, für die sich das Bismarcksche Preußen freilich andernorts mehr als schadlos hielt, bereits wesentlich der Vorbereitung für den für unvermeidlich gehaltenen preußisch-französischen Konflikt?

So einfach liegen die Dinge sicher nicht. Aber die Frage stellt sich mit Nachdruck: Welche Gründe haben Bismarck bestimmt, einen wirklichen Kompromiß- und Verständigungsfrieden mit Frankreich von vornherein auszuschließen, und zwar, wie sich dann zeigte, völlig unabhängig von dem dort herrschenden Regime und auch von den Meinungen der Militärpartei im eigenen Lager?

Auf diese Frage ist im Lauf der letzten hundert Jahre ein ganzes Kaleido-skop von Antworten gegeben worden. Die meisten von ihnen finden, mögen sie auch noch so gegensätzlich sein, in der einen oder anderen unmittelbaren oder nachträglichen Äußerung Bismarcks eine Stütze. Denn er hat unter wechselnden Bedingungen und Umständen, mit jeweils unterschiedlichen Zielen, faktisch jedes denkbare Motiv einmal genannt, vorgeschoben, nahe-gelegt, geleugnet, mit dürftig erscheinenden Argumenten ausgeschlossen oder bestätigt und auf diese Weise wie so oft Mit- und Nachwelt völlig verwirrt. Das gehörte zum innersten Wesen seiner Politik, die, um die Dinge stets im Fluß zu halten und sich keine Möglichkeiten unnötig abzuschneiden,

Eindeutigkeiten auf einer bestimmten Ebene mit allen Kräften, gelegentlich bis zur Selbsttäuschung, zu vermeiden suchte. Eine Antwort auf die Frage nach den Motiven für den Annexionsentschluß läßt sich daher nur aus einer Gesamtdeutung der Bismarckschen Außenpolitik und ihrer letzten Ziele und Bestimmungsgründe ableiten.

Wenn etwas in Bismarcks politischem Denken und in seinen Grundvorstellungen Bestand hatte, dann war es seine Auffassung vom Verhalten der großen Mächte als der im Unterschied zu den kleineren Staaten wirklich autonomen Subjekte der Politik. Dieses Verhalten wurde seiner Meinung nach jeweils durch ganz spezifische, teils naturhafte, teils historisch vorgegebene Grundinteressen und -interessenrichtungen gesteuert. Sie ergaben sich aus der geographischen Lage, der sozialen Struktur, der ökonomischen Situation, aus der historischen Tradition und dem all dies umgreifenden geschichtlichen Selbstverständnis der einzelnen Mächte. Über derartige Grundinteressen könne sich, so seine Überzeugung, auf Dauer keine politische Gruppe und Richtung in dem jeweiligen Staat hinwegsetzen. Sie seien das Kontinuum, mit dem jeder Vertreter einer anderen Macht rechnen müsse, solange der betreffende Staat noch den Rang einer Großmacht besitze und nicht, wie etwa Spanien, Portugal, Schweden oder die Niederlande, zu einer Macht zweiten Ranges hinabgesunken sei.

Zu solchen Grundinteressen gehöre, so Bismarck, im Fall Frankreichs die Existenz eines schwachen Mitteleuropa mit zwei, möglichst rivalisierenden, Großmächten. Hierin sehe Paris seit Jahrhunderten die entscheidende Voraussetzung für die angestrebte dominierende Rolle in Kontinentaleuropa, ja sogar für die dauerhafte Garantie seiner Großmachtstellung. Es werde daher allen gegenteiligen Bekundungen und Versicherungen zum Trotz stets versuchen, bei günstiger Gelegenheit eine derartige Konstellation wiederherzustellen. »Man hat uns schon Sadowa nicht verziehen und wird unsere jetzigen Siege nicht verzeihen, mögen wir beim Frieden noch so großmütig sein«, bemerkte er kurz nach Sedan zu einem Mitarbeiter.

Daher, das war der Bismarck zunächst ganz selbstverständlich erscheinende Schluß, müsse die sich zur kleindeutschen erweiternde preußische Großmacht, deren Machtzuwachs die übrigen europäischen Staaten durch ihr Nichteingreifen gleichsam stillschweigend akzeptierten, alles daran setzen, Frankreich vor allem geostrategisch so weit zu schwächen, daß vernünftiges Erfolgskalkül die französische Politik in Zukunft davon abhalten werde, eine Revision der angestrebten Ergebnisse des Krieges in Mitteleuropa im Alleingang zu versuchen. »Die einzig richtige Politik ist unter solchen Umständen«, hieß es bereits in einem Erlaß an den preußischen Botschafter in London, den Grafen Bernstorff, vom 21. August 1870, »einen Feind, den man nicht zum aufrichtigen Freund gewinnen *kann*, wenigstens etwas unschädlicher zu machen und uns mehr gegen ihn zu sichern, wozu nicht die Schleifung seiner uns bedrohenden Festungen, sondern nur die Abtretung einiger derselben genügt.«

Bismarck ging also anders als 1866 im Fall Österreichs von vornherein davon aus, daß der Gegensatz zwischen Frankreich und seinem östlichen Nachbarn unüberwindlich sein werde. Er sah darin, wie viele seiner Äußerungen zwischen 1866 und 1870 belegen, sogar den Preis für eine deutsche Einigung. Er hielt es für politischen Illusionismus, sich darüber in irgendeiner Weise hinwegtäuschen zu wollen.

Sicher gab es darüber hinaus eine Reihe situationsbedingter Motive für die Annexionsforderung. So ist nicht zu übersehen, daß die einkalkulierte anfängliche französische Weigerung, einer Abtretung französischer Gebiete zuzustimmen, und die dadurch bedingte Fortsetzung des Krieges über Sedan hinaus Bismarck in der noch ungeklärten innerdeutschen Situation recht willkommen waren. Aber das war bloß eine benutzbare Konsequenz, nicht ein wirklicher Grund für den Annexionsbeschluß. Dieser basierte ganz eindeutig auf seiner Einschätzung der gegenwärtigen und künftigen machtpolitischen Situation in Europa. Sie führte ihn zu der Überzeugung, daß ein dauerhafter Gegensatz zwischen Paris und Berlin so oder so unvermeidbar sei.

Ob diese Einschätzung falsch war, darüber läßt sich rückblickend nur spekulieren. Doch mit einiger Sicherheit läßt sich sagen, daß Bismarck von einer Verteilung der machtpolitischen Gewichte in Europa ausging, wie sie ihm in zwanzig Jahren seiner politischen Laufbahn vertraut geworden war. Zu Beginn der fünfziger Jahre hatte Preußen als die schwächste der fünf Großmächte rangiert. Seitdem hatte Berlin sozusagen Schritt um Schritt gleichgezogen, ja, sich zunächst Österreich und inzwischen auch Frankreich gegenüber als militärisch überlegen erwiesen. Aber im Unterschied zu manchem seiner Zeitgenossen setzte der preußische Regierungschef in genauer Kenntnis der Situation und der Verhältnisse hierbei den Faktor Glück und Gunst der Umstände sehr hoch an. Er war, wiederum im Unterschied zu anderen, weit entfernt davon, den augenblicklichen Erfolg gewissermaßen hochzurechnen und von einer dauernden machtpolitischen Überlegenheit Preußen-Deutschlands auszugehen.

In solcher Nüchternheit war das »Genie des Gegenwärtigen«, wie man ihn einmal treffend genannt hat, geneigt, das zu unterschätzen, was andere, zumal jenseits der Grenzen Mitteleuropas, schon sehr deutlich sahen und schon früh als bedrohlich empfanden: Mit der stürmischen Bevölkerungsvermehrung und dem außerordentlichen Wachstum von Wirtschaft und Industrie kamen in Mitteleuropa Faktoren ins Spiel, die der staatlichen Vereinigung dieses Raums eine ganz andere Dimension und Perspektive gaben. Bewußtseinsmäßig noch weitgehend an den preußischen Raum und seine begrenzten Machtressourcen gebunden, hat Bismarck sich das Ausmaß der machtpolitischen Gewichtsverschiebung, die mit jenen Faktoren verbunden war, zunächst nicht ganz klar gemacht. Demgemäß hat er die Reaktionen darauf nicht richtig eingeschätzt.

Bismarck ging also bei seinem Annexionsentschluß von machtpolitischen Voraussetzungen und Gleichgewichtsüberlegungen der übrigen Mächte aus, die gleichsam hinter der Realität herhinkten. Es bedurfte erst einer großen internationalen Krise, der sogenannten Krieg-in-Sicht-Krise von 1875, um ihm bewußt zu machen, daß die übrigen Mächte die Machtsteigerung der preußisch-deutschen Großmacht inzwischen als höchst bedrohlich empfanden. Erst dann erkannte er, wie groß die Bereitschaft war, sich gegebenenfalls zu einer Art Eindämmungskoalition zusammenzuschließen, um ein weiteres Ausgreifen Preußen-Deutschlands zu verhindern.

Daß eine solche Koalition unter Umständen zum Fundament einer französischen Revisionspolitik werden könne, war 1875 die Einsicht, die Bismarcks weiteres außenpolitisches Handeln bestimmte. 1870 war er davon noch weit entfernt. Sein Annexionsentschluß läßt im Gegenteil ein bei aller seiner sonstigen Dynamik gerade auf außenpolitischem Gebiet stark statisches Element seines politischen Denkens und seiner politischen Vorstellungswelt sichtbar werden. Aus ihm resultierte eine der ganz großen Vorbelastungen der künftigen Politik des Reiches und eine höchst problematische Beschränkung seines außenpolitischen Spielraums in einer sich rasch wandelnden machtpolitischen Umwelt.

Auf einem anderen Blatt steht die Frage, ob sich Bismarck der nach den großen Siegen im August und dann vor allem nach Sedan immer nachdrücklicher erhobenen Annexionsforderung aus der deutschen Öffentlichkeit wirklich ernsthaft hätte entziehen können. Die Schonung Österreichs 1866 mußte er lediglich seinem König und der Mehrheit der Militärs abtrotzen. Eine Schonung Frankreichs hingegen wäre nur gegen den Widerstand eines erheblichen Teils der deutschen öffentlichen Meinung durchzusetzen gewesen. Und das wiederum hätte, zumal im Süden Deutschlands, die Bereitschaft schrumpfen lassen, sich im Interesse einer Einigung Deutschlands mit deren innerer Form, zunächst jedenfalls, abzufinden. Es hätte den Kritikern eines bloßen Anschlusses an den von Preußen beherrschten Bund zusätzlich Auftrieb gegeben.

Es wäre also von Bismarcks Seite durchaus das Kalkül denkbar gewesen, der deutschen Nationalbewegung hier, in der Annexionsfrage, entgegenzukommen, um sie dort, auf innenpolitischem, auf verfassungspolitischem Gebiet zum Nachgeben und zu stillschweigenden Zugeständnissen zu veranlassen. Doch derartiges steht, von der geschichtlichen Realität her gesehen, im Konjunktiv. Tatsächlich hat Bismarck zu keinem Zeitpunkt die innenpolitischen Vorteile einer Annexion und ihre möglichen außenpolitischen Nachteile gegeneinander abgewogen. Sein Entschluß zur Annexion stand sehr früh, spätestens Mitte August, fest. Von da an hat er ihn in vielfältiger

Hinsicht auch innenpolitisch eingesetzt, nicht zuletzt in der angedeuteten Richtung. Im Grundsatz aber hat er ihn seither nicht mehr ernsthaft in Frage gestellt.

Wie 1864 und 1866 so hat er sich auch in dem Krieg von 1870/71 weder in der einen noch in der anderen Richtung treiben lassen. Der Krieg von 1870/71 ist, wenngleich der äußere Anschein mit der vielerorts nicht erwarteten Annexionsforderung zunächst dagegen spricht, gleichfalls ein in seinen Zielen von vornherein klar umrissener und somit begrenzter Krieg gewesen. Auch er stand eindeutig unter dem Primat der Politik. Er blieb ein Mittel zum von vornherein festgelegten Zweck. Bismarck hat sich mit Leidenschaft gegen jeden Versuch gewandt, sich durch die Umstände oder durch angeblich humanitäre Erwägungen eine Änderung des Kurses aufnötigen zu lassen, der sich ihm von dieser Mittel-Zweck-Relation zwingend zu ergeben schien.

Dementsprechend hat er vom ersten Tag des Krieges an die Aktivitäten der Armeeführung mit stärkstem Mißtrauen verfolgt. Deren Vertreter, insbesondere der so überaus erfolgreiche Generalstabschef von Moltke, neigten dazu, so war er nach den Erfahrungen von 1866 überzeugt, die Politik ihrem militärischen Erfolgskalkül unterzuordnen beziehungsweise auf eigene Faust eine entsprechend ausgerichtete Politik zu betreiben. Es galt daher, den »Halbgöttern« ständig auf die Finger zu schauen und sie politisch ganz fest an der Kandare zu halten. Einen ersten Höhepunkt erreichte der darin angelegte Konflikt, der zeitweise alles andere überschattete, im Winter 1870/71 bei der Frage einer möglichst raschen Beendigung des Krieges mit militärischen Mitteln.

Obwohl seine diplomatischen Bemühungen bis dahin überaus erfolgreich gewesen waren, war Bismarck ständig in Sorge, es könne doch noch zu einem Eingreifen der bisher neutral gebliebenen übrigen Großmächte kommen. In dieser Sorge trat er gemeinsam mit Roon, dem Kriegsminister, dafür ein, den französischen Widerstand dadurch zu brechen, daß man die Hauptstadt sturmreif schoß und schließlich eroberte. Moltke hingegen widersprach dem entschieden. Er führte dafür in erster Linie militärtechnische, daneben aber auch humanitäre Erwägungen an. Zugleich verwies er auf den verhängnisvollen Eindruck, den ein solches Vorgehen auf die internationale Öffentlichkeit machen müsse – was Bismarck als bloße »Phrasenberäucherung« beiseite schob, die auf eine »Intrige, angesponnen von Weibern, Erzbischöfen und Gelehrten«, zurückgehe.

Der Gegenvorschlag des Generalstabschefs war freilich in seinen Konsequenzen kaum humaner. Ihm ging es um die vollständige militärische Vernichtung des Gegners, also um einen »Exterminationskrieg« nach napoleonischem Vorbild, der der deutschen Seite einen »Diktatfrieden« erlauben würde. Das Problem der unter Führung der politischen Linken besonders erbittert Widerstand leistenden Hauptstadt gedachte Moltke praktisch durch

Aushungerung zu lösen: Ihre Einwohner sollten, wie sich der Generalstabschef des Kronprinzen, Graf Blumenthal, in brutaler Landsknechtsmanier ausdrückte, ruhig »wie die tollen Hunde krepieren«: »Es kann uns... ganz gleichgültig sein, was aus den Parisern wird, die es ja doch selbst so haben wollen.«

Der weit über militärstrategische Zweckmäßigkeitserwägungen oder individuelle Auffassungsunterschiede hinausreichende Grundsatzkonflikt gipfelte in einem erbitterten Streit über die Kapitulationsbedingungen für Paris Mitte Januar 1871. Bismarck hat ihn schließlich zu seinen Gunsten entschieden, freilich nicht so sehr aus eigener Kraft, sondern weil sich der König hinter ihn stellte. Wenn man ihn als Auseinandersetzung zwischen politischer und militärischer Führung und als ein Ringen um den Primat der Entscheidungen während des Krieges und in den ihn unmittelbar betreffenden Fragen charakterisiert hat, so trifft das nur die äußerliche Seite. Im Kern ging es eben nicht um die Abgrenzung der Kompetenzen in Sachentscheidungen, um »Zopfigkeit und Ressort-Eifersucht des Militärs«, wie Bismarck es einmal formulierte. Es ging um zwei diametral verschiedene politische Grundauffassungen, die in der Praxis jeweils auf eine grundlegend andere Politik hinauslaufen mußten.

Zwar gab Moltke vor, es komme ihm und seinen Mitarbeitern ausschließlich darauf an, einen politischen Auftrag mit militärischen Mitteln auszuführen und bei der Wahl und dem Einsatz dieser Mittel als Fachleute gegenüber reinen Laien freie Hand zu erhalten – gegenüber »Zivilisten im Kürassierrock«, wie man den Kanzler im Generalstab spöttisch nannte. Doch es mußte auch Moltke klar sein, daß das Verhältnis zwischen Mittel und Zweck in Wahrheit nicht so unkompliziert war und sich nicht auf eine so schlichte Formel bringen ließ. Sie traf nur dann scheinbar zu, wenn die politische und die militärische Führung wie bei Napoleon I. in einer Hand lagen; an der Gestalt des Korsen hatte sich auch Clausewitz, die große Leitfigur der preußischen Armeeführung, einst orientiert. Nur dann bedeutete »Fortsetzung der Politik mit anderen Mitteln«, daß der führende Staatsmann aus den sich anbietenden Mitteln und Möglichkeiten jene auswählte, die seinen politischen Zielen entsprachen und ihnen am besten zu dienen geeignet schienen. Wo dies nicht der Fall war, konnte die Wahl des militärischen Mittels das politische Ziel gefährden. Darüber konnte sich nur jemand hinwegtäuschen, der auch die Politik bloß unter dem Aspekt des vollständigen Siegs oder der vernichtenden Niederlage, des »Alles oder Nichts«, zu sehen vermochte, jemand also, der in letzter Konsequenz das Leben des Einzelnen wie das der Staaten unter das angebliche Gesetz der freien Wildbahn gestellt glaubte.

Nach den triumphalen militärischen Erfolgen der letzten sechs Jahre begann ein solches Denken in Preußen und in der Preußen zuneigenden deutschen Öffentlichkeit fraglos um sich zu greifen, und zwar bei Zivilisten noch weit mehr als bei den Militärs: Moltke und die siegreichen Generale waren damals weit unumstrittener und populärer als der leitende preußische Staatsmann. Dies vergrößerte in einer Art Rückkoppelungseffekt die Neigung, Politik auf die schlichten Kategorien militärischen Erfolgsdenkens zu reduzieren, ja, alles Lavieren und alles Kompromissesuchen als des Starken unwürdig zu betrachten.

Bismarck hat den Prestige- und Popularitätsgewinn der militärischen Führung sicher auch aus ganz persönlichen Gründen mit argwöhnischem Mißtrauen beobachtet. Doch in erster Linie war es die Sorge um sein politisches Grundkonzept und um seine konkrete Politik, die ihn gegenüber den Militärs zunehmend empfindlicher und gereizter reagieren ließ. Bei seinem Amtsantritt hatten ihn seine Gegner als den »Typus eines die Uniform unter dem Frack versteckenden Ministerpräsidenten« bezeichnet. In Wahrheit war es eher umgekehrt. Nach außen hin pflegte er, vor allem auch aus politischem Kalkül, zur Demonstration seiner Stellung und Haltung, gern ein gewisses martialisches Auftreten. Er trug immer häufiger Uniform, zumal nachdem er im September 1866 zum Chef des 7. schweren Landwehr-Reiterregiments ernannt und zum Generalmajor befördert worden war. Im Krieg gegen Frankreich trat er kaum noch in Zivil auf. Zudem war ihm von seinem ganzen Naturell her eine Art forscher Direktheit gewiß nicht fremd – im Unterschied zu dem extrem zurückhaltenden und eher sensibel wirkenden Moltke. In der Substanz aber trennten ihn, wie sich gerade bei der Auseinandersetzung mit der Armeeführung 1870/71 zeigte, von Geist und politischen Grundvorstellungen vieler hoher Offiziere Welten. Er sah hier Kräfte am Werk, die das zu zerstören drohten, was in der europäischen Diplomatie und Politik undiskutiert an gemeinsamen Positionen und Gepflogenheiten, an einer Art Minimalkonsens vorhanden war, der alle Beschlüsse, Entscheidungen und Aktionen trug.

Wohl hat Bismarck bei vielen Gelegenheiten über jene gehöhnt, die emphatisch von Europa, von einer europäischen Öffentlichkeit und von dem sprachen, was ihrer Meinung nach von hier aus möglich erschien und was nicht. Er hat es eine bloße Maskierung egoistischer Interessen genannt und darin, insbesondere wenn solche Äußerungen aus dem Mund von Engländern kamen, vorgeblich nicht mehr gesehen als das zähe und phantasielose Festhalten an vorhandenen Formen und Zuständen. Aber im Innersten war auch er überzeugt davon, daß von der Einschätzung des eigenen Handelns und der dahinter vermuteten Zielvorstellungen durch so etwas wie eine europäische Öffentlichkeit in der Tat sehr viel abhing. Es gab, das wußte er, ein Minimum an Spielregeln, deren Verletzung sich nur im äußersten Notfall empfahl.

In den fünfziger Jahren hatte er gegenüber dem österreichischen Vertreter am Bundestag in provozierender Schärfe die Machtpolitik Friedrichs des Großen gefeiert. Damals wie jetzt war er sich jedoch völlig im Klaren darüber, daß der wahre Schlüssel zum Erfolg auch zur Zeit Friedrichs, entgegen der populären Auffassung, nicht eine Politik der isolierten militärischen Stärke, sondern die Ausnützung einer besonderen internationalen Konstellation und die ständige Rücksichtnahme auf die in ihr wirksamen Kräfte und Interessen gewesen war. Hierum und nicht um den isolierten militärischen Triumph ging es auch jetzt wieder. Es ging darum, für das eigentliche Ziel und Ergebnis dieses Krieges, die Begründung eines kleindeutschen Nationalstaats, eine Art europäischen Konsens zu erlangen und das neue politische Gebilde in ihm einigermaßen dauerhaft zu verankern.

Der Weg zu diesem Ziel war schon im eigenen Lager bis zuletzt schwierig genug gewesen. Nach Ausbruch des Krieges, nach der emotionalen Einigung der Nation gegen Frankreich und nach den gemeinsam errungenen Siegen galt es zwar allgemein als ausgemacht, daß eine Rückkehr zum Status quo ante ausgeschlossen sei. Aber obgleich Bismarck jene allgemeine Erwartung und mit ihr die nun auch im Süden enorm verstärkten Kräfte der nationalen Bewegung immer wieder ins Spiel brachte, war er doch fest entschlossen, sich von ihnen insbesondere hinsichtlich der inneren Struktur und Verfassung des neuen Staates nicht treiben zu lassen. Und dies wiederum gab, wenn auch unbeabsichtigt, allen jenen Rückhalt und Auftrieb, die, zumal in den beiden süddeutschen Königreichen, in Württemberg und noch mehr in Bayern, zweierlei befürchteten: entweder eine Mediatisierung ihrer Staaten durch Preußen oder aber einen Prozeß der zunehmenden nationalstaatlichen Zentralisierung, der schließlich jede Selbständigkeit vernichten werde. Sie zu beruhigen und zu gewinnen und damit in den inneren Aufbau des neuen Staates zusätzliche Gewichte gegen die parlamentarischen und demokratischen Kräfte einzubauen, die durch die ganze Entwicklung so sichtbar begünstigt wurden – das war nach den Siegen des August und dem Triumph von Sedan sein Hauptgeschäft.

Es zeigt ihn auf dem Höhepunkt seiner politisch-diplomatischen Fähigkeiten, gleichzeitig aber auch in einem nicht zu übersehenden Dilemma, das diese Fähigkeiten bis zum Letzten forderte: Zwischen Partikularismus und Zentralismus, zwischen monarchischem Prinzip und Volkssouveränität, zwischen dem preußischen Interesse und dem des Gesamtstaates sowie zwischen den verschiedenen Machtansprüchen innerhalb der preußischen Staatsspitze mußte er Kompromisse vermitteln, die mit innerer Notwendigkeit den Charakter des Improvisatorischen, ja, des Künstlichen und durch und durch Zeitgebundenen hatten. Denn sie konnten sich fast nirgends auf klare Prinzipien oder auf die Basis anerkannter Forderungen starker Gruppen und Kräfte stützen. Sie liefen im Gegenteil in den meisten Fällen auf den Ausgleich oder, besser gesagt, auf die gegenseitige Neutralisierung solcher

Forderungen und Prinzipien hinaus. So ließen sie im letzten beide Seiten unbefriedigt.

Dies um so mehr, als es sich in den meisten Fällen nicht um Kompromisse handelte, die zwischen zwei Partnern im Interesse der Machtteilung und gemeinsamer Machtausübung erzielt wurden, sondern um mehr oder weniger von außen aufgezwungene, als deren eigentlicher Nutznießer ein Dritter erschien. Das aber hieß: Die Souveränität und das ganz außerordentliche Geschick, das Bismarck gerade in dieser entscheidenden Phase bei der Behandlung der verschiedenen Kräfte, Interessen und Forderungen bewies, und die Art, wie er sie in seinem Sinne zusammenführte, hemmten und verzögerten zugleich einen wirklichen und politisch produktiven Ausgleich zwischen ihnen. Ein solcher Ausgleich hätte allein aus dem Zwang zum Kompromiß in der konkreten politischen Verantwortung hervorgehen können. So aber fielen »Idealpolitik« und teils hemmungslos gefeierte, teils verdammte »Realpolitik« neuerlich schroff auseinander.

Das kam Bismarcks Zielen, vor allem soweit sie rein machtpolitischer Art waren, einerseits entgegen. Es bedrohte jedoch auf der anderen Seite von Anfang an das, was man dann sehr bald in charakteristischer Weise sein Werk nannte. Es fehlte dem neuen politischen Gebilde, bei allem Überschwang während seines Entstehens, jener Grundkonsens des gemeinsam und, sei es auch in schärfster politischer Auseinandersetzung, miteinander Erstrittenen, der Charakter einer wirklich vollzogenen inneren Einigung.

Die Gefahren, die darin steckten, hat Bismarck sehr wohl gesehen. Aber er vermochte von seinem Standpunkt aus in der gegebenen Konstellation keine Möglichkeit zu erkennen, dem wirksam zu begegnen. »Setzen wir Deutschland, so zu sagen, in den Sattel: Reiten wird es schon können«, hatte er 1867 erklärt. Er hatte damit angedeutet, daß man der Art und den Formen der Entstehung eines deutschen Nationalstaates keine übergroße, die ganze weitere Entwicklung vorausbestimmende Bedeutung beimessen sollte. Ähnliches ließ er jetzt wieder durchblicken, sei es direkt gegenüber den national-liberalen Parteiführern, sei es indirekt durch die Regierungspresse und durch seine verschiedenen Verhandlungsführer mit Rudolf von Delbrück an der Spitze. Doch das waren letztlich Formeln der Beschwichtigung. In Wahrheit kam es ihm sehr darauf an, bei dieser Gelegenheit dauerhafte Widerlager gegen den Prozeß einer möglichen parlamentarisch-demokratischen Überwältigung der Kräfte der Vergangenheit in die Verfassung des neuen Staates einzubauen beziehungsweise diejenigen zu verstärken, die bereits in der des Norddeutschen Bundes vorhanden waren.

Das schon nach 1866 ausgegebene Stichwort von der Rücksicht auf die süddeutschen Monarchien diente dabei erneut als eine Art politischer Schutzschild. Hinter ihm ließ sich das Bestreben verbergen, die Gewichte so zu verteilen, daß ein Übergewicht der parlamentarischen, aber auch der zentralistischen Kräfte zumindest für die nähere Zukunft verhindert wurde. Denn darin sah er die eigentliche, auch für seine eigene Machtstellung bedrohliche Tendenz. Wußte er doch, daß unter den Bedingungen einer sich von Grund auf wandelnden Gesellschaft der nationale Gedanke und eine ihn verkörpernde parlamentarische Nationalrepräsentation mehr und mehr als die eigentlichen Integrationsinstrumente und als höchste Bezugspunkte individueller und kollektiver Loyalität wirkten. Zwar betonte er immer wieder: »Es ist bis jetzt nicht praktisch erwiesen, daß eine parlamentarische Regierung, wie sie sich in England in einer langen und höchst eigentümlichen Geschichte entwickelt hat, sich auch in einem anderen Großstaate einbürgern könnte.« Aber insgeheim war er sich doch darüber im Klaren, daß dieser Beweis nicht lange auf sich warten lassen werde. Ja, mehr noch: Er ahnte, daß der auch in seiner bürgerlichen Ausprägung noch stark aristokratisch-elitäre Parlamentarismus englischer Provenienz, von dessen Vorbild sich die meisten kontinentaleuropäischen Liberalen leiten ließen, schon sehr bald durch einen national-demokratischen Parlamentarismus abgelöst werden würde. Und dieser würde sich, ohne entsprechende Gegengewichte, als sehr viel unwiderstehlicher erweisen, nur noch eine strikt parteipolitisch-parlamentarisch fundierte Herrschaft dulden und alle anders begründeten Herrschaftspositionen binnen kurzem hinwegfegen.

Solche kritische Zukunftsprognose war der Ausgangspunkt, sozusagen die motivierende Basis seiner praktischen Politik und seiner einzelnen Schachzüge in der Frage nach Art und Form des endgültigen staatlichen Zusammenschlusses des außerösterreichischen Deutschland. Sie bestimmte vor allem die Grenzen des Entgegenkommens gegenüber den neuen Kräften und Tendenzen, eines Entgegenkommens, das er im Prinzip von Anfang an für unvermeidlich gehalten hatte und das ein so wesentliches Element seiner Politik bildete.

Für ihn stand es von vornherein fest, daß sich die endgültige Einigung strikt in den Formen eines frei ausgehandelten Bündnisses zwischen scheinbar auch innenpolitisch weitgehend souveränen monarchischen Regierungen vollziehen müsse. Das parlamentarische und demokratische Element, das 1866 eine nicht unerhebliche Rolle gespielt hatte, sollte diesmal weitgehend zurücktreten. Das hieß in der gegebenen Situation: Anschluß der süddeutschen Staaten an den Norddeutschen Bund auf dem Weg über einzeln ausgehandelte Verträge bei gleichzeitiger Akzentuierung des Charakters dieses Bundes als einer Vereinigung von »Fürsten und Freien Städten«. Ein solches Vorgehen drängte sich auch aus anderen Erwägungen auf. Es schien nicht zuletzt der geeignete Weg zu sein, den erheblichen Widerstand vor allem von bayerischer Seite zu überwinden. Doch entscheidend war die feste Entschlossenheit, sich auf keinen Fall in eine stärkere Abhängigkeit von der nationalen Bewegung und den sie organisierenden Kräften des liberalen

Bürgertums drängen zu lassen. Daß er diese Kräfte die ganze Zeit hindurch gleichsam Gewehr bei Fuß zu halten suchte und immer wieder einmal mit ihnen paradierte, entsprach dem Charakter seiner Politik, sich stets entsprechender Druck- und Drohmittel zu versichern. Ernsthaft aber hat er in dieser Situation ein grundsätzlich anderes Vorgehen bis hin zu einer effektiven Mobilisierung der Nationalbewegung gegen widerstrebende Monarchen und Regierungen niemals erwogen. Dies zumal als er, anders als 1866, sehr rasch völlig Herr der Lage war. Erst die unerwartet lange Dauer des Krieges schuf dann wieder etwas veränderte Verhältnisse.

Schon wenige Tage nach Sedan waren von preußischer Seite Verhandlungslinie und Zielsetzung in der Einigungsfrage gleichsam offiziell festgelegt worden: In Bismarcks Auftrag formulierte der Chef des Bundeskanzleramts, Rudolf von Delbrück, in einer vom 13. September 1870 datierten Denkschrift Marschroute und anzustrebendes Ergebnis der einzuleitenden Verhandlungen mit den süddeutschen Staaten. Das Ergebnis trug Delbrück bereits wenig später in ersten Gesprächen bayerischen und württembergischen Regierungsvertretern in München vor.

Hier bestand, besonders auf bayerischer, aber auch auf württembergischer Seite, zunächst wenig Neigung, sich auf die vorgeschlagenen Anschlußverhandlungen einzulassen. Man gedachte vielmehr, die Einigungs- und Bundesfrage von Grund auf aufzurollen einschließlich der vorher zu klärenden Frage, wie die süddeutschen Staaten an dem territorialen Kriegsgewinn beteiligt beziehungsweise bei einer Annexion des Elsaß und eines Teils Lothringens durch Preußen angemessen entschädigt werden könnten. Bei aller Verbindlichkeit im Formalen und der vielfach wiederholten Zusicherung, über alle Einzelheiten könne man selbstverständlich reden, hielten Bismarck und seine Verhandlungsführer jedoch ganz entschieden daran fest, daß für Preußen lediglich der Weg des Beitritts in Frage komme.

Im Gegensatz etwa zu den Forderungen des Kronprinzen vermied der preußische Regierungschef allerdings bis zuletzt jeden direkten Druck. Er setzte auf die Macht der Tatsachen, denen sich die noch widerstrebenden Kräfte um so weniger würden entziehen können, je weniger sie als willkürlich erzeugt oder veränderbar erschienen. Hierauf glaubte er um so mehr vertrauen zu können, als sowohl Hessen-Darmstadt als auch Baden, wie zu erwarten, schon kurz nach Sedan ihre Bereitschaft erklärten, dem Bund ohne weiteres beizutreten – die badische Regierung als langjähriger Wortführer der kleindeutsch-nationalen Kräfte im Süden aus innerer Überzeugung, die hessische unter dem Druck der heimischen Nationalliberalen und der Tatsache, daß ja schon eine Provinz des Landes zum Norddeutschen Bund gehörte. Wie sollten unter solchen Umständen und angesichts der bestehenden engen wirtschaftlichen Verflechtung im Zollverein die beiden süddeutschen Königreiche oder gar Bayern allein selbständig bestehen können?

Diese Frage mußte sich, nach Bismarcks Überzeugung, in München und Stuttgart regelrecht aufdrängen. Warum also einen Beitritt um den Preis fortdauernden inneren Widerstands erzwingen, wenn scheinbare Freiwilligkeit zur Grundlage einer soliden Partnerschaft werden konnte – nicht zuletzt gegen jene Kräfte, die politisch auf einen sehr viel strafferen nationalen Zusammenschluß und auf ein allen anderen politischen Faktoren übergeordnetes nationales Parlament setzten?

Leichter wurden die Beitrittsverhandlungen dadurch freilich nicht, zu denen sich die Regierungsdelegationen der einzelnen süddeutschen Staaten in getrennten Runden im Oktober und November 1870 in Versailles mit den Vertretern Preußens beziehungsweise des Norddeutschen Bundes zusammenfanden. Bismarcks Devise, alles müsse auf dem freien Entschluß der künftigen Partner beruhen, führte im Gegenteil zu einem ebenso zähen wie langwierigen Feilschen um die einzelnen Punkte. Und auch nach Abschluß der Verhandlungen bedurfte es erst noch eines Griffs in die preußische Staatsschatulle, um den bayerischen König zur endgültigen Zustimmung zu veranlassen. Ludwig II. erhielt neben einer ersten großen Abschlagszahlung die Garantie jährlicher Zuwendungen aus dem 1866 von Preußen beschlagnahmten Vermögen des hannoverschen Königshauses, dem sogenannten Welfenfonds, und sein die Sache vermittelnder vertrauter Berater, der Oberst-Stallmeister Graf von Holnstein, jeweils zehn Prozent der Summe.

Unter dem Eindruck solch großzügigen Verständnisses für seine Bauleidenschaft zögerte der bayerische Monarch dann nicht mehr, dem preußischen König namens der deutschen Fürsten die Kaiserkrone anzubieten. Den entsprechenden Brief hatte Bismarck selbst entworfen, geleitet von dem Wunsch, auf diese Weise den Charakter des neuen Staates als eines Bundes souveräner Monarchen noch einmal besonders zu akzentuieren.

Mochten die Mittel auch nicht gerade die feinsten sein – in der Sache selbst setzte sich Bismarck auf der ganzen Linie durch, und das auf eine Weise, die die andere Seite mit dem Gefühl abschließen ließ, ebenso hart wie erfolgreich verhandelt zu haben. Das war nur möglich, weil der Kanzler des Norddeutschen Bundes konsequent darauf verzichtete, öffentlich zu Protokoll zu geben, wie er die Zugeständnisse von preußisch-norddeutscher Seite einschätzte. In diesem Zusammenhang kam ihm die Kritik sogar ganz gelegen, die von preußischer Seite wie von seiten der nationalen Bewegung an den Verhandlungsergebnissen geübt wurde.

Mit den sogenannten Reservatrechten, die Bayern und in geringerem Ausmaß Württemberg zugestanden wurden, sei Bismarck, so hieß es hier, in seiner Konzessionsbereitschaft bis an die Grenze des Erträglichen gegangen. Daß Bayern eine eigene Eisenbahn-, Post- und Telegraphenverwaltung behielt und damit täglich vor aller Augen seine Eigenstaatlichkeit demonstrieren konnte, mochte noch hingehen, und ebenso, daß das Gleiche hinsichtlich der Post für Württemberg gelten sollte. Desgleichen konnte man das Prinzip der eigenständigen Bier- und Branntweinbesteuerung als ein wenn auch kostspieliges Kuriosum tolerieren. Daß aber das bayerische Heer praktisch seine völlige Selbständigkeit behielt und dem Bundesfeldherrn, dem künftigen Kaiser, im Frieden nur ein »Besichtigungsrecht« zugestanden wurde, um sich von der »Kriegstüchtigkeit« des bayerischen Heeres überzeugen zu können, erschien mehr als bedenklich. Das galt auch für das dem württembergischen König zugestandene Recht, weiterhin eine eigene Heeresverwaltung zu unterhalten und wie bisher die Offiziere zu ernennen.

Hier sei, so die weitverbreitete Meinung, das einheitliche und vereinheitlichende Band, das die Nation umschlingen solle, gleich zu Anfang zugunsten partikularer Kräfte und Interessen in unvertretbarer Weise gelockert worden. Die Ansicht, daß dadurch auf problematische Art staatenbündische Elemente in eine ohnehin schon nicht sehr stark ausgeprägte bundesstaatliche Verfassung eingefügt worden seien, verstärkte sich noch, als bekannt wurde, daß ein eigener Bundesratsausschuß für auswärtige Angelegenheiten unter bayerischem Vorsitz und mit einem ständigen Sitz für den Vertreter Sachsens und Württembergs ins Leben gerufen werden solle. Selbst an dem Prinzip der zentralstaatlichen Leitung der Außenpolitik, einem Kernprinzip jedes Bundesstaates, sollte, so schien es, nicht festgehalten werden. Auch hier gedachte man vielmehr den Selbständigkeitsbestrebungen der Königreiche ein weiteres, den Zusammenhalt des Ganzen zusätzlich schwächendes Opfer zu bringen.

In Wahrheit erwiesen sich, wie Bismarck vorausgesehen hatte, die meisten Zugeständnisse als praktisch mehr oder weniger bedeutungslos. Der vieldiskutierte Bundesratsausschuß trat in den nächsten dreißig Jahren ein einziges Mal zusammen. Und an der unbedingten »Reichstreue« Bayerns und Württembergs und der ihrer mehr oder weniger selbständigen Armeen bestand zu keinem Zeitpunkt ein Zweifel. Wie Bismarck in Rechnung gestellt hatte, wuchs das neue Staatswesen sehr rasch immer stärker zusammen und verlangte in allen tragenden Elementen nach einer einheitlichen Führung und Vertretung. Dies neutralisierte die zentrifugalen Kräfte und Tendenzen sehr rasch, mochten diese durch die Konzessionen an die beiden süddeutschen Königreiche auch zunächst eine scheinbare Unterstützung erfahren haben.

Was blieb, war ein besonderes Vertrauensverhältnis zwischen München beziehungsweise Stuttgart und der gegenwärtigen politischen Führung Preußens und des neuen Bundes. Dieses erlaubte es Bismarck ein ums andere Mal, gegenüber den zentralstaatlichen und zentralisierenden Kräften gleichsam gefahrlos die föderalistische Karte zu spielen, ja, in der Idee einer Auflösung und Wiederbegründung des Reiches schließlich, zumindest verbal, ein politisches Heilmittel zu sehen.

So war auch in dieser Hinsicht der Abschluß der Verträge mit den süddeutschen Staaten zwischen dem 15. und 25. November 1870 ein persönlicher Triumph Bismarcks. Die Verträge hoben faktisch den kleindeutschen Bundesstaat aus der Taufe. »Die deutsche Einheit ist gemacht, und der Kaiser auch«, verkündete der Kanzler nach Unterzeichnung des Vertrags mit Bayern seinen Mitarbeitern triumphierend. Die Bildung des neuen Staates, der in Beschwörung der Vergangenheit den Namen »Deutsches Reich« erhielt, hatte sich so nicht nur in den Formen vollzogen, die er von Anfang an vor Augen gehabt hatte; mit allerdings sehr knapper Mehrheit gab am 21. Januar 1871 der bayerische Landtag als letztes Parlament den Verträgen seine Zustimmung. Die Staatsgründung hatte auch eine politische Konstellation, eine machtpolitische Gewichtsverteilung geschaffen, die geeignet erschien, seine eigene Machtstellung dauerhaft zu sichern. Was jetzt noch zu tun blieb, war eine möglichst symbolträchtige Inszenierung der Reichsgründung, die der erreichten Lösung und insbesondere ihrem spezifischen Charakter Dauer verlieh. Außerdem mußte das Ganze außenpolitisch endgültig abgesichert werden.

Der Akt der Kaiserproklamation am 18. Januar 1871 im Spiegelsaal des Schlosses von Versailles, mit dem die Gründung des neuen Reiches in Szene gesetzt wurde, hat schon bei manchen Zeitgenossen bei aller verbreiteten und einigenden Freude über das Erreichte Unbehagen und heimliche Kritik ausgelöst. »Ich kann Dir gar nicht beschreiben«, so selbst einer der fürstlichen Teilnehmer, der bayerische Prinz Otto, in einem Brief an seinen königlichen Bruder, an Ludwig II., »wie unendlich weh und schmerzlich es mir während jener Szene zu Mute war... Alles so kalt, so stolz, so glänzend, so prunkend und großtuerisch und herzlos und leer.« Noch viel mehr ist der rückblickende Betrachter geneigt, in dem Ganzen eine fatale Demonstration der Überheblichkeit des Siegers zu sehen, des außenpolitisch-militärischen, aber auch des innenpolitischen, der auf der ganzen Linie triumphierenden Militärmonarchie.

Im Herzen des besiegten Landes, im Kreis von Generalen, Höflingen und Diplomaten begingen die deutschen Fürsten die kleindeutsche Einigung als einen Akt der Bestätigung und Bekräftigung ihrer Souveränität und ihres Anspruches auf die alles überragende politische Stellung. Die Öffentlichkeit, die Volksvertretung, die eigentlichen Antriebskräfte der nationalstaatlichen Einigung in Wirtschaft und Gesellschaft – sie alle traten zurück gegenüber dieser Selbstdarstellung des Fürstenstaates, die später zum Nationalfeiertag stilisiert wurde und das äußere Bild des kleindeutschen Nationalstaates sehr wesentlich mitprägte. Und es mochte für die weitere Zukunft eine unbeabsichtigte zusätzliche Symbolkraft haben, daß der Mann, der das Ganze zustande gebracht hatte und der nun als treuer Paladin zu Füßen des kaiserlichen Throns stand, wegen der Titelfrage ausgerechnet an diesem Tag die Ungnade seines fürstlichen Herren zu spüren bekam: Der preußische

König hatte sich bis zuletzt nicht mit dem verfassungsrechtlich allein möglichen Titel eines »Deutschen Kaisers« abfinden wollen. Das sei, so erklärte
er, der Titel eines »Charaktermajors«, eines ohne entsprechendes Gehalt
und ohne entsprechende Kommandogewalt verabschiedeten Hauptmanns,
ein bloßer Name ohne besondere Rechte und ohne wirkliches Amt. Wenn
schon, dann wollte »Kaiser Wilhelm«, wie sein Schwiegersohn, der badische
Großherzog, die ganze Frage beim Ausbringen des Hochs geschickt umging,
Kaiser von Deutschland, Reichsmonarch sein, um den Machtzuwachs des
Hauses Hohenzollern aller Welt deutlich zu machen.

Über das Unverständnis und den Undank seines Königs, die bei dieser
Gelegenheit zutage traten, hat sich Bismarck kaum noch erregt, obgleich sie
ihm einmal mehr vor Augen führten, auf welch schwankendem Boden seine
Stellung gründete. Er war inzwischen daran gewöhnt und geneigt, mit
gleicher Münze zurückzuzahlen, bei Gelegenheit mit ähnlichen Marotten
und Launen aufzuwarten. »Hätte ich die wundervolle Basis der Religion
nicht«, so hat er es in jenen Monaten einmal drastisch formuliert, »so wäre
ich dem ganzen Hofe schon längst mit dem Sitzzeug ins Gesicht gesprungen.«
Bereits drei Tage nach dem Auftritt vom 18. Januar hatte er für den Vorgang
nur noch Ironie übrig. »Diese Kaisergeburt war eine schwere«, berichtete er
seiner Frau am 21. Januar: »Könige haben in solchen Zeiten ihre wunderli-
chen Gelüste, wie Frauen, bevor sie der Welt hergeben, was sie doch nicht
behalten können. Ich hatte als Accoucheur mehrmals das dringende Bedürfnis eine Bombe zu sein und zu platzen, daß der ganze Bau in Trümmer
gegangen wäre.«

Was ihm wirkliche Sorgen machte, war der Gedanke, das nationale
Triumph- und Überlegenheitsgefühl, das immer weitere Kreise ergriff und
durch die Szene im Spiegelsaal von Versailles zusätzliche Nahrung erhielt,
könne über die Militärs und die Fürsten mit dem preußischen König an der
Spitze nun auch außenpolitisch voll durchschlagen und jede Vorsicht und
Mäßigung beiseite drücken. In jenen Tagen erreichte die Auseinanderset-
zung zwischen ihm und Moltke über das weitere Vorgehen ihren Höhepunkt.
Gleichzeitig stand es auf des Messers Schneide, ob sich in der provisorischen
französischen Regierung die friedensbereiten Kräfte um Adolphe Thiers und
Jules Favre durchsetzen würden oder ob Leon Gambetta, der Kriegsminister
und eigentliche Organisator der zweiten Levée en masse der französischen
Geschichte, des Volkskriegs nach Sedan, die Oberhand behalten werde.
Zudem schien die Gefahr einer Intervention der anderen Großmächte
durchaus noch nicht endgültig gebannt zu sein.

Diese Gefahr war neuerlich akut geworden, als Rußland die Gelegenheit
zu benutzen suchte, eine Revision des Pariser Friedens von 1856 zu seinen
Gunsten zu erreichen. Petersburg wollte insbesondere die Neutralisierung
des Schwarzen Meeres rückgängig machen. Bisher war es Bismarck gelun-

gen, eine Kettenreaktion zu verhindern. Einerseits hatte er eine Konferenz über die ganze Frage angeregt. Und andererseits hatte er es verstanden, die beiden hauptsächlich interessierten Seiten, Rußland und England, hinzuhalten, indem er hier wie dort augenzwinkernd die preußische Unterstützung in Aussicht stellte. Aber sein Taktieren hatte einem Drahtseilakt geglichen. Bei ihm stand bis zuletzt nicht fest, ob sich beide Mächte nicht kurzentschlossen direkt einigen und diese Einigung zum Ausgangspunkt für eine gemeinsame Friedensvermittlung nehmen würden. Und bei diesem Drahtseilakt, der seine ganze diplomatische Kunst erforderte, sah sich Bismarck mit der zunehmenden Neigung im eigenen Lager konfrontiert, die Gefahren und Risiken, denen er auf diese Weise auszuweichen suchte, gar nicht recht ernst zu nehmen. Man tendierte statt dessen dahin, ganz auf die so eindrucksvoll erwiesene eigene Stärke und militärische Überlegenheit zu bauen und so die Voraussetzungen und Bedingungen aus dem Auge zu verlieren, auf denen der bisherige Erfolg beruhte. »Ich ängstige mich oft, daß diese anmaßende Selbstüberschätzung an uns noch gestraft werden wird«, hieß es schon Ende November 1870 in einem Brief an seine Frau. Und in einem Tischgespräch am 2. Dezember in Versailles mit Blick auf die innerdeutsche Situation: »Ich habe die größte Angst. Die Leute ahnen nicht, was die Lage ist. Wir balancieren auf der Spitze eines Blitzableiters; verlieren wir das Gleichgewicht, das ich mit Mühe herausgebracht habe, so liegen wir unten.«

Die Erfahrung jener Wochen hat nicht nur seine Nerven auf das äußerste belastet. Sie hat zugleich das Mißtrauen gegenüber Fähigkeiten und Einsichten seiner Umwelt enorm verstärkt, ja, ihn auf dem Höhepunkt seiner politischen Karriere in eine Art pessimistischer Distanz zu den Begünstigten und Nutznießern seines Werks und damit zu diesem Werk selbst gebracht. Das hielt nicht an, war gebunden an Stimmungen und akute Enttäuschungen. Aber es verstärkte die bei ihm ohnehin stark ausgeprägte Neigung, sich politisch allein auf sich selbst zu verlassen. Er tendierte von nun an noch stärker als bisher dahin, seinen politischen Partnern, wenn sie nicht völlig mit ihm übereinstimmten, entweder Ignoranz oder Böswilligkeit zu unterstellen. Es war gar nicht so sehr der außerordentliche Erfolg, der ihn bei aller Machtfülle in immer stärkerem Maße von seiner Umwelt innerlich isolierte. Es war die Einsicht in die wachsende Blindheit seiner Umgebung gegenüber der stets vorhandenen Möglichkeit des Mißerfolgs und des Scheiterns, in die Hybris, die dann zunehmend zum gemeinsamen Signum der Führungsschichten des jungen deutschen Nationalstaates wurde.

In der konkreten Situation des Januar 1871 lösten sich die Gefahren, für die die meisten in der Stimmung des nationalen Überschwangs und Überlegenheitsgefühls kaum noch einen Blick hatten, schließlich in wenigen Tagen weitgehend auf. Manchen schien Bismarck, der an dieser Lösung fraglos den Hauptanteil hatte, schon nur noch als rechthaberischer Dramatisierer. Am

25. Januar entschied der preußische König den Konflikt zwischen den Militärs und Bismarck über das weitere militärische und politische Vorgehen endgültig zugunsten seines Außenministers und Kanzlers. Am 28. Januar wurde der Waffenstillstandsvertrag mit der provisorischen französischen Regierung unterzeichnet, nachdem fast bis zuletzt mit beiden Seiten, mit Vertretern des napoleonischen Regimes und mit Abgesandten der neuen Regierung, verhandelt worden war; er bildete die Basis für den Vorfrieden von Versailles vom 26. Februar, der unmittelbar darauf von der in Bordeaux tagenden konstituierenden Nationalversammlung ratifiziert wurde. Am 1. Februar schließlich trat in London die sogenannte Pontus-Konferenz zusammen, die nach längerem, die Aufmerksamkeit zusätzlich absorbierenden Unterhandlungen am 13. März 1871 in der Schwarzmeer-Frage wesentlich im Sinne der russischen Wünsche entschied.

Damit war die Gefahrenzone endgültig durchschritten. Die politische Neuschöpfung in Mitteleuropa war nun stillschweigend von allen Seiten anerkannt und der Friede mit Frankreich praktisch gesichert. Der endgültige Friedensvertrag, der unter dem Einfluß der Militärs die Abtretung der Festung Metz erzwang, dafür Belfort bei Frankreich beließ und die Kriegsentschädigung auf fünf Milliarden Goldfranken festsetzte, folgte nach langwierigen Detailverhandlungen ein knappes Vierteljahr später.

»Gestern haben wir endlich unterzeichnet«, hatte Bismarck am 27. Februar in einem Brief an seine Frau den Abschluß des Vorfriedensvertrages kommentiert, »mehr erreicht, als ich für meine politische Berechnung nützlich halte. Aber ich muß nach oben und nach unten Stimmungen berücksichtigen, die eben *nicht* rechnen.« Das stimmte in dieser Form sicher nicht. Aber es läßt erkennen, wie ihn, kaum daß die Spannung der letzten Wochen etwas wich, Unbehagen und Besorgnis beschlichen, ob er nicht vielleicht doch einen Schritt zu weit gegangen sei und sich und das neugegründete Reich damit in vermeidbare Abhängigkeiten gebracht habe. In den nachfolgenden Wochen, in denen sich nach allen Kämpfen und Auseinandersetzungen der vergangenen Monate das Bewußtsein des Erfolgs und des Erreichten überhaupt erst richtig einstellte, traten solche skeptischen Überlegungen natürlicherweise wieder zurück, zumal die unmittelbare Befürchtung, die französische Nationalversammlung könne ihre Zustimmung verweigern, sich sehr rasch als gegenstandslos erwies. Der Triumphzug durch das geeinigte Deutschland zurück nach Berlin, die Erhebung in den Fürstenstand am Tag der feierlichen Eröffnung des neuen Reichstages am 21. März 1871, das Ehrenbürgerrecht der Hauptstadt, dem viele andere folgten – all dies verfehlte seine Wirkung nicht. Was ihn gerade in den vergangenen Monaten an negativen Erfahrungen von seiner Umwelt getrennt, ihn mit ständig wachsender Skepsis gegenüber den Fähigkeiten und der politischen Urteilskraft anderer erfüllt hatte, das wurde nun gleichsam positiv untermauert: Er war, so wurde ihm von allen Seiten versichert, der größte Staatsmann seiner Zeit, der entschlossen und doch besonnen Handelnde unter lauter bloß Planenden, Diskutierenden oder gar Schwankenden. Und all die Abstriche, die er selber daran machte, alle Meditationen über den kurzen Weg zwischen Hosianna und Crucifige, konnten nicht verhindern, daß sein nicht gerade schwach ausgeprägtes Selbstwertgefühl noch einmal erheblich zunahm. Es konfrontierte ihn verstärkt mit der Versuchung, sich in Übereinstimmung mit dem zu glauben, was der Herr der Geschichte wolle, auf den er sich gerade jetzt immer öfter berief.

Im politischen Tagesgeschäft setzte die Entzauberung allerdings sehr rasch ein. Die konkreten Aufgaben in einer sich in immer dramatischerem Tempo wandelnden Gesellschaft vertrugen auf Dauer weder Selbststilisierung noch anhaltende Glorifizierung. Bismarck hat darauf einerseits mit der wachsenden Neigung geantwortet, sich unter Berufung auf seine angegriffene Gesundheit monatelang auf seine Güter zurückzuziehen und über die Langweiligkeit des politischen Alltags zu klagen. Andererseits machte es ihn in besonderem Maße hellsichtig für die Kräfte der Veränderung, denen das Erreichte, wenn überhaupt, erst als ein Anfang galt und die es von daher zunehmend relativierten.

Als Bismarck am 10. Mai 1871 gemeinsam mit Jules Favre, dem französischen Außenminister, in Frankfurt am Main seine Unterschrift unter den Friedensvertrag mit der bürgerlichen Republik in Frankreich setzte, da sah sich diese einer entscheidenden Kraftprobe mit einer in der sogenannten Kommune organisierten Koalition der Parteien und Gruppen der äußersten Linken in der eigenen Hauptstadt ausgesetzt. Mit exemplarischem Anspruch wurde hier die bestehende Ordnung, sei es in Frankreich, sei es anderswo, in Frage gestellt. Gleichzeitig wurde, wie es schien, die neue Ordnung der Dinge in Mitteleuropa im Innern wie in ihrem äußeren Bestand von vorgeblich hochkonservativer Seite, von der katholischen Kirche und den sie unterstützenden politischen und sozialen Kräften, angefochten. Und zu allem Überfluß zeigten sich auch die Parteien und Kräfte der Mitte keineswegs gewillt, bei dem Erreichten stehenzubleiben. Sie drängten vielmehr mit verstärkter Aktivität von der Basis der nun erlangten einheitlichen Plattform des Reiches auf den inneren Ausbau, ja, die Umgestaltung des Reiches in ihrem Sinne.

Die Sorge, die Bismarck nach dem Abschluß des Vorfriedensvertrages befallen und die er zunächst beiseitegeschoben hatte, ergriff ihn jetzt in verstärktem Maße: War er nur ein Zauberlehrling, hatten die Kräfte, die er scheinbar so virtuos gelenkt und wechselseitig neutralisiert hatte, sich in Wahrheit seiner bedient, sich bloß mit ihm eingelassen, um das, was er mit ihrer Hilfe bewirken und bewahren wollte, um so sicherer zerstören zu können? Hatte Ludwig von Gerlach recht, wenn er ihn blind genannt hatte, von der Macht berauscht und unfähig, die wirklichen Folgen seines Handelns vorauszusehen und zu berechnen? Und war etwa das Gefühl der Überlegenheit lediglich der Hochmut desjenigen, der die Zeichen des Untergangs nicht erkennt?

Solche Fragen und trübe Ahnungen ließen sich ohne viel Psychologie relativieren und beiseitedrücken. Aber sie kamen angesichts der weiteren Entwicklung immer wieder und verdichteten sich schließlich zu förmlichen Alpträumen. Zu Recht hat man davon gesprochen, daß an die Seite jenes vielbeschworenen »cauchemar des coalitions«, der Sorge vor einer erdrükkenden gegnerischen Koalition, ein »cauchemar des révolutions«, die Sorge vor der inneren Auflösung und Zerstörung des eben Geschaffenen, getreten sei. Und waren dies nur Alpträume? Stand das Deutsche Reich von 1871 nicht von Anfang an innen- wie außenpolitisch auf schwankenden Grundlagen? War es nicht heraufgeführt und durchgesetzt worden von Kräften, Interessen und Erwartungen, die es in dieser Form gar nicht erhalten konnten, sondern geradezu zerstören mußten? Hatte Bismarck nicht, mit ebensoviel Kunst wie Gewaltsamkeit, Elemente miteinander verschmolzen, die von Natur aus eigentlich gar keine Legierung miteinander eingehen konnten? War das eigentlich Schöpferische, die Verbindung des Alten mit dem Neuen, der erzwungene Kompromiß in Wahrheit das Zerstörerische?

Um all dies kreist seit nunmehr über hundert Jahren die Diskussion. Sie hat sich enorm verschärft und zugespitzt seit der inneren Zerstörung und schließlich der Auflösung des Reiches, seit sich das, was man bis heute vielfach abkürzend die Schöpfung Bismarcks nennt, als eines der kurzlebigsten politischen Gebilde der Geschichte erwiesen hat. Gelegentlich freilich werden dabei nur noch Antworten diskutiert, und über dem Beweisen wird auf das wirkliche Fragen verzichtet. Und wie es dann leicht geschieht, bestimmen alte Antworten scheinbar ganz neue und umstürzende, tritt an die Stelle des positiven bloß das negative Heldenbild mit der gleichen Argumentationsweise und den gleichen bequemen Vereinfachungen. Wenn aber eine Betrachtungsweise mit Sicherheit falsch ist, so diese. Denn das scheint im Rückblick kaum ernsthaft bestreitbar zu sein: daß Bismarck seiner Schöpfung und der in ihr angelegten oder durch sie zusätzlich geförderten Probleme und Entwicklungstendenzen nur sehr begrenzt Herr geworden ist. Er stand am Ende in vieler Hinsicht vor einer Situation, die für ihn und in seinem Sinne unlösbar war. Zuletzt war er, wie wohl fast jeder in großem Stil Handelnde, tatsächlich nur noch ein Zauberlehrling.

# Der Zauberlehrling

# Neue Konstellationen und neue Konflikte

»Ich bin müde, und während ich noch mit dem Leben dieser Welt verknüpft bin, fange ich an, den Reiz der beschaulichen Ruhe zu schätzen. Ich würde am liebsten von der Bühne in eine Zuschauerloge abtreten.« Der dies schreibt, ist nicht der Bismarck der späten achtziger Jahre, ein über Siebzigjähriger am Ende einer langen Laufbahn. Es ist der neu ernannte Kanzler des wenige Monate zuvor gegründeten Deutschen Reiches, ein Mann, der nach allgemeiner Meinung gerade den Gipfel einer politischen Karriere erreicht hatte, deren Ende noch in keiner Weise abzusehen war. Neun Jahre stand er nun an der Spitze Preußens, eines Preußen, das sich unter seiner Leitung ständig erweitert und seinen Einfluß und sein machtpolitisches Gewicht in Europa außerordentlich gesteigert hatte. Von hier aus war er leitender Minister zunächst des Norddeutschen Bundes, dann des Reiches geworden, für dessen innere und äußere Politik er jetzt ebenso die direkte Verantwortung trug wie für diejenige Preußens. Als Chef der sich bildenden Reichsexekutive, als preußischer Ministerpräsident und Außenminister, als eigentlicher Stimmführer der Hegemonialmacht Preußen im Bundesrat und als dessen Geschäftsführer und nicht zuletzt als der »Reichsgründer« mit all dem Nimbus, der damit verbunden war, vereinigte er eine Machtfülle in seinen Händen, die in seinem Lebensalter und bei seinem Charakter alles andere nahelegte als Rückzug, Verzicht, sich selbstbescheidende Resignation. Und in der Tat ist er ja noch mehr als achtzehn Jahre im Amt geblieben, mit dieser Ämterfülle und dem ganzen Gewicht seiner zunehmend starrer werdenden Persönlichkeit immer schwerer und drückender auf der Nation und den Kräften lastend, die in ihr nach Entfaltung und nach eigenverantwortlicher Gestaltung der Verhältnisse drängten.

Dennoch war es nicht bloß Augenblicksstimmung, nicht bloß Koketterie, die aus jenen Zeilen an Katharina Orlow vom Weihnachtstag 1871 wie aus manchen anderen in jenen Jahren spricht. Zwar gab es diesen und jenen äußeren Anlaß dafür: eine langwierige, einen Augenblick sogar bedrohlich erscheinende Krankheit seiner Frau, eigene gesundheitliche Anfälligkeit, erste Vorboten des Alters, auch eine gewisse Erfolgsmüdigkeit. Doch verbarg sich dahinter noch etwas anderes, für das vieles nur Symptom war.

Von früh auf hatte er in einer Art Protest gegen die Reglementierung und Disziplinierung des Daseins des modernen Menschen, gegen die damit verbundene Erstarrung und Verarmung der menschlichen Existenz gelebt. Immer wieder war er ausgebrochen, um sich solchen Zwängen zu entziehen und der Welt nicht von der bloßen Funktion her, von Amt oder Beruf, ausgeliefert zu sein. Freiheit, Unabhängigkeit, Individualität des Lebens, all das, was die Schriftsteller seiner Jugend, Shakespeare, Byron, Heine, der junge Goethe, beschworen hatten, blieb ein Grundbedürfnis seiner Natur, das stets erneut fordernd hervortrat. Es war auch ein entscheidendes Element seiner Religiosität, seines Glaubens an einen persönlichen, den Menschen in Freiheit leitenden Gott.

Im Leben des auf ungewöhnliche Art ins Amt gekommenen Diplomaten hatte er sich zunächst in einem Maße frei zu bewegen vermocht, wie er das anfangs kaum für denkbar gehalten hatte. Er hatte sich zudem immer wieder vor Augen stellen können, das Ganze sei eine Existenz auf Abruf, jederzeit vertauschbar mit der Unabhängigkeit des Landedelmanns, aber stets auch gleichsam nach oben offen; vom Amt des Außenministers war ja vom ersten Tag an die Rede gewesen. Dann jedoch war er zunehmend »unter das Joch« gegangen, wie er das nannte. Zuerst mußte er sich noch sagen, daß seine Tage als leitender Minister in Preußen wahrscheinlich sehr gezählt sein würden. Auch da konnte so alles als ein Versuch, als ein augenblickliches Anspannen der Kräfte in einer bestimmten Richtung gelten, sozusagen als eine Vereinseitigung auf Zeit. Wer weiß, wie bald er »diesem ununterbrochenen Tintenstrom den Rücken drehen und still auf dem Lande leben« werde, heißt es immer wieder. Ohne eine solche Aussicht sei »die Ruhelosigkeit der Existenz« schlechthin »unerträglich«. Dann jedoch wurde mit dem Erfolg, mit der Festigung seiner Stellung immer deutlicher, daß er, wie jeder in vergleichbarer Position, in gewisser Weise zum Sklaven dieses Erfolgs und seiner Stellung geworden war. Das Individuum, die private Persönlichkeit trat in diesen Jahren mehr und mehr hinter dem Politiker, dem Diplomaten, dem Minister zurück, hinter den Problemen, die ihn bewegten, hinter den vielfältigen Aufgaben, die in immer neuer Form an ihn herantraten.

Für den Prozeß der schrittweisen Auflösung der privaten in der öffentlichen Existenz hat sich Bismarck von seiner ganzen Anlage her stets ein deutliches Gespür bewahrt. »Man müsse eben auf seine Privatexistenz verzichten, wenn man ein öffentlicher Mensch geworden sei«, zog er in den achtziger Jahren einmal resignierend Bilanz. Im Unterschied zu manchem anderen empfand er den Preis, den er auf diese Weise für den Erfolg zu zahlen hatte, als sehr hoch – selbst in Zeiten höchster Anspannung und Konzentration, des fast völligen Aufgehens in den Aufgaben seines Amts. Die Politik »vertrockne« »alles in ihm«, »weder Jagd, noch Musik, noch Geselligkeit mache ihm mehr Freude«, klagte er immer wieder.

Der Gedanke, sich aus all dem zu befreien, wieder sich selbst zu leben, behielt die Jahre hindurch seine verführerische Kraft, und zwar nicht bloß in Zeiten von Arbeitsunlust, Krankheit und Niedergeschlagenheit. Er war eine Art Kontrapunkt seiner öffentlichen Existenz. Von hier aus bewahrte er sich bei allem Ehrgeiz, bei aller leidenschaftlichen Engagiertheit und allem ausgeprägten Sinn für Macht ein Gefühl der Distanz, die Vorstellung, nie ausweglos beteiligt zu sein, gerade auch in Augenblicken, die für ihn in politischer Hinsicht von existenzentscheidender Bedeutung waren. Beides erlaubte es ihm, jeweils den vollen Einsatz zu wagen, unter Einschluß seiner ganzen politischen Stellung. Seine vielfältigen Rücktrittsangebote enthielten, mochten sie auch in den meisten Fällen bloß taktisch gemeint sein, im Kern die Bereitschaft, ja, so etwas wie eine geheime Neigung, sich selbst als öffentliche Existenz zur Disposition zu stellen. Das war für ihn Ausdruck und Bestätigung jener »Unabhängigkeit des Privatlebens«, von der er schon in der Jugend geträumt hatte, daß er sie »in das öffentliche« werde »hinübernehmen« können.

»Unabhängigkeit des Privatlebens« – das war ein Lebensideal. Es bedeutete in Bismarcks nüchternem Pragmatismus jedoch zugleich auch: Sicherung der materiellen Grundlagen der privaten Existenz. Seit er erfahren hatte, was es hieß, von der Politik zu leben, angewiesen zu sein auf Karriere und Erfolg, war er stets bestrebt gewesen, die schmale Basis zu verbreitern, die der ererbte väterliche Besitz ihm außerhalb seiner amtlichen Stellung bot.

Und dies mit außerordentlichem Erfolg. Die Tatsache, daß aus dem hochverschuldeten Landjunker mit zwei verhältnismäßig kleinen Gütern binnen weniger Jahrzehnte ein reicher Mann wurde, der seinen Kindern ein Millionenvermögen hinterließ, hat schon unter den Zeitgenossen zu mancherlei Spekulationen geführt. Sie sind seither niemals ganz verstummt. In einer ebenso minutiösen und sachkundigen wie unvoreingenommenen Untersuchung des ganzen Komplexes ist jedoch inzwischen wohl definitiv der Nachweis erbracht worden, daß von irgendwelchen Unregelmäßigkeiten nicht die Rede sein kann, selbst nicht in dem indirekten Sinne eines Ausnützens amtlicher Informationen.

Bismarcks Wohlstand beruhte auf zweierlei, und beides war weder geheimnisvoll noch dubios. Zum einen darauf, daß er in einer Zeit anhaltender Hochkonjunktur und stürmischen wirtschaftlichen Wachstums mit dem Frankfurter Rothschild und dann insbesondere mit Gerson Bleichröder Bankiers fand, die seine Einkünfte und seinen Besitz auf das geschickteste verwalteten. Und zum anderen darauf, daß der preußische Staat sich seinem ersten Mann gegenüber höchst generös zeigte. Im Februar 1867 erhielt er als sogenannte Dotation ein Geldgeschenk von vierhunderttausend Talern, nach heutigem Geld einen Betrag von mehreren Millionen. Mit ihm kaufte er schon wenig später, im April 1867, aus dem Besitz des Grafen Blumenthal die Herrschaft Varzin bei Köslin in Pommern, ein Gut von über zweiundzwanzigtausend Morgen, zu dem sieben Dörfer gehörten. Und 1871 kam als neuerliche Dotation mit dem Sachsenwald im Herzogtum Lauenburg bei Hamburg ein Forst von fünfundzwanzigtausend Morgen hinzu. Er stellte mit weiteren zweitausend Morgen Land und einem, wenngleich recht verwahrlosten, Jagdschloß gleichfalls einen Wert von vielen Millionen heutiger Währung dar. Eben in den erblichen Fürstenstand erhoben, zählte Bismarck von nun an zu den großen Grundbesitzern in Deutschland. Und er hat es verstanden, diesen Besitz planmäßig weiter zu vermehren, in unersättlichem »Landhunger«, obwohl ihm Bleichröder oft vorrechnete, daß der Ertrag solcher Erwerbungen, selbst bei besserer Verwaltung, weit hinter dem zurückblieb, was sich in anderen Bereichen erwirtschaften ließ. Unabhängigkeit und Selbständigkeit garantierte in seinen Augen allein der Besitz von Grund und Boden.

Nur er erlaubte ihm jene Form des Daseins, die er als die allein erstrebenswerte empfand. Bis 1871 hatte er sich vergeblich bemüht, den Lebensstil eines Gutsherrn und Landedelmanns mit den Anforderungen und Verpflichtungen zu verbinden, die sich aus seinen verschiedenen Ämtern ergaben. Schönhausen war ihm inzwischen zu klein, Varzin zu weit, vor allem zu schwer zu erreichen. Durch den Sachsenwald hingegen lief die direkte Bahnlinie Hamburg–Berlin mit einem Haltepunkt in Friedrichsruh, einem Flecken, der hauptsächlich aus einem Hotel samt Ausflugsgasthof bestand, dem Hotel Specht, das Bismarck 1879 als künftigen Wohnsitz erwarb.

Der Sachsenwald, Friedrichsruh, wurde daher nach 1871 der eigentliche Mittelpunkt seines Lebens, das »Asyl«, wie er schrieb, das er leider viel zu häufig »verurteilt« sei, »mit den Augen des Tantalus zu betrachten«. Hier sah er, in Erfüllung der Sehnsucht seiner Jugend, sein irdisches Dasein gleichsam fest gegründet, fern dem Häusermeer der Großstadt, dieser Architektur gewordenen Reglementierung allen Lebens, dem »steinernen Eis«, das nicht »schmelzen wird«, wie er seiner Frau einmal aus Petersburg schrieb, fern auch jenem immer mehr vorherrschenden bürgerlichen Lebensstil, dem er weder im Positiven noch im Negativen etwas abzugewinnen vermochte – sieht man von seinem Mobiliar ab, das, Ausdruck völliger Uninteressiertheit in dieser Beziehung, das eines wohlhabenden Bürgers ohne Geschmack war. Hier konnte er sich zu Pferd und zu Fuß stundenlang in der Natur bewegen, ihr Wachstum verfolgen, den Wechsel der Jahreszeiten beobachten, über die Abhängigkeiten des Menschlichen vom Wandel und Gleichmaß, vom Alltäglichen und Besonderen der natürlichen Umwelt nachsinnen. Solche Dinge stichwortartig in seine Andachts- und Losungshefte zu notieren, fand er oft wichtiger als das festzuhalten, was der Tag ihm an Politik und an menschlichen Begegnungen brachte. Hier konnte er den Tageslauf auf den Kopf stellen, wie er das von früh auf gewohnt war, tief in den Tag hinein schlafen, plötzlichen Launen folgen, aber auch Stunden ohne Störung an einem bestimmten Problem sitzen, sich in die Redaktion einer Denkschrift oder den Entwurf eines Gesetzes vergraben. Hier war, noch mehr als in Berlin, alles auf seine Wünsche und Vorlieben eingestellt, einschließlich jener merkwürdigen Eßgewohnheiten, die die Gäste der Reichskanzlei immer wieder verblüfften, jener Neigung, Heringe und Süßigkeiten, Braten und Nüsse, Würste und Eingemachtes wahllos in sich hineinzustopfen und das Ganze dann mit zwei, drei Flaschen Rotwein, Champagner oder auch Bier hinunterzuspülen. Man erzählte sich von ganzen Truthähnen und halben Braten, die der riesige, aber auch immer dicker werdende Mann bei einer Mahlzeit verzehrt habe, bis der Arzt Schweninger zu Beginn der achtziger Jahre derartigen Unmäßigkeiten mit einer strengen Diät halbwegs ein Ende setzte.

In Friedrichsruh fand ein zwanzigjähriges Nomadenleben seinen Abschluß, in dem Bismarck stets etwas Künstliches gesehen hatte, etwas, was seiner wahren Natur zutiefst widersprach. Wohl war er schon nach dem Aufenthalt in Petersburg immer mit einem Fuß auf seinen Gütern geblieben. In der ihm zustehenden Dienstwohnung in der Wilhelmstraße 76 hatte er sich nur begrenzt häuslich niedergelassen – mit gutem Grund, wie angesichts seiner zunächst prekären politischen Stellung manche meinten. Immerhin hatte er auch äußerlich das Leben des außer an Hauptstadt und Residenz an keinen besonderen Ort gebundenen, mobilen Staatsdieners moderner Prägung geführt, dem er nicht zuletzt aufgrund dieser spezifischen Bindungslosigkeit so sehr zu mißtrauen geneigt gewesen war. Seine mittlerweile erwachsenen drei Kinder, Marie, Herbert und Wilhelm, waren in der Stadt groß geworden. Sie waren Kinder eines hohen Beamten, eines königlichen Ministers und nicht in erster Linie die eines preußischen Edelmanns, waren wie er selber bewußtseinsmäßig, aber auch in ihrer ganzen Existenz mehr an den Staat gebunden als an den Stand, mehr Mencken als Bismarck.

Zwanzig Jahre früher war ihm das noch undenkbar erschienen. »Ein Staat, der sich von einer Bürokratie, wie die unsere, nicht durch einen heilsamen Gewittersturm losreißen kann«, hatte er Mitte 1850 einmal an Hermann Wagener geschrieben, »ist und bleibt dem Untergange geweiht.« »Die Bürokratie«, hatte er hinzugefügt, »ist krebsfräßig an Haupt und Gliedern, nur ihr Magen ist gesund, und die Gesetzesexkremente, die sie von sich gibt, sind der natürlichste Dreck von der Welt.« Er selber würde, davon war er überzeugt gewesen, nie ein Bürokrat in jenem ihm so verhaßten Sinne werden, ein Mann, der, auf welcher Stufe seiner Laufbahn auch immer, alles nach den Akten und nach »allgemeinen Prinzipien« zu betrachten und meist sogar umzumodeln geneigt sei. Das ist er in solcher Form auch nie geworden, aber seine Haltung und Einstellung hatten sich doch auch in dieser Beziehung sehr gewandelt.

Einst hatte er unter Bürokraten jenes Schlags auch die preußischen Reformer subsumiert und gegen sie als diejenigen gewettert, die namens einer abstrakten Vernunfts- und Staatsidee die Tradition und die organisch gewachsene Ordnung der Gesellschaft vergewaltigten. Nun jedoch war er in vieler Hinsicht selber zum Exponenten einer solchen Entwicklung geworden. Der Staat, der in immer weitere Bereiche der Gesellschaft und ihre Ordnungen verändernd eingriff, war während seiner bisherigen Amtszeit nicht etwa zurückgedrängt, sondern enorm gestärkt worden.

Sicher stand dabei vieles, insbesondere im Bereich des Wirtschaftslebens, unter der Devise der Befreiung von Zwängen der verschiedensten Art, der Freisetzung individueller Kräfte, der freien Entfaltung der Gesellschaft und ihrer verschiedenen Gruppen. Doch das verdeckte und verschleierte das Eigentliche: die schrittweise Ausbildung des modernen Interventionsstaates. Dieser hat gerade im Gewand des liberalisierenden und reformierenden Staates die größten Fortschritte gemacht. Das gilt bereits für den sogenannten aufgeklärten Absolutismus und für die Revolution von 1789, auch für die preußischen Reformen nach 1806. Es hat sich dann das ganze 19. Jahrhundert hindurch überall in Europa fortgesetzt. Nach acht Jahren der Zusammenarbeit mit Liberalismus und liberaler Reformpolitik in weiten Bereichen von Wirtschaft und Gesellschaft bemerkte der preußische Regierungschef 1874 einmal nüchtern, die preußische Bürokratie dehne »sich aus wie das Grundwasser, überall dasselbe Niveau gewinnend«.

Aus der hochkonservativen Perspektive hatte Bismarck für diesen Aspekt einst einen viel zu scharfen Blick entwickelt, als daß er hätte übersehen können, in welchem Maße er selber inzwischen ein Protagonist jenes Prozesses der fortschreitenden Bürokratisierung und Verstaatlichung weiter Lebensbereiche geworden war. Wenn er gelegentlich bemerkte, die wachsende Opposition einer großen Zahl seiner Standesgenossen und ehemaligen politischen Freunde gegen ihn und seine Politik spiegele letztlich nur deren Neid auf seinen Erfolg, auf seinen kometenhaften Aufstieg auch in der Adelshierarchie bis zum Fürsten wider, so zeigt sich in einer solchen Reduzierung der tieferen Zusammenhänge auf das Allzumenschliche vor allem eines: daß ihm, auch wenn er von der Unausweichlichkeit jenes Prozesses überzeugt war, bei dem Ganzen, man möchte fast sagen, instinktiv nicht recht wohl war, daß er genau wußte, was ihm seine Standesgenossen, seine »faktiösen Vettern«, wie er sie 1873 einmal bitter nannte, vorwarfen.

Nicht, daß er ernsthaft an der Vorrangstellung des Adels in der Diplomatie, im Offizierskorps, in der höheren Verwaltung gerüttelt hätte. Den vorhandenen Verbürgerlichungstendenzen hat er stets, auch in der Zeit der engen Zusammenarbeit mit den Nationalliberalen, entgegengewirkt und sie in den achtziger Jahren, in der sogenannten Ära Puttkamer, des berühmtberüchtigten preußischen Innenministers nach 1881, systematisch bekämpft.

Aber gleichzeitig hat er mit seiner Politik die Stellung des Adels als Stand eben doch weiter unterminiert, hat er an entscheidender Stelle die Grundlage für die moderne nivellierende Erwerbs- und Wirtschaftsgesellschaft befestigt und ausgebaut.

Der Prozeß, den er durch die von ihm verantwortete Politik mit vorantrieb, erscheint im Rückblick so unausweichlich und unvermeidlich, daß sich der Blick gern ausschließlich auf das konzentriert, was gerade Bismarck diesem Prozeß zunehmend an Hindernissen entgegengestellt hat. Viele Zeitgenossen jedoch sahen die Dinge noch in einem wesentlich anderen Licht. Dies gilt vor allem für jene Gebiete und für jene sozialen Schichten, in denen sich, insbesondere östlich der Elbe, Formen und Praxis des modernen Wirtschaftslebens noch vielfach mit Formen und Praxis der überlieferten sozialen Ordnung verbanden und letztere auch die Vorstellungswelt noch weitgehend bestimmten. Hier trat das scheinbar Willkürliche der Gesetze und Maßnahmen des Staates, das, was angeblich einer bestimmten politischen Richtung und ihren sozialen Zielvorstellungen diente, in positiver oder in negativer Akzentuierung ganz scharf hervor. Es verdeckte vielfach, was daran bloße Reaktion und Zwang der Umstände war; an den leidenschaftlichen Diskussionen über die Kreisreform läßt sich das ebenso ablesen wie an vielen anderen politischen Auseinandersetzungen der Zeit. Das aber bewirkte, daß Bismarck im Kreis derjenigen, die sich betroffen fühlten, viel stärker, als man es sich heute oft klarmacht, als eine Art Verräter erschien – an seinem Stand, an der Partei, der er seine Karriere und seine politische Stellung verdankte, und auch an seinen eigenen Überzeugungen.

Zunächst, unmittelbar nach 1866, war das nur die Meinung weniger gewesen. Doch seither hatte sie ständig an Boden gewonnen. Bismarck sah sich, bei allem Glanz des Erfolgs, immer mehr isoliert: Neben die Einsamkeit des Mächtigen trat die Einsamkeit desjenigen, der sich scheinbar außerhalb seiner sozialen Gruppe, seines Standes stellt. Seine Existenz im Sachsenwald hatte insofern etwas ganz Künstliches: Sie war die private Beschwörung einer Lebensform, an der er in Wahrheit in keiner Weise mehr teilhatte – nicht nur von Amt und Funktion her, sondern vor allem von dem her, wofür er inzwischen mit seiner ganzen Person stand.

Wer von früh auf so bewußt »Edelmann« hatte sein wollen, wer bei aller ausgeprägten Verachtung für die Mehrzahl der Vertreter seines Standes aus förmlich existentiellen Gründen so nachdrücklich für diesen optiert hatte, für den konnte das, ungeachtet aller Kritik und Selbstkritik, nicht gleichgültig sein. »Für die Nerven eines Mannes in reifen Jahren ist es eine harte Probe«, notierte er noch in seinen Lebenserinnerungen, »plötzlich mit allen oder fast allen Freunden und Bekannten den bisherigen Umgang abzubrechen.« Es konfrontierte ihn unweigerlich mit der Frage, ob er sich bei der Verfolgung eines bestimmten machtpolitischen Ziels nicht doch zu stark von den Mitteln und Kräften abhängig gemacht hatte, deren er sich, ohne viel Zögern und ohne viel Skrupel, jeweils bedient hatte, wie sie sich anboten. War er, der scheinbar so souverän Handelnde, in Wahrheit überhaupt noch frei? War er nicht jenseits dessen, was er selbst von vornherein für unvermeidbar hielt, der Sklave einer Entwicklung, die er mit in die Bahn gebracht hatte?

Das eigentliche Rezept seines Erfolges war bisher neben der unübersehbaren Gunst der Umstände und der Fähigkeit, sie ebenso abwägend wie zupackend auszunutzen, vor allem seine außerordentliche Begabung gewesen, gleichsam einen Ring von Gleichgewichtspositionen um sich aufzubauen: zwischen den alten und den neuen Kräften der Gesellschaft, zwischen föderalistischen und zentralistischen Elementen, zwischen Volksvertretung und Herrenhaus, zwischen Monarchie und Volkssouveränität. Das war vielfach nur möglich gewesen, indem er gerade den herandrängenden neuen Kräften und Tendenzen, dem Bürgertum und seinen Interessen, dem nationalen, aber auch dem demokratischen Gedanken, weit entgegenkam. Im engsten Kreis und in der Gruppe der jeweils Betroffenen ließ sich das zunächst als ein bloß taktisches Entgegenkommen, als Versuch der Stabilisierung des Bestehenden durch äußerliche Kompromisse darstellen. Je länger Bismarck jedoch im Amt war, je länger man also das, was angeblich ursprünglich sein Ziel war, an der sich stürmisch wandelnden Realität messen konnte, desto deutlicher wurde der zugleich opportunistische wie machtegoistische Charakter dieses Regierungsprinzips.

Es waren nicht die Überzeugungen des führenden Mannes und seiner in ihrem Sinne ausgesuchten Mitarbeiter, ein fest gegründetes politisches und soziales Weltbild, die unter der Herrschaft jenes Prinzips den Kurs der Exekutive bestimmten, so mußte es Bismarcks konservativen Kritikern erscheinen. Es war ein gleichsam naturhaft ablaufender gesellschaftlicher Entwicklungsprozeß, die allmähliche Verschiebung des Schwergewichts der vorherrschenden Kräfte und Interessen. Der Staat wurde also offenbar genau zu dem, was die Liberalen seit jeher anstrebten: zu einem Exekutivorgan der Gesellschaft, des gesellschaftlichen Prozesses. Er blieb damit eben nicht im Geist der Konservativen Bollwerk gegen Umsturz und Revolution auch in ihrer schleichenden Form, Garant des Überlieferten und Bewährten, der bestehenden Ordnung.

Als schlagender Beweis hierfür erschien vor allem die Rolle, die der neue Reichstag unter Hinweis auf die Erwartungen seiner Wähler, der Nation als Ganzer, sogleich für sich beanspruchte. Trotz aller machtpolitischen Demonstrationen der monarchischen Kräfte und eines sich noch fast staatenbündisch gerierenden Föderalismus richteten sich fast alle Augen nach 1871 auf das Zentralparlament des neuen Nationalstaates. Von ihm erwartete man die Einlösung der vielfältigen Hoffnungen, die sich seit Jahrzehnten in den verschiedenen sozialen Gruppen mit der Idee der nationalen Einigung verbunden hatten. Und nicht nur das. Die Meinung, daß nun von hier aus, auf dem Weg über die Gesetzgebung und den inneren Ausbau des Reiches, alles weitere geschehen werde, erhielt sogleich eine sehr eindeutige politische Richtung.

Man hat im Rückblick oft den Satz zitiert, mit dem der auf dem rechten Flügel der Nationalliberalen stehende Historiker Heinrich von Sybel unter dem Eindruck der Reichsgründung die weitere Zukunft ins Auge faßte. »Wodurch hat man die Gnade Gottes verdient, so große und mächtige Dinge erleben zu dürfen? Und wie wird man nachher leben?« hatte er am 27. Januar 1871 an seinen Karlsruher Amtskollegen Hermann Baumgarten geschrieben: »Was zwanzig Jahre der Inhalt alles Wünschens und Strebens gewesen, das ist nun in so unendlich herrlicher Weise erfüllt! Woher soll man in meinen Lebensjahren noch einen neuen Inhalt für das weitere Leben nehmen?« Aber das war zu diesem Zeitpunkt durchaus nicht die vorherrschende Ansicht jener, die am 3. März 1871, bei den ersten Reichstagswahlen nach Gründung des Reiches, die Partei Sybels, die Nationalliberalen, zur – mit einhundertfünfundzwanzig Mandaten und einem Drittel der Stimmen – stärksten Fraktion des neugewählten Parlaments machten. Und es war schon gar nicht die Meinung derjenigen, die mit ihrem Votum für die Kandidaten der Deutschen Fortschrittspartei den liberalen Abgeordneten im Reichstag insgesamt, einschließlich der Gruppe der unabhängig kandidierenden, aber eindeutig als liberal Einzuordnenden, zu einer klaren absoluten Mehrheit verhalfen – zu zweihundertundzwei der insgesamt dreihundertzweiundachtzig Sitze. Sie stimmten vielmehr mehrheitlich mit dem überein, was der Führer der badischen Liberalen, der Offenburger Rechtsanwalt Carl Eckhard, bei der Beratung des Reichsgründungsvertrags zwischen Baden und dem Norddeutschen Bund Mitte Dezember 1870 in die Worte gekleidet hatte: Jetzt müsse man »an dem großen Werke weiterarbeiten und dem nun geeinigten Deutschland mit der Zeit erringen, was unserem Einigungswerk die letzte und höchste Weihe erteilt – eine gesunde Entwicklung des gesamten Verfassungslebens des deutschen Staates. Wie die deutschen Krieger von Sieg zu Sieg eilten und so die Einigung Deutschlands ermöglichten, so wird, bei gleicher Tapferkeit der politischen Streiter, mit Gottes Hilfe auch die Freiheit in das neuentstandene Reich ihren siegreichen Einzug halten.« Es gehe darum, so Eduard Lasker noch unumwundener, »die Verfassung des deutschen Reiches von den Schlacken des Ursprungs zu reinigen«.

Ganz ähnlich dachte man, mochte man auch die Akzente in mancher Beziehung anders setzen, in jener politischen Gruppierung, die ganz überraschend auf Anhieb, wenige Wochen nach ihrer offiziellen Konstituierung, mit dreiundsechzig Sitzen und fast einem Fünftel der Stimmen zur zweitstärksten Fraktion des neuen Reichstags geworden war: im Zentrum. Es war dies eine sehr heterogene Koalition unterschiedlichster Kräfte und Interessen. Sie vereinigte in sozialer Hinsicht Elemente aus allen gesellschaftlichen Schichten in sich und bot in ihrem eher vagen sozial- und wirtschaftspolitischen Programm Raum für Tendenzen von ganz rechts bis sehr weit links. Was sie jedoch verband und ihr in überraschendem Maße Anziehungs- und politische Stoßkraft verlieh, war die feste, programmatisch fixierte Entschlossenheit, die Rechte des im neuen Reich in die Minderheit geratenen katholischen Bevölkerungsteils und seiner Kirche auf parlamentarischem Weg und unter Ausbau der Verfassung zu wahren.

Das entsprach formal ganz den Vorstellungen auch der liberalen Wählerschaft. Das Parlament sollte zum eigentlichen politischen Gestaltungszentrum der Nation, zum Forum ihrer Selbstverantwortung und Selbstregierung werden. Mit anderen Worten: Zumindest Dreiviertel der Wählerschaft, und zwar der Wählerschaft des allgemeinen Wahlrechts, bekannte sich nachdrücklich zu den Grundideen des liberalen Verfassungsstaates und seinen gesellschaftlichen Voraussetzungen. Und wer nicht nur nach den augenblicklichen Trägern der Staatsmacht fragte, nach der gegenwärtigen Gewichtsverteilung im unmittelbaren politischen Entscheidungsprozeß, sondern nach den sich abzeichnenden, vielfach bereits vorherrschenden Entwicklungstendenzen, nach dem Systemcharakter des Ganzen, dem mußte sich der Eindruck aufzwingen, daß die Dinge in jenem Sinne schon weit vorangekommen seien. Der deutsche Liberalismus war, so mochte es scheinen, zumindest in der Sache, wenngleich auf merkwürdig verschlungenen Wegen, in vieler Hinsicht bereits zu seinen Zielen gelangt und stand in anderer unmittelbar davor. Wenn dem über siebzigjährigen Kaiser eines nicht allzu fernen Tages sein liberal gesinnter, an England orientierter Sohn folgen werde, dann werde der liberalen Mehrheit auch der letzte Schritt, der Schritt in die unmittelbare politische Verantwortung, in den Besitz der Macht, gelingen. Und was sei dann Bismarck im Letzten gewesen, so echote es aus dem konservativen Lager: der Steigbügelhalter des Liberalismus, den zu bekämpfen er einst angeblich angetreten sei.

Es ist, wie man weiß, ganz anders gekommen. Die sogenannte liberale Epoche des Reiches endete schneller, als man dachte. Die Hoffnung auf den Kronprinzen blieb an dessen Schicksal gebunden, immer nur vor dem Thron gestanden und den Vater um nur neunundneunzig Tage überlebt zu haben. Aber niemand kann die Entwicklung, die das Reich genommen, und den Weg, den Bismarck als sein führender Staatsmann eingeschlagen hat, richtig verstehen und einschätzen, der sich die Ausgangssituation nach Gründung des deutschen Nationalstaates von 1871 nicht ganz klar macht. Bismarck erschien damals in einem sehr spezifischen Sinne als der Mann der Zeit. Er erschien als derjenige, der, sei es in vollem Bewußtsein, sei es halb unbewußt und teilweise widerstrebend, der Zukunft über die Vergangenheit zum Sieg verholfen habe.

Sicher, lange noch nicht überall und in gleichem Maße. Der fast vollständigen Freigabe der wirtschaftlichen und mit ihnen der sozialen Kräfte und Entwicklungstendenzen entsprach noch nicht die der politischen im engeren Sinne. Der institutionelle Rahmen bedurfte noch in vielfacher Hinsicht der Verbesserung, der Rechtsstaat des Ausbaus und der Befestigung, das Bildungswesen der Selbständigkeit insbesondere gegenüber kirchlichen Einflüssen, die Institutionen und Ausdrucksformen der modernen Kultur und Wissenschaft des Schutzes gegenüber bevormundenden Eingriffen rückwärtsgerichteter Kräfte. Kurz: Den nationalen Staat empfand man vom Standpunkt des Liberalismus in vielem noch als unvollendet. Das galt in den Augen des einen oder anderen auch für seine äußere Gestalt: Daß viele Deutschstämmige und Deutschsprachige in Ostmitteleuropa sowie in Österreich aus dem deutschen Nationalstaat ausgeschlossen blieben, nahm mancher nur widerstrebend hin.

Überall jedoch lag der Akzent auf dem »noch«. Überall dominierte ein gewaltiger Zukunftsoptimismus. Und fast allgemein wurde Bismarck als die eigentlich bewegende Kraft des ganzen Prozesses angesehen. Die oft peinliche Emphase, mit der nationalliberale Historiker unmittelbar nach 1871 den »Reichsgründer« zu feiern begannen, spiegelt das ebenso wider wie der Text der vielen Ehrenbürgerurkunden, in denen das städtische Bürgertum endgültig seinen Frieden mit dem einstigen Konfliktminister machte. »Erfüllt von glühendem Patriotismus, geleitet von sicherem Verständnis der Geschichte, getragen von der schöpferischen Kraft seines Genius«, habe er »der preußischen Politik die höchsten Ziele« gestellt, »mit Weisheit die Wege zur Erreichung derselben« vorbereitet und »die eröffneten Bahnen mit unerschütterlichem Mute« verfolgt, hieß es etwa in dem am 27. März 1871 ausgefertigten Ehrenbürgerbrief eben jenes Magistrats von Berlin, der, getragen von der überwältigenden Mehrheit der Bürgerschaft, über Jahre hin zu seinen erbittertsten politischen Gegnern gehört hatte.

Wer im bürgerlich-liberalen Lager noch zweifelte, wer noch einer Bestätigung bedurfte, daß der neue Reichskanzler in der Sache von einem Saulus zum Paulus geworden war, dem schien Bismarck sie unmittelbar nach der Reichsgründung zu liefern. In dem Kampf, der nach dem Vorspiel in den süddeutschen Staaten während der sechziger Jahre nun auch in Preußen und im Reich gegen die katholische Kirche und ihre Parteigänger, gegen kirchliche Bevormundung und Reaktion entbrannte, wie es in liberaler Sicht hieß, warf er die Machtmittel des preußischen und des neuen deutschen Staates mit Entschlossenheit zugunsten des liberalen Bürgertums in die Waagschale. Er wurde selber zum entschiedenen Kämpfer für die, so die Liberalen, »Errungenschaften der modernen Kultur«, zum »Kulturkämpfer«.

Über die Motive, die Bismarck veranlaßt haben, sich, kaum daß das Reich gegründet war, auf einen schweren Kampf mit der katholischen Kirche und den sie unterstützenden Kräften einzulassen, ja, ihn förmlich herbeizuzwingen, ist viel gerätselt worden. Die Erklärungsversuche spannen sich von ganz grundsätzlichen Überlegungen, die auf diametrale Unterschiede vor allem in der Staatsauffassung abheben, über Erwägungen außenpolitischer Natur, sprich die angebliche Sorge vor einer gegen das Reich gerichteten katholischen Koalition, bis hin zu rein politisch-taktischen Motiven: Bismarcks Hauptziel sei es gewesen, durch Anheizung der Gegensätze die liberale Mehrheit gleichsam passiv an sich zu binden und sie sich auf diese Weise in allen anderen Bereichen gefügig zu machen.

Wie fast stets bei solchen grundsätzlichen Fragen, lassen die Quellen auch hier den Historiker nahezu völlig im Stich. Sie liefern Belege für alle Erklärungen und erlauben somit de facto nur zwei Schlüsse: Entweder Bismarck hat seine eigentlichen Motive bewußt verschleiert, oder aber sein Verhalten wurde durch die ganze Skala von Motiven bestimmt, die Zeitgenossen und rückblickende Wissenschaft in jeweils unterschiedlicher Bewertung und Gewichtung herausgearbeitet haben – wobei Akzentuierung und Gewicht nicht generell zu bestimmen sind, sondern von der jeweiligen Situation und den spezifischen Zeitumständen abhängig waren.

Von einer Gesamteinschätzung Bismarcks und seiner Politik sowie vom Verlauf des sogenannten Kulturkampfes her erscheint das zweite noch am plausibelsten. Es fügt sich am ehesten in das Grundmuster der Bismarckschen Politik, vorhandene und sich unmittelbar anbietende Konfliktstoffe ohne große Skrupel und weitläufige Zukunftsüberlegungen aufzugreifen und zu benutzen. Der Kanzler tat dies in der Überzeugung, daß Reibung und Konflikt gleichsam die Grundsubstanz aller Politik seien, daß, wer nicht aktiv, nicht kämpferisch handele, sehr rasch zum bloßen Objekt der Entwicklung werde. Alle seine bisherigen Erfolge beruhten ganz wesentlich auf dieser Devise. Und es gehörte zu seinen ausgeprägtesten politischen Überzeugungen, daß derjenige, der die Wahl des Kampffeldes und der Waffen anderen überlasse, schon bald zu den Geschlagenen gehören werde.

Mit der sogenannten katholischen Fraktion des preußischen Abgeordnetenhauses, die sich Anfang der fünfziger Jahre in lockerer Form konstituiert hatte und die nun einen wesentlichen Teil der neuen Reichstagspartei des Zentrums bildete, hatte Bismarck bislang kaum negative Erfahrungen gemacht. Sie hatte während des Verfassungskonflikts durchaus nicht zu seinen entschiedensten Gegnern gezählt, sich vielmehr des öfteren um einen Kompromiß bemüht; nicht wenige ihrer Mitglieder hatten sich zudem offen zu seinem konservativen, antiliberalen Grundkurs bekannt. Verdächtig war ihm hingegen von Anfang an das außerpreußische Element: die Hannoveraner mit Ludwig Windthorst an der Spitze und mehr noch die katholischen Gruppen Süd- und Südwestdeutschlands. Von ihnen ging seiner Meinung nach zugleich ein starker Impuls auf die Bevölkerung der Rheinprovinz aus,

NEUE KONSTELLATIONEN UND NEUE KONFLIKTE

in der es nach wie vor starke Widerstände gegen die preußisch-protestanti-
sche Zentralregierung gab.

Dieser süd- und südwestdeutsche Teil der neuen Partei war ihm, was bei
der Beurteilung des Ganzen merkwürdigerweise oft außer acht gelassen
wird, bereits in einer sehr entscheidenden und kritischen Phase seiner Politik
als ein ebenso unerwarteter wie unbequemer Gegner in den Weg getreten: in
den Jahren 1867/68, als er aus inneren wie aus außenpolitischen Gründen
das popular-demokratische Element auch im Süden ins Spiel zu bringen
versuchte. Er war hier auf eine ihm höchst bedenklich erscheinende Mischung aus Antiborussismus, Ablehnung wesentlicher Grundtendenzen des
modernen Staates und des modernen Wirtschaftslebens sowie einen ausgeprägten Antimodernismus in vielen Bereichen gestoßen. »Wir können, wie
die Dinge sich eben in Süddeutschland gestaltet haben«, hieß es in einem
Erlaß an den preußischen Gesandten in Rom, Graf Harry Arnim, Ende April
1868, »denjenigen nicht Unrecht geben, welche in der katholischen Kirche,
wie sie dort ist, eine Gefahr für Preußen und Norddeutschland erblicken und
gegen jede Begünstigung und Förderung der Kirche, gegen alles was ihren
Einfluß vermehren könnte, dringend warnen.«

Hier entstand, so schien es, eine konservativ-katholische Partei auf breiter
popularer Grundlage und mit einer festen und soliden Binnenstruktur in
Gestalt der katholischen Hierarchie und der katholischen Volksvereine, der
Casinogesellschaften und ähnlicher katholischer Laienorganisationen. Gerade an einer solchen Partei aber war Bismarck durchaus nicht interessiert. Sie
stellte das in Frage, worauf seine Machtstellung zentral beruhte: die These,
daß er und die von ihm geleitete Exekutive das entscheidende Bollwerk der
Tradition und der bestehenden Ordnung seien angesichts der schwankenden
und bedrohten Position der übrigen konservativen Kräfte, nicht zuletzt auf
parteipolitischer Ebene. Es drohte hier eine konservative Alternative zu
entstehen, die es in solcher Form in Preußen praktisch nicht mehr gab.

In den sechziger Jahren standen ihr, zumindest in Preußen und in weiten
Teilen Norddeutschlands, noch die entschieden antipreußische Grundhaltung jener Gruppe und ihre deutliche Sympathie für Österreich und für die
großdeutsche Idee entgegen. Das änderte sich grundlegend, als sie sich, nun
auch organisatorisch mit der bisherigen »katholischen Fraktion« des preußischen Abgeordnetenhauses verbunden, auf den Boden des neugegründeten
Reiches stellte. Statt die Neuschöpfung, wie bisher den Norddeutschen
Bund, weiterhin gleichsam von außen zu kritisieren und Preußen zum
Mittelpunkt aller Kritik zu machen, forderten ihre Vertreter jetzt gerade die
Wahrung bestimmter preußischer Rechts- und Staatstraditionen. So priesen
sie insbesondere die in der Reaktionszeit der fünfziger Jahre in Kraft gesetzte
preußische Verfassung mit ihren Grundrechten als vorbildlich auch für die
Reichsverfassung und verlangten zum Schutz der katholischen Minorität im

neuen Reich eine Übernahme der entsprechenden Paragraphen. Es war dies die Leitlinie für den dann so überaus erfolgreichen Wahlkampf zum ersten Reichstag des neugegründeten Reiches: Unter Berufung auf die preußische Verfassung von 1850 trat das Zentrum ausdrücklich als »Verfassungspartei« auf.

Einer der wichtigsten geistigen Väter dieser Politik war der Mainzer Bischof Wilhelm Emanuel von Ketteler, den Bismarck aus seiner Studentenzeit flüchtig kannte. Ketteler war 1848, schon Priester, in die Frankfurter Nationalversammlung gewählt worden und hatte sich hier wie dann als Probst an der Hedwigskirche in Berlin und als Bischof in Mainz mit seinem entschiedenen Eintreten für die wirtschaftlichen und sozialen Interessen breiter Schichten weit über die Kirche hinaus einen Namen gemacht. Bismarck hatte 1865 vergeblich versucht, ihn als Gegengewicht gegen den dominierenden Einfluß des polnischen Adels für den Erzstuhl von Posen-Gnesen zu gewinnen. In einer vielbeachteten Schrift mit dem Titel »Deutschland nach dem Kriege von 1866« hatte Ketteler 1867 die außerösterreichischen deutschen Katholiken aufgefordert, sich trotz aller vielfach berechtigten Kritik an Preußen und seinen inneren Verhältnissen auf den Boden der neuen Tatsachen zu stellen. Sie sollten sich für die Bildung eines kleindeutschen Nationalstaates einsetzen, um von dieser Basis aus und im Rahmen eines deutschen Nationalparlaments für die eigenen Forderungen zu wirken.

Das war für den Kanzler des Norddeutschen Bundes in außen- und nationalpolitischer Hinsicht eine willkommene Schützenhilfe gewesen. Es hatte erheblich dazu beigetragen, daß in Österreich die Forderung nach Revision der Entscheidung von 1866 so überraschend schnell einer nüchternen Neubestimmung des österreichischen Staatsinteresses Platz machte. Aber Bismarck hat das andere, die Forderung nach innerer Umgestaltung des kleindeutschen Nationalstaates und seiner Verfassung, sobald das äußere Einigungswerk erst einmal abgeschlossen sei, darüber nicht aus dem Auge verloren. Dies um so weniger, als ihn einerseits die Zollparlamentswahlen mit der Substanz dieser Forderungen konfrontiert, ihn andererseits die Auseinandersetzungen zwischen Liberalen und katholischer Bewegung in den süddeutschen Staaten darüber belehrt hatten, daß der politische Anspruch der katholischen Bewegung, der »Katholischen Volkspartei«, wie sie sich vielerorts nannte, darauf hinauslief, den Liberalen auf parlamentarisch-demokratischem Weg das Wasser abzugraben. Man war also entschlossen, jenen Weg zu beschreiten, den Bismarck und seine politischen Freunde zwanzig Jahre früher, 1848/49, betreten hatten. Und auch das Ziel war, wie Bismarck, nun von einer grundlegend anderen Position aus, voller Unbehagen registrierte, das gleiche: die Etablierung eines von der jeweiligen Regierung unabhängigen konservativen Machtzentrums.

Ein Anlaß, sich mit dem Ganzen konkret zu beschäftigen, hatte sich für den Kanzler des neugegründeten kleindeutschen Reiches noch vor dem Abschluß des Krieges ergeben. Am 18. Februar 1871, einen Monat nach dem Reichsgründungsakt in Versailles, acht Tage vor der vorläufigen Einigung mit Frankreich, war Ketteler im Hauptquartier erschienen und hatte dem preußischen Ministerpräsidenten im Namen von sechsundfünfzig katholischen Mitgliedern des preußischen Abgeordnetenhauses eine Art Petition überreicht. In ihr wurde der neue deutsche Kaiser gebeten, sich mit allem Nachdruck für die Wiederherstellung des von den italienischen Truppen besetzten Kirchenstaates einzusetzen.

Bei dieser Gelegenheit mag Bismarck blitzartig der Gedanke gekommen sein, daß hierin eine große politische Chance liege. Was, so ließ sich an die Öffentlichkeit gewandt fragen, war denn das Bekenntnis zu Kaiser und Reich in Wahrheit wert, wenn man das Reich sofort in außenpolitische Schwierigkeiten und unabsehbare Verwicklungen hineinzutreiben suchte, nur um dem Papst wieder zu einem kleinen weltlichen Herrschaftsbereich zu verhelfen? War das eine konservative, eine staats- und königstreue Partei, wenn die Loyalität offenbar auch im irdischen Leben im Letzten nicht der Krone, sondern der Spitze der katholischen Hierarchie galt? Waren das staatserhaltende Kräfte, die hier wirkten, oder waren als solche nicht vielmehr ihre Gegner aus dem Lager des Liberalismus anzusehen, die im Kampf gegen sie immer wieder die unbedingte Vorrangstellung von Staat und Krone gegenüber der Kirche betont hatten?

So hat Bismarck in den folgenden Jahren stets aufs neue argumentiert. Obgleich darin sicher zugleich Elemente ehrlicher Überzeugung steckten, die vor allem aus der Tradition des protestantischen Staatskirchentums stammten, verfolgte er mit solchen Argumenten im wesentlichen ein politisch-taktisches Ziel: Eine von ihm unabhängige und ihm daher von vornherein verdächtige konservative Partei, die sich auf parlamentarisch-demokratischer Grundlage organisierte, sollte auf diese Weise ins politische Abseits manövriert werden, um ihr auch im Lager der politischen Rechten sozusagen die Bündnisfähigkeit zu nehmen.

In diesem Sinne ließ er Mitte Juni 1871 in der »Kreuzzeitung« erklären, die Regierung könne die Führer der Zentrumspartei nicht »als ihre Freunde« betrachten. Es sei ganz sinnlos, daß sich das Zentrum als »Hort der konservativen Interessen Deutschlands« aufspiele und so seinen wahren Charakter zu verschleiern versuche. Dieser Charakter sei sehr deutlich: »Das Zentrum steigert die vom Kommunismus der Gesellschaft drohenden Gefahren«, so hieß es zehn Tage später in einer massiven Warnung an den Vatikan, die einer Kriegserklärung an die neue Partei gleichkam. Es fördere »die subversiven, aller Autorität feindlichen Tendenzen. Unter dem Bündnis der Schwarzen mit den Roten muß die Kirche leiden. Die Regierung ist zur Abwehr genötigt. Bricht der Vatikan nicht mit diesem Zentrum und verhindert seine Angriffe, lehnt sie die Verantwortlichkeit für die Folgen ab.«

Bismarck wäre freilich nicht der Politiker gewesen, der er war, wenn er sich den eigenen Manövrierraum mehr als unbedingt nötig eingeengt und sich allzusehr exponiert hätte. Der eigentliche Widerpart der katholischen Bewegung und fast aller ihrer Bestrebungen stand, für jedermann unübersehbar, bereit. Es war der Liberalismus nahezu aller Spielarten, vom rechten Flügel bis zu den entschiedensten Wortführern des Linksliberalismus, und zwar nicht nur in Deutschland, sondern überall in Europa. Man brauchte seine Vertreter also bloß zu ermutigen, um eines doppelten Ergebnisses so gut wie sicher zu sein. Zum einen stand zu erwarten, daß sich das Interesse der Öffentlichkeit wesentlich auf den parteipolitischen und ideologischen Aspekt der Auseinandersetzung konzentrieren werde. Und zum anderen war vorauszusehen, daß sich die Liberalen alsbald um eine Regierung scharen würden, die sie in dieser Frage unterstützte und ihr die nötigen Machtmittel verschaffte. Beides lag nach den Erfahrungen in den süddeutschen Staaten, in Italien, in Frankreich und jetzt unter etwas anderen Vorzeichen in England so nahe, daß es keines besonderen politischen Machiavellismus und auch keines besonderen Einfallsreichtums bedurfte, um darauf zu verfallen – zumal wenn man wie Bismarck gewohnt war, jeden denkbaren innen- wie außenpolitischen Konflikt sofort auch auf seine Benutzbarkeit, auf seine Instrumentalisierbarkeit hin zu prüfen.

Dennoch sollte man sich davor hüten, Bismarck auf ein solches taktisches Konzept festzunageln. Sicher hatte er für diesen Aspekt einen scharfen Blick. Aber er kannte wie jeder wirklich große Schüler Machiavellis nur zu genau auch die Grenzen und Fallstricke des Machiavellismus. Langfristige taktische Konzepte, wie sie eine entlarvende Historie mit Vorliebe herausarbeitet, war er geneigt, für schlechte Politik zu halten. Sie unterschätzten seiner Meinung nach sowohl den jeweiligen Gegner als auch das Element des Unerwarteten in der historischen Entwicklung zugunsten des Mach- und Manipulierbaren. Taktische Überlegungen mußten seiner Überzeugung nach notwendigerweise kurzfristiger Natur sein, sonst drohten sie zu einem Unding, einer Art starren, gleichsam an Prinzipien gebundenen Opportunismus zu werden. »Politik ist eine Aufgabe«, so hat er das im Alter geradezu maximenhaft zusammengefaßt, »mit der eigentlich nur die Schiffahrt in unbekannten Meeren eine Ähnlichkeit hat. Man weiß nicht, wie das Wetter, wie die Strömungen sein werden, welche Stürme man erlebt. In der Politik kommt noch dazu, daß man wesentlich von den Entschließungen anderer mit abhängig ist, auf die man gerechnet hat und die nachher nicht eintreffen, daß man nie vollständig selbst handeln kann. Und wenn die Freunde, auf deren Unterstützung man angewiesen ist, ihre Ansicht ändern, wofür man nicht gutsagen kann, so ist der ganze Plan mißlungen.«

In der Tat wird man das Moment des Spontanen, des Augenblicksgeborenen und Augenblicksgebundenen in seiner Politik auch in diesem Fall nicht unterschätzen dürfen. Je älter er werde, je länger er in der großen Politik arbeite, betonte er im Mai 1871 gegenüber dem freikonservativen Abgeordneten Lucius, um so kürzer stecke er sich seine Ziele. »Kurzsichtige und weitsichtige Augen geben beide unrichtiges Augenmaß«, hatte er zwei Jahre zuvor an Gottfried Kinkel geschrieben, »doch halte ich den letzteren Fehler für einen *praktischen* Staatsmann für den gefährlicheren, weil er die unmittelbar vorliegenden Dinge übersehen läßt.«

Gerade weil die Beigabe des Opportunismus in seiner Politik sehr groß war und zunehmend größer wurde, war er förmlich darauf angewiesen, Selbstbehauptung und Machterhalt in der Improvisation und im ständigen Fluß der Dinge zu suchen. Nur so konnte er hoffen, nicht selber Opfer des Opportunismus zu werden. Denn den Zynismus, einen solchen Opportunismus als Prinzip anzuerkennen, durfte er bei Wilhelm I. schwerlich voraussetzen. Und daß es, angefangen von manchen preußischen Konservativen über die Kaiserin bis hin ins liberale Lager, viele gab, die versuchten, von hier aus seine Stellung zu untergraben, wußte er sehr wohl.

Mochte also Kettelers Auftritt in Versailles auch mancherlei politische Zukunftsperspektiven eröffnen – Bismarck hat sich von ihnen nicht hinreißen lassen, und von einer definitiven Festlegung kann schon gar keine Rede sein. Er wartete, indem er die Adresse der katholischen Abgeordneten scheinbar wohlwollend, wenngleich unverbindlich zur Kenntnis nahm, zunächst einmal ab und überließ es anderen, die Fronten abzustecken.

Dies geschah bereits anderthalb Monate später. Kurz nach seinem Zusammentreten hatte der Reichstag über den Antrag der neuen Zentrumspartei zu befinden, eine Reihe von Grundrechten in die bloß in formeller Hinsicht revidierte und in dieser Form zur Beschlußfassung vorgelegte bisherige Verfassung des Norddeutschen Bundes aufzunehmen. Das konnte als ein Appell zur materiellen Verfassungsrevision und zur Besinnung auf die Ideale des liberalen Verfassungsstaates, auf das Vorbild der Verfassung von 1849, verstanden werden. Indem sich aber das Zentrum, teils aus Überzeugungsgründen, teils um sich bei möglichen politischen Bündnispartnern nicht verdächtig zu machen, auf ganz bestimmte Grundrechte beschränkte, die für die freie Entfaltung der katholischen Kirche und der katholischen Bewegung unerläßlich zu sein schienen, diskreditierte es seinen Antrag in den Augen der meisten politischen Gruppen und eines erheblichen Teils der Öffentlichkeit. Man empfand ihn als Ausdruck nicht einer prinzipiellen Forderung nach größerer und gesicherter Freiheit für alle, sondern des Wunschs nach isolierender, partikularer Abkapselung. Es wurden, so schien es, Privilegien für Kräfte und für eine Richtung gefordert, die dem eben Geschaffenen skeptisch, wenn nicht ablehnend gegenüberstanden.

Dementsprechend fand der Antrag außerhalb des Zentrums, von den Konservativen bis hin zur Fortschrittspartei und den beiden sozialdemokratischen Abgeordneten, keine Unterstützung. Er wurde schließlich mit überwältigender Mehrheit abgelehnt. Obwohl das Zentrum bei der Schlußabstimmung über die Gesamtverfassung dann doch geschlossen mit Ja votierte, befestigte der Vorgang die schon weitverbreitete Meinung, die neue Partei sei im Innersten ein Gegner, ja, ein Feind des neuen Reiches.

Vielerlei hatte zu dieser Meinung beigetragen: die schroffe Kampfansage Roms an Grundtendenzen des modernen Staates und der modernen Gesellschaft, gipfelnd im »Syllabus errorum« von 1864; die Haltung der katholischen Bewegung in Süddeutschland in den sechziger Jahren, die nicht nur weitgehend auf dieser Linie lag, sondern gleichzeitig verbunden gewesen war mit entschiedener Opposition gegen eine kleindeutsche Einigung unter preußischer Führung; die Proklamierung einer fast völlig souveränen Amtskirche als Bollwerk gegen »die hauptsächlichen Irrtümer unserer so traurigen Zeit«, wie es in der Enzyklika »Quanta cura« hieß; und schließlich das Vatikanische Konzil von 1870 mit der Verkündung des sogenannten Unfehlbarkeitsdogmas.

Dessen Reichweite wurde allerdings von liberaler und protestantischer Seite vielfach überschätzt und nährte hier und dort geradezu groteske Vorstellungen von irdischen Weltherrschaftsplänen des Papstes und der katholischen Amtskirche. Daß dieses Dogma insbesondere innerhalb des deutschen Episkopats und des deutschen Klerus heftig umstritten gewesen war und man sich hier nur widerstrebend gefügt hatte, trat demgegenüber stark zurück. Lediglich die offenen Dissidenten wurden in der liberalen Öffentlichkeit stürmisch gefeiert und zum Teil, wie der bayerische Theologe Ignaz Döllinger, geradezu zu neuen Reformatoren hochstilisiert. Eine eifernde Grundstimmung schob alle Differenzierungen und Auffassungsunterschiede innerhalb des katholischen Lagers beiseite. Ihr korrespondierte ein säkulares Missionsgefühl, das vielfach von einem höchst vagen Begriff moderner Kultur geleitet wurde und in der fortschrittsgläubigen Selbstgewißheit seiner Apostel nicht selten die Grenze des Lächerlichen streifte.

Im Hinter- und Untergrund steckte freilich auch Handfesteres. Die katholische Bewegung war im Süden nicht nur Parteigänger des Papstes und der Amtskirche gewesen. Sie hatte, zunächst mehr nebenbei, dann immer ausgeprägter, auch jenen sozialen Gruppen und Schichten politisch Stimme gegeben, die sich durch den Gang der wirtschaftlichen und der damit unmittelbar zusammenhängenden gesellschaftlichen Entwicklung in ihrer bisherigen Existenz bedroht sahen: die ländliche Bevölkerung, einschließlich der unterbäuerlichen Schichten, das Kleingewerbe und Handwerk, aber auch der kleinere und mittlere Adel sowie viele traditionelle Honoratiorengruppen. Dieses Protestpotential wuchs mit dem stürmisch fortschreitenden Prozeß der Veränderung ständig an. Es fand in der katholischen Bewegung auch insofern ein natürliches Sammelbecken, als die katholische Oberschicht in Mitteleuropa, sieht man von Schlesien und den Rheinlanden einmal ab, sich weit weniger dem modernen liberal-kapitalistischen Wirtschaftsleben angepaßt hatte als die protestantische mit dem ostelbischen Adel an der Spitze. Bestand bei der protestantischen Oberschicht, trotz aller politischen Gegensätze, eine unübersehbare Interessenallianz mit dem besitzenden Bürgertum auf wirtschaftlicher Ebene, so war diese in den katholischen Regionen zumeist nur schwach ausgeprägt. Vielmehr konnten hier der Adel und Teile der alten bürgerlichen Oberschichten auch in dieser Beziehung die Führung von Kräften übernehmen, die mit der neuen Ordnung der Dinge unzufrieden waren und auf Veränderungen drängten, also ein potentiell revolutionäres Element darstellten, wenngleich mit rückwärtsgewandter Zielsetzung.

Wie sehr sich auf der anderen Seite der Blick schon bald nach vorn richtete, zeigen die Bemühungen um die Arbeiterschaft, wie sie sich vor allem mit Kettelers Namen verbinden; auch die Versuche, eine katholische Soziallehre zu formulieren, gehören in diesen Zusammenhang. Gerade jene Bemühungen hat Bismarck ebenso aufmerksam wie mißtrauisch beobachtet und daraus die angebliche Bereitschaft abgeleitet, mit sozialistischen Kräften zu paktieren. Das »Verlangen der ultramontanen Partei, den modernen Staat durch eine mittelalterliche Theokratie zu ersetzen«, hieß es in einem Erlaß an den Wiener Botschafter Ende Januar 1873, sei »so ungestüm, daß sie ... mit der Partei, welche auf den Trümmern von Staat und Kirche ihre Ideale verwirklichen will, zu gemeinsamer Tätigkeit Fühlung sucht«.

Will man die Tiefe und Leidenschaft des Konflikts richtig verstehen, der nach dem Vorspiel im Süden jetzt im ganzen Reich entbrannte, so muß man sich den Charakter des Zentrums als einer schichten- und klassenübergreifenden Gegenbewegung gegen die bürgerlich-liberalen Kräfte und ihr politisches Ordnungskonzept stets vor Augen halten. Die Formen des Konflikts und seinen äußeren Verlauf haben ohne Frage die Reichsregierung und die preußische Regierung wesentlich bestimmt, Bismarck selber und dann vornehmlich Adalbert Falk, der Anfang 1872 den hochkonservativen von Mühler als preußischer Kultusminister ablöste. Sein eigentlicher Inhalt aber war gleichsam vorgegeben. Er erschöpfte sich durchaus nicht in den Gegenständen und Themen, um die es vordergründig ging. Das erklärt sowohl die Distanz, die Bismarck bei aller unleugbaren Beteiligung und Verantwortung selbst auf den Höhepunkten der Auseinandersetzung immer einzuhalten vermochte, als auch die Tatsache, daß der Konflikt schließlich beigelegt werden konnte, ohne daß die sogenannten Kampfgesetze in ihrer Substanz revidiert wurden: Es war im Kern eine Auseinandersetzung zwischen bürgerlich-liberaler und katholischer Bewegung. In sie griff der Staat, die monarchische Exekutive, zwar parteinehmend ein. Doch seine Eigenständigkeit, die Unabhängigkeit seiner Stellung, vermochte er zu bewahren, ja, schließlich sogar zu befestigen.

Für den Rückschauenden ist die Versuchung sicher groß, von diesem Ausgang her auf die innerste Zielsetzung, auf die eigentliche Intention zu schließen. Wenn jedoch irgendwo der Satz zutrifft, daß die Realität nicht im Intendierten aufgeht und umgekehrt, so hier. Denn der eigentliche Sieger war am Ende nicht Bismarck, waren auch nicht die katholische Kirche und die Zentrumspartei, die alle sich bloß behauptet hatten. Der eigentliche Sieger war eine übergreifende und überpersönliche Tendenz, gegen die sich alle Beteiligten, die Liberalen, die katholische Bewegung und Bismarck selber, mehr oder weniger entschieden ausgesprochen hatten: die Tendenz zu immer tieferen Eingriffen des Staates in alle individuellen und gesellschaftlichen Verhältnisse.

Jene Tendenz ist durch den sogenannten Kulturkampf ganz erheblich begünstigt worden. Die starken Reserven, die gegen den modernen Interventionsstaat im liberalen Zeitgeist bestanden, wurden durch ihn, obschon zunächst gleichsam hinter dem Rücken der Zeitgenossen, ebenso abgebaut wie die im konservativen Lager. Das trotzige »Der Staat kann«, das Bismarck in diesen Jahren einmal an den Rand eines Aktenstückes schrieb, in dem mit der liberalen Standardformel operiert wurde, der Staat könne doch dies oder das nicht, spiegelt den Vorgang unmittelbar wider.

Gerade auch Bismarck war ja einst sehr entschieden davon ausgegangen, daß man dem Staat eben nicht immer weitere Bereiche überlassen dürfe. Die fortschreitende Überwältigung der Gesellschaft durch den Staat des Absolutismus sei, so hatte er einst mit seinen konservativen Gesinnungsfreunden gemeint, der Anfang allen Übels gewesen. Daß der absolutistische Staat im Vergleich zu dem, was nun heraufzog, in vieler Hinsicht ein förmlicher Nachtwächterstaat gewesen war, konnte selbst er sich in Augenblicken der Distanzierung vom politischen Alltag und seinen Kämpfen kaum verhehlen.

Sicher ist der Interventionsstaat in Deutschland wie überall in Europa in der Form, in der er sich dann ausbildete, durch andere Kräfte heraufgeführt worden: durch wirtschaftliche Probleme, die sich plötzlich enorm verschärften, und durch die soziale Frage, das materielle Elend und die im Zuge der wirtschaftlichen Krise verstärkt ins Bewußtsein tretende negative Zukunftsperspektive breiter Schichten. Aber der Kulturkampf hat eben hier als erster entscheidende Widerstände abgebaut. Durch ihn hat man sich an den Eingriff des Staates in immer weitere Bereiche des gesellschaftlichen Lebens mehr und mehr gewöhnt. Das rückt diesen Kampf in Zusammenhänge, mit denen er in der üblichen, auf Gegenstand und Intention konzentrierten Darstellung nur ganz locker und oberflächlich verbunden erscheint.

Das erste Eingreifen des Staates, der Exekutive, in die Auseinandersetzung zwischen katholischer und bürgerlich-liberaler Bewegung, die mit der

Debatte über den Verfassungsantrag des Zentrums nun auch auf die Ebene des neugegründeten Reiches getragen worden war, mochte zunächst als vergleichsweise harmlos erscheinen. Es handelte sich um die Aufhebung der »Katholischen Abteilung« des preußischen Kultusministeriums. Diese war 1841 als demonstrativer Abschluß der sogenannten Kölner Wirren, einem langwierigen Streit zwischen dem preußischen Staat und der katholischen Kirche in den westlichen Provinzen, durch Friedrich Wilhelm IV. ins Leben gerufen worden. Besetzt mit kirchentreuen Katholiken, hatte sie den Auftrag, den Ausgleich zwischen staatlichen und kirchlichen Interessen zu vermitteln und mögliche Konfliktstoffe rasch und unauffällig auszuräumen.

Das hatte drei Jahrzehnte hindurch recht gut funktioniert. Auf der anderen Seite widersprach eine solche institutionalisierte partikulare Interessenvertretung der sich immer stärker ausprägenden modernen Staatsidee, dem Gedanken des auf ein allgemeines Interesse fixierten und auf ihn verpflichteten bürokratischen Anstaltsstaates. Das empfanden nicht nur die meisten Liberalen so, sondern auch die Mehrheit der Konservativen. Ja, gerade im konservativen Lager erschien eine solche partikulare Interessenvertretung zunehmend als unvereinbar mit der Idee des »Staates über den Parteien«, die man nicht zuletzt gegenüber der politischen Linken immer wieder nachdrücklich unterstrich. So begegnete man der bereits Mitte der sechziger Jahre erhobenen Forderung der Liberalen nach Aufhebung der Abteilung mit wachsender Sympathie.

Wirklich aktuell allerdings wurde die Frage erst in dem Augenblick, in dem die Abteilung von einem spezifischen Organ des Ausgleichs zwischen Staat und Kirche zum Brückenkopf der neuen politischen Opposition innerhalb des Staatsapparats zu werden drohte, zu einer Art »Staatsministerium des Papstes in Preußen«, wie Bismarck es später einmal ausdrückte. Mit dem von ihm angeregten Beschluß des preußischen Kabinetts von Ende Juni 1871, die Abteilung aufzulösen, sollte dem von vornherein ein Riegel vorgeschoben werden.

Es kam noch hinzu, daß die Regierung vor der schwierigen Entscheidung stand, wie mit jenen katholischen Theologieprofessoren zu verfahren sei, die den Beschlüssen des Vatikanischen Konzils, insbesondere dem Unfehlbarkeitsdogma, die Gefolgschaft verweigerten, aber als staatliche Beamte nach wie vor ihr Lehramt beanspruchten. Eine eigene Ministerialabteilung aus dezidiert romtreuen Katholiken würde in einer solchen ungewöhnlichen Situation, so konnte man argumentieren, nur konfliktstiftend wirken. Sie würde es der Regierung erschweren, Entscheidungen aus der Position des Neutralen zu treffen. Das gleiche galt im Hinblick auf die angeblich propolnischen Neigungen der meisten Mitglieder der Abteilung, vor allem ihres Leiters, des Geheimrats Krätzig. Dieser hatte vor seinem Eintritt in den preußischen Staatsdienst im Dienst des Fürsten Radziwill gestanden und vertrat nach Bismarcks Meinung nach wie vor mehr national-polnische als preußische Interessen. Kurz: Man konnte das Ganze als einen Akt der Abgrenzung, der Vorsorge auch gegenüber einem Ausufern möglicher Konflikte darstellen.

Eben dies tat der eigentlich Verantwortliche, der Kultusminister von Mühler, als er auf Anregung des Königs in einem Artikel des »Staatsanzeigers« den Schritt begründete. Mühler stimmte keineswegs mit seinem Regierungschef überein und hatte sich bis zuletzt gegen die Maßnahme gewehrt. Wenn er sie dann doch selber, gestützt auf seinen Ruf, alles andere zu sein als ein Parteigänger des Liberalismus, zu rechtfertigen suchte, so in der Hoffnung, mit der Begründung manches abfangen zu können. Doch das gelang in keiner Weise. Mühler zog wenig später daraus die Konsequenzen und trat zurück.

Vor dem Hintergrund der vorangegangenen Auseinandersetzung in Süddeutschland, dem Wahlkampf zu Beginn des Jahres 1871 und einer Stimmung wachsenden Mißtrauens gegenüber der protestantischen und liberalen Mehrheit im neuen Reich wurde der Vorgang sofort als ein Akt der feindseligen Parteinahme der preußischen Regierung verstanden, die in der Spitze mit der Reichsregierung identisch war. Das Reich, so war der allgemeine Eindruck, machte im Namen der modernen Staatsidee und all dessen, was unter dem Begriff »moderne Kultur« zusammengefaßt wurde, gegen die katholische Kirche und ihre romtreue Anhängerschaft mobil.

In der Tat unternahm die Regierung in der Gestalt Bismarcks nichts, diesem Eindruck entgegenzuwirken. Bereits ein halbes Jahr später tat sie vielmehr einen weiteren, in seiner feindseligen Grundtendenz kaum noch zu beschönigenden Schritt. Es handelte sich um eine Ergänzung des eben verabschiedeten neuen Strafgesetzbuchs. Sie bedrohte »jeden Geistlichen oder anderen Religionsdiener« mit Strafe, der in Ausübung seines Amts »Angelegenheiten des Staates« in einer, wie es hieß, »den öffentlichen Frieden gefährdenden Weise zum Gegenstand einer Verkündigung oder Erörterung« mache.

Zwar war dieser sogenannte Kanzelparagraph – ein klares Ausnahmegesetz, das die Gleichheitsforderung der Rechtsstaatsidee eindeutig mißachtete – von der bayerischen Regierung angeregt und von ihr Mitte November 1871 im Bundesrat eingebracht worden. Aber die bayerische Initiative erfolgte natürlich mit Zustimmung Bismarcks und mit seinem vollen Einverständnis. Und es war ganz klar, worauf er dabei zielte. Diejenigen, die in seinen Augen die eigentlichen Offiziere der katholischen Bewegung waren, sollten mundtot und der Kirche sollte klar gemacht werden, daß die von ihm geleitete Regierung ihr jedes weltliche Mandat, jede Eigenständigkeit in außerkirchlichen Dingen bestreite und unbedingte und vorbehaltlose Loyalität in all diesen Fragen verlange.

Dahinter stand als unausgesprochene Zielvorstellung, daß sich die Kirche, und zwar die katholische ebenso wie die protestantische und jede andere Religionsgemeinschaft, entweder in allen weltlichen Dingen als verlängerter Arm des Staates verstehen oder aber strikt auf den geistlichen Bereich im engsten Sinne beschränken müsse. Angesichts des kämpferischen Selbstbewußtseins der katholischen Kirche und der Erfahrungen, die man mit ihrem weitgespannten Mitspracheanspruch in den letzten Jahren vielerorts gemacht hatte, war ersteres von ihr kaum noch zu erwarten. Damit aber stand das konstruktive Ziel von vornherein fest. Es bestimmte von Anfang an Charakter und Zielrichtung der Kampf- und Repressionsmaßnahmen: An die Stelle der historisch gewachsenen und vielfach auch institutionell befestigten Zusammenarbeit zwischen Staat und Kirche, zwischen weltlicher und geistlicher Macht, sollte die strikte Abgrenzung und Trennung in möglichst allen Lebensbereichen treten.

In dieser Absicht legte Adalbert Falk, der am 23. Januar 1872 als Nachfolger Mühlers zum neuen Kultusminister ernannt worden war, schon wenige Tage nach seinem Amtsantritt als erstes den Entwurf eines sogenannten Schulaufsichtsgesetzes nach süddeutschem Vorbild vor. Dieser erste entschiedene Eingriff in die Struktur des bisherigen Verhältnisses von Staat und Kirche hob die Auseinandersetzung sofort auch politisch auf eine ganz neue Ebene. Wohl war das Prinzip der ausschließlich staatlichen Schulaufsicht und damit des weltlich-staatlichen Charakters des gesamten Schulwesens schon Jahrzehnte früher, durch die preußischen Reformer, proklamiert worden. Aber im Zeichen des engen Zusammenwirkens zwischen Staat und Kirche in der nachfolgenden Restaurationszeit und dem dezidierten Interesse der traditionellen Führungsschichten an dieser Allianz hatte sich an der bisherigen Praxis nur wenig geändert. Lediglich der Rechtstitel, unter dem der Ortspfarrer und, in beschränkterem Maße, die ihm übergeordneten geistlichen Instanzen weiterhin die Schulaufsicht führten und das Gesicht der Schule damit auch inhaltlich nicht unwesentlich bestimmten, war seither ein anderer. Es handelte sich um eine Art staatliche Auftragsverwaltung, wobei beide Seiten es geflissentlich vermieden, sich auf irgendwelche Grundsatzdiskussionen einzulassen. Nun jedoch wurde nicht nur mit dem Prinzip ernst gemacht. Es wurden daraus auch mit aller Entschiedenheit die Konsequenzen gezogen.

Das mußte alle diejenigen auf den Plan rufen, die aus direktem Interesse, aus Überzeugung oder aus einer Mischung von beidem sich an die bisherige Ordnung der Dinge gebunden fühlten. Und das waren viel mehr als die ganz unmittelbar Betroffenen, die Amtsträger der beiden Kirchen. Es waren alle diejenigen, die argwöhnten, mit dem Amt solle in Wahrheit die Substanz, mit der faktischen kirchlichen Schulaufsicht der christliche Charakter der Schule und der letzten Grundlagen des Unterrichts getroffen, das Bildungswesen

»dechristianisiert« werden, wie es in Anspielung auf die Bestrebungen der Französischen Revolution und der Jakobiner hieß.

Nach 1789 hatte man auf solchem Weg die fortdauernde Macht der alten Ordnung brechen wollen. Es war darum gegangen, ihre geistigen wie ihre konkret-materiellen Grundlagen zu beseitigen, die nicht zuletzt auf der engen Verbindung des Klerus und der Kirche mit den traditionellen Führungsschichten beruhten, zumal mit dem Adel, aber auch mit einem Teil des landsässigen Bürgertums. Steckte das gleiche, so fragte man sich im konservativen Lager, im Lager insbesondere des ostelbischen Adels und Grundbesitzes, nicht auch jetzt wieder dahinter? Statt des Ortspfarrers, welcher der Familie oft lebenslang verbunden war und ihren Interessen und politischen Anschauungen höchst aufgeschlossen gegenüberstand, würden nun der vielfach adelsfeindliche, »fortschrittliche« Volksschullehrer und mit ihm sympathisierende anonyme staatliche Instanzen das Sagen haben. Was die politische Revolution bisher nicht vermocht habe, werde jetzt eine schon bei den Kindern ansetzende »geistige Revolution« durchsetzen: die Untergrabung und schließlich den Sturz der herkömmlichen Ordnung, den Sieg des Materialismus und die Herrschaft halbgebildeter, der christlichen Lehre und Moral entfremdeter Massen. Ludwig von Gerlach sprach offen von einer Tendenz zum »Rückfall in das krasseste Heidentum und dessen Tyrannei«.

Der Mann, auf den sich derartige Befürchtungen wie auf der anderen Seite auch alle positiven Erwartungen konzentrierten, war allerdings nicht so sehr Bismarck, obwohl er keinen Zweifel aufkommen ließ, daß alles mit seinem vollsten Einverständnis geschehe. Es war der neue Kultusminister Falk. Dieses Faktum hat Bismarck später, als er in die Sackgasse geraten war und das Steuer herumzuwerfen suchte, dazu benutzt, um die eigentliche Verantwortung auf ihn abzuwälzen. Er, Bismarck, habe, so ließ er jetzt durchblicken, unter dem Druck des Zeitgeistes und dem Zwang äußerer Umstände bloß mitgemacht.

Der bei seinem Amtsantritt vierundvierzigjährige Falk, ein gebürtiger Schlesier, war bis dahin Vortragender Rat im Justizministerium und in dieser Eigenschaft preußischer Bevollmächtigter beim Bundesrat gewesen. Hier hatte ihn Rudolf von Delbrück, der Chef des Reichskanzleramts, der ihn dann Bismarck als Nachfolger Mühlers vorschlug, näher kennen und schätzen gelernt. Falk war, wie Delbrück selber, der Prototyp dessen, was man im Süden einen Geheimratsliberalen genannt hatte, ein den Ideen und Entwicklungstendenzen der Zeit aufgeschlossener, reformerisch gesinnter Beamter, für den freilich der Staat und die Erhaltung seiner Autorität und Ordnung stets der oberste Bezugspunkt blieben. So hatte er, der seit 1858, dem rechten Flügel der Liberalen zuneigend, zugleich dem Abgeordnetenhaus angehörte, zwar bei der konservativen Umbildung des preußischen Kabinetts im Frühjahr 1862 den Ministerialdienst verlassen und war als Appellationsgerichtsrat nach Glogau gegangen. Aber an dem Heeres- und Verfassungskonflikt hatte er sich nur zögernd beteiligt. Bismarck konnte bei seiner Berufung, als der König unter Hinweis auf Falks Tätigkeit als liberaler Abgeordneter in der Konfliktszeit Schwierigkeiten zu machen drohte, sogar eine Rede des Ministerkandidaten vorlegen, in der dieser sich für die Bewilligung der zusätzlich geforderten Heeresausgaben ausgesprochen hatte.

Das war kein Opportunismus, kein halbherziges Schwanken gewesen. Es war diktiert von der Sorge, der Staat, seine Autorität und Macht als solche und somit die Basis aller gesicherten Ordnung, also auch aller Rechtsordnung könnten sonst Schaden erleiden. Dies, die Idee des Rechtsstaates war die Leitlinie, von der Falk sich bei seinem Handeln bestimmen ließ. Er gab ihr freilich, befangen in der Tradition des aufgeklärt-bürokratischen Staatsdenkens, in Übereinstimmung mit vielen seiner Zeitgenossen in Deutschland eine ganz spezifische Ausdeutung. In ihr überwog der Gedanke einer alle verbindlich umfassenden und leitenden Ordnung sehr deutlich das Prinzip eines außerstaatlich begründeten Rechtsanspruchs des Einzelnen. Es war für ihn undenkbar, daß diesem Prinzip etwa gar der Vorrang gebühre gegenüber dem Ordnungsgedanken und gegenüber den Machtinteressen des Staates. So konnte Falk schließlich namens des Rechts und der Rechtsstaatsidee während des Kulturkampfes Gesetze entwerfen, die jener Idee in der Substanz in vielen Punkten widersprachen.

Bismarck selber hat für diesen Aspekt damals wie später nur Ironie übriggehabt. Falk, so bemerkte er im März 1874 einmal, »spintisiere« wieder mit den anderen Juristen, »welche um die tribunische Fassade ihrer Justizgesetzgebung mehr besorgt« seien, »als sie sich um praktische Bedürfnisse des Regierens kümmerten«. Daß der Politiker sich im Rahmen politischer Auseinandersetzungen zunehmend der Waffe des Gesetzes bediente und damit dessen Relativität und Machtabhängigkeit zusätzlich unterstrich, war ihm vertraut genug. Es erregte seine Bedenken eigentlich nur noch dann, wenn ihn ein solches Gesetz in einer ihm unangenehmen Weise persönlich betraf. Daß aber jemand das von ihm politisch für notwendig Erachtete zu etwas rechtlich Unabweisbarem hochstilisierte und ihm dadurch eine geradezu metaphysische, zumindest metapolitische Qualität gab, erschien ihm bloß grotesk. In solchem Zusammenhang hat er später das böse Wort geprägt, der Begriff »Rechtsstaat« sei ein »von Robert Mohl erfundener Kunstausdruck« ohne realen Sinn.

Allerdings wird man kaum behaupten können, daß ihm eine derartige Neigung und Haltung erst am Beispiel Falks deutlich geworden sei und daß sie ihn wirklich überrascht habe. Sie war ihm aus den Jahren des Verfassungskonflikts nur zu bekannt, und es steht außer Frage, daß er genau wußte, was er tat, als er Falk in dem Gespräch vor seiner Ernennung auf dessen Frage, was man von ihm in erster Linie erwarte, entgegnete: »Die Rechte des Staates der Kirche gegenüber wieder herzustellen.« Das war ein förmlicher Appell, mit den Rechten des Staates der Majestät des Rechtes schlechthin wieder Geltung zu verschaffen. Und wenn er hinzufügte: »und zwar mit möglichst wenig Geräusch«, dann betonte er damit zusätzlich, daß dies nicht in den Niederungen der Tagespolitik, sondern eben von der Basis allgemeingültiger Gesetze aus zu geschehen habe.

Genauso hat Falk seinen Auftrag verstanden. Er hat seinerseits, ganz in Bismarcks Sinn, alles getan, um die Liberalen in einen angeblichen Prinzipienkampf zu engagieren. Es war, wenn man so will, ein Spiel mit verteilten Rollen, bei dem der eine Partner allerdings nicht wußte, daß er ein solches Spiel mitmachte und daß seine tiefsten Überzeugungen von dem anderen bloß als Text und Rollenanweisung benutzt wurden. Die Person Falks gab dem Ganzen von der Regierungsseite her jenen leidenschaftlichen Ernst und jenes kämpferische Pathos, den Glauben, für ein höheres Recht, für die Zukunft und für den Fortschritt einzutreten, der für viele Wortführer im Kulturkampf charakteristisch war. Derartige Motive waren Bismarck weitgehend fremd. Sie dienten jedoch seinen konkreten Machtinteressen und kamen ihm daher höchst gelegen.

Die Machtinteressen, die ihn leiteten, hat Bismarck noch einmal sehr deutlich gemacht, als er am 30. Januar 1872, genau eine Woche nach dem Amtsantritt Falks, im preußischen Abgeordnetenhaus scheinbar spontan das Wort zu einer grundsätzlichen Erklärung ergriff. Den äußeren Anlaß dafür lieferte ihm eine streckenweise sehr erregte Diskussion zwischen den Zentrumsabgeordneten von Mallinckrodt und Windthorst auf der einen und dem neuen Kultusminister Falk sowie Wehrenpfennig als Wortführer der Liberalen auf der anderen Seite. Sie kreiste um die Motive der Aufhebung der »Katholischen Abteilung« im preußischen Kultusministerium. Für Bismarck war die Debatte auch insofern nur ein äußerer Anlaß, als er während eines Großteils der Diskussion gar nicht anwesend gewesen war und lediglich den Schluß der letzten Rede, derjenigen Windthorsts, gehört hatte. Aus ihr griff er den Satz heraus, das katholische Element sei in den höheren Verwaltungsämtern und in den Ministerien, jetzt auch im Kultusministerium, merklich unterrepräsentiert – eine Tatsache, die mit aller Klarheit die Parteilichkeit, ja, Feindseligkeit der gegenwärtigen preußischen Regierung dem katholischen Bevölkerungsteil gegenüber widerspiegele.

Ohne sich auf diese Behauptung in der Sache ernsthaft einzulassen, verkürzte Bismarck das Argument auf die momentane Zusammensetzung des Ministerkollegiums und drehte es dann einfach um: Wie könne man in einem konstitutionellen Staat, in dem man notwendigerweise »Ministerien einer Majorität« bedürfe, »die unsere Richtung im Ganzen unterstützt«, zum gegenwärtigen Zeitpunkt einen Katholiken zum Minister machen, der der

Zentrumspartei zuneige? Glaube Windthorst im Ernst, daß der Regierung »dann die Unterstützung einer Majorität zur Seite stehen würde«? Das Gegenteil sei doch wohl der Fall. Daran aber sei, und damit hatte er nach wenigen Sätzen den Punkt im Visier, auf den es ihm ankam, niemand anderer schuld als die neugebildete Zentrumspartei und -fraktion selber.

Er habe es »von Hause aus als eine der ungeheuerlichsten Erscheinungen auf politischem Gebiet betrachtet, daß sich eine konfessionelle Fraktion in einer politischen Versammlung bildete, eine Fraktion, der man, wenn alle übrigen Konfessionen dasselbe Prinzip annehmen wollten, nur die Gesamtheit einer evangelischen Fraktion gegenüberstellen müßte: dann wären wir allerseits auf einem inkommensurablen Boden, denn damit würden wir die Theologie in die öffentlichen Versammlungen tragen, um sie zum Gegenstande der Tribünendiskussion zu machen«. Wenn statt gemeinsamer politisch-sozialer Grundanschauungen allein die Konfession zum parteipolitischen Gliederungsprinzip werde und man die »politische Haltung in der Hauptsache von der Konfession abhängig« mache, dann, so sein unausgesprochener Schluß, werde nicht mehr politisches Handeln, sondern die Natur der gegebenen konfessionellen Mehrheitsverhältnisse den politischen Gesamtkurs, und zwar auf Dauer, bestimmen. Seien das Zentrum und seine Führung dafür wirklich blind? fragte er rhetorisch. Natürlich nicht, und das enthülle den wahren Charakter und die wahre Zielsetzung der neuen Partei.

Was nun folgte, war eine scharf gezielte Kriegserklärung an das Zentrum, die jede Möglichkeit eines Ausgleichs in weite Ferne rückte. »Ich habe, als ich aus Frankreich zurückkam«, so eröffnete er sogleich mit schwerstem Geschütz, »die Bildung dieser Fraktion nicht anders betrachten können als im Lichte einer Mobilmachung der Partei gegen den Staat«, gegen den Staat in seiner neugeschaffenen inneren und äußeren Form. Und in dieser Auffassung sei er seither nachhaltig bestätigt worden. An welcher Stelle auch immer, stets wende sich die Partei gegen den Staat, gegen die Regierung. Statt »die Achtung vor der Regierung auch da, wo man glaubt, daß die Regierung irrt, in allen Kreisen, namentlich in den Kreisen des politisch weniger unterrichteten gemeinen Mannes, der Masse, zu erhalten«, habe man in Wahlreden und in der Presse »gerade an die Leidenschaft der unteren Klassen, der Masse« appelliert, »um sie zu erregen gegen die Regierung«. Statt das Reich und seine innere Ordnung, bei aller Kritik im einzelnen, zu stützen, habe man »sich bereitwillig Elemente« angeeignet, »deren fortdauernder prinzipieller... Widerspruch gegen den preußischen Staat und gegen das Deutsche Reich notorisch war, und sich aus diesen Elementen verstärkt«.

So habe man, obschon man sich verbal davon distanzieren möge, mit innerer Folgerichtigkeit »Billigung und Anerkennung... bei allen den Parteien« gefunden, »die, sei es vom nationalen, sei es vom revolutionären

Standpunkt aus, gegen den Staat feindlich gesinnt sind«: bei Polen und Dänen, Welfen, Elsässern und Lothringern und nicht zuletzt eben bei den Wortführern des staatlichen und gesellschaftlichen Umsturzes, den Sozialisten. Mit einem Wort, der Partei sei offenbar jedes Mittel recht, um das Reich und seine Ordnung, die beide ihrem Machtanspruch im Namen der katholischen Konfession im Weg stünden, aus den Angeln zu heben.

Zu den Mitteln gehörten, so Bismarck, augenscheinlich auch die noch bestehenden Verschränkungen zwischen Staat und Kirche. Diese müßten daher nun abgebaut werden, obwohl es der ursprünglichen, bewußt kirchenfreundlichen Haltung der Regierung an sich widerspreche. Eine solche Haltung habe man stets auch im Hinblick auf die katholische Kirche eingenommen, mit der man in vollster Harmonie zu leben bestrebt gewesen sei. »Wir können«, so umriß er in diesem Zusammenhang das ganze Programm der künftigen Reformgesetzgebung, »den dauernden Anspruch auf eine Ausübung eines Teiles der Staatsgewalt den geistlichen Behörden nicht einräumen, und soweit sie dieselbe besitzen, sehen wir im Interesse des Friedens uns genötigt, sie einzuschränken, damit wir nebeneinander Platz haben, damit wir in Ruhe miteinander leben können, damit wir so wenig wie möglich genötigt werden, uns hier um Theologie zu bekümmern.«

Maßnahmen in dieser Richtung seien wie schon die Aufhebung der »Katholischen Abteilung« des preußischen Kultusministeriums keine aggressiven Akte. Es seien Verteidigungsmaßnahmen, die dem Staat und der Regierung durch die ihnen von Grund auf feindliche, ihrerseits höchst aggressive und auf Machterweiterung hin angelegte Politik der katholischen Partei aufgezwungen würden. Für diese wie für die ihr zuneigenden Kräfte innerhalb der katholischen Amtskirche selber gelte, was man von hier aus der Regierung unterstelle: Sie seien es, die die Offensive ergriffen hätten. »Der Streit liegt mehr auf dem Gebiete der Eroberung für die hierarchischen Bestrebungen«, erklärte er unter dem Beifall der Mehrheit, »als auf dem Gebiete der Verteidigung.«

Damit hatte Bismarck alle die Elemente angesprochen und alle die Stichworte gegeben, die in der Auseinandersetzung eine Rolle spielten und die künftige Diskussion beherrschten. Von den konfessionellen Gegensätzen war ebenso die Rede gewesen wie von den nationalen, von den rechtlichen ebenso wie von den sozialen. Das konstitutionelle Problem war ebenso zur Sprache gekommen wie die Frage der kulturellen Identität, von den parteipolitischen Divergenzen ganz zu schweigen. In allen diesen Bereichen hatte er mit seiner Rede die Mobilmachung wenn nicht befohlen, so doch gutgeheißen. Damit hatte er, wie immer er es im nachhinein darstellen mochte, die volle Verantwortung für das Ganze übernommen.

Was dem Kanzler dabei vorschwebte, machte der Schluß seiner Rede noch einmal ganz deutlich. Er wollte etwas erreichen, das er auf außenpolitischem

Gebiet mit guten Gründen niemals versucht und das er auch innenpolitisch bisher bloß verbal und nur in Zeiten der äußersten Zuspitzung eines Konflikts ins Auge gefaßt hatte: Er wollte, um in der martialischen Sprache seiner Rede gegen das Zentrum zu bleiben, den Gegner vernichten. Indem er zum Schluß die gutgesinnte Mehrheit der Katholiken aufrief, sich gegen die vom Zentrum verfolgte Politik zu stellen, indem er an die katholische Kirche appellierte, zu ihrer traditionellen Politik des direkten Ausgleichs mit dem Staat zurückzufinden, indem er alle vorherrschenden Tendenzen und Kräfte der Zeit gegen das Zentrum ins Feld führte, wollte er ihm planmäßig jede Basis entziehen.

Das Ziel, das er mit seiner Rede vom 30. Januar 1872 in kaum verhüllter Form proklamierte, hat Bismarck bekanntlich in keiner Weise erreicht. Seine Politik hat im Gegenteil dazu geführt, daß sich das Zentrum als Partei immer fester konsolidierte und für Jahrzehnte zu einem Faktor wurde, an dem keine Regierung mehr vorbeikam, zu einem Faktor, der seitdem, konstruktiv oder blockierend, den Kurs der deutschen Politik entscheidend mitbestimmte. Und mehr noch: Bismarck hat bei seinem Kampf gegen das Zentrum Kräfte geweckt und gestärkt, deren er niemals wieder Herr geworden ist.

Schon die Erwiderung Windthorsts, des wohl bedeutendsten parlamentarischen Führers des politischen Katholizismus im 19. Jahrhundert, hätte ihn warnen können. Windthorst ließ sich auf keine Details, auf keine Korrektur oder gar Rechtfertigung im einzelnen ein. Er griff vielmehr, in durchaus Bismarckscher Manier, seine Ebenbürtigkeit auf dem Feld der politisch-parlamentarischen Auseinandersetzung nachhaltig dokumentierend, programmatisch drei Punkte heraus, die geeignet waren, die Attacke des Kanzlers in ein ganz anderes Licht zu rücken und zugleich die Isolierung aufzubrechen, die dieser wie einen Pestgürtel um die neue Partei zu legen versuchte.

Der durch das Vertrauen des preußischen Königs ins Amt gerufene Ministerpräsident habe sich, so Windthorst, ausdrücklich auf das parlamentarische Prinzip berufen, auf das Prinzip also, daß nicht der Monarch, sondern die parlamentarische Mehrheit der entscheidende Faktor im Staatsleben sei. Hierin finde er allerdings nicht die Unterstützung des angeblich staatsgefährdenden Zentrums. Dieses sei, fuhr er fort, in Wahrheit eine konservative Partei, die sich keineswegs auf das katholische Element beschränke. Und als solche gedenke sie »das Vorrücken nach links in dem raschen Tempo«, wie es die parlamentarische Mehrheit und der ihr offenbar ergeben folgende Kanzler anschlügen, nicht mitzumachen. Wenn Bismarck bei der einseitig nach links orientierten Politik zudem noch beanspruche, so Windthorsts drittes Argument, den Staat schlechthin zu repräsentieren, dann können er ihm nur entgegenhalten: »Der Ministerpräsident ist nicht der Staat, und noch hat es kein Minister gewagt, *seine* Gegner auch Gegner des *Staates* zu nennen.«

Das hieß im Klartext: Bismarck ist ein Sklave der liberalen Mehrheit. Er verrät das monarchische Prinzip, zu dessen Verteidigung er berufen wurde, und versucht das durch unmotivierte Angriffe auf eine Partei zu verschleiern, die ihrerseits eine treue Stütze des Throns und der überlieferten Ordnung ist. Bismarcks erregte Reaktion im Rahmen der wieder ganz aufs Grundsätzliche zielenden Etatdebatte des folgenden Tags zeigte, wie sehr ihn der geschickt auf die politische Gesamtsituation und auf das wachsende Mißtrauen im Lager der preußischen Konservativen berechnete Konter getroffen hatte – ein Konter, den die »Kreuzzeitung« dann in mehreren programmatischen Artikeln aufnahm.

Sein Versuch, das Ganze als eine aus der Luft gegriffene Schutzbehauptung einer rein konfessionellen Interessenvertretung mit aggressiven und staatsfeindlichen Zielen abzutun, fand zwar den begeisterten Beifall der liberalen Mehrheit und auch vieler protestantischer Konservativer. Doch insgeheim fragte sich mancher, hier triumphierend, dort nachdenklich, ob an der Deutung Windthorsts nicht etwas dran sei und ob Bismarcks Verhalten nicht in der Tat eine wachsende Abhängigkeit von der liberalen Reichstagsmehrheit widerspiegele. »Wir müssen jetzt nach Allem, was geschehen ist, den liberalen Kelch bis auf die Hefe leeren«, schrieb Moritz von Blanckenburg, dem Bismarck als Geste des guten Willens gegenüber den Konservativen das Landwirtschaftsministerium angeboten hatte, in jenen Tagen an Roon: »Es gibt keinen anderen Weg, wenn Bismarck nicht vollständig umkehrt. Eine konservative Mittelpartei (wie er träumt) ist ein Unding.«

Von einer im Bann der Bismarck-Bewunderung und der Entwicklung nach 1878/79 stehenden Geschichtsschreibung ist die These, Bismarck sei in diesen Jahren in immer größere Abhängigkeit von der liberalen Reichstagsmehrheit geraten, ziemlich einhellig zurückgewiesen worden. Und auch die Kritiker des Kanzlers sind dem weitgehend gefolgt. Eine Art gemeinsamer Nenner hierfür ist die Neigung, die politische Potenz der liberalen Mehrheiten in Preußen und im Reich, ihre taktischen Fähigkeiten und ihren realen Machtanspruch sehr gering einzuschätzen. Aber waren diese Mehrheiten und ihre Führung politisch wirklich so naiv, so leicht ablenkbar und so wenig in der Lage, die machtpolitischen Chancen einer parlamentarischen Mehrheit ernsthaft zu erfassen und zu benutzen? Tut sich hier nicht ein tiefer Widerspruch zu jener gleichfalls weitverbreiteten Deutung auf, der rechte Flügel des Liberalismus, die spätere nationalliberale Partei, habe sich 1866/67 vom Erfolg und von der Aussicht auf Teilnahme an ihm und an der Macht blenden lassen und dabei seine Prinzipien verraten?

Tatsächlich vereinigen sich hier verschiedene, letztlich unvereinbare Elemente und verstellen den Blick auf die historische Realität: einmal die Neigung, Zielsetzung und Politik der damaligen Liberalen mit eigenen, von Person zu Person unterschiedlichen Erwartungen zu befrachten; dann die

Versuchung, zwischen dem Scheitern der Liberalen und der Nichteinlösung solcher rückprojizierten Erwartungen einen Zusammenhang herzustellen; und schließlich die, wenn auch vielfach geleugnete und bestrittene, Bereitschaft, diesen – fiktiven – Zusammenhang in einzelnen Tätern dingfest zu machen.

Schiebt man all dies einmal beiseite, dann stellt sich die Wirklichkeit in vieler Hinsicht nüchterner und ernüchternder dar. Das Engagement im Kampf mit der katholischen Kirche und der katholischen Bewegung, der mit Bismarcks Rede im preußischen Abgeordnetenhaus vom 30. Januar 1872 und mit der Vorlage des Schulaufsichtsgesetzes voll entbrannt war, band nicht nur beide Seiten, Regierung und liberale Mehrheit, immer fester aneinander. Es provozierte mit innerer Notwendigkeit die Frage, wem der Erfolg in einem solchen Kampf in erster Linie zugute kommen werde. Und da konnten sich die angeblich politisch so naiven Liberalen doch einiges ausrechnen. Denn wie immer man es drehen mochte, so stand außer Frage, daß die katholische Kirche und die katholische Bewegung in ihren tonangebenden Kräften tatsächlich genuine Stützen des monarchischen Prinzips und der traditionellen Ordnung waren, wie Windthorst betont hatte. Indem man sie bekämpfte und zu schwächen versuchte, stärkte man unvermeidlicherweise die Gegenkräfte.

Bismarcks taktische Motive konnten den Liberalen relativ gleichgültig sein. Sicher war sein Handeln wesentlich von der Annahme bestimmt, seine Stellung sei durch eine straff organisierte Rechtspartei, die zum Bündnispartner anderer Gruppen und Kräfte auf dieser Seite werden könne, stärker bedroht als durch die Nationalliberalen, mit denen er seit Jahren mehr oder weniger offen zusammengearbeitet hatte. Aber die Ausschaltung der Konkurrenz von rechts mußte eben die Mitte und die Linke, also die Liberalen in ihren verschiedenen Schattierungen, mit einer gewissen inneren Notwendigkeit in die Vorhand bringen.

Es war ein Spiel mit durchaus ungewissem, möglicherweise sehr problematischem Ausgang, auf das Bismarck sich da einließ. Für die Liberalen enthielt es, von allem Prinzipiellen einmal abgesehen, die unverkennbare Chance, immer stärkeren Einfluß auf die Regierung zu gewinnen und diese ihrerseits fest an sich zu binden. Nicht zufällig hat sich sowohl der französische als auch der italienische Liberalismus der Zeit der gleichen Taktik bedient. Wenn die Erwartungen der deutschen Liberalen sich schließlich doch nicht erfüllt haben, so lag das an Faktoren, die zu diesem Zeitpunkt noch niemand vorausberechnen konnte. Es lag vor allem an der Krise des liberalen Gedankens und der liberalen Ordnung auf ökonomischem und auf sozialem Gebiet, die durch den scharfen wirtschaftlichen Einbruch von 1873 und die nachfolgende Stagnation heraufgeführt wurde.

Zunächst aber war der Optimismus im liberalen Lager sehr groß. Man fühlte sich stärker als je zuvor in weitgehender sachlicher Übereinstimmung mit dem Kanzler und den von ihm geleiteten Regierungen im Reich und in Preußen. Gleichzeitig gewann man immer mehr den Eindruck, politisch schlechterdings unentbehrlich, als Gesetzgebungs- und damit indirekt als Regierungsmehrheit ernsthaft nicht ersetzbar zu sein. Dieser Eindruck befestigte sich noch in den teilweise äußerst heftigen Debatten über das Schulaufsichtsgesetz. In ihnen geriet Bismarck in krassen Gegensatz zu der Mehrheit seiner einstigen konservativen Parteifreunde, denen er »landesfeindliche Desertion... in der katholischen Frage«, ja, »Fahnenflucht«... »von Thron und Evangelium« vorwarf. Schließlich schien er endgültig den Rubikon der Trennung von den »römisch-germanischen Junkern«, wie er sie einmal höhnisch nannte, überschritten zu haben: »Das Gros dieser Partei«, heißt es in einer Aufzeichnung über die Entstehung des Kulturkampfes, die Bismarck Anfang 1874 für den Zaren anfertigte, »besteht aus Leuten, die wenig denken und gar nicht arbeiten.«

Dem, so konnte man es deuten, entsprach, daß der Kanzler auch international die bisherige Rücksicht auf das katholisch-konservative Lager aufgab. Unter dem Beifall nicht nur der deutschen, sondern vor allem auch der italienischen Liberalen und vieler ihrer Gesinnungsfreunde im übrigen Europa nahm er dem Papsttum gegenüber eine zunehmend schroffere Haltung an. Als im Herbst 1871 der bisherige Leiter der eben erst errichteten Gesandtschaft des Reiches beim Heiligen Stuhl, Graf Harry Arnim, als Botschafter nach Paris ging, da hat Bismarck dessen Vorschlag sogleich aufgegriffen, einen ganz staatskirchlich gesinnten, »jesuitenfeindlichen« deutschen Kirchenfürsten, den Kardinal Prinz Gustav von Hohenlohe-Schillingsfürst, einen Bruder des bayerischen Ministerpräsidenten der späten sechziger Jahre, zu seinem Nachfolger zu ernennen.

Dies war, man mochte es einkleiden und begründen, wie man wollte, ein Affront ersten Ranges. Es ließ sich voraussehen, wie die Kurie darauf reagieren würde, zumal ihr das Ganze als ein Fait accompli, als bereits vollzogene Ernennung, mitgeteilt wurde, ohne daß man vorher, wie üblich, ihre Zustimmung eingeholt hätte. Statt eines Diplomaten ein in vieler Hinsicht dissentierendes Mitglied der katholischen Hierarchie zu präsentieren, hieß nicht nur, das Verhältnis zwischen dem Reich und der katholischen Kirche seines quasi zwischenstaatlichen Charakters zu berauben und die außer- und überstaatliche Selbständigkeit der Kirche zusätzlich in Frage zu stellen. Man konnte es zugleich als eine Form der Einmischung in innerkirchliche Angelegenheiten deuten. Denn es wurde der Anschein erweckt, man wolle einer bestimmten, deutlich in die Minderheit geratenen Richtung in der Kirche eine Art eigene Bastion am Sitz des Oberhaupts dieser Kirche schaffen. Wenn daher die Kurie für ihre Ablehnung eine vergleichsweise milde Form wählte, so konnte man das angesichts all dessen noch als ein

Entgegenkommen ansehen. Statt das erforderliche Agrément zu versagen, was nach diplomatischem Herkommen formell als ein »unfreundlicher Akt« gegolten hätte, lehnte sie es nur ab, dem Prinzen die Erlaubnis für die Übernahme eines Staatsamts zu erteilen, die er als Mitglied der katholischen Hierarchie benötigte.

Das geschah am 2. Mai 1872. Zwölf Tage später, am 14. Mai, sprach der Führer der Nationalliberalen bei den Beratungen des Reichstags über den Etat des Auswärtigen Amtes die Erwartung aus, daß man angesichts der jüngsten Ereignisse und der Behandlung, die der deutsche Kaiser dabei durch den Papst erfahren habe, die Gesandtschaft bald überhaupt aufgeben werde. Sicher spiegelte die Rede zugleich die sehr aufgeregte Stimmung der liberalen Öffentlichkeit in Deutschland wider. Aber man kann mit einiger Sicherheit davon ausgehen, daß es sich bei ihr um ein vorher verabredetes Zusammenspiel zwischen dem Führer der Mehrheitsfraktion und dem Reichskanzler handelte, das diesem das Stichwort geben sollte. Jedenfalls ging Bismarck sofort darauf ein, nicht in der Sache, aber in der Tendenz. In einer Grundsatzerklärung formulierte er noch einmal die Haltung seiner Regierung, gipfelnd in dem dann immer wieder zitierten Satz: »Seien Sie außer Sorge: *Nach Canossa gehen wir nicht* – weder körperlich noch geistig!«

Mit dieser einprägsamen Formel beschwor er einmal mehr die von den Liberalen propagierte Fiktion, die Kirche des Vatikanischen Konzils und des Unfehlbarkeitsdogmas setze zur Überwältigung der Moderne an, zur weltlichen Machtergreifung im Sinne durchgängiger Reaktion gegen alle Errungenschaften der modernen Zivilisation und Kultur in Staat, Wirtschaft und Gesellschaft. Ein in die Verteidigung gedrängter und daher zu entschiedenen Abwehrmaßnahmen gezwungener Staat – das war das Zerrbild, das über dem Ganzen hing.

Es war, von den Liberalen formuliert und propagiert, zugleich ein taktisches Mittel, das es erlaubte, die politische Konkurrenz in die äußerste rechte Ecke abzudrängen, ja, sie für staatsgefährdend und umstürzlerisch im reaktionären Sinne zu erklären. Indem Bismarck es sich zu eigen machte, band er nicht nur die Liberalen an sich, sondern wurde auch seinerseits von ihnen abhängig. So war das berühmte »Nach Canossa gehen wir nicht« eine weit über den Anlaß und konkreten Gegenstand hinausgehende, grundsätzliche politische Absichtserklärung, ein Versprechen, das einer langfristigen Koalitionszusage an die Liberalen gleichkam.

Man könnte von hier ausgehend fragen, ob angesichts dessen einer der beiden Seiten, Bismarck wie den Liberalen, überhaupt ernsthaft an einem raschen Sieg, an einer schnellen Beilegung des voll entbrannten Konflikts gelegen war. Denn ein solcher Erfolg hätte ihrer Zusammenarbeit eine wesentliche Grundlage entzogen, einer Zusammenarbeit, an der beide aufs stärkste interessiert waren. Versprach man sich doch von ihr hier wie dort für die eigene Macht und für die eigenen politischen Zukunftsaussichten außerordentlich viel.

Eine solche Frage wäre freilich ganz hypothetisch. Tatsächlich nämlich war an einen raschen und durchgreifenden Erfolg gar nicht zu denken. War doch das Zentrum gleichsam der personifizierte Widerstand gegen eine politisch-soziale Entwicklung, gegen Tendenzen, welche die eine Seite, das liberale Lager, lebhaft begrüßte und förderte, und welche die andere, Bismarck, mehr und mehr für unausweichlich und unvermeidlich hielt, Tendenzen, von denen insgesamt klar war, daß die Auseinandersetzung um sie in dieser oder jener Form noch viele Jahre anhalten werde. Hinter der Fiktion des herausgeforderten und zur Verteidigung gezwungenen modernen Staates und der ihn unterstützenden Kräfte ging es de facto um ein bestimmtes System von »Modernität«, dessen treibende Kräfte weniger im Staat als in der Gesellschaft angesiedelt waren, hier die bestehenden Wert- und Verhaltensordnungen in immer rascherem Tempo verändernd. Daß Bismarck im Bündnis mit den Liberalen zum Geburtshelfer dieses Systems wurde, war nicht nur aus dem Blickwinkel des Zentrums, sondern auch des konservativen Lagers insgesamt das eigentliche Skandalon. Die kirchenfeindliche Politik der Regierung schien sich hier nahtlos einzufügen.

In diesem Sinne gehörte das, was eine systematisierende Geschichtsschreibung dann in liberale Reformmaßnahmen und Reformgesetze auf der einen, in den Kulturkampf und die ihn vorantreibenden staatlichen und gesetzgeberischen Initiativen auf der anderen Seite auseinanderdividiert hat, für den Zeitgenossen unmittelbar zusammen und muß tatsächlich als eine Einheit gesehen werden. Daß der sogenannte Kanzelparagraph, das erste Kulturkampfgesetz auf Reichsebene, in das eben verabschiedete, vom liberalen Rechtsstaatsgedanken bestimmte neue Strafgesetzbuch eingefügt wurde, erscheint aus solcher Perspektive, bei allem inneren Widerspruch zwischen der Grundtendenz des neuen Gesetzgebungswerks und diesem Paragraphen, so widersinnig nicht. Es enthüllt im Gegenteil den gerade auch den Liberalen eigenen Unbedingtheitsanspruch überall dort, wo es darum ging, für konstitutiv erachtete Elemente des eigenen politisch-sozialen Systems durchzusetzen. Eine formale Verletzung des Gleichheitsgrundsatzes schien vertretbar zu sein, wenn damit verhindert wurde, daß die Vertreter des Alten sich seiner bedienten, um ihn in der Substanz zu untergraben.

Auf diese Weise geriet man freilich, indem man das Recht zugleich als Macht zur Durchsetzung des Neuen verstand, ungeachtet aller noch vorhandenen prinzipiellen Widerstände, in bedenkliche Nähe zu einem reinen Machtdenken. Dies war gleichsam die Brücke, auf der Bismarck und die Mehrheit der Liberalen, obwohl jeweils von ganz anderen Voraussetzungen ausgehend, mehr und mehr zueinander fanden: bei der Gestaltung einer neuen Wirklichkeit und einer Ordnung, die sowohl der Macht als auch der

Freiheit und dem mit beiden verbundenen eigenen Interesse dienlich zu sein schien.

Das galt in erster Linie für den wirtschaftlichen Bereich, wo die nach 1866 eingeleitete enge und tief in die bestehenden Verhältnisse eingreifende Zusammenarbeit auch nach der Reichsgründung fortgesetzt wurde. Abermals war hier, wie in der Zeit des Norddeutschen Bundes, der eigentliche Rechtstitel für alle Veränderungen die Notwendigkeit der Vereinheitlichung und der Schaffung einer gemeinsamen und allgemein verbindlichen Wirtschaftsordnung. Und wie damals benutzte man diesen Titel auch jetzt wieder, um die realen Verhältnisse im liberalen Sinne umzugestalten, genauer gesagt, im Sinn eines freihändlerischen und zugleich industriewirtschaftlich orientierten Kapitalismus.

Durch den Sieg über Frankreich und die Begründung des kleindeutschen Nationalstaates war vor allem die gewerbliche Wirtschaft zusätzlich begünstigt worden. Einmal dadurch, daß der gemeinsame nationale Markt noch enger zusammenwuchs und jetzt endgültig gesichert war. Und zum anderen durch die hohe Kriegsentschädigung, die von Paris in die Kassen der deutschen Regierungen floß. Bayern etwa erhielt neunzig Millionen Taler, die übrigen Einzelstaaten zusammen rund siebenhundert Millionen. Die Kriegsentschädigung hatten die meisten Ministerien dazu benutzt, die Verpflichtungen ihrer Staaten auf dem Kapitalmarkt vorzeitig zu tilgen und langgehegte Bau- und Entwicklungspläne zu verwirklichen. Damit gaben sie der durch die herrschende Hochkonjunktur und die Perspektiven der nationalen Einigung bereits enorm beflügelten Wirtschaft sowohl auf der Kapital- als auch auf der Auftragsseite einen weiteren starken Impuls.

Er löste eine Art Rausch, ein fast unbegrenztes Vertrauen in die wirtschaftlichen Erfolgsmöglichkeiten der Zukunft aus. Gleichzeitig wetteiferten Gesetzgebung und staatliche Verwaltung miteinander, alle noch bestehenden Hindernisse für die freie Entfaltung der wirtschaftlichen Initiative zu beseitigen und die Voraussetzungen des ohnehin stürmischen wirtschaftlichen Wachstums noch weiter zu verbessern. Mit dem Gesetz über die Währungsvereinheitlichung, über die Errichtung einer nationalen Zentralbank, mit dem fast völligen Abbau aller Außenzölle, mit der Fortführung des großen Werks der Rechtsvereinheitlichung und den vielfältigen indirekten Begünstigungen wirtschaftlicher Unternehmungen durch eine entsprechend eingestellte und von oben her eingestimmte Verwaltung wurde der rechtliche und institutionelle Rahmen für die volle Entfaltung des liberalen Wirtschaftssystems konsequent ausgebaut und ausgestaltet.

Die Federführung lag direkt beim Reichskanzleramt und bei seinem Präsidenten, Rudolf von Delbrück. Dieser arbeitete jedoch auf das engste sowohl mit der Wirtschaft selber als auch mit der liberalen Mehrheit des Reichstags zusammen, die hier vor allem von Ludwig Bamberger angeführt wurde, dem Mitbegründer der Deutschen Bank im Jahr 1870, der im Krieg von 1870/71 aufgrund seiner Kenntnis des französischen Terrains zu den Beratern des Kanzlers gehört und seither direkten Zugang zu ihm hatte.

Wie nach 1866, so hat sich Bismarck auch diesmal an den Diskussionen über diese Fragen nur in Ausnahmefällen unmittelbar beteiligt. Ein solcher Ausnahmefall war der zunächst im Kreis der liberalen Mehrheit formulierte Vorschlag, einen wesentlichen und ständig bedeutsamer werdenden Teil des Verkehrswesens, die Eisenbahnen, Schritt für Schritt in die Zuständigkeit und schließlich in den Besitz des Reiches zu überführen: Hier schien sich dem Kanzler die Chance zu eröffnen, dem Reich eine dringend benötigte zusätzliche Finanzquelle zu erschließen und damit größere Unabhängigkeit von den Einzelstaaten zu erlangen. Aber wenn er sonst auch das meiste den Fachleuten und der Verantwortung Delbrücks überließ, so heißt das keineswegs, daß sich die Entwicklung in irgendeiner Weise an ihm vorbei oder gar, und sei es auch nur in Einzelheiten, gegen seinen Willen vollzogen hat.

Im Gegenteil. Bismarck schaltete sich nur deshalb ganz selten ein, weil er wußte, daß sich die Dinge genau auf der Linie bewegten, die er guthieß und politisch wie sachlich billigte. Insofern ist der Streit über das Ausmaß seiner Kenntnis der wirtschaftlichen Zusammenhänge und Probleme und vor allem seiner Fähigkeit, auch diesen Bereich im Rahmen seiner politischen Kalkulationen und Zukunftsplanungen angemessen und sachkundig zu berücksichtigen, einigermaßen müßig, ja, in mancher Beziehung irreführend. Denn ein solcher Streit resultiert aus einer Idee von Fachmannschaft und von Sachverstand, die im Kern zutiefst unpolitisch ist. Die politische Wert- und Zielgebundenheit von Sachentscheidungen wird dabei zugunsten eines meist sehr kurz greifenden Begriffs von zweckdienlich oder gar richtig oder falsch ausgeblendet. In Wahrheit jedoch gehen die politischen Wert- und Zielentscheidungen stets voran; sie sind in den einzelnen Personen und Personengruppen gleichsam vorgegeben und bestimmen, grundsätzliche Alternativen ausschließend, die einzelnen Sachentscheidungen. Diese können sich dann zwar im einzelnen als fehlerhaft, als dem vorgegebenen Zweck nicht dienlich erweisen. Aber das liegt auf einer anderen Ebene: Es ist ein Problem der Personalpolitik, der zur Beratung und Durchführung herangezogenen und angestellten Fachleute. Es ist nicht dadurch zu lösen, daß man von dem verantwortlichen Politiker detaillierten Sachverstand und eine bis ins kleinste eingreifende Kontrolle verlangt.

Kurz: Es steht ganz außer Frage, daß Bismarck die eigentlichen Grundsatzentscheidungen auch in diesem Bereich in vollem Bewußtsein ihrer politischen und, zumindest kurz- und mittelfristig, ihrer sozialen Tragweite getroffen und daß die Verwaltung unter Delbrück sich im großen und ganzen strikt an ihnen orientiert hat. Die These vom Gewährenlassen der Liberalen im wirtschaftlichen Sektor, ja, von einer bewußten Ablenkung auf dieses angeblich für weniger wichtig gehaltene Gebiet gehört zu den politischen Legenden. Ja, man muß sogar noch einen Schritt weiter gehen und sagen, daß die liberale Wirtschaftspolitik für Bismarck auch zu diesem Zeitpunkt, wie schon unmittelbar nach 1866, in keiner Weise Sache taktischer Erwägungen parteipolitischer oder parlamentarischer Natur gewesen ist. Er unterstützte sie vielmehr in der festen Überzeugung, daß nur auf diesem Weg wirtschaftliche Prosperität und damit politische Stabilität dauerhaft zu erhalten seien. Das aber hieß, daß er sich auch in dieser Beziehung ganz fest mit den bürgerlich-liberalen Kräften verband, daß er in der Tat, wie ihm seine konservativen Kritiker vorhielten, zu einem Protagonisten der bürgerlichen Ordnung in wirtschaftlicher und sozialer Hinsicht wurde.

Als ein Politiker, der in seiner Grundhaltung stets den negativen Ausgang und eine negative Entwicklung einkalkulierte, hat Bismarck freilich die Bedrohung dieser Ordnung früher und schärfer erkannt als die überwiegende Mehrzahl seiner fortschrittsgläubigen und in wirtschaftlichen Erfolgen schwelgenden bürgerlichen Zeitgenossen. Das galt zwar nicht für die verborgenen Markt- und Strukturschwächen der liberalen Wirtschaft. Als sie im Zuge der Krise von 1873/74 plötzlich deutlich hervortraten, da hat ihn das ebenso überrascht wie fast alle Fachleute. Wohl aber galt es für den sozialen Bereich, für die sich immer schärfer ausprägende neue Struktur der Gesellschaft.

Auf der Suche nach möglichen Gegengewichten zu dem Herrschaftsanspruch der bürgerlich-liberalen Kräfte hatte er seit Beginn seiner politischen Laufbahn den sozialen Gegensätzen, ihren Grundlagen, ihren Ausdrucksformen und ihren mutmaßlichen Entwicklungstendenzen stets besondere Aufmerksamkeit zugewandt. Die Zeugnisse derartiger Überlegungen, Sondierungen und politischen Vorstöße sind außerordentlich zahlreich. Sie reichen von seinen sozialpolitischen Aktivitäten in den Jahren zwischen 1847 und 1850 über die aufmerksam registrierten Erfahrungen seiner Frankfurter Jahre, in einer ihm bis dahin nur wenig bekannten Welt, bis hin zu den berühmten Gesprächen mit Ferdinand Lassalle. Das Ganze gipfelte in der zeitweise sehr intensiven Beschäftigung mit konkreten wirtschaftlichen und sozialen Konfliktsituationen, mit Arbeitskämpfen in einzelnen Betrieben und Gewerbezweigen im Preußen der sechziger Jahre. Die Auseinandersetzung mit solchen Problemen war für ihn, den Pragmatiker, ungleich wichtiger als das, was ihm Lassalle an weitläufigen theoretischen Überlegungen vortrug.

Auf diesem Weg hatte er ein sehr klares Bild der sich verschärfenden sozialen und wirtschaftlichen Interessendivergenzen im Schoße der bürgerlichen Gesellschaft und ihrer wirtschaftlichen Ordnung gewonnen. Damit stand er natürlich nicht allein; die Dinge lagen für jeden Einsichtigen gewissermaßen auf der Hand. Im Unterschied zu der großen Mehrheit seiner

Zeitgenossen im bürgerlichen Lager neigte er jedoch nur sehr begrenzt zu einer harmonisierenden Betrachtungsweise. Hier sprach man gern von bloßen Übergangserscheinungen und Anpassungsschwierigkeiten, die sich mit dem Gang der Entwicklung, dem unaufhaltsamen Fortschritt auf allen Lebensgebieten bald von selbst erledigen würden, ganz ohne äußeres Zutun. Bismarck hingegen, gewohnt, alle Verhältnisse und potentiellen Konfliktsituationen auf ihre politische Benutzbarkeit hin zu analysieren, war schon früh davon überzeugt, daß man auf solche Weise die wahre Situation verharmlose, daß hier Zündstoff bereitliege, dessen sich Kräfte bedienen konnten, die willens waren, die ganze bürgerliche Ordnung in die Luft zu sprengen.

Als das große Lehrstück erschien ihm der sogenannte Pariser Kommuneaufstand vom Frühjahr 1871, eine weite Teile der Bevölkerung der französischen Hauptstadt erfassende Volksbewegung gegen die sich installierende bürgerliche Republik. Als Vertragspartner der betroffenen Regierung, von deren Sieg Krieg und Frieden entscheidend abhingen, wie als Regierungschef der Besatzungsmacht eines Teils Frankreichs hatte Bismarck diesen Vorgang eindringlich miterlebt und verfolgt.

Vieles hatte sich in jener höchst heterogenen Koalition von linken Gegnern der neuen republikanischen Regierung und der sie stützenden Mehrheit der in Versailles tagenden Nationalversammlung gebündelt: die Opposition gegen die angeblich viel zu weitgehende Unterwerfung unter den preußischdeutschen Sieger; die Sorge vor einer Neuauflage der großbürgerlichen Interessenpolitik der dreißiger und vierziger Jahre; die Furcht vor einer klerikal-legitimistischen Reaktion; und schließlich die Überzeugung, nur in einem Akt der revolutionären Selbsthilfe könne die soziale Republik gesichert und mit ihr die Hauptstadt gegen eine restaurative Überwältigung durch die Provinz geschützt werden. Als eigentlicher Treibsatz aber lag dem Ganzen der Protest gegen die bestehende gesellschaftliche Ordnung insgesamt zugrunde, von der sich viele Menschen in dieser oder jener Form benachteiligt, ja, bedroht fühlten. Dieser Protest ließ sich in die unterschiedlichsten Formeln bannen und für die unterschiedlichsten Zwecke mobilisieren. So reklamierte neben vielen anderen auch einer der beiden Führer der neuen »Sozialdemokratischen Arbeiterpartei« in Deutschland, August Bebel, die Pariser Bewegung für sich und für die Ziele seiner Partei. Am 25. Mai 1871, auf dem Höhepunkt der blutigen Auseinandersetzungen in Paris, nannte er den Kommuneaufstand im Reichstag »ein kleines Vorpostengefecht« im Kampf des europäischen Proletariats gegen die bestehende gesellschaftliche und wirtschaftliche Ordnung: »Die Hauptsache in Europa« steht »uns noch bevor«, prophezeite er. Das wiederum hatte Bismarck in seiner Grundeinschätzung des ganzen Vorgangs bestärkt. »Jener Anruf der Kommune«, so erklärte er im Herbst 1878 anläßlich der Beratung des

20. Bismarck mit seiner Frau im Familien- und Freundeskreis des Fürsten
Putbus auf Rügen
Aufnahme aus dem Jahr 1866

21. Das Herrenhaus in Varzin
Aufnahme aus den achtziger Jahren

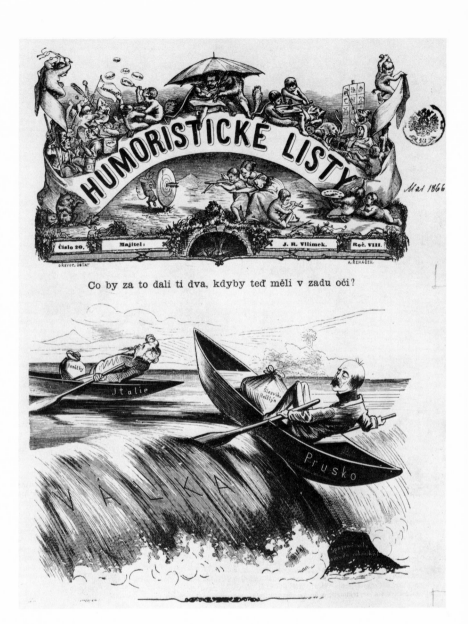

22. Italien und Preußen mit dem Ballast der venezianischen
und der schleswig-holsteinischen Frage
auf der Fahrt zur Stromschnelle »Krieg«
Karikatur in der Prager Zeitschrift vom Mai 1866

23.  Die »Brücke über dem Main«
Karikatur in der Wiener Zeitschrift vom 31. Januar 1869

24. Napoleon III. und Bismarck am Morgen nach der Schlacht bei Sedan am 2. September 1870
Gemälde von Wilhelm Camphausen, 1878

25. Die Kaiserproklamation in Versailles am 18. Januar 1871
Gemälde von Anton von Werner

Sozialistengesetzes im Reichstag, sei »ein Lichtstrahl« gewesen, der »in die Sache fiel«: »Von diesem Augenblick an habe ich in den sozialdemokratischen Elementen einen Feind erkannt, gegen den der Staat, die Gesellschaft sich im Stande der Notwehr befindet.«

Bismarck hat sich auf den Kommuneaufstand und auf die Sympathiekundgebungen der äußersten Linken für die Pariser Bewegung nicht nur hier, sondern an vielen Stellen berufen. Stets beschwor er damit die Gefahren, die der bestehenden Ordnung aus der Ausnutzung der in ihr vorhandenen Interessengegensätze und sozialen Probleme durch geschickte Agitatoren und revolutionäre Drahtzieher zu erwachsen drohten, wenn man diesen nicht rechtzeitig das Handwerk lege. Schon Anfang Juli 1871 hat er in einem Erlaß an den Wiener Gesandten von Schweinitz von der Notwendigkeit der »Anerkennung des Grundsatzes« auch im zwischenstaatlichen Bereich gesprochen, »daß die sozialistischen Bedrohungen des Lebens und des Eigentums, wie sie in Paris zur Tat geworden sind, dem Kreise der gemeinen und nicht der politischen Verbrechen angehören«. Und in einer an den preußischen Handelsminister von Itzenplitz gerichteten Notiz über ein Gespräch mit dem österreichischen Reichskanzler, mit Graf Beust, hat er unter dem 21. Oktober 1871, verbunden mit der Aufforderung, entsprechende Vorarbeiten einzuleiten, bereits stichwortartig sein ganzes Programm auf diesem Gebiet entwickelt. Er stimme, so hieß es da, mit Beust in zwei Punkten überein: »1. Entgegenkommen gegen die Wünsche der arbeitenden Klassen durch Gesetzgebung und Verwaltung, soweit mit den allgemeinen Staatsinteressen verträglich. 2. Hemmung der staatsgefährlichen Agitationen durch Verbots- und Strafgesetze.« Das sei der einzige Weg, begründete er in einem ausführlichen Schreiben an Itzenplitz vier Wochen später, »der sozialistischen Bewegung in ihrer gegenwärtigen Verirrung Halt zu gebieten und dieselbe insbesondere dadurch in heilsamere Wege zu leiten, daß man *realisiert, was in den sozialistischen Forderungen als berechtigt* erscheint und in dem Rahmen der gegenwärtigen Staats- und Gesellschaftsordnung verwirklicht werden kann«.

Im Unterschied zu Beust teilte allerdings die große Mehrheit der politisch tonangebenden Kräfte in Deutschland die dahinter stehenden Sorgen und die Einschätzung der sozialpolitischen Situation nur sehr bedingt. Ja, sie sah in Bismarcks Andeutungen in erster Linie den Versuch, mit der Beschwörung angeblicher Gefahren von links in inzwischen schon bewährter Manier politischen Druck zu erzeugen, um die Parteien zur Unterstützung der Regierung zu veranlassen – unter Hintanstellung eigener Wünsche und Forderungen. Dem ist ein Großteil der Historiker gefolgt. Bismarck habe hier einen Buhmann aufgebaut, der sich auch international habe benutzen lassen, wie die diesbezüglichen Gespräche zunächst mit Österreich, dann auch mit Rußland bezeugten. Die Sorge vor der Revolution, vor dem sozialen Umsturz, seit Jahrzehnten ein wichtiges Bindemittel zwischen den östlichen Großmächten, habe damit durch ihn ganz bewußt einen neuen Adressaten erhalten. Denn das alte Schreckgespenst, die liberale und nationale Bewegung, sei dazu nicht mehr geeignet gewesen, da sie inzwischen sowohl in Österreich als auch in Deutschland zum Partner der Regierung geworden war.

Sicher hat Bismarck für diesen Aspekt einen scharfen Blick gehabt. Und es ist nicht zu übersehen, daß er die soziale Frage und die Furcht vor dem sozialen Umsturz immer wieder, national wie international, als Instrument eingesetzt hat. Doch es heißt abermals das Element des Machiavellistischen in seiner Politik zu übertreiben, wenn man versucht, ihn auch in diesem Zusammenhang zum Schöpfer dessen zu stilisieren, was er benutzte. Die sozialen Probleme der heraufziehenden Industriegesellschaft bildeten zweifellos in dieser Phase des Übergangs ein Pulverfaß. Und es steht außer Frage, daß zumindest ein Teil derjenigen, die sie anklagend beschworen, auch geneigt war, die Lunte an das Pulverfaß zu legen und die bestehende Gesellschaft in die Luft zu sprengen. Man darf die Dinge hier nicht, wie das gelegentlich geschieht, im Licht der späteren Aussöhnung eines Teils der organisierten Arbeiterschaft mit dem sogenannten bürgerlichen Staat und vor allem mit den Prinzipien einer liberal-kapitalistischen Wirtschafts- und der von ihr bestimmten Gesellschaftsordnung sehen. Interpretationen solcher Art verkennen die historische Wirklichkeit im Deutschland der siebziger und achtziger Jahre des 19. Jahrhunderts. Sie drängen die tatsächlichen Ursachen der heraufziehenden Auseinandersetzung zwischen dem Staat und der organisierten Arbeiterschaft zugunsten einer einseitig personengebundenen Deutung in den Hintergrund. Statt der Realität sich ständig verschärfender sozialer Spannungen und wirtschaftlicher Interessenkonflikte in der Phase des Übergangs zur modernen Industriegesellschaft erscheint dann plötzlich Bismarck als derjenige, der einer frühen Aussöhnung zwischen Arbeiterschaft und bürgerlich-liberaler Ordnung im Weg gestanden habe.

In Wahrheit hat es die Möglichkeit eines solchen Ausgleichs damals kaum gegeben. Für einen die Gegenseite, die rapide anwachsende Industriearbeiterschaft und ihre Wortführer, auch nur einigermaßen befriedigenden Kompromiß fehlten neben der Bereitschaft der Wirtschaft und ihrer entscheidenden Träger vor allem die materiellen Voraussetzungen: ein entsprechend gesteigerter wirtschaftlicher Ertrag. Es ist daher nirgendwo in der Welt auf dieser Stufe der industriewirtschaftlichen Entwicklung zu einem derartigen Kompromiß gekommen. Und da die Voraussetzungen dafür fehlten, ein Ausgleich nicht wirklich in Aussicht stand, war die Sorge vor dem sozialen Umsturz, vor der Revolution durchaus begründet, wenn man nicht von unerschütterlichem Optimismus, von grenzenlosem sozialen Fortschrittsglauben erfüllt war.

Das war Bismarck mit Sicherheit nicht. Deshalb ist es durchaus glaubwürdig, daß ihn in dieser Hinsicht Sorgen und Ängste früher befielen als die große Mehrheit des liberalen Bürgertums, die erst nach dem wirtschaftlichen Einbruch von 1873/74, im Zuge der einsetzenden wirtschaftlichen Strukturkrise, zunehmend pessimistischer wurde.

Die Mittel freilich, die dem deutschen Regierungschef einfielen, um den »Alptraum der Revolutionen« zu bannen und »die Mehrzahl der Arbeiter mit der bestehenden Staatsordnung auszusöhnen«, wie er Ende 1871 sein Ziel formulierte, erwiesen sich als ebenso unbrauchbar wie diejenigen, die er gegen das Zentrum einsetzte. Seinen ersten großen politischen Gegner, den Liberalismus, hatte er wenn nicht bezwungen, so doch politisch in die Hand bekommen, indem er sich in vielem an die Spitze der ihn tragenden Kräfte, Interessen und Bestrebungen gesetzt hatte, in wirtschaftlicher wie in nationaler, in rechtlicher wie nun in kultur- und kirchenpolitischer und, in begrenzter Weise, auch in sozialer Hinsicht. All das schied bei den jetzt in Frage stehenden Bewegungen und Kräften von vornherein aus. Weder die katholische Bewegung noch die Arbeiterbewegung vertraten Ziele, die sich, von Einzelheiten und einzelnen Elementen abgesehen, in ein politisches Konzept einfügen ließen, das er, bei aller Flexibilität, verfolgen und vertreten konnte. Beide führten ihn an seine politischen Grenzen, die zu überschreiten ihm unmöglich war: einmal grundsätzlich, weil er damit wesentliche Elemente seiner individuellen Existenz und seines Selbstverständnisses als protestantischer Christ, als preußischer Junker und als Wortführer und Verteidiger einer historisch-legitimistisch fundierten politischen Ordnung hätte preisgeben müssen; und zum anderen taktisch, weil er damit in Gefahr geraten wäre, endgültig jede Glaubwürdigkeit zu verlieren.

In diese Grenzen gebannt, reagierte Bismarck in beiden Fällen auf eine Weise, in die der Mißerfolg nach aller historischen Erfahrung schon einprogrammiert war. Er suchte die direkte Unterdrückung auf der einen Seite zu verbinden mit äußeren Konzessionen und scheinbarem Entgegenkommen gegenüber der jeweiligen Anhängerschaft auf der anderen Seite. Und dies, ohne ein politisch-soziales System verlassen zu können und zu wollen, das wirklichen Konzessionen und einem ernsthaften Entgegenkommen im Weg stand.

Dieses System gründete auf dem für das Deutsche Reich von 1871 charakteristischen Ausgleich zwischen den traditionellen und den neu herandrängenden bürgerlichen Führungsschichten und ihren jeweiligen Erwartungen, Ideen und Interessen. Es begünstigte zwar, vor allem in Preußen, die eine Seite mehr, ließ aber die andere nicht wirklich unbefriedigt. Auf dieses System, dem er seine bisherigen Erfolge wesentlich verdankte, glaubte Bismarck sich nach 1871 stets zurückziehen zu können. Er hielt das in seiner Generation und von ihm selber Durchsetzbare und Erreichbare für getan und die Sicherung und den Ausbau des Erreichten, dessen Verteidigung gegen innere und äußere Feinde nun für das Vordringliche.

In seiner Außenpolitik nach 1871 hat man jene Tendenz schon immer erkannt, die Wendung von der aggressiven Infragestellung und Korrektur des Status quo zu einer Politik der »Saturiertheit«, zu dem Versuch, die neue Ordnung der Dinge unter Verzicht auf weiterreichende Ambitionen im eigenen Lager festzuschreiben. Sie gilt jedoch in gleicher Weise, ja, in besonderem Maße auch für die innere Politik. Hier hatte die Sicherung des Erreichten auf der Basis jener Konstellation von Kräften und Interessen, die es ermöglicht hatte, nun gleichfalls unbedingten Vorrang vor allem anderen.

Innen- wie außenpolitisch war diese Wendung schon in der Vorgeschichte, in der Zeit der dramatischen Veränderungen und der immer neuen Kombinationen und Schachzüge, angelegt gewesen. Hier wie dort waren der Hinweis auf die Grenzen, die unbedingt eingehalten werden würden, und die Sorgfalt, mit der Bismarck alles vermied, was die Glaubwürdigkeit seiner diesbezüglichen Versicherungen wirklich hätte in Frage stellen können, Grundbedingungen des Erfolgs gewesen. Und er war sich stets bewußt geblieben, daß der Spielraum, über den er in beiden Bereichen zeitweilig verfügte, neben Glück und Geschick vor allem von der Tatsache abhing, daß er als Konservativer, als ein Mann der Vorwärtsverteidigung galt. Hier wie dort aber war der Spielraum mit dem 1871 Erreichten gleichsam erschöpft. Das Argument der offensiven Verteidigung drohte zunehmend unglaubwürdig zu werden. Das hatte schon für die Annexion von Elsaß und Lothringen gegolten, und das galt innenpolitisch jetzt insbesondere für den Kampf gegen eine im Kern konservative Partei wie das Zentrum.

In der politischen Biographie Bismarcks markierte der Vorgang eine tiefe Zäsur. Zwar lag die Bewahrung und Verteidigung der inzwischen erreichten inneren und äußeren Ordnung nach 1871 unter vielfältigem Aspekt in der Logik der Entwicklung, die zu der neuen Ordnung geführt hatte, in den Mitteln, den Methoden und dem grundsätzlichen Ansatz, die sie bestimmt hatten. Doch mit dem Übergang dazu war etwas verbunden, das in scharfem Widerspruch zu der bisherigen Politik stand und, zunächst mehr äußerlich und in der Methode, im Verlauf der Entwicklung auch in der Sache zu einem entscheidenden Kontinuitätsverlust führte.

In den Jahren davor hatte Bismarck als ein Mann des Bestehenden, als ein Konservativer, immer wieder auf die Kräfte der Veränderung gesetzt. Er hatte sie benutzt, mit ihnen paktiert, sie vorgeschoben und gegeneinander gesetzt, um die von ihm angestrebten Veränderungen im Rahmen eben des Bestehenden und unter Achtung der Grenzen zu erreichen, jenseits derer Wandel zur Gefährdung des Ganzen zu werden drohte. Er hatte gewissermaßen den Vorteil des loyalen Nachgeborenen genossen, dem man es nicht verübelt, wenn er unter Anerkennung jenes Rahmens seinen Vorteil und seine Stellung sucht, selbst wenn dabei zeitweilig einiges durcheinandergerät. Nun aber war er in der Position desjenigen, für den Bewegung und Veränderung weniger Chance als Gefahr darstellten, der Gewichtsverlagerungen austarieren, Vorstöße parieren, Spannungen ablenken, kurz, das System als solches erhalten mußte, in dem er sich, die entsprechenden Bemühungen anderer berechnend und ausnützend, einst so frei bewegt hatte.

Die Reaktion überwog von nun an, schaut man tiefer und läßt sich nicht wie viele Zeitgenossen von der äußeren Aktivität blenden, die Aktion. Diese war zwar ihrerseits niemals ganz frei gewesen, jedoch sehr viel unabhängiger und produktiver und nicht an eine unbedingt zu erhaltende Konstellation und Ordnung rückgebunden. Während Bismarck also gerade jetzt das Ganze höchst eindrucksvoll und in immer wieder überraschenden neuen Aktionen und Schachzügen zu beherrschen schien, ging das Gesetz des Handelns in Wahrheit mehr und mehr an jene Kräfte und Tendenzen über, die es in Frage zu stellen oder zu verändern drohten. Sie führten schrittweise einen Gestaltwandel der bestehenden Ordnung herbei, der sich schließlich mit ihrer nur mühsam aufrechterhaltenen inneren Struktur kaum noch vertrug. Diese zu ändern und den neuen Verhältnissen anzupassen, hat Bismarck nicht mehr vermocht. Das lag nicht so sehr an nachlassender Flexibilität und Dynamik. Es lag vielmehr hauptsächlich daran, daß ihm hier durch die Persönlichkeit und durch das Bild, das sich von ihr in der Öffentlichkeit verfestigt hatte, natürliche Grenzen gesetzt waren.

Der Wandel des politischen Ansatzes, der Reaktionsweise wie der Methode wird sehr anschaulich, wenn man Bismarcks Verhalten gegenüber Ferdinand Lassalle und seinem Arbeiterverein 1863/64 mit demjenigen vergleicht, das er 1871/72 gegenüber der neuen Zentrumspartei an den Tag legte, obschon beide politischen Bewegungen für sich genommen unvergleichbar waren. Im Fall Lassalles dominierte noch, wenngleich schließlich alles im Bereich des Spielerischen, des bloßen Erwägens geblieben war, die Kategorie des Möglichen, neuer Chancen und Lösungen. Im Fall des Zentrums hingegen war Bismarck von vornherein auf Abwehr eingestellt. Er sah in der neuen Partei lediglich einen Störfaktor, der die neu geschaffene Ordnung bedrohte. Und das gleiche galt dann in verstärktem Maße für die Sozialisten, für die Nachfolger Lassalles im Lager der Arbeiterbewegung und deren bald dominierende marxistische Konkurrenten. Einen Umsturz der bisherigen politischen Bündnisse, eine entschiedene Neuorientierung, hat er in dieser Phase niemals auch nur andeutungsweise erwogen.

Das »Acheronta movebo«, die Bereitschaft, im Interesse der eigenen Ziele und im Vertrauen auf die eigene Stärke Bündnisse sogar mit geschworenen Feinden bestehender Ordnungen einzugehen, trat jetzt sehr weitgehend zurück hinter dem Wunsch, das Neue zu konsolidieren, es zu sichern und abzuschirmen gegenüber abermaligen Veränderungen. Seine Politik wurde zunehmend zur Status-quo-Politik, und zwar in einem ganz buchstäb-lichen Sinne, fixiert auf die innere und äußere Ordnung von 1871. Unter dem Eindruck der turbulenten sechziger Jahre ist dies freilich vielen Zeitgenossen, wenn überhaupt, so erst sehr spät bewußt geworden.

Das gilt insbesondere für die Innenpolitik, wo stürmische Veränderungen vorwiegend im wirtschaftlichen und sozialen Bereich und die von ihnen provozierten politischen Reaktionen die ursprüngliche Grundtendenz zur Bewahrung des Erreichten und vor allem der politischen Konstellation von 1866/67 sehr bald verdeckten und schließlich in den Hintergrund drängten. Es gilt jedoch auch für die Außenpolitik.

# Das Reich und Europa

Unmittelbar nach 1871, nach Abschluß des Frankfurter Friedens, hat Bismarck die Parole ausgegeben, das zum Deutschen Reich erweiterte Preußen sei nun definitiv »saturiert«. Es habe keinerlei weiterreichende Ansprüche mehr und strebe bloß noch nach Erhaltung des Bestehenden. Rückblickend betrachtet besteht kein Zweifel, daß es ihm damit völlig ernst gewesen ist. Alle andersgerichteten Vorstellungen und Bestrebungen, etwa aus dem Kreis deutschstämmiger Volksgruppen in Ostmitteleuropa, hat er fortan mit aller Deutlichkeit, ja, gelegentlich mit Schärfe zurückgewiesen. In der Zeit selbst waren jedoch viele europäische Politiker noch geneigt, dahinter nach den Erfahrungen der sechziger Jahre einige Fragezeichen zu setzen.

Auch ein Großteil der europäischen Öffentlichkeit stimmte mit ihnen überein und beschwor, nicht allein in Frankreich, die Gefahren eines Pangermanismus, der die Grenzen von 1871 schon bald sprengen werde. Das war vor allem ein Echo auf die Töne, die 1870/71 in Deutschland im Zusammenhang mit der Forderung nach Annexion von Elsaß und Lothringen laut geworden waren. Zwar konnte Bismarck mit einigem Recht annehmen, daß ihn die verantwortlichen Männer in den europäischen Kabinetten auch künftig nicht ernsthaft für einen Wortführer und Parteigänger eines expansiven Nationalismus halten würden. Dem stand sein ganzes bisheriges Verhalten entgegen. Es entsprach, auch unabhängig von der konkreten Situation und den Zielen, die er in ihr verfolgte, durchaus seiner inneren Überzeugung, wenn er nach Ausbruch des preußisch-französischen Krieges an den Gesandten in Wien, von Schweinitz, schrieb, er betrachte »jede germanische Eroberungstendenz ... als eine Torheit, die außerhalb aller vernünftigen Politik liegt«. Doch er hat zunächst ganz offensichtlich die Befürchtungen unterschätzt, die die neue Machtbildung in Mitteleuropa auch bei nüchternen Diplomaten und kühl kalkulierenden Politikern erregte. Europa, so hat er 1872 einmal lachend bemerkt, könne von ihm jetzt »stets in zehn bis fünfzehn Minuten beim ersten Frühstück abgemacht, gekämmt und gebürstet« werden.

Ihren wohl dramatischsten Ausdruck hatten jene Befürchtungen bereits wenige Tage nach dem deutsch-französischen Waffenstillstand in einer Rede im englischen Unterhaus gefunden, in welcher der Führer der konservativen Opposition, Benjamin Disraeli, am 9. Februar 1871 das sich abzeichnende endgültige Ergebnis der Entwicklung auf dem Kontinent kommentierte. »Dieser Krieg«, so Disraeli, »bedeutet die deutsche Revolution, ein größeres politisches Ereignis als die Französische Revolution des vergangenen Jahrhunderts.« Es gebe »keine überkommene Auffassung der Diplomatie« mehr, »welche nicht fortgeschwemmt wäre«: »Das Gleichgewicht der Macht ist völlig zerstört, und das Land, welches am meisten leidet und die Wirkungen dieser großen Veränderung am meisten spürt, ist England.«

Sicher war das nicht nur eine dramatische, sondern auch eine dramatisierende Zuspitzung. Bismarck nahm die Dinge jedoch zu leicht, wenn er solche Äußerungen im wesentlichen auf ihre innenpolitische und taktische Motivierung reduzierte: Ob ihr jeweiliger Autor eigener ehrlicher Besorgnis Ausdruck verlieh oder diese bloß bei seinen Lesern und Zuhörern beschwor, machte keinen so großen Unterschied. Entscheidend waren ihre Existenz und der Druck, der gegebenenfalls von ihr ausgehen konnte.

Als verständlich anerkannt hat Bismarck derartige Sorgen im Fall Österreichs. Die Probleme des Vielvölkerstaates in einer Welt, in der das Nationalstaatsprinzip immer weiter vorankam, waren ihm vertraut genug. Es war nicht lange her, daß er selber mit der Sprengung dieses Staates durch die Mobilisierung und Ermunterung der einzelnen Nationalitäten gespielt hatte. Daß man in Wien nun fürchten mußte, die deutsche Nationalstaatsbildung werde in den deutschen Gebieten Österreichs eine Anschlußbewegung hervorrufen und diese könne von Berlin zu seinem Vorteil benutzt werden, lag in der Natur der Sache. Daraus resultierte die Gefahr, daß die Führung des Kaiserstaates ihr Heil in einer antideutschen Koalition suchen werde, selbst wenn eine solche Koalition wie schon vor 1870 im Land unpopulär sein würde.

Deshalb konzentrierten sich Bismarcks außenpolitische Bemühungen schon früh darauf, Wien über mögliche nationale Aspirationen des neuen Reiches zu beruhigen und den Kaiserstaat an Preußen-Deutschland heranzuziehen. Bereits unmittelbar nach Abschluß der Verträge mit den süddeutschen Staaten hatte er der österreichischen Regierung seine »Hoffnung in betreff der Zukunft der geschichtlich begründeten freundschaftlichen Beziehungen zwischen Österreich und Deutschland« aussprechen lassen. Das mochte zu jenem Zeitpunkt noch wesentlich taktisch motiviert erscheinen, bestimmt von dem Bestreben, Österreich weiterhin neutral zu halten. Dann jedoch war immer deutlicher geworden, daß es dem preußischen Regierungschef damit tatsächlich ernst war. In vielfältigen Wendungen sprach er davon, daß Berlin und Wien nach der definitiven Abgrenzung der Interessen- und Einflußsphären natürliche Partner seien. So ließ er nach dem endgültigen Abschluß des Friedens mit Frankreich der Wiener Regierung noch einmal bündig mitteilen: »Die Bestrebungen der Fraktion, welche nach dem Anschluß der deutschen Erblande Österreichs an Deutschland strebt, entsprechen nicht den Zielen unserer Politik.«

Zu Bismarcks Partner bei den dann rasch vorankommenden Bemühungen, nicht nur zu einem dauerhaften Ausgleich, sondern auch zu einer engen Verbindung zwischen den beiden mitteleuropäischen Kaiserreichen zu gelangen, wurde ausgerechnet einer seiner bis dahin schärfsten politischen Gegner, nämlich Graf Beust. Dieser hatte nach 1866 eine Revision der Entscheidungen von Königgrätz und Nikolsburg betrieben und in diesem Sinne zeitweise eine Annäherung an das mittlerweile geschlagene Frankreich gesucht, ja, noch während des Krieges mit dem Gedanken einer Intervention gespielt. Wenn es schließlich doch nicht zu bindenden Abmachungen und klaren Entscheidungen gekommen war, so war das neben vielem anderen das Ergebnis der Einsicht gewesen, daß die Bereitschaft zu einem kriegerischen Konflikt, wie sie ein solches Revisionsstreben in letzter Konsequenz voraussetzte, im Kaiserstaat aus unterschiedlichen Gründen fast überall fehlte.

So fand sich Beust, dem Bismarck unterdessen auf das Schmeichelhafteste begegnete, noch selbst bereit, die Wiederannäherung zwischen den beiden mitteleuropäischen Großmächten von der neuen Basis aus zu betreiben, unter Anerkennung der gegebenen Situation. Seit Bismarcks erstem Vorstoß Ende November 1870 kam die Annäherung kontinuierlich voran. Sie fand ihren ersten Höhepunkt in den Zusammenkünften der beiden Kaiser im August 1871 in Ischl und in Salzburg.

Die Kaisertreffen ließen freilich den von Österreich her gesehen bedrohlichen und für einen großdeutsch gesinnten Mann wie Beust besonders schmerzlichen Hintergrund des Ganzen noch einmal sehr deutlich hervortreten: Der deutsche Kaiser und sein Reichskanzler wurden von der überwiegenden Mehrheit der Bevölkerung außerordentlich freundlich, gelegentlich sogar stürmisch begrüßt. Es konnte kaum ein Zweifel daran bestehen, daß diese Art der Begrüßung nicht so sehr auf die sich abzeichnende endgültige Aussöhnung gemünzt war, sondern daß sie den Repräsentanten der neuen deutschen Staatsnation galt.

Daher war es Bismarck ganz recht, als Beust im November 1871 an der heiß umstrittenen Frage eines Ausgleichs mit dem tschechischen Bevölkerungsteil scheiterte und zurücktreten mußte. Sein Nachfolger wurde der bisherige ungarische Ministerpräsident, Graf Julius Andrássy, ein Mann von damals achtundvierzig Jahren, der, als Teilnehmer an der ungarischen Revolution von 1848/49 zum Tode verurteilt und erst 1858 begnadigt, viele Jahre im Ausland, in London und Paris, verbracht hatte und dann zu einem der Hauptwortführer und Träger des Ausgleichs von 1867 geworden war. Andrássy, einer der wenigen Politiker, denen Bismarck mit persönlicher Sympathie begegnete, hatte sich im Unterschied zu dem schwankenden

Beust entschieden gegen eine weitere förderalistische Aufgliederung der
Monarchie und eine Gleichstellung Böhmens mit Ungarn ausgesprochen.
Und wie hier war Andrássy auch außenpolitisch, nicht zuletzt im ungarischen
Interesse, ein Mann des Status quo, wie er 1866/67 und 1870/71 geschaffen
worden war, ein strikter Gegner aller Revisionsbestrebungen.

Insofern war er für Bismarck geradezu der ideale Partner. Mit seinem
Namen sind denn auch von österreichischer Seite alle Schritte verbunden, die
in den siebziger Jahren zu einer wachsenden Annäherung zwischen Österreich-Ungarn und dem Deutschen Reich führten – bis hin zu dem berühmten
Zweibund vom Oktober 1879, der das Prinzip der Sonderbeziehung zwischen den beiden mitteleuropäischen Großmächten auf seinen Höhepunkt
brachte. »Ein solches Verhältnis«, so hat der deutsche Kanzler Andrássys
persönlichen Anteil daran in ganz und gar ungewöhnlicher Form, in einer
Rede vor dem Reichstag, gewürdigt, »ist ein sehr günstiges, wenn man sich
gegenüber einen Minister hat, bei dem man von der Wahrheit dessen, was er
auf sein Wort versichert, vollständig überzeugt ist.«

Weit weniger verständlich als die Besorgnisse Österreichs erschienen
Bismarck von Anfang an die angeblichen Befürchtungen der russischen
Regierung und eines Teils der russischen Öffentlichkeit. Hinter Äußerungen, die vor einem möglichen weiteren Ausgreifen des neuen Reiches
warnten und eine Gefährdung des europäischen Gleichgewichts beschworen,
witterte er in erster Linie neue Kompensationswünsche, wie sie Rußland
eben erst in der Pontus-Frage erfolgreich angemeldet hatte. Außerdem sah
er darin das Bestreben des für seine Eitelkeit bekannten russischen Reichskanzlers Fürst Gortschakow, sich in Szene zu setzen. »Er kann«, so Bismarck, »keine Pfütze überschreiten, ohne sich darin zu spiegeln.«

Wohl war der deutsche Regierungschef auch im Fall Rußlands, entsprechend der neuen Grundlinie seiner Politik, sofort bereit, bindende Zusicherungen hinsichtlich der preußisch-deutschen Ostgrenze abzugeben und die
Baltendeutschen auf ihre Loyalitätspflicht gegenüber dem russischen Staat
und dem russischen Herrscherhaus hinzuweisen. So erklärte er zum Beispiel
dem ehemaligen Zivil-Gouverneur von Livland, von Oettingen, Ende 1872,
es sei ihm »trotz aller Sympathie für die Balten absolut unmöglich, für die
Deutschen dort irgend etwas zu tun. Wenn ich es könnte, würde ich eine
Prämie setzen auf die Auswanderung jedes Deutschen aus den baltischen
Provinzen hierher.« Und noch drastischer in einem Gespräch mit Abgeordneten Anfang 1873: »Wir könnten höchstens noch mehr Polen bekommen
und haben noch nicht die verdaut, welche wir besitzen.« Auf mehr als die
wiederholte Versicherung, die »russischen Ostseeprovinzen« hätten für
Berlin »keine politische Bedeutung«, wollte er sich jedoch, anders als im Fall
Österreichs, zunächst nicht einlassen. Und er empfand es als ausgesprochen
störend, daß Rußland sogleich mit Vehemenz in die sich abzeichnende

Verständigung zwischen dem Deutschen Reich und Österreich-Ungarn hineindrängte: Es sei ihm, erklärte der Zar mit gespielter Treuherzigkeit, nicht angenehm, »wenn sein bester Freund ... mit einem dritten zusammenkommt, und er sozusagen vor der Tür seines Freundes stehenbleiben muß, während die zwei anderen miteinander verkehren«.

Bismarck befürchtete, Rußland könne ein, wenngleich in anderer Machtverteilung wiederhergestelltes Bündnis der drei Ostmächte benutzen, um wie nach 1848 erneut stärkeren Einfluß auf Mitteleuropa zu gewinnen. Auch jetzt wieder stützte sich die russische Regierung dabei auf den Gedanken der konservativen Solidarität der drei großen Monarchien des Ostens, der ihr seit 1815 als Instrument und Bindemittel gedient hatte, um die Allianz zusammenzuhalten und sie nicht nur nach außen, sondern auch im Innern auf einen hochkonservativen Kurs einzuschwören.

Zwar hatte auch Bismarck mit diesem Gedanken vielfach operiert. In den Gesprächen mit Beust über Maßnahmen gegen die sozialistische Gefahr war kurz zuvor von der Notwendigkeit eines solidarischen Zusammenwirkens der drei Kaiserreiche im Interesse der Erhaltung der etablierten Ordnung die Rede gewesen. Doch der deutsche Regierungschef hatte sich inzwischen in Theorie und Praxis weit von der Fassung entfernt, die die russische Regierung diesem Gedanken nach wie vor gab, unbeschadet der Veränderungen, die sich auch im Zarenreich seit der Bauernbefreiung und den Reformen der sechziger Jahre ergeben hatten.

Die Kräfte, die in Rußland noch weitgehend im Untergrund wirkten und den Verfolgungen der nach wie vor konstitutionell unbeschränkten Autokratie ausgesetzt waren, waren im Reich unterdessen zu anerkannten Partnern der Regierung, ja, zu Säulen des Staates und der Monarchie geworden: der Liberalismus, die bürgerliche Intelligenz, die nationale Bewegung. Ebenso verhielt es sich in der Habsburger Monarchie. Beide Staaten waren einander mittlerweile, bei allen sonstigen Unterschieden, in ihrem innenpolitischen System wie in ihrer politischen Praxis sehr ähnlich geworden. Ja, sie repräsentierten so etwas wie einen spezifisch mitteleuropäischen Typus der politischen Ordnung und Verfassung. Er unterschied sich von dem parlamentarisch-parteistaatlichen System Westeuropas ebenso wie von dem autokratisch-polizeistaatlichen Rußlands.

Von der inneren Struktur her ergab sich so zusätzlich eine Art natürliche Affinität zwischen den beiden mitteleuropäischen Großmächten. Sie blieb durch eine merkwürdig parallele Entwicklung im Innern bis zum Ersten Weltkrieg erhalten und hat über alles machtpolitische Kalkül hinaus die Annäherung zwischen beiden sehr begünstigt. Sie hat zudem eine natürliche Trennungslinie gezogen zu der autokratischen Großmacht des Ostens, die im weiteren Verlauf durch wirtschaftliche wie durch machtpolitische Gegensätze auf dem Balkan noch vertieft wurde – eine Tatsache, die die Kriegspropaganda des Ersten Weltkrieges mit ihrem Versuch, die Gemeinsamkeiten zwischen den drei Ostmächten zu unterstreichen, dann weitgehend verwischt hat.

Es war also nicht nur die Sorge vor einem möglichen Versuch Rußlands, wieder verstärkt Einfluß auf Mitteleuropa zu nehmen, die Bismarck auf Distanz zu verstärkten Annäherungsbemühungen des Zarenreiches und zu Bestrebungen gehen ließ, die noch ganz informelle deutsch-österreichische Verständigung zu einem Dreierbündnis auszubauen. Es war auch das Bewußtsein, daß ein solches Bündnis ohne aktuellen Anlaß und aktuelles Ziel bei Lage der Dinge keine rechte innere Konsistenz haben würde. Hinzu kam die Sorge, daß es innenpolitisch wie in der öffentlichen Meinung Westeuropas, zumal in England, mißverstanden werden könne. Aus diesen Gründen ging Bismarck zwar auf das Drängen des Zaren ein, zu der für September 1872 geplanten Zusammenkunft zwischen dem deutschen und dem österreichischen Kaiser in Berlin hinzugezogen zu werden. Aber er sorgte dafür, daß die Erklärungen und Beschlüsse der drei Monarchen und ihrer Minister weitgehend im Unverbindlichen blieben.

Gleiches galt für das sogenannte Dreikaiserabkommen, zu dem es durch den Beitritt Kaiser Wilhelms zu dem am 6. Juni von Zar Alexander II. und Kaiser Franz Joseph unterzeichneten Schönbrunner Abkommen am 22. Oktober 1873 kam. Es enthielt nicht mehr als die wechselseitige Zusicherung der Monarchen, »den gegenwärtig in Europa herrschenden Friedenszustand zu befestigen« und sich dabei des Mittels der »direkte(n) und persönliche(n) Verständigung zwischen den Souveränen« zu bedienen sowie vor allem »auf dem Gebiete der Grundsätze« zusammenzustehen. Letzteres beschwor noch einmal den Geist der Vergangenheit, ohne das, was damit inhaltlich gemeint war, mit mehr als dem vagen Satz zu füllen, diese Grundsätze seien »allein geeignet, die Aufrechterhaltung des europäischen Friedens gegen alle Erschütterungen, von welcher Seite sie auch kommen mögen, zu sichern und, wenn nötig, zu erzwingen«. Das sei das alleinige Ziel, gab Bismarck sehr gezielt zu Protokoll. Man sei verbündet, »um der Sicherung des Friedens... Dauer zu verleihen«, nicht, »wie in der ehemaligen Heiligen Allianz, um durch das Einvernehmen der Herrscher die Völker zu unterdrücken«.

Ungeachtet dessen provozierten Dreikaiserzusammenkunft und Dreikaiserabkommen in der europäischen Öffentlichkeit und in den übrigen Kabinetten fast unvermeidlicherweise bestimmte Befürchtungen und Erwartungen, Einschätzungen der künftigen Politik des Reiches, die sich zwar vielfach widersprachen, aber insgesamt die Unsicherheit und das Mißtrauen noch vergrößerten. Suchte Bismarck, so fragte man sich, an die Politik reaktionärer Blockbildung anzuknüpfen, wie sie Metternich und dann vor allem die zaristischen Regierungen betrieben hatten? War sein Plädoyer für die außenpolitische Koalitionsfreiheit, unabhängig von den inneren Verhältnissen und dem Herrschaftssystem in den einzelnen Ländern, bloße Taktik gewesen, und enthüllte sich jetzt erst der wahre Charakter seiner Politik? Oder war alles nur ein neues Manöver, ein neuer kühner Schachzug, der ein weiteres machtpolitisches Ausgreifen vorbereiten sollte? Die Spekulationen fanden kein Ende, nicht nur in der Öffentlichkeit, sondern auch im Kreis der Diplomaten und der politisch Verantwortlichen. Eines jedoch war ihnen bei aller Widersprüchlichkeit und Gegensätzlichkeit gemeinsam: Sie alle kreisten im Kern um das Reich und um Bismarck. Hier in Berlin, nicht in St. Petersburg oder Wien, nicht in Paris oder London, suchte man den Schlüssel für die weitere Entwicklung, von hier erwartete man die entscheidenden Vorstöße und Aktionen.

Das war die neue Situation nach 1871. Der von ihr am unmittelbarsten Betroffene, der deutsche Reichskanzler und Außenminister, hat, ungeachtet seiner Erfahrung, geraume Zeit gebraucht, um sich auf sie und auf die Konsequenzen, die sich daraus ergaben, wirklich einzustellen. Er war es gewohnt, daß die von ihm außenpolitisch geleitete Macht als Macht unter Mächten operierte und daß er dabei nicht selten den Windschatten jener Macht ausnützen konnte, die als die heimliche Vormacht galt. Die bewußte Ambivalenz von Beziehungen, das diffuse »Wer für wen«, die Schwierigkeit, in diesem Geflecht Reaktion und Initiative zu trennen, die Vielfalt fast gleichwertiger Interessen – das war das Feld, auf dem er sich virtuos zu bewegen gelernt hatte. Auf ihm hatte er seine großen Erfolge errungen. Nun aber sah er sich und das Reich plötzlich ins Zentrum aller Aktionen gerückt. Er erschien jetzt gleichsam als der Spielmacher des europäischen Systems, als der Repräsentant jener Macht, von der eine Störung des europäischen Gleichgewichts nunmehr in erster Linie befürchtet wurde.

Von hier aus gesehen endeten gelegentlich völlig gegensätzliche Interpretationen ein und desselben Vorgangs mit dem gleichen Ergebnis. So wenn manche Kreise in London die angebliche Blockbildung des Dreikaiserabkommens als Auftakt einer offensiven deutschen Hegemonialpolitik zu deuten geneigt waren, während man in Petersburg in der deutschen Zurückhaltung bei den entsprechenden Verhandlungen ein Zeichen des Bestrebens sah, für künftige Aktionen freie Hand zu behalten. Das konnte dann zu Reaktionen führen, die in der machtpolitischen Konstellation vor 1871, an die Bismarck gewohnt gewesen war und an der er sich halb unbewußt immer noch orientierte, mit einiger Sicherheit nicht zu erwarten gewesen wären.

Ein solcher Fall trat im Frühjahr 1875 ein. Er bildete für Bismarck das große Lehrstück für die Zukunft. Von da an hat er sich sehr entschieden und bewußt auf die neue Situation und die neuen Verhältnisse eingestellt. Es handelte sich um die sogenannte Krieg-in-Sicht-Krise. Sie verdankte ihren Namen einem aufsehenerregenden Artikel in der als regierungsnah geltenden »Post« vom 8. April 1875, der die Überschrift trug: »Ist der Krieg in

Sicht?« In ihm gipfelten die Bestrebungen von deutscher Seite, das überraschend schnell wiedererstarkte Frankreich unter Druck zu setzen und vor allem von einem weiteren Ausbau seiner Armee abzuhalten. Ob der Artikel wie der vorangegangene mit dem Titel »Neue Allianzen« in der »Kölnischen Zeitung« vom 5. April direkt von Bismarck angeregt war, ist dabei relativ unwichtig. Er lag jedenfalls ganz auf der Linie seiner Politik und seiner Intentionen, war, wie er selbst sagte, »geeignet..., eine nützliche, friedliche Wirkung zu üben«.

Nachdem die allgemeine Wehrpflicht in Frankreich kurz nach Abschluß des Frankfurter Friedens wiedereingeführt worden war, hatte die französische Armeeorganisation mit einem am 13. März 1875 von der französischen Nationalversammlung verabschiedeten Kadergesetz eine ganz neue Basis erhalten. Dieses Gesetz warf die Kalkulationen des deutschen Generalstabs weitgehend über den Haufen. Schon die vorzeitige Räumung der besetzten Gebiete, die die französische Seite durch beschleunigte Zahlung der Kriegsentschädigung erzwang, hatte einige Zweifel an der richtigen Einschätzung der materiellen Stärke Frankreichs hervorgerufen und entsprechende Warnungen an die politische Führung provoziert. Nun jedoch schien der Auftrag, ein dauerndes militärisches Übergewicht gegenüber einem außenpolitisch isolierten Frankreich zu erhalten, kaum noch durchführbar zu sein. Man sprach daher auf deutscher Seite ganz offen von der Möglichkeit eines Präventivkrieges. Er sollte das Maß der militärischen und materiellen Stärke Frankreichs endgültig und dauerhaft auf ein für das Reich ungefährliches Niveau reduzieren.

Im Unterschied zu dem Chef des deutschen Generalstabs, dem Grafen Moltke, hat Bismarck einen solchen Gedanken wohl zu keinem Zeitpunkt wirklich ernsthaft erwogen. Aber er war offenkundig entschlossen, nicht nur massivsten Druck auszuüben, sondern Frankreich bei dieser Gelegenheit noch einmal seine Isolierung im Kreis der europäischen Mächte vor Augen zu führen, ihm die Aussichtslosigkeit aller Revanchebestrebungen nachhaltig zu demonstrieren. »Ganz Europa« sollte jetzt »einsehen«, »daß diese Rothäute in Lackstiefeln die unverbesserlichen Friedensstörer Europas sind und wohl auch bleiben werden«.

Dies mißlang völlig. Die französische Außenpolitik unter Leitung des geschickt operierenden Herzogs von Decazes konnte im Gegenzug erstmals sogar die bisherige Isolierung durchbrechen. England wie Rußland ließen, obwohl in diplomatisch geglätteter Form und in vorsichtig-zurückhaltenden Formulierungen, erkennen, daß sie eine weitere Schwächung Frankreichs nicht zulassen würden. Eine Fortsetzung der Konfrontationspolitik von deutscher Seite drohe, so die gemeinsame Linie, eine ernste Situation heraufzubeschwören.

Der deutsche Reichskanzler wurde auf diese Weise eindringlich auf seine

Grenzen verwiesen. Besonders ärgerlich war ihm das Verhalten seines russischen Amtskollegen, des Fürsten Gortschakow. Dieser konnte es sich nicht verkneifen, seinen persönlichen Anteil an der ganzen Angelegenheit besonders zu unterstreichen. In einem telegraphischen Rundschreiben an die russischen Missionen, das er nach Abschluß eines Routinebesuchs des Zaren Mitte Mai 1875 in Berlin herausgehen ließ und dessen Inhalt er in halboffiziellen Verlautbarungen wiederholte, gab er zu verstehen, nur durch den russischen Druck und sein persönliches Geschick sei der Friede gerettet worden. Gortschakow, so Bismarck noch in seinen Lebenserinnerungen, sei ihm, »einem vertrauenden und nichtsahnenden Freunde, plötzlich und hinterrücks auf die Schulter« gesprungen, »um dort eine Zirkus-Vorstellung« auf seine Kosten »in Szene zu setzen«.

Sein Ärger, der ihn im Rückblick in dem ihm eigenen unbekümmerten Umgang mit den Quellen die Formulierungen Gortschakows noch verschärfen ließ, hinderte Bismarck 1875 jedoch nicht daran, die eigentlich entscheidenden überpersönlichen Elemente und Aspekte der nun ganz scharf hervorgetretenen neuen internationalen Konstellation nüchtern zu analysieren und die überfälligen Schlußfolgerungen daraus zu ziehen. Es war jetzt die Situation eingetreten, die der deutsche Kanzler bereits zweieinhalb Jahre zuvor sehr klarsichtig ins Auge gefaßt hatte. »Unsere Hauptgefahr für die Zukunft beginnt von dem Augenblick an«, hatte er Anfang Dezember 1872 an Wilhelm I. geschrieben, »wo Frankreich den monarchischen Höfen Europas wieder bündnisfähig erscheinen wird.« Damals, 1872, hatte er noch darauf gesetzt, daß es das »unter seiner jetzigen unsicheren und zerrissenen Situation nicht ist«. Er hatte mit Blick hierauf davor gewarnt, in diese Situation durch Begünstigung einer monarchischen Restauration in Frankreich einzugreifen, wie das der Pariser Botschafter, Graf Harry Arnim, im Interesse des monarchischen Gedankens vorschlug. »Für das verbündete monarchische Europa«, so Bismarck damals, »ist der Pariser Krater absolut ungefährlich; er würde in sich ausbrennen und dem übrigen Europa den Dienst leisten, nochmals an einem abschreckenden Beispiel zu zeigen, wohin Frankreich unter republikanischer Volksherrschaft gelangt.« Nun aber hatte sich gezeigt, daß angesichts der veränderten machtpolitischen Situation auch ein republikanisches Frankreich auf die Unterstützung der anderen Mächte rechnen konnte. Man mußte daher nach neuen Wegen suchen, um bedenkliche Koalitionsbildungen zu vermeiden, die eines Tages Frankreich miteinbeziehen könnten.

Es galt, wie Bismarck jetzt klar erkannte, wollte man nicht binnen kurzem erneut in eine ähnliche Lage wie im April und Mai 1875 geraten, nicht nur der besonders exponierten Lage des Reiches im Herzen Europas, der Stellung zwischen West und Ost auch im übertragenen Sinne, Rechnung zu tragen. Es galt auch in verstärktem Maße, das Mißtrauen und die Sorgen zu berücksichtigen, welche durch die neue Machtbildung in Mitteleuropa vielerorts hervorgerufen worden waren. Die Reichspolitik mußte fortan, so wurde Bismarck bewußt, geradezu übervorsichtig zu Werke gehen. Sie mußte nach Möglichkeit alles vermeiden, was auch nur entfernt, von einem überkritischen Interpreten, als Ausdruck aggressiver Absichten gedeutet werden konnte.

Eine solche Maxime machte freilich noch keine praktische Politik, geschweige denn so etwas wie ein außenpolitisches System. Sie drohte zudem, allzu offenkundig und einlinig angewandt, das Reich in einen auch innenpolitisch für die Regierung nicht unproblematischen Immobilismus zu führen, ja, es unter Umständen von allen Seiten politisch erpreßbar zu machen. Jenseits der diplomatischen Tagesarbeit beschäftigte Bismarck daher in den Wochen und Monaten nach der Krieg-in-Sicht-Krise die Frage, welche Konstellationen der Mächte Europas zueinander, welche Bündnisse und Optionen wohl am ehesten geeignet sein könnten, einerseits die europäischen Kabinette und die europäische Öffentlichkeit über die Absichten des Reiches zu beruhigen und andererseits dieses vor allzu starken Abhängigkeiten zu bewahren und ihm den nötigen Spielraum zu sichern.

Wie stets in seinem politischen Leben, ist Bismarck auch zu dem außenpolitischen System, das den Entscheidungen von 1866 und 1871 in seinem Sinne Dauerhaftigkeit verleihen sollte, nicht am Schreibtisch, nicht auf rein theoretischem Weg gelangt, sondern durch den Gang der historischen Entwicklung selbst. Die Entwicklung wurde durch eine langfristig zwar nicht unerwartete, doch dann sehr plötzlich eintretende neuerliche Zuspitzung der Lage auf dem Balkan bestimmt, durch die sogenannte orientalische Frage. Sie konzentrierte, kurz nach der Krieg-in-Sicht-Krise, die Aufmerksamkeit fast aller europäischen Großmächte wieder einmal auf diesen Teil Europas, und das in einer Weise, die Berlin höchst willkommen sein mußte.

»Die orientalische Frage ist ein Gebiet«, so hatte Bismarck schon kurz nach seinem Amtsantritt als preußischer Außenminister maximenhaft formuliert, »auf welchem wir unseren Freunden nützlich und unseren Gegnern schädlich sein können, ohne durch direkte eigene Interessen wesentlich gehemmt zu werden.« Die Vorgänge im Zusammenhang mit dem preußisch-französischen Krieg 1870/71 hatten diese Einschätzung dann noch verstärkt. Anders als für die übrigen vier europäischen Großmächte, die jede auf ihre Weise durch konkrete Interessen auf dem Balkan stark engagiert waren, gab es dort für Preußen–Deutschland unmittelbar nichts zu gewinnen, nichts, das auch nur »die gesunden Knochen eines einzigen pommerschen Musketiers wert« gewesen wäre, wie Bismarck es Ende 1876 einmal ausdrückte.

Mit der neuerlichen Zuspitzung der orientalischen Frage bekam die deutsche Politik sozusagen aus der Hinterhand des weitgehend unbeteiligten Dritten heraus die Möglichkeit, auf die Gewichtsverteilung zwischen den europäischen Mächten Einfluß zu nehmen. Außerdem erhielt sie dadurch die Chance, das bestehende Mißtrauen gegen das Reich und gegen den verantwortlichen Leiter seiner Außenpolitik wenn nicht ganz abzubauen, so doch erheblich zu mindern. Diese Chance hat Bismarck nicht nur nachhaltig genützt. Er hat aus ihr zugleich die Grundkonzeption seines künftigen außenpolitischen Handelns in Methode und Zielsetzung abgeleitet.

Ihren Ausgang nahm die orientalische Krise, die vierte seit Beginn des Jahrhunderts, die wie alle vorangegangenen ihren Ursprung in dem offenbar unaufhaltsamen Machtverfall des Osmanischen Reiches hatte, von Aufständen in Bosnien und der Herzegowina. In beiden Gebieten, die seit Jahrhunderten unter türkischer Herrschaft standen, waren die Bewohner unter Berufung auf Geschichte, Sprache und Religion inzwischen national »erweckt« worden. Den dortigen Aufstandsbewegungen schloß sich im Frühjahr des folgenden Jahres auch Bulgarien an. Als dann wenig später das bereits weitgehend autonome Serbien im Bund mit Montenegro der Türkei formell den Krieg erklärte, stand nahezu der ganze Balkan in Flammen.

Jedem Einsichtigen schien klar zu sein, daß hinter den Selbständigkeitsbeziehungsweise Autonomieforderungen der Balkan-Völker, diese zumindest indirekt begünstigend und fördernd, das Zarenreich stehe. Unter Berufung auf den doppelten Titel der natürlichen Vormacht des Slawentums und der Schutzmacht der orthodoxen Christenheit suchte Petersburg auf diese Weise, so meinte man, sein Einflußgebiet in Richtung auf Konstantinopel und das Mittelmeer auszudehnen.

Bisher hatten sich England, Frankreich und in zunehmendem Maße auch Österreich in ihrem Widerstand gegen die russische Expansionspolitik auf den in internationalen Verträgen wiederholt beschworenen Grundsatz der territorialen Integrität der Türkei berufen. Die Ausgleichsformel im Sinne der Erhaltung des europäischen Gleichgewichts war jedoch mit dem Aufkommen immer stärkerer und selbstbewußterer nationaler Unabhängigkeitsbewegungen in den europäischen Territorien der Türkei zunehmend problematischer geworden. Zu offenkundig widersprach sie den Prinzipien des Selbstbestimmungsrechts, von denen sich zumal die beiden parlamentarisch regierten westlichen Großmächte, die sich in einem fortschreitenden Prozeß der inneren Demokratisierung befanden, schwerlich lossagen konnten, wenn es um europäische Gebiete ging. Die Bemühungen Frankreichs und Englands zielten daher im Verein mit denen Österreich-Ungarns zunächst darauf ab, die Türkei zu freiwilligen Zugeständnissen zu veranlassen. Damit sollte verhindert werden, daß Rußland einen Grund zum direkten Eingreifen fand.

Die Pforte ließ sich aber darauf nicht ein, zumal sie der Aufstandsbewegung militärisch rasch Herr wurde. Man war in Konstantinopel der Überzeugung, in Paris wie insbesondere in London werde sich letzten Endes doch wieder der Interessenstandpunkt durchsetzen. Er würde, so meinte man, es dringend geboten erscheinen lassen, zur Bewahrung der eigenen Position im östlichen Mittelmeer für die Erhaltung des Osmanischen Reiches in seiner bisherigen Form einzutreten.

Unter dem Druck einer immer höher aufschäumenden antitürkischen Welle im eigenen Land erklärte darauf die russische Regierung der Pforte Anfang April 1877 den Krieg. Im Bündnis mit dem seit 1866 von einem Hohenzollern regierten Rumänien wurde der Gegner unter Berufung auf die Rechte und Forderungen der slawischen Glaubensbrüder auf dem Balkan binnen Jahresfrist niedergezwungen. Vor den Toren von Konstantinopel diktierte Petersburg im März 1878 im Vertrag von San Stefano der Türkei einen Frieden, der auf die Interessen der übrigen europäischen Großmächte so gut wie keine Rücksicht nahm. Er machte Rußland über die Errichtung eines ganz von ihm abhängigen großbulgarischen Fürstentums bis an den Strand der Ägäis praktisch zum Herrn auf dem Balkan. Doch das waren weder England noch Österreich-Ungarn bereit hinzunehmen. Im Frühjahr 1878 schien daher ein schwerer europäischer Konflikt unmittelbar bevorzustehen.

Die deutsche Politik hatte bis zu diesem Zeitpunkt bei sorgfältigster Beobachtung der Entwicklung in allen ihren Verästelungen die strikteste Neutralität bewahrt. Sie ließ auch jetzt klar erkennen, daß man in Berlin nicht daran denke, für eine Seite Partei zu ergreifen. »Je schwieriger die Situation sich zuspitzt«, so hatte Bismarck die Haltung des Reiches schon im Oktober 1876 verbindlich festgelegt, »um so deutlicher müssen wir meines Erachtens uns gegenwärtig halten und in unserer diplomatischen Tätigkeit zum Ausdruck bringen, daß unser Hauptinteresse nicht in dieser oder jener Gestaltung der Verhältnisse des türkischen Reiches liegt, sondern in der Stellung, in welche die uns befreundeten Mächte zu uns und untereinander gebracht werden. Die Frage, ob wir über die orientalischen Wirren mit England, mehr noch mit Österreich, am meisten aber mit Rußland in dauernde Verstimmung geraten, ist für Deutschlands Zukunft unendlich viel wichtiger, als alle Verhältnisse der Türkei zu ihren Untertanen und zu den europäischen Mächten.« Das einzige, allerdings sehr dezidierte Interesse des Reiches sei es, ließ der Kanzler überall erklären, daß ein Ausgleich gefunden und ein kriegerischer Konflikt verhindert werde. Dafür sei er persönlich bereit, seine ganze Kraft einzusetzen und seinen ganzen Einfluß geltend zu machen. Seine mögliche Rolle bezeichnete Bismarck zunächst, in Anspielung auf Goethes »Wahlverwandtschaften«, als die des »Mittlers«, schließlich als die des »ehrlichen Maklers«, der nur das Ziel habe, »das Geschäft wirklich zustande« zu bringen. Ganz so uneigennützig und ohne eigene Zielvorstellungen war seine Haltung natürlich nicht. Das erwartete auch niemand. Aber sie schien, wenngleich man nicht recht wußte, worauf sie hinauslief, jedenfalls nicht in eklatantem Widerspruch zu den Interessen und Bestrebungen einer der beteiligten Mächte zu stehen.

Die Probe aufs Exempel war in den vorangegangenen zwei Jahren mehr als einmal gemacht worden, am nachhaltigsten durch Rußland. Die Gelegenheit dazu hatte die deutsche Politik selbst geliefert. Mit dem wachsenden Engagement zugunsten der aufständischen Balkan-Völker war in Petersburg die Sorge Hand in Hand gegangen, das Reich könne seinem östlichen Nachbarn bei dieser Gelegenheit, etwa gemeinsam mit Österreich-Ungarn, in den Rücken fallen. Um Rußland zu beruhigen, hatte Berlin Anfang September den als hochkonservativ und russophil bekannten Feldmarschall von Manteuffel mit einem persönlichen Handschreiben des Kaisers an den momentan in Warschau residierenden Hof des Zaren gesandt. Das Schreiben Wilhelms I. hatte unter anderem den Satz enthalten: »Die Erinnerung an Deine Haltung für mich und mein Land von 1864 bis 1870/71 wird meine Politik gegenüber Rußland bestimmen, was auch kommen mag.«

Diese Haltung hatte in der Position wohlwollender Neutralität bestanden. Und etwas anderes wollte Wilhelm dem Zaren auch seinerseits nicht in Aussicht stellen. Es ging, wie Bismarck es in einem Diktat Ende August formulierte, um die erneute Zusicherung, »daß wir uns unter keinen Umständen zu feindlichen, auch nur diplomatischen Manövern gegen Rußland hergeben werden«, nicht aber um das Gegenteil, um die Garantie aktiver Rückendeckung. Aber in seiner Allgemeinheit konnte der Satz leicht mißverstanden werden, zumal wenn man darauf aus war. Und in diesem Sinne hat ihn die russische Politik denn auch benutzt, um Berlin in brutaler Offenheit die Gretchenfrage zu stellen.

Auf normalem diplomatischen Weg wäre das kaum möglich gewesen. Es gab jedoch die Institution eines speziellen deutschen Militärbevollmächtigten am Zarenhof, der als besonderer Vertrauensmann zugleich als Schaltstelle für gleichsam kurzgeschlossene und informelle Kontakte auf höchster Ebene benutzt zu werden pflegte. Und dieser Militärbevollmächtigte, ein General von Werder, ließ sich von Gortschakow für die russischen Zwecke »mißbrauchen«, wie Bismarck sich in höchster Verärgerung ausdrückte. Er telegraphierte am 1. Oktober 1876 aus Livadia, der Zar erwarte, »daß, wenn es zum Kriege mit Österreich kommen sollte, Seine Majestät der Kaiser geradeso handeln würde, wie er es 1870 getan«. Der Zar, fügte er hinzu, spreche »fast täglich davon« und wünsche »dringend eine Bestätigung«.

Berlin war dadurch in eine äußerst heikle Situation geraten; denn eine negative Antwort mußte als Parteinahme gegen Rußland gedeutet werden. Eine solche Parteinahme hätte alles Mißtrauen gegen das Reich erneut mobilisiert und Berlin dann wohl doch zu Festlegungen gedrängt, die seinem Interesse widersprachen und es ohne erkennbaren Gewinn in Abhängigkeiten zu bringen drohten. Bismarck hatte sich damit aus der Affäre zu ziehen versucht, daß er es ablehnte, eine solche »Doktorfrage« »in abstracto, losgelöst von allen tatsächlichen Voraussetzungen, zu beantworten«, also der russischen Politik eine Art Blankoscheck zu geben. Das war zwar nicht gerade sehr überzeugend gewesen und auch nicht geeignet, das Mißtrauen gegenüber den wirklichen Absichten des Reiches auszuräumen. Aber es hatte wenigstens die Hoffnung auf künftige Unterstützung nicht zerstört. Als unter tätiger Mithilfe des Reiches und seiner Diplomatie durchsickerte, daß Berlin auf entsprechende Vorstöße von anderer Seite ebenso reagierte, hatte man schließlich die Ablehnung jeder Bindung und Parteinahme sozusagen als zweitbeste Lösung akzeptiert. Sie schien für die Zukunft immerhin alles offen zu lassen.

Bis dahin freilich war es ein langer Weg gewesen. Auf ihm sah sich das Reich nicht nur stets aufs neue diplomatischem Druck, sondern auch der Gefahr der vollständigen Isolierung und der Einigung der Mächte hinter seinem Rücken ausgesetzt. Die Kernfrage, die sich daraus ergeben hatte und die Bismarck seit dem Herbst 1876, seit dem russischen Vorstoß, in wachsendem Maße bewegte, lautete: Bot die orientalische Frage hinreichend Sprengstoff, und waren die Gegensätze zwischen den verschiedenen europäischen Mächten groß genug, um eine solche Gefahr wenn nicht auszuschließen, so doch sehr zu reduzieren?

Auch von der Basis eines durch die Erfahrung der Krieg-in-Sicht-Krise enorm gesteigerten Skeptizismus, der nach den Worten eines französischen Journalisten zu einem förmlichen »Cauchemar des coalitions«, zu einem Alptraum gegnerischer Koalitionen, führte, ist der deutsche Kanzler schließlich doch zu einer vorsichtig positiven Antwort gelangt. Und nicht nur das. Er hat daraus in allgemeiner Form Linie und Zielsetzung seiner künftigen Außenpolitik abgeleitet. All dies ist in konzentrierter Form in einer Aufzeichnung enthalten, die er während eines längeren Kuraufenthaltes in Bad Kissingen, auf dem Höhepunkt des russisch-türkischen Krieges, seinem Sohn Herbert in die Feder diktierte. Sie umschrieb nicht nur in zu Recht berühmt gewordenen Formulierungen seine inzwischen gewonnene Einschätzung der Mächtekonstellation in Europa und der in ihr für das Reich steckenden Möglichkeiten. Sie umriß zugleich in großen Zügen die Schlußfolgerungen, die daraus seiner Überzeugung nach langfristig für die Politik des Reiches gezogen werden mußten.

Schon in der äußeren Form spiegelten die in vier Abschnitte gegliederten Überlegungen des sogenannten Kissinger Diktats vom 15. Juni 1877 die in seinen Augen wichtigste Grundgegebenheit der europäischen Politik und damit der Weltpolitik. Sie begannen und sie schlossen mit Bemerkungen über das englisch-russische Verhältnis. An ihm, das war die Überzeugung, die allem weiteren zugrunde lag, entscheide sich die Frage von Krieg und Frieden und somit die Erhaltung des Status quo in Europa wie an nichts anderem. Der Kanzler ging dabei mit völliger Sicherheit davon aus, daß der Gegensatz dieser in vielen Teilen der Welt miteinander rivalisierenden Mächte letztlich unüberwindbar sei, daß »Walfisch« und »Bär«, wie es in der Sprache der Zeit hieß, zumindest in absehbarer Zeit nie wirklich zueinander finden würden. Daher sei ein regionaler Ausgleich zwischen ihnen im östlichen Mittelmeer nichts Bedrohliches, im Gegenteil etwas höchst Erstrebenswertes. »Ich wünsche«, so leitete er das Diktat ein, »daß wir, ohne es auffällig zu machen, doch die Engländer ermutigen, wenn sie Absichten auf Ägypten haben«: »Wenn England und Rußland auf der Basis, daß ersteres Ägypten, letzteres das Schwarze Meer hat, einig würden, so wären beide in der Lage, auf lange Zeit mit der Erhaltung des Status quo zufrieden zu sein, und doch wieder in ihren größten Interessen auf eine Rivalität angewiesen, die sie zur Teilnahme an Koalitionen gegen uns, abgesehen von den inneren Schwierigkeiten Englands für dergleichen, kaum fähig macht.«

Man könne zwar vor einer Rußland und England gleichzeitig einschließenden Koalition zur Zeit so gut wie sicher sein. Aber man müsse stets mit der Möglichkeit einer Dreierkoalition unter Einschluß jeweils einer dieser beiden Mächte rechnen: einer »auf westmächtlicher Basis mit Zutritt Österreichs« oder, »gefährlicher vielleicht noch«, einer »auf russisch-österreichisch-französischer«. Hinzu komme, daß »eine große Intimität zwischen zweien der drei letztgenannten Mächte ... der dritten unter ihnen jederzeit das Mittel zu einem sehr empfindlichen Drucke auf uns bieten« würde. Wenn daher in Frankreich von seinem »Cauchemar des coalitions« die Rede gewesen sei, so könne er nur sagen: »Diese Art Alp wird für einen deutschen Minister noch lange, und vielleicht immer, ein sehr berechtigter bleiben.«

Vom Ausgang der gegenwärtigen orientalischen Krise sei aber möglicherweise eine wesentliche Erleichterung dieses Alpdrucks zu erhoffen. Seine diesbezüglichen Erwartungen faßte Bismarck unter Abstrahierung von allen Einzelheiten in fünf Punkten zusammen. Erstens: Verlagerung sowohl des österreichischen wie des russischen Interessenschwerpunkts nach Osten; zweitens: daraus resultierend »der Anlaß für Rußland, eine starke Defensivstellung im Orient und an seinen Küsten zu nehmen, und unseres Bündnisses zu bedürfen«; drittens: ein partieller Ausgleich zwischen England und Rußland in dem geschilderten Sinne; viertens: »Loslösung Englands von dem uns feindlich bleibenden Frankreich wegen Ägyptens und des Mittelmeers«; und fünftens: »Beziehungen zwischen Rußland und Österreich, welche es beiden schwierig machen, die antideutsche Konspiration gegen uns gemeinsam herzustellen, zu welcher zentralistische oder klerikale Elemente in Österreich etwa geneigt sein möchten«. Und dann, Situationsanalyse und Zielprojektion im speziellen Fall noch einmal konzentrierend und zugleich ins Allgemeine, fortdauernd Gültige überspringend: »Wenn ich arbeitsfähig wäre, könnte ich das Bild vervollständigen und feiner ausarbeiten, welches mir vorschwebt: nicht das irgend eines Ländererwerbs, sondern das einer politischen Gesamtsituation, in welcher alle Mächte außer Frankreich unser bedürfen, und von Koalitionen gegen uns durch ihre Beziehungen zueinander nach Möglichkeit abgehalten werden.«

Diese Worte sind seither hundertfach zitiert worden, als die vielleicht präziseste Zusammenfassung seiner außenpolitischen Ziele, seines »Systems« in den siebziger und achtziger Jahren und darüber hinaus als Formeln klassischer, die Enge des Tages und der unmittelbaren Zeit transzendierender Staatskunst. Beides sicher zu Recht. Bismarck selber hat freilich, anders als viele seiner späteren Bewunderer, bei diesen ganz handlungsorientierten, aus der unmittelbaren Anschauung und Erfahrung erwachsenen Meditationen das rebus sic stantibus und die Grenzen des Machbaren keinen Augenblick aus den Augen verloren. Noch einmal kam er bohrend und durchaus skeptisch auf das englisch-russische Verhältnis und die künftige Politik und Entwicklung der beiden Riesenreiche zurück: Die Meerengen blieben, auch nach einer Besetzung Ägyptens durch England, ein neuralgischer Punkt, da man in London stets ein weiteres Vordringen Rußlands fürchten werde. Selbst ein formell ausgebautes »System des Doppelverschlusses mit den Dardanellen für England und dem Bosporus für Rußland« sei wohl für die Briten nicht hinreichend. Denn es enthalte »für England die Gefahr, daß seine Dardanellen-Befestigungen unter Umständen durch Landtruppen leichter genommen als verteidigt werden können«. »Das wird«, fügte er hinzu, »auch wohl die russische Mentalreservation dabei sein, und für ein Menschenalter sind sie vielleicht mit dem Schluß des Schwarzen Meeres zufrieden.« Wie sich das Ganze letztlich gestalte und von welcher Dauer es sein werde, das bleibe »Sache der Verhandlungen« und der weiteren Entwicklung: »Das Gesamtergebnis, wie es mir vorschwebt, könnte sich ebenso gut nach wie vor den entscheidenden Schlachten dieses Krieges ausbilden.«

Hier wird deutlich, wie nahe für Bismarck bei dem, was er als die für das Reich erstrebenswerte Mächtekonstellation ins Auge faßte, Chance und Gefahr beieinander lagen. Er war sich völlig bewußt, daß die Dynamik der Machtinteressen gerade im Fall Rußlands und Englands alles sehr rasch über den Haufen werfen konnte. Zwar hielt er daran fest, daß selbst in dem äußersten Fall eines englisch-russischen Krieges das Ziel der Reichspolitik dasselbe bleiben müsse: »die Vermittlung eines beide auf Kosten der Türkei befriedigenden Friedens«. Aber ob eine solche Neuaustarierung der Gewichte gelingen werde, stand dahin. Gleiches galt für die Frage, ob sich die beteiligten Mächte auf Dauer in das europäische System einbinden lassen und sich seinem überlieferten Regulationsmechanismus und seinen Verfahrensweisen unterwerfen würden.

Dahinter tauchte, wenngleich erst in vagen Umrissen, ein noch sehr viel entscheidenderes, zukunftsbestimmendes Problem auf: Entsprach die Grundstruktur der europäischen Mächtebeziehungen mit der Konzentration auf den kontinentaleuropäischen Raum, die Neigung, von den Randmächten, von Randgebieten und von Konfliktverlagerung an die Peripherie zu sprechen, wirklich noch den Realitäten oder besser gesagt, dem, was sich an neuer Realität anbahnte? Begann sich nicht in Wahrheit so etwas wie ein Weltstaatensystem an Stelle des bisherigen europäischen Systems aufzubauen, dessen heimliche Zentren mit innerer Notwendigkeit ganz andere sein mußten? Verdeckte also die sozusagen offizielle Wirklichkeit mit ihren Problemen, Konflikten und scheinbaren Lösungen lediglich eine noch inoffizielle, aber eigentlich zukunftsmächtige?

In seinem Kreisen um das englisch-russische Verhältnis wird bei Bismarck etwas von dem Gefühl spürbar, daß sich hinter dem ihm vertrauten ständigen Wechsel der Situationen und der aktuellen Konfliktherde ein Gestaltwandel des europäischen Systems vollzog. Dieser drohte zu einer viel tiefergehenden Veränderung aller Verhältnisse zu führen als alles, was sie akut und partiell zu gefährden schien. Mehr als eine Ahnung war dies allerdings noch nicht. Aber sie genügte, um das Bewußtsein zu schärfen, daß jede Außenpolitik von der Position des Reiches aus eine Gratwanderung sei und man auch beim kleinsten Schritt mit der größten Vorsicht und Sorgfalt zu Werk gehen müsse. »Eine Politik wie Friedrich II. bei Beginn des Siebenjährigen Krieges machen wir nicht – den sich zum Angriff vorbereitenden Feind plötzlich zu überfallen«, erklärte er dem freikonservativen Abgeordneten Lucius wenige Tage nach dem Kissinger Diktat: »Es hieße auch in der Tat die Eier zerschlagen, aus welchen sehr gefährliche Küken kriechen könnten.«

Bismarcks berühmt gewordene Reichstagsrede vom 19. Februar 1878 machte das einer sich noch vielfach im eigenen Machtgefühl räkelnden deutschen Öffentlichkeit sehr deutlich. Er hielt sie nach dem Waffenstillstand, aber noch vor dem russischen Siegfrieden von San Stefano, der England aufs stärkste herausforderte und an den Rand des von Bismarck schon Mitte 1877 nicht ausgeschlossenen Krieges zwischen den beiden Mächten führte.

In Antwort auf eine Interpellation aus den Reihen der beiden liberalen Parteien und der Freikonservativen über die Haltung der Reichsregierung zur orientalischen Frage suchte er zunächst den Waffenstillstandsbedingungen eine möglichst harmlose Interpretation zu geben. Erst dann ging er auf die Rolle ein, die Deutschland gegebenenfalls auf einem Kongreß der europäischen Großmächte spielen könnte, wie ihn Wien inzwischen angeregt hatte. Sie werde unter ihm als Leiter der deutschen Außenpolitik weder die eines »Schiedsrichters« noch »auch nur« die eines »Schulmeisters« sein. Sie werde sich vielmehr ganz streng auf die des Vermittlers beschränken, auf die »eines ehrlichen Maklers, der das Geschäft wirklich zu Stande bringen will«.

Dazu bedürfe es zum einen eines guten Verhältnisses zu allen beteiligten Mächten, über das das Reich aufgrund seiner bisherigen Politik erfreulicherweise verfüge. Und dazu bedürfe es zum anderen der Bereitschaft, zu jeder dem Ausgleich und der Verständigung dienlichen Lösung die Hand zu reichen, sich also inhaltlich in keiner Weise im vorhinein festzulegen. Selbst am Konferenztisch müsse die deutsche Politik jeden Schein vermeiden, ihr Wunsch nach Durchsetzung dieses oder jenes Kompromisses sei größer als ihre Unparteilichkeit : »Wenn statt der Argumente die Hindeutung auf die Machtverhältnisse eintritt«, dann sei zwar ein solcher Kompromiß vielleicht durchsetzbar. Die betroffene Seite werde sich jedoch »dieses merken und in Rechnung stellen«. Als ein von seinen Interessen her ganz unbeteiligter Staat würde Deutschland bei einem solchen Verhalten schließlich eines Tages einen Teil der Zeche für den erzielten Kompromiß zu bezahlen haben.

Wohl kaum ein anderer als Bismarck hätte einer Nation, in der der Machtstaatsgedanke nicht zuletzt durch seine Politik und seine Erfolge inzwischen so stark emporgekommen war, in aller Öffentlichkeit eine Politik der äußersten Zurückhaltung auferlegen, sie zum bewußten Verzicht auf jede Demonstration von Stärke und bestimmendem Einfluß aufrufen können. Gerade diese Tatsache hat freilich sein persönliches Gewicht im internationalen Bereich außerordentlich verstärkt. Für Petersburg wie für London, für Wien und sogar für Paris wurde er nun mehr und mehr zu dem Mann, der nicht nur bereit, sondern wohl als einziger imstande sei, das deutsche Macht- und Prestigeinteresse, die Kräfte des deutschen Nationalismus im Interesse des europäischen Friedens und einer für alle Mächte akzeptablen Ordnung in Schranken zu halten.

Aus dem Störenfried Europas, den die englische wie die russische Regierung noch vor kurzem geglaubt hatten, auf seine Grenzen hinweisen zu müssen, war so binnen weniger Jahre eine Art Garant seiner Ordnung geworden. Bismarck und das Reich verkörperten, so schien es, die tragenden Grundsätze und regulativen Prinzipien jener Ordnung. Sie waren zur »Blei-Garnierung« geworden, »welche die Figur immer wieder zum Stehen bringe«, wie Bismarck es im Hinblick auf das deutsch-österreichische Verhältnis einmal formuliert hat.

Es war das Europa des Bestehenden, des Status quo, der etablierten Mächte. So war es kein Wunder, daß seine Politik von allen jenen heftig kritisiert wurde, die sich mit dem Bestehenden nicht abfinden wollten und sich nach den Erfahrungen der vergangenen Jahrzehnte von äußeren Veränderungen zugleich innere Wandlungen versprachen. Zu ihnen gehörte das Zentrum, das in diesem Sinne für eine antirussische Blockbildung gemeinsam mit Österreich eintrat. Und zu ihnen zählte vor allem die Sozialdemokratie, deren Sprecher, Wilhelm Liebknecht, in jener Reichstagssitzung vom 19. Februar 1878 – übrigens ganz im Sinn von Karl Marx – zu einer entschlossenen und aktiven Eindämmungspolitik gegenüber Rußland aufrief. Sonst, so Liebknecht, werde »ein Moment kommen, wo der Friede nicht mehr möglich ist, wo die Macht Rußlands sich in einer Weise geltend macht, daß das Schwert gezogen werden muß«. Hinter vorgehaltener Hand regten sich aber auch schon entsprechende Stimmen aus dem liberalen Lager. Sie sprachen von der Notwendigkeit einer offensiven Aufrechterhaltung der deutschen Machtstellung in den sich andeutenden neuen Dimensionen eines Weltstaatensystems und hatten gleichfalls einen Wandlungsprozeß im Innern vor Augen.

Die Status-quo-Bezogenheit der jetzigen Bismarckschen Außenpolitik, die von ihren Kritikern nachhaltig hervorgehoben wurde, konnte ihr freilich in der gegebenen Situation nur als zusätzliche Empfehlung dienen. Ja, die Kritik, die ihr das Stichwort der Zukunftslosigkeit anhängen wollte, war Bismarck in diesem Zusammenhang geradezu willkommen. Denn über das in jedem Mächtesystem stets lebendige Bedürfnis hinaus, den Status quo gegenüber Veränderungen zu sichern, waren fast alle europäischen Mächte damals auch innenpolitisch auf eine Politik der unbedingten Bewahrung des Bestehenden eingeschwenkt.

In England hatte 1874 das konservative Kabinett Disraeli das liberale Reformministerium Gladstone abgelöst und steuerte vor allem gesellschaftspolitisch, trotz manchem Entgegenkommen im einzelnen, nun einen klaren Gegenkurs. In Frankreich hatten zwar die republikanischen Kräfte 1877 einen monarchischen Restaurationsversuch der Rechten, wenngleich mit großer Mühe, abgewehrt. Doch die Mehrheit ihrer Führer war überzeugt, daß man diesem Sieg nur durch ein verstärktes Entgegenkommen gegenüber den Forderungen der Rechten und durch Frontstellung gegen alle Linkstendenzen Dauer verschaffen könne. Und auch in Österreich neigte sich die Zeit der liberalen Vorherrschaft sichtbar ihrem Ende zu – von Rußland ganz zu schweigen, wo alle liberalen Auflockerungstendenzen der sechziger Jahre längst preisgegeben worden waren und wo sich die zaristische Autokratie gerade jetzt dem Ansturm revolutionärer Kräfte ausgesetzt sah.

Überall in Europa traten Entwicklungstendenzen zutage, welche die Politik der achtziger Jahre entscheidend bestimmen sollten. Sie fanden ihren ersten Niederschlag in der Begünstigung einer Außenpolitik, die unter der Devise der unbedingten Erhaltung des Bestehenden stand und dem Bedürfnis nach äußerem Machterhalt entgegenkam. Dies aber war die Politik Bismarcks. Er erwies sich mit ihr einmal mehr als der Mann, der für die vorherrschenden Tendenzen der Zeit, ihre Erwartungen, Hoffnungen und Befürchtungen ein ausgeprägtes Gespür besaß und es verstand, sie gleichsam unmittelbar, ohne sich darüber reflektierend allzu viel Rechenschaft zu geben, in praktische Politik umzusetzen.

Das schuf jenseits aller Einzelheiten die Grundlage für seine überragende

Stellung auf dem Kongreß der europäischen Mächte, der zwischen dem 13. Juni und dem 13. Juli 1878 in Berlin tagte. Eine sicher nicht gering einzuschätzende zusätzliche Rolle spielte dabei, daß der Kongreß im Zeichen einer verschärften innenpolitischen Krisensituation des Reiches, nach zwei Attentaten auf den deutschen Kaiser, stattfand. Sie unterstrich das, was jener Politik an Sorgen und Befürchtungen zugrunde lag, noch einmal eindringlich.

Bis zum Berliner Kongreß, der Bismarck gerade aufgrund seiner äußersten Vorsicht und Zurückhaltung auf dem Höhepunkt seines Einflusses in der europäischen Politik sah, war es ein langer Weg gewesen. Wie zu erwarten, hatte sich vor allem England mit aller Entschiedenheit geweigert, die, entgegen früheren Gepflogenheiten, vorher nicht unter den Großmächten abgestimmten Ergebnisse des Friedens von San Stefano hinzunehmen. Die daraufhin unter vorsichtiger Assistenz Bismarcks eingeleiteten Verhandlungen zwischen London und Petersburg hatten sich über lange Strecken hin am Rande eines kriegerischen Konflikts bewegt. Und es hatte stärkster Bemühungen des russischen Verhandlungsführers, des Londoner Botschafters Graf Schuwalow, bedurft, um den schließlich erzielten Kompromiß gegenüber den heimischen Scharfmachern unter der Führung des russischen Botschafters in Konstantinopel, des Grafen Ignatjew, durchzusetzen, aus dessen Feder der Friede von San Stefano wesentlich stammte.

Dieser Kompromiß beruhte auf der Bismarck hochwillkommenen Voraussetzung, daß das Wesentliche bereits vor dem ins Auge gefaßten, von Andrássy angeregten Kongreß der europäischen Mächte in zweiseitigen Verträgen festgelegt sein müsse. Dem Kongreß sollte das Ganze dann bloß noch zur Absegnung unterbreitet werden. Die englische Politik wollte damit von vornherein sicherstellen, daß der Kongreß nicht etwa über einen möglicherweise erzwungenen Kurswechsel des Reiches und eine Reaktivierung des ja immer noch bestehenden Dreikaiserabkommens von 1873 zu einem Instrument der russischen Politik wurde.

So wurde schon vorher, am 30. Mai 1878, zwischen London und St. Petersburg fest vereinbart, daß ein Teil des in San Stefano aus der Taufe gehobenen Großbulgarien, die Provinz Ostrumelien, wieder an die Türkei zurückfallen solle, allerdings unter einem mit Zustimmung der Großmächte zu ernennenden christlichen Gouverneur. Das erfolgreiche Eintreten für die Türkei ließ sich England fünf Tage später, am 4. Juni, in einem zunächst noch geheimgehaltenen Vertrag mit dem Recht zur Besetzung der Insel Zypern honorieren, dem »Schlüssel zum westlichen Asien«, wie Disraeli sie nannte. Und um den Vereinbarungen die Zustimmung Österreich-Ungarns zu sichern, wurde Wien gleichfalls noch im Vorfeld des Kongresses, am 6. Juni, das Recht zur Besetzung von Bosnien und der Herzegowina zugestanden.

All dies war ein rein machtpolitisches Geschäft auf Gegenseitigkeit. Der Grundsatz der territorialen Integrität der Türkei wurde nun endgültig preisgegeben; alle drei interessierten Mächte eigneten sich Teile des Osmanischen Reiches an. Aber auch dem konkurrierenden Prinzip des Selbstbestimmungsrechts der Nationen folgte man nur sehr begrenzt, nämlich nur da, wo es zufällig ins machtpolitische Kalkül paßte. Das Machtinteresse wurde jetzt definitiv und in aller Offenheit zur alleinigen Richtschnur allen außenpolitischen Handelns erklärt. Man gab nicht einmal mehr vor, daß die Macht eines Staates auch nach außen einer Idee, höheren Zwecken zu dienen habe. Die Macht wurde vielmehr selbst zu einer Idee, zu einem Zweck in sich selbst, zur Ideologie. Anzuerkennende Grenzen der eigenen Machtentfaltung und des eigenen Machtstrebens bestanden praktisch nur noch in der konkurrierenden und ebenbürtigen Macht anderer, in nach rationalem Kalkül unüberwindlich erscheinenden Gegnern oder gegnerischen Koalitionen.

Was aber, wenn dieser Status quo aufgrund von Entwicklungen, die sich nicht mehr erfolgreich steuern oder ausgleichen ließen, ins Rutschen kam? Was, wenn sich unter dem Eindruck innerer Wandlungen oder Bedrohungen in den einzelnen Staaten doch wieder Koalitionen bildeten, die von anderen Elementen bestimmt wurden als von rein äußeren, machtpolitischen Interessen? Das war die Sorge, die Bismarck als Vertreter einer Macht, die in einem solchen Fall schon aufgrund ihrer geographischen Lage besonders stark bedroht erschien, ständig vor Augen stand. Sie überschattete sogar seinen äußeren Triumph auf dem Berliner Kongreß.

Obwohl die Grundentscheidungen schon gefallen waren, bevor die führenden Vertreter der europäischen Großmächte unter dem Vorsitz des deutschen Reichskanzlers in Berlin zusammentraten, bedurften manche Einzelheiten noch der Regelung. Rußland erwartete vor allem in den noch offenen Grenzfragen die Unterstützung der deutschen Politik. Und nicht nur das. Man hatte in Petersburg die Hoffnung wohl noch nicht ganz aufgegeben, im Laufe der Verhandlungen doch wieder in die Vorhand zu kommen. Die zaristische Regierung setzte darauf, daß das Reich trotz aller Grundsatzerklärungen, vor die Option zwischen englische und russische Lösungsvorschläge gestellt, den russischen im Interesse künftiger Rückendeckung vornehmlich gegen Frankreich den Vorzug geben werde.

Die russische Hoffnung hat Bismarck fast auf der ganzen Linie enttäuscht, mußte sie im Sinne seines Konzepts enttäuschen, da sonst alles Bisherige sinnlos gewesen wäre. Seine Haltung wurde ihm dabei durch den wachsenden wirtschaftlichen Interessengegensatz auf agrarischem Gebiet, den der bisherige Hauptträger einer rußlandfreundlichen Politik, das ostelbische Junkertum, am empfindlichsten zu spüren bekam, erheblich erleichtert. Aber das war nur ein zusätzliches Element, ausschlaggebend war es nicht. Worum es ging, war die Erhaltung des europäischen Gleichgewichts, auf dem die Sicherheit und die Machtstellung des Reiches so entscheidend beruhten und damit Bismarcks eigene Position im Innern und die von ihm hier verfolgte Politik. Und dieses Gleichgewicht war im Augenblick, hierin stimmte er mit seinen innenpolitischen Gegnern bis hin zu Liebknecht überein, durch Rußland am stärksten bedroht.

Jeder Schritt des Entgegenkommens in der Sache, der in Petersburg als Ermutigung mißverstanden werden konnte, mußte seiner Meinung nach unbedingt vermieden werden. Das aber bedeutete, auch wenn Bismarck das immer wieder zu verschleiern suchte, daß das Reich in allen Streitfragen zu der englischen Position tendierte. Es ließ England endgültig zum eigentlichen Nutznießer der ganzen Krise werden. London konnte nun, wie Disraeli triumphierend bemerkte, davon ausgehen, daß das lockere Dreikaiserabkommen von 1873 endgültig der Vergangenheit angehöre und die Gefahr einer bedrohlichen antibritischen Koalition damit auf absehbare Zeit beseitigt sei. »Unser großes Ziel war es«, so Disraeli zwei Jahre später, »das Bündnis der drei Kaiserreiche aufzubrechen und seine Erneuerung auf Dauer zu verhindern... Nie ist ein solches allgemeines Ziel vollständiger erreicht worden.«

In der Tat war die russische Seite über die Haltung des von allen Seiten umworbenen deutschen Kanzlers schließlich mehr als enttäuscht. Das galt nicht bloß für die beteiligten Politiker mit dem prestigehungrigen Fürsten Gortschakow an der Spitze. Es galt ganz besonders für die russische Öffentlichkeit. Unter ihrem wachsenden Druck entschloß sich die zaristische Regierung schon wenig später, Berlin vor die Alternative zu stellen, sich entweder mit Rußland in einem festen Bündnis, ja, in einer Art Block zu verbinden oder der dauerhaften Gegnerschaft des Zarenreiches gewärtig zu sein.

Damit schien nicht nur dem Bündnis zwischen den drei Ostmächten endgültig jede Basis entzogen zu sein. Es schien auch die Grundvoraussetzung zerstört zu sein, auf der das im Kissinger Diktat niedergelegte Konzept der Bismarckschen Außenpolitik beruhte. Berlin konnte operieren, wie es wollte, von einer Politik der freien Hand ließ sich dann nicht mehr reden und schon gar nicht mehr von einer »politischen Gesamtsituation, in welcher alle Mächte außer Frankreich unser bedürfen, und von Koalitionen gegen uns durch ihre Beziehungen zueinander... abgehalten werden«. Im Gegenteil. Das, was Bismarck 1877 als seinen Alptraum beschworen hatte, schien nun fast unvermeidlich zu werden: eine Dreierkoalition mit Spitze gegen das Reich entweder »auf westmächtlicher Basis mit Zutritt Österreichs« oder »auf russisch-österreichisch-französischer«. Es drohte eine Konstellation zu entstehen, die im wesentlichen nur noch von dem englisch-russischen Weltgegensatz, von den wechselseitigen Interessen beider Großreiche bestimmt sein würde.

Daß dies so oder so die Konstellation der Zukunft sein werde und das Reich eines Tages optieren müsse, hat im Lager der Rechten wie dem der

Linken schon damals mancher gemeint. Doch Bismarck war entschlossen, einer solchen Option unter allen Umständen auszuweichen. Er war bestrebt, die Zukunft des Reiches und damit indirekt diejenige seines inneren Systems gleichsam zwischen den Fronten, in Unabhängigkeit und Eigenständigkeit gegenüber West wie Ost, zu suchen.

Ob dies seiner Meinung nach auf Dauer möglich sein werde und wenn nicht, wie lange, darüber hat er sich nur höchst undeutlich und schwankend geäußert. Aber manche Bemerkungen lassen erkennen, daß er keinesfalls sehr optimistisch war und alles zunehmend auf kürzere Fristen abstellte. Jedenfalls hielt er zunächst an der außenpolitischen Zielprojektion des Kissinger Diktats fest und suchte in deren Sinne in der praktischen Politik voranzukommen.

Entgegen seinen Vorstellungen von 1877 konnte er sich allerdings bald nicht mehr damit begnügen, sich anbietende Situationen auszunützen. Er mußte selber die Initiative ergreifen und versuchen, seinerseits aktiv auf die Verhältnisse einzuwirken. Auf diesem Weg hat er in den letzten elf Jahren seiner politischen Laufbahn mehr und mehr das getan, was er bis dahin so leidenschaftlich verworfen hatte: Er hat versucht, Konstellationen bewußt herbeizuführen und zu erhalten, statt sich den gegebenen anzupassen und sie jeweils im eigenen Sinne zu benutzen.

# Innerer Umschwung

Nirgends wird der innere Zusammenhang zwischen der Bismarckschen Innenpolitik und seiner Außenpolitik so deutlich wie in den Jahren nach 1878. Das gilt jenseits aller Einzelheiten vor allem für das Grundsätzliche, für den prinzipiellen Ansatz. Hier wie dort suchte er jetzt in wachsendem Maße die Verhältnisse zu steuern, ja, sie in seinem Sinne mit zunehmend künstlicheren Mitteln zu manipulieren. Hier wie dort ist ihm allerdings keiner dieser Versuche wirklich gelungen, hat keiner zu dauerhaften Ergebnissen geführt.

Indem Bismarck im Interesse der Erhaltung des Bestehenden begann, die nach seiner Erfahrung erfolgverheißenden Bedingungen zu konservieren, blieb er gleichsam mehr und mehr hinter seiner Zeit zurück. Bisher hatte er ihre Möglichkeiten und vorherrschenden Tendenzen in oft überraschender Form in seinem Werk und in seiner Person verkörpert, so sehr er zunächst gegen sie zu stehen schien. Nun jedoch zeigte sich immer deutlicher, daß auch die größte Flexibilität, ein sich von allen Bindungen bewußt lösendes Machtdenken und eine bis zum Zynismus gehende Nüchternheit nicht in der Lage waren, die Grenzen zu sprengen, in denen sich die eigene politische Existenz bisher erfolgreich entfaltet und an denen sie sich dann orientiert hatte.

Für den Nachgeborenen wird die Wandlung, sofern er nicht im Bann einer negativen Bismarck-Bewunderung verharrt, die sich kritisch gibt und doch immer nur Erfolgsgeschichte mit veränderten Wertungen schreibt, bereits im Verlauf der schweren und in ihrem Ausmaß kaum erwarteten wirtschaftlichen Krise sichtbar, in die das Reich nach 1873 geriet. Sie weitete sich schon bald zu einer politischen Krise und damit zu einer Krise des von Bismarck geschaffenen politischen Systems aus.

Die Ursachen der negativen wirtschaftlichen Entwicklung, die in den Jahren nach 1873 überall in Europa, ja, in der gesamten wirtschaftlich bereits weiter entwickelten Welt eine lange Zeit der Hochkonjunktur und des wirtschaftlichen Aufschwungs ablöste und überall ähnliche politische Folgen hatte, liegen im Rückblick offen zutage. Es handelte sich um eine Strukturkrise der sich entfaltenden und in den letzten zwanzig Jahren in immer neue Räume eingedrungenen modernen Verkehrs- und Industriewirtschaft, um eine Art Anpassungskrise an die neuen Verhältnisse. Erstmals wurden fast von einem Tag auf den anderen Grenzen sichtbar, die bisher kaum jemand ins Auge gefaßt hatte. Die Märkte für gewerbliche Produkte wurden, auch international gesehen, plötzlich sprunghaft enger, und die Konkurrenz wurde schärfer, mit existenzbedrohenden Konsequenzen für die Kleinen. Die Gewinnmargen gingen zurück, und im Zeichen einer »Mengenkonjunktur bei sinkenden Preisen« setzte ein verschärfter Ausleseprozeß ein.

Zu einer solchen nüchternen Distanz der Betrachtungsweise, die den Vorgang, von allem individuellen Mißerfolg abstrahierend, aus dem Blickwinkel der schließlich höchst erfolgreichen Anpassung der Gesamtwirtschaft und der Gesamtgesellschaft sieht, waren die unmittelbar Beteiligten und Betroffenen naturgemäß nicht in der Lage. Sie sahen die Fülle der Insolvenzen, den Preis- und Gewinnverfall, die Verschlechterung der Situation auf dem Arbeitsmarkt. Sie sahen, daß sich die Aktienkurse in vielen Branchen, oft binnen Jahresfrist, halbierten, daß die eben noch so erfolgreichen Banken vielfach nur noch ein Drittel ihrer bisherigen, freilich ungewöhnlich hohen, Dividenden zahlen konnten, daß Export und Wachstum stagnierten und daß wenig später auch im agrarischen Bereich die Erträge erheblich zurückgingen. Und sie sahen vor allem, daß der Rückgang der Löhne in vielen Arbeitszweigen die soziale Unsicherheit und Unruhe breiter Schichten deutlich anwachsen ließ, was sich nicht zuletzt an der zunehmenden Zahl der Wähler der sozialistischen Parteien zeigte.

All dies löste bei den etablierten politischen Gruppen, beim Adel wie beim Bürgertum, in der Intelligenz wie in weiten Kreisen von Handwerk und Gewerbe wachsende Zweifel an der Zukunft aus. Es ließ an die Stelle eines oft alle vernünftigen Grenzen sprengenden Vertrauens in den wirtschaftlichen und sozialen Fortschritt zunehmend pessimistische Prognosen treten. Und es begünstigte Reaktionen, die, rückblickend gesehen, weder angemessen noch erfolgverheißend waren.

Überall, nicht nur in Deutschland, begannen sich jene, die etwas zu verlieren hatten, am Bestehenden, an dem festzuhalten, was vielen gestern noch als eine bloße, rasch zu durchschreitende Durchgangsstation auf dem Weg in eine glänzende Zukunft gegolten hatte. Schon bald nach jener alle Welt erschreckenden Serie von Börsenkrisen und wirtschaftlichen Zusammenbrüchen, die im Mai 1873 von Wien ihren Ausgang genommen hatte und rasch fast alle Länder Europas sowie die Vereinigten Staaten erfaßte, sprach man, zumal in Mitteleuropa, von einer Zeit der »großen Depression«, die ihren Anfang genommen habe. Dieser Ausdruck ist wirtschaftshistorisch gesehen durchaus irreführend: Das Ganze war im Licht nüchterner Zahlen gesehen nicht mehr als eine Phase der Stagnation, die eine solche der ausgesprochenen Überhitzung ablöste. Anzeichen neuerlichen, kontinuierlich fortschreitenden wirtschaftlichen Wachstums wurden schon bald sichtbar. Aber die Prägung des Begriffs und seine rasche Verbreitung zeigen, wie einschneidend man den unerwarteten Einbruch und Rückschlag empfand und wie sehr sich unter diesem Eindruck das allgemeine Klima und die Zukunftserwartungen veränderten. Wie stets in solchen Situationen begann sogleich die Suche nach den Schuldigen, die in übergreifenden, letztlich unausweichlichen Entwicklungstendenzen und Zusammenhängen, im Überpersönlichen zu erkennen nur wenige in der Lage waren.

Die Krise führte so in fast allen europäischen Staaten zu verschärften, mit wachsender politischer Erbitterung geführten Auseinandersetzungen. Fast nirgendwo jedoch erreichten sie ein solches Ausmaß wie dort, wo sich, wie im Deutschen Reich, einerseits Öffentlichkeit und politische Parteien weitgehend frei artikulieren konnten und wo andererseits die Regierung doch nicht in direkter Verantwortung und Abhängigkeit gegenüber der parlamentarischen Mehrheit und der sie tragenden öffentlichen Meinung stand. Hier war die Versuchung besonders groß, die Verantwortung für eine als verhängnisvoll empfundene Entwicklung wechselseitig von sich abzuwälzen und sie der jeweils anderen Seite aufzubürden, auch wenn man mit ihr bisher über weite Strecken hin zusammengearbeitet hatte.

Bis an die Schwelle des entscheidenden Umbruchs, den das Jahr 1873 markierte, war Bismarck der liberalen Mehrheit nicht nur im Reich, sondern auch im größten Bundesstaat, in Preußen, weit entgegengekommen. Gewiß blieb alles in dem 1866/67 abgesteckten und 1871 dann noch einmal nachgezogenen Rahmen. Von wirklicher parlamentarischer Bindung der Regierung konnte ebensowenig die Rede sein wie von einem bestimmenden Einfluß der Mehrheit in sachlicher und personeller Hinsicht. Bismarck hatte Anfang 1873 vor dem preußischen Abgeordnetenhaus noch einmal betont: »Sowie wir in Parteiministerien hineingeraten, so werden die Gegensätze geschärft. Der König allein und die Emanation, die von ihm in seiner politischen Auffassung ausgeht, bleibt parteilos, und in dieser Stellung über den Parteien, auf dieser Höhe der Krone, muß, meines Erachtens, die Regierung in Preußen gehalten werden.« Aber in dem Bewußtsein, daß »das konstitutionelle Regiment unmöglich« sei, wenn »eine Regierung nicht wenigstens eine Partei im Lande« habe, »die auf ihre Auffassungen und Richtungen ... eingeht«, wie der Kanzler es fünf Jahre zuvor formuliert hatte, hatten sich beide Seiten in starkem Maße aufeinander zubewegt. Das galt nicht nur für die Frage des Verhältnisses zur katholischen Kirche und vor allem zu der neuen katholischen Partei. Es galt auch für die heftig umstrittene Reform der inneren Verwaltung in Preußen, und es galt für das weite Gebiet der Justizreform sowie für den ganzen Bereich der wirtschaftlichen Gesetzgebung.

Der Preis für dieses Entgegenkommen war für Bismarck nicht gering gewesen. Die preußischen Konservativen hatten sich nun auch in jenen

Gruppen mehr und mehr von ihm abgewandt, die nach 1866 noch zu ihm gehalten hatten. Seine Politik begegnete von hier einer in mancher Hinsicht nicht ungefährlichen wachsenden Skepsis. Einen Höhepunkt hatte diese Entwicklung Ende 1872 erreicht. Erst durch einen sogenannten Pairsschub, durch die Ernennung einer genügenden Zahl verläßlicher neuer Mitglieder, war es der Regierung schließlich gelungen, die vielumstrittene Kreisordnung durch das bis dahin opponierende Herrenhaus zu bringen. Die »faktiöse Haltung« der Ersten Kammer, so ließ Bismarck in diesem Zusammenhang verlauten, gefährde die »monarchische Ordnung«.

Gegen diesen Schritt hatten nicht nur die bisherige konservative Mehrheit und fast die gesamte konservative Partei leidenschaftlich protestiert. Auch ihr seit vielen Jahren zuverlässigster Wortführer in der Regierung, der Kriegsminister von Roon, hatte dagegen opponiert. Er hatte von einer Art »Staatsstreich« von oben gesprochen und, wie einst in der »Neuen Ära«, nachdrücklich vor der Gefahr gewarnt, immer weiter nach links zu geraten.

Bismarck hatte darauf in einer Art reagiert, auf die man sich zunächst weithin keinen Reim machen konnte: Er war am 20. Dezember 1872 zugunsten Roons als preußischer Ministerpräsident zurückgetreten. Die Gründe für diesen sensationellen Schritt sind bis heute umstritten. Am wahrscheinlichsten ist wohl, daß er auf diese Weise den Konservativen unmißverständlich vor Augen führen wollte, wie schnell sie, wenn sie sich gegen ihn stellten, ins politische Abseits zu geraten drohten. Denn daß Roon als ihr Exponent dem Amt des Ministerpräsidenten in keiner Weise gewachsen sein würde, wußte Bismarck nur zu gut. Er glaubte sich daher darauf verlassen zu können, daß seine konservativen Kritiker spätestens nach den bevorstehenden Landtagswahlen in Preußen reumütig zu ihm und seiner Politik zurückkehren würden. Er sei, so hat er einem der führenden Männer der Konservativen, dem Gutsbesitzer Otto von Diest-Daber, in jenen Tagen erklärt, von der konservativen Partei »verlassen worden und habe daher sein Schwert an die Seite gelegt: Die anderen möchten nun einmal ohne ihn weiter bauen, es würde sich ja zeigen, welche Folgen dies haben würde«. Roon selber, betonte er in anderem Zusammenhang, werde »bald zur Einsicht kommen, daß er handeln muß, wie ich wollte, wenn's gut gehen soll«.

In dieser Phase war noch einmal offenkundig geworden, wie weit Bismarck in seiner Politik inzwischen auf das Wohlverhalten der liberalen Mehrheit angewiesen war. Und ausgerechnet zu diesem Zeitpunkt, also noch vor dem wirtschaftlichen Einbruch, erfolgte von seiten der Nationalliberalen in aller Öffentlichkeit ein ebenso massiver wie sensationsmachender Angriff gegen die rechten Flügelmänner der Regierung und die hinter ihnen stehenden Kräfte.

Der Hauptwortführer war Lasker, einer der integersten und zugleich energischsten und fleißigsten Führer der Fraktion. Gegen stärkste Bedenken vieler seiner Parteifreunde, die vor den politischen Konsequenzen eines solchen Vorgehens gewarnt hatten, hatte er Anfang 1873 im preußischen Abgeordnetenhaus einen weitverzweigten Handel mit staatlichen Konzessionen zur Gründung von Eisenbahngesellschaften aufgedeckt. Im Mittelpunkt des Skandals standen der ehemalige Chefredakteur der »Kreuzzeitung« und jetzige Erste Vortragende Rat im preußischen Staatsministerium, Hermann Wagener, sowie der Handelsminister Graf Itzenplitz. Mit dem direkten Vorwurf der Bereicherung im Amt vor allem gegenüber Wagener war zugleich der indirekte und sehr viel brisantere verbunden gewesen, ein Teil der konservativen Führungsschicht in Preußen benutze ihre Verbindungen, um sich schamlos persönliche Vorteile zu verschaffen.

Auf die aufsehenerregende Attacke hatte die jetzt von Roon geführte Regierung so ungeschickt wie nur möglich reagiert. Statt die Vorwürfe erst einmal im einzelnen zu prüfen und dann etwa reduzierend abzufangen, hatten ihre Wortführer wild zurückgeschlagen und Lasker seinerseits dubioser Transaktionen und finanzieller Unregelmäßigkeiten verdächtigt. Dieser hatte darauf Roß und Reiter genannt und damit nicht nur der Regierung, sondern auch den Konservativen eine schwere Niederlage beigebracht, die auf die nachfolgenden Wahlen nicht ohne Einfluß blieb.

Obwohl formal zur Zeit nicht in erster Linie verantwortlich, hatte Bismarck den Vorgang mit großem Unbehagen verfolgt. Einmal zählte Wagener seit vielen Jahren zu seinen engsten und wichtigsten Mitarbeitern. Zum anderen sah er in dem Ganzen den Versuch, den Staat und seine bisherigen Trägerschichten auseinanderzudividieren, diese zu diskreditieren und jenen in immer stärkere Abhängigkeit von den neuen, den bürgerlich-liberalen Kräften zu bringen.

Zunächst freilich war der Vorgang ohne größere Konsequenzen geblieben, auch wenn der Kanzler den von Lasker repräsentierten Teil der nationalliberalen Fraktion und Führungsgruppe seither, dessen strategisches Konzept vielleicht etwas überschätzend, zu seinen politischen Gegnern zählte. Beide Seiten, der Chef der kaiserlichen Regierung und die nationalliberale Reichstagsfraktion, hatten weiterhin auf das engste zusammengearbeitet, ja, diese Zusammenarbeit hatte in den Maigesetzen von 1873 einen Höhepunkt erreicht. Ihr Ziel war, ganz auf der Linie der Liberalen, die Kirche durch die Neuregelung und staatliche Überwachung der Ausbildung der Geistlichen, durch die staatliche Oberaufsicht über die innerkirchliche Rechtsprechung und durch die Erleichterung des Kirchenaustritts endgültig zu »nationalisieren« und unter die Vormacht des Staates zu zwingen. Und Bismarck hatte sich hierbei wie bei allen weiteren Aktionen bis hin zu den drakonischen Gesetzen von 1874 und 1875 immer wieder hinter seinen Kultusminister Falk gestellt. Die Gesetze erlaubten die Ausweisung widerstrebender Geistlicher, die kommissarische Verwaltung nicht besetzter Bistümer durch den

Staat, die Aufhebung aller nicht der Krankenpflege dienenden geistlichen Orden und schließlich die Einstellung aller staatlichen Leistungen an unbotmäßige Diözesen. Der Kanzler hatte Falks Politik höchstens gelegentlich in den Methoden, nicht aber in der Sache und in den Zielsetzungen kritisiert.

Ungeachtet dessen wuchsen in jenen Jahren, wenn auch vorerst noch unterschwellig, auf beiden Seiten das Mißtrauen und die Distanz, und zwar in dem Maße, in dem die Wirtschaft und mit ihr unvermeidlicherweise auch der Staat, der ihr die Rahmenbedingungen setzte, in ein zunehmend rauheres Fahrwasser gerieten. Bismarck beklagte immer häufiger die Neigung der liberalen Mehrheit, sich, unter Ausnutzung aller Vorteile eines engen Verhältnisses zur Regierung und ihrer parlamentarischen Schlüsselstellung, stets dann aus der Verantwortung zu stehlen und diese bei der Regierung zu konzentrieren, wenn die Dinge nicht so liefen, wie man sich das erhofft habe. Und die Liberalen entgegneten, sie sähen in der Tat keine Veranlassung, für eine Regierung durch dick und dünn zu gehen oder gar für deren Fehler geradezustehen, die nach wie vor geneigt sei, Zusammenarbeit mit Unterordnung zu verwechseln, und die sich grundsätzlich die letzten Entscheidungen vorbehalte.

Die wachsende Entfremdung zwischen den bisherigen politischen Partnern enthielt für Bismarck, so unanfechtbar seine Stellung von außen her gesehen schien, eine erhebliche politische Gefahr. Sein Verhältnis zu den Konservativen war unverändert schlecht, zudem auch vielfach persönlich belastet. Und an einen Ausgleich mit dem mehrheitlich gleichfalls monarchisch-konservativ gesinnten Zentrum war überhaupt nicht zu denken. Von politischen Alternativen konnte so keine Rede sein. Andererseits wußte der Kanzler sehr wohl, daß bei aller Macht und Autorität der Exekutive in dem von ihm durchgesetzten politischen System ein Regieren ohne Gesetzgebungsmehrheit und ohne entsprechende Unterstützung durch die öffentliche Meinung auf Dauer kaum möglich sein würde. Er hatte hier die Erfahrungen der Konfliktzeit sehr viel nüchterner verarbeitet als mancher seiner damaligen konservativen Mitstreiter. Gerade deswegen aber war seine Erbitterung über das Verhalten der Liberalen besonders groß. Er, der fast alle, die mit und neben ihm auf der politischen Bühne wirkten, immer nur benutzt, gegeneinander ausgespielt, notfalls ins Abseits gelockt und geopfert hatte, fühlte sich plötzlich in der Situation dessen, der sich einmal auf politische Partnerschaft und wirkliche Zusammenarbeit einläßt und ausgerechnet dann auf besonders gelehrige Schüler seiner eigenen politischen Taktik stößt. Ob dies die Führer der nationalliberalen Fraktion wirklich waren, sei dahingestellt. Immerhin waren sie sich bewußt, daß Bismarck im Augenblick parlamentarisch über keine Alternative verfügte und auf sie angewiesen war. Und sie waren gleichzeitig entschlossen, sich von ihm nicht bloß benutzen und mit unbequemen Verantwortlichkeiten belasten zu lassen.

In diese Situation fiel die Entscheidung über die künftige Art der Behandlung des Militäretats, also über eine Frage, die wie keine andere mit den konfliktträchtigsten Erinnerungen belastet war und nach wie vor im Konkreten wie im Grundsätzlichen hinreichend Zündstoff enthielt. 1867 hatte man sich, im Zuge des fortschreitenden Ausgleichs zwischen dem Sieger von 1866 und der neuen nationalliberalen Partei und Fraktion, dahin verständigt, daß der Militäretat zunächst noch festgeschrieben werden sollte. Gleichzeitig aber war man übereingekommen, das jährliche Budgetprüfungs- und -bewilligungsrecht des Reichstags mit Ablauf des Jahres 1871 auch auf diesen Bereich auszudehnen. Angesichts der veränderten Situation und der Fülle der drängenden Aufgaben hatte man 1871 diese Übergangsregelung nochmals um drei Jahre verlängert. Doch nun mußte endgültig entschieden werden und das in einer parlamentarischen Konstellation, die für den Liberalismus und insbesondere für die nationalliberale Fraktion so günstig schien wie nie zuvor.

Bei den Reichstagswahlen vom 10. Januar 1874, sozusagen den ersten »normalen«, die nicht unter dem unmittelbaren Eindruck des noch nicht definitiv abgeschlossenen Krieges und der Reichsgründung standen, hatten die Nationalliberalen, vorwiegend auf Kosten der Konservativen, die zu Bismarcks unverhohlener Genugtuung von siebenundfünfzig auf zweiundzwanzig Sitze zurückgingen, nochmals dreißig Mandate hinzugewonnen. Gemeinsam mit der Fortschrittspartei, die drei hinzueroberte, besaßen sie jetzt mit insgesamt zweihundertundvier von dreihundertsiebenundneunzig Sitzen eine klare absolute Mehrheit. Außerdem schnellte das in unbedingter Opposition stehende Zentrum von dreiundsechzig auf einundneunzig Mandate empor. Zusammen mit Polen, Welfen, Dänen, Elsaß-Lothringern und Sozialdemokraten, den »Protestparteien«, die nach Überzeugung der Reichsleitung in kein politisch-parlamentarisches Kalkül einzubeziehen waren, bildete es einen Block von nun einhundertvierunddreißig Sitzen, also einem guten Drittel des Hauses.

In der Heeresfrage wie bei jedem anderen auf gesetzgeberischem Weg zu regelnden Problem an der nationalliberalen Partei vorbeigehen zu wollen, hieß erneut den großen Konflikt zu riskieren. Andererseits hätte ein völliges Einschwenken auf die Linie der Liberalen nicht allein im konservativen Lager als endgültiger Beweis dafür gegolten, daß Bismarck inzwischen zum Gefangenen seines eigenen politischen Systems geworden sei. Und nicht nur das. Auch der Mann, von dem seine Stellung nach Verfassung und aller bisherigen Entwicklung entscheidend abhing, drohte dadurch völlig verwirrt zu werden, zumal ihn Bismarcks Politik gegenüber der katholischen Kirche und dem Zentrum mit zunehmender Sorge erfüllte. Eine Vertrauenskrise in seinem Verhältnis zu Kaiser Wilhelm aber war das Letzte, was sich Bismarck in der gegenwärtigen Situation leisten konnte.

Der Kanzler befand sich also in einer ausgesprochenen Zwickmühle, da er sich zusätzlich zum Kulturkampf und mit Blick auf die sich verschlechternde wirtschaftliche Lage keinesfalls einen weiteren großen Konflikt aufladen konnte. Trotzdem ließ er den neuen Kriegsminister Georg von Kameke Anfang Februar 1874 im Reichstag abermals ein für die Mehrheit der Liberalen mit Sicherheit unannehmbares Maximalprogramm einbringen: Roon, der die entsprechende Vorlage bereits im Jahr zuvor präsentiert hatte, ohne daß sie auf die Tagesordnung kam, war im November 1873 nach nur elfmonatiger Ministerpräsidentschaft von allen seinen Ämtern zurückgetreten. Mit der erneuten Vorlage verfolgte der Kanzler freilich zunächst einmal wohl nur die Absicht, den eigenen Verhandlungsspielraum zu vergrößern. Den Liberalen sollte damit, stellvertretend für alle anderen anstehenden Fragen, vor Augen geführt werden, daß die Regierung vor ihrer parlamentarischen Stärke nicht zu kapitulieren beabsichtige.

Der Roon-Kamekesche Entwurf sah die dauernde Festlegung der Heeresstärke »bis zum Erlaß einer anderweitigen gesetzlichen Bestimmung« auf rund vierhunderttausend Mann vor. Dafür sollte wie bisher ein Pauschalbetrag pro Mann im Haushalt eingesetzt werden; bis dahin war man von einer Friedenspräsenz von einem Prozent der Bevölkerung nach dem Stand von 1867 ausgegangen. Eine Zustimmung zu diesem Vorschlag hätte den Heeresetat praktisch auf Dauer der Verfügungsgewalt des Parlaments entzogen. Sie hätte, wie man es nannte, ein »Äternat« geschaffen. Dazu war erwartungsgemäß nur eine ganz kleine Gruppe der Liberalen unter Federführung des Staatsrechtslehrers Rudolf von Gneist bereit. Das Gegenprogramm der liberalen Mehrheit war, wie 1867 vereinbart, die jährliche Bewilligung. So war vorauszusehen, daß man sich nach einigem Pokern irgendwo in der Mitte treffen werde, es sei denn, die Liberalen waren ihrerseits zum großen Konflikt und zur entscheidenden Machtprobe entschlossen.

Eine gewisse Tendenz in jene Richtung war durchaus vorhanden. Neben Eugen Richter von der Fortschrittspartei, der sich mehr und mehr zu deren unumstrittenem Führer entwickelte, waren es aus dem Kreis der Nationalliberalen vor allem Eduard Lasker und der Münchener Abgeordnete Freiherr von Stauffenberg, die für ein hartes und unnachgiebiges Auftreten plädierten. Sie trafen sich in einer Art negativer Koalition mit dem Kaiser und seinen engsten militärischen Beratern im sogenannten Militärkabinett. Diese wiesen ihrerseits jeden Gedanken an einen Kompromiß zurück und beschworen offen die Erinnerung an die Konfliktszeit.

Unter diesen Umständen waren langwierige, zum Teil äußerst heftige Auseinandersetzungen unvermeidlich. Sie wurden noch dadurch begünstigt, daß Bismarck mehrere Wochen lang durch einen schweren Gichtanfall ausfiel und sich auch nach der Rückkehr ins Amt zunächst auffällig zurückhielt. »Die Herren Militärs« sollten »sehen . . ., wie sie allein«, ohne ihn, »mit ihren Anschauungen durchkommen«, hatte er schon Monate zuvor erklärt. Dennoch kam es schließlich zu dem erwarteten Kompromiß. Man verständigte sich, anknüpfend an das, was seit 1867 ungeplante Praxis gewesen war, auf eine siebenjährige Bewilligung, auf ein sogenanntes Septennat. Der vor allem zwischen Bismarck und Bennigsen ausgehandelte Kompromiß fand nach langem inneren Ringen vieler ihrer Mitglieder die Zustimmung der überwältigenden Mehrheit der nationalliberalen Fraktion einschließlich Laskers.

Damit schien das Einvernehmen zwischen nationalliberaler Partei und Regierung weitgehend wiederhergestellt zu sein. Eine Probe aufs Exempel lieferte, so konnte man meinen, die Verabschiedung des Gesetzes über die mögliche Ausweisung opponierender Geistlicher am 24. April 1874, eines Gesetzes, das den Kulturkampf auf einen neuen Höhepunkt trieb. Bismarck wurde von der Mehrheit der liberalen Partei erneut als Vorkämpfer in der säkularen Auseinandersetzung um die Freiheit der modernen Kultur gefeiert. Als ein knappes Vierteljahr später von einem katholischen Böttchergesellen namens Kullmann in Kissingen ein Attentat auf ihn verübt wurde, da wertete man das als einen Anschlag auf die gemeinsame Sache, als eine Aufforderung, noch enger zusammenzustehen.

Bismarck hat diese Interpretation sogleich aufgenommen und versucht, das Attentat, bei dem er nur leicht verletzt wurde, für seine Zwecke zu benutzen. Es gelte, so erklärte er in immer neuen Wendungen, die Reihen noch fester als bisher zu schließen, um eine Partei zu bekämpfen, die Meuchelmörder zu ihren Taten inspiriere. Und auf den leidenschaftlichen Protest des Zentrums: »Ja, meine Herren, verstoßen Sie den Mann wie Sie wollen! Er hängt sich doch an Ihre Rockschöße!«

Das Wunschbild, das ihm hierbei vorschwebte, hat er im März 1875 im preußischen Abgeordnetenhaus einmal ganz offen ausgesprochen: »Die Folge« des Kulturkampfes werde sein, so erklärte er, »daß wir mit der Zeit nur zwei große Parteien haben werden, eine, die den Staat negiert und bekämpft, und eine andere große Majorität der dem Staat anhänglichen, achtbaren, patriotisch gesinnten Leute . . . Diese Partei wird sich bilden in der Schule dieses Kampfes.«

Eine solche Zukunftsvision mochte einer breiteren liberalen Öffentlichkeit immer noch Eindruck machen – die Mehrheit der nationalliberalen Parlamentarier war sich wie Bismarck selber völlig bewußt, daß die Realität seit längerem ganz anders aussah. Von einer wirklichen Rückkehr zu dem Verhältnis der vergangenen Jahre konnte keine Rede sein. Jeden Augenblick konnte sich ein neuer, grundsätzlicher Konflikt entzünden. Die Erbitterung und das gesteigerte Mißtrauen, die die Auseinandersetzung um den Militäretat auf beiden Seiten, vor allem auf dem linken Flügel der Nationalliberalen, hinterlassen hatten, wirkten dabei in gewisser Weise bloß als ein zusätzlich dynamisierendes Element, waren mehr Symptom als Ursache. Bedeutungsvoller war das zunehmende Gefühl, daß die Dinge hier wie in vielen anderen Bereichen, insbesondere dem des wirtschaftlichen Lebens, zur Entscheidung drängten. Man befinde sich, so konnte man immer öfter hören, in einem Zustand des Übergangs. Neue, größere Dauer versprechende Regelungen seien über kurz oder lang unvermeidlich.

Das entsprach ganz Bismarcks eigener Auffassung. Er habe genug davon, auf »schlechte Hasenjagd zu gehen«, erklärte er damals. Was ihm vorschwebe, seien große, durchgreifende Lösungen: »Ja, wenn es gälte, einen großen und mächtigen Eber – meinetwegen einen erymantischen – zu erlegen, dann würde ich dabei sein, dann würde ich mir noch einmal etwas zumuten.« Was aber konnten angesichts der gegebenen parlamentarischen und parteipolitischen Situation solche großen, durchgreifenden Lösungen zunächst einmal auf der Ebene des Verhältnisses zwischen Parlament und Regierung sein?

Viele Historiker sind unter dem Eindruck der weiteren Entwicklung, der schrittweisen Ausschaltung der Liberalen unter Ausnützung innerer Gegensätze in ihren Reihen, dem Aufbau einer wesentlich an den agrarischen Interessen orientierten neuen konservativen Partei unter Bismarcks tätiger Mitwirkung und schließlich dem Ausgleichsversuch mit dem Zentrum, geneigt gewesen, zwischen diesen Ergebnissen und der Zielsetzung der Bismarckschen Politik in den Jahren davor, etwa seit 1873/74, eine direkte Verbindungslinie zu ziehen. Mit Hilfe einer solchen Deutung läßt sich ein sehr effektvolles Bild seines Wirkens in diesen Jahren bis hin zu den Vorgängen von 1878/79 entwerfen. Das Reich sei in dieser Zeit, so die These, im Inneren auf eine ganz neue, die weitere Entwicklung bestimmende Grundlage gestellt worden, es habe sich um eine zweite, »innere« Reichsgründung gehandelt.

In einer solchen Deutung erscheint Bismarck einmal mehr, oft genug in nur ganz äußerlich kaschierter geheimer Bewunderung, als derjenige, in dessen Hand alle Fäden zusammenliefen, der sämtliche Zusammenhänge mehr oder weniger souverän beherrschte, sie bestimmte und lenkte. Aber sind die Beweise, die man für die klare Folgerichtigkeit seiner Politik in jenen Jahren vorgebracht hat, wirklich ausreichend und stichhaltig? Wird hier nicht wieder, ständige Versuchung für jeden Historiker, die vielfach verschlungene Kette von Ursachen und Wirkungen in ihrem schließlich dominierenden Strang sozusagen intentional eingefärbt, zum Ergebnis vorformulierter Absichten und Pläne eines Einzelnen oder einer kleinen Gruppe erklärt? Und gerät dadurch nicht gerade das aus dem Blick, was den historischen Prozeß sehr viel nachdrücklicher und dauerhafter bestimmt als das Wirken jedes Einzelnen: die Wechselbeziehungen zwischen den jeweils vorhandenen Kräften und Interessen, Bestrebungen und übergreifenden Tendenzen?

In der Tat war der Gang der Dinge nach 1874 bis hin zu den Entscheidungen in den Jahren 1878/79 sehr viel ambivalenter, sehr viel offener für ganz andere Entwicklungen, als es vom Ausgang her erscheint. Er wurde nicht so sehr von weitausgreifenden kühnen Planungen und einem breitangelegten Konzept bestimmt als vielmehr von einer Serie oft eher tastender Versuche, zu einer tragfähigeren Lösung des Verhältnisses zwischen Regierung und Parlament, ja, mehr noch, zwischen dem monarchisch-bürokratischen Staat und der neuen, bürgerlichen Gesellschaft zu gelangen. Diese Versuche standen darüber hinaus im Zeichen eines stürmischen sozialen Wandlungsprozesses, in dessen Verlauf die Gesellschaft auch politisch ein sich rasch veränderndes Gesicht zeigte, ständig wechselnde Mehrheitsverhältnisse und Meinungsbilder hervorbrachte.

Sicher blieb es für Bismarck auch jetzt noch eine verlockende Idee, sich hiervon nicht abhängig zu machen, sondern zu versuchen, eine Position über den Parteien zu bewahren und die verschiedenen Kräfte und Interessen jeweils zu benutzen. Aber hatte sich die von einer solchen Zielvorstellung geleitete Politik nicht gerade als wenig erfolgreich erwiesen? Hatte sie nicht jene Situation hervorgebracht, in der der Regierung für alles und jedes, was unpopulär war oder sich als problematisch erwies, die alleinige Verantwortung zugeschoben wurde, eine Situation, in der jede politische Gruppe nur ihr Schäfchen ins Trockene zu bringen, die Regierung ohne weiterreichende Gegenleistung für sich zu benutzen suchte? War man dadurch nicht in noch weit größere, weil sich jeder Berechnung entziehende Abhängigkeiten geraten?

Vor diesem Hintergrund mußte der Gedanke an ein fester gegründetes und belastbareres Bündnis mit einer oder mehreren der politisch-parlamentarischen Gruppen, ungeachtet aller inneren Vorbehalte, in einem sehr viel freundlicheren Licht erscheinen. In erster Linie bot sich hier die informelle Koalition von Freikonservativen und Nationalliberalen an, wie sie seit 1867 bestanden hatte. In ihr sah Bismarck freilich inzwischen Kräfte am Werk, die eine Fortsetzung der Zusammenarbeit auf eine Basis stellen wollten, auf die zu treten er nicht bereit war. Aber würde es durch verstärktes Entgegenkommen gegenüber der nationalliberalen Rechten, etwa auch in personeller Hinsicht, durch eine direkte Regierungsbeteiligung, nicht vielleicht möglich sein, diese Kräfte zu isolieren, ja, sie abzusprengen und so die Gewichte entsprechend zu verschieben? Und andererseits: Konnte man nicht gleichzeitig versuchen, die angesichts ihrer ständigen Niederlagen und wachsenden inneren Gegensätze politisch in Auflösung begriffene konservative Rechte wieder zu stärken – sei es, um schrittweise eine neue Basis für eine engere politisch-parlamentarische Zusammenarbeit rechts der Mitte zu gewinnen, sei es, um die Parteien der Mitte, vor allem den rechten Flügel der Nationalliberalen, kooperationswilliger zu machen?

Solche Möglichkeiten hat Bismarck nach 1873/74 ständig hin- und herge-
wendet, ohne daß zunächst grundsätzliche Präferenzen erkennbar wurden.
Wie in der Außenpolitik so hat er sich auch hier ganz auf die Realität der
gegebenen Machtverhältnisse konzentriert, auszuloten versucht, was möglich war und was nicht. Und wie bei seiner außenpolitischen Bilanz nach der
Krieg-in-Sicht-Krise ging er auch hier von einer bestimmten Grundkonstellation aus, von Gegensätzen und Positionen, auf deren Dauerhaftigkeit man
seiner Meinung nach mit einiger Sicherheit setzen konnte. Dabei hatte er,
wie in der Außenpolitik Frankreich, innenpolitisch vor allem das Zentrum
und die »Protestparteien« vor Augen. Sie waren sozusagen der Gegenpol
seines gesamten Kalküls, die politisch zu isolierenden »Reichsfeinde«, wie er
sie, das von ihm verkörperte politische Programm und das Reich als solches
unbekümmert in eins setzend, immer häufiger nannte.

Das war das eine. Zum anderen setzte er, wie außenpolitisch im Fall
Englands und Rußlands, voraus, daß der Gegensatz zwischen Linksliberalen
und Konservativen auf Dauer unüberwindbar sein werde. Damit aber wurde
er, sozusagen durch die Logik der Verhältnisse, immer wieder auf jene
Konstellation zurückverwiesen, auf die er 1866/67 seine ganze weitere
Politik und politische Existenz gegründet hatte, ja, die ihm schon viel früher,
in der Zeit des Konflikts, als das erstrebenswerte Ziel vorgeschwebt hatte:
auf das Zusammenwirken der beiden Mittelparteien in Frontstellung gegen
die entschiedene Rechte wie gegen die entschiedene Linke. Der innere
Zusammenhalt dieser Mittelparteien aber würde, und dieses Wissen enthielt
eine große Versuchung, um so stärker sein, je stärker die Bedrohung
beziehungsweise die politische Konkurrenz von rechts oder links erschien.

Das alles war das Ergebnis einer ganz nüchternen, praxisorientierten
Bestandsaufnahme und konkreter Sondierungen und Vorstöße in ihrem
Sinne. Sie wurden unter dem Eindruck unternommen, daß mit dem bisher
verfolgten System nicht weiterzukommen sei, daß es sogar auf die Dauer
seine Stellung bedrohe. Mit ihnen suchte er gleichsam den Rahmen künftigen
Handelns abzustecken und, in der ständigen und unmittelbaren Auseinandersetzung mit den Problemen des Tages, die Bedingungen und Möglichkeiten solchen Handelns in einer Form auszuloten, welche von jenen Tagespro-
blemen abstrahierte. Im Mittelpunkt stand dabei nun die Linke oder, besser
gesagt, das Verhältnis der linken Mittelpartei, der Nationalliberalen, zu
deren Vertretern.

Bisher war die Abgrenzung und somit die innere Integration des informellen Regierungsbündnisses von rechts erfolgt. Das galt vor allem für den
mittlerweile immer erbitterter und leidenschaftlicher geführten Kampf gegen die Zentrumspartei: Ihr Führer Windthorst wurde, in Bismarck zumindest zeitweise durchaus willkommener Weise, nicht müde, den konservativen, streng monarchischen Charakter der Partei zu betonen. Das galt aber

auch für die konservative Partei, zumal in Preußen. Sie war faktisch in die Rolle einer rechten Oppositionspartei geraten – gedrängt worden, wie es ihre Führer nicht ohne Grund formulierten. Als Ergebnis hatte sich das Schwergewicht innerhalb der politischen Mitte und der sie bildenden Parteien nicht nur in Bismarcks Augen mehr und mehr nach links verschoben. Die Grenzen zwischen der nationalliberalen Linken um Lasker und der Fortschrittspartei waren, was die jeweiligen Ziele und Forderungen anging, immer fließender geworden.

Der fortschreitenden Öffnung der größten deutschen Partei nach links entgegenzutreten und dabei die Probe aufs Exempel zu machen, wo und mit welcher Gewichtsverteilung eine neue, klare Grenzziehung möglich sein werde, mußte daher Bismarcks vordringlichstes Ziel sein. Als Objekt einer solchen politischen Nagelprobe aber boten sich jene Kräfte an, die in Vertretung der neuen Industriearbeiterschaft als Wortführer einer grundlegenden Umgestaltung von Wirtschaft und Gesellschaft auftraten. Sie verkörperten einerseits Herausforderung und Bedrohung der neuen, der bürgerlichen Gesellschaft in extremer Form. Andererseits stellten sie, zumindest in den Augen vieler Linksliberaler, diese Gesellschaft vor die Frage, wie es sich mit ihrer Toleranz und Liberalität, ihrem Selbstvertrauen und ihrer Integrationsfähigkeit, mit ihrer Kraft zu schöpferischer, die Gegensätze überbrückender Entwicklung in Wahrheit verhalte.

Bismarck hatte in dieser Hinsicht bereits unter dem unmittelbaren Eindruck des Pariser Kommuneaufstands ein sehr klares Programm entwickelt. Seiner Meinung nach galt es jenen Kräften mit aller Härte, mit entschlossenem Einsatz der Staatsmacht und einer entsprechenden Gesetzgebung zu begegnen und ihnen gleichzeitig mit sozialfürsorgerischen Maßnahmen das Wasser abzugraben, sie politisch trockenzulegen. Das war von einer höchst pessimistischen Einschätzung der weiteren Entwicklung diktiert gewesen, dem Bewußtsein ihrer Gefahren für den Bestand der sozialen Ordnung und ihrer Chancen für eine entschlossen handelnde klassenkämpferische Bewegung. Wenn Bismarck das Ganze, nachdem von entsprechenden Maßnahmen vor allem in den Verhandlungen mit Österreich ausführlich die Rede gewesen war, zunächst einmal auf sich hatte beruhen lassen, so lediglich aus Opportunitätsgründen, aus dem Bestreben, einen politischen Vielfrontenkrieg nach Möglichkeit zu vermeiden. Nun, 1874, sprachen seiner Meinung nach andere Opportunitätsgründe dafür, die Frage konkret aufzugreifen und erste Maßnahmen im Sinne seines Programms einzuleiten. Daraus läßt sich jedoch nicht schließen, daß er sich bei dem ganzen Problem überhaupt nur von Opportunitätserwägungen habe leiten lassen, daß er ernsthaft gar nicht von den Gefahren überzeugt gewesen sei, die er beschwor.

In Wahrheit verhielt es sich genau umgekehrt. Bismarck wartete seit 1871 auf eine günstige Gelegenheit, die für ebenso dringlich wie unerläßlich gehaltenen Schritte zu unternehmen. Als eine solche Gelegenheit stellte sich ihm die allgemeine politische Situation im Schatten der krisenhaften wirtschaftlichen Entwicklung seit 1873 dar. Jetzt, so glaubte er, würden die Liberalen gezwungen sein, an diesem Punkt Farbe zu bekennen.

Der erste Schritt, der sich konkret anbot, war eine zielgerichtete Verschärfung des gerade zur Debatte stehenden Reichspressegesetzes. Die entsprechende Gesetzgebungskompetenz war 1871 an das neue Reich übergegangen, und ein Entwurf lag nach längeren Vorarbeiten im Frühjahr 1874 auf dem Tisch. In diesen Entwurf ließ Bismarck Formulierungen einfügen, die die grundsätzliche Kritik an der bestehenden Gesellschaftsordnung, am Militärdienst und an den Einrichtungen des Staates mit Strafe bedrohten. Zur Begründung wurde ausdrücklich, in der offiziösen Presse mit grellen Farben, auf die Umsturzpropaganda eines Teils der sozialistischen Presse verwiesen und auf die Notwendigkeit, die breiten Massen solchen demagogischen Einflüssen zu entziehen. Auf diese Weise sollte, wie Bismarck in einer Sitzung des preußischen Staatsministeriums am 30. Dezember 1874 wörtlich erklärte, »einerseits die Verantwortlichkeit für die ungenügende Bekämpfung der Umsturzpartei von den Regierungen auf den Reichstag übertragen und andererseits die Bekanntschaft mit dem Vorhandensein der Gefahr in der ruhebedürftigen Bevölkerung vorbereitet werden, wovon sich eine allmähliche Umstimmung der Reichstagsmehrheit erwarten lasse«.

Beide liberalen Parteien, die Nationalliberalen wiederum unter Federführung des Kreises um Lasker, waren jedoch mehrheitlich nicht bereit, darauf einzugehen. Sie waren nach Erfahrungen und politischem Konzept äußerst empfindlich gegenüber jedem auch noch so begrenzten Eingriff in die Pressefreiheit. Außerdem witterten sie dahinter den Versuch, über den Kreis der Sozialisten und Anarchisten, also über die auch von ihnen scharf abgelehnten revolutionären Umsturzbestrebungen hinaus, jede unbequeme Kritik mundtot zu machen und ein Instrument gegen die gesamte Linke in die Hand zu bekommen.

Auch ein neuer, energischerer Vorstoß, den die Regierung anderthalb Jahre später unternahm, verfiel aus gleichen Gründen dem gleichen Schicksal. Hier handelte es sich nicht um die Fassung einzelner Paragraphen in einem sowieso anstehenden Gesetzgebungswerk wie beim Pressegesetz, sondern um eine ausdrückliche Gesetzesnovelle zu dem erst wenige Jahre zuvor verabschiedeten Strafgesetzbuch. Danach sollte mit Strafe bedroht werden, wer »in einer den öffentlichen Frieden gefährdenden Weise verschiedene Klassen der Bevölkerung gegeneinander öffentlich aufreizt oder in gleicher Weise die Institute der Ehe, der Familie oder des Eigentums öffentlich durch Rede oder Schrift angreift«. Bedenken suchten die Regierungsvertreter diesmal von vornherein mit dem Argument zu zerstreuen, die Zielrichtung sei doch wohl klar genug fixiert. Jeder weitere Schritt führe über das Prinzip der individuellen Verantwortung hinaus auf das Gebiet der Ausnahmegesetzgebung gegenüber bestimmten Personengruppen. Ungeachtet dessen schloß sich die Mehrheit der Liberalen dem Urteil Laskers und der Wortführer der Fortschrittspartei an, dies sei ein reiner Gummiparagraph. Er tabuisiere letztlich den politischen und gesellschaftlichen Status quo und drohe den Staatsanwalt zum politischen Hilfsorgan der Regierung zu machen.

So war Bismarck erst einmal mit seinem Versuch gescheitert, über die Frage, wie der radikalen Linken erfolgreich zu begegnen sei, zugleich eine klare Abgrenzung zwischen rechts und links im liberalen Lager herbeizuführen. Es war ihm nicht gelungen, einen Keil zwischen diejenigen, die sich für einen direkten Einsatz der Staatsgewalt und der staatlichen Gesetzgebung aussprachen, und jene zu treiben, die dies, in tiefem Mißtrauen gegen die Regierung, für einen ungeeigneten Weg hielten. Beide Male hatte Lasker ihm die entsprechenden Argumente mit der Erklärung aus der Hand genommen, es komme nicht auf schärfere Gesetze an, sondern auf die feste Entschlossenheit zur politischen und geistigen Auseinandersetzung mit den Gegnern der bestehenden Ordnung. An ihr fehle es gerade bei den Liberalen keineswegs.

Inzwischen jedoch hatte sich die Situation auf einem anderen Feld in einer Art zugespitzt, die von der gegebenen Interessenbindung der einzelnen politischen Gruppen her die Klärung ihres künftigen Verhältnisses zur Regierung in ganz unerwarteter Weise vorantrieb. Eine der Grundgegebenheiten, von denen die Bismarcksche Politik von Anfang an auszugehen hatte und ausging, war die Übereinstimmung zwischen den traditionellen und den neuen, den bürgerlichen Führungsschichten hinsichtlich des wirtschaftspolitischen Kurses gewesen. Hier wie dort hatte man sich mehrheitlich zu den Prinzipien der Wirtschaftsfreiheit und des Freihandels bekannt. Sie waren 1866/67 mit der Berufung Delbrücks an die Spitze der neuen Zentralverwaltung endgültig zum Sieg geführt worden, hatten aber auch schon vorher die preußische Wirtschaftspolitik weitgehend bestimmt.

Diese Prinzipien entsprachen, in einer Phase fast ständig anhaltender Hochkonjunktur, sowohl den Interessen der großbetrieblich organisierten ostelbischen Landwirtschaft als auch denen des Handels, der Kreditwirtschaft und zumindest wichtiger Teilbereiche der sich vehement entfaltenden Industrie. Expansion, ungehinderte Ausnutzung der wirtschaftlichen Möglichkeiten und Chancen lautete hier wie dort die Devise.

Seit Beginn der sechziger Jahre befanden sich Landwirtschaft und Industrie in einem fast ununterbrochenen Aufschwung, der sich 1867/68 und 1871 noch einmal beschleunigte. Wachstumsraten von über sieben Prozent pro Jahr waren nicht selten. Ungeachtet dreier Kriege, großer territorialer Umwälzungen und einschneidender Veränderungen der Rahmenbedingungen war seit 1862 auf dem Gebiet des späteren Deutschen Reiches ein kontinuierliches Wachstum von jährlich knapp dreieinhalb Prozent zu verzeichnen – eine für die damalige Zeit außerordentlich hohe Zahl.

Hinter ihr verbargen sich, da von einer Gleichmäßigkeit der Entwicklung noch keine Rede sein konnte und Industrialisierung und Expansion auch auf der Produzentenseite zahlreiche Opfer forderten, in den entscheidenden Bereichen noch ganz andere Zuwachsraten und dementsprechende Gewinne. Bei zunächst noch recht stabilen Kosten schnellten seit Mitte der sechziger Jahre Umsatz und Gewinne in der Schwerindustrie, in der großbetrieblich organisierten Landwirtschaft sowie in der Textil- und Konsumgüterindustrie sprunghaft in die Höhe. Steigerungen der Erträge um fünfundzwanzig bis dreißig Prozent binnen weniger Jahre waren hier keine Seltenheit. Besonders der Eisenbahnbau mit seinem kontinuierlich wachsenden gewaltigen Bedarf an Holz, Stahl, Maschinen, Baumaterial sowie an Grund und Boden wirkte regelrecht als Lokomotive des gesamten Wirtschaftslebens.

An dem wirtschaftlichen Aufschwung bisher unbekannten Ausmaßes waren die alten wie die neuen gesellschaftlichen Eliten, der Adel wie das Besitzbürgertum, gleichermaßen beteiligt gewesen. So hatte, jenseits der politischen Gegensätze, ein breiter Konsensus hinsichtlich der wirtschaftspolitischen und vielfach auch der sozialpolitischen Grundsätze bestanden. Er hatte eine wichtige Grundlage für die informelle Zusammenarbeit zwischen konservativen und liberalen Kräften nach 1866/67 geliefert. Jener Konsens begann sich nun jedoch plötzlich, im Zeichen der krisenhaften wirtschaftlichen Entwicklung nach 1873/74, in immer rascherem Tempo aufzulösen. An seine Stelle trat mehr und mehr ein Gegensatz zwischen jenen, die vom Staat ein schützendes Eingreifen in dieser oder jener Form forderten, und denjenigen, die auch angesichts der unleugbaren augenblicklichen Schwierigkeiten in manchen wirtschaftlichen Bereichen ein Festhalten an dem bestehenden wirtschaftsliberalen System verlangten.

Dieser Gegensatz spaltete fast jede politische Gruppe. Er führte praktisch überall zu sich laufend verschärfenden innerparteilichen Auseinandersetzungen. Am stärksten jedoch wurde von ihm die nationalliberale Partei erfaßt. Sie war einerseits von ihrem ganzen Programm her eindeutig auf das wirtschaftsliberale Konzept festgelegt. Andererseits bekam sie das wachsende Schutzbedürfnis ihrer Anhängerschaft in der mittelständischen Wirtschaft und in Teilen der Industrie von Tag zu Tag drängender zu spüren.

Solches Schutzbedürfnis verdichtete sich zunächst in der Forderung nach Errichtung beziehungsweise Beibehaltung von schirmenden Außenzöllen, nach Schutzzöllen. Bereits Ende 1873 konstituierte sich in Reaktion auf die Beseitigung der letzten Zollschranken durch Regierung und Reichstag als erster schutzzöllnerischer Interessenverband der »Verein Deutscher Eisen- und Stahlindustrieller«. Ihm folgten in raschem Tempo viele gleichgerichtete

Initiativen und Verbindungen in verschiedenen Bereichen. Der damit einge-
läutete Grundsatz- und Interessenkonflikt drohte die nationalliberale Partei
und Fraktion schon bald auseinanderzureißen und insgesamt zu ganz neuen
Koalitionen zu führen.

Allerdings blieb zunächst noch weitgehend unklar, wo eine mögliche
Bruchlinie verlaufen werde. Niemand konnte voraussagen, ob das Ganze
nicht schließlich sogar zu einer Stärkung der liberalen Linken etwa auf dem
Weg über eine fortschreitende Annäherung zwischen dem linken Flügel der
Nationalliberalen und der Fortschrittspartei führen werde, unter Zuzug der
noch ganz unentschiedenen Mittelgruppe der Partei.

Angesichts dessen hielt sich Bismarck in der Frage erst einmal sehr zurück,
obwohl er die politischen Möglichkeiten, die in ihr stecken mochten, fraglos
schon sehr früh ins Auge gefaßt hatte. Er sah weitgehend tatenlos zu, wie
Delbrück die immer lautstärker vorgetragenen Forderungen aus dem sich
ständig erweiternden Kreis der Schutzzöllner mit dem Argument zurück-
wies, sie seien von krassem Egoismus diktiert und widersprächen dem
Interesse der Gemeinschaft und des Staates. Selbst als Kaiser Wilhelm
mehrfach zu erkennen gab, daß er für die Sorgen und Befürchtungen der
betreffenden Wirtschaftszweige großes Verständnis habe, verhielt der Kanzler sich abwartend. Auch hier befolgte er den Grundsatz, die Dinge sich so
weit entwickeln zu lassen, bis die Konstellation und die Verteilung der
Gewichte, die Benutzbarkeit der Gesamtsituation wirklich feststehe. Noch
hütete er sich vor der Versuchung, in sie mit einem theoretisch entwickelten
politischen Konzept dirigistisch einzugreifen, also das zu tun, was getan zu
haben ihm spätere Bewunderer und Kritiker immer wieder unterstellten.

Erst Ende 1875 hat er sich erstmals öffentlich in der ganzen Frage zu Wort
gemeldet, zu einem Zeitpunkt, an dem die Wogen schon sehr hoch gingen
und sich vor allem einigermaßen klar erkennen ließ, wie breit die Gruppe der
Schutzzöllner und die der Kritiker des bisherigen wirtschaftspolitischen
Kurses fundiert waren. Und auch dann noch drückte er sich sehr vorsichtig
aus. Er machte Andeutungen über eine mögliche Korrektur dieses Kurses,
ansonsten ließ er sich auf nichts wirklich Konkretes ein.

Ihm gehe es, so erklärte er am 22. November 1875 in einer viel beachteten
Rede im Reichstag, in erster Linie um eine Steuerreform. Deren Ziel müsse
es sein, das Reich stärker als bisher auf eigene Füße zu stellen und es
handlungsfähiger zu machen. In diesem Rahmen, fuhr er fort, werde man
sich dann auch mit der Frage einer möglichen »Zollreform« zu beschäftigen
haben, da seiner Meinung nach künftig einem »System der indirekten
Steuern« und weniger ausgesuchter »Finanzzölle« unbedingt der Vorzug zu
geben sei.

Das hieß: Die Regierung werde den wirtschaftspolitischen Kurs davon
abhängig machen, wie und von wem sie in den Bestrebungen unterstützt

würde, die Reichsgewalt zu stärken und handlungsfähiger zu machen. Dabei betonte er, gegen die liberale Linke gewandt, noch einmal, daß er an der »jetzigen reichskanzlerischen Verfassung«, also an dem Prinzip der alleinigen politischen Verantwortlichkeit des Reichskanzlers, unbedingt festzuhalten gedenke. Von möglichen inneren Gegensätzen her, so lautete das im Klartext, werde das Lager der Regierung auch in Zukunft nicht aufzubrechen sein. Man müsse sich an ihn halten. Er bestimme die Grundlinie, und irgendwelche Bündnisse und politischen Geschäfte liefen allein über ihn.

Dies war die ausdrückliche Konstatierung dessen, was seine Kritiker in negativer Wendung und Akzentuierung schon seit längerem die »Kanzlerdiktatur« nannten. Im konkreten Fall diente der Hinweis auf die Realitäten der Verfassung in erster Linie als Warnung, als Warnung vor dem Irrtum, jemand anderer als er, zum Beispiel Delbrück, bestimme in letzter Instanz Grundsätze und Grundrichtung der Wirtschafts- und Finanzpolitik des Reiches. Er bezeichnete aber zugleich sehr klar die Bedingungen einer möglichen Zusammenarbeit mit parlamentarischen Gruppen auch in personeller Hinsicht. Er sei durchaus für »Reichsminister«, betonte der Kanzler in der Grundsatzerklärung vom 22. November 1875: »Wir haben deren und werden deren, wie ich glaube und wünsche, mehr bekommen... kurz und gut, es kann sich ja ausbilden.« Auf die Möglichkeit einer kollegialen Übereinstimmung und politischen Überwältigung des Kanzlers solle jedoch niemand setzen. Selbst das Kalkül, durch eine Regierungsbeteiligung zumindest bestimmte Bereiche der staatlichen Verwaltung in die Hand zu bekommen, sei eine Rechnung ohne den Wirt: Gegen eine solche »Todteilung des Staates in Ressortstaaten« werde er stets entschieden Front machen.

Möglichkeiten und Grenzen der Kooperation mit einer von ihm geführten Reichsregierung waren somit ganz klargestellt. Ja, die Parteien waren förmlich aufgefordert, in diesem Rahmen ihre Wünsche und Angebote zu formulieren, hauptsächlich was das so heftig umstrittene Gebiet der künftigen Wirtschaftspolitik anging, wo der Kanzler sich sehr bewußt alle Türen offengehalten hatte.

Die ersten, die darauf eingingen, waren allerdings nicht Vertreter der Parteien. Es waren die Wortführer der Schutzzollinteressen vor allem der Eisen- und Stahlindustrie, also der neu sich herausbildenden Verbände. Sie waren nicht in dem Maße eingespannt in das Geflecht oft schwer zu vereinbarender politischer Zielsetzungen und widersprechender Interessen der eigenen, vielfach heterogenen Anhängerschaft wie die Parteienvertreter. Sie vermochten daher am raschesten die Chance zu erkennen, die in der gegenwärtigen Situation darin steckte, »direkt an den Reichskanzler zu gehen«, wie einer der Verbandsführer es formulierte. Und Bismarck ließ sich auch sogleich darauf ein, wobei man freilich das taktische Element nicht unterschätzen darf. In einem Gespräch mit dem Freiherrn von Stumm-Halberg und mit Wilhelm von Kardorff, die beide Abgeordnete und prominente Mitglieder der freikonservativen Partei waren, hier jedoch ganz als Verbandsvertreter auftraten, gab er im Dezember 1875 den Rat, nur weiter in der Offensive zu bleiben und den freihändlerischen Kurs der Regierung ruhig zu attackieren. Im übrigen, fügte er hinzu, werde man wohl auch bei den agrarischen Interessen schon bald verstärkte Unterstützung finden. Hier beginne man sich ebenfalls bereits sehr kritisch zu der Freihandelspolitik zu äußern.

Das war eine direkte Aufforderung, über die Organisation der gewerblichen und industriellen Schutzzollinteressen hinaus die agrarischen einzubeziehen. Auf dieser Linie, die erstmals deutlich auf jene Konstellation zielte, wie sie die weitere Entwicklung nach 1878/79 entscheidend bestimmt hat, hat sich Bismarck auch in den folgenden Monaten konsequent fortbewegt. Ihr Ausgangspunkt war die Erkenntnis, daß sich auf dem Agrarmarkt eine Tendenzwende anbahnte, die in Ausmaß und Breitenwirkung durchaus der auf dem gewerblich-industriellen Sektor seit 1873/74 vergleichbar war: Seit den letzten Monaten des Jahres 1875 verfielen unter dem Druck der russischen und überseeischen Konkurrenz die Getreidepreise in immer rascherem Tempo, im Jahresmittel bis 1878, trotz einer gewissen Erholung 1876, um annähernd fünf Prozent, also binnen weniger Jahre um zwanzig Prozent bei nun deutlich ansteigenden Lohnkosten. Wie der Kanzler seinen Gesprächspartnern Stumm und Kardorff prophezeit hatte, ließ die Reaktion der Betroffenen nicht lange auf sich warten.

Insbesondere die ostelbische Landwirtschaft war bisher, exportorientiert und an billigen Maschinen interessiert, immer mehrheitlich für den Freihandel und insofern für ein liberales Wirtschaftssystem auch im Innern eingetreten. Jetzt aber kehrte sie sich mehr und mehr von diesem System ab. Sie begann ihrerseits, allerdings vorerst sehr viel zurückhaltender und uneinheitlicher als etwa die Schwerindustrie, schützende staatliche Maßnahmen gegenüber der ausländischen Konkurrenz zu fordern. Zu ihrem Organ wurde die »Vereinigung der Steuer- und Wirtschaftsreformer«, die bereits am 22. Februar 1876 in Berlin gegründet wurde, sieben Tage nachdem sich dort mit dem »Centralverband deutscher Industrieller« die Dachorganisation der Schutzzollinteressenten im gewerblich-industriellen Bereich konstituiert hatte.

In beiden Fällen konnte von einer direkten Mitwirkung Bismarcks nicht die Rede sein. Aber der Kanzler hatte zu erkennen gegeben, daß ihm eine solche Artikulation und Selbstorganisation der wirtschaftlichen Interessen ohne unmittelbare Beteiligung der Parteien und ohne unmittelbare politische Steuerung durch sie nicht unwillkommen sei. Damit hatte er sie, zumindest indirekt, begünstigt. Im Visier hatte er dabei allerdings stets in erster Linie die Parteien. Eine Tendenz, diese auch nur sektoral auszuschalten und unmittelbar mit den Verbänden zusammenzuarbeiten, wie sie dann zu Beginn der achtziger Jahre immer deutlicher hervortrat, war zu diesem Zeitpunkt noch nicht zu erkennen. Bismarck ging es darum, die Parteien so oder so unter Druck und Zugzwang zu setzen und sie zu veranlassen, ihre Position und künftige Politik unmißverständlich klarzulegen – auch und gerade in ihrem Verhältnis zur Regierung und zu ihm persönlich.

Wie sehr dieser Gesichtspunkt für ihn im Mittelpunkt stand und wie sehr es ihm von daher darum zu tun war, sich inhaltlich nicht vorzeitig festzulegen, war wenige Tage vor der Gründung der zentralen Interessenverbände der Industrie und der Landwirtschaft in einer Rede vor dem Reichstag am 9. Februar 1876 offenkundig geworden. Ihr äußerer Anlaß war die dritte Lesung der Strafrechtsnovelle, die juristische Handhaben gegen die liberale Linke und vor allem gegen die Sozialdemokratie liefern sollte. Daß sie durch die Reichstagsmehrheit abgelehnt werden würde, galt zu diesem Zeitpunkt schon als sicher. Bismarcks Rede zielte denn auch nur vordergründig dahin, das Eisen noch aus dem Feuer zu reißen. Er benutzte sie vielmehr zu einem sensationsmachenden Frontalangriff gegen die »Kreuzzeitung« und die hinter ihr stehenden politischen Kräfte aus dem konservativen Lager.

Der Kanzler begann mit weitläufigen, in ihrem Kern und Wahrheitsgehalt in vieler Hinsicht eher zweifelhaften Ausführungen über die deutsche Presse, die Pressepolitik der Regierung und den Einfluß der veröffentlichten Meinung auf die Politik – all dies unter dem Titel: Gefährdungen durch eine unverantwortliche Presse, auf die die Strafrechtsnovelle angeblich in erster Linie zielte. Gleichsam zur Illustration kam er gegen Schluß seiner Rede auf die sogenannten Ära-Artikel der »Kreuzzeitung« zu sprechen, die im Juni des vorangegangenen Jahres großes Aufsehen erregt hatten.

In fünf großen Leitartikeln unter dem Titel »Die Ära Bleichröder-Delbrück-Camphausen« hatte damals ein bis dahin ganz unbekannter Publizist namens Franz Perrot die Wirtschaftspolitik der Regierung als Ergebnis höchst einseitiger Interessenbindungen ihrer in dieser Beziehung führenden Männer zu entlarven gesucht. Im Mittelpunkt der von Nathusius, dem Herausgeber, sorgfältig redigierten Artikel hatte Bleichröder gestanden, der langjährige Privatbankier und wirtschaftspolitische Berater des Kanzlers. Darüber konnten die langen und wenig ergiebigen Ausführungen über Delbrück und Camphausen nicht hinwegtäuschen. Der Autor hatte Bleichröder als die Verkörperung der bedenkenlosen Profitinteressen des großen Kapitals dargestellt – daß Bleichröder Jude war, beschwor zusätzlich alle Vorurteile. Gleichzeitig hatte er das überaus enge Verhältnis zu Bismarck herausgestrichen, der, »um mit spärlichem preußischen Gesandtengehalt und ohne erhebliches Vermögen seinen Souverän in Petersburg, Paris und Frankfurt repräsentieren zu können, allerdings guten Rat in finanziellen Dingen haben mußte«. Er hatte damit den Schluß suggeriert, Bismarck selber stütze und fördere die gegenwärtige Wirtschaftspolitik aus höchst eigennützigen Erwägungen: Es war allgemein bekannt, daß der Kanzler seit seiner Frankfurter und Petersburger Zeit auch unabhängig von den Dotationen und dem bei seiner Ämterfülle eher knappen Gehalt von rund dreiundsechzigtausend Mark im Jahr zu Geld und Wohlstand gekommen war; wie stets übertrafen die Vermutungen die Realität sogar um ein vielfaches.

Der kaum verhüllte Korruptionsvorwurf, der hier formuliert worden war, hatte Bismarck natürlich aufs äußerste empört. Sein ohnehin bereits sehr gespanntes Verhältnis zu den entsprechenden Kreisen der konservativen Partei war dadurch noch mehr belastet worden. Dennoch hatte er es unterlassen, deswegen etwa einen Prozeß anzustrengen, wie er das sonst so oft tat. »Die wirtschaftliche Politik des Reiches vom Stadtgericht beurteilen zu lassen«, bemerkte er in einem Privatbrief an den Staatssekretär des Reichsjustizamtes, von Friedberg, müsse man vermeiden. Es hieße »ihre indirekte Verurteilung oder Freisprechung von den persönlichen Weltanschauungen abhängig zu machen, die einzelne Richter aus kleinen Provinzialstädten mitbringen«. Wenn er erst acht Monate später seinem Ärger vehementen Ausdruck gab, dann ganz offenkundig, weil es ihm nun ins politische Konzept paßte, weil er förmlich einen Anlaß suchte, den dahinter stehenden Teil der konservativen Partei seinerseits in die Schranken zu fordern.

»Wenn ein Blatt wie die Kreuzzeitung, die für das Organ einer weit verbreiteten Partei gilt«, so erklärte er, »sich nicht entblödet, die schändlichsten und lügenhaftesten Verleumdungen über hochgestellte Männer in die Welt zu bringen..., wenn ein solches Blatt so handelt und in monatelangem Stillschweigen verharrt, trotzdem das Alles Lügen sind und nicht ein peccavi oder erravi spricht, so ist das eine ehrlose Verleumdung, gegen die wir alle Front machen sollten, und Niemand sollte mit einem Abonnement sich indirekt daran beteiligen.« Und dann in äußerster Zuspitzung, in einer Art Kriegserklärung gegen die Zeitung, mit der seine eigene politische Karriere in so vielfältiger Weise verknüpft war: »Von einem solchen Blatte muß man sich lossagen, wenn das Unrecht nicht gesühnt wird; jeder, der es hält und bezahlt, beteiligt sich indirekt an der Lüge und Verleumdung, die darin gemacht wird.«

Gegen diesen Boykottaufruf haben rund hundert Vertreter des ostelbischen Adels, alles Anhänger der konservativen Partei, entschieden Front gemacht. Die Unterschriftenliste glich einem Auszug aus dem »Gotha«, angefangen mit von Auerswald über Hammerstein und Hardenberg, Schlabrendorff und Schulenburg bis zu Zitzewitz; als letzter unterschrieb »mit tiefem Schmerz« Adolf von Thadden-Trieglaff. Die Unterzeichner erklärten, sie brauchten keine »Belehrungen über Ehre und Anstand«. Zugleich distanzierten sie sich in aller Öffentlichkeit von Bismarck und seiner Politik und unterstrichen, daß ihnen jedenfalls wohl kaum jemand den Vorwurf

machen könne, nicht treue Stützen des Throns und der überlieferten Ordnung zu sein.

Bismarck hat sich die Namen derjenigen, die den Aufruf unterschrieben
hatten, sehr genau gemerkt. In einer Art Proskriptionsliste wurden sie auf
seine Veranlassung im »Reichsanzeiger« noch einmal veröffentlicht. Bei
allen künftigen personalpolitischen Entscheidungen hat er die Reihe der
sogenannten Deklaranten gleichsam Revue passieren lassen, um nur keine
Gelegenheit zu versäumen, das ihm angetane »Unrecht« zu »sühnen«.
»Wenn ich schlaflos im Bett liege, kommen mir oft Gedanken über unge-
sühntes Unrecht, das mir vor dreißig Jahren widerfahren ist«, bemerkte er
zwei Tage nach der Reichstagsrede vom 9. Februar 1876 zu dem freikonservativen Abgeordneten und späteren Landwirtschaftsminister Lucius: »Dann
werde ich förmlich heiß darüber und träume im Halbschlaf von der nötigen
Abwehr.« »Mein Leben erhalten und verschönen zwei Dinge«, so hat er sein
geradezu pathologisches Rachebedürfnis selber einmal lachend glossiert:
»Meine Frau und – Windthorst. Die eine ist für die Liebe da, der andere
für den Haß.« Aber so unversöhnlich er seine Gegner verfolgte und dabei vor
kleinlichsten Mitteln nicht zurückschreckte, ließ er sich dadurch, von ganz
wenigen Ausnahmen abgesehen, weder in seinen politischen Aktionen bestimmen noch hinsichtlich ihres Zeitpunkts beeinflussen.

So auch in diesem Fall. Das Bedürfnis, vor aller Welt zurückzuschlagen,
war lediglich ein zusätzliches Element. Es ging um eine politische Demonstration, um die Zerstörung der Illusion, man könne mit ihm im Sinne der
eigenen wirtschaftlichen und gesellschaftlichen Interessen von einer Position
der Stärke und weitgehenden Unabhängigkeit Geschäfte machen, man
könne ihn unter Hinweis auf den eigenen traditionellen Einfluß in Gesellschaft und Staat unter Druck setzen.

Auf den konkreten Fall bezogen bedeutete das, daß er und seine Regierung gerade auch von den Konservativen für ein etwaiges Entgegenkommen
in der Wirtschaftspolitik unbedingte Gefolgschaftstreue erwarteten. Diese
sollten sich nicht einbilden, er sei in irgendeiner Weise persönlich interessen-
abhängig und von daher in seinen Entscheidungen kalkulierbar – in der Tat
rechnete mancher Konservative, auch wenn eben noch von einer umgekehrten Interessenbindung via Bleichröder die Rede gewesen war, mit den
Interessen des Gutsbesitzers Bismarck und mit seinem in langen Jahren
erworbenen Verständnis für die Probleme und Sorgen der Landwirtschaft.

Das politische Signal ist, trotz des öffentlichen Widerspruchs, im konservativen Lager sehr gut verstanden worden. Von ihm führte über die Gründung
der »Vereinigung der Steuer- und Wirtschaftsreformer« knapp vierzehn
Tage später eine direkte Linie zu der förmlichen Neubegründung der konservativen Partei im Juli 1876. Anders als bei der »Vereinigung« war Bismarck
dabei bezeichnenderweise direkt beteiligt, wenngleich er sich über das

Ergebnis dann eher enttäuscht zeigte. Das Programm der neuen »Deutsch-konservativen Partei« wurde von einem ihrer führenden Vertreter unmittel-bar mit ihm abgestimmt. Und auch sonst ließ er sein Einverständnis und seine politische Sympathie mit dem Unternehmen deutlich erkennen.

Hier ging es nicht wie bei einem reinen Interessenverband nur um ein mögliches politisches Instrument, sondern um einen möglichen politischen Partner mit sehr viel breiterer Repräsentanz und Beweglichkeit. Sicher war Bismarck auch in diesem Fall bestrebt, die Eigenständigkeit dieses potentiel-len Partners von vornherein in Grenzen zu halten. Aber gerade das zeigt, für wie breit er prinzipiell – im Unterschied zu den bei dem bestehenden politischen System ganz auf die Regierung angewiesenen Interessenverbän-den – den Spielraum einer politischen Partei hielt und für wie prekär und schwierig die Aufgabe, sie möglichst fest an seine Person und an seine Politik zu binden.

Eine der wichtigsten Voraussetzungen dafür sah er in einer festen, klar umrissenen interessenpolitischen Basis der neuen Partei, zumal in wirtschaft-licher Hinsicht. Die Bedeutung dieses Faktors war ihm seit langem vertraut. In diese Richtung hatten, mit anderer persönlicher Perspektive, schon seine Bemühungen bei der Gründung der Kreuzzeitungspartei 1848/49 gezielt. In unterschiedlichen Zusammenhängen hatte er seither, bei wechselndem eige-nen politischen Interessenstandpunkt, immer wieder auf die Bedeutung einer solchen Fundierung hingewiesen. Inzwischen hatte sich allerdings die Situation erheblich geändert. Ein Ausgleich der wirtschaftlichen Interessen der verschiedenen sozialen Gruppen und Schichten erschien im Zeichen der nun auch die Landwirtschaft zunehmend erfassenden wirtschaftlichen Krise viel schwerer. Außerdem trat der schichten- und klassenspezifische Charak-ter solcher Interessen immer spürbarer hervor. Die Folge war, daß eine verstärkte wirtschaftliche Interessenfundierung einer Partei diese zwar unter Umständen verstärkt an die Regierung band, zugleich jedoch die Koalitions-bildung erschwerte. Und zwar galt das nicht nur für die Partei selber, sondern auch für eine Regierung, die in ihr allein keine genügend breite parlamentari-sche Basis fand.

Sosehr Bismarck es daher einerseits begrüßte, daß zwischen der »Vereini-gung« und der neuen Deutschkonservativen Partei sowohl in sachlicher als auch in personeller Hinsicht ein außerordentlich enger Zusammenhang bestand, so deutlich war ihm andererseits, daß dieser Zusammenhang auch ganz neue Probleme signalisierte. Jenseits der damit verfolgten konkreten politischen Ziele war es ihm daher auch aus diesem Grunde darum zu tun, daß sich die neue Partei nicht allzu ausschließlich als agrarische Interessen-partei der ostelbischen Gebiete verstand und präsentierte. Sie sollte seiner Meinung nach zugleich, die wirtschaftlichen Interessen übergreifend und die Bindung an sie zumindest nach außen relativierend, als konservative Stütze

des Reiches und seiner gesamten inneren und äußeren Ordnung auftreten.
Vor allem aber war er so lange wie irgend möglich bestrebt, den Eindruck zu
vermeiden, er habe sich mit seiner offenkundigen Sympathie für die Neugründung wirtschaftspolitisch inzwischen eindeutig festgelegt, er sei zum
Mann der sich immer breiter organisierenden schutzzöllnerischen Interessen
und eines radikalen wirtschaftspolitischen Kurswechsels geworden.

Dieser Eindruck hatte sich bereits drei Monate vor der Gründung der
Deutschkonservativen Partei für viele zur Gewißheit vertieft. Ende April
1876 war mit Rudolf von Delbrück der Hauptexponent der liberalen Wirtschaftspolitik im Lager der Regierung zurückgetreten, der Mann, der inzwischen zu einer Art Symbolfigur des wirtschaftlichen und darüber hinaus des
gouvernementalen Liberalismus insgesamt geworden war. Wie stets in solchen Fällen hat Bismarck alles getan, um die Gründe für Delbrücks Schritt
und seinen eigenen Anteil an der ganzen Sache zu verwischen, und zwar nicht
nur in der aktuellen Situation, sondern auch noch im Rückblick. Mal sprach
er von Amtsmüdigkeit Delbrücks, mal vom unerträglichen Druck der Interessenten. Mal ließ er durchblicken, Delbrück habe seine Grenzen nicht mehr
gesehen, »seine Stellung falsch« aufgefaßt und in der Auseinandersetzung
mit den anderen Verantwortlichen, vornehmlich mit ihm, Bismarck, selber
die Glaubwürdigkeit und Handlungsfähigkeit der Regierung aufs Spiel gesetzt. Mal hob er die sachlichen Gegensätze gerade auch in den Fragen der
Wirtschaftspolitik hervor, um an anderer Stelle und in anderem Zusammenhang zu klagen, der Kaiser habe Delbrück aus dem Amt gedrängt und ihn
ihm »genommen«, von einem sachlichen Dissens sei gar keine Rede gewesen.

Aus seinen widersprüchlichen Äußerungen wird zumindest deutlich, daß
ihm die Signalwirkung dieses Vorgangs, wie willkommen er ihm in sachlicher, in persönlicher und teilweise in politisch-taktischer Hinsicht auch
immer gewesen sein mag, ganz und gar nicht ins Konzept paßte. Nicht an dem
Verhalten der Regierung, das war und blieb seine Leitlinie, sollten sich die
Geister und die Parteien scheiden, sondern an den wirtschaftspolitischen
Sachfragen, an den Interessengegensätzen, die sich daran entzündeten. Die
Regierung, so das Kalkül, sollte sich dann ihrerseits an den Ergebnissen
dieses Prozesses, der politischen Gewichtsverteilung, die daraus resultieren
würde, orientieren. Sie sollte auf diese Weise versuchen, eine neue, festere
Basis zu gewinnen. Deshalb mußte jedes Vorpreschen, jedes vorzeitige
Parteiergreifen und Sichfestlegen von Übel sein. Das schloß freilich nicht
aus, daß man in vertraulichen Gesprächen jeweils gezielt auf die Erwartungen des Gegenübers einging und ihm den Eindruck vermittelte, die Regierung habe sich in Wahrheit bereits entschieden.

Obwohl der Eindruck, den Delbrücks Rücktritt erweckte, der von Bismarck verfolgten Linie in dieser Beziehung diametral widersprach, hat er den

Prozeß der Auseinandersetzung um den künftigen wirtschaftspolitischen Kurs in einer dem Kanzler durchaus willkommenen Weise vorangetrieben. Wie so vieles in seiner politischen Laufbahn, erwies sich auch dieser Vorgang als benutzbar. Und wie oft stellt sich auch hier die Frage, ab wann er die Fäden in dieser Richtung bewußt geknüpft und gezogen hat, ab wann im Rahmen des Gegebenen ein neues Grundmuster erscheint.

Es ist kein Zufall, daß sich diese Frage bis heute nicht mit Sicherheit beantworten läßt. Denn sie ist im Kern falsch gestellt. Sie verdeckt, formuliert unter dem Eindruck des einschneidenden innenpolitischen Kurswechsels wenig später, das Entscheidende. Der Akt der Trennung von Delbrück war eben nicht, wie eine solche Frage mehr oder weniger suggeriert, auch inhaltlich ein positiver Akt. Er war in dieser Hinsicht rein negativer Natur. Er kappte die durch Delbrück verkörperten Bindungen an ein bestimmtes wirtschaftspolitisches System, ohne sich damit zunächst einmal auf ein anderes festzulegen, ja, sogar ohne eine Rückkehr zu dem bisherigen ganz auszuschließen. Er suchte der Regierung die Entscheidungsfreiheit wiederzugeben und sie gerade nicht sofort wieder zu binden.

Bismarck hat also an die Möglichkeit der Entscheidungsfreiheit auf dem Gebiet der Wirtschaftspolitik zumindest zu diesem Zeitpunkt noch geglaubt. Noch schienen ihm offenbar Alternativen zu einer Politik des direkten Staatsinterventionismus nicht endgültig verstellt zu sein. Der Streit um die Wirtschaftspolitik der Regierung und ihren künftigen wirtschaftspolitischen Kurs war in seinen Augen wesentlich ein Streit der Interessenten und der von ihnen mobilisierten Parteien und Verbände. Sie waren es, die in erster Linie betroffen waren, nicht der Staat und die Regierung. Diese würden sich, so meinte er, schließlich mit der einen wie mit der anderen Lösung arrangieren können.

Das Ganze hatte, so wie es sich dem Kanzler darstellte, viel Ähnlichkeit mit der Konstellation, die der Streit um die orientalische Frage zum gleichen Zeitpunkt auf dem Gebiet der Außenpolitik schuf. Es war ein Konflikt, der die Reichsregierung weniger in der Sache als in ihren Auswirkungen berührte und in dem sie daher vergleichsweise freie Hand hatte. Und wie in der orientalischen Frage drängte sich Bismarck schließlich auch hier ein politisches Konzept auf, das sich auf die Position der weitgehenden sachlichen Uninteressiertheit gründete, das die Situation für die Befestigung und Sicherung der eigenen Machtstellung zu benutzen suchte. Wie dort schwebte ihm auch hier »eine politische Gesamtsituation« vor, in welcher alle politischen Kräfte, dort mit Außnahme Frankreichs, hier mit Ausnahme des Zentrums und der »Protestparteien«, »unser bedürfen und von Koalitionen gegen uns durch ihre Beziehungen zueinander nach Möglichkeit abgehalten werden«.

Eduard Lasker, Bismarcks Hauptkontrahent in den siebziger Jahren, hat dieses Konzept aus intimer Kenntnis der Entwicklung und vieler Zusammenhänge und mit dem Scharfblick des politischen Gegners von allen Zeitgenossen wohl am klarsten erkannt und beschrieben. Die Bismarcksche Politik jener Jahre biete, so notierte er im Rückblick nach dem Umschwung 1878/79, »reichen Stoff für die Betrachtung, mit welcher Gewandtheit Fürst Bismarck die herkömmlichen Mittel der Diplomatie auf die inneren Angelegenheiten des Reiches übertrug, und wie ahnungslos diesem Spiel diejenigen gegenüberstanden, welche, anscheinend als zur Mitwirkung berufen, zu vertraulichsten Unterhandlungen herbeigezogen wurden«. Lasker hatte dabei durchaus nicht nur Männer aus dem eigenen Lager vor Augen wie den nationalliberalen Partei- und Fraktionsführer Rudolf von Bennigsen, der immer wieder mit Bismarck kooperiert hatte. Sein Blick richtete sich ebenso auf viele Konservative, ja, auf eine ganze Reihe der engsten Mitarbeiter des Kanzlers.

In der Tat hat sich auch hier mancher von der Vorstellung leiten lassen, es sei Bismarck um Grundsatzentscheidungen zu tun gewesen. Der Kanzler, so glaubte man, habe für eine bestimmte sachliche Politik feste Bundesgenossen gesucht. Daß ihm im Gegenteil die einzelnen politischen Gruppen, gleich welcher Couleur, nur Figuren in einem machtpolitischen Spiel waren, das um die Erhaltung und Sicherung seiner eigenen Macht ging, ist den Betroffenen meist erst in der Niederlage bewußt geworden, wobei sie allerdings, wie dann auch Lasker selber, im Hinblick auf die eigene Gruppe oft der Versuchung der Inkonsequenz verfielen und von einem gezielten Kampf des Kanzlers gegen diese sprachen. In Wahrheit aber war gerade eine solche Niederlage nur das Ergebnis einer bestimmten Konstellation. In ihr hatten der eigene Interessenstandpunkt und das eigene politische Verhalten Gegenkräfte und Gegenkoalitionen provoziert, die der Regierung und ihrem politischen Kopf für die Erhaltung und Sicherung der eigenen Stellung als tragfähiger erschienen.

Bismarck hat sich gerade im Vorfeld des Kurswechsels von 1878/79 in stärkstem Maße von den Umständen und den Veränderungen im politischen Kräftefeld leiten lassen. Sie waren für den weiteren politischen Kurs in inhaltlicher Hinsicht sehr viel ausschlaggebender, als man vielfach gemeint hat. Das heißt nicht, den persönlichen Anteil des Kanzlers über Gebühr zu reduzieren, ihn gar als jemanden hinzustellen, der gleichsam mit gebundenen Händen gehandelt habe. Der unbedingte Vorrang, den er der Erhaltung und Sicherung der eigenen Machtstellung einräumte, schuf im Gegenteil in mancherlei Hinsicht erst den Rahmen und die Bedingungen für die weitere Entwicklung. Aber es heißt, daß man sich deutlicher, als das bisher vielfach geschehen ist, die Tatsache vor Augen halten muß, daß in dieser Entwicklung eine von Bismarck weitgehend unabhängige innere Folgerichtigkeit steckte.

Sie wurde beherrscht von einem Prozeß innergesellschaftlicher und mit ihm inner- und zwischenparteilicher Veränderungen, für den die Auseinandersetzung um die Schutzzollfrage, welche die Öffentlichkeit immer mehr beschäftigte, nur ein Symptom unter anderen war. Seinen vielleicht stärksten und in den Konsequenzen gewichtigsten Ausdruck fand dieser Prozeß in der durchgehenden Tendenz zu intensiverer Organisation partikularer Interessen auf allen Ebenen der Gesellschaft: von den branchen- und berufsspezifischen Verbindungen der Arbeiter über die verschiedenen Berufsgenossenschaften und -vertretungen und die Fülle der sonstigen mittelständischen Vereinigungen bis hin zu den Wirtschaftsverbänden im engeren Sinne, die durch ihre Aktivität besonders ins Auge fielen. Alle diese Organisationen traten konkurrierend und deren bisherigen Zusammenhalt bedrohend neben die vorhandenen politisch-sozialen Bewegungen und Parteien; das gilt auch, gern übersehen, für die Arbeiterschaft und Arbeiterbewegung. Sie stellten deren Solidaritäts- und Loyalitätsstrukturen zumindest teilweise und in Teilbereichen in Frage. Vor allem aber verlangten sie von ihnen einen gezielten Einsatz zugunsten der eigenen Interessen, ein verstärktes Eingreifen in den wirtschaftlichen und sozialen Entwicklungsprozeß und eine aktivere Haltung gegenüber jeweils als besonders bedrohlich empfundenen Tendenzen.

Der im Zeichen der wirtschaftlichen Krise rapide anwachsende Druck unmittelbarer Erwartungen stellte alle Parteien vor schwerste Probleme. Denn die betreffenden Forderungen ließen sich, wie sich nicht nur in der Schutzzollfrage zeigte, im gegebenen Rahmen kaum miteinander koordinieren, geschweige denn auf einheitliche programmatische Formeln bringen. Die Versuchung war daher für alle Parteien außerordentlich groß, im Interesse der Erhaltung ihrer Einheit und ihres bisherigen politisch-sozialen Integrationsspektrums sozusagen einen Schritt beiseite zu treten und auf die alleinige Entscheidungs- und Handlungskompetenz der Regierung zu verweisen. Dieser Versuchung haben schließlich alle mehr oder weniger nachgegeben. Sie haben auf diese Weise erheblich dazu beigetragen, eine Stunde der Exekutive heraufzubeschwören, auch wenn sie das damals wie später immer wieder wortreich zu verschleiern suchten.

Die These, Bismarck habe schon Mitte der siebziger Jahre gezielt an die Interessen appelliert und damit die Einheit und Handlungsfähigkeit der Parteien zu zerstören gesucht, stellt also in Wahrheit die Dinge auf den Kopf. Die Parteien haben ihrerseits versucht, den wachsenden Druck der Interessenten und ihrer Organisationen, der real vorhanden war und von keiner Seite manipuliert zu werden brauchte, von sich ab und gegen eine Regierung zu lenken, der sich kaum eine von ihnen wirklich verpflichtet fühlte.

Das war von ihrem Standpunkt her gesehen durchaus verständlich. Außerdem war es in einem politischen System, das die Parteien von der direkten politischen Verantwortung bewußt ausgeschlossen, sie in den »Vorhof der Macht« verbannt hatte, gar nicht anders zu erwarten. Wenn es etwa der nationalliberalen Partei gelungen wäre, auf diesem Weg den Sturz des Ministeriums Bismarck und die Etablierung eines Kabinetts ihrer Wahl herbeizuführen, so hätte das nicht nur damals als Triumph einer überlegenen und zielbewußten politischen Strategie gegolten.

Eine solche Strategie enthielt freilich, neben allen sonstigen Risiken, die Gefahr, daß die Regierung, ihre prinzipielle Bereitschaft zum entschlossenen Handeln und zum Eingehen auf die vielfältigen Erwartungen unterstreichend, den Spieß umdrehte. Sie konnte versuchen, die Parteien ihrerseits in die direkte politische Verantwortung zu zwingen, indem sie gerade jetzt ihre Bereitschaft zu verstärkter parlamentarischer Bindung herausstellte.

Eben dies tat Bismarck. Er führte die Parteien damit vor eine so oder so wenig verlockende Alternative. Sie konnten sich entweder der politischen Verantwortung und dem Erwartungsdruck ihrer Anhänger stellen und mit einer Regierung aufs engste zusammenarbeiten, der beinahe alle von ihnen aus diesem oder jenem Grund aufs stärkste mißtrauten. Oder aber sie konnten sich sichtbar und mit nicht minder bedenklichen Konsequenzen dieser Verantwortung und damit der Möglichkeit entziehen, die politischen Entscheidungen im Sinne ihrer Wähler direkt zu beeinflussen.

Dies war freilich nur möglich, indem Bismarck alle sachlichen Festlegungen vorerst weitestgehend vermied und sie ganz an die Frage der politischen Kooperation band, also daran, wer mit ihm dauerhaft zusammenzuarbeiten sich bereit erklären würde. Alles konzentrierte sich gleichsam in dem Satz: Die künftige Regierungsmehrheit wird entscheiden. Nur eines stand dabei außer Frage: An der Spitze würde, wie diese Mehrheit auch aussehen werde, Bismarck stehen. Dies nicht zuletzt deshalb, weil praktisch alle Parteien, wenngleich mit ganz anderen Absichten, die Erwartungen auf ihn und seine Regierung gelenkt und konzentriert hatten.

War damit aber, das ist die zentrale Frage, alles weitere de facto schon vorgegeben? Waren, konkret gesagt, die inhaltlichen Entscheidungen von 1878/79, jenes unheilvolle Paket von Ausnahmegesetzgebung gegen die Sozialdemokratie, wirtschaftspolitischem Kurswechsel und Reichsfinanzreform, unter den gegebenen Umständen und in diesem Wechselverhältnis zueinander allein konsens- und mehrheitsfähig? Gab es, realistisch und nicht im Licht des eigenen Wunschdenkens betrachtet, gar keine ihrerseits konsens- und mehrheitsfähige sachliche und personelle Alternative?

Solche Fragen sind im Zeichen einer Deutung, die die angebliche Manipulation des schließlichen Ergebnisses durch die alles beherrschende Figur des Reichskanzlers immer nachdrücklicher unterstrich und immer plastischer und eindrucksvoller herauszuarbeiten suchte, mehr und mehr in den Hintergrund getreten. Sie sind jedoch für ein abgewogenes Urteil über die weitere Entwicklung von ausschlaggebender Bedeutung. Niemand anderer als Bismarck selber hat sie unter dem Eindruck einer Entwicklung, die, was oft übersehen wird, in vieler Hinsicht dann gar nicht seinen Erwartungen entsprach, mit Nachdruck gestellt.

Sein Blick richtete sich dabei vor allem auf die Nationalliberalen. Sie waren zwar so wenig wie irgend eine andere Partei ein politischer Wunschpartner für ihn gewesen. Aber schon im Hinblick auf die gegebenen Mehrheitsverhältnisse war es nur natürlich, daß er sie bei der Suche nach einer neuen, stabileren politischen Basis auch weiterhin in erster Linie im Auge gehabt hatte: Er sei »nach wie vor bereit«, hatte er auch nach dem Rücktritt Delbrücks mögliche Mittelsmänner immer wieder wissen lassen, »sich mit der nationalliberalen Partei zu verständigen, in der er bisher seine Stütze gefunden habe« – nicht zuletzt gegen die Kräfte der »Reaktion«, gegen die »spezifischen und extremen Kreuzzeitungsleute«, die »alles wieder in Frage stellen, was in neuester Zeit Großes geschaffen« worden sei. Damit aber habe er, so hat er später bei verschiedener Gelegenheit betont, keine Gegenliebe gefunden. Unter dem Einfluß ihres mehr und mehr dominierenden linken Flügels hätten sich die Nationalliberalen vielmehr im entscheidenden Augenblick der Zusammenarbeit und aktiven Mitwirkung entzogen. Sie hätten dadurch die Gelegenheit versäumt, den weiteren politischen Kurs aktiv mitzubestimmen. Die Partei sei also für diesen Kurs selbst verantwortlich, hätte ihn, Bismarck, gezwungen, in diese Richtung zu gehen, da er sonst jede politische Basis verloren hätte. »Ich soll sie verleugnet haben, während sie sich von mir abwandten, weil ich nicht so liberal sein konnte als sie«, erklärte er etwa Ende Februar 1879 in einem Gespräch mit dem Journalisten Moritz Busch: »Wenn ihre Führer wirkliche Politiker waren, so konnten sie damals von mir viel erreichen und mit der Zeit mehr. Aber der Bestand der Partei, des Korps, war ihnen wichtiger als die Aussicht auf tatsächlichen Erfolg.«

Das zielte in erster Linie auf die sogenannte Ministerkandidatur Rudolf von Bennigsens. Ende 1877 hatte Bismarck dem nationalliberalen Fraktionsführer angeboten, in die preußische Regierung und in die Reichsregierung einzutreten. Und zwar war nicht nur an die Position eines in Personalunion in beiden Bereichen tätigen Ressortministers, etwa an das Amt des Finanzministers, gedacht gewesen. Vielmehr sollte Bennigsen zugleich als Bismarcks Stellvertreter in Preußen und im Reich fungieren und damit ein Amt übernehmen, das seit Delbrücks Rücktritt vakant geworden war und das wiederzubesetzen wegen der immer längeren Abwesenheiten Bismarcks von Berlin dringend notwendig erschien.

Mit diesem Angebot hatte Bismarck natürlich eine Reihe von Bedingungen verknüpft. Vor allem sollte eine Einigung erzielt werden über die Grundsätze »einer Zoll- und Steuerreform« sowie einer Reform der inneren Struktur des Reiches. Das entscheidende »Heilmittel«, so Bismarck in seinem Schreiben an Bennigsen vom 17. Dezember 1877, mit dem er diesen zu Gesprächen nach Varzin einlud, sei hier wohl besonders in der »Ausdehnung des Systems der

Personal-Union« zu sehen, »wie sie bisher im Monarchen, im Kanzler, im Kriegsminister und im Auswärtigen besteht«. Bismarck hatte sich jedoch ausdrücklich bereit erklärt, über all dies im einzelnen zu verhandeln. Er hatte den möglichen Spielraum solcher Verhandlungen also durchaus nicht von vornherein in unzumutbarer Weise eingeengt.

Ungeachtet dessen haben seine Gegner und Kritiker damals wie später das Ganze für einen bloß taktischen Schachzug erklärt. Er habe allein das Ziel gehabt, die nationalliberale Partei zusätzlichen inneren Belastungen auszusetzen und sie womöglich zu spalten. Ihr rechter Flügel wäre dann als schwacher und willfähriger Partner vielleicht in der Tat willkommen gewesen.

Ohne Frage hat Bismarck selber einen solchen Verdacht in mannigfacher Weise genährt. Seit Jahren hatte er den linken Flügel der Partei immer heftiger attackiert und rechts und links gegeneinander auszuspielen versucht. Mehr und mehr hatte er die Nationalliberalen wie eine auseinanderbrechende Koalition behandelt, deren Gemeinsamkeiten und deren innerer Zusammenhalt zunehmend schwächer werde. Noch in seinen bereits zitierten Sätzen gegenüber Moritz Busch scheint diese Linie klar durchzuscheinen, wenn er davon sprach, »der Bestand der Partei, des Korps«, sei den Führern der Partei »wichtiger« gewesen »als die Aussicht auf tatsächlichen Erfolg«.

Man muß sich jedoch auch hier wieder davor hüten, Bismarck als den Schöpfer von Gegebenheiten hinzustellen, die er benutzte, und ihn für die Ergebnisse allein verantwortlich zu machen. Bei nüchterner Betrachtungs-weise wird man schwerlich sagen können, daß die Zerreißprobe, der sich die Nationalliberalen als Partei und Fraktion seit einigen Jahren auf vielen Gebieten ausgesetzt sahen, vorwiegend Bismarcks Werk gewesen sei. Sie ergab sich in Wahrheit aus den ständig wachsenden Interessengegensätzen im Schoß ihrer in vieler Beziehung sehr heterogenen Anhängerschaft. Und auch das ist unübersehbar, daß vor allem ihr linker Flügel an der Spitze derjenigen stand, die die Einheit und Integrationskraft der Partei nicht zuletzt dadurch zu erhalten suchten, daß sie sich von der Regierung distanzierten und ihr gleichzeitig die alleinige Verantwortung für alle von ihrer Anhängerschaft oder Teilen derselben als negativ empfundenen Entwicklungen und Erscheinungen zuschoben. Es fehlten hier also Impuls und Bereitschaft, in der gegebenen Situation positive Verantwortung zu übernehmen. Nichts lag daher näher, als einerseits die eigenen Bedingungen möglichst hoch zu schrauben und andererseits die Aufrichtigkeit eines Angebots der Regierung zur Zusammenarbeit von vornherein mit möglichst vielen Fragezeichen zu versehen.

Eben darin bestand die Taktik der nationalliberalen Linken um Lasker, den Bismarck schon Anfang 1875 erbittert als »die eigentliche Staatskrankheit« bezeichnet hatte: »Er ist noch viel mehr Reblaus wie Windthorst.« Man kommt der historischen Wahrheit bei der Beurteilung des ganzen Vorgangs daher sehr viel näher, wenn man ihn unter dem Aspekt eines Pokerspiels betrachtet. Bei ihm waren Einsätze, Erfolgschancen und die politische Intelligenz der Spieler durchaus nicht so einseitig verteilt, wie es schließlich die Unterlegenen gern dargestellt haben. Zu dem fraglichen Zeitpunkt, im Herbst 1877, war im Gegenteil nicht auszuschließen, daß die Regierung mehr und mehr in einen Engpaß und vielleicht sogar in eine aussichtslose Lage geraten werde. Sie hatte ihre alleinige politische Verantwortlichkeit immer sehr betont und sämtliche Erfolge sich selbst zugeschrieben. Angesichts der zunehmend krisenhaften Entwicklung in vielen Bereichen drohte sie nun dafür die Quittung zu bekommen. Denn nahezu alle ins Gewicht fallenden politischen Parteien und Gruppen hatten es jetzt sehr eilig, sich von ihr zu distanzieren.

Zudem hatte Bismarck ein halbes Jahr zuvor einmal mehr erfahren müssen, daß der Rückhalt, den er in der Person des inzwischen achtzigjährigen Monarchen fand, zwar stark, aber nicht unbegrenzt war. Um sich für alle Eventualitäten zumindest im Lager der Regierung selbst vollständige politische Rückenfreiheit zu sichern, hatte er im März 1877 versucht, den Chef der Admiralität, Albrecht von Stosch, der zugleich preußischer Staatsminister war und als möglicher Kanzlerkandidat des Kronprinzen galt, aus dem Amt zu drängen. Er sei ein »Intrigant und Spion, welcher im Ministerrat nicht den Mund öffne, dann aber beim Kronprinzen und bei Sr. Majestät klatsche«, begründete er sein Vorgehen im vertrauten Kreis. Um Stosch beim Kaiser zu diskreditieren, warf er ihm in aller Öffentlichkeit, in einer Rede vor dem Reichstag, vor, er richte sich in seinen politischen Entscheidungen nicht nach den Bedürfnissen des Staates, sondern nach den von einseitigen Interessen diktierten Wünschen des Parlaments. Er hasche nach Popularität und überlasse anderen das mühsame Geschäft, einen Ausgleich zwischen dem Wünschbaren und dem Möglichen zu finden.

Mit diesem Versuch, einen Konkurrenten vorsorglich auszuschalten, war Bismarck jedoch förmlich aufgelaufen. Wilhelm schätzte Stosch persönlich und als militärischen Fachmann; er wollte zudem wohl einmal demonstrieren, daß er nicht bereit war, sich seinem Kanzler in allem zu beugen. Daraufhin hatte Bismarck wie so oft eine klärende »Kanzlerkrise« zu inszenieren versucht, indem er Gerüchte über ein angebliches eigenes Rücktrittsgesuch lancierte. Doch statt des emphatischen kaiserlichen »Niemals«, von dem im weiteren bei verschiedener Gelegenheit die Rede war, hatte er sich mit dieser »Komödie eines Entlassungsgesuchs«, wie Eugen Richter später das Ganze nannte, unter den Augen einer die Dinge äußerst aufmerksam verfolgenden Öffentlichkeit nur einen längeren Urlaub eingehandelt.

Man konnte also zu diesem Zeitpunkt sehr wohl der Meinung sein, es sei das Sinnvollste, Gewehr bei Fuß abzuwarten und die eigene Einheit und politische Schlagkraft für die Zukunft zu bewahren. Die Partei habe »Zeit zu warten«, erklärte selbst Bennigsen unverhohlen; »inzwischen steige die Finanznot, und das Septennat laufe ab«. Warum sollte man sich durch die Unterstützung einer Regierung inneren Belastungen und einer zusätzlichen Zerreißprobe aussetzen, deren politisches Schicksal eher vage war und die auf vielen Gebieten vor Entscheidungen stand, die die Gegensätze so oder so anheizen mußten?

Dem stand gegenüber, daß der Kanzler, unübersehbar angewiesen auf stärkere parlamentarische Unterstützung als bisher, vielleicht doch zu erheblichen Zugeständnissen bereit sein werde. Außerdem mochte eine effektive Regierungsbeteiligung erhebliche Zukunftsaussichten in dieser wie auch in parteipolitischer Hinsicht eröffnen. Denn neben manchem Konflikt versprach sie festere und dauerhaftere Interessenbindungen sowohl in der bisherigen Anhängerschaft als auch über sie hinaus zu schaffen.

Nach langen Auseinandersetzungen hat sich jedoch schließlich in der Partei die Gruppe derjenigen durchgesetzt, die eine Regierungsbeteiligung auf der von Bismarck vorgeschlagenen Basis ablehnten und bewußt überhöhte Forderungen stellten. Die Hauptforderung lautete, Bismarck solle neben Bennigsen noch zwei weitere Nationalliberale in sein Kabinett aufnehmen, und zwar ausgerechnet zwei, die dem linken Flügel der Partei zuneigten, nämlich den Breslauer Oberbürgermeister Max von Forckenbeck und den Münchener Abgeordneten Freiherr von Stauffenberg.

Es war vorauszusehen, daß der Kanzler sich darauf niemals einlassen werde. Es ging dabei gar nicht so sehr um die prinzipielle Frage einer möglichen Parlamentarisierung des Reiches. Entscheidend war vielmehr, daß ein Eingehen auf diese Forderung Bismarck zwar in stärkste Abhängigkeit von einer Partei gebracht, ihm jedoch, selbst unter Zuzug der Fortschrittspartei, keine parlamentarische Mehrheit eingetragen hätte: Die Nationalliberalen hatten bei den eben abgehaltenen Reichstagswahlen siebenundzwanzig Sitze eingebüßt, die Fortschrittspartei vierzehn. Damit hatte man die absolute Mehrheit, über die beide Parteien seit 1871 zusammen verfügt hatten, eindeutig verloren. Und auf Zuzug von rechts hätte Bismarck unter den neuen Umständen schwerlich noch rechnen können. Schließlich wäre auch der Kaiser kaum für eine solche Politik zu gewinnen gewesen. Dieser hatte Bismarck nach dem Bericht Christoph von Tiedemanns, des Vortragenden Rats im preußischen Staatsministerium, der dann von 1878 bis 1881 Chef der Reichskanzlei war, schon bei der ersten Erwähnung des Plans, Bennigsen ins Kabinett zu berufen, angesehen, »als ob er mit einem Übergeschnappten spräche«. Und auch im weiteren Verlauf hatte Wilhelm massive Bedenken geltend gemacht, ob Bennigsen »den ruhigen und konservativen Gang meiner Regierung« jemals werde mitmachen können.

Es war also ganz klar, daß schon die personellen Forderungen der Nationalliberalen, unabhängig von den Sachfragen, zum Scheitern der Verhandlungen führen würden. Freilich, und hierauf beruhte das Kalkül derjenigen, die die

Entscheidung zugunsten dieser Forderungen in der Fraktion durchgesetzt hatten: Der eigentlich Betroffene würde nach menschlicher Voraussicht Bismarck sein. Seine Regierung schien nun in allem, was allein auf gesetzgeberischem Wege durchzusetzen war, praktisch paralysiert zu sein, also nicht zuletzt hinsichtlich weitreichender Entscheidungen auf wirtschafts- und finanzpolitischem Gebiet.

Bismarck war in der Tat in eine einigermaßen prekäre Lage geraten. Von der liberalen Linken wurde er mit bewußt überzogenen Forderungen konfrontiert. Die Rechte beobachtete ihn mit neuerwachtem Mißtrauen. Zudem war er einmal mehr dem Vorwurf des reinen Opportunismus ausgesetzt: Jedermann wartete auf den Thronwechsel und kannte die Sympathien des Kronprinzen jedenfalls für die liberale Mitte. Von der idealen »politischen Gesamtsituation«, in welcher alle politischen Gruppen und Parteien mit Ausnahme des Zentrums und der »Protestparteien«, der Regierung »bedurften« »und von Koalitionen gegen uns durch ihre Beziehungen zueinander nach Möglichkeit abgehalten« wurden, war nicht mehr die Rede. Manchem kam es vielmehr so vor, als ob sich die Ära Bismarck nun doch dem Abschluß zuneige und der Kanzler innenpolitisch mit seinem Latein am Ende sei. Dafür mochten auch die immer längeren »Urlaubsaufenthalte« sprechen: Der letzte dauerte, bis zum Scheitern der Verhandlungen mit Bennigsen, schon fast ein dreiviertel Jahr. Selbst überzeugte Anhänger klagten über den »Zustand der Zerfahrenheit« und schlossen nicht aus, daß der Kanzler tatsächlich das Handtuch werfen werde.

In dieser Situation entschloß sich Bismarck Ende Februar 1878 zur Flucht nach vorn. In einer allgemein als hochdramatisch empfundenen Reichstagsrede gab er am 22. Februar seine bisherige öffentliche Zurückhaltung in den wirtschafts- und finanzpolitischen Sachfragen an einem entscheidenden Punkt auf. Er kündigte damit, drei Tage nach seiner außenpolitischen Grundsatzrede über die orientalische Frage, einen grundsätzlichen Kurswechsel an.

Der Anlaß dazu war die erste Lesung einer Reihe von Steuergesetzen. Mit ihrer Hilfe wollte die Regierung erklärtermaßen neben einer Verbesserung ihrer Einnahmen eine größere Unabhängigkeit von den Bundesstaaten und ihren sogenannten Matrikularbeiträgen erreichen. An der Spitze stand eine Erhöhung der Tabaksteuer, die von dem federführenden preußischen Finanzminister Camphausen mit den Beteiligten und Betroffenen im Rahmen des Üblichen vorbesprochen worden war.

Das alles schob Bismarck beiseite, ohne seinen Finanzminister, den er längst entschlossen war »fallen zu lassen«, über seinen beabsichtigten Schritt in die Öffentlichkeit auch nur informiert zu haben. Er erklärte, er persönlich sehe die ganze Vorlage nur »als Durchgangspunkt« an, als »Vorbereitung« und Vorstufe für die Errichtung eines staatlichen Tabakmonopols und somit als einen Schritt zu jener ihm vorschwebenden »umfassende(n) Reform«, »die das Reich aus arm, was es jetzt ist, wirklich reich macht«: »Mein Ideal ist nicht ein Reich, was vor den Türen der Einzelstaaten seine Matrikularbeiträge einsammeln muß, sondern ein Reich, welches, da es die Hauptquelle guter Finanzen, die indirekten Steuern, unter Verschluß hält, an alle Partikularstaaten im Stande wäre, herauszuzahlen.« Er sei jetzt definitiv entschlossen, sich im Interesse einer soliden Finanzbasis des Reiches und damit seiner Macht und Unabhängigkeit gegenüber den Einzelstaaten, also auch gegenüber Preußen, nicht mehr von dogmatischen wirtschafts- und finanzpolitischen Grundsätzen leiten zu lassen – ein staatliches Wirtschaftsmonopol auch nur in einem kleinen Teilbereich mußte jedem prinzipientreuen Liberalen selbstverständlich als eine Todsünde erscheinen. Was für ihn, Bismarck, allein noch zähle, seien Erwägungen der Zweckmäßigkeit.

Das gelte, so konnte jeder interpretieren, auch für alle anderen Streitfragen auf diesem Gebiet. Es gelte etwa auch für die Frage des Schutzzolls, der ja zugleich als Finanzzoll, als eine weitere Verbesserung der Einnahmen des Reiches, dienen konnte. Es lag daher in der Logik der Sache, daß Bennigsen unmittelbar nach dieser Reichstagssitzung die Verhandlungen über seinen Eintritt in die Regierung auch formell für gescheitert erklärte. Und ebenso entsprach es der Logik, daß wenig später sowohl der Finanzminister Camphausen als auch der Handelsminister Achenbach, die beide den Liberalen, vor allem ihren wirtschafts- und finanzpolitischen Grundvorstellungen, nahestanden, ihre Ämter zur Verfügung stellten.

Die Regierung hatte damit zwar nun erstmals eindeutig Stellung bezogen. Doch sie hatte auf diese Weise jede zureichende parlamentarische Basis verloren. Selbst wenn man von einer geschlossenen Unterstützung durch die beiden konservativen Parteien und von einer großen Zahl nationalliberaler Dissidenten zu ihren Gunsten ausging, kam man auf keine parlamentarische Mehrheit mehr.

Anders jedoch als etwa zu Beginn der sechziger Jahre mußte in der jetzigen Situation jeder politische Immobilismus für die Regierung zumindest ebenso problematisch erscheinen wie für die Parteien. Deshalb sind schon manche unmittelbaren Zeitgenossen davon ausgegangen, daß Bismarck bei seinem Vorstoß zum ersten Mal eine ganz andere parlamentarische und parteipolitische Konstellation anvisiert habe. »Der Systemwechsel wird immer deutlicher erkennbar«, meinte etwa der badische Großherzog Anfang April 1878 diagnostizieren zu können. Auch die »Parteien in den Parlamenten« seien »in voller Umwandlung begriffen«. »Je nachdem die nächsten Regierungsvorlagen im Reichstag behandelt werden, ist zu gewärtigen, daß eine Auflösung desselben erfolgt.«

Den äußeren Anstoß für solche Vermutungen gaben nicht zuletzt der Tod Papst Pius' IX. am 7. Februar 1878 und die Wahl des bisherigen Kardinal-

Bischofs von Perugia, Vincenzo Gioacchino Pecci, zum neuen Papst am
20. Februar. Pius IX. und sein Kardinalstaatssekretär Antonelli hatten sich in
Kulturkampf und Kirchenstreit völlig intransingent gezeigt, ja, sich immer
mehr verhärtet. Demgegenüber ging dem neuen Papst, der sich den Namen
Leo XIII. gab, der Ruf voraus, es sei ihm hauptsächlich um die konkrete
Machtbasis des Papsttums in Italien selber, um die Wiederherstellung des
Kirchenstaates, zu tun. Er sei im Interesse dieses Ziels möglicherweise zu
einem Einlenken gegenüber dem Reich und zu entsprechenden Einwirkungen
auf die dortige katholische Partei bereit.

Hinzu kam, daß sich in den Grundfragen eines anzustrebenden wirtschafts-
und handelspolitischen Kurses unterdessen eine recht weitgehende Übereinstimmung zwischen den meist preußischen Konservativen und der Zentrumspartei ergeben hatte. Sie beruhte auf der sehr ähnlichen Interessenlage der
jeweiligen Anhängerschaft. Wenn es gelang, zu einer Entschärfung und
zunächst einmal wenigstens zu Kompromißperspektiven im Kulturkampf zu
kommen, so konnte Bismarcks Kalkül lauten, dann würden ganz neue
parlamentarische Kombinationen im Bereich des Möglichen liegen.

Mit dem Gedanken einer solchen radikalen Umkehr der bisherigen innenpolitischen Allianzen hat Bismarck in seiner einigermaßen prekär gewordenen Lage sicherlich gespielt. Und es ist nicht von der Hand zu weisen, daß sein
Vorstoß im Zusammenhang mit der Tabaksteuerfrage auch einer ersten
Sondierung in dieser Richtung dienen sollte. Aber er war ein viel zu großer
politischer Realist, als daß er in dieser Beziehung auf rasche Erfolge gehofft
hätte. Auch kann keine Rede davon sein, daß sich etwa in seiner Einstellung
zum Zentrum ein durchgreifender Wandel vollzogen hätte. Noch im Herbst
hatte er in einer Sitzung des preußischen Staatsministeriums davon gesprochen, er wolle, wenn er im Amt bleibe, »den Kulturkampf bis zum äußersten
Ende führen, zu einem Ende, bis zu welchem vielleicht nicht alle Anwesenden
mit mir gehen werden«: »Lieber wolle er die Herrschaft der Sozialdemokratie
dulden als die verdummende der Jesuiten.« Sicher war das zugleich situationsbedingt gewesen, gemünzt auf Erwartungen beziehungsweise Befürchtungen
der Liberalen, deren Bannerträger in allen diesen Fragen, Falk, mit am
Kabinettstisch saß. Aber es entsprach, jedenfalls im Kern, auch seiner eigenen
Grundhaltung: Eine, wie man es im weiteren Verlauf dann nannte, blau-
schwarze Koalition konnte seiner Meinung nach in einer bestimmten Situation
einen politischen Ausweg bieten. Sie war jedoch für ihn jetzt wie später kein
langfristig anzustrebendes politisches Ziel.

Von einem Plan, das Zentrum Schritt für Schritt von einem Gegner zu einem
politischen Bundesgenossen zu machen und von hier aus seine eigene Stellung
und die seiner Regierung neu zu begründen, wird man also kaum sprechen
können. Er wäre auch ganz unrealistisch gewesen. Bismarcks Ziel war
vielmehr vornehmlich negativer Natur. Es ging ihm darum, die Nationallibe-

26. Bismarck im Alter von neunundfünfzig Jahren in Kürassieruniform
Aufnahme von Loescher und Petsch, 1874

27. Bismarck beim Vortrag vor Kaiser Wilhelm I.
Stich nach einem Gemälde von Konrad Siemenroth

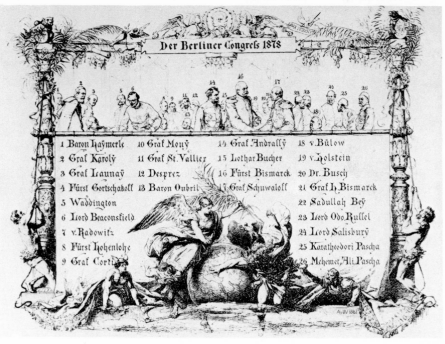

Der Berliner Congreß 1878

| | | | |
|---|---|---|---|
| 1 Baron Haymerle | 10 Graf Mouy | 14 Graf Andrassy | 18 v. Bülow |
| 2 Graf Karoly | 11 Graf St. Vallier | 15 Lothar Bucher | 19 v. Holstein |
| 3 Graf Launay | 12 Desprez | 16 Fürst Bismarck | 20 Dr. Busch |
| 4 Fürst Gortschakoff | 13 Baron Oubril | 17 Graf Schuwaloff | 21 Graf H. Bismarck |
| 5 Waddington | | | 22 Sadullah Bey |
| 6 Lord Beaconsfield | | | 23 Lord Odo Russel |
| 7 v. Radowitz | | | 24 Lord Salisbury |
| 8 Fürst Hohenlohe | | | 25 Karatheodori Pascha |
| 9 Graf Corti | | | 26 Mehemet Ali Pascha |

28. und 29.  Die feierliche Abschlußsitzung der Kongreßbevollmächtigten
am 13. Juli 1878
Gemälde und Zeichnung von Anton von Werner, 1881

# HUMORISTISCHE BLÄTTER

## Die neuen deutschen Minister Puttkamer, Lucius und Bitter.

30.  Die konservative Wendung
Karikatur in der Wiener Zeitschrift vom 27. Juli 1879

ralen aus ihrer parlamentarischen Schlüsselposition zu verdrängen, die angesichts der bisherigen innenpolitischen Alternativlosigkeit noch weit über ihre zahlenmäßige Stärke hinausging. Zumindest aber wollte er sie so unter Druck setzen, daß sie sich schließlich mehrheitlich zu einem festen und nicht ständig wieder in Frage gestellten Bündnis mit der Regierung und zur Unterstützung des von ihr verfolgten Kurses bereit erklären würden.

Bismarck hielt also auch jetzt noch an jener Grundkombination fest, die ihm schon sehr früh als die in der gegebenen politischen und gesellschaftlichen Situation allein erfolgversprechende erschienen war. Sie beruhte auf der wesentlich durch seine Person vermittelten und durch sie verkörperten Zusammenarbeit zwischen den traditionellen, überwiegend preußisch-protestantischen und den neuen bürgerlichen Führungsschichten – soweit diese zu Kooperation und Kompromiß bereit waren und nicht die ganze Macht für sich beanspruchten. Sie beruhte also, parteipolitisch gesprochen, auf der Kooperation zwischen den möglichst weitgehend auf ihn eingeschworenen Konservativen und den Nationalliberalen bis hin zu der von Bennigsen repräsentierten Mitte.

Diese parteipolitische Kombination war über viele Jahre hin die eigentliche Basis seiner Erfolge und seiner einmaligen politischen Stellung gewesen. Und sie blieb, obgleich er das aus einsichtigen Gründen zunehmend und bei Mit- und Nachwelt auch recht erfolgreich zu verschleiern suchte, der eigentliche Fixpunkt seines Handelns. Sie blieb sein »System«, das er freilich, wie dann auch auf dem Gebiet der Außenpolitik, nur mit immer komplizierteren und schließlich immer künstlicheren Mitteln aufrechtzuerhalten vermochte. Und er bedurfte hier wie dort nicht selten des glücklichen Zufalls, besonderer Umstände und unerwarteter Entwicklungen, die ihn gegen jede Voraussicht und Berechnung begünstigten.

Das galt bereits für die Situation im Frühjahr 1878. In welche fatale Lage die Regierung geraten war, zeigte sich mit aller Deutlichkeit bei der Beratung des sogenannten Stellvertretungsgesetzes Ende Februar/Anfang März 1878. Das eigentliche politische Ziel Bismarcks, wie er es seit langem immer wieder formuliert hatte, war auch hier, »die Reichsgewalt zu stärken«, also den politischen Vorrang und die übergreifende Kompetenz des Reiches personell zu sichern. Das sollte dadurch erreicht werden, daß man neben einer allgemeinen Stellvertretung des Kanzlers durch einen Vizekanzler eine gleichsam sektorale Stellvertretung ins Leben rief. Der Kanzler sollte die Möglichkeit erhalten, seine Kompetenzen als alleiniger Reichsminister und Geschäftsführer des Bundesrats zeitweilig und jederzeit widerrufbar an die Leiter der obersten Reichsbehörden zu übertragen. Diese sollten de facto zu Reichsministern werden, nicht aber de jure, was die politische Verantwortlichkeit betraf; die Forderung nach einem parlamentarisch verantwortlichen Reichsministerium wurde damit vielmehr erneut zurückgewiesen und gleichsam gesetzlich blockiert. »Mit Reichsministerien auf eigene Verantwortung« habe »die ganze Stellvertretungsvorlage... gar keinen Zusammenhang«, betonte Herbert Bismarck im Namen seines Vaters in einem Schreiben an den Grafen Holnstein, den Vertrauten des bayerischen Königs. Durch möglichst weitgehende Personalunion mit den entsprechenden Ämtern des preußischen Staatsministeriums sollte gleichzeitig ein auch jenseits aller Kompetenzregelung stets denkbarer sektoraler Macht- und Interessenkonflikt zwischen dem Reich und seinem mächtigsten Bundesstaat schon im Ansatz verhindert werden.

In der gegebenen politischen Situation mußte sich Bismarck jedoch mit einer stark verwässerten Ausführung seines Plans begnügen. Er bekam nachdrücklich zu spüren, wie begrenzt in der Atmosphäre allgemeinen Mißtrauens sein politischer Spielraum geworden war, sobald es nicht um bloße Befestigung, sondern um Veränderung bestehender Zustände und Verhältnisse ging.

Zwar gelang es, das Stellvertretungsprinzip grundsätzlich durchzusetzen. Aber es wurde unter dem Druck der Bundesstaaten auf jene Bereiche beschränkt, in denen dem Reich neben der Gesetzgebung und der Oberaufsicht auch die Durchführung zustand. Es wurden praktisch alle diejenigen ausgeklammert, die, und sei es auch nur zum Teil, in die bisherige Zuständigkeit der Einzelstaaten fielen. Sich in dieser Beziehung gegenüber den Bundesstaaten durchzusetzen, erwies sich in der parlamentarischen und parteipolitischen Konstellation als unmöglich.

Wenn daher Eugen Richter, der Führer der Fortschrittspartei, rückblickend bemerkte, das Stellvertretungsgesetz habe dazu gedient, »die Kanzlerdiktatur noch fester zu rammen«, so trifft das lediglich die eine Seite der Sache: die zusätzliche Befestigung der bisherigen Machtstellung des Kanzlers. Die andere Seite war eine Art institutioneller Immobilisierung des Reiches. Diese hat Bismarck im Hinblick auf die Zukunft mit einigem Recht als schwer erträglich empfunden. Über das Sinnvolle und Vertretbare hinaus blieb das Reich auf diese Weise, so mußte es scheinen, auch politisch ein »Kostgänger der Bundesstaaten«, insbesondere Preußens. Wohl stellte sich im weiteren Verlauf heraus, daß die vielfältigen Vereinheitlichungstendenzen und die Macht der immer bedeutsamer werdenden Reichsgesetzgebung stärker waren, als Bismarck ursprünglich angenommen hatte. Aber zunächst einmal sah er, wie sich der effektive Manövrierraum der Reichsregierung zwischen Bundesrat und Reichstag und innerhalb beider Gremien mehr und mehr verengte, bis hin zur politischen Bewegungsunfähigkeit.

Das zeigte sich schon bei der Besetzung der neugeschaffenen beziehungsweise bei der Wiederbesetzung der freigewordenen Ämter an der Spitze Preußens und des Reiches. Statt Männern, die ihrerseits starke politische Kräfte an die Regierung banden, wie das dem Kanzler im Fall Bennigsens vorgeschwebt hatte, fanden sich, zum Teil erst nach längerem Suchen, überwiegend nur Kandidaten, die politisch bislang nicht besonders hervorgetreten waren oder in ihren jeweiligen politischen Gruppen eher zur zweiten Garnitur zählten.

Das galt für den einstigen Breslauer und jetzigen Berliner Oberbürgermeister Arthur Hobrecht, der Ende März 1878 an Stelle Camphausens das Finanzministerium übernahm. Es galt ebenso für Albert Maybach, der als »intelligenter und erfahrener Fachmann« vom Unterstaatssekretär zum neuen Handelsminister aufrückte. Und es galt auch für den bisherigen Wiener Botschafter Graf Otto Stolberg-Wernigerode, der Vizekanzler wurde. Wenn Bismarck ihn zwei Jahre früher als seinen potentiellen Nachfolger bezeichnet hatte, so dokumentiert das nur, daß er ihn für ein politisches Leichtgewicht und also für ungefährlich hielt. Wie der Kanzler in dieser Frage wirklich dachte, ließ er Mitte der achtziger Jahre einen Göttinger Studienfreund wissen: »Warum ich noch nicht für einen passenden Nachfolger gesorgt habe? ... Die Antwort darauf ist sehr einfach: Ich brauchte ja dann nur schon bei Lebzeiten tot zu sein.« Und was schließlich den neuen Innenminister Graf Botho Eulenburg anlangte, einen Vetter des bisherigen Amtsinhabers Friedrich Eulenburg, des Promotors der Kreisordnung von 1872, der neben anderem einer endgültigen Aussöhnung mit den Konservativen im Weg gestanden hatte, so wurde er schon bald zwischen den Parteien und dem Kanzler »zerrieben«, ohne hier oder dort festen Rückhalt gefunden zu haben.

Ein solches Ministerium der zweiten Wahl mochte in mancher Beziehung bequem sein. Die politischen Gegner Bismarcks sprachen denn auch sogleich höhnisch von der immer mehr um sich greifenden Neigung des Kanzlers, sich mit bloßen Handlangern zu umgeben, die politisch reine Marionetten seien. Aber es erschwerte zugleich die politische Arbeit ganz außerordentlich. Es ließ die Regierung zusätzlich als völlig isoliert erscheinen. Die »ganze Entstehungsgeschichte des neuen Ministeriums«, so der badische Großherzog als einer der kritischsten Beobachter der Szene in jenen Jahren, liefere »den Nachweis«, daß »niemand mehr zu finden ist, der sich ›mit einschiffen‹ will, wo der Steuermann die Richtung verloren hat«.

Wie, das war die Frage, die sich jedermann stellte, sollte es jetzt weitergehen? Überall wurde, zumal seit Bismarcks Reichstagsrede vom 22. Februar, über die Absichten, Pläne und Ziele der Regierung spekuliert. Von einer möglichen Auflösung des so unbequemen Reichstags war die Rede und hier und dort sogar von noch sehr viel weitergehenden, die Verfassung sprengenden Maßnahmen. Berlin schwirrte förmlich von Gerüchten, und die Presse überbot sich in Spekulationen über das, was der Kanzler vorhabe. Gleichzeitig wurden ihm von vielen Seiten die so offenkundig gewordenen Grenzen seiner Macht vorgerechnet. Mancher seiner Gegner beschwor, nicht ohne hoffnungsvolle Erwartung, die Unhaltbarkeit der gegenwärtigen Situation. Es könnte ihm, so meinte auch Bennigsen in jenen Tagen, aufgrund der Mehrheitsverhältnisse, der Finanzsituation und der in zwei Jahren anstehenden Septennatsfrage durchaus passieren, »daß er in der Bresche liegen bleibe, wenn er sich mit dem Parlament nicht verständige«.

Angesichts dessen hat sich nicht nur Eduard Lasker, der mittlerweile zu einer Art kritischem Antipoden des Kanzlers geworden war und jeden seiner Schritte mit äußerstem Argwohn verfolgte, im Rückblick der Eindruck geradezu aufgedrängt, Bismarck habe bei Lage der Dinge auf das Eintreten »eines seltsamen, blendenden oder verblüffenden Ereignisses« förmlich gelauert, »welches geeignet war, eine große, massenbewegende Leidenschaft hervorzurufen und die Gemüter aus der Gewohnheit zu stören«. Und wenngleich ihm niemand unterstellte, er habe etwa nachgeholfen, so hat sich im weiteren Verlauf doch mehr und mehr und weit über die Front seiner Gegner hinaus der Eindruck verdichtet, ihm sei bis hin zum Staatsstreich fast jedes Mittel recht gewesen, um das Gesetz des politischen Handelns wieder an sich zu bringen. Nichts spiegele den Grundcharakter seiner Politik und seine erschreckende Bedenkenlosigkeit deutlicher wider als die Entwicklung im Frühjahr und Sommer 1878.

Es gehört zweifellos zu den dunkelsten Punkten in Bismarcks politischer Laufbahn, wie er sich die beiden Attentate zunutze machte, die am 11. Mai und am 2. Juni 1878 auf Kaiser Wilhelm verübt wurden: das erste durch einen einundzwanzigjährigen Klempnergesellen namens Hödel, der zwei Schüsse in Richtung auf Wilhelm I. abgab, ohne jemanden zu treffen; das zweite, weit folgenreichere, durch Karl Nobiling, einen studierten Landwirt, der sich offenbar in erster Linie aus psychopathischem Geltungsbedürfnis zu einer Nachfolgetat hatte hinreißen lassen. In beiden Fällen bestanden, wie sich sehr rasch herausstellte, keine nennenswerten Beziehungen der Täter zur Sozialdemokratie, von direkten Anstößen aus dieser Richtung oder gar von einer Mordverschwörung ganz zu schweigen. Bismarck war jedoch sofort zum Handeln entschlossen und an einer Klärung der Hintergründe und der Frage der Urheberschaft kaum interessiert. »Sollte man nicht von dem Attentat Anlaß zu sofortiger Vorlage gegen Sozialisten und deren Presse nehmen?« telegraphierte er noch am 11. Mai aus Friedrichsruh. Bereits fünf Tage später ließ er, gegen die ausdrückliche Warnung einiger preußischer Minister vor einem so übereilten Vorgehen, den Entwurf eines Gesetzes »zur Abwehr sozialdemokratischer Ausschreitungen« durch Preußen im Bundesrat einbringen.

Es gab nicht die geringsten Anzeichen, geschweige denn konkrete Belege dafür, daß Gefahr im Verzug war. So war beinahe jedem sofort klar, worauf das Ganze zielte. Die Liberalen, vor allem die Mitglieder der nationalliberalen Fraktion, sollten zu einer grundsätzlichen Entscheidung für oder gegen die Regierung gezwungen werden. Bismarck wollte sie mit der Alternative konfrontieren, entweder auch jetzt noch entschiedenen Maßnahmen gegen erklärte Feinde der bestehenden Ordnung ihre Zustimmung zu verweigern oder aber ihre Bedenken gegenüber jeder Ausnahmegesetzgebung und gegenüber jeder Einschränkung des rechtsstaatlichen Gleichheits- und Gleichbehandlungsprinzips zu opfern.

Doch in offenbarer Überschätzung der Chance, die sich hier bot, hat der Kanzler durch die Art seines Vorgehens die Nationalliberalen de facto sofort wieder aus dieser Alternative entlassen. Schon im Bundesrat sah sich Preußen mit einer Fülle von Bedenken und kritischen Einwänden konfrontiert. Sie ließen sich nicht auf einfache politische Formeln und auf die Frage der grundsätzlichen Einstellung zur Regierung und zu der von ihr vertretenen Haltung gegenüber der Sozialdemokratie reduzieren. Die Bedenken wurden gleichzeitig in der Presse und in der öffentlichen Diskussion von unterschiedlicher Seite unterstützt und weiter vertieft.

Die Wortführer der nationalliberalen Fraktion brauchten sie in der entscheidenden Reichstagssitzung vom 23./24. Mai daher nur noch zu bündeln und mit der Einkleidung zu versehen, auch sie seien selbstverständlich für eine entschlossene Abwehr aller Angriffe auf die bestehende Ordnung sowie auf Staat und Recht. Ihr Hauptsprecher, Rudolf von Bennigsen, ging in dem Bewußtsein, daß ein großer Teil der Öffentlichkeit und die überwiegende Mehrheit der Parteien in dem Vorstoß der Regierung nur noch ein durchsichtiges politisches Manöver, die »Absicht eines Krieges gegen den Reichstag«, sah, sogar in kaum verhüllter Weise zum Gegenangriff über. Es gehe hier, so erklärte er, nicht zuletzt um die Anerkennung des Grundsatzes, »daß verschiedene Parteien in Vertretung berechtigter politischer und materieller Interessen notwendig sind, ihre Legitimation haben«. Ihn dürfe man keinesfalls preisgeben, so nachdrücklich man auch die politischen Methoden der Sozialdemokratie, ihre umstürzlerische Propaganda und die Praxis, die sie predige, ablehne. Zu den Zielen der Sozialdemokratie gehöre »die Verbesserung der arbeitenden Bevölkerung in ihrer wirtschaftlichen Stellung, dazu gehört die Verfolgung von Maßregeln, welche der Massenverarmung entgegentreten – welcher humane Gesetzgeber wird sich solche Ziele nicht auch stecken?« »Wir sollten es mehr als bisher vermeiden«, so Bennigsens allgemeine Schlußfolgerung, deren konkreter Adressat bei aller Grundsätzlichkeit der Formulierung jedermann deutlich war, »unsere politischen Gegner zu bekämpfen mit Angriffen, als versündigten sie sich gegen das Wohl des Ganzen.«

In diesem Sinne wurde die überwältigende Mehrheit von zweihunderteinundfünfzig gegen siebenundfünfzig Stimmen, mit der der Reichstag schließlich diesen ersten Entwurf eines Sozialistengesetzes ablehnte, zugleich zu einer neuerlichen Demonstration gegen die Regierung Bismarck, zu einer Bestätigung ihrer weitgehenden Isolierung. Der Kanzler hatte genau das

Gegenteil von dem erreicht, was ihm vorgeschwebt hatte. Ja, er sah sich, wesentlich durch eigene Schuld, politisch bloßgestellt und, schlimmer noch, politisch überspielt.

In diese Situation platzte am 2. Juni die Nachricht von dem neuerlichen Attentat auf Wilhelm I., bei dem der Kaiser schwer verletzt wurde. Bismarcks Reaktion darauf ist seither hundertfach zitiert worden als Beleg für die eisige Unbedingtheit des Mannes, für den jeder menschlichen Spontaneität unzugänglichen nackten Machiavellismus seiner Politik. Schwer atmend, so Tiedemann, der ihm die Nachricht im Park von Friedrichsruh überbrachte, habe er nach einer kurzen Pause den Stock auf den Boden gestoßen und ausgerufen: »Dann lösen wir den Reichstag auf!« Erst dann habe er sich nach dem Schicksal des Mannes erkundigt, mit dem er seit mehr als anderthalb Jahrzehnten politisch und menschlich aufs engste verbunden war. Eine schon unter den Zeitgenossen weit verbreitete andere Version, die auch Bismarck kannte und gegen die er sich noch im Alter verwahrte, lautete noch direkter und brutaler: »Jetzt habe ich die Kerle [die Nationalliberalen], jetzt drücke ich sie an die Wand, bis sie quietschen.« Sie spiegelte, unbeschadet ihres Wahrheitsgehalts, das wider, was man Bismarck vielerorts zutraute und unter welchem Aspekt man die weitere Entwicklung vielfach sah. Insofern ist sie ein weiteres Zeugnis für jenes nie versiegende Mißtrauen, das nun wieder in verstärktem Maß hervorbrach, für jene Vertrauenslücke, die ihn zeit seines Lebens wie ein Graben einschloß. Sie machte, wie bei kaum einem anderen Politiker in vergleichbarer Position, stets neue, greifbare Erfolge zur Bedingung seiner politischen Existenz.

Im Rückblick hat Bismarck dies gerade für die Situation unmittelbar nach dem zweiten Attentat selber indirekt bestätigt. Die Mehrheit seiner Kabinettskollegen habe sich in der entscheidenden Kabinettssitzung unter Vorsitz des Kronprinzen am 5. Juni 1878 gegen die von ihm vorgeschlagene Auflösung des Reichstags ausgesprochen. Ihr Hauptargument sei gewesen, daß jetzt die Zustimmung des Reichstags zu einem neuen Sozialistengesetzentwurf mit Sicherheit zu erwarten sei. »Die Zuversicht«, so Bismarck in dem »Intrigen« überschriebenen Kapitel seiner Lebenserinnerungen wörtlich, »welche meine Kollegen bei dieser Gelegenheit kundgaben, beruhte offenbar auf vertraulicher Verständigung zwischen ihnen und einflußreichen Parlamentariern, während mir gegenüber kein Einziger von den letzteren auch nur eine Aussprache versucht hatte. Es schien«, fuhr er fort, »daß man sich über die Teilung meiner Erbschaft bereits verständigt hatte.«

Das zweite Attentat traf ihn also nicht kühl kalkulierend, sondern in einer Ausnahmesituation. Er sah sich umstellt von Mißtrauen und von politischen Gegnern, die, so glaubte er, bloß darauf lauerten, ihn endgültig auszuspielen. Die Erregung über den Anschlag, die sozusagen nach einem Ausweg, nach einem Schuldigen suchte, verband sich daher blitzartig mit dem Gedanken, durch eine entschlossene Aktion den ihn angeblich umgebenden Ring zu sprengen und seine politische Handlungsfreiheit wiederzugewinnen.

Mit einem Versuch, Bismarck von den moralischen Vorwürfen reinzuwaschen, die man an den Vorgang geknüpft hat, hat eine solche Interpretation nichts zu tun; diese Vorwürfe liegen auf einer anderen Ebene und behalten hier ihre Berechtigung. Worum es geht, ist der Charakter des spontanen Auflösungsentschlusses als solcher, die Erklärung dafür, warum Bismarck diesen Weg einschlug.

Man kann nämlich, entgegen der gängigen These, mit gutem Grund bestreiten, daß er damit wirklich im Sinne eines nüchternen, weitgehend emotionslosen, rein machiavellistischen machtpolitischen Kalküls handelte. Die ihm widerstrebenden Minister hatten nach allem, was wir heute wissen, fraglos recht, wenn sie davon ausgingen, der Reichstag werde sich in seiner Mehrheit jetzt hinter die Regierung stellen und seinen eben gefaßten Beschluß revidieren. Damit hätte sich auch ohne eine spektakuläre Parlamentsauflösung eine neue Basis geboten. Ja, es wäre nun vielleicht jener Ausgleich zumindest mit einem großen Teil der nationalliberalen Fraktion möglich gewesen, auf den Bismarck bisher gesetzt hatte. Auf der anderen Seite war bei realistischer Einschätzung der Situation mit einiger Sicherheit vorauszusehen, daß selbst bei vollem Einsatz aller publizistischen und bürokratischen Mittel eine grundlegende Veränderung der parlamentarischen Mehrheitsverhältnisse, zum Beispiel ein förmlicher Erdrutsch zugunsten der Konservativen, nicht zu erwarten stand. Dafür waren die Interessen zu divergent und die soziale und politische Integrationskraft gerade der Konservativen viel zu schwach ausgeprägt. Das Ergebnis konnte letztlich nur eine weitere parteipolitische Zersplitterung und somit die Zerstörung aller Grundlagen einer festeren und dauerhafteren parlamentarischen Mehrheitsbildung sein.

Hält man sich dies vor Augen, so verliert das gängige Bild des ebenso kühl wie bedenkenlos kalkulierenden Kanzlers viel von seiner Überzeugungskraft. Man ist eher geneigt, hier einen Politiker am Werk zu sehen, der aus dem Gefühl der Isolierung und der Bedrohung seiner politischen Stellung weitestgehend emotional reagierte. Bismarck trat gleichsam die Flucht nach vorne an, ohne genau zu übersehen, was ihm das einbringen würde. Noch Jahre später, in seinen Lebenserinnerungen, hat er seiner damaligen Grundstimmung Ausdruck gegeben: »Nicht ich habe Händel mit den Nationalliberalen gesucht, sondern sie haben im Komplott mit meinen Kollegen mich an die Wand zu drängen versucht.« Es habe einen weitausgreifenden, viele einbeziehenden Plan gegeben, ihn durch ein »Ministerium Gladstone« zu ersetzen. Dadurch sei er zu raschem und entschlossenem Handeln gezwungen gewesen.

Von einem solchen »Plan« ist allerdings, wenn man darunter mehr als sehr allgemeine und unkoordinierte Bestrebungen und Zielsetzungen versteht, bisher nichts bekannt geworden. Aber wer daraus schließt, das Ganze sei nur der Versuch einer nachträglichen Rechtfertigung, der überschätzt Bismarcks Glauben an die Kraft bloßer Behauptungen, an die völlig unkritische Leichtgläubigkeit der zeitgenössischen Leserschaft – von der der nachgeborenen Historiker ganz zu schweigen. Zudem bleiben die Motive für einen solchen angeblichen Versuch weitgehend im dunkeln. Plausibler erscheint, daß noch in der nachträglichen Beschwörung derartiger Pläne ein sich bis zu regelrechten Wahnvorstellungen steigerndes Mißtrauen seinen Niederschlag gefunden hat. In diesem Mißtrauen neigte er dazu, einzelne Äußerungen und in Wahrheit voneinander ganz isolierte Vorgänge und Ereignisse als Indizien einer politischen Verschwörung aufzufassen und zu deuten. Es paßt in den Zusammenhang, daß er Ende Juni 1878 dem damaligen Pariser Botschafter Fürst Chlodwig zu Hohenlohe gegenüber allen Ernstes behauptete, die Nationalliberalen hätten »die Leitung der Geschäfte« allein übernehmen und ihn »wie einen madigen Apfel als Schaugericht auf den Tisch stellen« wollen.

Nicht zufällig hat er rückblickend in diesem Kontext die Namen jener beiden Männer genannt, die er in den vorangegangenen Jahren als seine gefährlichsten politischen Konkurrenten mit allen ihm zu Gebot stehenden Mitteln und mit brutaler Rücksichtslosigkeit bekämpft hatte und die er noch über den Sieg hinaus mit seinem ganzen Haß verfolgte: den Grafen Robert von der Goltz, seinen politischen Gegenspieler in den für ihn besonders prekären Jahren unmittelbar nach 1862; und den Grafen Harry von Arnim, der ihm, wie er meinte, als Botschafter des Reiches in Paris nach 1872 seinen politischen Einfluß streitig zu machen versucht hatte. Die beiden standen stellvertretend für die fast traumatische Sorge, es könne jemand eines Tages einen ähnlichen Weg wie er selber gehen: sich zur Verkörperung einer mehr oder weniger vagen politischen Alternative aufbauen, das Ohr des Kaisers gewinnen und ihn, Bismarck, dann in einer politischen Krise beiseitedrängen. Vor allem die vieldiskutierte sogenannte Arnim-Affäre ist ein einziger Beleg dafür, wie sehr er stets von der Sorge vor einer solchen »Palastintrige« beherrscht war, von einer politischen Verschwörungsangst, die unübersehbar pathologische Züge trug. Bismarck hatte sich nicht damit begnügt, Arnim mit der dem Kaiser abgerungenen Versetzung, erst nach Konstantinopel, dann, in Reaktion auf eine Ungeschicklichkeit des Botschafters, in den Ruhestand, politisch weitgehend auszuschalten. Er hatte ihn schließlich mit Hilfe zweier dubioser Prozesse auch in seiner bürgerlichen Existenz vernichtet.

Vor diesem Hintergrund wird deutlich, was es heißt, wenn Bismarck in seinen Lebenserinnerungen, die Entwicklung der nächsten Jahre rückblickend einbeziehend, den neuernannten Innenminister Graf Botho Eulenburg wenigstens andeutungsweise in die Reihe der angeblichen politischen Verschwörungsversuche im Stil von der Goltz' und Arnims stellte. Es dokumentiert die nahezu irrationalen Elemente, die in den politischen Entscheidungen des Jahres 1878, vor allem in dem Entschluß zur Reichstagsauflösung, eine

Rolle spielten. Mit ihnen kam ein Moment des Destruktiven in das Ganze. Es dominierte das Bestreben, möglichen Konkurrenten ohne Rücksicht auf die Folgen für die eigene Politik vorsorglich die politische Basis zu zerstören. Auf diese Weise sollten Alternativen zu seiner Politik von vornherein ausgeschaltet werden.

In der besonderen, von stärksten Sorgen um seine politische Existenz bestimmten Situation des Frühsommers 1878 ist Bismarck zugleich der politischen Ausgangslage jener beiden Männer am nächsten gekommen, mit denen er hinsichtlich der politischen Taktik und des politischen »Systems« immer wieder verglichen worden ist. Sich unter der Devise »aut Caesar, aut nihil« zur einzigen realistischen Alternative zum politischen und sozialen Chaos zu stilisieren, war eines der Erfolgsrezepte der beiden Bonaparte, vor allem Napoleons III. gewesen. Ihm hatten sie den herrschaftserhaltenden politischen Zuzug all jener zu verdanken gehabt, die, aus unterschiedlichen Gründen und mit unterschiedlichen Perspektiven, an der Bewahrung der bestehenden Ordnung interessiert waren.

Bei der politischen Ausgangslage endet aber zugleich die Parallele. Denn im Unterschied zu den beiden Bonaparte ist Bismarck, was bei der Beurteilung der letzten Dekade seiner Amtszeit häufig übersehen wird, selbst ein anfänglicher Erfolg in dieser Richtung versagt geblieben. Und nicht nur das. Es mag sich zwar 1878 um so etwas wie eine bonapartistische Ausgangssituation gehandelt haben. Sie ist jedoch weder durch ein bewußtes Kalkül heraufgeführt noch dann entsprechend benutzt worden. Ja, es bestand dazu von der ganzen Konstellation her gar keine Chance. Denn zwischen dem angeblich drohenden Chaos und dem einen, der es zu bannen versprach, standen hier, anders als in Frankreich, eine solide etablierte, traditionelle Monarchie und ein sich eben wieder fester organisierendes konservatives Lager. Ihm fühlte sich auch die Armee geistig und sozial zugehörig.

Jene Kräfte erschienen als das natürliche Bollwerk gegenüber allen Bedrohungen von links. Bismarck konnte schwerlich hoffen, mit der bonapartistischen Parole jene politische Unabhängigkeit und Handlungsfreiheit zu gewinnen, auf die es ihm in erster Linie ankam. Vielmehr war in ihrem Zeichen ein Rechtsruck zu erwarten, der ihn in verstärkte Abhängigkeit von Kräften zu bringen drohte, die ihm nach allen Antezedentien mit erheblichem Mißtrauen begegneten.

Diese Gefahr hat Bismarck sehr wohl gesehen. Er hat daher, entgegen weitverbreiteter Meinung, auch gar nicht auf jene Parole gesetzt. Die Devise »Für ein Sozialistengesetz und für eine Reichsfinanzreform«, die er für den Reichstagswahlkampf ausgab, zielte im Gegenteil wieder eindeutig auf die Nationalliberalen und ihre Wählerschaft, suchte sie noch einmal für sich und seine Politik zu gewinnen. Denn die Kombination von repressiver Abgrenzung gegenüber der Linken, wirtschaftspolitischer Kurskorrektur und Stärkung der Reichsgewalt, die damit beschworen wurde, war zwar sicher nicht im Sinne der bisher tonangebenden Mehrheit der Partei. Sie bündelte jedoch Elemente eines möglichen Kompromisses innerhalb ihrer Anhängerschaft, indem sie geschickt auf spezielle Interessen und Zielvorstellungen einzelner Gruppen in ihr abhob. Gleichzeitig vermied sie Themen, die eine Spaltung oder den geschlossenen Widerstand der Gesamtpartei provoziert hätten.

Von all dem konnte im Hinblick auf die anderen Parteien nicht oder nur begrenzt die Rede sein. Bei der neuen konservativen Partei, in der immer noch das preußische Element eindeutig dominierte, stieß insbesondere die Forderung nach Stärkung der Reichszentralgewalt, trotz aller verbalen Bekenntnisse zu einem starken Reich, auf erheblichen, wenngleich nicht offenen Widerstand. Vor allem aber war die Wahlkampfparole kaum geeignet, das Zentrum zu einem auch nur begrenzten Kurswechsel zu veranlassen. Der anhaltende Widerstand gegen jede Ausnahmegesetzgebung war hier ebenso sicher wie die Ablehnung stärker zentralistischer Tendenzen. Auch ein kirchenpolitisches Entgegenkommen würde aller Wahrscheinlichkeit nach keinen grundsätzlichen Wandel herbeiführen. Darüber war sich Bismarck völlig im Klaren. »Die im Zentrum vereinten Kräfte«, schrieb er Mitte August 1878 an den bayerischen König, »fechten zwar jetzt unter päpstlicher Flagge, sind aber *an sich* staatsfeindlich, auch wenn die Flagge der Katholizität aufhörte, sie zu decken; ihr Zusammenhang mit der Fortschrittspartei und den Sozialisten auf der Basis der Feindschaft gegen den Staat ist von dem Kirchenstreit unabhängig.«

Auch von daher wird ganz deutlich, daß es Bismarck nach wie vor um die Wiederherstellung des informellen Bündnisses und der faktischen Zusammenarbeit zwischen Konservativen und Nationalliberalen ging, bei Erweiterung nach rechts und schärferer Abgrenzung nach links. Es werde, hieß es in einer an die Adresse der Behörden gerichteten Grundsatzerklärung zu den bevorstehenden Wahlen, »auf den Versuch ankommen, inwieweit die gemäßigten und an und für sich auf dem Boden staatserhaltender Bestrebungen stehenden Mitglieder [der nationalliberalen Partei], zunächst bei den Wahlen, sich zur festen Unterstützung der Regierungen, nicht bloß unter den Notwendigkeiten des Augenblicks, sondern auch zur dauernden Sicherung der staatlichen Autorität bekennen«. Das strategische Ziel blieb jenseits aller Einzelheiten die Erhaltung des die Exekutive begünstigenden Gleichgewichts zwischen den Kräften des Alten und des Neuen, zwischen den sie repräsentierenden beiderseitigen Eliten. Das zentrale Problem bestand darin, das ständig zunehmende Gewicht der einen Seite auszugleichen, zu neutralisieren und politisch zu reduzieren.

Insofern waren die Wahlen vom Sommer 1878 für Bismarck nach so vielen vergeblichen politischen Anläufen in der jüngsten Vergangenheit zunächst durchaus ein Erfolg; er habe »die Verstärkung nach rechts nicht so bedeutend erwartet«, meinte er selber. Daß sie im Zeichen eines großen außenpolitischen Prestigegewinns des Reiches und seines leitenden Staatsmannes stattfanden, kam ihm sicher zusätzlich zugute. Doch entscheidend waren die innenpolitischen Argumente, die Interessen und politischen wie sozialen Zielvorstellungen, die mit ihnen beschworen wurden. Sie führten dazu, daß die beiden konservativen Parteien achtundzwanzig Mandate und neun Prozent der Stimmen hinzugewannen. Demgegenüber büßten die Nationalliberalen neunundzwanzig Mandate ein, bei freilich erheblich geringeren prozentualen Stimmenverlusten. Auch die Fortschrittspartei ging nochmals um neun Sitze zurück. Die sogenannten Protestparteien, die »Reichsfeinde«, verharrten bei einigen Einbußen der Sozialdemokratie, die drei von ihren zwölf Mandaten verlor, auf ihrem bisherigen Stand. Damit bestand nun ein annäherndes parlamentarisches Gleichgewicht zwischen den Nationalliberalen und den beiden konservativen Parteien. Angesichts eines leichten Übergewichts der letzteren schien dieses sogar bei einem Zuzug der Linksliberalen nicht mehr gefährdet zu sein.

Beide Seiten, Konservative wie Nationalliberale, hatten jetzt, so Bismarcks Kalkül, die Wahl zwischen wechselseitiger Zusammenarbeit oder Selbstausschaltung durch faktische Lahmlegung des Parlaments. Dabei werde sich eine Zusammenarbeit nur über die Vermittlung einer Regierung anbahnen und vollziehen lassen, die an keine von ihnen direkt gebunden war und gleichsam zwischen und über ihnen stand. Nur sie werde angesichts der starken sachlichen und persönlichen Gegensätze zwischen beiden Gruppen in der Lage sein, einen Ausgleich herbeizuführen. »Die Übertragung der strengen parlamentarischen Traditionen Englands auf unsere Einrichtungen«, so hat er dieses Kalkül in einer Leitlinie für die offiziöse Presse Ende Mai 1878 nur leicht verbrämt formuliert, werde solange »unüberwindliche Schwierigkeiten haben, solange es bei uns keine Partei gibt, die ohne Koalition mit einer, ja mit mehreren anderen eine parlamentarische Majorität herzustellen imstande ist.«

Sein Kalkül schien zunächst einmal aufzugehen. Bereits während des Wahlkampfs hatten sich die meisten Mitglieder der neuen nationalliberalen Fraktion nicht nur auf die Zustimmung zu einem zweiten Sozialistengesetzentwurf festgelegt. Sie hatten auch ihre prinzipielle Bereitschaft zur Zusammenarbeit mit der Reichsregierung in finanzpolitischen Fragen und zu einer weiteren Stärkung der Reichszentralgewalt erklärt.

Von politischen Geschäften auf Gegenseitigkeit oder gar von einem erfolgversprechenden Druck auf die Regierung konnte nicht mehr die Rede sein. Es ging, vor allem in der als erstes anstehenden Frage eines sogenannten Sozialistengesetzes, bloß noch um einen einigermaßen geordneten Rückzug. Hierbei galt es, dem politischen Gegner und Konkurrenten nicht allzu große Blößen zu zeigen und gleichzeitig Zerreißproben der eigenen Partei über

Prinzipienfragen nach Möglichkeit zu vermeiden. Beides konnte freilich nur begrenzt gelingen. Es kündigte sich dabei vielmehr, ungeachtet des schließlich geschlossenen Votums der Fraktion, bereits das Ende ihrer Einheit und das der Partei als ganzer an.

Weder das Zentrum noch die Wortführer der Fortschrittspartei ließen es sich entgehen, der Fraktion, die sich eben noch als Speerspitze eines entschiedenen und prinzipientreuen Liberalismus und als die eigentliche politische Alternative präsentiert hatte, ihren »Umfall« vorzurechnen. Besonders Bennigsen, der Fraktionsführer, gab dabei die bevorzugte Zielscheibe ab. In seiner Rede vom Mai hatte er politische Taktik und Gesinnungstreue noch eindrucksvoll miteinander zu verbinden vermocht. Nun mußte er, in vielfach gequälten Wendungen, das Ja seiner Partei zu dem zweiten Entwurf begründen. »Wenn es das Genie eines Staatsmannes ist«, so höhnte Windthorst, »im Mai nein! und im Oktober ja! zu sagen, dann allerdings bekenne ich, daß die Leistung meines Landsmannes eine sehr staatsmännische gewesen ist.«

Stärker noch trafen die grundsätzlichen Argumente die Mehrheit der Fraktion. »Was heißt religiöse, was heißt politische Glaubensfreiheit?«, rief der Sprecher der Fortschrittspartei, Professor Hänel, ihr zu. »Meine Herren, es heißt«, dozierte er unter dem Beifall der Linken und unter betretenem Schweigen der Nationalliberalen, »daß die herrschende Gesellschaft und die herrschenden Staatsgewalten nicht berufen sind, ein Urteil darüber auszusprechen, ob eine bestimmte Lehre unsittlich, ob sie staatsuntergrabend, ob sie rechtlich verwerflich sei.«

Was nützte es da, daß es gerade der linke Flügel der Nationalliberalen war, der, unter Ausnützung der parlamentarischen Mehrheitsverhältnisse, eine Reihe von Präzisierungen, Entschärfungen und vor allem eine zeitliche Befristung des Gesetzes auf zweieinhalb Jahre durchsetzte. Das Ganze blieb eine mit dem Gedanken der prinzipiellen Rechtsgleichheit und der Idee des Rechtsstaates, also mit den Kernpunkten des liberalen Programms, unvereinbare Ausnahmegesetzgebung. Auch die angeblichen »gemeingefährlichen Bestrebungen der Sozialdemokratie«, von denen im Titel des Gesetzes die Rede war, vermochten das Element der Willkür schwerlich zu rechtfertigen, das hier gesetzlich etabliert wurde: Jeder, der im Verdacht stand, mit der Sozialdemokratie zu sympathisieren, sah sich erst einmal schutzlos dem Zugriff der Exekutive preisgegeben. Gleiches galt für entsprechende Vereine und Versammlungen, für die gesamte »einschlägige« Presse, ja, bei Verhängung des »kleinen Belagerungszustandes«, für ganze Bezirke. Die Berufungsmöglichkeit hingegen wurde an eine Stelle verlegt, von der ein schnelles und unmittelbar wirkungsvolles Eingreifen vor allem bei kleineren Konfliktfällen kaum zu erwarten stand. Zuständig war ein vom Bundesrat ernannter Ausschuß aus vier Bundesratsmitgliedern und fünf hohen Richtern unter einem vom Kaiser bestellten Vorsitzenden. Und das alles richtete sich gegen eine politische Gruppe, die sich, wie der nationalliberale Fraktionsführer noch im Mai betont hatte, »die Verbesserung der arbeitenden Bevölkerung in ihrer wirtschaftlichen Stellung«, »die Verfolgung von Maßregeln, welche der Massenverarmung entgegentreten«, kurz, die Erleichterung des Loses der Ärmsten der Armen zum Ziele gesetzt hatte – was auch immer sich gegen den Weg und die Methoden vorbringen ließ.

Wie problematisch die Vorlage war, wußte man im Lager der Nationalliberalen sehr wohl. Es sei dies, so erklärte der gewiß nicht zum linken Flügel zählende spätere Frankfurter Oberbürgermeister und nachmalige preußische Finanzminister Johannes Miquel in vertrautem Kreis, »das infamste Gesetz, ein Gesetz, das uns um dreißig Jahre zurückgeworfen hat«: »Wenn sich aber einer der Anwesenden darauf beruft, daß ich das gesagt habe, leugne ich es.« Man glaubte sich aus Gründen der Staatsräson, aber auch der Parteiräson über alle Bedenken hinwegsetzen zu müssen. Die Abstimmung vom 18. Oktober 1878 erbrachte schließlich mit zweihunderteinundzwanzig gegen einhundertneunundvierzig Stimmen einen geschlossenen Block aus Konservativen und Nationalliberalen. Letzten Endes aber ist die Partei daran zerbrochen. Denn sie zerstörte mit ihrem Votum das Fundament gemeinsamer Überzeugungen, auf dem ihr innerer Zusammenhalt beruhte.

Die Hoffnung Bismarcks und vieler aus dem Lager der Nationalliberalen, die entschiedene Abgrenzung nach links werde ihrerseits als integrierende Kraft wirken, erwies sich als ein Irrtum mit politisch weitreichenden Konsequenzen. Ohne die Zukunftsperspektive einer interessenübergreifenden politisch-sozialen Zielvorstellung konnte sich, bei allem Pragmatismus, die Partei in ihrer inneren und äußeren Einheit nicht behaupten. Dies vor allem deswegen nicht, weil sie nach wie vor im Vorhof der Macht stand und ihre Kompromisse nicht mit den Zwängen der Regierungsverantwortung begründen konnte. Johannes Miquel umschrieb zwar sehr genau die Erwartungen der Parteiführung, verfehlte jedoch die Realität der weiteren Entwicklung, wenn er Anfang September seinem nationalliberalen Parteifreund Heinrich Rickert gegenüber bemerkte: »Das Sozialistengesetz darf unter keinen Umständen Gegenstand des Streites [in der Fraktion] werden. Hierbei würde die liberalere Seite bei uns den kürzeren ziehen.« Es müsse »alles aufgeboten werden, um ein einstimmiges Votum der Partei herbeizuführen. Unsere Stellung zur Regierung wird sich bei den Steuer- und Finanzfragen richtig und nützlich bestimmen lassen.«

Von einem Geschäft auf Gegenseitigkeit – Überzeugung gegen Interesse zugunsten der Einheit und politischen Handlungsfähigkeit der Partei – konnte, wie sich sehr rasch zeigte, nicht die Rede sein. Nachdem der Rubikon hinsichtlich der bisherigen gemeinsamen Prinzipien und Überzeugungen endgültig überschritten war, vermochten sich vielmehr die unterschiedlichen Interessen völlig ungehemmt und zerstörerisch zu entfalten.

Es ist in der Nachfolge der damaligen liberalen Linken immer wieder behauptet worden, daß dies im letzten Bismarcks Ziel gewesen sei. Doch in Wirklichkeit war die Abstimmung über das Sozialistengesetz, wenn man so will, ein letzter Sieg des linken Flügels der Nationalliberalen über den Kanzler. Es war allerdings ein Sieg, der niemandem zugute kam und in seinen Konsequenzen ein politisches Trümmerfeld hinterließ. Bismarck hatte offenkundig gehofft, daß es über dieses Gesetz zu einer das Gros der Partei nicht tangierenden Abspaltung des linken Flügels um Lasker kommen werde; seine Scharfmacherei in dieser Phase, seine wiederholten Erklärungen, das Ganze gehe ihm nicht weit genug, das Gesetz sei schwächlich und kompromißlerisch, sprechen eine beredte Sprache. Statt dessen hatte sich der linke Flügel der Fraktionsdisziplin und den Überlegungen der Parteiräson gebeugt. Er hatte damit, wenngleich ungewollt, die Auseinandersetzung auf ein Feld verlagert, auf dem sich die Bruchlinien schließlich mitten durch die Partei und ihre Anhängerschaft zogen.

Daß sich nämlich auf dem Gebiet der »Steuer- und Finanzfragen«, die Stellung der Gesamtpartei zur Regierung »richtig und nützlich bestimmen lassen« werde, wie Miquel gemeint hatte, stellte sich schon bald als pure Illusion heraus. Vor die Wahl gestellt, zwischen abstrakten Grundsätzen und den konkreten Wünschen ihrer jeweiligen Anhängerschaft zu entscheiden, erwiesen sich das handfeste Interesse und der Druck der Interessenten bei den einzelnen Gruppen zunehmend als stärker. Und Bismarck tat alles, um diese Entwicklung zu unterstützen, indem er jene Interessen nun immer unverhohlener ins Spiel brachte.

Bereits am 17. Oktober 1878, einen Tag vor der endgültigen Verabschiedung des Sozialistengesetzes, war eine »Volkswirtschaftliche Vereinigung des Reichstags« erstmals an das Licht einer breiteren Öffentlichkeit getreten. Sie setzte sich ganz offen für Schutzzölle und mit ihnen für einen grundsätzlich anderen wirtschaftspolitischen Kurs ein, für eine Neubestimmung der Stellung und des Einflusses des Staates sowohl im wirtschaftlichen als auch im gesellschaftlichen Leben. Dieser Vereinigung gehörten von Anfang an neben fünfundsiebzig Konservativen und Freikonservativen und siebenundachtzig Zentrumsabgeordneten siebenundzwanzig Mitglieder der nationalliberalen Fraktion an, also mehr als ein Viertel ihrer Abgeordneten. Und es war mit einiger Sicherheit zu erwarten, daß sie noch weiteren Zuzug erhalten würde.

Für Bismarck bildete dies das Signal, jede Zurückhaltung definitiv aufzugeben und mit seinen wirtschafts- und finanzpolitischen Plänen nicht weiter hinter dem Berg zu halten: In einem offiziellen Schreiben an den Bundesrat vom 15. Dezember, dem sogenannten Weihnachtsbrief, gab er für den Kurswechsel endgültig grünes Licht. Von nun an war für ihn die Wirtschaftspolitik der vergangenen zwei Jahrzehnte nur noch die »freihändlerische Störung, welche in den sechziger Jahren die Tradition des Zollvereins betroffen« und, ein schlechterdings unhaltbarer Satz, den »Wohlstand der Nation geschädigt« habe.

Bei allem flexiblen Eingehen auf die neue Situation ist jedoch unübersehbar, daß durch den Vorgang sein gesamtes bisheriges Kalkül durchkreuzt worden war. Auf der einen Seite zeichneten sich nach einer langen Zeit der Stagnation und der inneren Lähmung nun zwar sachliche Fortschritte auf jenen Gebieten ab, die er als die eigentlich neuralgischen Punkte seiner Staatsschöpfung empfand. Außerdem deutete sich jetzt, stärker als bisher, mit dem Beitritt der überwiegenden Mehrheit der Zentrumsabgeordneten zu einer naturgemäß auf die Regierung angewiesenen überparteilichen Interessenvereinigung die Möglichkeit an, aus dem inzwischen mehr und mehr zu einer Art Graben- und Stellungskrieg erstarrten Kulturkampf herauszukommen. Auf der anderen Seite war jedoch nicht zu verkennen, daß die beiden tragenden Kräfte dieser Ad-hoc-Koalition, die Konservativen und vor allem das Zentrum, nach wie vor in erheblicher Distanz zur Regierung verharrten. Gleichzeitig war ein Prozeß der wechselseitigen Annäherung zwischen ihnen von der Basis der gemeinsamen konservativen Positionen aus und damit eine von der Regierung weitgehend unabhängige, mächtige Blockbildung auf der Rechten nicht auszuschließen – Bismarcks Alptraum seit 1871.

Es ist daher nicht nur seinem Bestreben zuzuschreiben, sich auf jeden Fall freie Hand zu bewahren, wenn er sich nur äußerst zögernd auf die neue Kombination einließ, die immerhin eine klare Mehrheit im Reichstag zumindest in den unmittelbar anstehenden wirtschafts- und finanzpolitischen Fragen versprach. Vielmehr dominierte bei ihm, dem Konservativen, neben der Sorge, in noch größere Abhängigkeit zu geraten, die Befürchtung, im Zeichen einer solchen Kombination werde schließlich alles erstarren. Im Unterschied zu vielen seiner Zeitgenossen, die erst jetzt konservativ geworden waren, hielt er an der Überzeugung fest, daß bloßes Festhalten am Status quo das Bestehende und die überlieferte Ordnung weit mehr in Gefahr bringen werde als jene Politik des begrenzten Entgegenkommens gegenüber dem Neuen und den Kräften der Veränderung, die er bisher in der Praxis und unter ständig zunehmender Kritik von rechts verfolgt hatte.

Der damals vierzigjährige Vortragende Rat im Auswärtigen Amt Friedrich Holstein, die spätere Graue Eminenz der deutschen Außenpolitik, erwies sich als ein scharfsichtiger Beobachter, wenn er als vorherrschenden Zug in der Haltung des Kanzlers wachsende Skepsis diagnostizierte. Was die Frage einer neuerlichen Reichstagsauflösung und eine weitere Polarisierung zwischen rechts und links auf Kosten der Nationalliberalen angehe, meinte Holstein Anfang 1879 zum Grafen Hatzfeldt, dem nachmaligen Staatssekretär des Auswärtigen Amts, so sei dies »eine Eventualität, der der Chef ohne Furcht, aber auch ohne Enthusiasmus entgegensieht, denn das nationalliberale Element ist für die Reichsidee schwer zu ersetzen«.

Man wird Bismarck nicht gerecht, wenn man ihn auch inhaltlich als den eigentlichen Urheber und Promotor der sich nun immer stärker durchsetzenden Tendenz zu einer unbedingten Status-quo-Politik darstellt. Diese Tendenz war von ihm weitgehend unabhängig. Sie resultierte aus einem sich ständig verschärfenden Krisenbewußtsein und drängte aus unterschiedlichsten Richtungen darauf, Dämme gegen die Kräfte der Veränderung und damit, wie man es nun mehr und mehr empfand, der Bedrohung und Zerstörung zu errichten. Ob sich ihr irgendein leitender Politiker auf Dauer erfolgreich hätte widersetzen können, sei dahingestellt. Die Realität der parlamentarischen Mehrheitsverhältnisse wird hierbei oft mit allzu leichter Hand beseite geschoben oder ohne zureichende Beweise als bloß manipuliert dargestellt. Jedenfalls wird man nicht sagen können, daß Bismarck in dieser Hinsicht die treibende Kraft gewesen sei. Er hat sich jener Tendenz nur bedient. Und sogar dies tat er, nicht zuletzt aus ganz konkreten, auf seine eigene Stellung bezogenen machtpolitischen Überlegungen, eher widerstrebend. Hatte er doch das dunkle Gefühl, politisch eine Sackgasse zu betreten, sowohl in der Sache als auch was die eigene Person anging.

Nur so wird verständlich, warum er sich mit solcher Erbitterung, mit solcher tiefe Wunden reißenden Leidenschaft einmal mehr in den Kampf mit dem linken Flügel der Nationalliberalen warf. Eine gewisse Rolle spielte nach wie vor die vage Hoffnung, das Gros der Partei vielleicht doch noch für sich gewinnen zu können. Vor allem aber machte sich hier die seit Jahren aufgestaute Empörung darüber Luft, daß die Gruppe um Lasker immer wieder seine ursprünglichen Absichten durchkreuzt hatte. Sie, so meinte er, hatte ihn auf einen höchst ungewissen, möglicherweise politisch ganz zukunftslosen Weg gedrängt.

Der Vorgang besiegelte in seinen Auswirkungen die innenpolitische Wende der Jahre 1878/79 in dramatischer Weise. Er hatte sich den ganzen Winter hindurch nach der Verabschiedung des Sozialistengesetzes und der damit scheinbar wiederhergestellten konservativ-nationalliberalen Zusammenarbeit vorbereitet. Laufend hatten in diesen Monaten Sondierungen stattgefunden, deren Ziel stets aufs neue, in der einen oder anderen Form, die nationalliberale Fraktion war. Dabei hatte sich immer deutlicher gezeigt, daß angesichts des Einflusses der Gruppe um Lasker und der Verteilung der Interessenstandpunkte innerhalb der Partei und Fraktion jener Bruch weit links von der Mitte nicht zu erwarten war, auf den Bismarck nach wie vor spekulierte. Zwar bemühte sich besonders Bennigsen in mehreren Anläufen auch jetzt noch um einen Kompromiß, von dem er hoffte, daß er die Mehrheit der Partei wieder mit der Regierung zusammenführen werde. Doch diese Kompromißversuche trugen in der politischen Grundtendenz, wie Bismarck klar sah, stets die Handschrift der Vertreter des linken Flügels. Bei manchem sachlichen Entgegenkommen in der Frage der Reichsfinanzreform liefen sie alle auf eine Stärkung des parlamentarischen Budgetrechts und somit auf eine verstärkte Abhängigkeit der Regierung von der Parlamentsmehrheit hinaus. Gerade sie jedoch wollte Bismarck unbedingt vermeiden. So war nicht nur das Scheitern sämtlicher Kompromißversuche von vornherein abzusehen. Es ließ sich auch schon relativ früh erkennen, daß es darüber endgültig zum Bruch kommen werde. Denn der Kanzler fühlte sich einmal mehr unter politischen Druck gesetzt. Das Zentrum, das mit dieser Frage nun in die politische Schlüsselstellung rückte, signalisierte nämlich sogleich, daß es zwar dem Paket aus Schutzzollvorlage und Reichsfinanzreform aus sachlichen Gründen zustimmen werde, aber keinesfalls daran denke, Bismarck und die von ihm geführte Reichszentralgewalt völlig aus der finanziellen Abhängigkeit von den Bundesstaaten zu befreien und dadurch seine Machtstellung noch zu vergrößern.

Einen letzten Versuch, eine Mehrheit der Nationalliberalen zu gewinnen, hatte der Kanzler Anfang Mai 1879 unternommen: in einer Rede, in der er den einen Monat zuvor vorgelegten »Gesetzentwurf, betreffend den Zolltarif des deutschen Zollgebietes«, die gesetzliche Grundlage des neuen wirtschaftspolitischen Kurses, vor dem Reichstag noch einmal eingehend begründete. Wie stets in der Vergangenheit betonte er auch diesmal in erster Linie das finanzpolitische Interesse der Regierung, die Notwendigkeit, das Reich auf eine neue, seinen wachsenden Aufgaben entsprechende Basis zu stellen. »Das Bedürfnis der finanziellen Selbständigkeit des Reiches«, sei das »erste Motiv« der Vorlage. Und hier könne er eigentlich keinen Gegensatz zu den Nationalliberalen entdecken. Zwar wolle er es nicht so scharf ausdrücken, aber in der Sache gebe er Miquel, dem finanzpolitischen Sprecher der Fraktion, durchaus recht, der bereits 1867 im konstituierenden Reichstag des Norddeutschen Bundes bemerkt habe, das System der Matrikularumlagen sei »gleichbedeutend mit der finanziellen Anarchie« in Deutschland. Das zweite, ebenfalls sehr gewichtige Motiv sei, fuhr er fort, das der Steuergerechtigkeit. Auch hier seien sich die meisten Experten mit Einschluß derer aus dem nationalliberalen Lager einig, daß eine solche Steuergerechtigkeit unter dem gegenwärtigen System nur sehr unzureichend verwirklicht sei. Sicher gebe es ganz unterschiedliche Meinungen, wie das zu ändern sei, und keine habe das Recht der unbedingten Wahrheit für sich. Er persönlich sei nach wie vor für das System der indirekten Steuern. Mit seiner Hilfe ließen sich seines Erachtens die vielfach zu unerträglicher Höhe angestiegenen direkten Steuern wohl am wirkungsvollsten herabdrücken – Steuern, die im übrigen damals nicht viel mehr als ein Fünftel dessen betrugen, was ein durchschnittlicher Steuerzahler heute aufzubringen hat.

Erst nach längeren Ausführungen über diesen Punkt, die in bewegten Klagen vor allem über die steuerlichen Belastungen der Landwirtschaft gipfelten, kam Bismarck zu der Frage, die die Öffentlichkeit seit Jahren wie kaum eine andere bewegte und die sie in zwei einander immer erbitterter bekämpfende Lager teilte: zu der Frage des außenwirtschaftlichen Kurswechsels. Sein ganzes Bestreben richtete sich dabei darauf, diese Frage herunterzuspielen und den Grundsatzstreit um Schutzzoll und Freihandel als eine realitätsferne Auseinandersetzung zwischen rechthaberischen Dogmatikern darzustellen. »Bisher«, so behauptete er kühn, vom gegenwärtigen Stand der Tarife und nicht von der seit Jahren vorherrschenden Tendenz ausgehend, »sind wir noch alle Schutzzöllner gewesen, auch die größten Freihändler, die unter uns sind, denn keiner hat bisher noch weiter heruntergehen wollen, als der heute zu Recht bestehende Tarif, und dieser Tarif ist noch immer ein mäßig schutzzöllnerischer, und mäßig schutzzöllnerisch«, fuhr er nach dem ironischen Beifall von links fort, der ausdrücken sollte, dann könne ja alles so bleiben wie bisher, »ist auch die Vorlage, die wir Ihnen machen. Einen mäßigen Schutz der einheimischen Arbeit verlangen wir«: »Es ist kein tendenziöser Schutztarif, den wir Ihnen vorschlagen, es ist kein prohibitiver, es ist nicht einmal die volle Rückkehr zu dem Maß von Schutzzoll, was wir im Jahr 1864 besaßen.«

Man müsse nur nüchtern Bilanz ziehen. Die große Freihandelsbewegung, an deren Spitze sich in den sechziger Jahren »der damals leitende Staat in Europa«, Frankreich, gestellt habe, sei, noch bevor sie sich in allen wichtigen europäischen Ländern, zum Beispiel in Österreich und Rußland, durchgesetzt habe, zum Stillstand gekommen. Sie sei inzwischen überall rückläufig. Lediglich England halte noch an dieser »Strömung für minderen Schutz« – vollständigen Freihandel habe es nirgends gegeben – fest: »Und das wird auch nicht lange dauern.«

In einer solchen Situation bestehe für jede deutsche Regierung, gleich welcher politischen Couleur, die Verantwortung zum Handeln. Das in der Mitte Europas zwischen Schutzzolländern gelegene Deutschland sei wirtschaftlich, »seitdem wir unsere Tarife zu tief heruntergesetzt haben – eine Schuld, von der ich... mich nicht eximiere –, in einem Verblutungsprozeß begriffen, der durch die verrufene Milliardenzahlung [der französischen Kriegsentschädigung] um ein paar Jahre aufgehalten ist, der ohne diese Milliarden aber wahrscheinlich schon vor fünf Jahren so weit gekommen wäre wie heute«. »Deshalb«, so schloß er geradezu beschwörend, »möchte ich bitten, jede persönliche Empfindlichkeit in diesen Fragen aus dem Spiel zu lassen, und ebenso die politische Seite; die Frage, die vorliegt, ist keine politische, sondern eine rein wirtschaftliche Frage. Wir wollen sehen, wie wir dem deutschen Körper wieder Blut, wie wir ihm die Kraft der regelmäßigen Zirkulation des Blutes wieder zuführen können, aber meine dringende Bitte geht dahin, alle Fragen der politischen Parteien, alle Fragen der Fraktionstaktik von dieser allgemein deutschen reinen Interessenfrage fern zu halten.«

Auch dieser letzte, eindringlich formulierte Appell an die Adresse der

Nationalliberalen, die für jedermann erkennbar in erster Linie gemeint waren, brachte jedoch nichts ein. Der Führer ihres linken Flügels, Eduard Lasker, nahm vielmehr gerade diese Rede zum Anlaß, Bismarck den Vorwurf extremer Scheinheiligkeit und des fahrlässigen Umgangs mit der Wahrheit zu machen. Der Kanzler trete, so Lasker kaum verhüllt, als Vertreter des Ganzen auf und beschwöre den Geist der Gemeinsamkeit. In Wirklichkeit lasse er sich von einem ganz einseitigen Interessentenstandpunkt leiten, der beileibe nicht den Interessen der Nation und der Wirtschaft als ganzer entspreche. Denn der Entwurf diene in erster Linie den wirtschaftlichen und sozialen Interessen der ostelbischen Agrarier und daneben höchstens noch einigen Bereichen der Schwerindustrie. Alles andere sei Verbrämung und bewußte Irreführung.

Das war die offene Kriegserklärung. Bismarck nahm sie mit der ganzen Leidenschaft dessen an, der sich endgültig in allen seinen Erwartungen und Berechnungen getäuscht sah. Dabei ging es natürlich nicht um Einzelheiten, auch wenn er auf die Widerlegung von Detailvorwürfen Laskers vergleichsweise viel Zeit aufwandte und sie immer wieder zu bewußt verletzenden Randbemerkungen und Seitenhieben benutzte. Und es ging auch nicht so sehr um die Frage des Ausmaßes der angeblichen Begünstigung der Landwirtschaft. Der eigentliche Punkt war für den Kanzler Laskers These, es handele sich bei der Vorlage um die bewußte Wiedereröffnung eines politischen Krieges, »von dem wir geglaubt haben, daß wir glücklicherweise in Preußen ihn schon geschlossen haben«, jenes »prinzipiellen Krieg(es) zwischen der Landwirtschaft auf der einen Seite und der Industrie und den Städten auf der anderen Seite«.

Bismarck habe, so hieß das, den historischen Kompromiß zwischen Adel und Bürgertum, zwischen den alten und den neuen Führungsschichten in Politik und Gesellschaft nach 1866, der zugleich die Grundlage des neuen Deutschen Reiches geworden sei, von sich aus aufgekündigt. Damit aber sei das gesamte Bürgertum aufgerufen, sich, unter Hintanstellung divergierender Interessen, zusammenzuschließen. Es müsse gemeinsam um das kämpfen, was, bei aller Unvollkommenheit im einzelnen, aus dem Kompromiß an Fortschritten und neuer Ordnung hervorgegangen sei.

Der Aufruf zu gemeinsamer Verteidigung des mittlerweile Erreichten gegen einen neuerlichen Angriff von rechts, von seiten der alten Verfassungskonfliktpartei, war freilich zugleich ein Signal zum Angriff. Und im Unterschied zu manchem rückblickenden Historiker, der die Dinge vorwiegend vom Ausgang her zu sehen geneigt war, hat Bismarck jenes Signal durchaus ernstgenommen. Denn er wußte sehr gut, daß die Gewichte in Wirtschaft und Gesellschaft inzwischen so verteilt waren, daß, verfing die Parole, ein Regieren gegen die sie repräsentierende Mehrheit unmöglich sein werde. Diese, so war er illusionslos überzeugt, werde dann ihrerseits über kurz oder lang die volle politische Macht übernehmen.

Bismarck setzte daher in seiner Antwortrede vom 8. Mai 1879, die vielleicht den entscheidendsten Einschnitt in der inneren Entwicklung des Reiches während seiner Kanzlerschaft markiert, sein ganzes politisches und demagogisches Geschick daran, dieser Parole ihre mögliche Wirkung zu nehmen und die dahinter stehende These von der Preisgabe des Kompromisses von 1866/67 zu entkräften. Zur Rettung seiner eigenen politischen Basis scheute er sich nicht, anstelle der von Lasker betonten Gegensätze zwischen der ostelbischen Landwirtschaft und dem sie politisch repräsentierenden Junkertum auf der einen, dem Bürgertum und den »Städten«, sprich der neuen Gesellschaft, auf der anderen Seite, einen anderen Gegensatz in bedenklichster Weise zu akzentuieren: den zwischen Besitzenden und Besitzlosen schlechthin. Wenn ihm Lasker unterstelle, er betreibe »die Finanzpolitik eines Besitzers«, so könne er »dem Herrn Abgeordneten Lasker ebenso gut sagen, er treibt die Finanzpolitik eines Besitzlosen: Er gehört zu denjenigen Herren, die ja bei der Herstellung unserer Gesetze in allen Stadien der Gesetzmachung die Majorität bilden, von denen die Schrift sagt: Sie säen nicht, sie ernten nicht, sie weben nicht, und doch sind sie gekleidet.«

Das eine Argument ist das andere wert, und beide sind nicht wirklich ernst zu nehmen, so hieß das vordergründig betrachtet. Bismarck ließ es jedoch nicht bei dem einen Satz bewenden. Er beharrte vielmehr mit Nachdruck auf diesem Punkt. Dabei suchte er den Vorwurf der spezifisch agrarischen Interessenbindung als einen durchsichtigen Spaltungsversuch herunterzuspielen. Unverhohlen appellierte er an die sozialen Ängste derjenigen, die sich durch die wirtschaftliche und die gesellschaftliche Entwicklung der vergangenen Jahre zunehmend bedroht fühlten. Hier gehe es, so der Grundtenor seiner Ausführungen, nicht so sehr um die im einzelnen sicher unterschiedlichen Interessenstandpunkte von Landwirtschaft, Handel und Industrie. Es gehe um die gewaltige Interessendivergenz zwischen Besitzenden und Besitzlosen. Und wer sich nichts vormache, könne schwerlich übersehen, wer dabei für wen spreche, von wem die größere Standfestigkeit bei der Verteidigung der bestehenden Eigentumsordnung zu erwarten sei. Von den »Herren, die unsere Sonne nicht wärmt, die unser Regen nicht naß macht, wenn sie nicht zufällig ohne Regenschirm ausgegangen sind, die die Mehrheit bei uns in der Gesetzgebung bilden, die weder Industrie, noch Landwirtschaft, noch ein Gewerbe treiben, es sei denn, daß sie sich damit vollständig beschäftigt fühlen, das Volk nach verschiedenen Richtungen hin zu vertreten, und daß sie das das ganze Jahr lang tun«, wohl kaum. Sie verlören im Gegenteil »leicht den Blick und das Mitgefühl für diejenigen Interessen, die ein Minister, der auch Besitz hat, also auch zu der misera contribuens plebs gehört, der auch regiert *wird* und fühlt, wie die Gesetze dem Regierten tun«, stets vor Augen habe. Das dahin umzudeuten, dieser Minister betreibe »hier die Finanzpolitik des Besitzenden vielleicht im eigenen Interesse«, sei infam und reine Demagogie.

Im Unterschied zu vielen Volksvertretern, so hieß das im Klartext, habe er, der Kanzler, für die Interessen der Wirtschaft in allen ihren Bereichen stets ein offenes Ohr. Niemand solle sich durch Parolen über einen angeblich von ihm eröffneten »Krieg zwischen ›Landwirtschaft und Industrie‹« täuschen lassen: »Daß der besteht, ist hoffentlich nicht mehr wahr, ich hoffe, beide sehen endlich ein, daß es ihr Interesse ist, zusammenzugehen.« Zusammenzugehen, um, wie er noch einmal beschwörend an die Adresse der Nationalliberalen formulierte, das einst gemeinsam von Vertretern von »Land und Stadt« begonnene Werk fortzuführen. Zu dessen Grundtendenzen stehe er nach wie vor: »Der Kampf, den ich nicht eröffnet habe, aber in dem ich seit Jahren mitkämpfe, so viel ich kann, so viel mir meine Geschäfte und... so viel mir Krankheit, Krankheit, die ich im Dienst erworben habe, dazu Zeit läßt, ist der Kampf für Reformen!«

Das war sein altes Konzept des historischen Kompromisses zwischen alten und neuen Führungsschichten. Aber es nahm nun im Zeichen der politischen Herausforderung durch die liberale Linke, im Zeichen ihres Programms einer bürgerlichen Sammlung gegen die agrarisch-konservativen Kräfte immer schroffere, ja, geradezu klassenkämpferische Züge an. An die Stelle der Idee des Ausgleichs zwischen Altem und Neuem, der Versöhnung der Gegensätze und des vernünftigen Fortschritts setzte es die der gemeinsamen Verteidigung gegenüber den mehr und mehr als bedrohlich empfundenen Kräften der Veränderung. Es wurde zu einem Bollwerk gegenüber dem Prozeß des wirtschaftlichen, sozialen und politischen Wandels erklärt, gegenüber dem angeblich drohenden Ansturm der besitzlosen Massen. Damit aber vermochte es zumindest den linken Flügel der nationalliberalen Partei nicht mehr zu integrieren. Dessen Vertreter hatten sich zwar 1866/67 zu einem Ausgleich und Kompromiß mit den Kräften des Bestehenden entschlossen, um die Entwicklung von einer breiteren Basis aus voranzubringen, sie waren aber nicht bereit, sich in eine unbedingte Abwehrfront gegenüber allem Neuen einzufügen zu lassen.

Der Bruch war nun endgültig unvermeidlich geworden. Er vollzog sich so dramatisch, wie es dem Gewicht und der Bedeutung der beiderseits beschworenen grundsätzlichen politischen Alternativen angemessen war. Zehn Tage nach der großen Auseinandersetzung zwischen Bismarck und Lasker im Reichstag nahm der Reichstagspräsident und neue Berliner Oberbürgermeister Max von Forckenbeck, ein enger Gesinnungsgenosse Laskers, ein Festbankett des in der Hauptstadt tagenden Städtetags zum Anlaß, um noch einmal in aller Öffentlichkeit gegen die politischen und sozialen Zielvorstellungen zu protestieren, die hinter den Finanzvorlagen stünden. Wie Lasker rief er das »freie, tatkräftige Bürgertum« in seiner Gesamtheit »auf die Schanzen«. Zwei Tage später, am 20. Mai, trat er demonstrativ von seinem Amt als Reichstagspräsident zurück. Seinem Beispiel folgte wenig später der erste Vizepräsident, der Freiherr von Stauffenberg, ebenfalls ein enger Mitstreiter Laskers. Die Wahl der beiden Nachfolger dokumentierte dann bereits die neue politische Kombination. Neuer Reichstagspräsident wurde der Deutschkonservative Otto Theodor von Seydewitz, erster Vizepräsident der bayerische Zentrumsabgeordnete Georg Freiherr von Franckenstein – einen Tag nach Bismarcks erster großer Rede, am 3. Mai, waren die führenden Zentrumsabgeordneten erstmals seit langem wieder auf einer der vom Kanzler regelmäßig veranstalteten »parlamentarischen Soireen« erschienen, wobei es zu einem vielbeachteten Vier-Augen-Gespräch zwischen Bismarck und Windthorst gekommen war.

Mit dem Namen des Freiherrn von Franckenstein verband sich wenig später der handfeste Beleg dafür, daß es, wie Lasker und seine Gesinnungsfreunde wiederholt betont hatten, Bismarck bei der Finanzvorlage in Wahrheit nicht bloß um die Stärkung des Reiches ging, die er als Motiv stets in den Vordergrund gerückt hatte. Das Zentrum machte in einem von Franckenstein eingebrachten Antrag seine Zustimmung nämlich davon abhängig, daß das Reich künftig alle Einnahmen aus der Tabaksteuer und den Zöllen, die einen Betrag von einhundertunddreißig Millionen überstiegen, an die Bundesstaaten abführe. Das Reich sollte sich also auch finanzpolitisch weiterhin an die Bundesstaaten binden – der fragliche Betrag deckte nicht einmal die gegenwärtigen Bedürfnisse, von den Kosten für den angestrebten Ausbau der Reichsinstitutionen ganz zu schweigen.

Die sogenannte Franckensteinsche Klausel führte die Reichsfinanzreform in ihren von Bismarck beschworenen sachlichen Zielen praktisch ad absurdum. Das gab dem noch immer um einen Kompromiß bemühten nationalliberalen Fraktionsführer Rudolf von Bennigsen und den ihn unterstützenden Kräften scheinbar noch einmal eine Chance. Doch gerade in den Verhandlungen hierüber zeigte sich mit aller Deutlichkeit, daß Bismarck nicht mehr bereit war, sich von dieser Seite Bedingungen stellen zu lassen. Er verwarf Bennigsens Angebot, die Mehrheit der Fraktion könne sich mit der Vorlage einverstanden erklären, wenn die Regierung ihrerseits zusätzliche »konstitutionelle Garantien« gebe, wenn sie den Kaffeezoll und die Salzsteuer wenigstens formal im Reichshaushaltsgesetz der jährlichen Verfügung des Reichstags unterstelle. Eine solche, wenngleich nur sehr geringfügige Stärkung des Budgetrechts des Reichstags schien ihm politisch nun offenkundig bedenklicher zu sein als ein Fortbestehen der finanziellen Abhängigkeit von den Bundesstaaten und die sich abzeichnende parlamentarische Schlüsselstellung des Zentrums.

Beides war sicher ärgerlich, verlangte immer kompliziertere Schachzüge und ein politisches Von-der-Hand-in-den-Mund-Leben. Es bedrohte jedoch, so Bismarcks Prognose, die Macht und Unabhängigkeit der Regierung nicht in der Weise, wie das zu erwarten stand, wenn sich die Politik einer bürgerlichen

Sammlungsbewegung im Sinne Laskers mit dem Kronprinzen im Hintergrund durchsetzte. Hinzu kam, daß ein Zusammengehen mit dem Zentrum, zumal nach dem Papstwechsel in Rom, erstmals einen Verständigungsfrieden in dem inzwischen gleichsam zum Grabenkrieg erstarrten Kulturkampf in den Bereich des Möglichen rückte. Das war freilich nicht das vorrangige Motiv der von Bismarck vollzogenen politischen Grundentscheidung. Das Hauptmotiv blieb die Sicherung der eigenen Macht und der Macht der von ihm geführten Regierung.

Sicherung und möglicher Ausbau der einmal errungenen Macht waren auch in all den Jahren zuvor die zentralen Antriebe seiner Politik gewesen. Das reine Machtkalkül besaß immer mehr oder weniger unbedingten Vorrang, hatte gleichsam das politische Grundmuster seines Handelns gebildet. Aber in sein Machtkalkül war bisher stets eine politische Grundtendenz eingegangen, die ihm zu weitergreifender geschichtlicher Wirkung verhalf. Sie überwölbte die ihm eigene Banalität, ja, wenn man so will, historische Belanglosigkeit: Mit seinem individuellen Erfolg hatte sich eine überindividuelle politisch-soziale Bewegung, hatten sich in Wirtschaft und Gesellschaft Kräfte durchgesetzt, durch die deren Struktur von Grund auf verändert wurde. Indem Bismarck Elemente des Alten und des Neuen, die Führungsschichten und große Teile der Anhängerschaft beider Lager zusammengeführt hatte, war er zum Schöpfer nicht nur des deutschen Nationalstaates, sondern auch und vor allem der Grundlagen der modernen Industriegesellschaft in diesem Raum geworden.

Beabsichtigt hatte er höchstens das erste. Und auch hier hat ihn erst der Gang der Entwicklung zu der konkreten Form geführt, die dieser Staat schließlich annahm und die seinen Charakter entscheidend bestimmte. Doch das mindert nicht die geschichtliche Bedeutung, die Bismarck dadurch erlangte. Nun aber führte ihn das gleiche Machtkalkül auf eine Bahn, die, in größerer Perspektive betrachtet, nur Stillstand und letztlich ohnmächtige Hemmung des historischen Prozesses bedeutete und ihn über kurz oder lang zum Scheitern verurteilte.

Bismarck hat dafür durchaus eine Vorahnung gehabt. Er war keineswegs der Meinung, gleichsam einen Schritt ins Freie getan, sich und der Nation auf diese Weise ganz neue Möglichkeiten eröffnet zu haben. Er wählte, wie er es empfand, lediglich zwischen zwei Übeln. Wenn er die Option dann doch entschlossen zugunsten des einen Weges vollzog, so nicht, weil er überzeugt gewesen wäre, daß dies der Weg des kleineren Übels sei. Er beschritt ihn, weil ihm der andere, der sachlich wohl zukunftsreichere, mit dem bislang seine ganze politische Karriere verknüpft war, persönlich keine wirkliche Chance mehr zu lassen schien.

Die Zeit eines in einer einmaligen historischen Konstellation begründeten faktischen politischen Machtverzichts starker gesellschaftlicher Kräfte zugunsten einer Exekutive, die wesentliche ihrer Ziele verwirklichte, näherte sich ihrem Ende. Zwar blies diesen Kräften im Zeichen des wirtschaftlichen Stillstands und vielfach brüchig gewordener Zukunftserwartungen im Augenblick der Wind ins Gesicht. Doch ihre Basis war stärker als je zuvor, und ein neuerlicher Umschlag ließ sich auf Dauer absehen. Dann aber wurde der Vermittler zwischen den politischen und gesellschaftlichen Fronten, der Mann des Gleichgewichts zwischen ihnen, überflüssig. Dann stand die Sache zur Entscheidung wie in England Jahrzehnte früher, zur Zeit Peels und der Corn Laws. Dann bedurfte es der entschiedenen Parteigänger des einen oder des anderen Wegs, des Festhaltens an der alten Ordnung beziehungsweise an dem, was von ihr noch vorhanden war, oder aber des entschlossenen Übergangs zu der neuen, der bürgerlich-industriellen Ordnung nun auch auf politischem Gebiet.

Solcher Einsicht hat sich Bismarck nüchtern gebeugt. Wohl war ihm dabei jedoch nicht. Sie bedeutete nicht nur den Abschied von seiner ganzen bisherigen Politik. Sie drohte ihn auch in Bindungen zurückzuzwingen, von denen ihn jene einst befreit hatte. So hat er in den folgenden Jahren wiederholt versucht, zu rochieren und sich parlamentarisch-parteipolitische Alternativen aufzubauen. Aber wirklich erfolgreich sind solche Bemühungen nicht gewesen. Seine innere Politik blieb von nun an bis zu seinem Sturz, ungeachtet der mit ihr verknüpften sachlichen Fortschritte insbesondere auf sozialpolitischem Gebiet, immer wieder stecken. Sie war durch eine Serie vergeblicher Anläufe charakterisiert, die alte politische Handlungsfreiheit wiederzugewinnen. Natürlich kann man diesen Stillstand als erfolgreiche Selbstbehauptung der Kräfte des Alten darstellen. Aber die Meinung Bismarcks, der stets ein Mann der politischen Vorwärtsverteidigung gewesen war, war dies jedenfalls nicht. Er verfolgte im Gegenteil nunmehr den Gang der Dinge mit steigender Skepsis und wachsendem Pessimismus.

Dazu bot ihm bereits die Entwicklung unmittelbar nach der endgültigen Entscheidung zugunsten des Zentrums und gegen die Kooperationsbedingungen der Nationalliberalen hinreichenden Anlaß. Jene Entscheidung wurde allgemein als eine negative Option empfunden, als eine politische Absage an die Nationalliberalen und ihre Zielvorstellungen. So wirkte sie wesentlich nur desintegrierend, schuf keine neue politische Basis und keine neuen politischen Loyalitäten. Vor allem die Vertreter des Zentrums sahen in dem Entgegenkommen des Kanzlers nur den Wunsch am Werk, den bisherigen politischen Partner auszumanövrieren. Sie blieben demgemäß weiterhin auf größter Distanz. Selbst der Rücktritt ihres politischen Erzfeindes, des Kultusministers Adalbert Falk, am 29. Juni 1879 erschien, obwohl hier wie bei der sogenannten Hofpredigerpartei und der Mehrzahl der protestantischen Konservativen in der Sache als Sieg empfunden und gefeiert, als bloße Konsequenz des politischen Kampfes gegen den Liberalismus und nicht als ein Zugeständnis oder gar als Angebot einer neuen Politik.

Zu solcher Einschätzung trug erheblich bei, daß gemeinsam mit Falk zwei andere preußische Minister, der Finanzminister Hobrecht und der Landwirtschaftsminister Friedenthal, zurücktraten. Die Rücktritte verstärkten den Anschein eines Machtkampfes, bei dem beide Seiten lediglich Hilfstruppen und nicht neue Partner suchten. Dieser Eindruck wurde noch dadurch unterstrichen, daß alle drei Minister, wie das schon bei dem Revirement im Frühjahr 1878 der Fall gewesen war, durch Männer ersetzt wurden, deren Name nicht von vornherein für eine neue politische Kombination und für ein entsprechendes Programm stand: Falk durch den konservativen Abgeordneten und bisherigen schlesischen Oberpräsidenten Robert von Puttkamer, Friedenthal durch den freikonservativen Abgeordneten Robert Lucius und Hobrecht durch den bisherigen Unterstaatssekretär im preußischen Innenministerium und vormaligen Düsseldorfer Regierungspräsidenten Karl Hermann Bitter, einen Bruder des Chefs der »Seehandlung«, der preußischen Staatsbank.

Bismarck tat seinerseits vorerst so gut wie nichts, um diesen Eindruck zu zerstreuen. Er sah sich einmal mehr im Mittelpunkt »einer weit angelegten Intrige«, einem »Pronunciamiento«, mit dem Ziel, »ihn durch einen allgemeinen Ministerstreik in tödliche Verlegenheit zu bringen«. Der Rücktritt der Minister, schrieb er Anfang Juli an den Kaiser, schaffe die gleiche Situation, »als wenn in einem kritischen Momente einer Schlacht die Generäle plötzlich zum Feinde übergehen und ihre Kameraden im Stich lassen«. Deshalb war es ihm erst einmal darum zu tun, wieder sichtbar Herr im eigenen Haus zu werden und sich im übrigen möglichst viele Wege offenzuhalten. Das mit Spannung erwartete erste öffentliche Auftreten nach der Ministerkrise in Preußen benutzte er im wesentlichen nur zu einer Art Generalabrechnung mit den Liberalen. Er faßte dabei seine Gesamteinschätzung der Situation und der bisherigen Entwicklung noch einmal in teilweise sehr grundsätzlichen Formulierungen zusammen.

Er habe sich, so betonte er am 9. Juli 1879 vor dem Reichstag, zu einem Eingehen auf die sogenannte Franckensteinsche Klausel »erst entschlossen«, und zwar definitiv erst wenige Tage zuvor, »nachdem ich in einer Gesamtprüfung der Wege, welche die Herren, die heute in der Opposition sind, gehen, mich überzeugt habe, daß sie Wege eingeschlagen haben, die ich niemals gehen kann und die die verbündeten Regierungen nicht gehen können«. Dahinter stünden Bestrebungen, fuhr er unter wachsender Unruhe von links fort, »mit denen kann das Reich nicht bestehen«. Sie seien »Untergrabungen des Reichsbestandes gerade so gut, wie die sozialdemokratischen Untergrabungen, die wir durch das Gesetz vom Herbst bekämpfen wollen« – »mindestens« seien sie, wie er in Reaktion auf die inzwischen zu einem Sturm angeschwollenen Proteste von links etwas abschwächte, »die Vorbereitungen dazu«.

Nach diesem Paukenschlag, in dem noch einmal seine ganz Erbitterung über den linken Flügel der Nationalliberalen zum Ausdruck kam, rechnete er der Partei zunächst einmal den Widerspruch vor, der zwischen ihrem machtpolitischen Anspruch und der machtpolitischen Realität, sprich ihrer parlamentarischen und parteipolitischen Stärke, bestand. »Wenn es«, behauptete er, »eine Fraktion bei uns gäbe, die an sich eine geborene Majorität hätte und die von mir nicht verlangt, daß der Tropfen des demokratischen Öls, den ein bekanntes Wort für die Salbung des Deutschen Kaisers verlangte, gerade ein Eimer werden soll, dann würde ich einer solchen Partei ganz andere Rechte in bezug auf die Beeinflussung der Regierung einräumen können, als jetzt einer Partei, die, wenn sie hoch kommt und wenn sie abgeschlossen einig ist, was doch zu den Seltenheiten gehört, immer nur ein Viertel von der ganzen Versammlung kaum erreicht.« So aber könne er den Vertretern der Nationalliberalen nur »größere Bescheidenheit für die Zukunft anraten« und ihnen darüber hinaus empfehlen, nicht auf die Parole einer angeblich drohenden Reaktion zu setzen. Sie liefen damit Gefahr, »auf diese Weise vielleicht den Teufel an die Wand zu malen«: »Durch das Verdächtigen der Reaktion, durch das Anschuldigen können Sie unter Umständen einen Minister, der schüchterner ist, als ich bin, veranlassen, daß er gerade, um sich der Feindschaft zu erwehren, in die ihn der Verdacht der Reaktion bringt, bewußt oder unbewußt zu den Mitteln der Reaktion greift und Anlehnung da sucht, wo er für den Augenblick weniger Feindschaft findet.«

Das mochte wie eine exakte, wenngleich einseitig interpretierende Beschreibung der gegenwärtigen Situation und zugleich als eine indirekte Drohung erscheinen, er könne bei weiterer Opposition auch noch ganz anders. Er fügte jedoch sogleich hinzu: »In der Lage bin ich nicht.« Und nicht nur das. Er ging sofort noch einen Schritt weiter und rechtfertigte sein Verhalten und seine Entscheidungen in den letzten anderthalb Jahren in einer Weise, die fast wieder auf ein Werben um eine nationalliberale Mehrheit hinauslief.

Die nationalliberale Fraktion, speziell ihr linker Flügel, habe ihn politisch überwältigen wollen – das sei der Ausgangspunkt von allem gewesen. »Eine Fraktion kann sehr wohl die Regierung unterstützen und dafür einen Einfluß auf sie gewinnen, aber wenn sie die Regierung regieren will, dann zwingt sie die Regierung, ihrerseits dagegen zu reagieren.« Dabei gehe es dann Zug um Zug und nicht immer nach Wunsch und ursprünglicher Absicht des Reagierenden: »Es ist das in der Politik immer so, als wenn man mit unbekannten Leuten, deren nächste Handlungen man nicht kennt, in einem unbekannten Lande geht; wenn der eine seine Hand in die Tasche steckt, so zieht der andere seinen Revolver schon, und wenn der andere abzieht, so schießt der erste, und da kann man sich nicht erst fragen, ob die Voraussetzungen des Preußischen Landrechts über die Notwehr zutreffen, und da das Preußische Landrecht in der Politik nicht gilt, so ist man alternativ sehr, sehr rasch zur aggressiven

Verteidigung bereit. Ich habe mich, wenn auch nicht angegriffen, doch verlassen und isoliert gefühlt, ich habe das noch mehr gefühlt bei der ersten sozialdemokratischen Vorlage, und ich habe damals gehofft, daß bei einer Aussonderung die disparaten Elemente, die in einer großen und *nominell* die Regierung unterstützenden Fraktion vereinigt waren, sich sondern würden. Es ist das nicht gelungen, und solange das nicht gelingt«, fuhr er programmatisch fort, »werden Sie jede Regierung, namentlich aber die verbündeten Regierungen immer vorsichtig in ihrer Anlehnung finden und nicht so vertrauensvoll, als dies früher der Fall gewesen ist.«

Mit diesem »früher« beschwor er nicht nur in harmonisierender Form noch einmal die nun mehr als zwölfjährige Zusammenarbeit mit den Nationalliberalen. Er benutzte den Hinweis vor allem als Stichwort, um unter dem besonderen Aspekt seines Verhältnisses zu der »Reichsgründungspartei« eine Art Bilanz seiner gesamten bisherigen Innenpolitik zu ziehen und deren Leitlinien hervorzuheben. Bei aller zielbewußten Selbststilisierung und genau berechneten Idealisierung seiner Ziele und Absichten ging er in der Offenlegung entscheidender Grundlagen dieser Politik, seiner politischen Grundeinstellungen und seiner Strategie dabei sehr weit, weiter möglicherweise, als es seine Absicht gewesen war, und weiter jedenfalls als je an vergleichbarer Stelle.

»Ich habe«, begann er, »seit ich Minister bin, nie einer Fraktion angehört auch nicht angehören können, ich bin sukzessiv von allen gehaßt, von einigen geliebt worden. Es ist das à tour de rôle herumgegangen.« Zunächst habe fast alles gegen ihn gestanden, vor allem das gesamte Bürgertum und alle Kräfte des Neuen. »Ich habe mich dadurch nicht beirren lassen und habe auch nie versucht, mich dafür zu rächen.« Sein »Leitstern« sei von Anfang an gewesen: »Durch welche Mittel und auf welchem Wege kann ich Deutschland zu einer Einigung bringen und, soweit dies erreicht ist, wie kann ich diese Einigung befestigen, fördern und so gestalten, daß sie aus freiem Willen aller Mitwirkenden dauernd erhalten wird.« Stelle man sich dies vor Augen, so würden alle scheinbar überraschenden Wendungen und angeblichen Frontwechsel verständlich, insbesondere auch die vieldiskutierte Entwicklung nach 1866. »Als wir aus dem Kriege 1866 zurückkamen, wäre es ja für mich in der Stellung, die ich damals, im kleineren Kreise einflußreicher wie heute, einnahm, sehr leicht gewesen, ja ich habe sogar mit Mühe mich dessen zu erwehren gehabt, zu sagen: Jetzt ist Preußen größer geworden, die Verfassung ist dafür nicht berechnet, wir müssen sie neu vereinbaren, kurz, die kühnste und einschneidendste Reaktionspolitik, mit dem Erfolg, der noch von Königgrätz an den Dingen klebte, mit vollen Segeln zu treiben. Sie wissen, daß ich das Gegenteil getan habe, und daß ich mir dadurch zuerst die Abneigung eines großen Teils meiner älteren politischen Freunde zugezogen habe.«

Sein Motiv sei dabei nicht »Liebe zum konstitutionellen System« an sich gewesen; er wolle sich hier »nicht besser machen, als ich bin«: »Ich bin kein Gegner des konstitutionellen Systems, im Gegenteil, ich halte es für die einzig mögliche Regierungsform – aber wenn ich geglaubt hätte, daß eine Diktatur in Preußen, daß der Absolutismus in Preußen der Förderung des deutschen Einigungswerkes nützlicher gewesen wäre, so würde ich ganz unbedingt und gewissenlos zum Absolutismus geraten haben.« »Nach sorgfältigem Nachdenken« sei er jedoch zu der Einsicht gekommen: »Nein, wir müssen auf der Bahn des Verfassungsrechts weiter gehen.«

Obwohl er noch einmal betonte, das habe »außerdem« seinen »inneren Empfindungen« und seiner »Überzeugung von der Gesamtmöglichkeit unserer Politik« entsprochen, war doch damit der funktionale Charakter, den die Fragen des politischen Systems, des Konstitutionalismus und der konstitutionellen Politik für ihn besaßen, mit aller Deutlichkeit hervorgehoben. Reine politische Zweckmäßigkeitserwägungen, ein nüchternes Erfolgskalkül, so hieß das, hätten ihn dabei bestimmt.

Das gelte auch für sein Verhältnis zu den verschiedenen Fraktionen. Nachdem ihm das »Entgegenkommen, welches ich damals für die mit mir versöhnten Gegner gehabt habe«, bereits die »Vorbereitung zu dem späteren Bruch mit der Konservativen Partei eingetragen« habe, sei es zu diesem dann durch den »Konflikt über die kirchlichen Angelegenheiten« gekommen. Dieser habe sich hauptsächlich »aus den Beziehungen der kirchlichen Frage zur polnischen«, also wieder einem Problem der nationalen »Einigung« und Einheit, hergeleitet. Dadurch sei er »enger an die liberale Fraktion gedrängt« worden, »als es für den Minister und Reichskanzler auf die Dauer vielleicht haltbar ist«. Denn dieser könne nie der Mann einer Fraktion sein. Er müsse stets »die Beziehungen zu den übrigen Kreisen des Reiches und der Bevölkerung« im Auge haben; er müsse über den Parteien stehen.

Ungeachtet dessen habe er bis zuletzt an der politischen Kombination festgehalten, die sich auf diesem Weg herausgebildet habe: »Ich habe geglaubt, und habe das in der Sozialistendebatte noch entwickelt, wir würden vom rechten Flügel ab gezählt in drei Bataillonen, vielleicht getrennt, marschieren und vereint fechten können. Diese meine Vorausberechnung hat sich leider nicht bestätigt.« Schuld daran sei, wie er noch einmal nachdrücklich betonte, »nicht mein Wille«, sondern seien »die Umstände« und die Haltung eines Teils der nationalliberalen Fraktion. Die Regierung, so schloß er diese förmliche Grundsatzerklärung innerhalb seiner Rede, könne »den einzelnen Fraktionen nicht nachlaufen«. Sie müsse »ihre eigenen Wege gehen, die sie für richtig erkennt«: »In diesen Wegen wird sie berichtigt werden durch die Beschlüsse des Reichstages, sie wird der *Unterstützung* der Fraktionen bedürfen, aber der *Herrschaft* einer Fraktion wird sie sich niemals unterwerfen können!«

Das waren entschiedene Worte und ein klares Programm. Die Einheit des

Staates, so hieß das, repräsentiere die Einheit der Nation. Diese müsse zerfallen, wenn der Staat seine Stellung über den Parteien, auch über den streng nationalen Parteien, einbüße. Allein der monarchisch-bürokratische Anstaltsstaat, der Obrigkeitsstaat, nicht der parlamentarisch organisierte Parteienstaat sei in der Lage, die Nation über alle ihre wirtschaftlichen, sozialen und politischen Gegensätze hinweg zu einigen und beisammenzuhalten, ihr Geschlossenheit und Kraft nicht zuletzt auch nach außen zu verleihen.

Dem alten liberalen Versprechen eines Ausgleichs aller Gegensätze im Prozeß der freiheitlichen Selbsteinigung der Nation wurde hier, unter Hinweis auf die reale Entwicklung der vorangegangenen fünfzehn Jahre, die konservative Idee der Nation entgegengestellt. Sie hatte sich im Zuge dieser Entwicklung herausgebildet und begann nun, nicht nur in Deutschland, im Zeichen der wirtschaftlichen und sozialen Krise immer stärker das Feld zu beherrschen. Aus einer Waffe gegen den Obrigkeitsstaat war der nationale Gedanke auf diese Weise zu einem Instrument eben dieses Obrigkeitsstaates geworden. Mit seiner Hilfe suchte Bismarck jene endgültig auf seine Bahn zu zwingen, die bislang trotz aller Kompromisse und trotz aller eigenen Inkonsequenzen, zumal im Kulturkampf, im Prinzip an der Idee der inneren Selbsteinigung und Selbstregierung der Nation nach ihrer äußeren Einigung festgehalten hatten. In diesem Sinne wandte er sich an sie als an seine »früheren, ich hoffe auch wieder zukünftigen Kampfgenossen« und formulierte seine fortbestehende Bereitschaft zur Zusammenarbeit in dem erratischen Satz:»Ich bin dem Ende meiner Laufbahn zu nahe, um zu Gunsten irgend einer Zukunft noch meine Gegenwart zu verderben.«

Über der Absicht, über der eindrucksvollen Formulierung des Programms einer konservativen Sammlungsbewegung unter Führung des Obrigkeitsstaates, einer starken und unabhängigen Exekutive, ist allerdings auch hier im Rückblick vielfach wieder die Realität aus dem Blick geraten. Denn mit Absicht und Programm war es nicht getan. Und es kann, entgegen einer immer wieder vorgebrachten Meinung, gar nicht die Rede davon sein, daß dieses in Umrissen und im Grundsätzlichen vorgetragene Programm der Absicherung der obrigkeitlichen Struktur des Staates und der auf ihr beruhenden Macht der Regierung durch eine nationalkonservative Sammlungsbewegung über Ansätze hinaus erfolgreich gewesen sei. Die Schlüsselgruppe in jenem Konzept, das nationalliberale Bürgertum, war trotz Bismarcks beschwörender Appelle zu keiner einheitlichen Entscheidung mehr zu bewegen. Die Nationalliberale Partei zerfiel vielmehr durch Abspaltung zunächst des rechten, dann des linken Flügels in immer rascherem Tempo. Dabei spielte neben den wirtschafts- und kulturpolitischen Problemen vor allem die Frage des Verhältnisses zu Bismarck und zu seinem politischen Kurs eine entscheidende Rolle. Ende August 1880 war die Auflösung in zwei annähernd gleichstarke Lager endgültig vollzogen. Die Lücke, die dadurch in die ins Auge gefaßte Koalition der nationalkonservativen Kräfte gerissen wurde, war, wie sich schon bald immer deutlicher zeigte, selbst bei erheblichem Entgegenkommen gegenüber dem Zentrum weder kurz- noch mittelfristig wirklich zu füllen.

In seiner Rede vom 9. Juli 1879 hatte Bismarck im Hinblick auf den Kulturkampf erklärt, es liege, »wenn sich Mittel und Wege bieten, die Schärfe der Gegensätze zu mildern, ohne daß man an die Prinzipien der eigentlichen Streitfrage rührt«, »wahrlich nicht in meiner Berechtigung, als Minister, solche Wege zu verschließen und von der Hand zu weisen«. Trotz der Kooperation in den Zoll- und Finanzfragen gab sich jedoch kaum jemand in der Zentrumsfraktion Illusionen darüber hin, in welchem Kontext dieses von den Konservativen um Kleist–Retzow nachhaltig begrüßte und geförderte Friedensangebot stand. Auch der Hinweis auf eine mögliche künftige Zusammenarbeit, bei der »man sich gegenseitig kennen und durch gemeinsames Arbeiten an einem gemeinsamen und hohen Zweck sich gegenseitig achten« lernen werde, machte auf die überwiegende Mehrheit der »Reichsfeinde« von gestern, denen plötzlich eine ganz neue Funktion zugewiesen wurde, nur geringen Eindruck.

Auf ähnliche Zurückhaltung und Skepsis traf Bismarck auch in Rom. Seine Erwartung, mit dem neuen Papst werde man, wenn man nur wolle, binnen sechs Wochen zu einem Ausgleich kommen, erwies sich rasch als pure Illusion. Die Verhandlungen, die wenig später, im September 1879, mit dem Wiener Pronuntius Kardinal Jacobini in Gastein eingeleitet wurden, kamen nur sehr stockend voran. Sie hatten zudem damals wie später durchaus nicht die Rückwirkungen auf die Haltung des Zentrums, die Bismarck sich versprochen hatte. »Das System bleibt konstant dasselbe«, notierte der Kanzler in einem Erlaß an seinen Wiener Botschafter vom April 1880 erbittert: »Die Regierung des Kaisers nachdrücklich zu bekämpfen.« Immer stimme das Zentrum, so drei Wochen später, »wie ein Mann gegen die Regierung« und nehme »jede reichsfeindliche Bestrebung unter seinen Schutz«.

Das Zentrum handelte dabei, wie sich Bismarck je länger, je weniger verhehlen konnte, durchaus in Übereinstimmung mit einem erheblichen Teil der Öffentlichkeit. Denn auch hier erwies sich die nationalkonservative Sammlungsparole, der wirtschaftlichen und sozialen Krisenstimmung zum Trotz, als wenig wirkungsvoll. Allzu offenkundig erschien ihre Verknüpfung mit den Machtinteressen der Regierung einerseits, den wirtschaftlichen und sozialen Interessen bestimmter Gruppen andererseits. Bismarck sah sich einem ständig wachsenden Mißtrauen gegenüber, das die oppositionellen Parteien einschließlich des Zentrums, das in dieser Beziehung fast ganz in seiner bisherigen Grundhaltung verharrte, immer unverhohlener für sich auszunutzen versuchten.

Vorerst allerdings hoffte Bismarck nach seiner Grundsatzerklärung vom 9. Juli 1879 noch auf einen ihn und seine Position begünstigenden Um- und

Neuorientierungsprozeß im Lager der Parteien. Bei der Schlußabstimmung über den neuen, im Zug der Beratungen noch verschärften Zolltarif hatte der Block aus Konservativen und Zentrum einen gewissen, wenngleich noch geringfügigen Zuzug aus dem Lager der Nationalliberalen gefunden. Die Erwartung schien daher nicht ganz unberechtigt zu sein, daß der ganze Vorgang einen verstärkten Druck der Interessenten namentlich auf die Nationalliberale Partei und schließlich eine Art Wettlauf um die Gunst der Regierung zwischen ihrer Mehrheit und dem Zentrum auslösen werde.»Nicht konservativ oder liberal« müsse die Parole lauten, so hieß es in einer ersten Pressedirektive für die im Herbst fälligen Wahlen zum preußischen Abgeordnetenhaus,»sondern nur Schutz oder Preisgebung der nationalen Arbeit«. So werde man zu einer grundlegenden Korrektur der bisherigen Fronten gelangen.

In dieser Erwartung trat der Kanzler Mitte Juli 1879 eine seiner inzwischen schon zur Gewohnheit gewordenen Urlaubsreisen an, von denen man nie wußte, wie lange er sie ausdehnen, wann er an seinen Schreibtisch in Berlin zurückkehren würde. Die Stationen waren diesmal Kissingen, Gastein und, nach einem Staatsbesuch in Wien Ende September, bis Ende Januar 1880 Varzin. Die Parteien sollten gleichsam eine Zeitlang im eigenen Saft schmoren und sich über ihre künftige Haltung zur Regierung klar werden; an der folgenden Sitzungsperiode des preußischen Abgeordnetenhauses nahm der Kanzler und preußische Regierungschef überhaupt nicht teil.

Seine Aufmerksamkeit konzentrierte sich in jenen Monaten, von den Verhandlungen mit Rom und ihren innenpolitischen Rückwirkungen einmal abgesehen, vornehmlich auf die außenpolitische Situation. Sie hatte sich bereits auf dem Berliner Kongreß, vom Reich her gesehen, als noch viel brüchiger und gefährlicher erwiesen, als Bismarck es ursprünglich erwartet hatte. Seither hatte sie sich eher noch verschlechtert. Sollten die Dinge nicht aus dem Ruder laufen, so bedurfte es auch hier grundlegender Entscheidungen und einer erheblichen Kurskorrektur. Beides stand, vielleicht stärker als je zuvor, in unmittelbarem Zusammenhang mit innenpolitischen Überlegungen und Zielvorstellungen.

# Außenpolitische Neuorientierung und innenpolitische Optionen

Von großem, merkwürdigerweise oft unterschätztem Gewicht waren innenpolitische Momente und Erwägungen vor allem bei einem Problem, das sich im Sommer 1879 in schärfster Zuspitzung stellte: bei der Frage einer Option zwischen Rußland und Österreich-Ungarn, einer Option, die nun offenkundig unvermeidlich wurde. Seit dem Abschluß des Berliner Kongresses, der im Ergebnis ein Sieg der machtpolitischen Konkurrenten Rußlands, besonders Englands, gewesen war, war in der Führungsspitze des Zarenreiches die Neigung ständig gewachsen, hierfür und für die fortbestehende außenpolitische Isolierung in erster Linie das Reich verantwortlich zu machen. Dabei spielte die Tatsache eine nicht unerhebliche Rolle, daß Berlin sich in diesen Monaten anschickte, den Zugang zu dem für den russischen Export immer interessanter werdenden mitteleuropäischen Agrarmarkt zu erschweren. Es war kein Zufall, daß die seit Jahren anhaltenden russischen Versuche, das Reich unter Druck zu setzen und zu einer klaren und für die Zukunft verbindlichen Entscheidung für oder gegen das Zarenreich zu zwingen, am 15. August 1879, einen Monat nach der Verabschiedung des neuen Zolltarifs durch den Reichstag, ihren Höhepunkt erreichten.

Vom selben Tag war ein Schreiben des Zaren an den deutschen Kaiser datiert, das als sogenannter Ohrfeigenbrief in die Geschichte eingegangen ist. In ihm forderte das russische Kabinett das Reich durch den Mund Alexanders in geradezu ultimativer Form auf, eine bindende Erklärung über seinen künftigen politischen Kurs abzugeben. Die Schuld an der gegenwärtigen unklaren und gespannten Situation gab der Zar vor allem dem deutschen Kanzler. Dieser lasse sich von persönlichen Animositäten gegenüber dem russischen Regierungschef, dem Fürsten Gortschakow, leiten und heize mit Blick darauf die Gegensätze an. »Ist es eines wahren Staatsmannes würdig«, so Alexander, »einen persönlichen Streit ins Gewicht fallen zu lassen, wenn es sich um das Interesse zweier großer Staaten handelt, die geschaffen sind, im guten Einverständnis zu leben, und von denen der eine dem anderen im Jahr 1870 einen Dienst geleistet hat, den Sie nach Ihrem eigenen Ausdruck niemals vergessen zu wollen erklärt haben?« Und in dramatischer Zuspitzung: »Ich würde mir nicht erlaubt haben, Sie daran zu erinnern, aber die Lage wird zu ernst, als daß ich Ihnen meine Befürchtungen verbergen dürfte, deren Folgen verhängnisvoll für unsere beiden Länder werden können.«

Kaiser Wilhelm war zutiefst betroffen – nicht nur von einer derartigen Zukunftsperspektive, sondern vor allem auch von dem Vorwurf opportunistischen Wankelmuts und persönlicher Undankbarkeit. Er neigte spontan dazu, in der von Petersburg gewünschten Weise zu reagieren. Dabei spielten seine mit zunehmendem Alter immer stärker hervortretende konservative Grundhaltung und die in ihr wurzelnde Neigung zu der angeblich konservativen Vormacht Europas eine ebenso große Rolle wie die Erinnerung an die russisch-preußische Waffenbrüderschaft seiner Jugend. Sein Kanzler hingegen war von Anfang an entschlossen, nicht nachzugeben, sondern nun im Gegenzug die Zusammenarbeit mit Österreich-Ungarn, dem unmittelbaren machtpolitischen Konkurrenten des Zarenreiches in Südosteuropa, nachhaltig zu verstärken, ja, sie auf eine ganz neue Basis zu stellen, die über ein Bündnis im üblichen Sinne weit hinausging. Er war also gewillt, zunächst einmal eine umgekehrte Option zu vollziehen.

Von zentraler Bedeutung war für Bismarck wie in den vorangegangenen Jahren die Überlegung, daß ein noch engeres Zusammengehen mit dem Zarenreich angesichts der Verteilung der machtpolitischen Gewichte und Interessen in Europa zu einer wachsenden Abhängigkeit von Petersburg und damit zum Verlust des außenpolitischen Spielraums führen werde. Das drohe, so der Kanzler, in einer Situation zu enden, in der das Reich bloß noch als verlängerter Arm der Politik Rußlands erscheinen würde. Die deutsche Dankbarkeit für die russische Haltung 1866 und 1870/71 könne, erklärte er Wilhelm in seiner ersten Reaktion auf den ihm nach Gastein übermittelten Zaren-Brief, »so weit nicht reichen, daß die deutsche Politik *für immer* der russischen untergeordnet würde und wir Rußland zuliebe die Zukunft unserer Beziehungen zu Österreich opfern«. Daher rate er entschieden davon ab, sich zum gegenwärtigen Zeitpunkt auch nur auf Verhandlungen mit dem Zaren und der russischen Regierung einzulassen. Solche Verhandlungen würden, telegraphierte er am 1. September an Bernhard Ernst von Bülow, den Staatssekretär des Auswärtigen Amtes, »uns nur Österreich entfremden und uns dann mit Rußlands Liebe allein lassen. Unsere *volle* Isolierung unter Mißtrauen aller wäre dann in Rußlands Belieben gestellt.« Zeige man jedoch Rußland jetzt die kalte Schulter und verständige sich so rasch wie möglich mit der Habsburger Monarchie über eine »Defensivallianz«, dann werde Rußland in Kürze einlenken und sich zur Wiederherstellung einer auf Partnerschaft und nicht auf einseitiger Unterordnung einer Seite beruhenden Verbindung der drei östlichen Kaiserreiche bereitfinden. »Das *Drei*-Kaiser-Bündnis im Sinne einer friedlichen und erhaltenden Politik bleibt ein ideales Ziel der Politik«, so unterstrich er am 5. September 1879 in einem Brief an Wilhelm I.

Der Kaiser hatte inzwischen im Alleingang, bei einem kurzfristig angesetzten Treffen mit Alexander II. in Alexandrowo am 3. und 4. September, versucht, die Angelegenheit im persönlichen Gespräch zu bereinigen und das alte Verhältnis wiederherzustellen. Darüber hatte sich Bismarck heftig erregt. Am selben 5. September, an dem er Wilhelm I. über die letzten Ziele seiner Politik zu beruhigen versuchte, sprach er Bülow gegenüber davon, das Treffen in Alexandrowo mache ihm, »wenn auch in sehr verjüngtem Maßstabe, den Eindruck eines embryonischen Olmütz«: »Sie erinnern sich, daß Graf Brandenburg 1850 an seinen Warschauer Erlebnissen broken-hearted starb. Das beabsichtige ich nun nicht zu tun, aber ins Konto schreiben lasse ich sie mir auch nicht.«

Hiervon ausgehend, ist gelegentlich die Meinung vertreten worden, der Satz von dem »idealen Ziel der Politik« sei ganz auf die Person des Kaisers gemünzt und nicht wirklich ernst gemeint gewesen. Doch betrachtet man die weitere Entwicklung und das, was Bismarck bei verschiedener Gelegenheit an Kommentaren dazu geliefert hat, so spricht vieles dafür, daß die von ihm jetzt betriebene demonstrative Anlehnung an Österreich von Anfang an zugleich das Ziel hatte, Rußland wieder an die deutsche Politik heranzuziehen – freilich zu anderen Bedingungen, als sie der politischen Führung des Zarenreiches vorschwebten.

Bismarcks Haltung war also nach wie vor sehr deutlich von dem Ideal einer Politik der möglichst freien Hand bestimmt, wie er sie im Kissinger Diktat formuliert hatte. Daneben gab es allerdings noch eine Reihe nicht weniger gewichtiger Motive, die ihn veranlaßten, nun, ungeachtet des massiven Widerstands seines Kaisers, mit raschen Schritten auf einen Zweibund mit Österreich-Ungarn zuzusteuern.

Da war einmal ein gleichsam weiter ausgreifender außenpolitischer Motivstrang. Seit Jahren begleitete ihn unterschwellig die Ahnung, daß das Reich bei aller seiner militärischen Macht und bei all seinem gegenwärtigen Einfluß in Europa vielleicht doch, insbesondere wenn man es mit den großen kontinentalen Randmächten, mit England und Rußland, verglich, auf einer zu schmalen machtpolitischen Basis stehe, um auf die Dauer seine Unabhängigkeit und den Rang einer gleichberechtigten Macht zwischen ihnen zu bewahren. Eine Erweiterung der Basis durch territoriale Erwerbungen schied aus; das drohte, wie Bismarck nur zu gut wußte, sofort eine Koalition sämtlicher anderen europäischen Mächte auf den Plan zu rufen. Sie konnte daher allein durch eine in Dauer und Intensität weit über den Rahmen einer üblichen Allianz hinausgehende mitteleuropäische Blockbildung erreicht werden, eine Blockbildung, auf die nicht zuletzt die geschichtlichen Traditionen in diesem Raum nachdrücklich verwiesen.

Kühn behauptete Bismarck in einem Immediatbericht an den Kaiser vom 31. August 1879: »Ich habe schon bei den Friedensverhandlungen in Nikolsburg 1866 der tausendjährigen Gemeinsamkeit der gesamtdeutschen Geschichte gegenüber das Gefühl gehabt, daß für die Verbindung, welche damals zur Reform der deutschen Verfassung zerstört werden mußte, früher oder später ein Ersatz von uns zu beschaffen sein werde.« Jetzt sei der Augenblick gekommen, ein »ähnliches Assekuranzbündnis« zu schaffen, wie es »zwischen Preußen und Österreich in Gestalt des früheren Deutschen Bundes fünfzig Jahre lang in völkerrechtlicher Wirksamkeit war«. In diesem Sinne habe er bereits mit Andrássy, dem österreichischen Außenminister, Kontakt aufgenommen. Man könne natürlich nicht zu dem alten Deutschen Bund zurückkehren. Aber in Erinnerung an diese »Art von gegenseitiger Assekuranz-Gesellschaft für den Frieden« müsse sich in der gegenwärtigen Situation jedermann die Frage aufdrängen, ob nicht »eine analoge Friedensliga zwischen den beiden mitteleuropäischen Kaiserreichen« eine »nützliche Institution« sei. Daran anknüpfend habe er Andrássy direkt gefragt, »ob er glaube, daß sein Kaiser ähnlichen Gedanken zugänglich sei«.

Hier wie an vielen anderen Stellen betonte Bismarck, und das war ein zweiter, in seiner Bedeutung vielfach unterschätzter Motivstrang, die zu erwartende Popularität einer solchen mitteleuropäischen »Friedensliga«. »Diese Allianz ist die Wiederaufrichtung des Deutschen Bundes in einer neuen zeitgemäßen Form«, so faßte der neue Landwirtschaftsminister Lucius Bismarcks einhellig gebilligte Ausführungen in der entscheidenden Sitzung des preußischen Staatsministeriums am 28. September 1879 zusammen: »Ein Bollwerk des Friedens für lange Jahre hinaus. Populär bei allen Parteien, exklusive Nihilisten und Sozialisten.«

Der Zweibund werde, so hieß das, zugleich ein Instrument des inneren Ausgleichs sein. Er werde jene mit der Außenpolitik und so zugleich mit der Führung des Reiches versöhnen, die bisher, als die Unterlegenen von 1866, abseits standen. Das zielte vor allem auf das Zentrum und auf jene recht zahlreichen Kräfte insbesondere im Süden Deutschlands, die einst der Idee eines zumindest die deutschen Gebiete Österreichs einbeziehenden größeren Deutschland angehangen hatten. Ihre Wortführer hatten wiederholt vor einer zu großen Nachgiebigkeit gegenüber Rußland gewarnt und pathetisch das »germanische Interesse« beschworen, das allein in festem Zusammenstehen mit Österreich, in teilweiser Überwindung der Trennung von 1866, gewahrt werden könne. »Möge es«, so hatte Windthorst zum Abschluß seiner großen außenpolitischen Grundsatzrede vom 19. Februar 1878 erklärt, »der Gewandtheit des Herrn Reichskanzlers gelingen, den allgemeinen Frieden aufrechtzuerhalten, aber auch dafür zu sorgen, daß das germanische Interesse in dieser ganzen Verhandlung nicht zu kurz komme. Dies *germanische* Interesse aber drückt sich aus in dem Interesse *Österreichs.*« Ein sehr bewußt in die Tradition des Deutschen Bundes, ja, einer jahrhundertelangen Reichstradition gestelltes Bündnis besonderer Art zwischen dem Deutschen Reich und Österreich-Ungarn mochte in diesem Sinne als eine geradezu ideale

Lösung drängender innen- wie außenpolitischer Probleme erscheinen, als eine Art Durchbruch in beiden Bereichen.

In Wirklichkeit freilich haben sich Bismarcks Erwartungen nur sehr begrenzt erfüllt. Schon die eigentlichen Vertragsverhandlungen gestalteten sich einigermaßen schwierig – von dem fortdauernden Widerstand Kaiser Wilhelms gegen eine »Option« ganz abgesehen, den Bismarck erst mit einer massiven Rücktrittsdrohung zu brechen vermochte. Zwar war man in Wien über das deutsche Beistandsangebot außerordentlich erfreut. Aber weder war man geneigt, sich auf eine allgemeine Defensivallianz, also auf eine Verpflichtung insbesondere auch im Fall eines deutsch-französischen Konflikts, einzulassen, noch war man ernsthaft bereit, über ein normales Bündnis hinauszugehen. Der Verankerung in einer Art gesetzgeberischem Akt beider Parlamente widerstrebte man ebenso wie einer ungewöhnlichen Dauer. Und auch auf die nachfolgenden Versuche einer Koppelung des Vertrags mit einer Vereinbarung über eine enge wirtschaftliche Verbindung beider Länder ließ man sich nicht ein.

Zu deutlich empfand man in Wien, daß eine solche Blockbildung, auch wenn Bismarck von Anfang an jeden Verdacht in dieser Richtung zu zerstreuen suchte, mit innerer Notwendigkeit von dem wirtschaftlichen und machtpolitischen Übergewicht Berlins bestimmt sein würde. Damit aber drohte sie nicht nur die Unabhängigkeit des Kaiserstaates auf Dauer zu untergraben. Sie drohte auch den eben eingeleiteten Versuch zum Scheitern zu bringen, auf der Basis des Status quo und gegen die deutschliberale Reformpartei zu einem Ausgleich mit den Tschechen zu gelangen.

Gerade einen derartigen Ausgleich hatte man in Wien bei den Zweibundverhandlungen stets mit im Auge. Das Bündnis sollte der im August 1879 neugebildeten Regierung Taaffe mit der Entlastung von dem äußeren, zunehmend mit panslawistischen Elementen durchsetzten Druck auch innenpolitisch Luft verschaffen. Es sollte den politischen Vorherrschaftsanspruch der Deutschliberalen in der zisleithanischen, der österreichischen Reichshälfte in die Schranken weisen, indem man ihm einen möglichen Rückhalt im Reich entzog.

Schon durch diese unterschiedliche Zielsetzung verlor der Vertrag, der Mitte Oktober von beiden Monarchen ratifiziert wurde – er blieb zunächst auf fünf Jahre befristet und im Wortlaut geheim –, für Bismarck sowohl innen- als auch außenpolitisch entscheidend an Wert. Die weitere Entwicklung entsprach ebenfalls in keiner Weise seinen ursprünglichen Erwartungen. Weder hier noch dort markierte der Vertrag einen wirklichen Neuanfang.

Innenpolitisch konnte von einer Abstützung und inneren Befestigung der vom Standpunkt der Regierung prekären Ad-hoc-Koalition zwischen Konservativen und Zentrum kaum die Rede sein. Und außenpolitisch wurde zunächst nicht mehr erreicht, als daß Rußland, wie von Bismarck vorausgesagt, schließlich einlenkte. Nach längeren Verhandlungen fand sich das Zarenreich im Juni 1881 zu dem sogenannten Dreikaiserbündnis bereit. Es hatte neben dem Grundsatz der wohlwollenden Neutralität im Fall eines kriegerischen Konflikts einer der drei Mächte mit einer vierten vor allem die wechselseitige Verpflichtung der Mächte zum Inhalt, »ihre gegenseitigen Interessen auf der Balkanhalbinsel zu beachten«. Das war mit dem Versprechen verbunden, »daß neue Veränderungen in dem territorialen Besitzstande der europäischen Türkei sich nur auf Grund eines gemeinsamen Abkommens zwischen ihnen sollen vollziehen können«.

Für sich genommen war dies fraglos ein Erfolg. Es ließ jedoch die Grundkonstellation, die in pessimistischen Momenten als permanent unsicher und bedrohlich einzuschätzen Bismarck je länger, je mehr guten Grund hatte, praktisch unangetastet. So gesehen war der Zweibund von 1879 die erste in einer Reihe von außenpolitischen Aushilfen, die sich schließlich zu einem förmlichen System ausweiteten, mit dessen Hilfe der Kanzler versuchte, das zunehmend bedrohte Gleichgewicht der europäischen Mächte und die Stellung des Reiches in ihm zu bewahren. Zur Grundlage und zum Auftakt einer neuen Politik, die das Gleichgewicht durch eine wirkliche Blockbildung in Mitteleuropa möglicherweise dauerhafter zu erhalten versprochen hätte, ist er nicht geworden.

Ähnliches galt für Bismarcks nächste Schritte in der Innenpolitik. Dabei fällt nicht nur die Parallelität ins Auge: Auch innenpolitisch wurde mit immer mehr Aufwand und mit immer geringerem Erfolg ein »System der Aushilfen« zur Erhaltung des Status quo aufgebaut. Vielmehr ist das Bemühen unübersehbar, das System der Außenpolitik und das der Innenpolitik wechselseitig zu stabilisieren.

Über die Tatsache, daß sein erster Anlauf in dieser Hinsicht gescheitert war, hat sich Bismarck, nüchtern, wie er trotz fieberhafter Suche nach Auswegen blieb, schon zu Beginn der neuen Sitzungsperiode des preußischen Abgeordnetenhauses keinem Zweifel mehr hingegeben. »Mit einer Majorität, deren Fortbestand von dem freien Willen des Zentrums abhängt«, hieß es in einem Brief an den neuen Landwirtschaftsminister Lucius vom 5. November 1879, »wird die Regierung nicht lange wirtschaften können, denn ich glaube kaum, daß das Zentrum durch irgendwelche Konzessionen jemals zu einer sicheren und dauernden Stütze irgend einer Regierung gewonnen werden könnte, selbst wenn das Maß der *möglichen* Konzessionen für unsere Regierung ein größeres wäre.« Wie aber dann weiter? »Eine Majorität, welche ohne das Zentrum keine mehr ist«, fuhr er fort, »bietet also der Regierung keine Sicherheit, eine andere ist aber nur möglich, wenn die konservative Partei ganz oder zu mehr als der Hälfte zu Kompromissen nicht nur mit der Reichspartei, sondern auch mit dem ehrlichen Teil der Nationalliberalen gebracht werden kann.« Das aber werde »sehr schwierig« sein, »solange die jetzige konservative und die jetzige nationalliberale Fraktion ungeteilt bestehen. Die Fortschrittler unter nationalliberaler Maske, die Leute des Städtetages und der ›großen‹ liberalen Partei, mit anderen Worten die Republikaner, halte ich für ebenso unsichere und vielleicht noch gefährlichere Stützen als das Zentrum.« Und schließlich: »Wenn die theoretischen Fraktionsgruppierungen, diese Art parlamentarischer Aktiengesellschaften, überhaupt nicht existierten, so würde sich an der Hand der Praxis die Gruppierung der Majorität besser und natürlicher machen.«

Das war, am Schluß einer realistischen Analyse, reines Wunschdenken. Zwar fügte er gleich hinzu: »Es hängt die Heilung dieses Übels aber nicht von uns ab.« Doch in der Praxis hat er sich nunmehr zunehmend von solchem Wunschdenken zu Aktionen verführen lassen, deren Mißerfolg bei nüchterner Einschätzung der innenpolitischen Gesamtsituation und der Verteilung der Gewichte und Interessen von vornherein vorauszusehen war.

Nicht daß er zu einer solchen Einschätzung mittlerweile nicht mehr fähig gewesen wäre. Aber sie zeigte ihm immer deutlicher eine Konstellation, die seine bisherige Machtstellung und Position Schritt für Schritt aufzulösen drohte. Das ließ ihn immer mehr dazu neigen, alle seine positiven Aktionen sozusagen vom Negativen her zu planen. Er faßte sie, bis hinein in die Einzelheiten, vor allem unter dem Gesichtspunkt ins Auge, wie sie die als bedrohlich empfundene innenpolitische Gesamtsituation, und sei es auch nur kurzfristig, zu seinen Gunsten verändern könnten. Auf diese Weise kam ein im höchsten Maße destruktives Element in seine gesamte Innenpolitik. Sie verlor, bei aller vordergründigen und oft verwirrenden Aktivität, mehr und mehr das Gesetz des Handelns. Das, was sie in den vorangegangenen anderthalb Jahrzehnten mit allgemeineren Entwicklungstendenzen und übergreifenden geschichtlichen Kräften in Verbindung gebracht hatte, büßte sie nun zunehmend ein.

Man kann dem entgegenhalten, daß Bismarck auch jetzt, seit dem Ausgang der siebziger Jahre, einer Grundtendenz der modernen historischen Entwicklung, freilich mit anderen Zielen und kaum im Bewußtsein des säkularen Prozesses, zum Durchbruch verholfen habe: der Ausbildung des modernen Interventionsstaates. Das ist, formal gesehen, richtig. In der Substanz jedoch handelte es sich um etwas wesentlich anderes als bei jenen grundlegenden Veränderungen der geschichtlichen Konstellation in den Jahren davor, mit denen sein Name, wenngleich nicht im Sinne des Intendierten, bewußt Schöpferischen, zu Recht verbunden bleibt: der Bildung eines nationalen Verfassungsstaates in Mitteleuropa, seines inneren Ausbaus im modernen Sinne und der Grundlegung der modernen Industriegesellschaft in diesem Teil des Kontinents. Jetzt blieb die Verbindung mit der sich anbahnenden neuen Entwicklung sehr äußerlich, man möchte fast sagen: negativ. Und sie hat einen Zwitter hervorgebracht, der den weiteren Gang der Dinge in Mitteleuropa auf das stärkste belastet hat: den konservativen Interventionsstaat. Unter Einsatz formal hochmoderner Mittel wurde mit seiner Hilfe, ohne wirkliche Zukunftsperspektive und ohne ein darauf ausgerichtetes politisches und gesellschaftliches Leitbild, das Bestehende in einer Art greisenhafter Zähigkeit verteidigt.

Der Vorgang markiert den Übergang von einer höchst dynamischen Politik der »konservativen Reform«, des Versuchs, die Vergangenheit im Hegelschen Doppelsinn in der Gegenwart und in der Zukunft »aufzuheben«, zu einer ganz perspektive- und zukunftslosen bloßen Reaktionspolitik im Geiste des »Nach uns die Sintflut« eines Ludwig XV. oder des späten Metternich. Aus dem »weißen Revolutionär« wurde endgültig der Zauberlehrling, der die auch von ihm selbst geweckten Kräfte der Zukunft mit vergeblichen Beschwörungsformeln zu bannen versuchte. Was er damit heraufbeschwor, war jedoch gerade keine Ordnung, sondern Verwirrung und allgemeine Orientierungslosigkeit.

Zu jenen Formeln gehörte nach wie vor die Idee einer Wiederherstellung eines die Regierung unterstützenden Bündnisses zwischen Konservativen und Nationalliberalen. Sie wurde nun nachgerade zu einer Art Fetisch. »Sie wissen«, unterstrich Bismarck in einem Brief an Christoph von Tiedemann, den neuen Chef der Reichskanzlei, Ende November 1879, »daß mir eine Majorität einer Rechten der Nationalliberalen die erwünschteste ist.« Wer diese Wunschkoalition für derzeit nicht realisierbar erklärte oder gar meinte, die Auflösung dieses Bündnisses habe in der historischen Entwicklung gelegen, der war für ihn ein »Doktrinär«, wenn er nicht gar, schlimmster aller Vorwürfe, »Laskerei« betrieb und somit zu den »nihilistischen Fraktionen Fortschritt und Polen« tendierte. Jedenfalls seien die Vertreter solcher Auffassungen zu den »extremsten Elementen« zu zählen, denen es nicht um das Interesse ihrer Wähler und um praktische Erfolge gehe, sondern bloß um ihr persönliches Prestige und die Macht in der Fraktion. Denn die Regierung sei ja bereit, den Interessen dieser Parteien und ihrer Wähler weitestgehend zu folgen. »Die Regierung braucht für ihre Vorlagen Majoritäten – wer sie ihr verschafft, mit dem tritt sie notwendig in Interessengemeinschaft.« Das sei der eigentliche Punkt. Wenn man ihr aber »den Brotkorb zu hoch« hänge, dann zwinge man sie damit, wie es die nationalliberale Fraktion »seit dem Januar 1878 ununterbrochen getan« habe, »anderweite Anlehnungen zu suchen und durch ihre politische Tätigkeit herzustellen«.

Natürlich wußte Bismarck recht gut, daß er mit der Formulierung »den Brotkorb zu hoch hängen« das Eigentliche verschleierte, nämlich die Machtfrage. Aber gerade in solcher Taktik steckte sein ganzes politisches Programm. Er suchte die in einer ganz bestimmten historischen Situation begründete Tatsache, daß der effektive Besitz der politischen Macht und die erfolgreiche Interessenwahrung und -durchsetzung in Mitteleuropa über Jahre hin zumindest teilweise auseinandergefallen waren, zu einer Art allgemeinem Prinzip zu stilisieren, das gleichsam im Wesen von Macht und Interesse liege. Macht, so hat er immer wieder unterstrichen und in vielfältiger Weise zu demonstrieren versucht, ist in erster Linie bestrebt, sich zu erhalten. Das Interesse hingegen will sich inhaltlich durchsetzen. Daher seien beide in einem Bündnis am besten aufgehoben, in dem die Macht sich durch die Förderung des Interesses erhalte und das Interesse sich mit Hilfe der Macht durchsetze. Hingegen führe die völlige Vermischung von beidem leicht zu einem Zielkonflikt beziehungsweise zu einer einseitigen Überspannung des Interessenstandpunkts: zur reinen Gruppen- oder Klassenherrschaft.

Die bürokratisch-obrigkeitsstaatliche Staatsideologie, die eine solche Konzeption andernorts trug, war und blieb Bismarck im Innersten fremd, so sehr er sich ihrer bei Gelegenheit zu bedienen vermochte. Er stützte sich im wesentlichen auf die Grundvorstellung, daß es der überwiegenden Mehrheit der Menschen in erster Linie um ihr Interesse, und zwar um ihr materielles Interesse, gehe. Daß die Faszination der Macht wie die der Idee auch für sie ein zumindest ebenso großes Gewicht habe, hat er in einer ganz naiv aristokratischen politischen Weltsicht weitgehend übersehen.

Hierin sind ihm gerade seine schärfsten Kritiker, wenngleich von ganz anderen Voraussetzungen herkommend, gefolgt und haben die Konzeption nicht zuletzt gegen ihn selber ins Feld geführt: Die Faszination der Macht ergebe sich jeweils aus einem ganz bestimmten Interesse. Sie bleibe an dieses gebunden und werde nur aus ihm wirklich verständlich. Daß im Gegenteil das Wesen dieser Faszination gerade darin besteht, daß es jedes konkrete, im einzelnen dingfest zu machende Interesse hinter sich läßt, einen Zweck und ein Interesse für sich darstellt, das ist hier oft ganz, dort zumindest teilweise aus dem Blick gekommen. Dadurch aber wurde hier die Urteilsbasis entscheidend verengt, bei Bismarck eine Fehleinschätzung der innenpolitischen Situation begünstigt, die zu einer Serie von Mißerfolgen und schließlich, sieht man den Gang der Entwicklung nicht allzu vordergründig, zum politischen Absturz führte.

Bismarcks innenpolitisches Fernziel, das ihm jene Fehleinschätzung zumindest zeitweise als erreichbar vorspiegelte, lautete seit Beginn der achtziger Jahre immer eindeutiger: Entpolitisierung der Parteien durch Betonung des materiellen Interessenstandpunkts. Damit hoffte er die steigende Flut der Kräfte und Bewegungen unter Kontrolle zu bringen, die die bestehende Ordnung in Frage stellten und bedrohten, und »die Verworrenheit der parlamentarischen Situation«, wie er die Haltung der Mehrheit zu ihm umschrieb, zu überwinden. »Die Gelehrten ohne Gewerbe, ohne Besitz, ohne Handel, ohne Industrie, die vom Gehalt, Honoraren und Coupons leben, werden sich im Lauf der Jahre«, hieß es schon in einem Schreiben an den Finanzminister Hobrecht vom Mai 1878 programmatisch, »den wirtschaftlichen Forderungen des produzierenden Volkes unterwerfen oder ihre parlamentarischen Plätze räumen müssen. Dieser Kampf kann länger dauern, als wir beide leben, aber ich wenigstens bin entschlossen, ihn auch dann nicht aufzugeben, wenn sich die *augenblickliche* Erfolglosigkeit mit Sicherheit voraussehen läßt.« Und sechs Jahre später in einer Reichstagsrede: »Im übrigen ... glaube ich, daß die politischen Parteien und politischen Programme sich überlebt haben. Sie werden allmählich, wenn sie es nicht freiwillig tun, gedrängt werden, daß sie Stellung nehmen in den wirtschaftlichen Fragen, und mehr als bisher Interessenpolitik treiben. Es liegt das im Geiste der Zeit, der stärker ist, als sie sein werden.« Seine Erwartung ging dabei dahin, daß dieser Prozeß zu einer schrittweisen Auflösung und Neuformierung der bisherigen Parteien und »ihrer Aktiengesellschaften, der Fraktionen«, führen werde.

Angelegt war diese Tendenz in Bismarcks ganzer bisheriger Politik. Sie hatte die Parteien niemals als gleichsam etablierte Mächte anerkannt, mit denen so oder so zu rechnen sei. Sie war vielmehr in der einen oder anderen Richtung stets darauf aus gewesen, das Parteienspektrum im eigenen Sinne zu verändern – bis hin zu dem Versuch, bestimmte Parteien wie das Zentrum und dann die Sozialdemokratie völlig auszuschalten. Niemals aber hatte sich bisher diese Tendenz gegen alle Parteien zugleich gerichtet. Niemals hatte Bismarck versucht, sozusagen das bisherige Parteiengefüge als Ganzes aus den Angeln zu heben.

Schon dies zeigt, daß es sich bei Bismarcks Vorstoß um eine Art Verzweiflungsakt handelte. Das, was als Auftakt des Erfolgs erscheinen mochte, war denn auch in Wahrheit bereits die Besiegelung des Mißerfolgs. Als Ende August 1880 die nationalliberale Partei und Fraktion endgültig auseinanderbrachen, da war dies eben nicht, wie Bismarck gern glauben wollte und manche es ihm nachgesprochen haben, der Triumph des Interessenstandpunkts über machtpolitische Ambitionen einiger linksliberaler Führer. Es war ein Akt, der über die Spaltung der Partei die politische Spaltung der Gesamtnation signalisierte und mit ihr eine politische und gesellschaftliche Entscheidungssituation, der Bismarck bisher durch die faktische Politik eines wechselseitigen Interessenausgleichs auf der Basis einer Mitte-Rechts-Koalition erfolgreich ausgewichen war.

Diese Alternative war nach der definitiven Aufspaltung der nationalliberalen Partei, die nach Stauffenbergs Worten seit den parlamentarischen Entscheidungen von 1879 nur noch »ein galvanisches Scheinleben« geführt hatte, endgültig verstellt und die immer schärfere Akzentuierung der Gegensätze nicht mehr zu vermeiden. Der Versuch, dem durch einen Interessenausgleich von einer neuen Basis aus entgegenzuwirken, blieb nicht nur in der Sache erfolglos. Er provozierte auch eine fast geschlossene Abwehrfront der Parteien und führte statt zu ihrer fortschreitenden Auflösung zu einer inneren Befestigung und so zu einer zusätzlichen Verschärfung der von ihnen verkörperten Gegensätze.

Einen solchen Versuch hat Bismarck fast unmittelbar nach der von ihm mit großen Erwartungen verbundenen Spaltung der nationalliberalen Partei und Fraktion eingeleitet. Am 16. September 1880 übernahm er neben dem Amt des preußischen Ministerpräsidenten und des Außenministers als drittes das des preußischen Handelsministers. Er tat dies mit dem erklärten Ziel, wie es in dem Immediatbericht an Kaiser Wilhelm vom 12. Oktober 1880 hieß, von der Reichsspitze her »ein einheitliches Zusammenwirken zur Herstellung der Entwürfe möglich« zu machen, die der Kaiser, sprich er, Bismarck, »demnächst... den übrigen preußischen Ministerialressorts, den verbündeten Regierungen und dem Bundesrat zur Beschlußnahme unterbreiten« werde. Es wurde also eine neue wirtschaftspolitische Kommandozentrale ins Leben gerufen – die wenig später neu geschaffene Abteilung für wirtschaftliche Angelegenheiten im Reichsamt des Innern wurde weitgehend in Personalunion mit Beamten des preußischen Handelsministeriums besetzt. Von jener neuen Kommandozentrale aus leitete er umgehend das ein, was man von der politischen Konzeption her nicht anders nennen kann als einen Frontalangriff gegen die Parteien und ihre bisherige Stellung in Staat und Gesellschaft.

Dieser Angriff zielte auf zwei Punkte, von denen sich seiner Meinung nach die innere Dynamik, die Anziehungskraft und somit die jeweilige Stärke und der politische Machtanspruch der Parteien in erster Linie herleiteten. Er zielte auf ihre Funktion als wirtschaftspolitische Interessenvertretung. Und er zielte auf ihre eng damit zusammenhängende Rolle als Repräsentanten unausgetragener und unvermittelter sozialer Spannungen und Probleme, die durch die Lage der handarbeitenden Bevölkerung, vor allem des Riesenheers der Industriearbeiter, immer dramatischer wurde. Gelang es, so Bismarcks Grundkalkül, an diesen beiden Punkten die Parteien gleichsam aus dem Zentrum der Erwartungen und Hoffnungen der Beteiligten zu rücken, dann werde sich mit ihrer Funktion auch ihr Anspruch schnell ändern. Und mit beidem werde ihre bisherige Zusammensetzung, in personeller Hinsicht wie in der Gewichtsverteilung zwischen ihnen, einen grundsätzlichen Wandel erfahren.

Die Tendenz zur Mediatisierung der Parteien hatte sich in dieser Form erstmals ganz deutlich seit dem Herbst und Winter 1879/80 an seiner Politik gegenüber der katholischen Kirche gezeigt. Nach dem Scheitern einer Anknüpfung mit dem Zentrum auf wirtschafts- und sozialpolitischem und dann auch auf außenpolitischem Gebiet hatte sich Bismarck darauf konzentriert, am Zentrum vorbei direkt mit der Kurie zu einer Vereinbarung zu gelangen. Sein Ziel war, die katholische Partei auf diese Weise politisch ins Abseits zu drängen. Was er nun jedoch unternahm, hatte von vornherein eine ganz andere Dimension. Es ließ die Kirchenpolitik, auch als sich in der Sache erste Erfolge einstellten, vergleichsweise als Detailproblem erscheinen.

Es begann mit dem großangelegten Versuch, im Gesamtbereich der

staatlichen Wirtschaftspolitik die Parteien noch mehr als bisher in den Vorhof
der eigentlichen Entscheidungen zu verbannen und die Interessenten auch
formal auf direktere Wege der Einflußnahme auf die Exekutive und der
Zusammenarbeit mit ihr zu verweisen. Bereits am 15. Oktober 1880, einen
knappen Monat nach der Übernahme des preußischen Handelsministeriums
und parallel zu der Neuorganisation des gesamten wirtschaftspolitischen
Instanzenwegs, leitete er dem preußischen Staatsministerium den »Entwurf
einer Verordnung betreffend die Errichtung eines Volkswirtschaftsrats« zu.
Dieser an französische Vorbilder anknüpfende preußische Volkswirtschafts-
rat sollte, gegliedert in drei Sektionen – eine für den Handel, eine für
»Industrie und Gewerbe« und eine für die Landwirtschaft –, mehrheitlich aus
Mitgliedern bestehen, die von den verschiedenen einschlägigen Berufs-
korporationen – den Handelskammern, den »Vorständen der kaufmänni-
schen Korporationen« und den landwirtschaftlichen Vereinen – zu präsentieren sein würden. Ihnen sollten dreißig von der Regierung in freier Wahl
ernannte berufsständische Interessenvertreter zur Seite treten, von denen
»mindestens fünfzehn dem Handwerker- und dem Arbeiterstande angehören« müßten.

Das neue Gremium, das am 27. Januar 1881 erstmals zusammentrat, war
von Anfang an als Vorstufe eines Reichsvolkswirtschaftsrats konzipiert. Seine
Aufgabe sollte nach Bismarcks Worten die direkte Mitwirkung bei der
Vorbereitung von Gesetzesvorlagen sein, »welche das wirtschaftliche Leben
der Nation berühren«, also bei einem Großteil der staatlichen Gesetzgebung
überhaupt. »Wie sehr die Wirtschaftsgruppen der Industrie, des Handels und
der Gewerbe und der Landwirtschaft das Bedürfnis einer größeren Berücksichtigung ihrer Interessen gefühlt haben«, so Bismarck in seinem Schreiben
an das preußische Staatsministerium vom 15. Oktober 1880, »geht aus der
Tatsache hervor, daß im Laufe der beiden letzten Jahrzehnte aus der freien
Initiative der Beteiligten in dem ›Deutschen Handelstag‹, in dem ›Central-
Verbande deutscher Industrieller‹ und in dem ›Deutschen Landwirtschaftsrat‹
drei Körperschaften entstanden sind, deren Aufgabe im Wesentlichen darin
besteht, in der Gesetzgebung wie in der Handels- und Zollpolitik den
Wünschen der produktiven Volksklassen Geltung zu verschaffen.« Daran
knüpfe der Plan eines Volkswirtschaftsrats an. Ja, er bringe diese Entwicklung
geradezu zum logischen Abschluß, und zwar ganz im Sinne der Beteiligten, aus
deren Kreis »wiederholt der Wunsch laut geworden« sei, »aus oder neben
jenen drei Körperschaften ein einheitliches Zentralorgan errichtet zu sehen«.

Deutlicher konnte man es nicht sagen. Die schon bestehenden vielfältigen
Verbindungen zwischen den Interessenverbänden einerseits und der staatlichen Bürokratie und Exekutive andererseits sollten mit ihrer Institutionalisierung endgültig kurzgeschlossen und der Umweg über die politischen Parteien
sollte für unnötig erklärt werden – ganz wie es »Zentralverband«, »Handels-

tag« und »Landwirtschaftsrat« seit Jahren gefordert hatten. Mochte daher auch formal, vom Buchstaben der Verfassung her, nichts gegen die neue Institution einzuwenden sein, so war es nur zu verständlich, daß fast alle Parteien mehr oder weniger nachdrücklich dagegen Front machten.

Die »Vossische Zeitung« sprach Ende November 1880 stellvertretend für viele von der unübersehbaren Absicht, »unser junges Verfassungsleben im Einzelstaate wie im Reiche in jenen Scheinkonstitutionalismus aufzulösen«, dessen »Wesen« nach den Worten des führenden preußischen Staatsrechts-lehrers Rönne darin bestehe, »daß ›die Formen der Verfassung nur dazu dienen, um unter der Maske der Freisinnigkeit absolutistische und selbstsüch-tige Tendenzen zu verbergen‹«. Obwohl die Parteien die Errichtung des neuen Gremiums nicht verhindern konnten, gelang es ihnen, diese »Art von Neben- und Gegenparlament«, wie Ludwig Bamberger es vor seinen Wählern nannte, binnen kurzem politisch lahmzulegen und es gar nicht erst über Preußen hinausgelangen zu lassen. Der höchst wirksamen Diskreditierung des Ganzen in der Öffentlichkeit als ein neues Instrument einer sich immer mehr ausprä-genden »Kanzlerdiktatur« stellte man die nicht minder wirkungsvolle Dro-hung an die Adresse der Verbände zur Seite, der Versuch, die Parteien zu umgehen, werde bei diesen entsprechende Gegenreaktionen auslösen und jedes noch so geschickt ausgeklügelte Gesetzgebungswerk zum Scheitern verurteilen.

Die ganze Initiative erwies sich so für die Regierung sehr rasch als ein Schlag ins Wasser. Und nicht nur das. Die erfolgreiche Selbstbehauptung der Parteien in Abwehr einer in der Tat höchst bedrohlichen Herausforderung erzeugte ein politisches Klima, das allen weiteren Plänen Bismarcks, von denen man auch nur vermuten konnte, daß sie in eine ähnliche Richtung zielten, äußerst ungünstig war.

Das zeigte sich insbesondere an der Reaktion auf den unmittelbar anschlie-ßenden Vorstoß auf sozialpolitischem oder besser gesagt sozialfürsorgeri-schem Gebiet, in einem Bereich, dessen grundlegende gesetzgeberische Neuordnung bis heute als einer der bedeutendsten Aktivposten der Bismarck-schen Innenpolitik nach 1871 gilt. Diese Reaktion ist rückblickend vielfach als dogmatische Blindheit gegenüber zentralen Problemen der modernen Gesell-schaft dargestellt worden. Die Parteien hatten jedoch zu einer kritischen Haltung allen Grund.

Zwar gab es für Bismarcks Politik auf diesem Gebiet eine ganze Reihe von sachlichen Beweggründen, auch Antriebe ethisch-moralischer Natur, die den Traditionen einer christlich-konservativen Staatsidee und eines patriarcha-lisch akzentuierten sozialen Verantwortungsgefühls entstammten. Aber es steht außer Frage, daß das politische Hauptziel der Bismarckschen Sozialpoli-tik darin bestand, eine neue und verstärkte Form der direkten Staatsbindung zu erzeugen, daß es ihr darum ging, die Parteien auch hier ihrer Basis zu entfremden, sie gleichsam zu mediatisieren und dadurch als Konkurrenten um die Macht ins zweite Glied zu drücken. »Während die alten Parteien in Fluß gerieten«, so hat es einer der besten Kenner der Materie ausgedrückt, »sollten die Massen durch Wohltaten mit der Regierung verbunden und den Einflüssen der Agitation entzogen werden, es sollte eine Schicht kleiner Staatsrentner entstehen.«

Gedanken dieser Art hatte Bismarck bereits in den sechziger Jahren formuliert. Dabei hat, wie schon bei der Institution des Volkswirtschaftsrats, das napoleonische Vorbild ganz sicher eine nicht unerhebliche Rolle gespielt. Während der Zusammenarbeit mit den Nationalliberalen hatten sich derartige Überlegungen dann zwar auf die Sozialisten und die mit ihnen in sozialen Fragen konkurrierenden Gruppen aus dem Lager der »Reichsfeinde« verengt. Aber stets war die Überzeugung erhalten geblieben, daß es im Prinzip möglich sei, den politischen Repräsentanten bestimmter sozialer Gruppen und Interessen sozusagen von Staats wegen das Wasser abzugraben, sie mit dem Zangengriff direkter politischer Repression und staatlicher Begünstigung ihrer Anhänger auszuschalten.

Schon im Herbst 1871 hatte er sein gesamtes »sozialpolitisches« Programm in dieser Hinsicht formuliert. Er nannte dabei »Entgegenkommen gegen die Wünsche der arbeitenden Klassen durch Gesetzgebung und Verwaltung« und »Hemmung der staatsgefährlichen Agitationen durch Verbots- und Strafgesetze« buchstäblich in einem Atemzug. Daran hatte er nicht nur festgehalten, sondern bereits vor dem Sozialistengesetz, im Sommer 1877, ganz konkrete Pläne entwickelt, wie das »Entgegenkommen gegen die Wünsche der arbeitenden Klassen« im einzelnen aussehen solle.

Statt einzelner bürokratischer Eingriffe in die industrielle Arbeitswelt durch übermächtige Fabrikinspektoren, so hieß es am Ende eines langen Schreibens an den damaligen preußischen Handelsminister Heinrich Achenbach vom 10. August 1877, sollte man sich auf das Prinzip der »Haftpflicht für Unfälle« konzentrieren und auf »ihre mögliche Ausdehnung auf die Invalidität, die aus Erschöpfung durch Arbeit und aus Krankheit im Dienst hervorgeht«. Im weiteren kristallisierte sich dann, nicht zuletzt in eingehenden Beratungen mit den Vertretern der großen Industrie, immer deutlicher die Idee einer allgemeinen Versicherung unter staatlicher Obhut und unter staatlicher Beteiligung heraus. Ein solches vom Staat getragenes und auf den Staat verweisendes Versicherungssystem sei geeignet, so hat er es Mitte Dezember 1880 ohne Umweife zu Papier gebracht, »in der großen Masse der Besitzlosen die konservative Gesinnung zu erzeugen, welche das Gefühl der Pensionsberechtigung mit sich bringt«. »Wer eine Pension hat für sein Alter«, so einen Monat später zu dem Schriftsteller Moritz Busch, »der ist viel zufriedener und viel leichter zu behandeln, als wer darauf keine Aussicht hat.«

Das Diktat vom Dezember 1880 macht deutlich, daß sich der allgemeine politische Grundgedanke, der sich in den davorliegenden Jahrzehnten im wesentlichen auf die Sozialisten und verwandte Gruppen verengt hatte, inzwischen im Zeichen der politischen Entwicklung und der parteipolitischen Konstellation wieder ausgeweitet hatte. Er tendierte nun dahin, zum system-stiftenden Prinzip zu werden. »Die sozial-politische Bedeutung einer allge-meinen Versicherung der Besitzlosen wäre«, so bemerkte er geradezu empha-tisch, »unermeßlich.« Und den Vorwurf nicht scheuend, der ihm dann aus vieler Munde entgegenschallte, ihn vielmehr als Kerngedanken des Ganzen akzeptierend: »Ein staatssozialistischer Gedanke! Die Gesamtheit muß die Unterstützung der Besitzlosen unternehmen und sich Deckung durch Be-steuerung des Auslandes und des Luxus zu verschaffen suchen.«

Die Gesamtheit – das waren für ihn der bürokratische Staat mit dem Monarchen an der Spitze und die diesen Staat verkörpernde, vom Monarchen bestellte Regierung, nicht die Vertreter der Regierten, die Parteien. Sie repräsentierten in seinen Augen eben nur das Partikulare, die Einzelinteres-sen, die vor der Gesamtidee, dem Gesamtinteresse, zurücktreten müßten. »Der Staat muß die Sache in die Hand nehmen«, erklärte er ein ums andere Mal und fügte in vertrautem Gespräch hinzu: »Der Staatssozialismus paukt sich durch. Jeder, der diesen Gedanken aufnimmt, wird ans Ruder kommen.«

In diesem Sinne verband sich die alte bürokratisch-absolutistische Staats-idee, zu deren Kritikern Bismarck, wenn auch unter wechselnden Aspekten, so oft gehört hatte, in einer ganz bestimmten innenpolitischen Situation mit sozialreformerischen beziehungsweise sozialfürsorgerischen Leitideen. Ihre sachliche Berechtigung schien unbestreitbar zu sein. Sie dienten jedoch hier ganz unverhüllt dazu, die politische Konkurrenz zurückzudrängen und die schwindende eigene Macht auf eine neue und, wie Bismarck hoffte, tragfähi-gere Basis zu stellen.

Parteien und Öffentlichkeit haben dies jenseits aller Einzelheiten deutlich gespürt. Sie ahnten, daß das Ganze auf eine autoritäre Umgestaltung der bestehenden politischen Ordnung, auf eine weitere Schwächung der ohnehin im Vergleich zu Westeuropa, zu Frankreich und insbesondere zu England, nicht sehr stark ausgeprägten repräsentativstaatlichen Elemente zielte. Dem entsprach ihre Reaktion. Allerdings ist diese Reaktion in der Geschichts-schreibung dann vielfach in den Hintergrund getreten, weil die Aufmerksam-keit mit Blick auf die weitere Entwicklung verständlicherweise mehr den autoritären, obrigkeitsstaatlich-manipulativen Faktoren in der Geschichte des Reiches von 1871 galt. Damit aber droht bis heute alles weitere in ein falsches Licht zu geraten. Denn nur wenn man sich vor Augen führt, wie sehr Bismarck mit seinen Initiativen politisch aufgelaufen ist, wird das immer hektischere Suchen nach neuen Auswegen und Lösungsmöglichkeiten in der Grundtendenz verständlich.

Es handelte sich dabei eben nicht um den planmäßigen und erfolgreichen

Aufbau eines »Systems«. Es handelte sich um eine Art politischen Verzweiflungskampf, der freilich, zumal als der Politiker Bismarck dann zu einem förmlichen Mythos wurde, verheerende Folgen hatte. Über den direkten Einfluß auf die konkreten Verhältnisse, Strukturen und Verhaltensweisen hinaus drohte damit die Auffassung vom Wesen der Politik selbst zu verkommen. Sie drohte sich allein noch am augenblicklich Machbaren zu orientieren – was als Ausdruck realpolitischer Nüchternheit erscheinen mochte, jedoch nur banal war und Perspektivelosigkeit zum Prinzip erhob.

Die Oppositionsparteien von 1881, die verschiedenen Gruppen des Linksliberalismus, das Zentrum und die Sozialdemokratie, konnten sich freilich nicht mit dem Gedanken der Zukunftslosigkeit des Ganzen beruhigen. Sie sahen oder, besser gesagt, fürchteten eine ganz reale Perspektive: einen auf staatssozialistische und pseudoplebiszitäre Elemente gestützten Neoabsolutismus. Davon hatte Jacob Burckhardt, der Baseler Historiker, schon zu Beginn der siebziger Jahre in vielfachen Wendungen gesprochen, von dem »Militärstaat«, der mit innerer Notwendigkeit »Großfabrikant werden« müsse, von der Verbindung von Organisation der Massen und autoritärem Regime. Damals war er noch ein Rufer in der Wüste gewesen. Im Jahr 1881 aber fühlten sich viele zu solchen dunklen Ahnungen veranlaßt. Die Erinnerung an das kaiserzeitliche Rom, an eine auf die breiten Massen zielende Politik der Ablenkung und Bestechung mit dem Ziel nicht zuletzt der Ausschaltung der politischen Eliten, wurde in jenen Monaten geradezu zum Topos. Selbst Wilhelm Wehrenpfennig, der politisch auf dem rechten Flügel der Nationalliberalen angesiedelte Herausgeber der einflußreichen »Preußischen Jahrbücher«, sprach Anfang Juni 1881 von den »römischen Kornverteilungen an die süßen Pöbel in anderer Gestalt«, indem man »einem willkürlich herausgegriffenen Teil der Arbeiter Pensionen auf Staatskosten in Aussicht« stelle. »Wer hat denn unsere inneren Wirrnisse verschuldet«, die damit geheilt werden sollten? fragte er rhetorisch. »Gegen Bismarck braut sich allmählich im Volk ein Wetter zusammen«, umschrieb Theodor Fontane im Frühjahr 1881 in einem Brief an den Grafen Philipp Eulenburg die allgemeine Stimmung: »In der Oberschicht der Gesellschaft ist es bekanntlich lange da. Nicht seine Maßregeln sind es, die ihn geradezu ruinieren, sondern seine Verdächtigungen. Er täuscht sich über das Maß seiner Popularität. Sie war einmal kolossal, aber sie ist es nicht mehr.«

Unter dem Eindruck solcher Tendenzen in der öffentlichen Meinung und in den Parteien war das Schicksal der ersten großen sozialpolitischen Vorlage, des Unfallversicherungsgesetzes, das am 15. Januar 1881 dem Bundesrat zugeleitet wurde, praktisch von Anfang an besiegelt. Bei den entscheidenden Beratungen des Reichstages Anfang April 1881 sah sich Bismarck mit all dem Mißtrauen und mit all den Bedenken konfrontiert, die seine Vorstöße und politischen Initiativen in den letzten Monaten ausgelöst hatten. Auch

seine vor allem gegen den Linksliberalismus gerichtete politische Vorwärts-
strategie brachte ihm nichts ein. Sie verstärkte im Gegenteil den Argwohn
gegenüber seinen letzten Zielen und Absichten. »Wir machen die erfreuliche
Wahrnehmung«, faßte Eugen Richter, der Führer der Fortschrittspartei, am
zweiten Tage der Debatte triumphierend zusammen, »daß in immer weiteren
Kreisen ein Geist der selbständigen und unbefangenen Kritik gegenüber den
Vorschlägen des Herrn Reichskanzler sich regt, mehr, als wir noch vor kurzer
Zeit es für möglich hielten.«

Die Diskussion über die Regierungsvorlage entwickelte sich in der Tat von
seiten der Oppositionsparteien zu einem regelrechten politischen Scherben-
gericht über den Kanzler. Dabei traten die einzelnen Sachprobleme mehr und
mehr in den Hintergrund. Von schleichendem Übergang nicht nur zum
Sozialismus, sondern zum Kommunismus war die Rede, und zwar zu einem
so schlechten, »wie ihn noch niemand bisher erfunden hat«. Man sprach von
»in neuen Formen« verbrämter Klassenpolitik, die ganz auf der Linie der Zoll-
und Steuerpolitik seit 1879 liege. »Es *scheint* eine Subvention der Armen, es
*scheint* eine Subvention der Arbeiter«, so Eugen Richter, »in Wahrheit läuft es
auf nichts heraus, wie auf eine Subvention der Großindustrie, die um so viel, als
den Arbeitern mehr von Reichs wegen geleistet wird, um so viel weniger den
Arbeitern ihrerseits zu zahlen braucht in der Konkurrenz mit anderen
Erwerbszweigen um dieselben Arbeiter.«

Das Aufblühen der antisemitischen Bewegung, ihre angebliche Förderung
durch die Reichsleitung und ihre Benutzung als politisches Instrument gegen
die Linksparteien wurden ebenso ins Spiel gebracht wie die Tradition der
radikalen Linken in der Französischen Revolution, die Tradition des Jakobi-
nismus und des Konvents 1793/94. »Die einzige gesetzgeberische Potenz«, so
Ludwig Bamberger, »die der Sache in der Weise nahe getreten ist, wie es hier
geschieht, das war der französische Konvent, er ist unser Vorgänger. Er hat
sich zugleich nicht begnügt mit der bloßen Unfallversicherung, sondern er hat
das auch uns als Zukunftsbild bereits an die Wand gezeichnete Projekt der
großen Alters- und Invalidenversicherungsaufgabe in die Hand genommen,
aber nicht zu Ende geführt.« Das freilich seien jetzt in Frankreich Kräfte im
Begriff zu tun, »Mitglieder der radikalen Opposition gegen Gambetta«, von
denen jeder Eingeweihte wisse, »welche Farbe diese Partei trägt, und daß sie
weit über das hinausgeht, was man republikanisch nennt«. Die »Unerschrok-
kenheit«, die die Reichsregierung kennzeichne, höhnte Bamberger, »kann sie
auch darin zeigen, daß sie sich durch solche Gesellschaft nicht abschrecken
läßt«.

Was aber, so Bamberger, den Grundtenor der Kritik noch einmal in
schärfster Zuspitzung zusammenfassend, sei der eigentliche Kern der dem
Entwurf zugrundeliegenden Konzeption, der tragende Gedanke, den man
»eben so gut wie ... human, modern, christlich« auch »revolutionär nennen«

könne? Das sei doch wohl der Satz, »man müsse dem Armen zeigen, daß der Staat nicht bloß für die Reichen da sei, sondern auch für ihn, man müsse ihm das zeigen durch positive Leistungen, durch Spenden«. »Meine Herren, ist das ein moderner Gedanke?« »Das ist der Gedanke... der römischen Republik in ihrem Verfall.« Damals habe man »Theater für den süßen Pöbel in Rom oder in Athen« gebaut und dem Volk auf diese Weise zu zeigen versucht, »daß der Staat nicht bloß für die Reichen da sei, sondern auch zum Vergnügen und zur Unterhaltung der Massen«. »Das ist kein moderner Gedanke, meine Herren, das ist nicht der Staat des kategorischen Imperativs..., das ist der Staat nur dessen, der mit weißer Toga einhergeht, um die Stimmen der Wähler zu werben und Jedem die Hand zu drücken..., aber nicht der Staat der Pflichterfüllung.«

Sicher – in der Sache paßte da vieles nicht zusammen. Die Position, von der aus Kritik geübt wurde, blieb, was das fraglos brennende Problem als solches betraf, vielfach disparat und auch perspektivelos. Hier erwiesen sich die Sprecher des Zentrums, die in ihren Reden in manchem nicht minder kritisch waren, als sehr viel konstruktiver. Doch die politische Grundtendenz war eindeutig. Und sie vereinte eine ganz klare Mehrheit des Reichstags. Vergeblich beschwor Bismarck in seiner großen Rede vom 2. April 1881 das Plenum, »daß man doch nicht Alles aus dem Gesichtspunkt der Parteitaktik, aus dem Gesichtspunkt der Fraktionstaktik, aus dem Gefühl ›Fort mit Bismarck‹ und dergleichen betreiben möge«. Vergeblich klammerte er das Zentrum aus seinen Gegenangriffen ganz aus. Vergeblich betonte er das christliche Element der Vorlage: Es handele sich, unterstrich er ein ums andere Mal, im Kern um »praktisches Christentum in gesetzlicher Betätigung«. Alle Konzentration auf die Vertreter des Linksliberalismus, deren Argumente er geradezu klassenkämpferisch nannte und zudem von bloßem Machtstreben diktiert, alle Appelle zu gemeinsamem Handeln angesichts einer so zentralen und zukunftsträchtigen Frage nützten nichts. Gemeinsam beseitigten die Vertreter von Zentrum und Linksliberalismus im Verlauf der anschließenden Beratungen einer eigens eingesetzten achtundzwanzigköpfigen Kommission die beiden Elemente, auf die es Bismarck besonders ankam: die geplante Reichsversicherungsanstalt und den Zuschuß des Reiches zu den Versicherungsprämien.

Sie handelten dabei im Prinzip durchaus im geheimen Einverständnis mit dem zuständigen Ministerialreferenten und engsten sozialpolitischen Mitarbeiter Bismarcks, dem Unterstaatssekretär im Handelsministerium Theodor Lohmann. Dieser trat, ohne politische Nebenabsichten ganz auf die sozialen Probleme als solche konzentriert, für das Prinzip der Selbsthilfe des Einzelnen und der Gesellschaft ein und lehnte Reichsversicherungsanstalt und Reichsbeitrag unverhohlen ab. Für Bismarck hingegen war der Entwurf nach den Änderungen durch die Kommission und dem entsprechenden Reichstagsbeschluß politisch praktisch wertlos geworden. Er war fest entschlossen, diesen »parlamentarischen und geheimrätlichen Wechselbalg«, wie er das Ganze später einmal nannte, nicht anzunehmen, sondern erst einmal das anstehende Votum des Wählers abzuwarten.

Auf dieses Votum und seinen mutmaßlichen Ausgang war von beiden Seiten schon in der Debatte Anfang April 1881 wiederholt angespielt worden. Stärker als je zuvor konzentrierte sich seither alles auf die Reichstagswahlen vom Herbst dieses Jahres. In ihrem Zeichen stand auch Bismarcks demonstrativer Versuch, den Einfluß des Reichstags durch Einführung zweijähriger Etatperioden und entsprechend seltenere Sitzungsperioden noch weiter zurückzudrängen. Formell beriefen sich die »Verbündeten Regierungen« dabei auf das Problem der gleichzeitigen Sitzungen des Reichstags und der verschiedenen Landtage, denen viele Reichstagsabgeordnete in Personalunion angehörten.

Ein erster Gesetzentwurf dieser Art war bereits 1880 eingebracht worden, damals aber gar nicht erst auf die Tagesordnung gekommen. Und auch jetzt stand mit Sicherheit zu erwarten, daß der Reichstag in seiner Mehrheit einer solchen Selbstentmachtung niemals zustimmen werde. Das Ganze war also von seiten Bismarcks in erster Linie darauf berechnet, den lähmenden Gegensatz zwischen Reichstagsmehrheit und Exekutive der Öffentlichkeit und dem Wähler in einem für die Regierung günstigen Licht zu präsentieren. Hier, auf seiten der Regierung, dominiere, so sollte jedermann schließen, der Gedanke der effektiven, sachbezogenen und sachorientierten, dem Gemeinwohl dienenden Arbeit. Dort hingegen herrsche die Neigung zu ewigen Sitzungen und Debatten vor, zu egoistischen Machtkämpfen und Intrigen. Es gehe also um den Herrschaftsanspruch des bloßen Redners – der, so Bismarck, selten »ein sicherer Staatsmann sein wird« – über den erfahrenen Praktiker und Fachmann.

Das war denn auch der eigentliche Inhalt seiner letzten großen Reichstagsrede vor den Wahlen, in der er am 5. Mai 1881 den Vorschlag einer entsprechenden Verfassungsänderung begründete – die Grundlagen des Etatrechts und die Sitzungsperioden waren verfassungsrechtlich fixiert. In ausgesprochen demagogischer Form sprach er von den Annehmlichkeiten des Daseins eines Abgeordneten im Vergleich zum Leben derjenigen, die wirklich zu arbeiten, ihren »strengen Dienst« zu verrichten hätten. Er betonte die Gefahr, daß ein nur noch im Parlament lebender und wirkender Mann, der nicht mehr »gemeinsame Arbeit, gemeinsames Schaffen und Erwerben mit den Wählern« teile, auch »jede Fühlung und jede Möglichkeit der richtigen Beurteilung der Interessen und Wünsche des Kreises, der ihn gewählt hat, zu verlieren« drohe. Am Ende stehe »nur eine neue Spezies, oder ich will lieber sagen Gattung der ›Bürokratie‹«mit allen ihren Nachteilen, stünden, »wie wir erbliche Beamtenfamilien haben«, »erbliche Parlamentarierfamilien«, »die

von Hause aus ihr Studium darauf ausrichten, und die, wie der volkstümliche
Mund sich ausdrückt, sagen: ›Ich will Abgeordneter lernen‹«. Und die bloße
Behauptung, von der er freilich nur zu gut wußte, wie sehr sie einem populären
Vorurteil entsprach, als erwiesene Tatsache nehmend: »Die Bürokratie
weiter hinaus und auf das parlamentarische Leben auszudehnen, und auch
dieses zu einem Zweige der Reichs- und Landesbeamtenverwaltung werden
zu lassen, der mit der misera contribuens plebs, die da schafft und arbeitet,
wagt und wettet, erwirbt, gewinnt oder verliert, wenig Berührungspunkte und
namentlich nicht gemeinsame Interessen und Denkungsweise hat, halte ich für
schädlich.«

Statt Spiegel und Repräsentant der Interessen und Bestrebungen der
Gesellschaft zu sein, sei das Parlament, das war der Kern dieser ganz auf den
Wähler und auf die Öffentlichkeit berechneten Rede, inzwischen selber zu
einem Teil der Staatsverwaltung geworden. Ja, es übertreffe diese nicht selten
noch an Bürokratismus, da in ihm nicht praktische Erfahrung und Sachkunde,
sondern bloße Theorie und Besserwisserei vorherrschten. Hier gäben, so
Bismarck Ende Juni 1881 noch schärfer in der »Norddeutschen Allgemeinen«, die »Gelehrten« den Ton an, die »der erwerbenden, von ihrer Arbeit
lebenden Bevölkerung« gegenüberständen wie »die Drohnen den Arbeits-
bienen«. Sie seien die »gewerbsmäßigen Abgeordneten«, die diejenigen
majorisierten, »welche froh sind, wenn der Reichstag schließt«.

Diesem in ganz neuer Weise begründeten Antiparlamentarismus stellte der
Kanzler, über den konkreten Änderungsvorschlag hinaus, die These zur Seite,
die Verfassung enthalte bereits ein probates Mittel gegen eine solche Fehlent-
wicklung. Dieses Gegenmittel wolle freilich der mit allen Mitteln zur Herrschaft drängende linke Teil des Hauses nur zu gern in Vergessenheit geraten
lassen: Es seien die Rechte des Kaisers als Staatsoberhaupt und als Repräsentant des »monarchischen Prinzips«. »Der Kaiser«, so betonte Bismarck mit
aller Schärfe, »hat bisher seine persönlichen Rechte noch nicht zur Diskussion
und Beschlußfassung durch den Reichstag gestellt.«

Die alte, in den Jahren des Verfassungskonflikts hundertmal wiederholte
Formel erhielt damit einen ganz neuen Inhalt. Der Monarch als das eigentlich
individuelle, persönliche Element im Staatsleben und zugleich als geborener
Repräsentant des Ganzen und des Gemeinwohls sei das natürliche Gegengewicht gegen eine Überwältigung des Einzelnen wie der Gesellschaft durch eine
immer weiter ausgreifende, sich hinter immer neuen Formen versteckende
Staatsbürokratie, gegen den Egoismus neuer volksfremder Kasten. Von da
aus war es nur noch ein Schritt zu der Idee einer die Abhängigkeiten und
abstrakten Zwänge, die »Hörigkeiten« der modernen Welt sprengenden und
überwindenden persönlichen »charismatischen« Führung, die damals wie
später so viele und unterschiedliche Geister fasziniert und auf politische
Irrwege geleitet hat.

Bismarck selber hat diesen Schritt noch nicht vollzogen. Dazu war er zu nüchtern, zu »unideologisch«, war er sich vor allem der Gefahren zu sehr bewußt, die daraus für seine eigene Stellung in einem monarchischen Staat erwachsen konnten. Aber er hat derartige Perspektiven und Ideen von nun an immer häufiger beschworen. Dem angeblich bereits parlamentarisch versippten und molochartig um sich greifenden bürokratischen Anstaltsstaat stellte er die Vision einer patriarchalischen Monarchie gegenüber. Nur sie werde in der Lage sein, die bestehenden Gegensätze in neuen, organischen, das Bewährte bewahrenden Formen zu versöhnen.

Freilich – so wenig er selber ernsthaft an dergleichen glaubte, so wenig enthielt es denen gegenüber, an deren Adresse er sich damit unmittelbar richtete, mehr als eine Drohung, eine Warnung, er könne notfalls völlig anders. Bezeichnenderweise beendete er seine Reichstagsrede vom 5. Mai 1881 mit einem sehr persönlich gefärbten Appell an Rudolf von Bennigsen, den nationalliberalen Parteiführer. Er nannte ihn »unter seinen Fraktionsgenossen den Mitkämpfer«, »dem ich wirklichen Beistand verdanke, und dem das Deutsche Reich für seine Herstellung, für seine Konsolidierung so viel schuldig ist«. Bennigsen, so Bismarck, solle sich »der Reichsregierung« nicht noch weiter »entfremden« und sich nicht in eine Linkskoalition einspannen lassen, die jede Wiederanknüpfung unmöglich zu machen drohe. Die Mitte-Rechts-Kolatition auf solider Wählerbasis wieder herbeizuzwingen, die ihn in politisch erfolgreicheren und glücklicheren Tagen getragen hatte, das blieb sein Hauptziel.

Dieses Ziel war allerdings längst zu einer Fata Morgana geworden. Indem Bismarck es nach allen Angriffen gegen die Parteien erneut beschwor, provozierte er nur neues Mißtrauen. Ja, er torpedierte auf diese Weise mit eigener Hand seine Absicht, Entscheidungswahlen zwischen sich und der widerstrebenden, innerlich höchst heterogenen Reichstagsmehrheit herbeizuführen und auf diese Weise das Parlament als Ganzes in seine Schranken zu weisen.

Zu diffus, zu schillernd, zu zwielichtig, zu unklar in den letzten Zielen war, so die sich befestigende Meinung in der Öffentlichkeit, was der Kanzler in seiner Person und in seiner Politik als Alternative präsentierte, wofür er um Zustimmung und Unterstützung warb. Alle Drohungen und Pressionen, alle Appelle und Verlockungen, massive Wahlbeeinflussung und Betonung des Interessenstandpunkts nutzten nichts – der Wähler entschied sich in überwiegender Mehrheit gegen eine Politik, deren positive Grundlinie nicht klar zu erkennen war und die ihn deshalb zusätzlich verwirrte.

Die Bismarck am nächsten stehenden Parteien, die freikonservative Reichspartei und die in der alten Partei verbliebenen Nationalliberalen, büßten jeweils fast die Hälfte der Stimmen und mehr als die Hälfte ihrer bisherigen Mandate ein. Die Freikonservativen gingen von siebenundfünfzig

auf achtundzwanzig Sitze zurück. Und die Nationalliberalen, zu ihrer Glanz-
zeit in der ersten Hälfte der siebziger Jahre bei weitem die größte Fraktion,
verfügten bloß noch über siebenundvierzig Mandate, einen Sitz mehr als die
»Sezessionisten« von 1880. Diese errangen unter dem Namen »Liberale
Vereinigung« auf einen Schlag sechsundvierzig Mandate. Sie bildeten mit der
»Deutschen Fortschrittspartei«, die ihren Stimmenanteil nahezu verdoppelte
und durch geschickte Wahlabsprachen von sechsundzwanzig auf sechzig
Mandate emporschnellte, eine zwar nicht in allen Einzelheiten, aber in ihrer
scharfen Frontstellung gegen Bismarck und seine Politik einige große linksli-
berale Gruppe. Ihr zur Seite stand das nach wie vor oppositionelle Zentrum,
das bei geringem Stimmengewinn nochmals sechs Sitze hinzugewann und mit
genau einhundert Mandaten jetzt jene Stärke erreichte, die es bis zum Ende
des Kaiserreiches im großen und ganzen zu behaupten vermochte.

So sah sich Bismarck einem oppositionellen Block gegenüber, der unter
Zuzug der ebenfalls erfolgreichen »Protestparteien« die Zweidrittelmehrheit
überschritt – eine Situation, die an die Verhältnisse in den Jahren unmittelbar
nach seinem Amtsantritt erinnerte. Mit den Verlusten der Konservativen, die
ebenfalls neun ihrer Mandate einbüßten, war die Zahl der zuverlässig
regierungstreuen Abgeordneten auf die des Linksliberalismus gesunken.

Die eklatante Wahlniederlage zwang den Kanzler, wollten er oder der
Kaiser nicht die politischen Konsequenzen ziehen, eine Verschärfung seines
bereits eingeschlagenen antiparlamentarischen, gegen die Mehrheit der bestehenden Parteien gerichteten Kurses förmlich auf. An eine parlamentarisch-parteipolitische Alternative, wie er sie unter der Devise »Gegen ›Fortschritt‹ und Freihandel« eben noch einmal beschworen hatte, war vorerst nicht
mehr zu denken. Das aber band ihn stärker als je zuvor, vergleichbar nur mit
der Situation zu Beginn seiner Laufbahn als preußischer Ministerpräsident, an
die Person und das Wohlwollen des preußischen Königs und deutschen
Kaisers. Seine Partei, diagnostizierte er in jenen Tagen einmal nüchtern,
bestehe »nur aus dem König und ihm«. Und dies wiederum war angesichts des
hohen und im Haus Hohenzollern durchaus ungewöhnlichen Alters Wilhelms
I. und der politischen Grundeinstellung des Kronprinzen eine Konstellation,
die kaum noch eine ernsthafte Zukunftsperspektive zu besitzen schien.

Man versteht, daß sich Bismarck, dies vor Augen, immer häufiger in
abenteuerliche Überlegungen verstieg, was an Auswegen denkbar sei, und
sich in dunklen Andeutungen erging über mögliche politische Alternativen
und einen völlig neuen Kurs. Davon war kaum etwas wirklich ernstzunehmen.
Von konkreten Staatsstreichplänen zu sprechen, heißt den politischen Realismus und die Nüchternheit des Mannes denn doch zu unterschätzen. Wohl
ließ der Kanzler kurz nach den Wahlen verlauten, es könne »möglicherweise«
»einmal ein Moment kommen, wo die deutschen Fürsten erwägen müssen, ob
der jetzige Parlamentarismus mit dem Wohle des Reiches noch vereinbar sei«.

Und wohl drohte er in einer Rede Mitte 1882, es könne eine Situation entstehen, in der »schließlich die Worte ›Absolutismus‹ und ›Patriotismus‹ näher verwandt werden, als verfassungsmäßig wünschenswert« sei, in der »die deutsche Nationalität, die deutsche Unabhängigkeit nach außen und innen Schutz und Würdigung nur bei den Dynastien findet, und namentlich bei meinem Herrn, dem König von Preußen«. Aber der Kontext war stets das fieberhafte Suchen nach Lösungen im Rahmen des Bestehenden, nach einer Politik, die in irgendeiner Form schließlich mehrheitsbildend wirken und ihm eine neue Basis schaffen würde. Auch hier galt, was er einst, kurz vor seiner Berufung zum preußischen Ministerpräsidenten, Roon gegenüber als seine Taktik beschrieben hatte: »Besonders wenn vorher etwas mit Redensarten von Oktroyieren und Staatsstreicheln gerasselt wird, so hilft mir meine alte Reputation von leichtfertiger Gewalttätigkeit, und man denkt ›nanu gehts los‹. Dann sind alle Zentralen und Halben zum Unterhandeln geneigt.«

Worüber aber sollte jetzt »unterhandelt« werden? Was schien geeignet, eine Änderung der bestehenden politischen Gewichtsverteilung und der vorhandenen Parteienkombination herbeizuführen, nachdem der direkte Appell an die verschiedenen Interessen zunächst einmal in keiner Weise das erwünschte Ergebnis gehabt hatte? Sicher lag nach Überwindung der augenblicklichen Enttäuschung die Überlegung nahe, daß man Geduld haben müsse, daß der Weg an sich richtig sei, nur nicht so rasch zum Ziel führe. In der Tat hat Bismarck sogleich erkennen lassen, daß er an seinem »staatssozialistischen« sozialpolitischen Programm und an seinen darauf abgestimmten Steuerreform-Projekten festzuhalten gedenke. Er wählte dafür die Form einer feierlichen kaiserlichen Botschaft, mit der der neue Reichstag am 17. November 1881 eröffnet wurde. Auf diese Weise machte er, in Akzentuierung und Fortsetzung der bisherigen politischen Taktik, den Kaiser »in persönlicher Weise zum Träger seiner sozialen und Finanzreformpläne«, wie sein Landwirtschaftsminister Lucius es formulierte. Er schob also einmal mehr das personalistische Element in den Vordergrund. Darüber hinaus versuchte er, das Projekt eines Reichsvolkswirtschaftsrats voranzutreiben, freilich abermals vergeblich: Die beantragten Mittel wurden vom Reichstag Anfang Dezember 1881 erneut verweigert.

Aber war das wirklich alles? Hat Bismarck nicht noch andere Wege ins Auge gefaßt, um aus der Sackgasse herauszukommen, in die er innenpolitisch geraten war? Sollte er sich nicht daran erinnert haben, wie rasch und grundlegend sich einst die Szene im Zeichen einer dynamischen und erfolgreichen Außenpolitik verändert hatte?

Diese Frage ist in den letzten Jahren mit immer größerem Nachdruck gestellt und vielfach entschieden bejaht, ja, zur Schlüsselfrage seiner ganzen Politik in den achtziger Jahren erklärt worden. Georges Clemenceau, der Führer der französischen Linksliberalen jener Jahre, hat seine Vorwürfe gegenüber seinem politischen Hauptkontrahenten, dem rechtsliberalen französischen Ministerpräsidenten Jules Ferry, einmal in der höchst wirkungsvollen Formel zusammengefaßt, dieser wolle »das Volk durch Kolonialpolitik bestechen«. Das ist im Kern die These, von der ausgehend man auch die Bismarcksche Politik dieser Zeit insgesamt zu erfassen versucht hat. Sie lautet: Zur Erhaltung des Status quo, der bestehenden Ordnung in Staat, Wirtschaft und Gesellschaft, sei von Bismarck und den vorherrschenden Kräften dieser Gesellschaft die Außenpolitik, insbesondere die Politik kolonialer Expansion, an der sich das Reich aus diesem Grunde immer stärker beteiligt habe, gleichsam instrumentalisiert worden. Dabei seien im einzelnen viele Argumente zusammengekommen: die Idee, daß nur ein durch den Besitz von Kolonien garantiertes und stimuliertes wirtschaftliches Wachstum die Erhaltung des Bestehenden zu sichern in der Lage sei; der Gedanke, daß erfolgreiche Machtpolitik wie 1866 und 1871 psychologisch in die gleiche Richtung wirke, indem sie die vorhandene Ordnung als überlegen und letztlich unüberwindlich erscheinen lasse; und schließlich die Erwägung, daß ein Ringen um einen »Platz an der Sonne« auch in Übersee die Öffentlichkeit aufs stärkste beschäftigen und faszinieren und vieles andere in die zweite Reihe zurückdrängen werde. Dabei seien zwar die Interessen im einzelnen sehr unterschiedlich verteilt gewesen. Jede Gruppe habe die Akzente anders gesetzt und zum Teil höchst unterschiedliche Ziele verfolgt. Gemeinsam und Gemeinsamkeit stiftend sei jedoch der »ideologische Konsensus« gewesen, daß man die bestehende, von vielen Seiten gefährdete Ordnung mit allen Mitteln verteidigen müsse und daß eine Beteiligung an der Politik kolonialer Expansion hierzu besonders geeignet sei.

Diese Konzeption eines »Sozialimperialismus«, einer Politik des »Solidarprotektionismus«, hat die ganze Faszinationskraft globaler Erklärungen, welche die verwirrende Flut von Einzelheiten unter einem großen Gedanken zu ordnen versprechen. Sie kommt zudem der weitverbreiteten Neigung entgegen, den Verlauf des historischen Prozesses im wesentlichen auf das erfolgreiche Wirken einzelner Gruppen oder großer Einzelner zurückzuführen. Zugleich aber wird, weil alles schon vom Ansatz her so überzeugend erscheint, in den Hintergrund gedrängt, was das Ganze erst aus der bloßen Spekulation hinauszuführen imstande ist: die Frage nach der faktischen Realität jenes angeblichen Wirkungszusammenhangs, also nach dem tatsächlichen Verhältnis von Ursachen und Wirkungen und der darin vorgeblich wirksamen inneren Rationalität. Geht man ihr nach, so zeigt sich rasch, daß die Dinge in Wahrheit viel komplizierter liegen und nicht so leicht auf einen einfachen Nenner zu bringen sind. Vor allem fällt es sehr schwer, jene angebliche Konvergenz der unterschiedlichen realen Interessen der verschiedenen Gruppen und Kräfte aus Politik und Wirtschaft konkret dingfest zu machen, von der unter den Stichworten »ideologischer Konsens« und »Solidarprotektionismus« bei einer derartigen Deutung immer wieder die Rede ist. Ja, der Verdacht drängt sich schließlich mehr und mehr auf, daß hier in der Tradition rein geistesgeschichtlicher Interpretationen das zeitgenössische Schlagwort, die Ideologie der Interessierten, für die Realität selber genommen worden ist und von daher einen Stellenwert erhalten hat, den es de facto gar nicht besaß.

Sicher richteten sich auf möglichen Kolonialbesitz mancherlei sehr unterschiedliche Interessen. Und sicher hat es manche Überlegungen der Art gegeben, durch weitläufige außenpolitische Perspektiven von den heimischen Auseinandersetzungen und Problemen abzulenken, selbst wenn jedem einigermaßen realistischen Betrachter der Verhältnisse bewußt war, daß das Interesse an überseeischen Fragen in einer Öffentlichkeit erst schrittweise geweckt werden mußte, die seit Jahrzehnten außenpolitisch auf den europäischen Kontinent und seine Probleme fixiert gewesen, ja, durch die Bismarcksche Politik strikt in diesem Rahmen festgehalten worden war. Schließlich steht außer Frage, daß man auch jenseits der unmittelbar Interessierten mancherorts eine aktive Kolonialpolitik aus dem Gedanken heraus befürwortet hat, nur ein wirtschaftlich wie machtpolitisch expandierendes »System« werde in dem immer rauheren Wettbewerb der einzelnen Nationen und Volkswirtschaften sowie der verschiedenen sozialen Gruppen und Kräfte überleben. Es gab jedoch ebenso viele Gegenstimmen, und die ganze Frage der Kolonialpolitik war nicht nur im Reichstag, sondern auch in den Führungszirkeln der Wirtschaft und der Finanzwelt, der Verwaltung und des Militärs heftig umstritten. Angesichts dessen erscheint es einigermaßen zweifelhaft, daß ein so nüchterner Realist wie Bismarck, so sehr ihm politisch das Wasser am Hals stand, ernsthaft daran geglaubt haben soll, aus all dem eine relativ kurzfristig wirksame innenpolitische Patentmedizin brauen zu können.

Dagegen spricht im übrigen nicht nur der tatsächliche Ablauf der Dinge: die Kurzfristigkeit des ganzen Kolonialvorstoßes und die rasche Rückkehr zu den Grundsätzen und Grundlinien seiner bisherigen Außenpolitik. Dagegen spricht auch Bismarcks vielfältig zu belegendes, sehr unterschiedliches und ungleichmäßiges Interesse an den Kolonialbestrebungen innerhalb Deutschlands und an den unterschiedlichen Argumenten ihrer Träger. Und dagegen spricht vor allem seine Grundauffassung vom Verhältnis zwischen Innen- und Außenpolitik.

Wer Außenpolitik wesentlich mit Blick auf die Innenpolitik betreibe, so hat er zumal in den sechziger Jahren, in denen sich das Problem mit besonderem Nachdruck stellte, immer wieder betont, der werde weder hier noch dort zu wirklichen Erfolgen gelangen. Und das blieb seine Überzeugung bis zum Ende seiner politischen Laufbahn. Etwas ganz anderes war es natürlich, außenpolitische Erfolge in den Dienst der Innenpolitik zu stellen. Darin war er ein Meister. Er hat sich nach 1881 zweifellos intensiv mit der Möglichkeit beschäftigt, die sich im Zug der außenpolitischen Entwicklung recht unerwartet abzeichnende Chance zu kolonialen Erwerbungen auch innenpolitisch auszubeuten – wie er in jenen Jahren höchster Bedrängnis alles und jedes auf eine solche Instrumentalisierbarkeit hin prüfte und in entsprechenden Vorstößen praktisch erprobte. Nur eben: Es war ein Experiment unter vielen, und der Erfolg war kaum der Art, daß Bismarck sich zu einer Fortsetzung etwa gar unter erheblichen außenpolitischen Risiken veranlaßt gesehen hätte.

Man tut also gut daran, Bismarcks Kolonialpolitik, die die Phantasie der Nachwelt weit stärker beschäftigt hat als die der meisten Zeitgenossen und die im Rahmen der Bismarckschen Außenpolitik nicht mehr als ein kurzes Intermezzo geblieben ist, mit möglichst nüchternen Augen zu betrachten. Bis heute ist weitgehend unbestritten geblieben, daß Bismarck dem Gedanken, auch Deutschland solle Kolonialbesitz erwerben, noch bis Anfang der achtziger Jahre ausgesprochen ablehnend gegenübergestanden hat. Maßgebend dafür waren in erster Linie außen- und machtpolitische Überlegungen. In Übereinstimmung mit dem größten Teil der deutschen Wirtschafts- und Finanzwelt, aber auch der Öffentlichkeit und der Parteien, war er geneigt, die wirtschaftliche Bedeutung von Kolonien äußerst gering einzuschätzen. Als etwa Anfang 1871 in Zusammenhang mit der Erörterung möglicher weiterer Kriegsziele das Gerücht auftauchte, sein Blick richte sich unter anderem auf die französischen Kolonien, beispielsweise auf das indische Pondichery, da hat er in vertrautem Kreis nachdrücklich erklärt, er wolle prinzipiell »gar keine Kolonien«. Die seien »bloß zu Versorgungsposten gut«, und speziell im Fall Deutschlands wäre »diese Kolonialgeschichte« »für uns genau so wie der seidne Zobelpelz in polnischen Adelsfamilien, die keine Hemden haben«. »Wir sind noch nicht reich genug, um uns den Luxus von Kolonien leisten zu können«, ließ er in ähnlichem Zusammenhang den Abgesandten der Kaiserin Eugénie wissen. Und zehn Jahre später, im Frühjahr 1881, unterstrich er noch einmal: »Solange ich Reichskanzler bin, treiben wir keine Kolonialpolitik. Wir haben eine Flotte, die nicht fahren kann, und wir dürfen keine verwundbaren Punkte in fernen Weltteilen haben, die den Franzosen als Beute zufallen, sobald es losgeht.«

Ablehnung einer von keinerlei wirklichen Interessen getragenen bloßen Prestigepolitik und Sorge vor einer zusätzlichen Gefährdung der außenpolitischen Position des in seiner Mittellage ohnehin genügend verletzlichen Reiches – das waren durch all die Jahre hindurch die Grundlinien seiner Haltung in der Kolonialfrage. Dieser Haltung glaubte man sich in den europäischen Hauptstädten, vor allem auch in London, der eigentlichen kolonialen Hauptmacht der damaligen Welt, weitgehend sicher zu sein. Um so größer war, zumal in England, die Überraschung und Verwirrung, als Bismarck hiervon Ende 1883/Anfang 1884 scheinbar ganz plötzlich abwich und im weiteren Verlauf dann gleich an mehreren Stellen koloniale Wünsche des Reiches anmeldete. Was war, so fragte man sich in den Kabinetten wie in der Öffentlichkeit, das Motiv für den abrupten Kurswechsel? Knüpfte der deutsche Kanzler jetzt etwa wieder an die aggressive preußische Außenpolitik der sechziger Jahre an, nachdem er zwölf Jahre hindurch alle Welt zu überzeugen versucht hatte, Preußen-Deutschland sei nun definitiv »saturiert«?

Allerdings gewann dann doch sehr rasch, zumindest bei den verantwortlichen Politikern, eine ruhigere Betrachtungsweise die Oberhand, eine Betrachtungsweise, die das Element der Kontinuität im Auge hatte und sich jenseits aller Spekulationen auf das Nächstliegende konzentrierte: auf die Frage der außenpolitischen Motive im engeren Sinne und einer möglichen Neueinschätzung der internationalen Lage durch den verantwortlichen Leiter der deutschen Politik. Und in der Tat wird man hier nach wie vor die eigentlichen Hauptgründe für Bismarcks überraschenden Kurswechsel in der kolonialen Frage suchen müssen, so sehr er von Anfang an auch für ihn positive innenpolitische Rückwirkungen möglicher Erfolge auf diesem Gebiet vor Augen gehabt haben mag.

# Neue Wege zu alten Zielen:
## die Außenpolitik der achtziger Jahre

Seit der orientalischen Krise nach 1875/76 und ihrer mühevollen Überwindung, seit der Zuspitzung des deutsch-russischen Verhältnisses 1879 und der nochmaligen Zusammenführung der drei Ostmächte in dem freilich wenig belastbaren Dreikaiserbündnis von 1881 kreisten die längerfristigen außenpolitischen Überlegungen des deutschen Kanzlers mehr und mehr um die Frage einer möglichen Strukturveränderung der bisherigen Grundlagen der europäischen Außenpolitik, einer schleichenden Gewichtsverlagerung, die alle machtpolitischen Kalkulationen und Kombinationen der Vergangenheit zu entwerten drohte. Diese Überlegungen hatten sich zunächst, nach den Erfahrungen des Berliner Kongresses, in den sehr weit ausgreifenden Plänen und Zielsetzungen seiner Zweibundpolitik verdichtet. Der Zweibund war dann allerdings in der Praxis weit hinter dem zurückgeblieben, was Bismarck vor Augen hatte, als er ihn aus der Taufe hob: Von einer festen mitteleuropäischen Blockbildung als Gegengewicht zu den sich immer stärker ausprägenden weltpolitischen Kolossen in Ost und West konnte keine Rede sein. So suchte der Kanzler, jenseits des »Systems der Aushilfen«, als das Zweibund und Dreikaiserbündnis zunehmend erschienen, ständig nach Alternativen, die mehr Dauer und Zukunft verhießen.

Dieser Aspekt ist über der falschen, nicht selten von aktuellen politischen Zielsetzungen motivierten Glorifizierung des Bismarckschen Bündnissystems in der Folgezeit vielfach über Gebühr zurückgetreten. Doch gerade er liefert die eigentliche Erklärung für die überraschende Wende nicht nur in der Frage der Kolonialpolitik, sondern auch in der Grundrichtung seiner Außenpolitik überhaupt.

Diese Neuorientierung war in erster Linie eine Wendung gegen England. In Englands Interessensphäre lagen die meisten jener Gebiete, auf die das Reich plötzlich Anspruch erhob: die Bucht von Angra Pequena in Südwestafrika, Togo und Kamerun in Westafrika, ein von Carl Peters seit Herbst 1884 von Sansibar aus besetztes Territorium in Ostafrika. Im Kissinger Diktat vom Juni 1877 hatte Bismarck noch als eines der wesentlichen Ziele der künftigen deutschen Außenpolitik die »Loslösung Englands von dem uns feindlich bleibenden Frankreich wegen Ägyptens und des Mittelmeers« genannt. Nun deutete sich eine glatte Umkehr dieses Satzes an, der für ihn in der Substanz, dem Bestreben, ein politisches Zusammengehen der beiden Westmächte zu verhindern, nach wie vor uneingeschränkte Gültigkeit hatte. Nicht mehr durch zielgerichtete Begünstigung der britischen, sondern, zunächst indirekt und dann immer direkter, der französischen Position sollte der vor allem in den kolonialen Fragen begründete Interessengegensatz zwischen den beiden Mächten aufrechterhalten und wenn nötig angeheizt werden.

Zu diesem Zweck trat das Reich erst einmal selbst als kolonialer Interessent für Gebiete in Erscheinung, auf die England mehr oder weniger offen Anspruch erhob. Es profilierte sich sozusagen als neuer Gegenspieler, was allerdings nach der Vorgeschichte und der bisherigen Haltung des Reiches zu den kolonialen Fragen einige Mühe machte: Die englische Politik und die englische Öffentlichkeit reagierten zunächst überhaupt nicht. Sie mußten erst mit einer Grobheit, wie sie zwischen beiden Mächten bis dahin durchaus unüblich war, von der Ernsthaftigkeit des deutschen Vorstoßes überzeugt werden. Von dieser Basis aus und unter Benutzung der sachlichen Berührungspunkte, die sich dabei zwanglos ergaben, suchte die deutsche Politik dann in unauffälliger Weise eine Annäherung an Paris zu erreichen. Diese Annäherung sollte, nicht zuletzt mit Blick auf die grundsätzlich widerstrebenden Teile der französischen Öffentlichkeit, gleichsam als das zufällige Ergebnis ganz anderer Vorgänge und Entwicklungen erscheinen.

Daß dahinter sehr wohl eine klare Absicht stand, ist aus den Akten inzwischen hinreichend deutlich geworden. Seit Beginn der achtziger Jahre taucht in den verschiedensten Zusammenhängen immer wieder der Gedanke auf, mit Frankreich über eine Begünstigung im kolonialen Bereich zu einem Ausgleich zu kommen. »Unser Verständigungsgebiet mit Frankreich erstreckt sich von Guinea bis nach Belgien hinan und deckt alle romanischen Länder«, heißt es in einem Erlaß an den Pariser Botschafter, den Fürsten Hohenlohe, Anfang April 1880. Er wünsche, so in einem Privatgespräch Anfang 1884, »den Franzosen Siege in Tonkin und Madagaskar. Das befriedige ihre Eitelkeit und hielte sie von der Revanche ab«. Und in einer Unterredung mit dem Berliner Botschafter Frankreichs, de Courcel, Ende September 1884: Man habe einst viel vom europäischen Gleichgewicht gesprochen. Das gehöre der Welt des 18. Jahrhunderts an. Es sei jedoch nicht antiquiert, von einem »Gleichgewicht der Meere«, einem globalen Gleichgewicht also, zu sprechen. Um Derartiges zu erreichen, müsse man freilich dazu gelangen, daß England »sich an die Idee gewöhne, daß eine französisch-deutsche Allianz nichts Unmögliches sei«.

Hier wird der zentrale Gedanke erkennbar, der über eine mögliche Annäherung an Frankreich auf eine Auflockerung der Gesamtsituation zielte, einschließlich der Perspektive, England werde etwa in Reaktion hierauf und in Abkehr von der Politik Gladstones dann seinerseits auf Deutschland zukommen – eine Perspektive, die in den Briefen Herbert Bismarcks, des ältesten Kanzlersohnes, der bis Anfang 1884 als Legationssekretär an der Londoner Botschaft des Reiches tätig gewesen war, unverhüllt zu Tage tritt.

Aber nicht nur aus nachträglicher Aktenkenntnis werden diese Zusammenhänge und Motivketten sehr deutlich. Auch manchen nicht unmittelbar informierten Zeitgenossen drängten sich entsprechende Schlußfolgerungen mehr und mehr auf, als sich schließlich, nach einem Vorspiel auf der Londoner Konferenz über Ägypten im Frühjahr 1884, Frankreich und das Reich im Herbst dieses Jahres in der Kongo-Frage zu gemeinsamem Vorgehen zusammenfanden: Auf der Kongo-Konferenz, die vom 15. November 1884 bis zum 26. Februar 1885 als erste Kolonialkonferenz auf deutschem Boden in Berlin stattfand, isolierten und überspielten beide Mächte die englische Politik sehr weitgehend. Von Clemenceaus Bemerkung, Jules Ferry, der mit Bismarck im Zug der Verhandlungen eng zusammenarbeitende französische Ministerpräsident, habe das französische Volk mit der »Kolonialpolitik bestechen« und von dem eigentlichen Ziel, der Revanche gegenüber Deutschland, ablenken wollen, war schon die Rede.

Dieses Wort und das Echo, das es in der französischen Öffentlichkeit fand, bezeichneten zugleich die Grenze, die einer deutsch-französischen Annäherung fast vierzehn Jahre nach Kriegsende nach wie vor gesetzt war. Bismarck war sich dieser Grenze völlig bewußt. »Was die Zeitungen von der deutsch-französischen Allianz reden«, heißt es in einem Brief an Wilhelm I. Anfang Oktober 1884, »geht vor der Hand, und vielleicht für immer, über die Wirklichkeit hinaus, und ich würde niemals dazu raten, daß E.M. die Zukunft unserer Politik auf so unsichere Grundlagen basierten.« Der Sturz Ferrys am 30. März 1885, der eine neue anti-deutsche, revanchistische Welle freisetzte, besiegelte dann sehr rasch das Scheitern des gesamten Versuchs, zu einem Ausgleich mit Frankreich und von hier aus möglicherweise zu neuen außenpolitischen Kombinationen zu gelangen. Die »Furcht vor den Revanchebewegungen und der Ausbeutung derselben durch die jeweilige Opposition« werde, so zog Bismarck Ende Mai 1885 in einem Schreiben an den deutschen Botschafter in Paris Bilanz, »jede Regierung hindern..., feste Anlehnung an uns zu nehmen. Eine vorübergehende ist deshalb von uns noch nicht zu verschmähen, aber wir können keine politischen Häuser darauf bauen; das Mißtrauen gegen uns wird im entscheidenden Augenblick immer noch größer sein als der Ärger über England. Aus diesem Grund müssen wir uns fortgesetzt enthalten, die Spitze gegen England zu nehmen und französischer zu sein als die Franzosen.«

Im Hinblick hierauf ist seither vielfach die Meinung vertreten worden, der Versuch einer Annäherung sei letzten Endes nicht mehr als eine bloße Sondierung gewesen. Bismarck habe ihn von vornherein ohne viel Hoffnung auf Erfolg betrieben. Das Ganze habe sich eben doch mehr aus den augenblicklichen Umständen und dem aktuellen Gang der Entwicklung ergeben als aus einem weitangelegten Plan. Bismarcks eigentliches Ziel sei, sehe man von den umstrittenen innenpolitischen Motiven einmal ab, viel direkter gewesen: Er habe England gleichsam in einen das ganze außenpolitische Spektrum und nicht nur partielle Fragen umfassenden Dialog hineinzwingen und es damit zu klareren Optionen als bisher veranlassen wollen.

Abgesehen davon, daß hier in den meisten Fällen der alte Wunschtraum eines deutsch-englischen Zusammengehens durchschimmert und das Urteil beeinflußt, wird dabei etwas sehr Wichtiges außer Acht gelassen: der Umstand, daß eine der Konstanten der Bismarckschen Politik, unbeschadet ihrer Wandlungsfähigkeit und Flexibilität und unbeschadet aller Veränderungen der äußeren Gegebenheiten, die Ablehnung einer eindeutigen Option zugunsten einer der großen Flügelmächte gewesen ist. Diese Ablehnung nahm in dem Maße noch zu, in dem jene Mächte ihr weltpolitisches Gewicht verstärkten und somit einen einseitig an sie gebundenen Bündnispartner zu erdrücken drohten. Wie 1879 im Fall Rußlands, so lag es daher auch im Fall Englands nahe zu versuchen, Gegengewichte zu installieren und Gegenpositionen aufzubauen, um auf diese Weise von einer verstärkten Stellung aus die andere Seite einzubinden, ohne in Abhängigkeit von ihr zu geraten. Eine solche Abhängigkeit zu vermeiden, war er in beiden Fällen auch aus innenpolitischen Gründen bestrebt. Denn beide Mächte galten zugleich als Exponenten innenpolitischer Systeme und wirkten als solche über die Bündnisfrage innenpolitisch polarisierend.

In derartiger Perspektive erscheinen der kolonialpolitische Vorstoß des Jahres 1884 und der über die kolonialpolitischen Aktivitäten eingeleitete Versuch einer Annäherung an Frankreich in einem wesentlich anderen Licht. Der Eindruck eines mit gewichtigen innenpolitischen Nebenabsichten gestarteten Ad-hoc-Unternehmens tritt zurück. Statt dessen stellt sich das Ganze als Ausdruck des Bestrebens dar, über bloße Aushilfen und kurzfristige Lösungen hinaus in Fortentwicklung der Zweibundspolitik zu ganz neuen Kombinationen zu gelangen. Mit ihrer Hilfe sollte den schleichenden machtpolitischen Gewichtsverlagerungen und der sich zunehmend deutlicher ankündigenden Ausweitung des europäischen Systems zu einem Weltstaatensystem Rechnung getragen werden.

Sicher wird man hier nicht zu weit gehen dürfen. Bismarck war nicht der Mann weitausgreifender Pläne und Zielprojektionen. Dazu war er zu nüchtern, sich der Grenzen des Machbaren, des Kalkulier- und Voraussehbaren zu sehr bewußt und darauf bedacht, auf möglichst viele Karten zu setzen. Doch es gilt auch hier sein Satz von dem Wanderer im Wald, der den genauen Weg nicht kennt, wohl aber die allgemeine Richtung. Und die allgemeine Richtung mußte die Bildung eines Gegengewichts zu den immer mächtiger werdenden Flügelmächten sein, eine Art kontinentale Blockbildung. Sie sollte, wenn es sich irgend machen ließ, in letzter Konsequenz auch Frankreich miteinbeziehen, es jedenfalls daran hindern, sich mit England zu verbinden.

Hierin steckte das zentrale Element seines außenpolitischen Vorstoßes seit Ende 1883 und seiner kolonialpolitischen Aktivitäten in den folgenden Monaten bis zum Sturz der Regierung Ferry. Was er am 5. Dezember 1888 in einem Gespräch mit Eugen Wolf, einem wohlhabenden »Forschungsreisenden« und Kolonialenthusiasten, in seither immer wieder zitierten Worten formulierte, war nicht nur nachträgliche Einsicht, sondern durchgehende Überzeugung. Auf die ausführliche Schilderung der afrikanischen Situation und aktueller Bestrebungen in den Kreisen der deutschen Kolonialbewegung habe Bismarck ihm, so Wolf, zu seinem Entsetzen erklärt: »Ihre Karte von Afrika ist ja sehr schön, aber meine Karte von Afrika liegt in Europa. Hier liegt Rußland, und hier – nach links deutend – liegt Frankreich, und wir sind in der Mitte; das ist meine Karte von Afrika.« Er sehe, so hieß das, Kolonialpolitik stets nur funktional zu der Situation in Europa, und diese bestimmte ihn ihrerseits bei jedem einzelnen Schritt auf jenem Feld.

Fünf Jahre früher hätte er in vergleichbarer Situation statt auf Frankreich wohl eher auf England verwiesen. Von der Idee war er jedoch inzwischen gründlich abgekommen, daß die Beschwörung einer machtpolitischen Konkurrenz und Bedrohung von jener Seite Frankreich seinerseits an das Reich und damit an den Zweibund und die mit ihm verknüpften Bündnissysteme heranführen könne. Und gleiches gilt von dem Gedanken, daß auf diesem Weg seine eigene innenpolitische Position gestärkt werden könne.

Die Entwicklung in Frankreich seit Ferrys Sturz hatte zunehmend deutlich werden lassen, daß angesichts sich verschärfender politischer und sozialer Gegensätze die Revancheparole das einigende Band der Nation war und blieb, ja, daß diese Parole durch jene Gegensätze ein ständig wachsendes innenpolitisches Gewicht erhielt. Der von der Linken um Clemenceau als Kriegsminister installierte General Boulanger hatte, wesentlich gestützt auf die Revancheidee und in einem aggressiven Nationalismus vielfältige Unzufriedenheiten bündelnd, eine Bewegung entfacht, die innenpolitisch die Republik zugunsten eines neobonapartistischen Systems zu zerstören, außenpolitisch zu einem europäischen Krieg zu führen drohte.

Zwar war der »Général Revanche« gerade noch rechtzeitig aus seinem Amt entfernt worden, nachdem es ihm fast gelungen war, in Reaktion auf die »Schnaebele-Affäre« einen deutsch-französischen Konflikt herbeizuführen: Ein der Agententätigkeit verdächtiger Zollbeamter namens Schnaebele war im April 1887 unter dem Vorwand einer »Dienstbesprechung« auf deutsches Gebiet gelockt und dort völkerrechtswidrig verhaftet worden. Aber obwohl sich die republikanischen Kräfte schließlich zu behaupten vermochten, hatten sie doch ihrerseits den hier so klar sichtbar gewordenen Tendenzen verstärkt Rechnung zu tragen. Selbst wenn ein Teil von ihnen etwas anderes gewollt hätte, wäre eine Annäherung oder gar ein Ausgleich mit Deutschland von nun an ganz unmöglich gewesen. Er stand denn auch bis zum Ausbruch des Ersten Weltkrieges eigentlich nie mehr wirklich ernsthaft zur Debatte.

Spätestens seit Beginn dieser Entwicklung, seit 1885/86, ist Bismarck endgültig klar geworden, in wie verhängnisvoller Weise angesichts der weltpolitischen Gewichtsverlagerungen sein außenpolitischer Spielraum durch den Frankfurter Frieden von 1871 und dessen Bedingungen einge-schränkt worden war. »Wir sind tatsächlich durch Frankreich immobilisiert«, schrieb Holstein Mitte 1886 einmal lakonisch an den Londoner Botschafter, den Grafen Hatzfeldt. Wohl hielt der deutsche Kanzler bis zuletzt daran fest, daß das französische Streben nach Revanche sich mit innerer Notwendigkeit schon aus dem Verlust der bisherigen, halbhegemonialen Machtstellung ergeben habe: Die territoriale Einbuße habe nur ein übriges getan, mehr als anschauliches Symbol gewirkt. Doch es spricht einiges dafür, daß ohne dieses »Symbol« die Niederlage erheblich leichter verschmerzt worden wäre. Bei veränderter außenpolitischer Konstellation und Interessenlage hätte man sich auf französischer Seite vielleicht doch eher zu einem Zusammengehen mit dem Reich und zu einer außenpolitischen Neuorientierung entschlossen.

So aber blieb die Grundkonstellation erhalten, wie sie nach 1871 entstan-den war, ja, sie wurde noch einmal nachdrücklich bestätigt. Gleichzeitig verstärkte sich der Eindruck, daß sich die Gewichte im weltpolitischen Rahmen mehr und mehr verschoben, und zwar zu Ungunsten des Reiches. Eine neue Antwort hat Bismarck nach dem Scheitern seines Vorstoßes von 1884/85 nicht mehr zu geben vermocht. Im Gegenteil. Er zog sich jetzt ganz auf die Rezepte zurück, die er in der zweiten Hälfte der siebziger Jahre, vor allem im Kissinger Diktat, entwickelt hatte. Und dies, obwohl bei nüchterner Betrachtung nicht zu übersehen war, daß die Verhältnisse sich umzukehren drohten, daß die Abhängigkeit des Reiches von seinen Bündnispartnern ständig wuchs und die Versuche, dies auszutarieren, zu immer komplizierte-ren und waghalsigeren Aktionen und Manövern führten.

Aber was waren die Alternativen? Diejenige, auf die sich gegen Bismarcks erbitterten und schließlich erfolgreichen Widerstand 1886/87 eine höchst heterogene Koalition von politischen Kräften von der äußersten Rechten bis zur äußersten Linken einzustimmen begann, nämlich ein Präventivkrieg gegen das erneut auf dem Balkan vordringende Zarenreich im Bündnis mit der Habsburger Monarchie? Ein solcher Präventivkrieg hätte, von seiner inneren Problematik einmal abgesehen, mit einiger Wahrscheinlichkeit nicht nur den vieldiskutierten Revanchekrieg von seiten Frankreichs ausgelöst und damit einen Zweifrontenkrieg größten Ausmaßes heraufgeführt. Er hätte im weite-ren wohl, wenn es, wie zu erwarten, zu grundlegenden machtpolitischen Verschiebungen zu kommen drohte, auch England auf den Plan gerufen. Denn London wäre bei aller Abstinenz niemals bereit gewesen, eine völlige

31. Bismarck im Alter von vierundsechzig Jahren
Zeichnung von Franz Lenbach, 1879

32. Bismarck an Kaiser Wilhelm I.
Erste Seite eines Schreibens vom 22. März 1878
mit der Erwiderung des Kaisers und einem Vermerk des Kanzlers

33. Ludwig Windthorst auf einer Soiree bei Bismarck im Mai 1879
Zeichnung von Ernst Henseler, 1879

**Für die Commission zur Berathung des Socialisten-Gesetzes.**

Hier, meine Herren, die Auswahl ist diesmal nicht groß! Für eins von beiden müssen Sie sich entscheiden!

34. Bismarcks »Entweder ... oder«
Karikatur im »Kladderadatsch« vom Mai 1884

35. Bismarck mit den Bevollmächtigten zum Bundesrat im alten Reichstag
Aufnahme aus dem Jahr 1889

Zerstörung des europäischen Gleichgewichts hinzunehmen. Und wie wäre dann das Ergebnis gewesen? Die Etablierung einer neuen Ordnung unter englischer Kuratel oder aber die Teilung des Kontinents zwischen seinen beiden Flügelmächten – ein Ergebnis also, das man durch entschlossene Option auch ohne einen Krieg mit seinen Opfern und unberechenbaren Risiken hätte haben können.

Also blieb als ernsthafte Alternative nur eine solche Option. Und da sich unterdessen für eine Anlehnung an Rußland in Deutschland kaum noch eine Stimme erhob, hieß das faktisch: Option für England. Das aber bedeutete: Aufgabe der bisherigen Politik des Rochierens zwischen den verschiedenen Mächten und Mächtegruppierungen, Aufgabe des in diesem Sinne aufgebauten und ständig ergänzten Bündnissystems zugunsten einer festen und dauerhaften Verbindung mit dem Inselstaat.

Das war in der Tat, rückblickend gesehen, die einzige ernstzunehmende Alternative. Und um sie kreisen seither zu Recht die Diskussionen. Sie stellt gleichsam den Kontrapunkt dar für jede kritische Erörterung der Bismarckschen Außenpolitik in ihrer Spätphase.

Bismarck ist ihr bis zuletzt, bis zu seinem Sturz im Frühjahr 1890, was immer er an scheinbaren Vorstößen in diese Richtung unternommen hat, nicht gefolgt. Sein Ziel war und blieb die Erhaltung einer möglichst weitgehenden außenpolitischen Unabhängigkeit des Reiches. Dieses Ziel suchte er durch ständiges Rochieren zwischen den Mächten und durch eine Politik zu erreichen, die auf die wechselseitige Blockierung bedrohlich erscheinender Kräfte und Interessen, auf eine weitgehende Pattsituation hinauslief. Ernsthaft diskutieren lassen sich also nur die Gefahren und Folgen dieser Politik in Abwägung zu den etwaigen Chancen einer klaren Option, nicht aber durch seinen Sturz angeblich abgeschnittene andere Möglichkeiten. Sie bestanden nicht. Und Spekulationen darüber verstellen nur den Blick auf die Realitäten der Bismarckschen Politik und ihre spezifischen Probleme.

Diese Politik knüpfte nach dem Zwischenspiel der Jahre 1884/85, das man auch als eine Art Ausbruchsversuch, freilich unter Wahrung der entscheidenden Grundpositionen, ansehen kann, unmittelbar an das an, was sich als Ergebnis der orientalischen Krise nach 1875 und der anschließenden deutschrussischen Krise an politischen Verbindungen und Abgrenzungen, formeller oder informeller Art, herauskristallisiert hatte. Da war einmal der Zweibund von 1879, der auch in der Folge weit hinter den Zielsetzungen und Erwartungen zurückgeblieben war, die Bismarck ursprünglich mit ihm verbunden hatte. Das »jesuitische Österreich ist doch sehr heterogen für uns mit seinen päpstlichen Slawen und einem unheilbaren, stets wachsenden Krebsschaden des Dualismus«, resümierte der im April 1886 zum Chef des Auswärtigen Amtes ernannte Kanzlersohn Herbert Bismarck im Herbst dieses Jahres, um mit einem Stoßseufzer fortzufahren: »Wenn die Engländer nur nicht gar so unzuverlässig und demokratisiert wären, so wäre das ja die stärkste und für uns sicherste Gruppierung.« Immerhin war der Zweibund durch den Ende Mai 1882 abgeschlossenen Dreibundvertrag zwischen dem Deutschen Reich, Österreich-Ungarn und Italien ergänzt und erweitert worden. In ihm hatten sich die drei Mächte gegenseitige Hilfe für den Fall eines »nicht unmittelbar herausgeforderten Angriffs« Frankreichs auf Italien oder auf Deutschland zugesichert; das Gleiche sollte für den Fall eines kriegerischen Konflikts eines der Vertragspartner mit mehr als einer dritten Großmacht gelten. Außerdem hatten sie einander in fast allen anderen Fällen wohlwollende Neutralität versprochen.

Italien auf diese Weise an die beiden mitteleuropäischen Großmächte heranzuziehen, war vor allem deswegen gelungen, weil Rom seine Interessen auf dem gegenüberliegenden afrikanischen Kontinent durch Frankreich bedroht sah, als dieses im Mai 1881 ein Protektorat über Tunesien errichtete: Tunesien war ein Hauptzielgebiet italienischer Auswanderer und galt in der italienischen Öffentlichkeit als natürliches Vorfeld Siziliens. Bismarck hatte die französische Aktion sofort dazu benutzt, Italien für die Zukunft den Rückhalt des Reiches in Aussicht zu stellen. Aufgrund dessen hatte Rom schließlich auf seine traditionell antiösterreichische Politik verzichtet und mit ihr, zumindest anfangs, auf seine bis dahin wiederholt vorgetragenen territorialen Ansprüche an den Kaiserstaat; es ging dabei in erster Linie um Südtirol und Triest sowie um mögliche Kompensationen auf dem Balkan.

Wenig später war dieses Bündnissystem nach Südosten ausgeweitet worden. Nach Serbien, das allerdings längst in einem halben Vasallenverhältnis zur Habsburger Monarchie stand, hatte sich dem 1883 um fünf Jahre verlängerten Zweibund auch noch Rumänien angeschlossen. In einem »Freundschafts- und Beistandsvertrag« hatten sich Wien und Bukarest im Herbst 1883 gegenseitige Hilfe für den Fall eines unprovozierten Angriffs durch einen Dritten zugesichert. Mit einer entsprechenden Erklärung war das Reich dem Abkommen Ende Oktober 1883 beigetreten.

In unmittelbarem Zusammenhang mit dieser lockeren mitteleuropäischen Blockbildung stand nach den Intentionen des deutschen Reichskanzlers und Außenministers von Anfang an die Verbindung mit Rußland, jener Macht also, gegen die vor allem Österreich-Ungarn versucht sein konnte, das Bündnis zu gebrauchen. Nicht nur aus taktischen Gründen, um seinen aufs äußerste widerstrebenden Kaiser zu gewinnen, hatte Bismarck bereits 1879 darauf hingewiesen, daß seine Zweibundpolitik zugleich auf eine Erneuerung der traditionellen Verbindung der drei großen Monarchien des Ostens ziele. Seine ganze politische Strategie beruhte vielmehr darauf, durch ein solches doppeltes Bündnissystem den Ernstfall, den Zusammenstoß der beiden östlichen Kaiserreiche, zu verhindern. »Wir müssen so situiert sein, daß ein Schwert das andere in der Scheide hält«, hat er sein Ziel kurz nach Abschluß des Dreikaiservertrags von 1881 in einem Brief an den Kronprinzen einmal prägnant formuliert.

Beide Vertragswerke sollten also die Dynamik der jeweiligen Interessen und machtpolitischen Expansionswünsche wechselseitig blockieren. Sie sollten durch Erhöhung des Risikos die Einhaltung der beiderseitigen Macht-, Einfluß- und Interessensphären garantieren, so wie sie zuletzt 1878 abgesteckt worden waren: Insofern war das Ganze von vornherein auch eindeutig gegen österreichische Begehrlichkeiten auf dem Balkan gerichtet. Im Mittelpunkt aber stand das Bestreben, dem Reich, das, wie Bismarck immer wieder erklärte, in sachlicher Hinsicht ganz uninteressiert war, auf diese Weise jene Unabhängigkeit und politische Bewegungsfreiheit zu sichern, die er im Kissinger Diktat beschworen hatte. Es gehe darum, so der Kanzler Ende Juli 1881 zu Ludwig II. von Bayern, den »wundeste(n) Punkt, welchen die Deutschland näher angehenden Verhältnisse an sich tragen, de(n) Antagonismus zwischen Österreich und Rußland, der schon vor vier Jahren auszubrechen drohte«, »unschädlich« zu machen.

In diesem Sinne hatte Bismarck sich im Winter und Frühjahr 1884, nachhaltig um eine Verlängerung des Dreikaiservertrags bemüht, also im unmittelbaren Vorfeld des kolonialpolitischen Vorstoßes und der Annäherung an Frankreich, die, wenn sie glückte, das antirussische Moment der mitteleuropäischen Blockbildung erheblich verstärken mußte. Angesichts der Sympathien Alexanders III. für die »nationalrussische« Bewegung, die ihrerseits Verbindung zu den konservativen Nationalisten Frankreichs suchte, war eine Verlängerung schon zu diesem Zeitpunkt nicht ganz leicht zu erreichen gewesen. Verliehen doch die innenpolitische Schwäche und Bedrohtheit des Regimes den Wortführern einer Entlastung durch Expansion, also der panslawistischen Kriegspartei, ständig Auftrieb. Gegen deren immer offener vorgetragene Wünsche und Pläne hatte, ganz im Sinne des Bismarckschen Kalküls, vorerst noch das hohe Risiko eines möglichen Konflikts mit den mitteleuropäischen Mächten gestanden, die sich nun anscheinend auch im Westen, mit Frankreich, zu arrangieren begannen. Das hatte schließlich den Ausschlag zugunsten der Vertragsverlängerung im März 1884 gegeben.

Bald danach jedoch hatte sich die Situation grundlegend verändert. Auf der einen Seite hatte sich das deutsch-englische Verhältnis im Zug des deutschen Kolonialvorstoßes erheblich verschlechtert. Auf der anderen Seite war die deutsch-französische Annäherung nicht in der hier erhofften, dort befürchteten Weise vorangekommen. Die Revanchepartei in Frankreich hatte vielmehr in Reaktion darauf ihr Gewicht nachhaltig verstärkt. Ihr rechter Flügel hatte ganz offen den Schulterschluß mit der russischen, der panslawistischen Nationalbewegung gesucht.

Angesichts dessen drängten deren Vertreter in der Folgezeit immer entschiedener darauf, die nächste sich bietende Gelegenheit zu nutzen und die

Fesseln der Kongreßbeschlüsse von 1878 zu sprengen, mit denen das Deutsche Reich Rußland seinerzeit um die Früchte seines Sieges gebracht habe. Hinzu kam noch, daß das russische Vordringen in Asien, zumal in Afghanistan, den weltpolitischen Gegensatz zwischen England und dem Zarenreich immer mehr anheizte. In diesem Zusammenhang war man in St. Petersburg bemüht, die europäische Basis zu befestigen und vor allem im südosteuropäischen Raum möglichst klare Verhältnisse zu schaffen.

Die Gelegenheit zu einer politischen Initiative in dieser Richtung kam rascher als erwartet. Sie stürzte Europa in die bedrohlichste Krise seit 1870/71, in eine Krise, die das Bismarcksche Bündnissystem und den darin gleichsam fixierten Status quo schon bald aus den Angeln zu heben drohte. Ausgangspunkt war ein Aufstand, der im September 1885 in der 1878 bei der Türkei verbliebenen, zumeist von Bulgaren besiedelten Provinz Ostrumelien ausbrach. Er erzwang binnen kurzem die Vereinigung des Gebiets mit Bulgarien und damit jene Lösung, wie sie im Frieden von San Stefano vorgezeichnet gewesen, dann jedoch von den übrigen Großmächten verhindert worden war.

Für die drei östlichen Großmächte kam diese Entwicklung keineswegs unerwartet. Sie hatten eine solche Eventualität bereits im Dreikaiserbündnis von 1881 ins Auge gefaßt und sich auch schon auf eine gemeinsame Linie geeinigt. In dem 1884 dann gleichfalls erneuerten geheimen Zusatzprotokoll hatte es geheißen: »Die drei Mächte werden sich der etwaigen Vereinigung Bulgariens und Ostrumeliens in den Gebietsgrenzen, die diesen Ländern durch den Berliner Vertrag angewiesen sind, nicht widersetzen, wenn diese Frage sich durch die Macht der Dinge erheben sollte.«

Als der Fall nun aber eintrat, wurde die Situation durch zweierlei entscheidend kompliziert. Einmal spielte der 1879 auf ausdrücklichen Wunsch des Zaren zum Fürsten von Bulgarien gewählte Prinz Alexander von Battenberg trotz russischer Minister und Militärberater schon seit längerem nicht mehr die ihm zugedachte Rolle eines Quasivasallen. Vielmehr entwickelte er sich in zunehmendem Maße zum Exponenten eines selbständigen und auf Selbständigkeit bedachten bulgarischen Nationalismus. So scheute er sich nicht, nachdem er zunächst vergeblich Fühler nach Berlin ausgestreckt hatte, mit dem weltpolitischen Antipoden seines Protektors, mit England, anzuknüpfen. Tatsächlich gewann er mit der Perspektive größerer bulgarischer Unabhängigkeit zunehmend die Sympathien Londons. In Reaktion darauf kühlten die russisch-bulgarischen Beziehungen immer stärker ab. Äußeres Zeichen dafür war, daß Rußland unmittelbar nach dem Anschluß Ostrumeliens seine Minister und Berater zurückzog – was freilich auch als nachträgliche Demonstration dafür angesehen werden konnte, daß Petersburg mit dem ganzen Vorgang nichts zu tun gehabt habe.

Das andere, das die Situation in Südosteuropa komplizierte, war die

Tatsache, daß auch auf seiten des unmittelbaren Kontrahenten Rußlands auf dem Balkan, auf seiten Österreichs, ein zu dessen Klientel zählender Staat nicht in der vorgezeichneten Bahn blieb: König Milan von Serbien, seit 1881 indirekt Mitglied des Zweibund- und Dreibundsystems, verlangte für die Vergrößerung Bulgariens Kompensationen. Als seine Forderung ohne Echo blieb, erklärte er dem Fürstentum Mitte November 1885 den Krieg.

In Petersburg glaubte man von vornherein nicht an einen Alleingang Serbiens. In diesem Argwohn wurde man noch bestärkt, als Wien nach schweren serbischen Niederlagen gegenüber der rasch bis auf Belgrad vorstoßenden bulgarischen Armee zugunsten seines Schützlings intervenierte. So zeichnete sich neben dem russisch-englischen sogleich auch ein schwerer russisch-österreichischer Konflikt über die Bulgarien-Frage und damit über die Zukunft des Balkans insgesamt ab.

Bismarck hat, mit den Problemen und Konflikten in diesem Raum seit Jahrzehnten vertraut, die Gefahren der Situation schnell erkannt. Nachdrücklich beschwor er den österreichischen Außenminister Graf Kálnoky, den Weg direkter Verständigung mit dem Zarenreich zu suchen und offenzuhalten. Österreich dürfe sich keinesfalls durch eine scheinbar günstige Gelegenheit verlocken lassen, die abgesteckten Einfluß- und Interessensphären außer Acht zu lassen. Auf ihnen beruhe »die ganze bisherige Stellung der drei Kaiserhöfe«, unterstrich er in einer Direktive für einen Erlaß an die deutsche Botschaft in Wien Mitte Oktober 1884. Als dann statt der in Wien mit ziemlicher Sicherheit erwarteten serbischen Erfolge eine serbische Niederlage drohte, da hat er die österreichische Seite nicht nur bedrängt, nicht »ohne vorgängige vertragsmäßige Verständigung« zu intervenieren. Er hat mit Nachdruck darauf hingewiesen, daß sich das Reich keinesfalls in einen Konflikt hineinziehen lassen und den Bündnisfall bei eventuellen Weiterungen nicht für gegeben ansehen werde.

Das geheime Ziel der deutschen Politik war dabei schon sehr früh ein stärkeres englisches Engagement auf dem Balkan. »Diese ganze Krankheit der österreichischen Politik«, hieß es in einem Immediatbericht vom 3. November 1885, »wird geheilt von dem Augenblick an, wo es ein englisches Bulgarien gibt.« Denn, so eine Woche später: »Der ganze bulgarische Staat hat keine andere Zukunft als Kampf gegen Rußland, und wer für seine Erhaltung eintreten will, muß diesen Kampf aufnehmen.« Oder in der burschikosen Sprache Herbert Bismarcks: »Die ganze Lage muß so gefingert werden, daß England und Rußland sich in unvermitteltem Antagonismus hart gegenüber zu stehen kommen.«

In London hat man es freilich sorgfältig vermieden, in eine solche Situation hineinzugeraten. So blieb das Reich im Zentrum der Erwartungen seiner Bündnispartner. Und angesichts der sich rasch verschärfenden Gegensätze und der wechselseitigen Erregung war es fast unvermeidlich, daß sich weder die eine noch die andere Seite, auf die vertraglich fixierten freundschaftlichen Beziehungen pochend, mit dem Hinweis auf bestehende Abmachungen und Vereinbarungen abspeisen ließ. Hinzu kam, daß hier wie dort der serbisch-bulgarische Krieg eben doch als ein »Stellvertreterkrieg« galt, hinter dem man die machtpolitischen Ambitionen des anderen durchscheinen sah. Beide Seiten drängten deshalb zu eindeutigeren Optionen. Damit aber drohte das Reich immer tiefer in die Krise hineingezogen zu werden, mochten dessen Vertreter auch ständig wiederholen, man sei sachlich gänzlich uninteressiert.

Im Verhältnis zu Rußland fiel dabei zusätzlich ins Gewicht, daß sich die Handelsbeziehungen im Zug des wachsenden Protektionismus zunehmend verschlechtert hatten. Dies verstärkte in Petersburg den Eindruck einer aktiven antirussischen Blockbildung, bei der das Reich eine zentrale, durch das angebliche zähe Festhalten am Status quo bloß verschleierte Rolle spiele. Denn es war nicht zu übersehen, daß sich dieser Status quo durch die veränderte Haltung Bulgariens und die englische und dann auch österreichische Reaktion darauf bei formaler Aufrechterhaltung in Wahrheit entscheidend wandelte: Nach der Wiederherstellung der alten Verhältnisse zwischen Serbien und Bulgarien im Frieden von Bukarest im März 1886 wurde der Fürst von Bulgarien unter Einfluß und mit Zustimmung Londons und Wiens von der Pforte für zunächst fünf Jahre zum Generalgouverneur von Ostrumelien ernannt. Rußland mußte befürchten, statt im Sinne des Dreikaiserbündnisses voranzukommen, aus dem Balkan verdrängt zu werden.

Zwar gelang es dem Zarenreich im Anschluß an einen Offiziersputsch und an eine dramatische Entführung des Fürsten, den verhaßten Battenberger im September 1886 zum Rücktritt zu zwingen, nachdem eine erfolgreiche Gegenbewegung unter dem Kammerpräsidenten Stambulow zunächst seine Rückkehr erreicht hatte. Aber auch unter der darauf folgenden Regentschaft Stambulows steuerte Bulgarien einen immer deutlicher antirussischen Kurs. Es wurde darin durch England und dann auch durch Österreich bestärkt. Der Kaiserstaat ging im November 1886 auf Drängen vor allem der ungarischen Seite sogar so weit zu erklären, man werde niemals ein Protektorat Rußlands über Bulgarien zulassen, sich also einer Wiederherstellung des Status quo ante widersetzen. Das aber hieß, daß Wien den Boden der 1881 und 1884 noch einmal bestätigten Abmachungen von 1878 endgültig verließ.

Diese Politik, die eine massive Herausforderung Rußlands darstellte, gipfelte Anfang Juli 1887 in der Wahl des proösterreichischen Prinzen Ferdinand von Sachsen-Coburg-Gotha-Koháry zum Fürsten von Bulgarien. Bismarck hat sich ihr die ganze Zeit hindurch leidenschaftlich widersetzt und es schroff abgelehnt, sich ihr in irgendeiner Weise anzuschließen. »Die Zukunft der Bulgaren«, ließ er den deutschen Generalkonsul in Sofia erklären, könne für das Reich »ein menschliches, das Land Bulgarien aber kein politisches Interesse haben«. Immer wieder hat er darauf hingewiesen, daß nach Meinung Berlins an der bisherigen »Demarkation der Interessensphären« unbedingt festgehalten werden sollte und Österreich mit seiner Politik Gefahr laufe, den gemeinsamen Boden aufzugeben.

Auf der anderen Seite konnte und wollte er wegen der breiten antirussischen Grundstimmung im eigenen Land und wegen der zunehmenden Stärke einer entschieden antideutschen Richtung in Rußland mit seinen Warnungen nicht zu weit gehen. Eine ernsthafte Belastung des deutsch-österreichischen Verhältnisses durfte er nicht riskieren. Dadurch aber wurde er, ob er wollte oder nicht, in russischer Sicht mehr und mehr zum Partner jener Politik.

Sie stand im Zeichen aktiver Eindämmung, ja, Zurückdrängung Rußlands. In Deutschland fanden sich starke Kräfte unterschiedlicher Herkunft und Zielsetzung, die diese Politik bis zu einem Präventivkrieg voranzutreiben suchten. Darauf wollte sich Bismarck keinesfalls einlassen. Auf der anderen Seite bemühte er sich weiterhin, den Konsequenzen einer klaren Option auszuweichen. So blieb nur der Versuch eines Wiederaufbaus der bisherigen, miteinander dialektisch verbundenen antagonistischen Bündnissysteme in einer Form, die den wachsenden wechselseitigen Druck hier wie dort berücksichtigte. Das aber hieß, und dieser Punkt wird, zumindest was die innere Zwangsläufigkeit angeht, häufig übersehen, daß Bismarck beiden Seiten, wollte er sie in das Gesamtsystem fest einbinden und für dieses höchst bedrohliche Alleingänge eines einzelnen Partners vermeiden, weiter entgegenkommen mußte als je zuvor. Es hieß also, daß er einander ausschließende Zielprojektionen im Interesse der im Kissinger Diktat beschworenen »Gesamtkonstellation« akzeptieren mußte.

Stillschweigende Voraussetzung war dabei, daß der Ernstfall nicht eintreten beziehungsweise daß es gelingen werde, ihn eben durch das komplizierte System der »Checks and balances« der Bündnisse zu verhindern. Was aber, wenn eine unglückliche Verkettung von Umständen oder krasses politisches Versagen einzelner oder ganzer Führungsgruppen einmal einen Strich durch diese Rechnung machen würden? Dann drohte alles über dem Reich zusammenzuschlagen. Dann war es nicht nur mit seiner bisherigen Unabhängigkeit und Machtstellung vorbei, dann hieß das möglicherweise: Finis Germaniae.

Das Bewußtsein, sich mit seiner Politik an einer äußersten Grenze zu bewegen, hat Bismarck zuweilen durchaus gehabt. Es hat ihn jedoch weniger erschreckt als belebt. Es erinnerte ihn an Abschnitte seines Lebens, in denen er Kalkül und Risiko noch unbekümmerter miteinander zu verbinden vermochte. Im übrigen setzte er mit der Sicherheit entsprechender Erfahrungen eines ganzen Menschenalters darauf, daß jene Voraussetzung bestehen bleiben, daß also die Dialektik der Bündnisse den Frieden, und zwar als eine Art Pax germanica, bewahren werde. In solcher Überzeugung ging er unter dem tiefverhangenen Himmel akuter Kriegsdrohungen vergleichsweise unbeirrt an den Neuaufbau »seines« Bündnissystems.

Daß das alte System an wesentlichen Stellen zusammengebrochen war, zeichnete sich schon Ende 1886 eindeutig ab. Bereits im Anschluß an die österreichische Intervention zugunsten Serbiens hatte Petersburg das Drei-kaiserbündnis für »tot« erklärt. Die Erfolglosigkeit der Bismarckschen Bemühungen um eine Wiederherstellung des Status quo ante hatte in Verbindung mit den wachsenden handelspolitischen Gegensätzen auch das Reich und Rußland immer mehr auseinandergebracht. Zwar liefen seit dem Herbst 1886 geheime Verhandlungen mit dem Ziel, wenn es sich nicht anders machen ließ das bisherige dreiseitige durch ein zweiseitiges Abkommen zwischen Deutschland und Rußland zu ersetzen. Aber die Verhandlungen kamen nur sehr mühsam voran, obwohl Bismarck schon bei dieser Gelegen-heit erklären ließ, die deutsche Seite habe »absolut nichts dawider, daß die Russen nach Konstantinopel gingen und die Dardanellen nähmen« – das »einzig Mißliche dabei« wäre bloß, fügte er in bezeichnender Wendung in-tern hinzu, »daß Rußland dann für England nahezu unangreifbar würde«. Der Kanzler war sich völlig bewußt, daß angesichts der in der russischen Öffent-lichkeit, zumal durch die »Moskauer Zeitung« und ihren führenden Mann, den Panslawisten Katkow, immer stürmischer vorgetragenen Alternative eines russisch-französischen Bündnisses nur massiver Gegendruck das Zaren-reich zu einem tatsächlichen Abschluß bringen würde. Daher bemühte er sich, nach dem endgültigen Scheitern aller Versuche, Österreich zum Einlenken zu veranlassen, erst einmal um eine vorsorgliche Eindämmung Frankreichs; das paßte im übrigen auch in sein aktuelles innenpolitisches Konzept im Vorfeld der Reichstagswahlen von 1887.

Den Auftakt machte die Vermittlung einer englisch-italienischen Verein-barung über eine künftige Zusammenarbeit im Mittelmeerraum. In ihr verpflichteten sich beide Mächte einerseits auf die Erhaltung des Status quo in diesem viel umstrittenen Gebiet und sicherten sich andererseits wechselseitige Unterstützung bei der Wahrung der jeweiligen Interessen – Englands in Ägypten, Italiens in Nordafrika – und bei Streitfällen zwischen ihnen und einer dritten Macht, sprich Frankreich, zu.

Das Mittelmeer-Abkommen vom 12. Februar 1887 war zugleich eine wichtige Grundlage für die fällige Erneuerung des Dreibundes. Sie gestaltete sich allerdings angesichts der erheblich veränderten Situation und erhöhter Ansprüche insbesondere Italiens sehr schwierig. Durch einfache Verlänge-rung, selbst in möglicherweise modifizierter Form, ließ sie sich nicht mehr bewerkstelligen. Es bedurfte zweier separater Zusatzabkommen: eines deutsch-italienischen und eines österreichisch-italienischen. Sie wurden dann zusammen mit dem Abkommen über eine fünfjährige Verlängerung des bisherigen Dreibundes in einem Schlußprotokoll zu einer Art viergliedriger Einheit erklärt.

Von den beiden Zusatzabkommen war das deutsch-italienische das aktuell wichtigere, das österreichisch-italienische das auf lange Sicht folgenreichere. In dem am 20. Februar 1887 abgeschlossenen deutsch-italienischen Vertrag sicherte das Reich Rom über das Defensivbündnis des Dreibundes hinaus zu, Italien bei der Wahrung seiner Interessen in Nordafrika aktiv zu unterstützen und bei einem Konflikt mit Frankreich den Bündnisfall ipso facto für gegeben anzusehen. Es wurde auf diese Weise stiller Partner in dem gleichfalls potentiell gegen Frankreich gerichteten italienisch-englischen Mittelmeer-Abkommen, dem Österreich am 24. März 1887 offiziell beitrat. Wien erlangte damit auch formell die Unterstützung Englands im östlichen Mittelmeer und auf dem Balkan, ohne sich, wie das Reich, mehr als indirekt zu einer Unterstützung etwaiger offensiver Bestrebungen Italiens im westlichen Mittelmeer zu verpflichten. Gleichsam als Kompensation für diese Entlastung von der Gefahr einer Verwicklung in Konflikte im Westen garantierte Wien Italien in dem österreichisch-italienischen Separatvertrag, der gleichfalls am 20. Februar 1887 unterzeichnet wurde, eine Entschädigung auf dem Balkan für den Fall, daß Österreich sich nach vorheriger Übereinkunft genötigt sehen würde, den Status quo auf dem Balkan zu verändern.

Dieses ganze komplizierte Vertragsgeflecht, dem sich im Mai 1887 noch Spanien in Reaktion auf die Westafrika-Politik Frankreichs anschloß, blieb geheim – Englands Regierung wählte, um den Vertrag nicht vor das Parlament bringen zu müssen, den Weg des Notenaustauschs. Es fand seinen Abschluß Mitte Dezember 1887 in dem gleichfalls durch Notenaustausch besiegelten Orient-Dreibund zwischen England, Österreich-Ungarn und Italien. In diesem wiederum unter höchst aktiver Mitwirkung Bismarcks zustandegekommenen Vertrag, bei dem das Reich ebenfalls eindeutig als stiller Partner erschien, verpflichteten sich die drei Mächte noch einmal ausdrücklich auf die Bewahrung des Status quo auf dem Balkan und auf eine Politik der Eindämmung gegenüber Rußland. Sie erklärten zu diesem Zweck abermals die Wahrung der Unabhängigkeit der Türkei, die eine »Hüterin wichtiger europäischer Interessen« sei, zu einem dringenden Bedürfnis. Insbesondere hoben sie die Notwendigkeit der Freiheit der Meerengen und der Bewahrung der türkischen Rechte gegenüber Bulgarien hervor, die auch von seiten der Türkei selbst niemals zu einem Tauschobjekt erhoben werden dürften.

Als dieser Vertrag mit der englischen Antwort auf die identischen italienischen und österreichischen Noten abgeschlossen wurde, hatte freilich die deutsche Politik, die dabei Pate stand, in einem »ganz geheimen Zusatzprotokoll« zu einem am 18. Juni 1887 abgeschlossenen Geheimvertrag mit Rußland dem Zarenreich bereits prinzipiell den Zugang zum Balkan und zu den Meerengen freigegeben. »In dem Falle«, so hieß es darin, »daß Seine Majestät der Kaiser von Rußland sich in die Notwendigkeit versetzt sehen sollte, zur Wahrung der Interessen Rußlands selbst die Aufgabe der Verteidigung des

Zugangs zum Schwarzen Meer zu übernehmen, verpflichtet sich Deutschland, seine wohlwollende Neutralität zu gewähren und die Maßnahmen, die seine Majestät für notwendig halten sollte, um den Schlüssel seines Reiches in der Hand zu behalten, moralisch und diplomatisch zu unterstützen.«

Das widersprach nicht nur dem Geist und dem Inhalt der »westlichen« Verträge, sondern im Kern auch dem Zweibund. Es hätte, wenn es der Gegenseite zur Kenntnis gelangt wäre, die Glaubwürdigkeit der deutschen Politik zutiefst erschüttert, das komplizierte Bündnissystem mit einiger Sicherheit zum Einsturz gebracht und Deutschland weitgehend isoliert. Insofern ist, insbesondere gegenüber jenem Stammtisch-Machiavellismus bramarbasierender Bismarck-Bewunderer, der seither um sich griff, das Argument verständlich, der sogenannte Rückversicherungsvertrag mit seinem ganz geheimen Zusatzabkommen habe nicht nur jenem Minimum an Treu und Glauben widersprochen, ohne das dauerhafte Beziehungen zwischen Völkern und Staaten unmöglich seien. Er habe auch in eine Sackgasse geführt, das Reich erpreßbar gemacht und keinerlei wirkliche Perspektiven eröffnet.

Allerdings wird man einschränkend gleich hinzufügen müssen, daß bei der zum Teil recht lebhaften und bis zum heutigen Tag andauernden Diskussion über den Rückversicherungsvertrag auf beiden Seiten vielfach der Stellenwert des Ganzen überschätzt worden ist. In der unmittelbaren Situation von 1887 hat Bismarck darin wohl lediglich ein äußerstes und auch nach seiner Meinung nicht unproblematisches Auskunftsmittel gesehen, wie der aktuellen Konfliktgefahr zu begegnen sei.

In der ihm eigenen schlichten Art hat Herbert Bismarck das zumindest in einem Aspekt klar formuliert. Unmittelbar nach der Unterzeichnung des Vertrages bezeichnete er ihn einerseits als »ziemlich anodyn«, also als harmlos, und fügte andererseits hinzu, sein Wert bestehe hauptsächlich darin, daß er »uns im Ernstfall die Russen wohl doch sechs bis acht Wochen länger vom Halse als ohne dem« halten werde: »Das ist doch etwas wert.« Der Vater hatte hier sicher weitläufigere Perspektiven, andere und kompliziertere Möglichkeiten und Prozesse vor Augen, war geneigt, mehr in den Relationen des Gesamtsystems zu denken. Aber auch für ihn war die erste Sorge, daß eine endgültige Auflösung der Verbindung mit Rußland, die prekär genug geworden war, zu einem diplomatischen, ja, vielleicht sogar zu einem militärischen Gegenzug Frankreichs führen werde, bevor eine Gegenallianz fest etabliert sei.

Wie Bismarck die Situation einschätzte und wohin seine Überlegungen tendierten, bezeugt eine Randbemerkung zu einem Bericht des Londoner Botschafters Graf Hatzfeldt von Mitte Januar 1888. »Die Aufgabe der österreichischen Politik wäre meines Erachtens«, notierte er, »die Russen in die türkische Sackgasse zu lassen und erst zu laden, wenn sie *englisches* Pulver

vorher gerochen haben.« Und noch grundsätzlicher in einem Schreiben an
Wilhelm II. vom August 1888, das er den jungen Kaiser ausdrücklich bat,
nach Erhalt zu verbrennen: »Ich zweifle nicht an der russischen Absicht, den
Vorstoß auf Konstantinopel zu machen ... Meines alleruntertänigsten Dafür-
haltens liegt es nicht in der Aufgabe *unserer* Politik, Rußland an der
Ausführung seiner Pläne auf Konstantinopel zu hindern, sondern dies den
anderen Mächten, wenn sie es in ihrem Interesse halten, lediglich zu überlassen ... Wenn Rußland sich dort einläßt, mindert sich seine Gefährlichkeit für
uns durch Abziehung von unserer Grenze und durch die herausfordernde
Spannung, in die es zu den Mittelmeermächten, namentlich zu England und
auf die Länge auch zu Frankreich, tritt ... Damit ist dann für England die
Unmöglichkeit gegeben, in seiner bisherigen Fiktion einer kühlen Zuschauer-
rolle zu verharren.«

Eine sehr entscheidende Rolle spielten im übrigen in dem ganzen Zusammenhang die strukturellen Belastungen des deutsch-russischen Verhältnisses.
Nicht zuletzt aus Gründen der inneren Stabilität und der Erhaltung der Basis
der eigenen Großmachtposition hatte Rußland seit den achtziger Jahren seine
Industrialisierung und wirtschaftliche Modernisierung energisch in Angriff
genommen. Dies warf gewaltige Finanzierungsprobleme auf. Ihre gleichsam
natürliche Lösung über einen forcierten Agrarexport insbesondere in das
nächstgelegene Mitteleuropa wurde jedoch durch die entgegenstehenden
Interessen zumal der ostelbischen Landwirtschaft zunehmend blockiert. Und
auch ihre kreditpolitische Lösung stieß, was das Reich anging, nicht nur auf
den Widerstand einer ganzen Reihe von Vertretern der Industrie, die sich
mehr und mehr vom russischen Markt ausgeschlossen sahen. Er stieß insbesondere auch auf den Widerstand der Militärs und all jener, die nachdrücklich
vor der wirtschaftlichen Förderung einer immer feindseliger und bedrohlicher werdenden Macht warnten.

Dem mußte Bismarck Rechnung tragen, zumal dahinter Interessen und
politische Kräfte standen, die ihn innenpolitisch stützten. Auf der anderen
Seite hielt er es in der gegenwärtigen Situation für außenpolitisch höchst
bedenklich, in Konsequenz dieser Entwicklung den »Draht nach Petersburg«
endgültig zu kappen. Er suchte daher das scheinbar Unvereinbare im Sinne
seiner eigenen Ziele miteinander zu verbinden.

Von daher löst sich der Widerspruch, der scheinbar zwischen dem Rückversicherungsvertrag vom Juni 1887 und dem Lombard-Verbot vom November 1887 besteht, das Rußland von allen deutschen Kreditquellen weitgehend
abschnitt. Beides gehörte aufs engste zusammen. Der Rückversicherungsvertrag sollte mit seinen Zugeständnissen wenigstens das unmittelbare Durchschlagen des sich laufend steigernden wirtschaftlichen Gegensatzes auf die
politischen Entscheidungen und Optionen verhindern und den Weg für neue,
Österreich-Ungarn möglichst wieder miteinbeziehende Regelungen offen-

halten. Und das Lombard-Verbot sollte deutlich machen, was bei einem endgültigen außenpolitischen Kurswechsel Rußlands von seiten des Reiches auf Dauer zu erwarten stand. Man müsse »wenigstens den Versuch« unternehmen, so wieder Herbert Bismarck am Tag nach der Publizierung des Lombard-Verbots, »dem Zaren durch Keulenschläge seinen Vorteil beizubringen«.

Im Unterschied zu der Mehrheit der deutschen Öffentlickeit, den Militärs und einer großen Zahl führender Mitarbeiter des Auswärtigen Amtes glaubte Bismarck jedoch keinen Augenblick an die Möglichkeit einer »Unterwerfung« Rußlands, und zwar weder auf militärischem noch auf diplomatischem noch auf wirtschaftspolitischem Weg. Druck auf Rußland auszuüben, war in seinen Augen nur dann sinnvoll und politisch vertretbar, wenn man Petersburg zugleich die Möglichkeiten und Perspektiven einer deutsch-russischen Verbindung als einer Allianz gleichberechtigter, unabhängiger Partner aufzeigte. In diesem Sinne war der Rückversicherungsvertrag nicht mehr als eine Station, die Formulierung einer Zukunftsperspektive. Sie sollte Rußland von vorschnellen Entscheidungen und Festlegungen abhalten – eine Linie, auf die gleichsam vom Negativen her auch das Lombard-Verbot zielte.

Ein unbestreitbarer Erfolg des Vertrages war, daß er die in der gegebenen Situation fraglos recht bedenkliche Option Rußlands zugunsten Frankreichs jedenfalls hinausgeschoben hat. Ob er sie, wie Bismarck später behauptet hat, auch weiterhin verhindert hätte, sei dahingestellt. Auf kreditpolitischem Gebiet fielen immerhin bereits wenig später mit der gezielten Begünstigung russischer Staatsanleihen durch Frankreich wichtige Vorentscheidungen, und Bismarck selber bemerkte am Jahresausgang zu dem preußischen Kriegsminister Bronsart von Schellendorf düster: »Nach Lage der europäischen Politik ist es wahrscheinlich, daß wir in nicht zu ferner Zeit den Krieg gegen Frankreich und Rußland gleichzeitig zu bestehen haben werden.«

Wie aber stand es mit der Funktion des Vertrages in dem außenpolitischen Gesamtsystem und mit den Perspektiven, die er in engerem und weiterem Sinne zu eröffnen versuchte? War er überhaupt mehr als ein Mittel zur Bewältigung einer akuten Krise? Ja, war vielleicht das gesamte so viel diskutierte, höchst komplizierte Vertrags-»System« in Wahrheit nur das mehr oder weniger zufällige Ergebnis aktuellen Krisenmanagements? Enthielt es gar keine wirklichen Perspektiven, sondern vermochte es bestenfalls – und das konnte ja immerhin einiges wert sein – einen zeitlichen Aufschub zu liefern, um zu neuen, tragfähigeren Lösungen zu gelangen? Die Betrachtung des Rückversicherungsvertrags legte solche Fragen zumindest nahe. Und kaum jemand hat sie mit größerem Nachdruck gestellt als Bismarck selber. Wie immer er es nach außen hin darstellen mochte – insgeheim waren ihm die Zerbrechlichkeit und der prekäre Charakter des Ganzen vollauf bewußt.

Fünf Jahre früher, Anfang 1882, hatte er in momentaner Hochstimmung einmal behauptet, die Außenpolitik mache ihm keine einzige schlaflose Nacht mehr: Die Sache sei »seit zehn Jahren so aufgezogen, daß sie von selbst« gehe. Davon war er seither, falls er es je über den Augenblick hinaus geglaubt hatte, gründlich abgekommen. Seit dem Scheitern seines Ausgleichsversuchs mit Frankreich, seit der neuerlichen Verfinsterung des europäischen Horizonts durch eine Balkan-Krise vor dem Hintergrund eines seit Jahren wachsenden Drucks der Flügelmächte sah er, mit skeptischem Blick auf die Geschichte und das Moment des Zufalls, der augenblicklichen Begünstigung in ihr, immer pessimistischer in die Zukunft. »Wenn wir nach Gottes Willen im nächsten Krieg unterliegen sollten«, hieß es Ende 1886 in dem schon erwähnten »Weihnachtsbrief« an den Kriegsminister, den General Bronsart von Schellendorf, »so halte ich das für zweifellos, daß unsere siegreichen Gegner jedes Mittel anwenden würden, um zu verhindern, daß wir jemals oder doch im nächsten Menschenalter wieder auf eigene Beine kommen, ähnlich wie im Jahre 1807. Die Aussicht, uns aus unserer damaligen Ohnmacht bis zur Lage von 1814 wieder emporzuarbeiten, wäre eine sehr geringe gewesen ohne die unberechenbare und von uns unabhängige Vernichtung der großen französischen Armee durch den russischen Winter und ohne den Beistand Rußlands, Österreichs und Englands. Daß wir auf letzteren wiederum rechnen können, nachdem diese Mächte gesehen haben, wie stark ein einiges Deutschland ist, hat wenig Wahrscheinlichkeit. Nicht einmal auf das einige Zusammenhalten des jetzigen Deutschen Reiches würden wir *nach* einem unglücklichen Feldzuge rechnen können.« Und in der vielzitierten Reichstagsrede vom 11. Januar 1887 zog er daraus vor aller Öffentlichkeit den Schluß: »Mein Rat wird nie dahin gehen, einen Krieg zu führen deshalb, weil er später vielleicht doch geführt werden muß.«

Deutschland, so hieß das, gehöre zu den Mächten, die von einem Krieg nichts zu gewinnen, aber alles zu befürchten haben und die daher bestrebt sein müssen, einen Krieg zu verhindern. Das nannte er in der gleichen Rede »unsere Friedenspolitik«, freilich in einem sehr nüchternen, streng interessenorientierten Sinn. In ihm schwang noch nichts von jener späteren, die Zusammenhänge verklärenden und zugleich verdunkelnden Deutung mit, es sei ihm um den europäischen Frieden als einen Wert an sich gegangen. Die Erhaltung des Friedens war ihm vielmehr, so kann man zuspitzend sagen, ebenso ein Instrument wie vor 1871 der Krieg. Beides sollte der Macht des eigenen Staates, ihrer Erhaltung und möglichen Steigerung dienen. Dreizehn Jahre früher hatte er das, was er jetzt emphatisch »Friedenspolitik« nannte, nüchterner als »Sicherheitspolitik« bezeichnet.

Wenn der Kanzler ein Jahr nach seiner Rede vom 11. Januar 1887, am 6. Februar 1888 in einem vielbejubelten und dann rasch zur Phrase verkommenen Wort wiederum vor dem Reichstag erklärte: »Wir Deutsche fürchten Gott, aber sonst nichts in der Welt«, und hinzufügte: »Und die Gottesfurcht ist es schon, die uns den Frieden lieben und pflegen läßt«, dann war das für ihn weit mehr als ein erbaulicher Spruch. Es war die Formulierung der Überzeugung, daß nur Blindheit, Gottverlassenheit in dem pragmatischen Verständnis von Gott als Herrn der Geschichte, einen deutschen Politiker veranlassen könne, den Frieden aktiv zu gefährden. »Unsere Politik hat die Aufgabe«, so hatte er kurz zuvor an den Chef des Militärkabinetts, General von Albedyll, geschrieben, »den Krieg, wenn möglich, ganz zu verhüten, und geht das nicht, ihn doch zu verschieben. An einer anderen würde ich nicht mitwirken können.« Nur der Friede garantierte seiner Auffassung nach dem Reich seine Unabhängigkeit und Machtstellung. Beides verdankte es, wie er immer deutlicher zu sehen glaubte, einer überaus glücklichen Konstellation nach der Jahrhundertmitte bis zu den siebziger Jahren, die sich seither, nicht zuletzt im weltpolitischen Maßstab, ständig zu seinem Nachteil verschoben hatte.

Was das betraf, so haben diesen Befund viele Zeitgenossen geteilt. Hinsichtlich der politischen Konsequenzen, die daraus zu ziehen seien, gingen jedoch die Meinungen weit auseinander. Genauer gesagt: Bismarck war mit seiner Auffassung, nur die Erhaltung des Friedens mit allen, selbst problematischen und ihrerseits vielleicht gefährlichen Mitteln könne dem Reich seine bisherige Stellung sichern und erhalten, durchaus nicht mehr der Wortführer einer Mehrheit der öffentlichen Meinung und der politischen Führungsschichten.

»Wir müssen begreifen«, so der Soziologe Max Weber 1895, »daß die Einigung Deutschlands ein Jugendstreich war, den die Nation auf ihre alten Tage beging und seiner Kostspieligkeit halber besser unterlassen hätte, wenn sie der Abschluß und nicht der Ausgangspunkt einer deutschen Weltmachtpolitik sein sollte.« Damit sagte er vielen seiner Zeitgenossen nichts provozierend Neues. Er wiederholte vielmehr, was seit Jahren, insbesondere seit der Balkan-Krise nach 1885 und der Präventivkriegsbewegung gegen Rußland, stets aufs neue formuliert worden war: daß die deutsche Politik nicht in der Verteidigung, sondern im Angriff, in einer aktiven, dynamischen und notfalls kriegerischen Außenpolitik ihr Heil suchen müsse.

So fragte das »Berliner Tageblatt« bereits im Herbst 1886, ob nicht »ein gesunder Krieg einem so krankhaften Frieden« vorzuziehen sei. Im gleichen Geiste stellte die deutsche Armeeführung die Chancen eines deutsch-russischen Krieges zum gegenwärtigen Zeitpunkt denen eines solchen Krieges gegen ein wirtschaftlich und militärisch erstarktes Zarenreich gegenüber. Und wie die Militärs redeten viele geheim oder offen einer entschieden antirussischen, notfalls ultimativ auftretenden mitteleuropäischen Blockbildung mit englischer Rückendeckung das Wort. »Wenn Deutschland«, so hieß es in schärfster Zuspitzung Ende August 1886 in der »Kölnischen Volkszeitung«, »in der Weltpolitik auf diese bescheidene Rolle sich beschränken wollte, dann hätte das deutsche Volk sich die Ströme von Blut und Schweiß sparen können, welche dazu gehörten, das Deutsche Reich zu gründen.«»Hier ist eigentlich alle Welt für den Krieg«, notierte Holstein Anfang 1888 in einem Brief an den Grafen Hatzfeldt,»mit fast alleiniger Ausnahme von S(einer) D(urchlaucht), der die äußersten Anstrengungen macht, um den Frieden zu erhalten.«

Dem Argument der Zukunftslosigkeit seiner Außenpolitik, das ihm in der letzten Phase seiner Amtszeit immer häufiger begegnete, ist Bismarck bis zum Schluß vehement entgegengetreten. Seine Wortführer seien entweder Stammtischpolitiker und Maulhelden, die nichts von der auswärtigen Politik verstünden und sich statt von nüchternen Interessenüberlegungen von Emotionen und Prestigerücksichten, von Tagträumen und Zukunftsphantasien leiten ließen. Oder aber sie seien gewissenlose Leute, denen in ihrem Kampf gegen die gegenwärtige Leitung des Reiches jedes Mittel recht sei und die auch nicht davor zurückschreckten, Deutschland in gefährliche außenpolitische Abenteuer zu stürzen, wenn davon nur eine Veränderung im Inneren zu erwarten sei.»Jede Großmacht«, so faßte er seine Position in der Reichstagsrede vom 6. Februar 1888 geradezu maximenhaft zusammen,»die außerhalb ihrer Interessensphäre auf die Politik der anderen Länder zu drücken und einzuwirken und die Dinge zu leiten sucht, die periklitiert außerhalb des Gebietes, welches Gott ihr angewiesen hat, die treibt Machtpolitik und nicht Interessenpolitik, die wirtschaftet auf Prestige hin.«

Insgeheim stand ihm jedoch durchaus das schließliche Schicksal der Status-quo-Politik Metternichs vor Augen, auf den er sich nicht zufällig immer häufiger berief. Was aber bot sich ihm für eine Alternative? Den Zweibund hielt er, zumal in seiner lockeren, nicht einheitlich zu steuernden Form bis zum Schluß für zu schwach, einem etwaigen Zweifrontendruck auf die Dauer standzuhalten. Und von der Illusion, den mit dem Zweibund mehr oder weniger fest verknüpften anderen Bündnissen eine Art Blockcharakter zuzuschreiben, war er weit entfernt. So blieb letztlich eben doch nur die Anlehnung an eine der beiden Flügelmächte. Das aber bedeutete für ihn: Aufgabe der unabhängigen, streckenweise im kontinentalen Maßstab »halb-hegemonialen« Stellung des Reiches zwischen den Mächten und Mächtegruppen.

Einen derartigen Kurswechsel hat Bismarck in den letzten Jahren seiner Amtszeit nach der Überwindung der aktuellen Krise auf dem Balkan und dem Neuaufbau seines bisherigen Bündnissystems, so sehr er ihm innerlich widerstrebte, durchaus ernsthaft erwogen. Im Fall Rußlands blieb es allerdings von vornherein bei bloßen Erwägungen: Zu stark war hier die antirussische Front in Deutschland, zu groß auch das russische Mißtrauen und der Katalog russischer Forderungen, als daß eine solche Politik ohne die Gefahr schwerster Erschütterungen wirklich durchzusetzen gewesen wäre. Ernstlich ins Auge fassen ließ sich eine derartige Option höchstens für den Fall eines umittelbar drohenden Zweifrontenkrieges, als ultima ratio in einer Ausnahmesituation.

In einem solchen Fall, so der Londoner Botschafter und langjährige Staatssekretär Graf Hatzfeldt rückblickend, sei Bismarck in der Tat bereit gewesen, »die russische Neutralität« notfalls »im letzten Augenblick zu erkaufen«, indem er »Österreich fallen ließ und den Russen damit den Orient überlieferte«.

Die andere Möglichkeit, eine Anlehnung an England, hat Bismarck immerhin praktisch sondiert. Sein in den Einzelheiten recht sorgfältig vorbereiteter, also nicht bloß improvisierter Vorstoß im Januar 1889 schätzte jedoch nicht nur, wie man jüngst betont hat, die englische Interessenlage und damit die englische Neigung falsch ein, sich auf dem Kontinent fest zu binden. Er war letzten Endes wohl gar nicht auf einen wirklichen Erfolg hin angelegt.

Dafür spricht vor allem, daß der Kanzler dem ins Auge gefaßten Bündnis eine durchaus ungewöhnliche, allen britischen Traditionen widersprechende Form zu geben vorschlug. Die feierliche Verabschiedung eines solchen Vertrags durch beide Parlamente sollte nach einer Art quasiplebiszitären, eine breite Mehrheit signalisierenden Akklamation durch die Öffentlichkeit beider Länder erfolgen. Eine derartige öffentliche Verbrüderung auf Dauer war angesichts des zunehmenden wirtschafts- und kolonialpolitischen Konkurrenzgefühls auf beiden Seiten, der Splendid-Isolation-Mentalität und wachsenden Empire-Orientierung hier, des kontinentalen Machtbewußtseins und beginnender Weltmachtträume dort, eine wenig realistische Vorstellung. Bismarck konnte unmöglich sehr überrascht sein, daß Salisbury am 22. März 1889 dem nach London entsandten Staatssekretär Herbert Bismarck erklärte, man wolle von englischer Seite »die Sache einstweilen auf dem Tisch liegen lassen..., ohne ja oder nein zu sagen«. Das sei, fügte Salisbury hinzu, »unglücklicherweise alles, was ich zur Zeit tun kann«.

Bismarcks Ziel blieb bis zuletzt, trotz zunehmender Skepsis hinsichtlich der weiteren Entwicklung, die Erhaltung möglichst weitgehender Unabhängigkeit zwischen den Mächten und verschiedenen Mächtegruppen. »Die Sicherheit unserer Beziehungen zum österreichisch-ungarischen Staate«, so betonte er 1888 sogar im Hinblick auf den Zweibund, »beruht zum großen Teile auf der Möglichkeit, daß wir, wenn Österreich uns unbillige Zumutungen macht, uns auch mit Rußland verständigen *können*.«

Es war das Ideal einer Politik der freien Hand, die es dem Reich erlaubte, regulierend in das stets prekäre Mächtegleichgewicht einzugreifen und so den Status quo im Interesse seiner bisherigen Machtstellung zu erhalten. Eine wirkliche Zukunft freilich, das wird man wohl sagen müssen, besaß diese Politik angesichts der stürmisch voranschreitenden Entwicklung von einem europäischen System zu einem Weltstaatensystem mit neuen Zentren und rapide sich verändernder Gewichtsverteilung nicht mehr.

Diese Politik war an eine bestimmte Epoche der europäischen Geschichte gebunden. In ihr blieb Europa, mit Ausnahme Englands, in seinem inneren

Gefüge, in seinem Selbstverständnis und in seinen Orientierungspunkten trotz der an Umfang und Bedeutung ständig wachsenden Außenbeziehungen wesentlich auf sich konzentriert. Immer noch setzten seine Völker und Staaten die Welt in vielfacher Hinsicht mit Europa gleich. Das gilt in mancherlei Beziehung bis 1945, bis zum endgültigen Ende der europäischen Vorherrschaft in der Welt, und es wirkt noch heute in vielen Bereichen nach. Aber jener spezifische Europa-Zentrismus, der zugleich Raum ließ für die Anerkennung des völlig Andersgearteten außerhalb der eigenen Welt, begann sich doch in den achtziger Jahren mit der wirtschaftlichen und der kolonialpolitischen Durchdringung der Welt in immer schnellerem Tempo aufzulösen. Er machte der Idee der bewußten Europäisierung der Welt Platz, wobei man fast selbstverständlich von einer Art linearer Ausweitung des europäischen Systems zu einem Weltstaatensystem ausging. Hier war, so schätzten es viele Zeitgenossen ein, von der eigenen Generation der Kampf um den endgültigen »Platz an der Sonne« auszufechten.

Bismarck hat solche Anschauungen zwar in mancherlei Hinsicht aufgenommen und streckenweise in scheinbar sehr moderner Weise in politische Taktik umgesetzt. Im Kern jedoch war das nicht mehr seine Welt. Seine Welt – das blieb das alte Mächte-Europa, wie es sich nach 1815, dem Jahr seiner Geburt, neu konstituiert hatte; das blieb eine hieran geschulte und orientierte Diplomatie, wie er sie selbst in hoher Vollendung repräsentierte; und das blieben Kräfte und Führungspersönlichkeiten, die, bei allen tiefgreifenden Gegensätzen, ein Mindestmaß an Solidarität und Gemeinsamkeiten bewahrt hatten.

Dies waren Grundvoraussetzungen, von denen er seit Jahrzehnten stillschweigend ausgegangen war. Er selber hatte sich nicht selten, besonders ausgeprägt in den fünfziger und sechziger Jahren, an ihrem Rand bewegt. Dieser Taktik verdankte er viele seiner Erfolge. Sie beruhten auf einer Art Grenzgänger-Mentalität, die in der Herausforderung des Bestehenden, der vorhandenen Ordnung und ihrer Spielregeln, bewußt sehr weit ging, um dem Neuen, das man erstrebte, Eingang zu verschaffen. Stets aber blieb eben dies das Prinzip: daß das Neue, sollte es Bestand haben, sich in das Bestehende einfügen, sich seinen Grundregeln unterwerfen müsse.

Nun jedoch, zu Ausgang der achtziger Jahre, drohten sich die Grundlagen des Ganzen entscheidend zu verschieben, und zwar nicht so sehr durch gezielte Angriffe und Veränderungsbestrebungen, als vielmehr durch jenen schleichenden Prozeß des wirtschaftlichen und sozialen Wandels, der auch im Innern der Staaten die bisherige Ordnung mehr und mehr außer Kraft zu setzen begann. So erfaßte ihn auch hier zuletzt das Gefühl des Zauberlehrlings, das ihn im Bereich der Innenpolitik seit Jahren verfolgt hatte.

# Das System der Aushilfen:
# die innere Politik nach 1881

So unüberhörbar auf dem Gebiet der auswärtigen Politik am Ende seiner Amtszeit die Stimmen wurden, die von Erstarrung in den Formen der Vergangenheit, von Unbeweglichkeit, von Zurückbleiben hinter der Zeit und ihren Forderungen sprachen – der eigentliche Anstoß für Bismarcks Sturz, der zugleich ein Scheitern war, ging von dem Bereich der Innenpolitik aus. Hier war der Boden für die entscheidenden Veränderungen auch der außenpolitischen Grundkonstellation, ihrer Gewichte, ihrer immanenten Dynamik nach Idee und Interesse, mit denen sich der Kanzler zunehmend konfrontiert sah. Zu Recht hat man sich daher gerade hinsichtlich der achtziger Jahre in jüngster Zeit immer wieder die Frage nach dem inneren Zusammenhang gestellt, die beides im Rahmen seiner Politik hatte, nach den wechselseitigen Abhängigkeiten, die dadurch begründet und von ihm möglicherweise sehr bewußt genutzt wurden.

In einer Art Gegenbewegung zu einer isolierenden Betrachtung des außenpolitischen Bereiches, wie sie jahrzehntelang vorherrschte, ist dabei sicher manches überspitzt worden. Dazu gehört die These, spätestens seit dem Eintritt in die Phase aktiver Kolonialpolitik habe alle Außenpolitik wesentlich innenpolitischen Zielen gedient. Auf der anderen Seite sind dadurch viele Zusammenhänge sehr viel deutlicher geworden, als das bis dahin der Fall gewesen ist; erinnert sei nur an die Rolle, die innenpolitische Faktoren unterschiedlichster Art bei der deutsch-russischen Krise 1886/87 gespielt haben. Entscheidend ist, den Anteil der einzelnen Elemente sorgsam gegeneinander abzuwägen und sich vor allem stets vor Augen zu halten, daß Politik hier wie dort kaum je in der Lage ist, sich die Bedingungen des eigenen Handelns zu schaffen.

Das gilt in ganz besonderem Maße für den Bismarck nach den Wahlen von 1881. Diese Wahlen hatten für ihn erst einmal jede mögliche parlamentarische Basis zerstört. Sie hatten auch im Lager seiner treuesten Anhänger Zweifel aufkommen lassen, ob der einst auf eine breite parlamentarische Mehrheit gestützte Kanzler je wieder festen Boden unter die Füße bekommen werde. Max Weber gab auch hier eine schon in den achtziger Jahren weit verbreitete Meinung wieder, wenn er in seiner Freiburger Antrittsvorlesung von 1895 bemerkte: »Dieses Lebenswerk hätte ... nicht nur zur äußeren, sondern auch zur inneren Einigung der Nation führen sollen, und jeder von uns weiß: das ist nicht erreicht.«

Natürlich zielte dieser Satz auf mehr. Er zielte auf das Fehlen einer tiefergehenden sozialen wie geistigen Kohärenz der Nation, einer verbindenden und verbindlichen materiellen Staatsidee, eines Minimums gemeinsamer Grundanschauungen und Grundüberzeugungen. Doch gerade ein Mann wie Max Weber war geneigt, dies im engeren Sinne politisch zu begründen, es zurückzuführen auf die verhängnisvolle und letzten Endes erfolglose Strategie Bismarcks nach 1878/79, die Parteien politisch auszuschalten, sie zugunsten der organisierten Interessen zu mediatisieren, die angeblich besser zu dirigieren und in Dienst zu nehmen seien. Als Sohn eines in Berlin wohnenden nationalliberalen Abgeordneten hatte der nachmals berühmte Soziologe und Publizist diese Entwicklung in seiner Jugend unmittelbar beobachten können. Und er stand zeit seines Lebens, als schließlich leidenschaftlicher Wortführer des parlamentarischen Regierungssystems gerade im Interesse einer starken und handlungsfähigen Staatsgewalt und Regierungsmacht, unter dem Eindruck des eklatanten Mißerfolgs dieser Strategie.

Denn genau darum handelte es sich. Wer die Geschichte der späten Bismarck-Zeit als eine, gleichgültig ob positiv oder negativ bewertete, Erfolgsgeschichte zu schreiben versucht, verfehlt das Eigentliche und den inneren Zusammenhang. Er verfehlt die Tatsache, daß sie sich, von der Regierung her gesehen, aus immer neuen, zunehmend kurzatmigeren und schließlich vergeblichen Anläufen zusammensetzte, eine neue, tragfähige politische Basis zu gewinnen, aus Anläufen, deren Ausgangspunkt fast immer das Scheitern des jeweils vorangegangenen und eben nicht dessen Erfolg gewesen ist. Das erschließt auch den konkreten Zusammenhang zwischen Innen- und Außenpolitik. Zumindest in der einen Richtung, in Richtung auf die Innenpolitik, gab es stets neue Versuche der Instrumentalisierung, ohne daß sich dabei ein wirklich konstruktives, systemstiftendes Element durchsetzte oder auch nur eindeutig erkennen läßt.

Einen ersten Versuch in diese Richtung hat Bismarck nach dem völlig gescheiterten Anlauf von 1879, den Zweibund mit Blick vor allem auf das Zentrum innenpolitisch ins Spiel zu bringen, wohl 1883/84 ins Auge gefaßt, als er außenpolitisch die Möglichkeiten einer tendenziell recht weitgehenden Neuorientierung zu sondieren begann. Zwar ist bis heute umstritten, in welchem Ausmaß und mit welchen innenpolitischen Erwartungen er durch seinen kolonialpolitischen Vorstoß bewußt und gezielt antienglische und damit nationalistische Tendenzen gefördert habe; gegen eine Überbetonung spricht nicht zuletzt die Tatsache, daß er bereits vor den Reichstagswahlen von 1884 die Gegensätze in aller Öffentlichkeit wieder herunterspielte. Aber daß er unter anderem auch auf die nationale Parole zu setzen und gegen bestimmte, mit auswärtigen Mächten und deren politischen und sozialen Systemen besonders sympathisierende Parteien zu schüren versuchte, ist durch eine große Zahl von Zeugnissen belegt.

Doch ein wirklich zentrales Thema der innenpolitischen Auseinandersetzungen, die seit den Wahlen von 1881 mit kaum je erlahmender Leidenschaft und beiderseitiger Konfliktneigung geführt wurden, war es nicht. Bismarck dachte nicht daran, es ernsthaft für wahlentscheidend zu halten. Dabei kam noch hinzu, daß die Linksliberalen, die er besonders im Visier hatte, sich mit Rücksicht auf die Autorität des Kanzlers in außenpolitischen Fragen sehr zurückhielten und somit kein konkretes Ziel boten.

Das eigentlich entscheidende Thema war zu diesem Zeitpunkt die von den Oppositionsparteien sehr prinzipiell gestellte Frage nach den Grenzen der Staatsmacht und des Interventionsstaates in der Form und mit den speziellen politischen Zielen, wie er seit 1878/79 unter Bismarcks Führung entwickelt worden war. Es war, konkret, die Auseinandersetzung über den auch nach 1881 fortgeführten Versuch, durch direktes Entgegenkommen gegenüber den organisierten beziehungsweise zahlenmäßig gewichtigen Interessen die Parteien als deren bisherige politische Vertretungen auszumanövrieren, sie auf diese Weise auf Dauer gefügig zu machen und in ihrer Eigenständigkeit zu brechen.

Bismarck ist allerdings mit seinem Versuch, die Parteien interessenpolitisch zu überspielen, die »innere Schweinerei« zu überwinden, wie er sich in ohnmächtiger Wut gelegentlich ausdrückte, auch nach 1881 in keiner Weise vorangekommen. Sein zähes Festhalten an seinem »staatssozialistischen« sozialpolitischen Programm, an den ihm entsprechenden Steuerreformplänen und an der jeweils sehr gezielten Begünstigung materieller Interessen bestimmter wirtschaftlicher Gruppen, insbesondere der Schwerindustrie und der großbetrieblich organisierten Landwirtschaft, führte aufs Ganze gesehen zu einem ebenso zähen Widerstand der Reichstagsmehrheit, auch wenn diese je nach den angesprochenen Interessen von Fall zu Fall recht unterschiedlich zusammengesetzt war.

Die eigentlichen Organisatoren dieses Widerstands waren die Linksliberalen, sprich die Sezessionisten von 1880 auf der einen, die Fortschrittspartei auf der anderen Seite, mit Eugen Richter und vor allem mit Eduard Lasker an der Spitze. Lasker sah nach den Wahlen vom Herbst 1881 die große Stunde für einen konsequenten und nunmehr offen die Machtfrage stellenden Liberalismus gekommen. Er setzte von nun an seine ganze Kraft und seine ganze parlamentarische und parteipolitische Erfahrung daran, die Liberalen aller Richtungen, unbeschadet ihrer inneren Gegensätze, zu einer Einheitsfront gegen Bismarck und seine Politik zusammenzuführen.

Bereits am 8. November 1881, zwölf Tage nach der für die Linksliberalen so erfolgreichen Wahl, rief er, an entsprechende Vorstöße vor der Wahl anknüpfend, die Nationalliberalen dazu auf, jetzt »die politische Manifestation einer großen liberalen Partei oder mindestens eines gemeinsamen, alle Fraktionen umfassenden Bandes« vorzubereiten. Das dürfe »nicht durch Gegensätze verhindert« werden, »welche einer bereits geschichtlich gewordenen Vergangenheit angehören«: »Das Ergebnis der Wahlen zeigt, sogar viel schärfer, als ich gehofft, daß bei einigem und zielbewußtem Wirken eine absolute Mehrheit der Liberalen für den Reichstag auch unter ungünstigen Verhältnissen sich gewinnen läßt.«

Vor allem anderen gehe es jetzt um die Einheit und die gemeinsame »Abwehr der Reaktion«. Diese Einheit könne zunächst einmal, im Programmatischen wie im Institutionellen, so locker wie irgend noch vertretbar sein. Entscheidend sei, daß sie überhaupt zustandekomme; die Politik Bismarcks werde »schon nachhelfen, sobald er seine Berechnung, sie von uns getrennt zu halten, aufgeben muß«. »Die Hauptsache für mich ist«, so Lasker abschließend, »daß die Regierung und die Gegenparteien die Überzeugung gewinnen, daß sie einem in vielen Hinsichten aktionsfähigen Ganzen und nicht bloß Bruchstücken einer liberalen Partei gegenüberstehen.«

Zu einer solchen Wiedervereinigung aller liberalen Parteien, in deren Interesse Lasker einen engeren Zusammenschluß der Linksliberalen erst einmal bewußt hintanhielt, ist es nicht gekommen. Zu stark waren die politischen Gegensätze der von den verschiedenen Richtungen jeweils vertretenen materiellen Interessen. Beides wurde zudem noch verstärkt durch persönliche Animositäten und Rivalitäten zwischen den führenden Vertretern der einzelnen Gruppierungen. Aber obgleich damit eine mögliche Sternstunde des deutschen Liberalismus schließlich versäumt wurde – zunächst einmal schien die Situation in dieser Hinsicht durchaus offen zu sein. Niemand hat dies, ständig die Möglichkeit des Thronwechsels vor Augen, deutlicher empfunden als Bismarck. Hier sah er die eigentliche, die akute Gefahr für seine Person und für seine Stellung heraufziehen. Und hiergegen richtete sich denn auch ganz konkret seine Politik.

Sie konzentrierte sich in erster Linie auf gezielte Störmanöver. Bereits unmittelbar nach den Wahlen von 1881 war von einer Regierungsumbildung im Sinne einer Koalitionsregierung aus Freikonservativen und Nationalliberalen die Rede, und auf dieser Linie ging es weiter bis hin zur persönlichen Begünstigung einzelner Parlamentarier. Bismarck war es dabei vor allem darum zu tun, im Rahmen seiner Gesamtstrategie jene Elemente besonders zu betonen, die einer festen Koalitionsbildung zwischen den einzelnen liberalen Fraktionen bis hin zu einem weitgehenden Zusammenschluß entgegenstanden. Das galt in besonderem Maße für die Frage interventionistischer Staatseingriffe, bei der er die 1878/79 so deutlich sichtbar gewordenen Gegensätze innerhalb des Liberalismus ständig offenzuhalten und zu erweitern und einen auch nur begrenzten Ausgleich zu verhindern suchte.

Auf diese Weise überlastete er allerdings sein an und für sich schon wenig erfolgversprechendes politisches Konzept mehr und mehr. Es verlor damit endgültig jede klare, politisch werbewirksame Linie. Der Kanzler verstrickte sich immer häufiger in kaum noch durchschaubare, vielfach bloß situationsbedingte politische Manöver. Er vermittelte so in der praktischen Realisierung seines Konzepts zunehmend den Eindruck, die politische Führungskraft eingebüßt zu haben.

Selbst im inneren Kreis verbreiteten sich zunehmend Zweifel an den Zukunftsperspektiven der Bismarckschen Politik. Nach dem abermaligen Scheitern der Steuerreformpläne mit dem Tabakmonopol an der Spitze, nach dem erneuten Festlaufen der Sozialgesetzgebung in jenen Punkten, die als politisch zentral erschienen und von denen man sich innerhalb der Regierung ganz neue Entwicklungen versprach, notierte der Landwirtschaftsminister Lucius am 10. Mai 1883 in sein Tagebuch: »Wir ziehen nun die Bilanz unserer parlamentarischen Taktik und erleiden Niederlage auf Niederlage.« »Alle Projekte Bismarcks«, für welche noch dazu »die kaiserliche Autorität ins Feuer geführt wurde«, seien »gescheitert.«

Hier klang zugleich eine für Bismarck nicht ungefährliche Überlegung von konservativer Seite an. Sie gipfelte in der Frage, ob der Kanzler nicht, indem er das monarchische Prinzip, die Person des Kaisers direkt, aber letztlich eben erfolglos ins Spiel gebracht, dieses Prinzip selbst mit diskreditiert habe und so für das weitere Ansteigen der Oppositionsbewegung und für eine Gefährdung der bestehenden Ordnung zumindest indirekt mit verantwortlich sei.

Bismarck suchte solchen vorerst noch unterschwelligen Vorwürfen durch immer heftigere Attacken auf den Linksliberalismus die Spitze abzubrechen. Doch er konnte sich je länger, je weniger der Einsicht entziehen, daß er sich mit der Proklamierung eines antiparlamentarischen Kurses selber in eine Zwickmühle gebracht hatte. Da er den Erwartungen im Rahmen seines ursprünglichen Konzepts offenkundig nicht genügen konnte, drohten sie ihn nicht nur mehr und mehr nach rechts, sondern schließlich sogar in die Bahnen des offenen Verfassungsbruchs, des Staatsstreichs, zu drängen. Ein solches Vorgehen schien ihm jedoch auch jetzt, wie in den Jahren nach 1862, kein ernsthaft erfolgversprechender Weg: Die einzigen Zeugnisse, daß er dergleichen erwogen hat, bestehen in vagen Drohungen, die in erster Linie das Ziel hatten, den politischen Gegner zum Einlenken zu zwingen.

Wie aber sollte es weitergehen, wenn er sogar den Rückhalt auf der äußersten Rechten zu verlieren Gefahr lief? Wie zu Beginn der siebziger Jahre schallte ihm, trotz einer rigiden Personalpolitik zugunsten dieser Rechten, trotz vielfältiger Begünstigungen ihrer materiellen Interessen, zunehmend der Ruf entgegen, seine Politik sei im Kern nach wie vor zu kompromißlerisch, bei allen großen Worten zu unentschlossen und dadurch erfolglos. Sie sei die Politik eines alternden Löwen, dem der wirkliche Biß fehle.

Einst war es ihm gelungen, aus der Konfrontation zwischen rechts und links, zwischen den Wortführern einander scheinbar ausschließender politischer und sozialer Systeme und Ordnungsvorstellungen politisches Kapital zu schlagen. Ja, er hatte darauf seine ganze politische Stellung gegründet, indem er unter Ausschaltung der beiderseitigen Extreme in seiner Person und Politik einen, obschon stets prekären, Ausgleich zu vermitteln vermochte. Nun jedoch drohte er, so offenkundig er sich mehr und mehr nach rechts orientierte, zwischen beiden Lagern zerrieben zu werden.

Der Umstand, daß er die langfristig schwächere Seite mit zum Teil künstlichen Mitteln gestärkt, daß er seine politische Autorität und seinen politischen Einfluß nach 1878/79 zunehmend zu ihren Gunsten in die Waagschale geworfen hatte, schien ihm nun zum Verhängnis zu werden. All das, was er so lange im Interesse seiner eigenen Machtstellung hintangehalten hatte – den politischen Einfluß des Militärs, die Einwirkung Geistlicher und anderer politisch nicht verantwortlicher Personen bei Hof, die Verselbständigung der Bürokratie nunmehr im konservativen Sinne, den notfalls zur Fronde neigenden Korpsgeist des Adels –, all das begann sich nun wieder verstärkt zu regen mit der Tendenz, daß Bismarck schließlich zu einer Art auswechselbarer Gallionsfigur zu werden drohte. »Die Jugend«, so klagte ein gewiß unverdächtiger Zeuge, der alternde Kronprinz, schon Anfang 1882, sei »durch und durch reaktionär«: »Was also könne die Zukunft noch Gutes bringen?! Selbst, wenn er, der Kronprinz, ein anderes Regiment führen werde, sein Sohn würde alles wieder umwerfen. Darum sei es besser, dieser folge unmittelbar dem Großvater, dann sei die Kontinuität doch gewahrt.«

Der Kronprinz – »gegen Bismarck sei ja doch nichts zu machen« – ging dabei wie viele Zeitgenossen noch davon aus, daß der Kanzler für diese Entwicklung nicht nur entscheidend mitverantwortlich sei, sondern davon auch unmittelbar profitiere. Viele Historiker sind ihm hierin gefolgt. Bismarck selber jedoch sah immer klarer, daß er sehr leicht das Opfer dieser Entwicklung werden konnte. »Dies Volk kann nicht reiten«, bemerkte er Ende 1883 einmal in tiefem Pessimismus: »Ich sehe sehr schwarz in Deutschlands Zukunft. Wenn die ›Forchow und Wirkenbeck‹ [Forckenbeck und Virchow] ans Ruder kommen und von oben her protegiert werden, so fällt alles wieder auseinander. Sie sind alle kleinlich und enge, keiner wirkt für das Ganze, jeder stopft nur an seiner Fraktionsmatratze.«

Schon 1878/79 hatte er, der Politiker zwischen den Fronten in all den Jahren zuvor, angesichts der nun doch sehr einseitigen Festlegung ein deutliches Unbehagen empfunden – mochte ihm eine solche Festlegung mit Blick auf den wachsenden Machtanspruch der bürgerlich-liberalen Bewegung von seiner eigenen Position und Interessenlage her gesehen auch unvermeidlich erscheinen sein. Seine Politik war von vornherein nicht nur eingleisig konservative Eindämmungs- und Sammlungspolitik gewesen, wie stark und einflußreich dieses Element dann auch wirkte. Stets ging es ihm, bei den Steuer- und Finanzreformplänen, bei den Versuchen, die materiellen Interessen in neuer Form zu institutionalisieren, und vor allem bei der Sozialgesetzgebung zugleich darum, der Regierung und seiner eigenen Person neue Positionen und Bastionen der Eigenständigkeit und Unabhängigkeit nach allen Seiten zu schaffen. Sein Ziel war, sich auch von rechts nicht »das Leitseil über den Kopf werfen zu lassen«, wie einer seiner Lieblingsausdrücke lautete.

Seine diesgezüglichen Bestrebungen waren freilich auf der ganzen Linie gescheitert und mußten mit innerer Notwendigkeit scheitern. Sie beruhten auf einer grundlegenden Fehleinschätzung des politischen und sozialen Verhaltens der Menschen. Die Fehleinschätzung gründete nicht zuletzt darauf, daß der Kanzler die Haltung des deutschen Bürgertums in einer ganz bestimmten historischen Situation und Konstellation, zwischen Verlockung von rechts und Konkurrenz, ja, beginnender Bedrohung von links, zwischen einstigem Anspruch und neuer Wirklichkeit, zwischen Prinzip und Interesse, zwischen Möglichkeit und Erwartung absolut setzte.

Vor allem die Sozialgesetzgebung erwies sich, als sie nach langen Kämpfen in ihrem ersten Hauptteil, dem Unfall- und dem Krankenversicherungsgesetz, 1883/84 schließlich zustande kam, politisch als ein völliger Schlag ins Wasser. Es ist kein Zufall, daß Bismarck diesen 1889 mit der Alters- und Invalidenversicherung abgeschlossenen Gesetzeskomplex, der von der Sache das bedeutendste Gesetzgebungswerk des letzten Jahrzehnts seiner Amtszeit darstellt, in seinen Lebenserinnerungen dann mit keinem Wort erwähnt hat.

Daß es zu der Versöhnung der Arbeiterschaft mit dem Staat in seiner bestehenden Form oder gar zu einer Neufundierung der staatlichen Macht in den arbeitenden Massen, auf die das Ganze politisch zielte, nicht einmal ansatzweise kam, lag nicht, wie Bismarck zunächst gern glauben wollte, an der »Verwässerung«, die die Gesetze durch den Reichstag erfuhren. Es lag an jener grundlegenden Fehleinschätzung des Verhältnisses von politischem Verhalten und individuellem Interesse auch bei den breiten Massen – von der Tatsache einmal abgesehen, daß sowohl Beiträge als auch Leistungen sehr gering blieben und der konkrete Fortschritt sich in engen Grenzen hielt.

Das zeigte sich augenfällig daran, daß Bismarck sich mit dem politischen Grundgedanken, der dem zweiten Entwurf eines Unfallversicherungsgesetzes zugrunde lag, im wesentlichen durchzusetzen vermochte, das Ganze dann jedoch nicht entfernt zu dem Ziel führte, das ihm dabei vorschwebte. Dieser Grundgedanke war dem sozialpolitischen System Albert Schäffles entlehnt, eines von Comte und Hegel herkommenden württembergischen Nationalökonomen und Soziologen, der in den sechziger Jahren im württembergischen Landtag und im Zollparlament gesessen hatte und 1871 kurzzeitig österreichischer Handelsminister gewesen war, also über konkrete politische Erfahrungen verfügte. Er zielte auf eine staatlich verordnete und durchgesetzte berufsgenossenschaftliche Organisation der gesamten Wirtschaft, auf eine Art Wiederbelebung ständisch-korporativer Ordnungen der Vergangenheit in zeitentsprechender Form. Es gehe der Regierung, hieß es in der kaiserlichen Botschaft vom 17. November 1881, um den »engere(n) Anschluß an die realen Kräfte« des »Volkslebens« und »das Zusammenfassen der letzteren in der Form korporativer Genossenschaften unter staatlichem Schutz und staatlicher Förderung«.

Es lag auf dieser Linie und konnte demgemäß als Erfolg der Regierung gelten, wenn anstelle der ursprünglich geplanten Reichsversicherungsanstalt ·nach über zweijährigen Verhandlungen die Berufsgenossenschaften zu Trägern der Unfallversicherung gemacht wurden. Das gleiche gilt für das bereits ein Jahr zuvor, am 15. Juni 1883, vom Reichstag verabschiedete, weit weniger umstrittene Krankenversicherungsgesetz, das ebenfalls an noch bestehende korporative Verbindungen wie Knappschafts-, Innungs- und Hilfskassen anknüpfte und gleichzeitig mit der Ortskrankenkasse eine Korporation neuer Art schuf, in deren genossenschaftlicher Selbstverwaltung die Arbeiter das Übergewicht besaßen – im Unterschied zu den rein unternehmerisch bestimmten Berufsgenossenschaften. Von den übergreifenden Erwartungen, die Bismarck daran geknüpft hatte, erfüllte sich jedoch nichts. Die meisten Ortskrankenkassen wurden im Gegenteil sogleich von entschiedenen Sozialdemokraten beherrscht; man hat zu Recht von einer förmlichen »Herrschaft der Sozialdemokratie in der Krankenversicherung« gesprochen. Die Berufsgenossenschaften wiederum wurden vielfach von den Parteien der Rechten mediatisiert.

Über seine ursprünglichen Erwartungen hat sich Bismarck im engsten Kreis offen geäußert. »Die Unfallversicherung an sich sei ihm Nebensache«, so berichtete Theodor Lohmann im Oktober 1883 in einem Privatbrief nach einem Gespräch mit Bismarck: »Die Hauptsache sei ihm, bei dieser Gelegenheit zu korporativen Genossenschaften zu gelangen, welche nach und nach für alle produktiven Volksklassen durchgeführt werden müßten, damit man eine *Grundlage für eine künftige Volksvertretung gewinne,* welche anstatt oder neben dem Reichstag ein wesentlich mitbestimmender Faktor der Gesetzgebung werde, wenn auch äußerstenfalls durch das Mittel eines Staatsstreichs.«

Wann Bismarck das Scheitern seiner Bemühungen endgültig eingesehen hat, läßt sich schwer sagen. Den Mitte 1889 verabschiedeten Entwurf einer Alters- und Invaliditätsversicherung, der ihm sogar noch den Reichszuschuß sicherte, hat er jedenfalls nur noch geschäftsmäßig abgewickelt. »Es war, was wir da versuchten«, so hat er es am Ende seines Lebens zusammengefaßt, »stets ein Bild der Echternacher Prozession: drei Schritte vorwärts, einen Schritt zurück. Ich bin ermüdet in dem parlamentarischen Sande, in den Bestrebungen, die ich hatte, auch selbst in der Richtung der Gesetzgebung, die ich nur mit einem Worte, mit dem Worte Klebegesetz bezeichnen will.«

Was er in diesem Zusammenhang verschwieg, war die Tatsache, daß ihm das
schrittweise Abrücken von seinen Plänen schon bald nach der Verabschiedung des ersten sozialpolitischen Gesetzes, der Krankenversicherungsvor-
lage, durch Veränderungen und Bewegungen innerhalb der Parteienlandschaft wesentlich erleichtert worden war. Durch diese Entwicklung trat in der
Haltung der Reichstagmehrheit noch vor Ende der Legislaturperiode 1881/
84 eine starke Veränderung ein. Sogar die Wiederkehr von Bismarcks alter
Wunschkombination einer Mitte-Rechts-Koalition aus Freikonservativen
und Nationalliberalen schien mit einem Mal wieder in den Bereich des
Möglichen zu rücken.

Der plötzliche Wandel hatte eine ganze Reihe von Gründen. Er hing mit der
wachsenden Sorge der Mittelparteien und ihrer Wählerschaft vor einer
zunehmenden sozialen Polarisierung und deren Folgen zusammen. Er hing
aber auch damit zusammen, daß die Bestrebungen zur Vereinigung der
liberalen Parteien und zu einer Mehrheitsbildung auf dieser Basis nicht recht
vorankamen. Auf der anderen Seite arbeiteten die Exponenten eines schroffen Rechtskurses mit dem Chefredakteur der »Kreuzzeitung« und Führer der
»Altkonservativen«, dem Freiherrn von Hammerstein-Gesmold, an der
Spitze streckenweise recht erfolgreich an der Bildung einer pointiert antiliberalen Rechtskoalition zwischen Zentrum und Deutschkonservativen. Hieraus
resultierte bei den Nationalliberalen und in geringerem Maße bei den
Freikonservativen die Sorge, zwischen rechts und links zerrieben und schließlich aufgesogen zu werden. Eine solche Befürchtung rückte die Erinnerung an
die Vorteile, die man einst als Juniorpartner der Regierung genossen hatte, in
ein besonders verführerisches Licht.

Hinzu kam, daß es Bismarck, allen schroffen Angriffen zum Trotz, nicht an
versteckten Andeutungen fehlen ließ, er sei auch jetzt noch bereit, über eine
engere Zusammenarbeit mit sich reden zu lassen. Das blieb im Bewußtsein der
Spaltungen und Wählereinbußen der vergangenen Jahre nicht ohne Wirkung.
Der Anti-Bismarck-Kurs, so war aus dem Lager der nationalliberalen Fraktion hinter vorgehaltener Hand immer öfter zu hören, habe sich zwar für den
Liberalismus insgesamt, nicht jedoch für die Nationalliberalen ausgezahlt.

So wuchs hier die Neigung, in Betonung der eigenen Selbständigkeit
gegenüber der Rechten, vor allem aber auch gegenüber der Linken eine
gewisse Neuorientierung vorzunehmen. Sie gründete nicht zuletzt in der
Tatsache, daß Bismarck offenkundig politisch kaum noch vorankam und auf
der äußersten Rechten dafür immer häufiger versteckte Vorwürfe über seine
angebliche Unentschlossenheit und Halbheit zu hören bekam. Er schien
politisch schwächer als je zuvor und deshalb möglicherweise zu weitergehen-
dem Entgegenkommen bereit zu sein, während andererseits eine Ablösung
und ein grundsätzlicher Kurswechsel sich kaum abzeichneten und der Kronprinz sogar zunehmend Zeichen der Resignation erkennen ließ.

In der Tat sah Bismarck in einem Ausgleich mit den Nationalliberalen und in einer Mitte-Rechts-Koalition nach wie vor die einzige Chance, parlamentarisch wieder Boden unter die Füße zu bekommen. »Die Regierung darf ... vom Zentrum nicht parlamentarisch abhängig werden«, hieß es in nun fast schon gebetsmühlenartiger Wiederholung in einem Erlaß vom Februar 1882, »sie muß die Sympathien der Gemäßigt-Liberalen schonen, und das um so mehr, als das Zentrum neuerdings wieder in dem unnatürlichen Bündnis mit dem fortschrittlichen Radikalismus eine Waffe gegen die Regierung sucht.«

Nach allem, was geschehen war, war Rudolf von Bennigsen, der Herold der Einheit der Liberalen zumindest bis hin zum Lasker-Flügel, für eine solche Politik der Wiederannäherung freilich nicht der richtige Mann. Was auch im einzelnen an abermals nicht eingehaltenen Zusagen Bismarcks seinen dramatischen Rücktritt von allen politischen Ämtern am 11. Juni 1883 bewirkt haben mag – er gab damit den Weg für einen parteipolitischen Kurswechsel frei. Dieser mußte konsequenterweise zu einer Wiederannäherung der Nationalliberalen an die Regierung und an Bismarck und zur Preisgabe aller mehr nach links orientierten liberalen Vereinigungspläne führen.

Daß sich ein neuer Kurs anbahnte, blieb der breiteren Öffentlichkeit nicht zuletzt durch die Umstände des Rücktritts von Bennigsen allerdings noch längere Zeit verborgen. Das hat die Dramatik des Vorgangs dann noch akzentuiert und verstärkt. Zu seinem eigentlichen Exponenten wurde der Frankfurter Oberbürgermeister Johannes Miquel. Er war ein Altersgenosse Bennigsens und wie dieser bereits einer der führenden Vertreter des Nationalvereins und der Nationalliberalen Partei in ihrer Gründungsphase. Von ihm stammten die Grundzüge der sogenannten Heidelberger Erklärung der führenden Männer der nationalliberalen Partei vom 23. März 1884, einer Erklärung, die auf den nachfolgenden regionalen Parteitagen jeweils klare Mehrheiten fand.

Mit dem Heidelberger Programm, das für Miquel, nach den Worten seines Biographen, »zur Grundlage seines persönlichen Aufstiegs in die große Politik« wurde, vollzog man die grundlegende Neuorientierung. Mit ihm stellte sich die Partei in wesentlichen Sachfragen hinter die Regierung, so vor allem in der Militärfrage, hinsichtlich der Sozialgesetzgebung, in der Agrarfrage und sogar in einigen bisher heftig umstrittenen Steuerfragen wie dem Problem der Besteuerung von Börsengeschäften und der Branntweinsteuer. Gleiches galt für die Kolonialfrage. Darüber hinaus betonte man: »Eine Verschmelzung mit anderen Parteien ist ... unter den gegenwärtigen Verhältnissen durch die Verschiedenheit der Beurteilung entscheidender Tagesfragen ausgeschlossen.«

Das war die definitive, zu diesem Zeitpunkt allerdings schon längst ausgemachte Absage an die Idee der »großen liberalen Partei«, von der Lasker bis zuletzt geträumt hatte – er war am 5. Januar 1884 auf einer Amerika-Reise im

Alter von erst vierundfünfzig Jahren in New York gestorben. Wenn am 24. Februar 1884, einen Monat vor dem Heidelberger Treffen, Fortschrittspartei und Sezessionisten den Zusammenschluß in der »Deutsch-Freisinnigen Partei« beschlossen hatten, dann war das in dieser Hinsicht bereits ein Akt der Resignation gewesen. Denn die Mehrheit vor allem der Sezessionisten hatte mit Lasker darin übereingestimmt, daß ein Zusammenschluß von rechts her erfolgen, also von Vereinbarungen mit den Nationalliberalen seinen Ausgang nehmen müsse.

Dazu bestand, seit Miquel de facto die Parteiführung übernommen hatte, keine Aussicht mehr. Die Vereinigung der beiden liberalen Linksgruppen war gleichsam die logische Konsequenz daraus. Miquel seinerseits ließ, zumindest innerparteilich, über die von ihm verfolgte Tendenz niemanden im Zweifel. Er sei davon durchdrungen, »daß, wenn diesmal die Partei nicht eine *bestimmte Grenzlinie* nach links und im Norden vor allem nach rechts zieht, sie dauernd verloren ist«, schrieb er am 23. April 1884 an Robert von Benda, Mitglied des Präsidiums des preußischen Abgeordnetenhauses und jahrzehntelang preußischer Abgeordneter und Reichstagsabgeordneter der Nationalliberalen. Eine solche Entscheidung werde sowohl von der »gesamte(n) Situation« als auch von der »allgemeine(n) Stimmung der Wähler« diktiert: »Jedes *allgemeine* Bündnis mit links *saugt uns auf.*« Er halte, so betonte er, »die Situation für *sehr kritisch* und für lange Zeit *entscheidend*«. Was Bismarck und die Regierung angehe, so brauche er wohl nicht zu betonen, »daß alle in den Zeitungen verbreiteten Gerüchte über meine Beziehungen« zu diesen »*eitel Wind*« seien. Er vermute allerdings, fuhr er unmittelbar anschließend fort, »daß wir einer Wendung entgegen gehen«.

Bismarck war in der Tat aufs äußerste erfreut und geneigt, auf die sich abzeichnende Kombination, die so sehr seinen eigenen Wünschen entsprach, sogleich einzugehen. Er folgte von nun an weitgehend den Hauptlinien und insbesondere der Schwerpunktverteilung des Heidelberger Programms. Die Verabschiedung des Unfallversicherungsgesetzes am 27. Juni 1884 mit einer Mehrheit aus Konservativen, Nationalliberalen und Zentrum war von daher gesehen ein recht merkwürdiger Vorgang. Sie führte nach langen und teilweise höchst erbittert geführten Kämpfen eine Initiative zu einem vorläufigen Abschluß, deren innerste politische Zielsetzung Bismarck gerade aufgrund dieses Vorgangs, der ihm eine neue, mehr Erfolg versprechende Möglichkeit zu signalisieren schien, nun aufzugeben geneigt war. Der Versuch, die Parteien zu umgehen und interessenpolitisch zu mediatisieren, war, wie sich nur zu deutlich gezeigt hatte, in seinem Erfolg und in seinen möglichen Konsequenzen äußerst zweifelhaft gewesen. Statt dessen bot sich nun scheinbar noch einmal die Chance, von einer Zusammenarbeit mit Freikonservativen und Nationalliberalen her eine tragfähige parlamentarische Blockbildung einzuleiten.

Zwar war ihr Kern anfangs sehr klein; beide Fraktionen zusammen zählten nur noch fünfundsiebzig von rund vierhundert Abgeordneten. Aber durch geschicktes Taktieren, durch massive Begünstigung bei den bevorstehenden Wahlen und durch eine prononcierte Politik im Sinne der Forderungen beider Parteien ließ sich, so glaubte und hoffte Bismarck, hier vielleicht doch schon bald eine Änderung herbeiführen. Vor allem aber schien die zeitweise alles andere überschattende Gefahr einer parlamentarischen Blockbildung gegen ihn und seine Regierung erst einmal gebannt zu sein. Eine positive Mehrheitsbildung auf liberaler Seite und eine vergleichsweise unproblematische Regierungsbildung im Fall eines Thronwechsels waren nun offenkundig in weite Ferne gerückt.

Charakteristisch für seine Einschätzung der veränderten Situation war, daß Bismarck jetzt, im Sommer 1884, alle innenpolitischen Überlegungen mit leichter Hand beiseiteschob, die er etwa an die Frontstellung gegen England in kolonialpolitischen Fragen geknüpft haben mochte. In seiner Reichstagsrede vom 26. Juni 1884, einen Tag vor der Schlußabstimmung über das Unfallversicherungsgesetz, signalisierte er London in aller Öffentlichkeit, daß ihm an einer weiteren Zuspitzung des Konflikts nicht gelegen sei, und damit zugleich der deutschen Öffentlichkeit, daß das Ganze für ihn kein Wahlkampfthema sei. Die zentrale Parole des bevorstehenden Wahlkampfes konnte jetzt, nachdem die Nationalliberalen sich endgültig nach links hin abgegrenzt hatten und zum potentiellen Partner in einem sachlich in vieler Hinsicht rechts orientierten Regierungsbündnis geworden waren, die Erhaltung und die weitere Befestigung der bestehenden inneren und äußeren Ordnung sein.

Was das praktisch hieß, war nach 1878/79 in immer einseitigerer Akzentuierung deutlich genug hervorgetreten. Es ging um einen möglichst weitreichenden Schutz der deutschen Industrie und vor allem der deutschen Landwirtschaft. Es ging um die Abwehr revolutionärer Bestrebungen von seiten der äußersten Linken, aber auch jener, die der Historiker Heinrich von Treitschke demagogisch die »Gönner« des Sozialismus im bürgerlich-liberalen Lager genannt hatte. Es ging um die Sicherung der deutschen Großmachtstellung in der Mitte Europas durch militärische Rüstung, durch, wie es im Heidelberger Programm wörtlich hieß, »die Erhaltung einer starken deutschen Heeresmacht«, durch eine Politik der Stärke also. Und es ging schließlich, das zeichnete sich bereits zu diesem Zeitpunkt ab, um »Eindämmung« des vordringenden slawischen Elements in den östlichen Provinzen Preußens und im Zusammenhang damit um eine den Status quo schützende Mobilisierung des Nationalismus.

Ein politisch-parlamentarischer Durchbruch ließ sich damit in so kurzer Zeit – die Wahlen fanden bereits am 28. Oktober 1884 statt – natürlich noch nicht erzielen. Trotz hoher Stimmengewinne im ersten Wahlgang, die Miquels Kurs zu bestätigen schienen und seine Stellung sehr befestigten, kamen die

Nationalliberalen angesichts nun ganz anderer Stichwahlbündnisse nicht wesentlich über ihre 1881 erheblich reduzierte Mandatszahl hinaus. Auch die Freikonservativen stagnierten bei leicht erhöhter Stimmenzahl. Demgegenüber büßten die Deutschkonservativen zwar mehr als ein Prozent der Stimmen ein; sie fielen nun wieder hinter die Nationalliberalen zurück, die sie 1881 erstmals überflügelt hatten. Aber als Führer von Rechtsbündnissen gewannen sie mehr als die Hälfte ihrer bisherigen Mandate hinzu. Sie erhoben denn auch sogleich den Führungsanspruch in einer Mitte-Rechts-Koalition. Diese allerdings verfügte ohne das Zentrum, das sich auf seinem bisherigen Stand behauptete, nach wie vor über keine Mehrheit.

Auf der anderen Seite wurde jedoch, und das war für Bismarck die Hauptsache, der Vormarsch des Linksliberalismus bei diesen Wahlen entscheidend gestoppt. Die neue »Deutsch-Freisinnige Partei« erreichte nur wenig mehr Mandate, als die Fortschrittspartei 1881 allein erzielt hatte. Sie fiel von den einhundertundsechs Sitzen, die beide Fraktionen 1881 erreicht hatten, auf siebenundsechzig zurück, benötigte also fortan selbst zu einer negativen Mehrheit, mit der sie Gesetzesinitiativen der Regierung zu blockieren vermochte, fast sämtliche sogenannten Protestparteien sowie das gesamte Zentrum. An eine Mitte-Links-Koalition war unter diesen Umständen nicht mehr zu denken. Die Gefahr, die Bismarck von hier her bei einem Thronwechsel drohte, schien vorerst gebannt zu sein: Eine neue Regierung von vornherein als eine parlamentarische Minderheitsregierung zu installieren, konnte gerade für einen Monarchen, der, wie der Kronprinz, mit einem prinzipientreuen Liberalismus und seinen Zielen sympathisierte, kaum in Frage kommen.

Es ist daher nur zu verständlich, daß Friedrich Wilhelm bereits jetzt, noch vor Ausbruch seiner tödlichen Krankheit, einem erst sehr spät diagnostizierten Kehlkopfkrebs, endgültig zu resignieren begann. Hinzu kam noch etwas anderes. Neben dem Niedergang des Linksliberalismus signalisierten die Wahlen von 1884 einen wachsenden Druck der äußersten Linken, der Sozialdemokratie. Ein solcher Druck von links aber pflegte nach aller Erfahrung einen Rechtsruck der Mehrheit der Wähler und der Parteien der Mitte nach sich zu ziehen. Die Nationalliberalen hatten dies in ihrer Heidelberger Erklärung, gerade auch in deren entschiedener Frontstellung gegen die Sozialdemokratie, gewissermaßen schon vorweggenommen.

Obwohl als Parteiorganisation verboten und vielfältigen Verfolgungen ausgesetzt, hatten die sozialistischen Kandidaten bei den Wahlen vom Herbst 1884 mehr als fünfzig Prozent zu ihren bisherigen Stimmen hinzugewonnen. Sie hatten, da auf bestimmte Wahlkreise vorwiegend in industriellen Ballungsräumen konzentriert, ihre Mandatszahl mit einem Schlag von zwölf auf vierundzwanzig verdoppelt. Das waren mit gut sechs Prozent der Reichstagssitze und knapp zehn Prozent der abgegebenen Stimmen noch vergleichsweise

bescheidene Zahlen, obwohl man hinsichtlich der Stimmen nun die Freikonservativen, die »Reichspartei«, klar überflügelt und fast zwei Drittel derjenigen der Deutschkonservativen erreicht hatte, die so sehr im Mittelpunkt aller
Politik standen. Im Unterschied zu jenen beiden Parteien arbeitete die Zeit
jedoch offenkundig für die Partei der Arbeiterschaft, des Proletariats, das im
Zug der wirtschaftlichen Entwicklung rapide anwuchs; binnen weniger Jahrzehnte stieg die Zahl der Industriearbeiter, sein eigentlicher Kern, von knapp
zehn Prozent auf mehr als ein Drittel aller Erwerbstätigen. Die Ahnung
begann sich zu verbreiten, daß sich in Zukunft der Umsturz nicht auf den
Barrikaden, sondern mit dem Stimmzettel vollziehen, daß der schleichenden
wirtschaftlichen und sozialen Revolution eine sich ebenso schrittweise durch-
setzende politische Revolution folgen werde.

Mit den Konservativen aller Schattierungen und mit der Mehrheit der
Liberalen hat auch Bismarck das stürmische Anwachsen der Sozialdemokratie lauthals beklagt. Doch insgeheim war es ihm in den Grenzen, in denen es
sich nach wie vor bewegte, nicht unwillkommen. Zwang es doch Konservative
und Nationalliberale zusätzlich enger zusammen. Und auch das Zentrum, das,
etwa im Ruhrgebiet oder in Schlesien, vielfach um die gleichen sozialen
Gruppen warb wie die Sozialdemokratie, wurde dadurch einem wachsenden
politischen Druck ausgesetzt.

Beides konkretisierte sich unter den Bedingungen des geltenden Reichs-
tagswahlrechts in unmittelbarer Weise. Dieses war ein reines Mehrheitswahl-
recht, das angesichts der Parteienzersplitterung spätestens im zweiten Wahlgang Wahlbündnisse zugunsten eines gemeinsamen Kandidaten nötig machte, Wahlbündnisse, die dann ihrerseits weiterreichende politische Folgen zu
haben pflegten. Da die Sozialdemokratie dort, wo sie keine eigenen Chancen
hatte, nicht selten, wenn auch kaum jemals offen, eine Unterstützung von
akzeptablen Kandidaten der bürgerlichen Linken nahelegte, konnte eine
Eindämmung im Sinne der Konservativen, der Nationalliberalen und auch des
Zentrums lediglich mit Mitte-Rechts-Koalitionen erfolgreich sein. Der Wahl-
erfolg der Sozialdemokraten von 1884 begünstigte also mit Blick auf die
nächsten, von der Regierung beliebig vorverlegbaren Wahlen zusätzlich die
von Bismarck favorisierte Mehrheitsbildung.

Trotz des sich rasch verdüsternden außenpolitischen Horizonts fühlte sich
der Kanzler daher nach den Wahlen von 1884 geradezu belebt. Er hatte, wie er
glaubte, das Steuer wieder fest in die Hand bekommen. Der Alptraum, der ihn
in den letzten Jahren häufig heimgesucht, ja, zeitweise mehr als alles andere
beherrscht hatte, der Alptraum der »großen liberalen Partei« und eines von
Lasker, Forckenbeck und Stauffenberg entscheidend beeinflußten und bestimmten Monarchen, war verflogen. »Es scheint«, bemerkte er Ende Mai
1885 triumphierend zu Moritz Busch, »daß der Kronprinz mich behalten
will.« Aber, fuhr er hochmütig-selbstbewußt fort, »ich werde mir überlegen,

ob ich bleibe.« Vieles spreche »dagegen und manches auch dafür«. Die Versuchung sei groß, zu denken »wie Götz von Berlichingen, als er sich den Bauern anschloß«. Jedenfalls aber brauche er »freie Hand« und nicht »Kollegen wie Forckenbeck und Georg Bunsen und unaufhörlichen Verdruß mit denen«, nachdem »der alte Herr mich die letzte Zeit machen ließ, was ich für gut hielt, selbst die Minister wählen und durch andere ersetzen«.

Äußerer Anlaß für die ebenso selbstbewußte wie optimistische Zwischenbilanz waren Spekulationen englischer Zeitungen über die politischen Konsequenzen eines nach menschlichem Ermessen ja immer näher heranrückenden Thronwechsels in Deutschland. Die Spekulationen zielten natürlich auf eine Kurskorrektur im liberalen Sinne. Wenn Bismarck jetzt mit voller Überzeugung glaubte, sie zurückweisen, ihnen jede realistische Grundlage absprechen zu können, dann nicht zuletzt deswegen, weil er seiner Meinung nach inzwischen bereits wieder mehrere Eisen im Feuer hatte.

Der Versuch, die Parteien durch direkten Appell an die Interessen und deren fortschreitende Institutionalisierung wenn nicht auszuschalten, so doch weitgehend zu mediatisieren, hatte sich zwar als eine völlige Sackgasse erwiesen. Aber er hatte einen Nebeneffekt, den Bismarck seiner Umwelt jetzt gern als das Hauptziel darstellte, das er von Anfang an verfolgt habe. Der Nebeneffekt bestand darin, daß sich die Parteien der Mitte und der Rechten von dem Augenblick an einer Zusammenarbeit aufgeschlossen zeigten, in dem der Kanzler seinerseits seinen bisherigen, sie in ihrer Existenz bedrohenden Kurs mehr oder weniger aufgab. Auf diese Weise eröffnete sich ihm sogar die Chance, so glaubte er zumindest, erneut zwischen den Parteien der Mitte und der Rechten, Nationalliberalen, Zentrum und Konservativen, hin und her zu pendeln. Er konnte das eine Mal mehr jene Richtung im Lager der Deutschkonservativen um den Freiherrn von Hammerstein begünstigen, die für eine enge Zusammenarbeit mit dem Zentrum votierte, und dann wieder einer Achsenbildung zwischen Konservativen und Nationalliberalen das Wort reden. Wieder schien hier das im Hinblick auf die Außenpolitik formulierte Ideal des Kissinger Diktats durch, das Ideal jener »Gesamtsituation«, in der alle Parteien der Regierung »bedürfen, und von Koalitionen gegen uns durch ihre Beziehungen zueinander nach Möglichkeit abgehalten werden«.

In diesem Sinne konzentrierte sich seine Politik nach den Wahlen von 1884 auf drei Schwerpunkte. Sie erhielten von daher, unbeschadet der konkreten Anstöße und Sachzwänge, die im einzelnen natürlich eine jeweils gewichtige Rolle spielten, ihren besonderen Stellenwert. Die Schwerpunkte waren: der Ausbau des wirtschaftlichen Protektionismus, insbesondere im agrarischen Bereich; die endgültige Beilegung des Kulturkampfes; und die bewußte Pflege und Unterstützung des nationalen Gedankens bei jeder sich bietenden Gelegenheit.

Mit dem forcierten Agrarprotektionismus diente der Kanzler vor allem den

Interessen der Konservativen und der von ihnen repräsentierten beziehungsweise umworbenen Gruppen, aber auch denjenigen des Zentrums, wobei er um entsprechende Kompensationen für die industriewirtschaftliche Klientel der Nationalliberalen besorgt war. Bei der Mobilisierung des Nationalismus hatte er in erster Linie die Nationalliberalen im Auge, die sich unter Miquels Führung erneut als die Partei der nationalen Integration zu profilieren suchten. Auf diese Weise hoffte Bismarck, nun wieder in direkter, sachlich immer enger werdender Zusammenarbeit mit den betreffenden Parteien, nicht nur jene Abhängigkeiten zu erzeugen, auf die es ihm ankam. Es ging ihm auch darum, die Anziehungskraft der mit ihm jetzt kooperierenden politischen Gruppen, zumal der Konservativen und der Nationalliberalen, zu vergrößern und somit bei den nächsten Wahlen wieder eine solide Basis zu erreichen.

Im Unterschied zu seiner Politik in den Jahren unmittelbar nach 1878/79, die immer wieder steckengeblieben und von den ursprünglichen Zielsetzungen her gesehen weitgehend erfolglos gewesen war, ist Bismarck mit diesem Konzept zunächst sowohl in der Sache als auch hinsichtlich der Absichten, die er damit verfolgte, recht weit vorangekommen. Das gilt gegen manchen äußeren Anschein auch für seine Politik gegenüber der katholischen Kirche und gegenüber der katholischen Partei, also für die endgültige Beilegung des Kulturkampfes in den beiden sogenannten Friedensgesetzen vom Mai 1886 und vom April 1887.

Seit dem innenpolitischen Kurswechsel von 1878/79 hatte sich Bismarck zwar bereits in mehreren Anläufen um einen Modus vivendi bemüht, der eine schrittweise Annäherung erlauben würde. Doch er war damit wenig erfolgreich gewesen. Zu deutlich war einerseits für die von der Zentrumsführung wohlunterrichtete Kurie die politische Bedürftigkeit des Kanzlers. Und zu deutlich war andererseits sein Bestreben, das Zentrum auszumanövrieren und ihm den politischen Boden zu entziehen. So hatte der Vatikan wenig Grund gesehen, rasch von seiner Maximalforderung, der Rückkehr zu dem Gesetzeszustand vor 1872 und dem Abschluß eines Konkordats, abzugehen.

Ähnlich erfolglos war eine Reihe von gesetzgeberischen Initiativen der preußischen Regierung in den Jahren 1881 bis 1883 geblieben, die eine Milderung beziehungsweise elastischere Handhabung der sogenannten Kampfgesetze vorsahen: Vor allem ging es dabei um die Wiederherstellung der vielerorts durch Ausweisung und Amtsverweigerung schwer betroffenen Seelsorge. Auch diese Vorstöße führten vorerst weder auf seiten des Zentrums, das, nachdem die Mehrheit sicher war, sogar gegen das erste dieser Milderungsgesetze stimmte, noch auf seiten der Kurie zu einer wesentlich veränderten Haltung. Und auch die Wiederaufnahme der diplomatischen Beziehungen zum Heiligen Stuhl hatte praktisch keinen großen Effekt gehabt, zumal sich Kaiser Wilhelm, aber auch Bismarck selber weigerten, im Gegenzug der Errichtung einer päpstlichen Nuntiatur in Berlin zuzustimmen: Bismarck befürchtete, daß hiermit eine einheitliche katholische Kommandozentrale im Reich entstehen könne, welche die immer noch angestrebte Trennung von Kirche und katholischer Partei endgültig verhindern werde. Erst als der Kanzler allgemein von der Idee einer Zurückdrängung und Mediatisierung der Parteien zunehmend abkam, kündigte sich schließlich eine mehr Erfolg versprechende Entwicklung an.

Sie nahm ihren Ausgang vom 9. Mai 1884, dem Tag der Abstimmung des Reichstags über eine weitere Verlängerung des Sozialistengesetzes. An diesem Tag fiel die Zentrumsfraktion unübersehbar in zwei Flügel auseinander: in einen konservativen, der dem Verlängerungsgesetz zu einer knappen Mehrheit verhalf, und in einen mehr zur Mitte orientierten unter Führung des Fraktionsvorsitzenden Windthorst. Das hatte bereits bei der ersten Verlängerung des Sozialistengesetzes Ende Mai 1880 ein Vorspiel gehabt. Damals aber waren nicht nur die Mehrheitsverhältnisse wesentlich andere, damals war das Ganze auch weit weniger umstritten gewesen. Bismarck hatte sich an der vergleichsweise kurzen Debatte überhaupt nicht beteiligt. Die beim Zentrum nicht seltene uneinheitliche Stimmabgabe der Fraktion war zwar beachtet, jedoch rasch wieder vergessen worden. Aber nun, im Vorfeld der Reichstagswahlen und im Zeichen einer vehementen Mobilmachung des Kanzlers gegen die »Linke«, war sie ein Politikum allerersten Ranges, zumal die Nationalliberalen sich bei dieser Gelegenheit erstmals wieder eindeutig zur Unterstützung der Reichsregierung bekannten.

Während Windthorst und ein Teil seiner Fraktion sich abermals auf die Seite der Opposition schlugen, ließ ein anderer erkennen, daß er, wo es um die Erhaltung der bestehenden Ordnung zu gehen schien, die Akzente anders zu setzen und die Regierung gleichfalls zu unterstützen bereit sei. Das aber hieß: Das Zentrum ließ sich unter Umständen mit einer geschickt berechneten Politik inneren Zerreißproben aussetzen, die es in Zukunft vielleicht gefügiger und weniger unabhängig machen würden. Möglicherweise ließ sich von hier aus sogar die Kurie ins Spiel bringen, indem man ihr gegenüber die Problematik eines sich nach links orientierenden Flügels einer katholischen Partei hervorhob und diese Problematik in Verbindung brachte mit Demokratisierungs- beziehungsweise Liberalisierungstendenzen innerhalb der Kirche selber.

In der Tat hat Bismarck diesen Kurs in zunehmendem Maße verfolgt. Bereits kurz nach den für ihn in ihrer Grundtendenz so erfreulichen Wahlen vom Herbst 1884 entwickelte er in einer großen Reichstagsrede am 3. Dezember 1884 die Grundlinien seiner künftigen Politik gegenüber der katholischen Kirche und damit gegenüber der katholischen Partei. Er ließ dabei, zumindest für den rückblickenden Betrachter, die Bahn sehr klar erkennen, die er einzuschlagen beabsichtigte.

Äußerer Anlaß war ein Antrag Windthorsts auf Aufhebung des sogenannten Expatriierungsgesetzes, jenes Gesetzes vom Mai 1874, das dem Staat erlaubte, Geistlichen, die kirchliche Funktionen ohne staatliche Genehmigung ausübten, den Aufenthalt in bestimmten Orten und Bezirken zu untersagen oder sie gar aus dem Reichsgebiet auszuweisen. Einen solchen Antrag hatte Windthorst bereits zweimal, im Januar 1882 und im Frühjahr 1884, im Reichstag eingebracht. Beide Male jedoch hatte er trotz überwältigender Reichstagsmehrheit nicht die Zustimmung des Bundesrats gefunden.

An sich lag der Antrag ganz auf der Linie der Milderungsgesetze von 1880 beziehungsweise 1882 und 1883. Aber da er von der Reichstagsopposition stammte und in sich den stillschweigenden Anspruch enthielt, über die Gesetzgebungsinitiative ganz allgemein den Kurs der Politik mitzubestimmen, war Bismarck von Anfang an entschlossen, sich nicht darauf einzulassen. »Wir müssen vor allem dem Irrtum der Kurie und des Zentrums entgegentreten«, hatte der Kanzler Anfang 1884 als seine Leitlinie formuliert, »daß ›Angriffe‹ die Regierung zu Konzessionen geneigt machen könnten.« Es kam hinzu, daß Windthorst und die Führung des Zentrums praktisch keinen Kontakt darüber mit ihm gesucht, also kein politisches Gegenangebot gemacht hatten. Während er sich jedoch bis dahin auf die bloße Ablehnung beschränkt hatte, ging er nun, in seiner Rede vom 3. Dezember 1884, offen zum Gegenangriff über. Er beschuldigte Windthorst, er habe mit der kurzfristigen Wiederholung seines Antrags nicht nur den wenige Wochen alten Beschluß des Bundesrats mißachtet. Er habe damit vielmehr erneut den Versuch eingeleitet, das bestehende Verfassungsgefüge und die bestehende Machtverteilung im Reich aus den Angeln zu heben.

Was sei, so der Kanzler, diese »Sturmpetition gegen den Bundesrat« anderes, »als daß sie im Namen der Reichstagsmajorität, ich möchte sagen eine Art von Geßlerschem Hut vor dem Bundesrat aufrichten, den er grüßen soll? Eine andere Wirkung und einen anderen Zweck kann der Antrag nicht haben, als die verbündeten Regierungen zu demütigen.« Sie und die Reichsregierung könnten daraus nur eine doppelte Schlußfolgerung ziehen. Einmal, daß man nun wohl endgültig von der auch ihm, Bismarck, im Prinzip sehr angenehmen Idee einer koalitionspolitischen Kombination von Konservativen, Zentrum und Nationalliberalen Abschied nehmen müsse. Und zum anderen, daß der Gedanke eines innerdeutschen Friedensschlusses in den kultur- und kirchenpolitischen Fragen damit in weite Ferne rücke. Ein solcher Friedensschluß setze nämlich, so fuhr er in klarer Akzentuierung nicht nur seiner kirchenpolitischen, sondern seiner künftigen innenpolitischen Strategie insgesamt fort, neben der konservativen auch die nationale Solidarität und Zuverlässigkeit des Zentrums voraus. Beides scheine ihm, wie der Windthorstsche Antrag deutlich mache, zumindest bei Teilen des Zentrums nicht gegeben zu sein. Vielmehr verfolge man hier eine Politik, vor deren Konsequenzen er die katholische Kirche, sprich die Kurie, auf der einen Seite, die deutsche Nation auf der anderen Seite nur warnen könne. Die Kurie, weil diese Politik von der Illusion ausgehe, man könne die Reichsregierung und die preußische Regierung, indem »man nur fest auf sie drücke, sich im Parlamente recht unentbehrlich mache... bei den Wahlen Stimmen gewönne und die feindlichen Parteien gegen die Regierung unterstütze«, zu weiteren einseitigen Konzessionen und schließlich zum völligen Nachgeben zwingen. Und die Nation, weil diese Politik weiterhin auf ein Bündnis mit den opponierenden polnischen Bevölkerungsgruppen im Osten Preußens und des Reiches setze. Sie begünstige so in letzter Konsequenz die Zerstörung der Reichseinheit und mit ihr aller bestehenden Ordnung.

Das sei für ihn im übrigen, so interpretierte er jetzt rückblickend seine Haltung, der Hauptgrund gewesen, sich seinerzeit überhaupt auf den Kulturkampf einzulassen, der zunächst von anderer Seite angefacht worden sei: »Ich bin in den ganzen Kampf nur durch die polnische Seite der Sache hineingezogen worden.« Mit Blick auf sie sei er nach wie vor entschlossen, an den noch bestehenden Kampfgesetzen festzuhalten. Es gehe um die Bewahrung des Bestehenden im Innern wie nach außen und um die Macht und Integrität der deutschen Nation – das seien für ihn und seine Politik die entscheidenden Bezugspunkte und Werte. Von dieser Basis aus sei er zu jeder Verhandlung und zu mancher Konzession bereit.

Dies war taktisch außerordentlich geschickt. Es führte von unterschiedlichen Ausgangspunkten her die verschiedenen Richtungen der Konservativen und Nationalliberalen eng zusammen. Es nährte im Lager des Zentrums manche geheimen Zweifel gegenüber der Windthorstschen Konfrontations- und Koalitionspolitik, auch im Hinblick auf die polnischen Gruppen. Und es signalisierte der Kurie, daß eine »diplomatische« Lösung unter Berücksichtigung der beiderseitigen Interessenlage nicht nur in den Einzelfragen, sondern auch in einem übergreifenden Sinne wohl diejenige sei, die beiden Seiten in ihrer jeweiligen Sphäre die größte Unabhängigkeit und Bewegungsfreiheit zu sichern imstande sei. Es sei ein grundlegender Irrtum, so ließ er die kirchlichen Verhandlungsführer in einer Direktive an den Kultusminister von Goßler sechs Wochen später wissen, »daß das Zentrum sein Verhalten genau nach der Lage der kirchlichen Verhandlungen richte«: »Das Zentrum wird, so lange Herr Windthorst die Leitung desselben in Händen hat, stets eine Oppositionspartei bleiben, und die Lage der Verhandlungen mit Rom bestimmt höchstens die Form der Angriffe auf die Regierung.«

Windthorst hat die Gefahren, die darin für ihn und für seine Politik lagen, sofort erkannt. Er hielt zwar an seiner Forderung nachdrücklich fest. Aber er erklärte gleichzeitig, wenn die Regierung bezüglich des Expatriierungsgesetzes entgegenkomme, also hier und jetzt ein weiteres Zeichen ihres guten Willens gebe, so würden die Vertreter des Zentrums sie künftig in allen entscheidenden politischen und wirtschaftlichen Fragen unterstützen – natürlich nicht, wie er vorsichtshalber gleich hinzufügte, »als bloße Nachtreter des Willens der Regierung«, sondern »als frei dastehende, unabhängige Männer«. Bismarck ließ sich jedoch darauf nicht ein. »An die Möglichkeit einer Verbesserung unserer parlamentarischen Verhältnisse durch Konzessionen an Rom habe ich keinen Glauben«, bemerkte er wenig später lakonisch. Er unterstrich vielmehr in der Überzeugung, das Zentrum werde sich so oder so zu einer Zusammenarbeit bequemen müssen, noch einmal die neue Grundlinie seiner Politik. Sie zielte nun ganz offen auf die unbedingte Erhaltung der bestehenden politischen, wirtschaftlichen und gesellschaftlichen Ordnung. In den Appell an die Furcht vor Veränderung und einem grundlegenden Wandel aller Verhältnisse schloß sie das Angebot an die Parteien der Mitte und der Rechten zu entsprechender Zusammenarbeit mit der Regierung ein. Dabei sollte die nationale Parole als entscheidende Integrationsklammer wirken, die nun endgültig nicht mehr, wie in den Jahrzehnten davor, eine Formel für Veränderung war, sondern zu einer Chiffre für das zu Bewahrende wurde.

Es handelte sich also um eine Art nationaler Sammlungspolitik konservativer Prägung. In ihrem Sinne suchte er den konservativeren Teil des Zentrums und mit ihm die Kurie gegen diejenigen Kräfte um Windthorst auszuspielen, die, trotz unbestreitbar konservativer Grundhaltung, sich den Weg in eine veränderte Zukunft und zu neuen politischen Kombinationen offenzuhalten bestrebt waren. Er könne, so erklärte er in seiner Erwiderung auf die Rede Windthorsts, »nicht mehr mit demselben Vertrauen der Fraktion entgegenkommen wie vorher, nachdem sie diese kleine Pandorabüchse in der Hand hat und aus derselben nach rechts und links hin alle möglichen Übel, unter Umständen auch nach anderen Richtungen als konfessionellen, loszulassen im Stande ist. Leute, die diese Wirksamkeit kennen«, fuhr er in Anspielung auf eine schon früher mehrfach zitierte ominöse Äußerung des Münchener Nuntius in den späten sechziger und frühen siebziger Jahren fort, »könnten für richtig halten, was der Nuntius Meglia gesagt haben soll, nämlich daß ›uns nur die Revolution helfen könne‹ und daß die Unterstützung jeder rein politischen und weltlichen Oppositionspartei der erste Anfang dieses Programms sei.«

Vor allem aber beschwor er im Sinne der konservativen nationalen Sammlungspolitik jetzt die sogenannte polnische Gefahr. Auf sie suchte er die Blicke und die Aufmerksamkeit der deutschen Öffentlichkeit von nun an sehr bewußt zu konzentrieren. Wohl wird man sich auch hier davor hüten müssen, das Moment des bloß Manipulatorischen allzu ausschließlich in den Vordergrund zu rücken. Die Sorge vor einer revolutionären Erhebung des polnischen Bevölkerungsteils Preußens hat ihn von früh auf begleitet. Die erschreckende Brutalität vieler seiner Äußerungen über das polnische »Problem« spiegelt zugleich die ehrliche Furcht vor seiner potentiellen innen- wie außenpolitischen Sprengkraft wider. Dennoch läßt sich nicht verkennen, wie er sich auch in diesem Punkt einer gegebenen Situation wieder zu ganz anderen Zwecken und mit ganz anderer Zielsetzung bedient hat. Das gilt für die Jahre 1848/49 wie für 1863 und für die entscheidende Zeit des Kulturkampfes. Und das gilt ebenso für die mit Recht berüchtigte sogenannte preußische Polen-Politik in den Jahren nach 1885.

Sicherlich lag Zündstoff genug bereit. Nach wie vor waren die Hoffnungen der Polen auf einen eigenen Staat ungebrochen, war der nationale Gedanke höchst virulent. Hinzu kam, daß von seiten vieler polnischer Historiker mit Blick auf lange zurückliegende geschichtliche Epochen weitausgreifende Erwartungen hinsichtlich des territorialen Umfangs dieses künftigen Staates genährt wurden, die auch vor Gebieten, die seit Jahrhunderten zu Preußen gehörten, nicht Halt machten. Angesichts dessen war es einigermaßen verständlich, daß man von deutscher Seite die Aktivitäten der polnischen Nationalbewegung sowie das immer weitere Vordringen des polnischen Elements im Gefolge der sich verstärkenden Landflucht aus den östlichen Provinzen Preußens mit wachsender Sorge und mit zunehmendem Unbehagen beobachtete.

Aber selbst wenn man die reale Situation und die sich daraus ergebenden Probleme nüchtern in Rechnung zieht, wird man die Bismarcksche Polen-Politik verhängnisvoll und in einem auf die Zukunft bezogenen Sinne verantwortungslos nennen müssen. Denn Bismarck sah das Eigengewicht der Probleme sehr genau und schätzte ihre spezifische Sprengkraft durchaus richtig ein. Indem er sie trotzdem für andere Zwecke benutzte, belastete er sie zusätzlich mit deren Problemen und führte sie so ins Zentrum politischer Grundsatzkonflikte. Dadurch aber wurde die Situation schließlich fast ausweglos.

Das kündigte sich schon in der Auseinandersetzung mit Windthorst an. Wider besseres Wissen suchte der Kanzler hier das polnische Problem außer auf die Ansprüche des polnischen Adels vor allem auf die Wühlereien der »nationalpolnischen Geistlichen« zurückzuführen. Er lasse sich, erklärte er, vom Zentrum und einer oppositionellen Reichstagsmehrheit nicht die Mittel aus der Hand schlagen, die er brauche, um »diese Unterstützung der höheren Stände durch das Prälatentum« zu verhindern. Im »Interesse der Erhaltung der öffentlichen Ruhe und des inneren Friedens« könne das Reich »nicht anders, als einen polnischen Nationalfanatiker, der den geistlichen Rock trägt, aus dem Kreise, in dem er seine Wurzel hat und in den seine Tätigkeit gestellt ist, zu entfernen und irgendwo zu internieren«.

Auch dieses Problem lasse sich, so hieß das, mit Ausnahmegesetzen, mit einer Politik der Repression und der vorsorglichen Eindämmung lösen; wer das Gegenteil behaupte, sei ein geheimer Begünstiger, ein Parteigänger der Revolution. Das Polen-Problem wurde somit, wie vorher die konfessionelle Frage und die Einstellung zur Sozialdemokratie, in gewisser Weise tabuisiert.

Stellungnahmen zu ihm und zu der Politik der Regierung in dieser Frage erhielten eine Art grundsätzlichen politischen Bekenntnischarakter. Das entscheidende Gegensatzpaar, die Freund-Feind-Devise, lautete auch in jenem Zusammenhang fortan: national zuverlässig oder revolutionär.

Im Zeichen dieser Devise begann wenig später eine massive Germanisierungspolitik in den östlichen Provinzen des Reiches. Sie war, zumindest nach den ursprünglichen Intentionen, zugleich eine entschiedene Interessenpolitik zugunsten des ostelbischen Großgrundbesitzes beziehungsweise der öffentlichen Hand. Der Ausweisung der Polen nichtpreußischer Staatsangehörigkeit seit Herbst 1885 folgte nach längeren, zum Teil äußerst heftigen Diskussionen im preußischen Abgeordnetenhaus das sogenannte Ansiedlungsgesetz vom 26. April 1886. Es stellte der Regierung einen Fonds mit der für damalige Verhältnisse gewaltigen Summe von einhundert Millionen Mark zur Verfügung, der zum Erwerb polnischer Besitzungen in Posen und Westpreußen und darüber hinaus ganz allgemein »zur Stärkung und Vermehrung des deutschen Elements gegen polonisierende Bestrebungen« dienen sollte. Gleichzeitig wurde eine »Ansiedlungskommission« mit der Verwaltung und Verteilung dieser Summe beauftragt.

Bei den Beratungen über dieses Gesetz im Januar und Februar 1886 standen sich im preußischen Abgeordnetenhaus einmal mehr jene Fronten gegenüber, die seit dem Frühjahr 1884 in Preußen wie im Reich die politische Szene bestimmten. Es waren genau jene Gruppen, die Bismarck mit dem Ziel, das zahlenmäßige Gewicht zwischen ihnen bei nächster Gelegenheit zu seinen Gunsten zu verändern, bei seiner politischen Gesamtstrategie im Auge hatte: hier die beiden Fraktionen der Konservativen und die Nationalliberalen mit heimlichen Sympathien eines Teils des Zentrums, dort die Deutsch-Freisinnigen, die Protestparteien und die von Windthorst geführte Zentrumsmehrheit.

Die Stoßrichtung lag also von vornherein fest, als Bismarck am 28. Januar 1886 im preußischen Abgeordnetenhaus das Wort zu einer Grundsatzerklärung ergriff. Sein in den Akzentsetzungen und schroffen Einseitigkeiten höchst charakteristischer Überblick über die Entwicklung der polnischen Frage und der preußischen Polen-Politik seit den Teilungen mündete sehr rasch in einen Frontalangriff gegen den Linksliberalismus und einen Teil des Zentrums. Beide seien in gleicher Weise dafür verantwortlich, daß Preußen und das Reich nun, wie er dramatisierend betonte, um ihre Existenz kämpfen müßten. Sie hätten über Jahrzehnte hin die Polen ermuntert und begünstigt und aus rein ideologischen oder auch parteiegoistischen Motiven den Staat immer wieder daran gehindert, vorbeugend tätig zu werden. Ja, sie hätten ihn sogar nicht selten in falsche Bahnen gedrängt. Auch jetzt versagten sie wieder ihre Unterstützung, stellten die Partei über das Vaterland und seine Interessen. Es könne daher sein, fuhr er dunkel drohend fort, »daß unsere inneren

Verwicklungen den verbündeten Regierungen die Notwendigkeit auferlegen, ihrerseits – und Preußen an ihrer Spitze – danach zu sehen, ne quid detrimenti res publica capiat, die Kraft eines jeden Einzelnen unter ihnen und den Bund, in dem sie miteinander stehen, nach Möglichkeit zu stärken und sich, soweit sie es gesetzlich und verfassungsmäßig können, von der Obstruktionspolitik der Reichstagsmajorität unabhängig zu stellen«. Er, Bismarck, gehöre »nicht zu den Advokaten, *noch* nicht«, wie er gleich einschränkte, »zu den Advokaten einer solchen Politik, und sie läuft meinen Bestrebungen aus den letzten Jahrzehnten im Grunde zuwider«. Aber, schloß er pathetisch, »ehe ich die Sache des Vaterlandes ins Stocken und in Gefahren kommen lasse, da würde ich doch Sr. Majestät dem Kaiser und den verbündeten Fürsten die entsprechenden Ratschläge geben und auch für sie einstehen. Ich halte den Minister für einen elenden Feigling, der nicht unter Umständen seinen Kopf und seine Ehre daran setzt, sein Vaterland auch gegen den Willen von Majoritäten zu retten«.

Das war wieder, nun sehr massiv und in aller Öffentlichkeit, jenes »Staatsstreichrasseln«, mit dem er die »Centralen und Halben zum Unterhandeln geneigt« machen wollte. Das Ansiedlungsgesetz war dafür nur der äußere Anlaß. Die Mehrheit für dieses Gesetz war praktisch von vornherein gesichert, auch wenn die Regierung dabei den Nationalliberalen nicht unerheblich entgegenkommen mußte: Diese setzten durch, daß anstelle des Großgrundbesitzes und staatlicher Domänen bäuerliche Ansiedlungen begünstigt wurden. Das eigentliche Ziel war die Verunsicherung des Zentrums sowie die Gewinnung einer günstigen Ausgangsposition für die nächsten Wahlen. Bei ihnen sollte die nationale Parole im Mittelpunkt stehen. Und diese Parole sollte zugleich als Synonym für regierungstreu gelten.

Ungeachtet der inneren Dynamik und bedrängenden Aktualität der polnischen Frage erschien es allerdings Bismarck selber fraglich, ob sie allein eine entsprechende Zugkraft entfalten werde, insbesondere wenn man auf die wahlentscheidenden Regionen im Süden und Westen des Reiches blickte. In derselben Rede beschwor der Kanzler daher eine weit größere, unter Umständen wirklich existentielle Gefahr für das Reich und für die Nation. Zwar halte er zur Zeit »keine Störung des auswärtigen Friedens für wahrscheinlich«. Aber es sei nicht auszuschließen, »daß die Vorsehung nach der Art, wie wir die außerordentliche Gunst, die uns in den letzten zwanzig Jahren zu Teil geworden ist, aufgenommen und verwertet haben, ihrerseits findet, daß es nützlich sei, den deutschen Patriotismus noch einem Feuer europäischer Koalitionen größerer benachbarter antideutscher Nationen, noch einem härtenden und läuternden Feuer auszusetzen«. Eine solche Gefahr könne man um so weniger ausklammern, als potentielle Gegner »in unserer inneren Zwietracht ja auch immer noch eine gewisse Aufmunterung finden – die Leute kennen unsere inneren Zustände ja nicht, sie wissen nicht, daß das Volk nicht

so denkt, wie die Majoritäten in den Parlamenten votieren«. Wer sich in
nationalen Grundsatzfragen, so hieß das, gegen die Regierung stelle, der
entfessele unter Umständen eine tödliche Gefahr für das in der Mitte Europas
stets bedrohte Reich. Denn er vermittle dem Ausland den Eindruck: »Die
Sache geht auseinander, sie hält sich nicht, sie ist schwach.«

Noch beließ es Bismarck bei der vagen Andeutung. Noch nannte er kein
»Objekt«, auf das sich diese Sorge konkret konzentrieren konnte. Ein solches
»Objekt« würde sich, davon ging er mit einiger Sicherheit aus, im entscheidenden Augenblick, im Vorfeld der Wahlen, schon finden lassen. Hier kam es ihm
zunächst darauf an, die Ausgangspositionen in seinem Sinne abzustecken.
Dazu gehörte auf der einen Seite neben der allgemeinen Betonung des
nationalen Gedankens die bewußte Förderung sowohl der ideologischen als
vor allem auch der interessenpolitischen Verflechtung zwischen den Nationalliberalen und den Konservativen aller Schattierungen. Und dazu gehörte auf
der anderen Seite eine weitere Verunsicherung des Zentrums über den
einzuschlagenden politischen Kurs.

Darum war es Bismarck vor allem zu tun, als er am 29. Januar 1886, einen
Tag nach seiner großen Grundsatzrede über die polnische Frage, in Reaktion
auf die Stellungnahme Windthorsts nochmals in die Generaldebatte über das
Ansiedlungsgesetz eingriff. Windthorst, so erklärte er, habe die eigentlichen
Zusammenhänge wieder einmal sehr deutlich gemacht. Es gehe im Kern nicht
um die Rechte dieser oder jener Bevölkerungsgruppe, seien es nun die der
Katholiken oder die der Polen. Es gehe um die bestehende innere Ordnung des
Reiches insgesamt und mit ihr um die Definition dessen, was die vorrangigen
nationalen Interessen des Reiches seien. »Absolut intransigent«, was eine
wirkliche Zusammenarbeit mit der Regierung selbst in Schicksalsfragen der
Nation angehe, »gepanzert durch das dreifache Erz des Welfen, des Führers
im Kulturkampf und seiner fortschrittlichen Sympathien«, erweise sich
Windthorst »dem Bestreben einer starken Fraktion« gegenüber, »die legale
Zersetzung unserer Verfassungszustände herbeizuführen«, immer wieder als
ein eher wohlwollender Zuschauer. In diesem Sinne verteidige er »die Rechte
der Polen *energischer* wie die der Deutschen«. Und schließlich die Schlußfolgerung: »Der Herr Abgeordnete würde meines Erachtens, wenn er nicht im
Zentrum säße, keineswegs der konservativen Partei, sondern der fortschrittlichen angehören.«

Das richtete sich nicht nur an den rechten Flügel der Zentrumsfraktion und
an die nicht kleine Zahl ihrer Wähler, die die reale oder angebliche Links-
orientierung der Fraktionsführung in Fragen der allgemeinen Politik mit
wachsendem Unbehagen registrierte. Es richtete sich vor allem auch an die
Kurie und an jene zumeist konservativ gesinnte Gruppe deutscher Bischöfe,
die einen Kurs des Ausgleichs und der Wiederannäherung zwischen Staat und
Kirche zu steuern suchte. Ja, dies war der eigentliche Hintergrund der Rede.

Das wußte Windthorst sehr genau. Und er war sich völlig darüber im klaren, daß er sich mit seiner Politik auf einer Gratwanderung befand und die Gefahr des Absturzes nicht gering war. Scheiterten die laufenden Verhandlungen über eine endgültige Beilegung des Kulturkampfes, so würde nicht nur Bismarck, bei dem er völlig zu Recht davon ausging, daß er das Ganze ohnehin allgemeinpolitischen Zweckmäßigkeitserwägungen unterordne, ihm und der von ihm vertretenen Richtung dieses Scheitern in die Schuhe schieben. Ließ er sich jedoch im Interesse des Erfolgs dieser Verhandlungen auf Kompromisse nicht nur in der Sache sondern auch im Grundsatz ein, so gab er mit seiner prinzipiellen Position jede politische Selbständigkeit des Zentrums preis. Und zwar galt das für das Verhältnis gegenüber der Regierung ebenso wie für das gegenüber der Kurie und den Bischöfen. Seine Rede vom 28. Januar ließ diesen Zwiespalt sehr deutlich durchscheinen, wenn er ein ums andere Mal betonte: »Wir befinden uns in der Defensive, wir sind nicht Schuld daran, daß heute die Sache vorkommt, man würde uns mit Unrecht vorwerfen, daß wir diese sehr heikle ... Diskussion herbeigeführt hätten – in dem Moment, wo angeblich Verhandlungen mit Rom stattfinden, die unter Umständen gestört werden können.«

Obgleich er Bismarck auf diese Weise zusätzliches Angriffsmaterial lieferte und den Vorwurf des bloßen Taktierens geradezu auf sich zog, schlug er in der Sache selbst den von der Partei her gesehen langfristig einzig richtigen Weg ein: Er beharrte auf seiner Position und nahm es in Kauf, daß sein politischer Gegenspieler zunächst in die Vorhand kam. Alles andere hätte der Partei wohl auf Dauer ihre Basis und Glaubwürdigkeit entzogen.

In die Vorhand gelangte Bismarck fürs erste recht eindeutig. Ganz wie er sich das einst vorgestellt hatte, vollzog sich der Ausgleich zwischen Kirche und Staat unter weitgehender Ausschaltung des Zentrums in direkten Verhandlungen mit der Kurie und den kooperationsbereiten Bischöfen mit dem Bischof Kopp von Fulda an der Spitze, den Wilhelm I. noch vor der Polen-Debatte zum Mitglied des preußischen Herrenhauses ernannt hatte.

Den Auftakt machte im September 1885 die Bitte des Reiches an den Papst, in einem nicht sonderlich bedeutsamen kolonialpolitischen Konflikt mit Spanien über den Besitz der Karolinen- und Palau-Inseln zu vermitteln. Das war, wie Bismarck dem vatikanischen Gesandten von Schlözer ganz offen mitteilte, ein Akt der »Courtoisie gegen den Papst«, von dem er sich »für unseren Kirchenstreit die Wirkung erwarte, daß der Papst für die Einwirkungen der katholischen Demokratie, an deren Spitze Windthorst steht, unempfänglicher gemacht werde«. Tatsächlich fühlte sich Leo XIII. durch die Proklamierung eines weltlichen Schiedsrichteramtes des Papstes von seiten einer europäischen Großmacht außerordentlich geschmeichelt, zumal Bismarck dann alles tat, um den sorgfältig vorbereiteten Erfolg des päpstlichen Schiedsspruchs gebührend herauszustellen. »Der diesseitige Zweck«, so stellte er in einem Immediatbericht an den Kaiser am 18. Dezember 1885 triumphierend fest, »den Katholiken und dem Papste zu zeigen, daß der konfessionelle Streit keine persönliche Feindschaft gegen den Papst involviert, ist insoweit erreicht worden, daß die Opposition im Reichstage und in der Presse Unbehagen darüber empfindet und mit dem Papst unzufrieden ist.«

Von dieser Basis aus gelang es, in den wichtigsten personellen Streitfragen einen entscheidenden Schritt voranzukommen: Im Dezember 1885 wurde der erzbischöfliche Stuhl von Köln, im März 1886 derjenige von Gnesen-Posen jeweils mit der Regierung genehmen Kandidaten, dem Bischof von Ermland, Philipp Krementz, beziehungsweise dem Königsberger Probst und Militärpfarrer Julius Dinder, besetzt; die bisherigen heißumstrittenen Amtsinhaber, die Kardinäle Melchers und Ledochowski, wurden als Kurienkardinäle nach Rom berufen. Außerdem bildete die Annäherung zwischen Berlin und der Kurie eine wichtige Voraussetzung für das Zustandekommen des ersten sogenannten Friedensgesetzes im Frühjahr 1886. Es schaffte das »Kulturexamen« ab, erkannte die päpstliche Disziplinargewalt über die Geistlichkeit an, hob den 1873 errichteten königlichen Gerichtshof für kirchliche Angelegenheiten auf und erlaubte auch wieder das Theologiestudium an bischöflichen Anstalten und die Errichtung bischöflicher Konvikte.

Das Gesetz war, entgegen dem parlamentarischen Brauch, zuerst im Herrenhaus behandelt und verabschiedet worden, wobei der Fuldaer Bischof Kopp als eben neuernanntes Mitglied eine hervorragende Rolle spielte. Auch dies war eine demonstrative Betonung des besonderen Charakters des Ganzen. Es war, so sollte jedermann sehen, ein Akt der hohen Politik, bei dem die Parteien, also auch das Zentrum, nur sehr begrenzt mitzureden hätten. Windthorst und seine Parteifreunde vermochten dem nichts entgegenzusetzen. Denn natürlich konnten sie ihr Ja bei der Abstimmung im Abgeordnetenhaus nicht verweigern, zumal die Nationalliberalen bei aller Beweglichkeit dann doch nicht mitmachten und das Gesetz sonst zu scheitern drohte. Damit aber verstärkte sich noch der Bismarck so sehr erwünschte Eindruck, daß das Zentrum hier auf eine reine Statistenfunktion beschränkt, ja, auf die Rolle eines bloßen Erfüllungsgehilfen der Kurie und der preußischen Regierung zurückgedrängt worden sei.

Der Kanzler setzte in dieser Richtung sogleich nach. Der Papst hatte im Gegenzug die deutschen Bischöfe angewiesen, künftig das Gesetz von 1873 zu erfüllen und die Neueinstellung von Geistlichen vorher der Regierung anzuzeigen, also deren Einspruchsrecht zumindest im Prinzip zu akzeptieren. Daraufhin bot Bismarck der Kurie an, die letzten noch offenen Fragen hinsichtlich des Ausmaßes der innerkirchlichen Souveränität und der Wiederzulassung der Orden im gleichen Geist des Entgegenkommens zu regeln und so einen endgültigen Schlußstrich unter den Kulturkampf zu ziehen. Er betonte dabei abermals das persönliche Element, appellierte an Leo XIII., sich die großartige Rolle des inneren und äußeren Friedensstifters nicht nehmen und sich den damit verbundenen »Ruhm« von niemandem, auch nicht von dem Führer der deutschen Zentrumsfraktion, streitig machen zu lassen. Das Ganze müsse auf höchster Ebene ausgehandelt und besiegelt werden. Natürlich erwarte er, Bismarck, daß sich das Zentrum dann den beiderseitigen Beschlüssen, die ja in seinem ureigenen Interesse lägen, nicht nur füge, sondern der Regierung seinerseits auch an anderer Stelle entgegenkomme.

Darauf hat sich Leo XIII. eingelassen, so weitgehend, daß er schließlich dem Zentrum ein Einlenken in einer innenpolitischen Kardinalfrage, die sich im Lauf des Jahres 1886 herauskristallisiert hatte, mehrmals nachdrücklich anempfahl und es dadurch in schwerste Konflikte stürzte. Es handelte sich um die Frage der Verlängerung und gleichzeitigen Erhöhung des langjährigen Militäretats, des sogenannten Septennats. Sie wurde von der Regierung im Zeichen angeblich drohender schwerer äußerer Gefahren präsentiert. Die Rede war von einem möglicherweise unmittelbar bevorstehenden Zweifrontenkrieg mit einem durch den General Boulanger aufgehetzten revanchistischen Frankreich auf der einen, einem von panslawistischen und polonophilen Kräften endgültig überwältigten Zarenreich auf der anderen Seite.

Zwar war Bismarck durchaus nicht frei von entsprechenden Sorgen und Befürchtungen. Es kann also nicht die Rede davon sein, daß er bloß versucht habe, sie anderen einzureden. Im Fall Rußlands hat er sich angesichts der wachsenden Präventivkriegsstimmung immer breiterer Kreise dann sogar bemüht, die Gefahren in der Öffentlichkeit herunterzuspielen. Und wenn er bei diesem Bemühen den Akzent zusätzlich auf Frankreich und auf die vorgeblich von hier drohende noch weit größere Gefahr setzte, so hatte dies auch die Funktion eines Gegengewichts. Auf der anderen Seite hat er es verstanden, das haben schon manche klarsichtigen Zeitgenossen erkannt und das ist aus den Quellen dann erhärtet worden, die realen außenpolitischen Gefahrenmomente zielgerichtet in den Dienst seiner innenpolitischen Strategie zu stellen. Sie sollten dazu beitragen, die Gewichtsverteilung zwischen den innenpolitischen Fronten im Sinne einer auf ihn eingeschworenen Mitte-Rechts-Koalition zu verschieben.

Die Devise lautete einmal mehr, nun jedoch weit eindrucksvoller und eindringlicher als in der Polen-Frage: Wer in dieser nationalen Gefahrensituation juristische Zwirnsfäden zu spannen sucht, prinzipielle Bedenken anmeldet und nicht rückhaltlos und ohne Bedingungen die Forderungen der Armee- und Staatsführung unterstützt, ist, was immer er zur Begründung anführen mag, national unzuverlässig, ein verkappter Revolutionär, ein Feind des Reiches. Hier verlaufe die wichtigste aller Trennungslinien. Wer sich diesseits dieser Linie bewege, mit dem könne eine nationale Regierung eng zusammenarbeiten, dem könne sie in vielen Fragen entgegenkommen. Wer jedoch jenseits von ihr stehe, den werde sie mit allen ihr zu Gebot stehenden Mitteln bekämpfen. Das Ganze war allerdings darauf angelegt, wirkliche Wahlfreiheit nur dem einzelnen Wähler einzuräumen. Den Parteien gegenüber setzte Bismarck die Schwelle bewußt so hoch an, daß sie nur diejenigen, die ihm als Partner willkommen waren, ohne entscheidenden Gesichtsverlust zu überschreiten vermochten. Das galt in erster Linie für das Zentrum. Obwohl er die Kurie veranlaßte, auf die Partei massiven Druck auszuüben, war ihm an dem Erfolg viel weniger gelegen als an den Auswirkungen auf ihre Anhängerschaft und auf die Anziehungskraft der Partei insgesamt. Daß der Erfolg ausblieb, war ihm letzten Endes sogar sehr viel lieber. Die Frage der Heeresvermehrung und des Heeresetats und, sie einbeziehend und überwölbend, die nationale Frage sollten nicht dazu dienen, die Schlachtordnung der Parteien durcheinanderzubringen. Das Ziel war, über Neuwahlen ihr parlamentarisches Aufgebot entscheidend zu verändern.

Auf diese Weise band sich Bismarck erstmals ganz eindeutig an eine bestimmte parteipolitische Kombination, und zwar an eine Kombination, die ihrerseits in zentralen Fragen, etwa gerade im Verhältnis zum Zentrum, alles andere als einheitlich war. Er gab also in der Hoffnung auf den großen Durchbruch zu einer neuen tragfähigen parlamentarischen Basis im Reich seine bisherige Rochier- und Schaukelpolitik weitgehend auf.

Damit war er zunächst einmal sehr erfolgreich, jedenfalls schien es so. Der Ausbau der protektionistischen Zoll- und Handelspolitik schlang nicht nur ein immer festeres Band gemeinsamer Interessen um Konservative und Nationalliberale: Bereits im Mai 1885 wurden die deutschen Agrarzollsätze durchschnittlich verdreifacht, im Dezember 1887 dann noch einmal fast verdoppelt, und die Industriezölle folgten, wenngleich in geringerem Ausmaß, diesem Anstieg. Das Ganze erhöhte auch die Attraktivität beider Gruppen für die unmittelbaren Interessenten, die nun wieder ausdrücklich auf sie verwiesen wurden. Hinzu kamen die systematische Betonung der nationalen Zuverlässigkeit dieser Parteien und die Akzentuierung der drohenden außen- und innenpolitischen Gefahren. Der Zusammenhang zwischen beidem, beispielsweise in der Polen- oder der Kirchenfrage, wurde von der Regierungsseite ebenso unterstrichen wie die angeblich zwielichtige Rolle der anderen Parteien bei der Bekämpfung jener Gefahren.

Dies alles kulminierte in der Heeresfrage, die Bismarck bereits seit Anfang 1886 immer mehr in den Mittelpunkt seiner Politik gerückt hatte. In ihr ließen sich nach den Erfahrungen der Vergangenheit die Gegensätze wie bei kaum einem anderen Problem bündeln. Und mit ihrer Hilfe ließen sich Emotionen heraufbeschwören, die geeignet schienen den Blick auf die seither eben doch grundlegend veränderte Situation zu verstellen. Wenn irgendwo, dann kann man hier von einer gezielten Manipulation von seiten des Kanzlers sprechen, der mit der Problemstellung auch die Konstellation von einst wiederzubeleben suchte.

Ausgangspunkt dafür war die ausgeprägte Sonderstellung der Armee im Staat. Sie hatte Bismarck, unbeschadet seines unbedingten politischen Führungsanspruchs auch in diesem Bereich, stets energisch unterstrichen und verteidigt. Kaum ein Jahr war seit der Beilegung des Heeres- und Verfassungskonflikts und seit dem schließlich erreichten Kompromiß über die Frage des Heeresetats vergangen, in dem er nicht in demonstrativer, oft spektakulärer und dramatischer Form hervorgehoben hatte, daß die Armee der Kern des Staates, das Bollwerk gegen jeden Versuch des Umsturzes der bestehenden Ordnung bilde – nicht nur von außen, sondern ebenso im Innern. Immer wieder hatte er auf die Rolle des Heeres bei den Auseinandersetzungen in den Jahren 1848/49 verwiesen, wo nur »der preußische Militarismus« in der Lage gewesen sei, den Bestrebungen der Linken »einen Damm« entgegenzusetzen. Immer wieder hatte er betont, daß sich an der Stellung zur Armee die Stellung zum Staat ablesen lasse; daher habe hier jede Diskussion auch noch über scheinbar untergeordnete Fragen prinzipiellen Charakter. Und immer wieder hatte er versucht, seinen politischen Gegnern das Etikett der Heeres- und mit ihm das der Staatsfeindlichkeit einer Öffentlichkeit gegenüber anzuhängen, die sich in ihrer Mehrheit bei jeder sich bietenden Gelegenheit an den militärischen Erfolgen der Vergangenheit berauschte und ihre gegenwärtigen Repräsentanten feierte. In solchem Geist trat er, der nie aktiver Offizier gewesen war und dessen militärische Kenntnisse und Neigungen sich in engen Grenzen hielten, immer häufiger in Generalsuniform auf: Er war inzwischen als Chef des Ersten Magdeburgischen Landwehrregiments zum General der Kavallerie befördert worden. In solcher Absicht gab er die Devise aus, dem Reichstag gegenüber bei der »Vertretung der Heeresinteressen in Preußen und im Reich eine reservierte, für Diskussionen wenig zugängliche, trockene Unnahbarkeit« als Grundhaltung einzunehmen; es komme »nicht darauf an, die Militärvorlage durchzubringen, sondern unsere Stellung zu behaupten«, hieß es einmal ganz unverblümt in einer Direktive für den Kriegsminister. Und in gleichem Sinne benutzte er schließlich die Heeresfrage, um noch einmal in zugespitzter Form eine innenpolitische Freund-Feind-Situation herbeizuführen.

Äußere Anlässe waren die neuerliche Verschärfung des deutsch-französischen Verhältnisses nach dem Sturz Ferrys sowie die Entwicklung auf dem Balkan. Was Bismarck daran an Befürchtungen und Sorgen knüpfte, hat vor allem in dem Weihnachtsbrief an den preußischen Kriegsminister Bronsart von Schellendorf aus dem Jahr 1886 seinen Niederschlag gefunden. Es besteht jedoch gar kein Zweifel, daß er solche Sorgen und Befürchtungen, sie dramatisch ausmalend und vergrößernd, zugleich benutzt hat, um innenpolitisch voranzukommen. Niemand geringerer als der Generalquartiermeister des deutschen Heeres, Graf Waldersee, notierte Mitte März 1886, als Bismarck immer lauter von der Gefahr kriegerischer Konflikte sprach, das sei »alles Komödie«. Es handele sich nicht um wirkliche, sondern bloß um vorgebliche Gefahren, »die der Kanzler für gut finde jetzt vorzuführen«.

In seinem Urteil bestärkten Waldersee die offenkundigen Versuche Bismarcks, zwischen angeblicher äußerer Bedrohung und innerer Opposition eine Art Gefahrenzusammenhang herzustellen. Mehrfach warnte der Kanzler davor, daß ein kommender kriegerischer Konflikt möglicherweise die Bande der nationalen Solidarität endgültig sprengen und an ihre Stelle die vielbeschworene Solidarität der Klassen und gemeinsamer revolutionärer Ziele und Überzeugungen treten werde.

Solche Kassandrarufe veranlaßten auch viele Vertreter der oppositionellen Reichstagsmehrheit, das Ganze bloß als ein durchsichtiges Manöver anzusehen, um allgemein gegen die Linke Stimmung zu machen und konkret die bis Anfang 1888 fällige Verlängerung des Heeresetats vorzubereiten. Sie unterschätzten dabei allerdings nicht nur die Wirksamkeit der Argumentation in einer breiteren Öffentlichkeit. Sie unterschätzten vor allem Bismarcks Entschlossenheit, diesmal nicht zu verhandeln, sondern, überzeugt von der Gunst der Stunde und des Themas, eine klare Entscheidung zu suchen.

Wie weit diese Entschlossenheit ging, trat seit dem Zusammenstoß mit der Opposition und vor allem mit Windthorst und der von ihm geführten Zentrumsmehrheit im Januar und Februar 1886 immer deutlicher zutage. Dabei wurde der Kanzler zusätzlich dadurch angestachelt, daß die oppositionelle Mehrheit sich wie stets in den Jahren zuvor konsequent allen Versuchen entgegenstellte, dem Reich, etwa über ein Branntweinmonopol, eine bessere finanzielle Basis zu verschaffen und auf diese Weise die Reichsexekutive zu stärken. Dahinter witterte er mit einigem Recht den erneuten Versuch, die parlamentarische Bindung der Regierung zu erzwingen. Für einen solchen Versuch waren jetzt auch jene Kreise der konservativen Partei nicht unempfänglich, die für ein Zusammengehen mit dem Zentrum, für einen blauschwarzen Block, eintraten. Mit seiner Hilfe gedachten sie, den Kanzler noch straffer an die Kette der eigenen Interessen und Ziele legen zu können.

Nicht zuletzt um solchen Tendenzen entgegenzutreten, schlug Bismarck nun einen ganz schroffen Konfrontationskurs ein. Er sei, so erklärte er bereits am 7. März 1886 den preußischen Ministern, »nötigenfalls« bereit, »die Verfassung zu brechen«, und erwarte dabei ihrer »aller Unterstützung«. Und vierzehn Tage später: Die Zeit des Verhandelns mit Vertretern der Opposition sei jetzt vorbei. »Eine Hoffnung, die Herren zu überzeugen«, sei »nicht vorhanden, und die staatliche Würde« könne »bei Diskussionen mit ihnen herabgezogen werden«; in den meisten Fällen werde der Betreffende die Antwort doch nur »benutzen«, um sich »daraus eine Angriffswaffe gegen die Regierung zu schmieden«. Nun handle es sich darum, mit Hilfe einer vorgezogenen Vorlage über die Verlängerung des Heeresetats und der Forderung nach Aufstockung dieses Etats, also nach einer kräftigen Heeresvermehrung, eine Neugestaltung des Verhältnisses zwischen Regierung und Parlament zu erzwingen. Das hat er so zwar nicht wörtlich formuliert. Aber es ergibt sich aus der Tatsache, daß er Mitte Februar 1886 eine »kleine« Militärvorlage, die sich zunächst auf eine begrenzte Heeresvermehrung beschränkte, im preußischen Staatsministerium mit der Bemerkung zu Fall brachte, mit ihr werde sich schwerlich ein entscheidender »Schlag gegen die Reichstagsmajorität... führen lassen«.

Um einen derartigen Entscheidungsschlag ging es, als dem Reichstag Ende November 1886 nach einer diesmal besonders langen parlamentarischen Sommerpause die »große« Heeresvorlage unterbreitet wurde. Sie sah eine Erhöhung der Friedenspräsenzstärke um etwa zehn Prozent, das heißt um mehr als vierzigtausend Mann, vor. Als Termin war der 1. April 1887 genannt, ein Zeitpunkt, der ein Jahr vor dem Ablauf des derzeit gültigen Etats lag. Außerdem sollte der neue Haushalt abermals auf sieben Jahre festgeschrieben werden.

Gegen eine Heeresvermehrung bestand angesichts der gespannten internationalen Lage und angesichts der Tatsache, daß auch früher stets von einer Friedenspräsenzstärke von rund einem Prozent der Bevölkerung ausgegangen worden war, bis tief in die Reihen der Opposition hinein kaum Widerstand. Dieser richtete sich in erster Linie gegen ein neues Septennat und die damit verbundene abermalige Reduzierung des parlamentarischen Einflusses im Vorfeld des zu erwartenden Thronwechsels.

Eine Einigung in der Sache, in der Frage der Heeresvermehrung, auf die es der Regierung angeblich in erster Linie ankam, wäre also leicht möglich gewesen. Gerade eine solche Einigung aber wollte Bismarck auf keinen Fall. Er hat deshalb alles daran gesetzt, sie zu hintertreiben, um nach einer vorzeitigen Reichstagsauflösung die Opposition dann dem Wähler als militärfeindlich und national unzuverlässig vorführen zu können.

So ganz offen durfte er das freilich selbst im vertrauten Kreis mit Blick auf den nun fast täglich zu erwartenden Thronwechsel und die damit verbundenen heimlichen Positionskämpfe nicht sagen; er betonte mehrfach, daß er es »mit gewissenhafter Politik« nicht für »vereinbar« halte, »auf Ablehnung unserer Vorlage hinzuarbeiten«. Doch das waren bloße Formeln, salvatorische Klauseln gegenüber skrupulöseren Naturen. Er möchte, schrieb er dem Kriegsminister Bronsart von Schellendorf, »auch nicht dazu raten, daß wir der natürlichen Neigung ehrlicher Leute, etwas ›zu Stande zu bringen‹, weiter nachgeben, als der Anstand fordert. *Wir* haben die faktischen Konsequenzen einer Ablehnung nicht zu fürchten; wohl aber Windthorst und Richter.« Und noch unmißverständlicher in einem Privatbrief: »Für unsere gesamte Stellung würde das Verharren der Opposition bei der ursprünglichen Gegnerschaft und die dadurch bedingte Auflösung das Nützlichste sein... Das Verschieben der Entscheidung auf das Gebiet der *Zeit*frage von fünf oder sieben Jahren erschwert unsere Position, ändert sie aber nicht.«

Am offensten wurde er, als eines seiner auf den Mißerfolg kalkulierten Manöver in unerwünschter Weise Erfolg zu haben drohte. Es handelte sich um die scheinbar so nachdrücklich gewünschte Initiative der Kurie zugunsten der Heeresvorlage. Diese gipfelte in einer Note des Kardinalstaatssekretärs Jacobini an den römischen Nuntius in München, di Pietro, vom 3. Januar 1887, deren Kernsatz lautete, der Heilige Vater wünsche, »daß das Zentrum das Septennat in jeder ihm möglichen Weise begünstige«.

Noch bevor die Note bekannt war, am 2. Januar, an dem Tag, an dem das preußische Staatsministerium über das abschließende, wieder direkt mit der Kurie auszuhandelnde kirchenpolitische »Friedensgesetz« verhandelte, telegrafierte Bismarck an Kurd von Schlözer, den preußischen Gesandten beim Vatikan, man »überschätze« in Rom offenbar den Wert, »den die Zustimmung des Zentrums zur Militärvorlage für uns hat«: »Durch Ablehnung der letzteren würde die Regierung auf eine allerdings andere, vielleicht aber sehr viel günstigere Operationsbasis gestellt. Nur ehrliche Gewissenhaftigkeit«, fuhr er fort, »veranlaßt uns, für Annahme zu tun, was tunlich ist.« Sein Auftrag an Schlözer, auf eine päpstliche Intervention hinzuwirken, sei nur »von dem Wunsche eingegeben« gewesen, »dem Papst eine schöne Rolle zuzuwenden, nicht ein unschönes Tauschgeschäft zu machen. Geschähe letzteres, so würde Windthorst den Ruhm von dieser Intrige ernten und nicht der Papst.« Und dann, mit letzter Brutalität und Offenheit: »Die Armeeverstärkung machen wir auch ohne Zentrum, und zur Not auch ohne den Reichstag.« Am Septennat halte er sowieso nur aus Tradition fest und nicht »aus Überzeugung von der Nützlichkeit dieser Bestimmung«, erklärte er wenig später im preußischen Ministerrat. In der Verfassung heiße es eindeutig, daß die Festlegung der Präsenzstärke allein Sache des Kaisers sei. Ein Mitwirkungsrecht des Reichstags über den Haushalt sei nur von liberalen Staatsrechtslehrern hineininterpretiert worden.

Das war die Position, von der aus er am 11. Januar 1887 vor das Parlament trat. Er war fest entschlossen, die Generaldebatte zu Beginn der zweiten Lesung über die Heeresvorlage vor allem dazu zu benutzen, um jeden denkbaren Kompromiß mit möglichst einleuchtenden Argumenten zu Fall zu bringen und die Weichen für den Wahlkampf in seinem Sinne zu stellen. Mit dem Auflösungsdekret des Kaisers in der Tasche steuerte er nach dem außenpolitischen Teil und der mehrmaligen Versicherung, vornehmlich an die russische Adresse, es handele sich bei der geplanten Heeresvermehrung in keiner Weise um einen offensiven, sondern um einen ausschließlich defensiven Akt, sofort auf die politische Grundsatzfrage zu. Mit ihr hoffte er die

Wähler für die Parteien der Mitte und der Rechten mobilisieren und die Oppositionsparteien einschließlich des Zentrums provozieren und bloßstellen zu können. Es gehe, so der Kanzler, nicht um Details, um einzelne Sachfragen und um Zweckmäßigkeitserwägungen. Es gehe darum, die Sicherheit des Reiches und den Bestand seiner inneren und äußeren Ordnung unabhängig zu machen »von den wechselnden Majoritäten des Reichstags«. Es gehe um »die Prinzipienfrage, ob das Deutsche Reich durch ein Kaiserliches Heer oder durch ein Parlamentsheer geschützt werden soll«.

Dies sei, so erläuterte er in mehreren Anläufen, nicht etwa aus dogmatischen Gründen eine Prinzipienfrage. Es sei eine Prinzipienfrage, weil im Reichstag mit Zentrum, Freisinnigen und Sozialdemokraten Parteien säßen, deren Vertreter in Wahrheit, allen anderslautenden Äußerungen insbesondere von seiten des Zentrums zum Trotz, ein anderes Reich, eine ganz andere innere Ordnung wollten. Nicht nur Freisinn und Zentrum, sondern auch Sozialdemokraten und Zentrum bewegten sich inzwischen auf einer gemeinsamen Linie: »Die ganze Fraktion Windthorst einschließlich der Sozialdemokraten marschiert in geschlossener Kolonne. Die Politik, die der Führer verfolgt, ist eben so, daß die Sozialdemokraten sie mit Vergnügen mitmachen können; sie ist geeignet, das Bestehende zu erschüttern, in Bresche zu legen und in Zweifel zu setzen; und das können die Sozialdemokraten immer mitmachen.« Das sei das einigende Band der ansonsten, zugegeben, oft negativen und daher niemals regierungsfähigen Koalition. Dieses Band werde noch verstärkt durch die »Abneigung gegen die Persönlichkeiten der jetzigen Regierung«: »Une haine commune vous unit; sobald dies aufhört, sobald Sie irgend etwas Positives schaffen sollen, so sind Sie ja vollständig uneinig, so sind Sie ja keine Majorität.«

Wer nicht das Chaos, die Auflösung aller Ordnung als Folge der bloßen Negation wolle, so die Quintessenz der Rede und ihr direkter Appell an den Wähler, der müsse gegen diese negative Koalition und gegen die sie tragenden Parteien Front machen. Er müsse sich um jene politischen Gruppen scharen, die, bei allen Meinungsunterschieden im einzelnen, den Staat und seine Rechtsordnung zu verteidigen entschlossen seien. »Wir werden«, rief er der Opposition siegessicher zu, »schließlich die Wähler überzeugen, wo wahrer Patriotismus und wo die Sorge für die Sicherheit, für das Gedeihen des Deutschen Reiches und seine Einigkeit zu suchen ist. Ich bezweifle das gar nicht.«

Die Annahme des von den Freisinnigen formulierten Kompromißvorschlags einer Begrenzung des Etats auf drei statt auf sieben Jahre durch die oppositionelle Mehrheit und die Verkündung des kaiserlichen Auflösungsbeschlusses am 14. Januar 1887 waren danach praktisch nur noch Formsachen. Jedermann wußte inzwischen, daß der Kanzler nicht mehr den Kompromiß, sondern die Wählerentscheidung suchte. Und diese Entscheidung war er bestrebt, zu einer Grundsatzentscheidung von größter Tragweite zu stilisieren.

Ungeachtet seiner geradezu martialischen Äußerungen im engeren und weiteren Vorfeld dieser Entscheidung ist es müßig, darüber zu spekulieren, wie Bismarck sich wohl verhalten hätte, wenn die Wahlen von Ende Februar 1887 von seinem Standpunkt her gesehen negativ ausgegangen wären. Es ist nicht nur deswegen müßig, weil gegen die Realität, auf der Basis bloßer Annahmen schwer etwas zu beweisen ist; Äußerungen der Entschlossenheit zum Staatsstreich stehen auch hier wieder ganz andere gegenüber. Es führt vor allem deswegen zu nichts, weil dann ganz andere Faktoren ins Spiel gekommen wären: die Haltung der verbündeten Regierungen und ihrer jeweiligen Monarchen, die der »staatstragenden« Parteien und nicht zuletzt die Person des Kaisers. Ein Staatsstreich im Namen eines fast Neunzigjährigen und gegen den eindeutigen Willen seines Thronerben läßt sich kaum vorstellen.

Immerhin hat Bismarck diese Wahlen ganz bewußt an dem äußersten Rand einer Staats- und Systemkrise angesiedelt. Er scheute nicht davor zurück, die Sorge vor einer solchen Krise mit der Furcht vor kriegerischen Konflikten bisher unbekannten Ausmaßes und bisher unbekannter, ideologisch angeheizter, Intensität zu verbinden. Das war, formal und von außen her gesehen, der alte Bismarck des rücksichtslosen Spiels mit dem Feuer. Aber was dahinter stand, war, von den Inhalten und Zielen, von der Verbindung mit großen und bewegenden Kräften der Zeit her betrachtet, so gut wie nichts mehr. Es war ein zähes, greisenhaftes Festhalten am Bestehenden, ja, an der bloßen Vergangenheit. Es war das, was er seinen Gegnern vorwarf: bloße Negation. Es war die Ablehnung jeder Bewegung und Veränderung, Politik nicht mehr als schöpferische Aktion, sondern nur noch als Reaktion.

Die Nation ist ihm auch auf diesem Weg scheinbar noch einmal gefolgt. Doch kaum war die Schlacht geschlagen, die parlamentarische Opposition zahlenmäßig besiegt, da wurde augenfällig, daß die neue Reichstagsmehrheit positiv kaum etwas verband. Sie war in keiner Weise in der Lage, die Nation innerlich zu einen. Und das war letztlich das politische Todesurteil für Bismarck. Der Kanzler erschien zu Recht als der Schöpfer und Spiritus rector dieser neuen Mehrheit. Mit ihr hatte er sich wie mit keiner anderen parlamentarischen Gruppierung und Koalition seit den späten sechziger und frühen siebziger Jahren, der damaligen Konstellation immer noch nachjagend, identifiziert. Es entsprach daher einer nicht nur augenblicksgebundenen Logik, der Logik einer sich mehr und mehr rückwärtsorientierenden politischen Laufbahn, daß er in den Strudeln der Aktionsunfähigkeit, der Uneinigkeit dieser neuen Mehrheit schließlich versank.

Es handelte sich um die Mehrheit einer Mitte-Rechts-Koalition aus Deutschkonservativen, Freikonservativen und Nationalliberalen, die sich, von Bismarck in vielfältiger Weise dazu ermuntert, unmittelbar nach der

Reichstagsauflösung im sogenannten Kartell zusammengefunden hatte. Die sachliche Basis bildete im wesentlichen die »Heidelberger Erklärung« der Nationalliberalen von 1884. Zusammengeführt worden aber war man vor allem durch die Versprechungen der Regierung. Mit Blick hierauf hatte man verabredet, in den einzelnen Wahlkreisen jeweils den bei der letzten Wahl siegreichen Kandidaten der Kartellparteien gemeinsam zu unterstützen beziehungsweise sich dort, wo der Sieger aus den Reihen der gegnerischen Parteien gekommen war, auf einen gemeinsamen Kandidaten zu verständigen.

Das allgemein als Sensation empfundene Ergebnis der Reichstagswahlen vom 21. und der anschließenden Stichwahlen vom 28. Februar 1887, die den Kartellparteien mit zweihundertundzwanzig von dreihundertsiebenundneunzig Sitzen eine klare absolute Mehrheit brachten, war also, wenn man so will, von vornherein manipuliert. Es spiegelte, die Wirkungen des absoluten Mehrheitswahlrechts und einer höchst problematischen Wahlkreiseinteilung einseitig akzentuierend, in keiner Weise das tatsächliche Stimmenverhältnis wider. Sieht man auf dieses, so entfielen auf die scheinbar so eindeutig triumphierenden Kartellparteien in Wahrheit nur 36,3 Prozent gegenüber mehr als fünfzig Prozent, die für die Oppositionsparteien abgegeben wurden.

Hinzu kam, daß Bismarck vor den Wahlen neben der innenpolitischen auch die außenpolitische Krisenstimmung in unverantwortlicher Weise hatte anheizen lassen. Zwölf Jahre vorher, bei der sogenannten Krieg-in-Sicht-Krise, waren die Zusammenhänge noch weniger klar gewesen. Nun jedoch waren sie bei einem neuerlichen Brandartikel Constantin Rößlers, der unter dem Titel »Auf des Messers Schneide« am 31. Januar 1887 in der »Post« erschien, völlig eindeutig. Die Einberufung von zweiundsiebzigtausend Reservisten zu Übungen an einem neuen Magazingewehr in Elsaß-Lothringen Anfang Februar, die gezielten Gerüchte über ein geplantes Kriegsanleihegesetz mit einem Betrag von nicht weniger als dreihundert Millionen Mark, die zu panischer Bewegung sowohl an der Pariser als auch an der Berliner Börse führten – all das diente dazu, zugunsten der »Ordnungsparteien« eine Gefahr zu suggerieren, an die Bismarck im Ernst nicht glaubte oder die er jedenfalls für weit geringer einschätzte als die Gefahr einer Verwicklung im Osten; wenn »Boulanger nicht zu einer Machtstellung« komme, so erklärte er zum gleichen Zeitpunkt im vertrauten Kreis, »so ist der Krieg überhaupt ausgeschlossen«.

Im Interesse des kurzfristigen Wahlziels ließ es der deutsche Kanzler und Außenminister also unwidersprochen zu, daß sich die Überzeugung einpflanzte, ein »zweiter Krieg mit Frankreich über Elsaß-Lothringen« sei und bleibe »eine geschichtliche Notwendigkeit«. »Nur nachdem derselbe siegreich durchgeführt ist, wird der deutsche Nationalstaat dauernd gesichert sein«, hieß es in einem Privatbrief, den Bennigsen einen Tag nach der Rückkehr von einer langen Wahlkampfreise schrieb, auf der er sich immer wieder in diesem Sinne ausgesprochen hatte. Resignierend bemerkte Ludwig Bamberger nach den Wahlen, Deutschland werde, »so weit ihm nicht der Junker oder der Pfaffe diktiert«, jetzt »vom Philister geleitet«, und dieser sei »so töricht« zu glauben, »ohne Septennat kämen morgen die Franzosen«. Allerdings – auf seinem Flügel des Liberalismus war man stattdessen auf Rußland und auf die russische Gefahr fixiert. Ihr, so hieß es dort, gelte es vorsorglich zu begegnen. Damit aber wurde der mögliche gemeinsame Nenner zumindest in Ansätzen schon vielerorts sichtbar. Er lautete: Einkreisung Deutschlands – eine Welt von Feinden.

Die These, daß dagegen allein der innere Burgfriede helfe, hat schon Bismarck den Deutschen, gipfelnd im Wahlkampf von 1887, einzuhämmern versucht. Allerdings hat er sich, so weit er gerade hier in der innenpolitischen Instrumentalisierung angeblicher oder tatsächlicher außenpolitischer Gefahren gegangen ist, bis zuletzt nicht dazu hinreißen lassen, seine Außenpolitik aktiv innenpolitischen Bedürfnissen anzupassen und sich von diesen die eigenen Schritte auf jenem Feld diktieren zu lassen; die weitere Entwicklung des Jahres 1887 spricht hier eine eindeutige Sprache. Aber er hat in dieser letzten Phase das Muster entwickelt, mit dem bedenkenlosere und zugleich kurzsichtigere Naturen später hantierten.

Dabei hätte schon ein genaueres Studium des Gangs der Dinge nach den Wahlen von 1887 jedermann warnen können. Denn weder vermochte die so vehement angefachte, innen- wie außenpolitisch akzentuierte Krisenhysterie die Nation innerlich zu einigen, noch vermochte sie der Regierung auch nur eine einigermaßen stabile Basis zu verschaffen. Zwar meinten viele, insbesondere aus dem Lager der Unterlegenen, nach dem Wahlsieg des Kartells, es gebe von nun an »gar keine andere Alternative als Bismarck«: »Er hat sich jetzt eine feste Position geschaffen.« Aber schon die nächsten Wochen und Monate zeigten, daß der politische Spielraum der Regierung in Wahrheit auch jetzt eng begrenzt blieb, daß sich mit den Gewichtsverlagerungen innerhalb der die Regierung stützenden Koalition neue Probleme stellten.

Während die Deutschkonservativen nur zwei Sitze und praktisch keine Stimme hinzugewonnen hatten, waren die Nationalliberalen auf fast das Doppelte ihrer bisherigen Mandatszahl emporgeschnellt und noch einmal zur stärksten Reichstagsfraktion geworden. Die Rechte fürchtete sofort, politisch überspielt zu werden, zumal die Freikonservativen, die gleichfalls große Zugewinne zu verzeichnen hatten, traditionsgemäß mehrheitlich zu den Nationalliberalen tendierten. Auch der Kanzler selbst stand bei ihr nach wie vor im Verdacht, insgeheim noch immer der Partei zuzuneigen, mit der sich die Erinnerung an seine innenpolitisch erfolgreichsten Jahre verband. Hinzu kam die naheliegende Überlegung, daß sich dem Regierungschef eine enge Zusammenarbeit mit dem rechten Flügel des Liberalismus schon mit Blick auf den Thronwechsel empfehlen werde. Und würde das Kartell dann nicht bald wieder nach links driften? »Die Konservativen kriegen es schon mit der Angst«, notierte Herbert Bismarck unmittelbar nach dem zweiten Wahlgang Anfang März 1887, »daß Bennigsens törichte Ideen von ›konstitutionellen Garantien‹« bei den Nationalliberalen »wieder überhand gewinnen könnten«. So richteten sich die Augen mancher Deutschkonservativer bald erneut auf das Zentrum, dessen rechter Flügel ihnen seit langem als eigentlicher Wunschpartner galt.

Es ging also praktisch von Anfang an ein Riß durch das Kartell. Er wurde, bei aller scheinbaren Einigkeit im Grundsätzlichen, im weiteren durch interessenpolitische Divergenzen zwischen Agrariern hier, gewerblich-industriell orientierten Gruppen dort noch vertieft. Angesichts dessen behielt die Heeresfrage auch nach der sofortigen Bewilligung des Septennats durch die neue Kartellmehrheit eine zentrale innenpolitische Bedeutung. Sie blieb das einigende Band der Kartellparteien, die Formel für eine Politik der Stärke nach außen wie im Innern.

Nicht zuletzt mit Blick hierauf wurden dem Reichstag seitens der Regierung bereits im Herbst 1887 erneut eine Heeresvorlage und, darauf bezogen, der Entwurf eines Anleihegesetzes über eine Summe von zweihundertachtundsiebzig Millionen unterbreitet. Neben der Ausdehnung des Zeitraums, in dem ein Wehrpflichtiger in der Reserve Dienst zu tun hatte, zielte die Vorlage darauf, die Landwehr wieder in das Kriegsheer einzubeziehen. Es sollte also jene Trennung wieder rückgängig gemacht werden, die zu den heißumstrittenen Punkten der preußischen Heeresreform Anfang der sechziger Jahre gehört hatte – ein deutliches Zeichen dafür, daß man von seiten der Armee- und Staatsführung, allen Unkenrufen zum Trotz, längst nicht mehr an die Gefahr einer inneren Unterwanderung der Armee glaubte.

Allerdings bedurfte es zur Annahme der Vorlage dann gar nicht des geschlossenen Blocks der Kartellmehrheit. Schon zu Beginn des Jahres 1888 hatten Zentrum und Freisinn übereinstimmend erklärt, daß man zwischen der Frage der Heeresvermehrung zur Stärkung der Verteidigungskraft des Reiches und der Frage der zeitlichen Festschreibung des Etats sorgfältig unterscheiden müsse. Getreu diesem Grundsatz stimmten am 6. Februar auch das Zentrum und die Deutsch-Freisinnigen für das Landwehr- und Anleihegesetz. Dadurch fiel in jener zentralen Frage der gemeinsame Gegner weg, an dem sich die innere Einigkeit des Kartells bewähren konnte. Die Gegensätze beziehungsweise die geheimen Neigungen zu anderen Koalitionen traten nun noch offener hervor.

Wie stark sie waren, war bereits im Frühjahr 1887 sichtbar geworden, als das preußische Abgeordnetenhaus über das wiederum zuerst dem Herrenhaus zugeleitete abschließende zweite »Friedensgesetz« im kirchenpolitischen Streit mit der katholischen Kirche zu beraten hatte. Wohl hatte sich Bismarck nach Kräften bemüht, den Eindruck eines Entgegenkommens oder gar

Nachgebens gegenüber dem Zentrum zu zerstreuen. Er war peinlich darauf bedacht gewesen, den Eindruck zu erwecken, der zwischen Kurie und Regierung gefundene Modus vivendi wahre die entscheidenden Rechte des Staates und mindere eher die Chancen jener, welche die Autorität des Staates und seiner Rechtsordnung wie die Grundlagen der modernen Kultur zu untergraben suchten. Ungeachtet dessen aber hatte sich die Mehrheit der Nationalliberalen unter den Augen ihrer einstigen Mitstreiter auf dem linken Flügel des Liberalismus nicht dazu verstehen können, für die Regierungsvorlage zu stimmen und so die Einheit des Kartells, seine politische Tragfähigkeit auch in strittigen Fragen zu bestätigen. Gleichzeitig hatte der rechte Flügel der Deutschkonservativen die Gelegenheit benutzt, um mit der Forderung nach größerer Selbständigkeit nun auch für die protestantische Kirche, für die Sache der kirchlichen Orthodoxie einzutreten.

Schon am 9. März hatte Bismarcks einstiger jungkonservativer Mitstreiter von Kleist-Retzow zwei entsprechende Gesetzentwürfe im Herrenhaus eingebracht. Damit hatte die deutschkonservative Rechte, nicht zuletzt mit Blick auf die entsprechenden Kreise des Zentrums, auch kirchenpolitisch ganz offen zur Reaktion geblasen. Das war eine Provokation sowohl der Nationalliberalen, als auch vieler Freikonservativer gewesen. Bismarck hatte sich deswegen nicht nur veranlaßt gesehen, diesen Vorstoß entschieden zurückzuweisen. Er mußte schließlich sogar eine Art Vertrauensfrage stellen, um dem »Friedensgesetz« eine einigermaßen heterogene Mehrheit aus Zentrum, Deutsch- und Freikonservativen zu sichern. »Meine politische Ehre ist dafür engagiert«, hatte er am 21. April 1887 im preußischen Abgeordnetenhaus erklärt, »ich kann an einem Staatswesen nicht länger teilnehmen, welches mich in dieser Richtung kompromittiert, schon deshalb, weil auf dem Vertrauen meiner politischen Rechtlichkeit und Zuverlässigkeit ein wesentlicher Teil des Einflusses beruht, den ich in Europa übe.«

Das war schweres Geschütz zugunsten eines Gesetzes, dessen Inhalt vergleichsweise undramatisch war: Es beschränkte die kirchliche Anzeigepflicht auf die dauernde Besetzung einer Pfarrstelle, hob das Gesetz über die Grenzen des Rechts zum Gebrauch kirchlicher Strafmittel von 1873 auf und ließ, bis auf den durch Reichsgesetz verbotenen Jesuitenorden, praktisch alle kirchlichen Orden wieder zu. Aber es kamen dabei eben Frontstellungen und Gegensätze ins Spiel, die sich nicht so leicht beseitigen ließen. So hatte der Kanzler geglaubt, noch über die Vertrauensfrage hinaus an das appellieren zu müssen, was an Zukunftssorgen und sozialen Ängsten das Kartell und seine Wähler wesentlich zusammengeführt hatte. Es gehe darum, hatte er erklärt, sich den Rücken für die eigentlich entscheidenden Auseinandersetzungen der Zukunft freizuhalten: »Wir können schweren Prüfungen entgegengehen in auswärtigen Kämpfen und in inneren Kämpfen gegenüber Umsturzparteien verschiedener Kategorien. Mein Bedürfnis ist gewesen, ehe wir diesen

Prüfungen ausgesetzt werden, alle inneren Streitigkeiten von uns abzutun, die in der Tat entbehrlich für uns sind. Und für entbehrlich halte ich den Kirchenstreit, wenn er hiermit beigelegt werden kann.«

Aber selbst dieser Appell an Revolutionsfurcht und Einkreisungsängste hatte nur begrenzt etwas gefruchtet. Die Nationalliberalen hatten sich in ihrer Mehrheit versagt. Der Riß durch das Kartell war unverkennbar geworden. Auch die inneren Verbindungslinien und geheimen Neigungen zwischen Teilen der Deutschkonservativen und des Zentrums ließen sich nicht mehr übersehen. Zwar gelang es der Regierung wenig später, durch einen außerordentlich geschickt auf die beiderseitigen Interessen berechneten gesetzgeberischen Schachzug diesen Riß noch einmal zu kitten. Aber schon im Herbst 1887 wurde deutlich, daß auch die Gemeinsamkeit der materiellen Interessen keine zureichende Basis mehr abgab.

Bei jenem Schachzug handelte es sich um einen neuerlichen Vorstoß der Regierung in der Frage der Reichsfinanzreform. Diesmal ging es um ein neues Zucker- und Branntweinsteuergesetz, dessen Hauptziel wieder die Verbesserung der Reichseinnahmen war. Was den Entwurf, auf den sich die Kartellparteien im Prinzip schon festgelegt hatten, für sie so attraktiv machte, war die darin vorgesehene Steuerentlastung für die mittleren und kleineren Brennereien: Eine bestimmte Menge sollte jeweils steuerfrei bleiben. Diese sogenannte Liebesgabe kam sowohl der Klientel der Konservativen im Osten als auch der der Nationalliberalen im Süden und Westen Deutschlands zugute. Gleichzeitig allerdings lieferte sie den gegnerischen Parteien zusätzliche Argumente einer Öffentlichkeit gegenüber, die hinsichtlich direkter staatlicher Subventionen und Steuererleichterungen zugunsten einzelner sozialer Gruppen noch sehr empfindlich war.

Zunächst aber wirkte das Ganze als eine starke Klammer sowohl zwischen den Kartellparteien als auch und vor allem zwischen ihnen und nicht unerheblichen Teilen ihrer Anhängerschaft. Diese fühlten sich in ihrer Wahlentscheidung nachdrücklich bestätigt. Schon der nächste Schritt der Regierung vom Herbst 1887 brach dann allerdings eine dieser Klammern wieder auf, ja, schuf einen tiefen Graben zwischen den Kartellparteien.

Es ging um eine abermalige massive Erhöhung der Getreidezölle und damit zugleich um eine empfindliche Anhebung der Lebenshaltungskosten insbesondere des nichtagrarischen Bevölkerungsteils; die Importabgaben auf Weizen, Roggen und Gerste sollten künftig fast das Fünffache der 1879 festgelegten Sätze betragen, womit die seit Jahren fallenden Inlandspreise auf einem entsprechend erhöhten Niveau fixiert worden wären. Das warf zugleich die Frage nach der interessenpolitischen Grundtendenz des ganzen Bündnisses, nach der Möglichkeit eines wirklichen und befriedigenden Ausgleichs zwischen agrarischen Interessen auf der einen, industriell-gewerblichen auf der anderen Seite auf.

Diese Frage vermochten die Nationalliberalen trotz ihrer Neuorientierung seit 1884 nicht mehr einheitlich positiv zu beantworten; die Stimmung in der nichtagrarischen Öffentlichkeit und die Wahlergebnisse seit dem wirtschaftspolitischen Kurswechsel von 1879 sprachen eine zu deutliche Sprache.»Uns scheint, daß die agrarischen Politiker auf dem besten Wege sind«, bemerkte die»Nationalzeitung« Mitte September warnend,»Volkskreise, welche der sozialdemokratischen Agitation noch nicht das rechte Verständnis entgegenbringen, vermittels eines viel einfacheren Gedankenganges, ja schon durch die Verletzung des natürlichen Gefühls auf die Seite der Gegner der bestehenden Eigentumsordnung zu treiben.« Schließlich konnten das Kartell und die Einheit der Nationalliberalen nur noch durch den alten Ausweg der Stimmfreigabe gerettet werden.

In der Sache hieß das, daß die Zollvorlagen nur durch die Zustimmung des Zentrums eine Mehrheit fanden. Damit war offenkundig geworden, daß von den konkreten, materiellen Interessen und von den jeweiligen Ordnungsvorstellungen her gesehen einer eher künstlichen Koalition zwischen Nationalliberalen und Deutschkonservativen mit den Freikonservativen als Verbindungsglied und Scharnier eine gleichsam natürliche zwischen Deutschkonservativen und Zentrum gegenüberstand.

Der Einsicht konnte sich natürlich auch Bismarck nicht entziehen. Künftig politisch auf eine »schwarz-blaue« Koalition aus Zentrum und Deutschkonservativen zu setzen, war für ihn jedoch nicht nur nach seiner ganzen bisherigen Politik praktisch unmöglich. Einer solchen Schwenkung stand auch die Haltung der beteiligten Kräfte und Personen mit Windthorst an der Spitze entgegen. Bismarck blieb, wollte er nicht freiwillig abtreten, an eine Koalition gebunden, deren gemeinsame Interessen weitgehend verbraucht waren und die den eigentlichen sozialen und politischen Grundentscheidungen, die anstanden, ihrem Wesen nach auszuweichen gezwungen war. Ihr Prinzip blieb, bei aller vordergründigen Aktivität der Regierung, der politische Immobilismus. In der Atmosphäre, die das erzeugte, drohte das Reich zu ersticken.

Das war die Situation am Ende des Jahres 1887, eines Jahres, das mit der Kartellbildung und den sogenannten Kartellwahlen scheinbar noch einmal einen politischen Neuanfang unter Führung des mittlerweile fast dreiundsiebzigjährigen Reichskanzlers zu bringen versprochen hatte – wie immer man diesen »Neuanfang« von der Sache und der politischen Grundtendenz her einschätzen mochte. Zu einem früheren Zeitpunkt hätten jene, die hierin eine verhängnisvolle Rückwärtsorientierung sahen, nun neue Hoffnung geschöpft. Ja, sie hätten darin geradezu eine Chance für einen besonders raschen und grundlegenden Kurswechsel nach einer Thronbesteigung durch den Kronprinzen gesehen. Inzwischen aber wußte beinahe jedermann an politisch einflußreicher Stelle, daß eine solche Thronbesteigung bestenfalls ein politisches Intermezzo einleiten werde: Friedrich Wilhelm, auf den so viele gehofft hatten, war unheilbar krebskrank – Virchows gegenteiliger Befund vom Mai 1887 hatte sich im Herbst endgültig als Fehldiagnose erwiesen. An den Stufen des Throns stand bereits der achtundzwanzigjährige Enkel des unterdessen neunzigjährigen Monarchen: Prinz Wilhelm.

Von ihm wußte die Öffentlichkeit zunächst wenig. Aber selbst das Wenige war nicht der Art, daß diejenigen, die auf den Vater gehofft hatten, ihre Erwartungen nun einfach von diesem auf den Sohn übertragen hätten. Der Prinz orientierte sich, soviel war deutlich, ganz am Großvater, der seinerseits seine Hoffnungen immer offenkundiger auf ihn setzte. Darüber hinaus war er weitgehend durch das preußische Offizierskasino und eine sozial und politisch hochkonservative Umwelt geprägt. Der heimliche Eskapismus ihrer jüngeren, ihm besonders vertrauten Mitglieder mit dem Grafen Philipp Eulenburg an der Spitze verband sich vielfach mit romantischen Irrationalismen, die sein von früh auf vorherrschendes monarchisches Sendungsbewußtsein zusätzlich nährten.

In ihm bestärkte ihn auch der Kreis um den Hofprediger Adolf Stoecker, der seinen Blick zudem auf die sozialen Aufgaben der Monarchie, auf die Versöhnung der neuen Massen mit dem Staat und der Krone, lenkte. Eine solche Versöhnung könne, so hieß es hier, nur in engem Bündnis mit den Kräften eines religiös orthodoxen, politisch streng konservativen Christentums und in klarer Frontstellung gegen die Auswüchse des modernen Kapitalismus und das ihn repräsentierende Judentum erfolgreich betrieben werden. Parteipolitisch wirkte das als eine massive Begünstigung einer Koalition zwischen Konservativen und Zentrum und als schroffe Ablehnung der Bismarckschen Kartellpolitik.

Von hier aus zeichnete sich ein erster Gegensatz zwischen dem Kanzler und dem überselbstbewußten jungen Prinzen ab, der sich bereits ganz in der Rolle des künftigen Kaisers sah und die Tage bis zu seinem Thronantritt zu zählen begann. Im Spätherbst 1887 hatte Wilhelm, was von der Öffentlichkeit aufmerksam registriert wurde, an einer Versammlung zugunsten Stoeckers Berliner Stadtmission im Haus Waldersees teilgenommen. Fast gleichzeitig hatte er dem Kanzler den Entwurf einer Proklamation an die Adresse der Bundesfürsten zur Stellungnahme zugeleitet, mit der er sich vorsorglich schon beschäftigte. Beides hatte Bismarck Anfang 1888 veranlaßt, den Prinzen in einem ausführlichen Brief mit einigem Nachdruck zu größerer politischer Zurückhaltung zu ermahnen.

Gerade damit er später als Monarch »die nötige freie Hand« behalte, müsse, so der Kanzler, »verhütet werden, daß Ew. K. H. schon als Thronfolger von der öffentlichen Meinung zu einer Parteirichtung gerechnet werden«. Es werde immer »Zeiten des Liberalismus und Zeiten der Reaktion, auch«, wie er hinzufügte, »der Gewaltherrschaft« geben. Für diesen Wechsel der Dinge müsse sich der Herrscher, wolle er nicht eines Tages die Monarchie in Gefahr bringen, stets die Hände frei halten. Vor allem aber müsse als Grundsatz erhalten bleiben, daß nicht Parteien und Vereine, sondern allein der Staat die positive und ordnende Kraft im Leben der Gemeinschaft sei. Dieser Staat, so unterstrich er noch einmal, müsse ein Staat über den Parteien bleiben: »Zum positiven Schaffen und Erhalten lebensfähiger Reformen ist bei uns *nur* der König an der Spitze der Staatsgewalt auf dem Wege der *Gesetzgebung* befähigt.«

Was er mit all dem konkret meinte, worauf seine Ausführungen im Kern zielten, das hat er, sich wegen ihrer Länge entschuldigend, abschließend in einem Satz zusammengefaßt, der die scheinbar sehr prinzipiellen Gesichtspunkte in gewisser Weise wieder entwertete: »Ich habe«, brach er aus, »seit zwanzig Jahren zu viel unter der Giftmischerei der Herren von der ›Kreuzzeitung‹ und den evangelischen Windthorsten gelitten, um *in Kürze* von ihnen reden zu können.«

Kein Wunder, daß der Prinz, der in dem Kanzler seines Großvaters vor allem den entschlossenen Machtmenschen, den zupackend Handelnden bewundert hatte und bewunderte, also selber im Bann der Legendenbildung vom »Eisernen Kanzler« stand, von daher alles übrige beiseiteschob. In der Pose des jetzt schon überlegenen Schülers führte er seinerseits sogleich alles auf das persönliche Machtinteresse des Kanzlers zurück. Und daß er sich darüber hinwegzusetzen entschlossen war, davon machte er im Kreis seiner Vertrauten, Eulenburgs, des Grafen Douglas, Helldorfs, Hahnkes oder Waldersees, schon zu diesem Zeitpunkt kein Hehl mehr. Selbst dem preußischen Finanzminister Scholz gegenüber äußerte er bereits im Dezember 1887, »den Fürsten Bismarck brauche man natürlich noch einige Jahre sehr dringend, später würden seine Funktionen geteilt werden, und der Monarch selbst müsse mehr davon übernehmen«. »Sechs Monate will ich den Alten verschnaufen lassen, dann regiere ich selbst«, so lautete der weit drastischere Ausdruck, den Stoecker in dem berühmt gewordenen »Scheiterhaufenbrief« vom 14. August 1888 kolportierte. Der Konflikt war damit praktisch bereits vorgezeichnet.

# Das Ende

»Wenn ich jetzt zurückblicke«, resümierte Bismarck im zweiten, erst später veröffentlichten Band seiner Lebenserinnerungen, »so nehme ich an, daß der Kaiser während der einundzwanzig Monate, da ich sein Kanzler war, seine Neigung, einen ererbten Mentor loszuwerden, nur mit Mühe unterdrückt hat, bis sie explodierte.« Das war in der Tat die Situation. Alles weitere ergab sich daraus mit innerer Logik. Allerdings ist Bismarcks Behauptung, er habe dies erst im Rückblick richtig erkannt, ebensowenig glaubhaft wie seine Bemerkung, er würde »eine Trennung..., wenn ich den Wunsch des Kaisers gekannt hätte«, von sich aus »mit Schonung aller äußeren Eindrücke eingeleitet haben«.

Schon seit Jahren, ja, fast seit Jahrzehnten hatte Bismarck bei allen seinen Überlegungen immer auch einen möglichen Thronwechsel vor Augen gehabt. Er war stets bestrebt gewesen, sich über diesen hinaus, allen Wünschen nach sachlichen und personellen Veränderungen zum Trotz, politisch unentbehrlich zu machen. Der Tendenz, ihn »los zu werden«, hatte er seine zähe Entschlossenheit entgegengesetzt, solange wie möglich im Amt zu bleiben. Auch eine machtpolitische Auseinandersetzung hatte er als Möglichkeit immer in Rechnung gestellt. Die Zeit war lange her, in der er dem Kronprinzen, dem späteren Kaiser Friedrich, entgegengeschleudert hatte, er könne ihm nur wünschen, daß er »so treue Diener finde, wie ich es für Ihren Vater bin«: »Ich beabsichtige *nicht* darunter zu sein.« Längst hatte er sich darauf eingestellt, auch unter ihm im Amt zu bleiben. Und was für den bisherigen Thronerben galt, das galt mit Selbstverständlichkeit auch für den nächsten. »Man dürfe sich in solchen Lagen nicht damit trösten«, erklärte er Anfang Juni 1888 nun schon mit Blick auf den Prinzen Wilhelm, »es sei schon recht, wenn alles schief ginge, warum habe man uns schlecht behandelt und aus dem Amt gehen lassen!« Er würde »sich fest an seinen Stuhl halten und nicht gehen, selbst wenn man ihn hinauswerfen wolle«. Er würde »auch nicht gehen, wenn man ihm seinen Abschied ins Haus schickte, weil er ihn nicht kontrasigniert habe«: Er habe »viele heftige Kämpfe mit dem hochseligen Herrn gehabt, man dürfe nicht so leicht gehen«. Und zwei Monate später in einem Brief an den Finanzminister Scholz: »Ich habe in meiner langen ministeriellen Tätigkeit stets gefunden, daß die schwierigsten Aufgaben der Diplomatie in den

Beziehungen mit dem eigenen Hofe liegen«, man müsse sich auch »mit dem jungen Herrn... einleben«.

Wieder führen Spekulationen darüber, wie weit Bismarck bei dieser Auseinandersetzung notfalls zu gehen bereit gewesen wäre, von den konkreten Problemen ab. Nicht was Bismarck zu tun bereit, sondern was für ihn zu tun tatsächlich möglich war, ist das Entscheidende. Von hier aus werden die Auseinandersetzung und ihr Verlauf zum Spiegelbild der real gegebenen Verhältnisse, der Kräfteverteilung, der verschiedenen Koalitions- und Frontbildungen und nicht zuletzt der Einschätzungen und Zukunftserwartungen in den verschiedenen Gruppen und Lagern. Von hier gewinnt der persönliche Machtkonflikt seinen überpersönlichen Stellenwert und seine überpersönliche Bedeutung. Und von hier verbindet sich in ihm das, was personen- und augenblicksgebunden war, mit dem, was weit darüber hinausreichte. Nur wenn man sich also die Sicht des jungen Kaisers und auch die des Kanzlers in ihrer personenbezogenen Einseitigkeit nicht zu eigen macht, wenn man sich vor Augen führt, daß der Konflikt als Kristallisationskern für viel tiefer reichende Gegensätze und Kräfte wirkte, wird man der Dimension des Ganzen gerecht.

Am 9. März 1888 war Wilhelm I., fast einundneunzigjährig, gestorben. Würde es, diese makabre Frage hatten sich viele gestellt, überhaupt noch zu einer Thronbesteigung des Kronprinzen kommen, oder würde der Vater den Sohn schließlich sogar überleben? Alles war bereits ganz auf den Enkel eingestellt gewesen. Das Tragische der Situation hatte sich mit dem Peinlichen in geradezu unerträglicher Weise vermischt. Praktisch schon weitgehend handlungsunfähig, von aller irdischen Zukunft abgeschnitten, erschien Friedrich III., als er endlich den Thron bestiegen hatte, nur noch als Symbol so lange enttäuschter Hoffnungen und Erwartungen. Wie um das zu unterstreichen, hatte seine einzige selbständige Regierungshandlung in dem vorwiegend demonstrativen Akt der Entlassung des hochkonservativen preußischen Innenministers Robert von Puttkamer bestanden. In diese Richtung wäre, so hatte das geheißen, der Kurs gegangen, wenn das Schicksal ihm Zeit dazu gelassen hätte.

Das wurde, neben entsprechenden Äußerungen und Willensbekundungen seiner Kronprinzenzeit, die Basis einer sich nach seinem Tod am 15. Juni 1888 rasch entfaltenden Legendenbildung. Mit Friedrich hätte alles einen ganz anderen Verlauf genommen. Mit ihm wäre Deutschland in die Bahnen englischer Staats- und Verfassungsentwicklung eingeschwenkt, wäre dem Reich doch noch jene liberale Epoche beschieden gewesen, deren Ausbleiben sich dann so verhängnisvoll ausgewirkt habe.

All das ist natürlich unbeweisbar. Es beruht sicher auch auf einer gewaltigen Überschätzung der Möglichkeiten eines einzelnen gegenüber vorgegebenen Bedingungen und ausgeprägten Entwicklungstendenzen einer Zeit. Doch es entfaltete, in der Bündelung und Formulierung von Erwartungen und in der Polarisierung der Meinungen darüber, eine eigentümliche Kraft. Mit ihr hatten sich schon die politisch Handelnden der Zeit auseinanderzusetzen, an ihrer Spitze Bismarck auf der einen Seite, der neue Kaiser Wilhelm II. auf der anderen. Für diesen handelte es sich um eine Art Selbstbehauptung in einem tragisch akzentuierten Generationenkonflikt. Für Bismarck aber ging es, weit gravierender, um eine Polarisierung, die seine eigene Position als ganz anachronistisch und zukunftslos erscheinen ließ und so dem jungen Kaiser weitere Waffen gegen ihn lieferte.

Im Bündnis mit einem noch aus dem vergangenen Jahrhundert stammenden Monarchen, so hieß es hier, habe Bismarck, trotz seiner unbestreitbaren Verdienste, in vieler Hinsicht das Rad der Zeit aufzuhalten versucht. Als sich nun endlich die Möglichkeit geboten habe, von der Staatsspitze her den Weg in eine liberale, der modernen Entwicklung entsprechende Zukunft zu öffnen, da habe die tödliche Krankheit Friedrichs einen Strich durch alles gemacht. Und dort: Statt sich an längst veralteten Alternativen zu orientieren, wie sie Kaiser Friedrich verkörpert habe, müsse man nach neuen Wegen in die Zukunft suchen. Sie gehöre weder dem Liberalismus noch gesinnungsverwandten Bewegungen, sondern jenen, die sich von der Basis des Bestehenden und Bewährten den wahren Problemen stellten. Dazu sei freilich der jetzige Kanzler, wieviel auch immer er in der Vergangenheit geleistet habe, zu alt, zu verbraucht, zu sehr verstrickt in längst abgetane Kämpfe und Problemstellungen.

Jenseits bloßer Machtansprüche und durchsichtiger partei- und koalitionspolitischer Kalkulationen entstand damit, in prononcierter Abkehr von den Alternativen der Vergangenheit, eine neue Dynamik, eine, wenngleich in den konkreten Zielen eher vage und daher vielseitig verwendbare Erwartungshaltung. Sie konzentrierte sich immer mehr auf die Person des jungen Kaisers und erhoffte von ihm den grundlegenden »Neuanfang«. Jene Strömung verband sich nicht mit klar fixierten Konzepten und scharf umrissenen parteipolitischen Positionen. Außerdem trat ihr illusionärer, ja, irrationaler Charakter dann rasch hervor, bis sie schließlich in sehr bedenkliche Kanäle mündete. Aus diesen Gründen hat man sie im nachhinein vielfach unterschätzt. Der von ihr eigentlich Betroffene, der über siebzigjährige Regierungschef, der durch den Tod Friedrichs III. scheinbar von der eigentlich akuten Gefahr befreit war, hat jedoch sehr klar gespürt, was gerade ihm von dieser Aufbruchsstimmung drohte. Was sich an Resignation einerseits, an Legendenbildung andererseits mit dem Tod Kaiser Friedrichs verband, konnte nur zu leicht in einem plötzlichen Umschlag, in gemeinsamer, obwohl unterschiedlich motivierter Frontstellung gegen ihn, den Kanzler, münden. Es konnte den Kaiser dann als denjenigen erscheinen lassen, der die Nation von der Last der Vergangenheit befreie.

Nur von hier aus ist es zu verstehen, warum Bismarck, kaum war Friedrich III. tot, mit kleinlichsten, ja, erbärmlichen Schachzügen beide Fronten auseinanderzuhalten und die Kluft zwischen ihnen zu vertiefen suchte. Das begann damit, daß er seine ständigen Versuche noch verstärkte, die vorhandenen Gegensätze zwischen dem jetzigen Kaiser und seiner Mutter anzuheizen: Er ließ keine Gelegenheit aus, sie zu hochpolitischen Grundsatzfragen zu stilisieren, vor denen die natürlichen Sohnespflichten zurückzutreten hätten. Und das erreichte seinen ersten Höhepunkt, als er ein gerichtliches Verfahren gegen die Veröffentlichung von Tagebuchauszügen Kaiser Friedrichs III. aus der Zeit des deutsch-französischen Krieges einleiten ließ, die auch er für unzweifelhaft echt hielt. Sein offizielles Argument war, es handele sich um Fälschungen und um den Versuch, das Ansehen des toten Kaisers zugunsten der Bestrebungen von reichsfeindlichen Kräften zu mißbrauchen.

Die Zustimmung Wilhelms II. für sein Vorgehen hatte sich Bismarck mit dem Hinweis auf angeblich gefährdete Reichsinteressen und vor allem mit der diskreten Andeutung verschafft, die Stilisierung seines Vaters und die liberale Legendenbildung um ihn seien seiner eigenen Stellung und den nun auf ihn zu konzentrierenden Erwartungen nicht günstig. Der Kaiser schwenkte jedoch sofort um, als deutlich wurde, daß die Öffentlichkeit außerordentlich negativ auf das Ganze reagierte. Besonderen Eindruck machte ihm dabei die auch von konservativer Seite verbreitete Überlegung, die kaum verhüllten Angriffe Bismarcks auf den toten Kaiser seien geeignet, dem monarchischen Gedanken insgesamt zu schaden. So distanzierte er sich schon bald von dem Vorgehen seines Regierungschefs.

Der Vorgang erwies sich schließlich für Bismarck als ein Bumerang. Er vereinigte sehr unterschiedliche Kräfte gegen ihn und ließ ihn in einem Maße kleinlich erscheinen, das auch und gerade jene abstieß, die die Rücksichtslosigkeit der Macht im Prinzip so sehr bewunderten. Denn als Rechtfertigung hatte immer gegolten, daß solche Rücksichtslosigkeit großen Zwecken diene. Doch davon konnte nun offenkundig wirklich nicht mehr die Rede sein. Hier klammerte sich jemand, so war die fast allgemeine Einschätzung, mit allen Mitteln an die Macht und suchte einen sicher noch unerfahrenen, aber auch weniger machtfixierten, eher idealistisch gesinnten jungen Monarchen zu benutzen.

Hinzu kam, sozusagen vom Atmosphärischen her, daß sich nach den innen- und außenpolitischen Krisen des Jahres 1887 und dem doppelten Thronwechsel im Jahr 1888 mit seinen beklemmenden Begleitumständen inzwischen so etwas wie ein Klima der Erstarrung, ja, fast vollständiger Stagnation im Innern wie auf dem Gebiet der Außenpolitik eingestellt hatte. Es herrschte eine lähmende und zugleich beängstigende Stille. In ihr wirkten die mit dem Streit um das Tagebuch des toten Kaisers verbundenen Auseinandersetzungen geradezu gespenstisch. Sie verstärkten den Eindruck, man säße, wie Ludwig

Bamberger es in diesen Tagen einmal drastisch formulierte, im Reich inzwischen politisch, geistig und vor allem auch menschlich »in einer Hundehütte«.

Das war die Ausgangssituation, in der sich der eigentliche Konflikt zwischen Kaiser und Kanzler entfaltete. Sie begünstigte von Anfang an eindeutig die Position des jungen Monarchen. Wenn Bismarck jedoch für etwas ein Gespür hatte, dann für den Charakter bestimmter Konstellationen, für die Verteilung von Gewichten und mehr noch von Meinungen und Einschätzungen. Er hat daher im Rahmen des sich Anbietenden den Kampfplatz, auf dem schließlich die Entscheidung fallen sollte, sehr bewußt gewählt. Es kann also keine Rede davon sein, daß er von den Umständen oder von dem Geschick seines unmittelbaren Gegenspielers, des jungen Kaisers, überrascht worden sei.

Seine ganze politische Position, die Einmaligkeit seiner Machtstellung im preußischen und dann im deutschen Staat verdankte Bismarck einer Situation der äußersten Gefährdung der bestehenden machtpolitischen Ordnung, des Vorrangs der monarchischen Gewalt, aber auch der traditionellen Eliten in Staat, Heer und Gesellschaft. Er hatte diese Gefahren mit seiner Politik erfolgreich gebannt. Aber er hatte es zugleich stets sehr sorgfältig vermieden, dabei, sei es nach außen, sei es vor allem auch seinem Kaiser und dessen übrigen Ratgebern gegenüber, zu erfolgreich zu erscheinen. So hatte es praktisch keinen Zeitpunkt in seiner nunmehr bald siebenundzwanzigjährigen Amtszeit als preußischer Ministerpräsident und dann als Kanzler gegeben, an dem nicht von tödlichen Gefahren für den Bestand von Staat und Gesellschaft die Rede gewesen wäre.

Wann er an solche Gefahren überhaupt nicht geglaubt, wann er entsprechende Sorgen und Befürchtungen anderer ausschließlich benutzt hat, läßt sich im Einzelfall oft schwer entscheiden. Aber ganz unübersehbar ist, daß er immer wieder den Eindruck zu vermitteln und zu verstärken wußte, Staat und Gesellschaft bewegten sich am Rand eines Abgrundes: Hauptaufgabe aller Politik sei es daher, Dämme zu errichten und vorsorglich alles zu tun, um einen Absturz zumindest zu verzögern. Das ist ihm zeitweise mehr, zeitweise weniger gelungen. Es hat sich auch verbraucht und dazu geführt, daß ihm mancher politische Gegenspieler sogar unzweifelhaft echte Sorgen nicht mehr abnahm. Aber es blieb, wie gerade die Vorgänge um die Kartellwahlen sehr deutlich machen, bis zuletzt für ihn ein zentrales und trotz mancher Enttäuschung nach wie vor bevorzugtes politisches Prinzip. Sich mit seiner Hilfe unentbehrlich zu machen, war für ihn auch jetzt der sich unmittelbar aufdrängende Gedanke.

Die Außenpolitik kam hierfür nicht in Frage. Bismarck hatte alle Hände voll zu tun, um mit seinem schließlich scheiternden Bündnisangebot an England vom Januar 1889 und mit der Betonung des provisorischen Charakters des Rückversicherungsvertrags Kritikern im eigenen Lager Argumente zu entziehen und dem Vorwurf der Unbeweglichkeit und bloßen Vergangenheitsorien-

36. Bismarck im Alter von einundsiebzig Jahren an seinem Schreibtisch in
Friedrichsruh
Kolorierte Aufnahme aus dem Jahr 1886

37. Bismarcks Abschiedsgesuch vom 18. März 1890
Kanzleischreiben mit eigenhändigen Zusätzen des Kanzlers

38. Bismarck und seine Frau mit dem Hausarzt Schweninger in Friedrichsruh
Zeichnung von Christian Wilhelm Allers, 1892

39. Bismarck beim Verlassen des Parks nach einem Spaziergang in Friedrichsruh
Aufnahme aus der Zeit um 1895

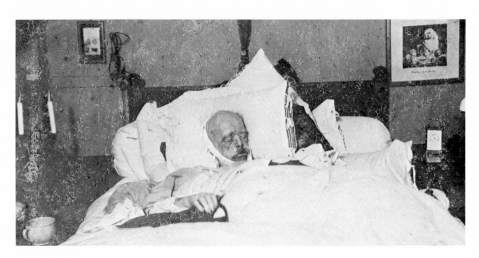

40. Bismarck auf seinem Totenbett
Aufnahme von Otto Reich

tierung zu begegnen. Seit der Entlassung des Generals Boulanger und dem kläglichen Ende seiner Bewegung war zudem die französische Karte praktisch ausgereizt. Hinzu kam, daß der innere militärische Führungskreis um den Kaiser mit dem inzwischen zum Generalstabschef aufgestiegenen Waldersee an der Spitze seit Bismarcks Manövern von 1887 in dieser Hinsicht ihm gegenüber mehr als skeptisch war.

Eine innenpolitische Benutzung der Außenpolitik schied also nach Lage der Dinge weitgehend aus. Und deren Grundkonstellation etwa mit dem Ziel gewaltsam zu ändern, die neuen Verhältnisse entsprechend auszubeuten, hat Bismarck auch jetzt niemals ernsthaft erwogen. Es blieb somit allein das Feld der Innenpolitik und hier lediglich ein Bereich, in dem sich unter Hinweis auf einen möglichen Zusammenbruch aller Ordnung seine eigene Unentbehrlichkeit' erfolgversprechend demonstrieren ließ. Es war dies der Bereich der sozialen Frage, schärfer gesagt: die zunehmende Spannung zwischen den Besitzenden gleich welcher Art auf der einen und dem wachsenden Riesenheer der Besitzlosen auf der anderen Seite, jenen mehr als zwei Dritteln der Gesamtbevölkerung, die selbst in Arbeit und Brot vielfach an der Grenze des Existenzminimums lebten, sich mit einem durchschnittlichen Jahresverdienst von sechshundertundfünfzig Mark bescheiden mußten, kaum mehr als einem Zehntel des Gehalts eines preußischen Regierungsrats, einem Fünfzigstel eines Ministers.

Es muß dahingestellt bleiben, ob Bismarck eine Explosion für letztlich unausweichlich hielt, ob er ernsthaft an einen heimlichen Gegensatz zwischen Führern und Geführten im Lager der Besitzlosen, also vor allem der Arbeiterschaft, glaubte oder ob er gar mit den Optimisten annahm, daß sich das ganze Problem, jedenfalls in seiner zugespitzten Form, im Zug wachsenden wirtschaftlichen Wohlstands gleichsam von selbst lösen werde. Hingegen ist gerade aus neueren Forschungen sehr klar geworden, in welchem Ausmaß er sich hier der Dinge bedient hat, um seine Stellung doch noch zu retten, sie erneut zu festigen und sich unentbehrlich zu machen.

Er war sich bewußt, daß nicht nur der junge Kaiser und sein Kreis, sondern eine Mehrheit in der Öffentlichkeit und wohl auch in den Parteien von der Notwendigkeit eines, wenngleich begrenzten Ausgleichs mit der Arbeiterschaft und den sie repräsentierenden Kräften ausgingen. An die Stelle bloßer Unterdrückung müsse, das war vielerorts die vorherrschende Meinung, eine Politik vorsichtigen Entgegenkommens und sorgfältig abgewogener Kompromisse treten, wolle man nicht die Katastrophe, den politischen und sozialen Umsturz, mit eigener Hand heraufbeschwören. »Nicht nur Recht und Billigkeit«, so die »Frankfurter Zeitung«, sprächen für einen neuen Kurs, sondern auch »Berechnung und Klugheit«.

Der Widerstand der sich dagegen von rechts, hauptsächlich aus dem Lager der unmittelbaren Interessenten, erhob, war zwar nach wie vor stark und politisch einflußreich. Und es mochte sicher nicht ganz aussichtslos erscheinen, ihm auch parlamentarisch erneut eine breitere Basis zu verschaffen. Doch Bismarck hat das mögliche Scheitern derartiger Bemühungen wohl von Anfang an nüchtern in Rechnung gestellt. Er hat daher hinter der ersten sogleich eine Art zweite Front aufgebaut und für diesen Fall einen alternativen Aktionsplan entwickelt. Der erste zielte auf die Mobilisierung der Revolutionsfurcht, auf die Sorge vor dem sozialen Umsturz und damit auf den Wunsch, die Gefahren durch direkte Aktionen, durch Niederhaltung der bedrohlichen Kräfte zu bannen: Die Fortschrittspartei sei, warnte er in diesem Sinne in einer Kronratsitzung Mitte März 1889, »schon auf dem Wege«, sich mit den Sozialdemokraten »zu verschmelzen«, »auch die Demokraten innerhalb des Zentrums gehörten dahin«; alles hänge jetzt von der Entschlossenheit der Regierung zum Handeln ab. Bei dem zweiten ging es darum, Alternativen hierzu zu blockieren, ihnen jede denkbare parlamentarische Basis zu entziehen. Bismarck scheute sich also nicht, bewußt ein innenpolitisches Chaos zu provozieren mit dem Ziel, dann als Retter in höchster Not zu erscheinen.

Für den Versuch, sich an der Spitze einer Abwehrfront gegen den angeblich drohenden Umsturz zu behaupten, lieferte ihm ein Bergarbeiterstreik einen höchst willkommenen Anlaß, der Anfang Mai 1889 in Gelsenkirchen ausbrach. Der Streik breitete sich zunächst über das gesamte Ruhrgebiet, dann rasch über alle deutschen Grubengebiete aus und führte vielerorts zu blutigen Zusammenstößen. Bismarck plädierte sofort dafür, den Konflikt zunächst einmal der Regelung durch die Beteiligten zu überlassen und nicht von Staats wegen zugunsten der einen oder der anderen Seite einzugreifen. Er halte es, so erklärte er in der Sitzung des preußischen Staatsministeriums vom 12. Mai 1889, die unter Vorsitz des sich sogleich stark engagierenden Kaisers stattfand, für »politisch nützlich«, wenn »die Beilegung dieses Streites und seiner traurigen Folgen nicht zu glatt und rasch erfolge, letztere sich vielmehr der liberalen Bourgeoisie fühlbarer machten«: Diese gehe »immer von der Voraussetzung aus, unter der Sozialdemokratie leide die Regierung mehr als der Bürger, und wenn die Bewegung ernsthaft werde, unterdrücke die Regierung sie doch nötigenfalls mit Gewalt, vorbeugende Gesetze seien also gar nicht so nötig«.

In der Sache, der Frage der Berechtigung der Lohnforderungen der Bergarbeiter, stellte Bismarck sich scheinbar ganz auf die Seite des Kaisers, der entschieden dem Standpunkt der Bergarbeiter zuneigte und für einen demonstrativen Druck auf die Arbeitgeberseite eintrat. Der Kanzler plädierte, so konnte man glauben, nur aus taktischen Gründen für Zurückhaltung, um schließlich zwei Fliegen mit einer Klappe zu fangen: die Arbeitgeber zum Einlenken zu bringen und ihnen und der gesamten bürgerlichen Öffentlichkeit vor Augen zu führen, wie nötig es in ihrem ureigensten Interesse sei, vorbeugende Maßnahmen zu ergreifen, damit ein solcher Streik nicht eines Tages, von sozialdemokratischen Agitatoren benutzt, völlig ausufere.

In Wirklichkeit war Bismarck, der Machtmittel des Staates sicher, durchaus für ein gewisses »Ausufern« der Streikbewegung. Mit großer Befriedigung registrierte er wenig später, wie der Kaiser, der zunächst so nachdrücklich für ein Eingreifen zugunsten der Arbeitnehmerseite eingetreten war, umzufallen begann und eine gewaltsame Unterdrückung des Ausstandes zu erwägen gab. Er halte es, so wiederholte er in einer Sitzung des Staatsministeriums vierzehn Tage später mit deutlich triumphierendem Unterton, »zum allgemeinen Besten, zur Verhütung von Wiederholungen und zur Förderung richtiger Erkenntnis der Unfruchtbarkeit und der nach allen Seiten wirkenden unheilvollen Folgen solcher Arbeitseinstellungen für das Beste, wenn man gewissermaßen den Brand in sich ausbrennen lasse, statt ihn mit Gewalt zu ersticken. Im letzteren Falle«, so fuhr er nicht ohne heimliche Ironie gegenüber den Schwankungen des jungen Kaisers fort, »erwecke man bei den Arbeitern das Gefühl, daß sie nur durch gesetzwidrige Unterdrückung von seiten des Staats gehindert worden seien, bessere Resultate für sich zu erzielen. Lasse man den Dingen tunlichst ihren Lauf, so erhalte man sich den Nimbus, ohne Ausnahmeregeln streng gesetzlich verfahren zu sein und führe die Unruhestifter am sichersten ad absurdum.« Im übrigen aber habe er, fügte er vorsorglich hinzu, gegen den Einsatz schärfster staatlicher Machtmittel, also etwa auch, wenn es Not tue, gegen die Verhängung des Belagerungszustandes, »keinerlei Bedenken«. Er sei jederzeit bereit, die »Verantwortlichkeit« dafür »auf sich zu nehmen« – »*sofern* diese Maßregel sich als zweckmäßig erweise«.

Zwar gelang Wilhelm II. im weiteren Verlauf durch sein Eintreten für bestimmte Forderungen der Streikenden ein persönlicher Prestigegewinn, der zugleich im Sinne einer Politik des sozialen Ausgleichs wirkte. Aber politisch konnte sich Bismarck zunächst als Sieger fühlen. Die Sorgen vor den Konsequenzen einer solchen Politik waren auf breiter Front geweckt. Und der Kaiser selbst hatte einen unmittelbaren Eindruck davon erhalten, wie schwer es war, das Staatsschiff in rauher See auf festem Kurs zu halten.

Dieser Eindruck mochte seinen Tatendrang und seine Neigung, sich eines erfahrenen Steuermanns möglichst rasch zu entledigen, erst einmal etwas dämpfen. Spöttisch bemerkte Bismarck damals, »der junge Herr« habe die »Auffassung von Friedrich Wilhelm I. über seine Machtbefugnisse«, und es sei »sehr nötig«, ihn »vor Übereilungen in dieser Beziehung zu schützen«. Wohl hielt Wilhelm an seiner Linie einer Politik des sozialen Ausgleichs konsequent fest: Bestärkt durch seine sozialpolitischen Ratgeber mit seinem ehemaligen Lehrer Hinzpeter und dem Freiherrn von Berlepsch, dem Oberpräsidenten der Rheinprovinz, an der Spitze, konzentrierte er sich in den folgenden Monaten vor allem auf die Planung einer Initiative im Bereich der Arbeiterschutzgesetzgebung. Von einem bewußten Konfliktkurs gegenüber seinem

Kanzler wird man jedoch, was die Zeit unmittelbar nach dem Bergarbeiterstreik anlangt, nur sehr begrenzt sprechen können. Entsprechende Initiativen gingen vielmehr in jenen Monaten weit mehr von Bismarck selber aus. Der Kanzler setzte gleichsam nach und versuchte seinerseits, den zeitweise merklich unsicher gewordenen neuen Monarchen an sich und seine Politik zu binden.

Seinen Höhepunkt erreicht dies, als Bismarck dem Reichstag, dessen Legislaturperiode wenige Monate später ablief, am 25. Oktober 1889 einen Gesetzentwurf über eine nunmehr unbefristete Verlängerung des Sozialistengesetzes vorlegte. Die fortdauernde Unterdrückung der sozialistischen Bewegung, so hieß das, müsse unbedingten Vorrang haben vor allen Versuchen, im Verhältnis zwischen Arbeitnehmern und Arbeitgebern eine vermittelnde Position einzunehmen und die konkrete Situation am Arbeitsplatz und in der Arbeitswelt allgemein auf gesetzgeberischem Weg zu verbessern. Nur der starke, allen Erpressungen gegenüber souveräne und gesetzlich mit den notwendigen Machtmitteln ausgestattete Staat könne wirklich vermitteln und sich zugleich die Gefolgschaft aller politischen und sozialen Gruppen erzwingen.

Folgte die Reichstagsmehrheit unter dem Eindruck des Bergarbeiterstreiks dieser Argumentation, dann war jeder Politik eines wirklichen sozialen Ausgleichs der Boden entzogen. Dann war der Staat auf Dauer zum repressiven Klassenstaat geworden. Folgte sie ihr nicht, dann war mit der konkreten auch jede potentielle Regierungsmehrheit zerstört, die nicht die liberale Linke und mit ihr die Anhängerschaft Kaiser Friedrichs miteinbezog.

Bismarck wußte genau, daß Wilhelm II. nicht bereit war, sich auf eine solche Koalition einzulassen. Demgemäß würde dem Kaiser dann als Alternative, so Bismarcks Kalkül, nur ein entschiedener Rechtskurs über den Parteien bleiben. Dieser jedoch mußte zumindest die Bereitschaft einschließen, sich notfalls nicht nur über den opponierenden Reichstag, sondern auch über die Verfassung hinwegzusetzen. Beides, eine unbefristete Verlängerung des Sozialistengesetzes oder die Folgen einer Ablehnung der Regierungsvorlage, würde den Kaiser also fest an ihn binden. Jedenfalls würde es ihm dadurch unmöglich werden, ihn, den Kanzler, in einer solchen kritischen Situation beiseitezuschieben.

Dieses Kalkül hatte neben manchen anderen Schwächen wie der zunehmenden Neigung, in seiner Umwelt bloß noch Marionetten zu sehen, einen ganz entscheidenden Fehler: Es unterschätzte, trotz aller Menschenkenntnis und trotz aller Skepsis gegenüber dem Charakter Wilhelms, den Macht- und Geltungswillen des jungen Kaisers sowie dessen völlig ichbezogene Unbekümmertheit. Diese Eigenschaften verhinderten, daß sich Wilhelm mit dem Gedanken ernsthaft beschäftigte, wie innerlich homogen und politisch tragfähig die Kräfte und Tendenzen seien, die sich zeitweilig, hauptsächlich in

Opposition gegen den Kanzler, hinter ihm versammelten und auf ihn setzten. Er genoß die Erwartungen und Hoffnungen, die sich auf ihn konzentrierten, ohne sich an ihrer inneren Widersprüchlichkeit zu stören. Und er gefiel sich in der Pose des Mannes der Zukunft, ohne an diese Zukunft allzuviele konkrete Überlegungen zu verschwenden. Dadurch entzog er sich praktisch allen Kombinationen und ließ Bismarck bei seinen immer gewagteren Schachzügen allein. Der Kanzler begann sich, ohne daß Wilhelm es merkte, mehr und mehr in seinem eigenen Netz zu verwirren, einem Netz, dessen Schlingen sozusagen keinen Halt mehr in einer Gegenposition fanden.

Das verweist zugleich auf das eigentlich Verhängnisvolle des ganzen Vorgangs. Bei Bismarcks Sturz ging es von seiten derer, die ihn stürzten, in Wahrheit um gar keine Zukunft, um keine vorwärtsweisende Alternative, sondern fast ausschließlich um das, woran sich auch der alternde Kanzler so sehr klammerte: um die Macht als solche und nicht zuletzt um ihren äußeren Schein und ihre Insignien. Was sich mit dem Konflikt jenseits des Kreises der Hauptakteure an massiven Interessen und übergreifenden Erwartungen, an weitgespannten Hoffnungen und Befürchtungen, an Ideen über damit einhergehende hochbedeutsame Grundsatzentscheidungen verband, das wurde schon bald fast auf der ganzen Linie enttäuscht. Der Zynismus der Macht und die eitle Beschränktheit der Mehrzahl ihrer Träger traten immer ungeschminkter hervor. Und vor diesem abstoßenden Hintergrund veränderte sich dann die Einstellung zu dem ersten Reichskanzler sehr rasch gerade auch bei jenen, die seinen Sturz aufatmend begrüßt hatten. Hier stand, so schien es nun, die Macht immerhin über weite Strecken im Dienst einer Konzeption, klarer Ordnungs- und Zielvorstellungen, auch wenn man diese generell oder im Einzelfall leidenschaftlich bekämpft haben mochte. Hier war nicht alles nur Staffage, Selbstzweck, blinder Egoismus gewesen. Hier hatte, trotz allem, die Macht eine gewisse Bändigung durch sie übergreifende Elemente erfahren.

Das war die Basis für jene Bismarck-Legende, die schon bald nach der Entlassung des Kanzlers entstand. Sie belastete die weitere Entwicklung nicht weniger, als es der Zickzackkurs und das schweifende Geltungsbedürfnis des jungen Kaisers und seines Kreises taten. Denn sie verdeckte, von Bismarck systematisch gefördert, mehr und mehr, daß es dem Kanzler schließlich, ausgebrannt und ohne ernsthafte Perspektiven wie er war, gleichfalls nur noch um die Bewahrung seiner Stellung, um das Amt und seine Position als solche gegangen war. Sie verdeckte, daß Wilhelm II. auch hier dann als sein getreuer Schüler auftrat und wirkte. »Hätte ihn der Kaiser noch kurze Zeit im Amte ertragen«, so beschrieb Gustav Freytag fünf Jahre nach Bismarcks Sturz ebenso klarsichtig die tatsächliche Situation wie die nachfolgende Veränderung in ihrer Bewertung, »er würde sich an Junkern, Ultramontanen und Sozialisten abgenützt haben, und sein Scheiden wäre eine dauernde Bitterkeit geworden. Jetzt aber ist gerade das, was ihm als der größte Schmerz und uns anderen als sein Verhängnis erschien, die Erhebung seines Alters geworden. Eine Popularität und eine Betätigung der allgemeinen Dankbarkeit, wie sie nie ein Deutscher gehabt hat. Seine Entlassung ist sein letztes großes Glück, seine Sühne geworden.« 

Die Zeilen spiegeln, nach bitterer Erfahrung und Ernüchterung eines Großteils der Nation, das Ergebnis einer völligen Umkehr der Situation von 1889/90 wider. Damals bildete Bismarck mit seinen Intrigen und seinem greisenhaften Festhalten an der Macht gleichsam die dunkle Folie hinter der strahlenden Figur des jungen Kaisers und dem, was er an Erwartungen heraufbeschwor. Nun, fünf Jahre danach, vergoldete er mit seiner Person eine Vergangenheit, von der viele bereits vergaßen, daß sie gar keine Zukunft mehr besessen hatte. So wurde schließlich sein Sturz bis in unsere Zeit hinein zur vielfältig umrankten Legende.

Dabei liegen für den nüchternen Betrachter auch ohne das, was seither an zusätzlichen Quellen und Details ans Licht gekommen ist, Ablauf und Charakter des Ganzen offen zutage. Mit der Vorlage des Gesetzentwurfs über die unbefristete Verlängerung des Sozialistengesetzes Ende Oktober 1889 hatte Bismarck, die Initiative an sich reißend, die Entscheidungsschlacht eröffnet. Das gilt nicht nur im Hinblick auf sein Verhältnis zum Kaiser, sondern ebenso und aufs engste damit zusammenhängend auch im Hinblick auf sein Verhältnis zu den Kartellparteien, die ihn seit 1887 trugen, deren Zusammenhalt aber immer problematischer wurde. Ganz gegen seine lang-jährige politische Praxis zeigte er, ermuntert offenbar durch die schwankende Haltung des Kaisers in der Bergarbeiterfrage, nun entschieden Flagge. Ihn leitete dabei die Erwartung, daß es ihm auf diese Weise gelingen werde, sich selber verschiedene Wege zu eröffnen und seinen Gegnern alle beschreitbaren zu verstellen.

Entweder, so seine Überlegung, das Kartell folgte ihm: Dann war jede politisch nicht links orientierte Alternative faktisch blockiert. Oder aber sein nationalliberaler Flügel versagte sich: Dann konnten die anstehenden Wahlen unter der Parole einer akuten Gefährdung der bestehenden Ordnung geführt werden. Zog diese Parole, dann würde er als Wahlsieger der Rechten politisch so gut wie unangreifbar sein. Zog sie nicht, so würde ein Mann seiner Erfahrung und Autorität für die verängstigte Rechte und für den Kaiser doppelt unentbehrlich erscheinen.

Denn mochte auch die vom Kaiser ausgegebene Devise einer Politik des sozialen Ausgleichs und einer Vermittlung der Interessengegensätze durch den Staat noch so populär und sein eigener sozialpolitischer Kurs noch so umstritten sein – die Bildung einer politisch einigermaßen homogenen Mehrheit stand im Zeichen jener Devise auf keinen Fall zu erwarten. Eine solche Devise verrate daher, so ließ Bismarck Wilhelm II. gegenüber nun immer offener durchblicken, politische Weltfremdheit. Sie spiegele ein sinnloses Haschen nach Popularität, dem mit Sicherheit in Kürze die Ernüchterung und ein Rückschlag in der öffentlichen Meinung gegen den kaiserlichen Wortführer jener Devise folgen werde. Ließ doch der Kaiser im vertrauten Kreis niemanden darüber im Zweifel, daß ein grundsätzlicher, allgemeinpolitischer Kurswechsel gar nicht beabsichtigt sei.

Zum Eklat, zum wohl »irreparablen Bruch«, wie Lucius sofort notierte, kam es, als Bismarck in der Kronratssitzung am 24. Januar 1890 die Pläne des Kaisers für ein Arbeiterschutzprogramm, die Wilhelm hier als eigene Gedanken entwickelte, als bloße Anregungen beiseiteschob. Statt dessen beharrte der Kanzler auf dem unbedingten Vorrang einer schroffen Repressionspolitik gegenüber der Sozialdemokratie.

Über die Fortdauer einer solchen Politik, über die unbegrenzte Verlängerung des Sozialistengesetzes, hatte der Reichstag am folgenden Tag zu entscheiden. Nach langwierigen Verhandlungen unter den Koalitionspartnern, bei denen die koalitionspolitische Grundsatzfrage im Mittelpunkt stand, schien inzwischen, wenn die Regierung in einem Detail, der Frage der Ausweisung sozialistischer »Agitatoren«, entgegenkam, trotz entschiedener Widerstände in den eigenen Reihen eine Mehrheit der Kartellparteien gesichert zu sein. Bismarck lehnte jedoch, im Gegensatz nicht nur zum Kaiser, sondern auch zur Mehrheit seiner Ministerkollegen, jeden Kompromiß ab. Weder war er bereit, einer Aufhebung des Ausweisungsparagraphen zuzustimmen, wie sie von der Mehrheit der Nationalliberalen gefordert wurde, noch wollte er sich auf eine vertrauliche Erklärung der Regierung einlassen, man werde, sollte der Reichstag eine solche Aufhebung von sich aus beschließen, das Gesetz daran nicht scheitern lassen.

Eine derartige Erklärung hatten die Konservativen verlangt, und Wilhelm II. schloß sich dem nachdrücklich an. Doch Bismarck erklärte ihm in der Kronratssitzung vom 24. Januar mit größter Schärfe, eine solche »Nachgiebigkeit« werde »verhängnisvolle Folgen« haben. Wenn der Kaiser, fuhr er fort, »in einer so wichtigen Frage anderer Meinung« sei, dann sei »er wohl nicht mehr recht an seinem Platz«. Werde das Gesetz nicht in der von der Regierung vorgeschlagenen Form beschlossen, so müsse man sich, damit stehe und falle er, »ohne dasselbe behelfen und die Wogen höher gehen lassen«. Ein »Zusammenstoß« sei dann allerdings nicht auszuschließen.

Wilhelm erkannte natürlich genau, in welchen Engpaß ihn sein Kanzler hineinzumanövrieren suchte. Entsprechend erregt war seine Reaktion. Er wolle, so notierte Lucius seine Antwort, »ohne den äußersten Notfall solchen Katastrophen soweit möglich durch Präventivmaßregeln vorbeugen, nicht seine ersten Regierungsjahre mit dem Blut seiner Untertanen färben«. Aber sein Versuch, eine Mehrheit des Kabinetts für seine Position zu gewinnen und Bismarck damit zu isolieren, scheiterte an dem offenkundigen Bestreben der Mehrheit der Minister, sich nicht festzulegen, bevor die Würfel endgültig gefallen schienen. In ohnmächtigem Zorn mußte der Monarch es hinnehmen, daß sich der Kanzler mit seiner starren Haltung faktisch durchsetzte. Denn er konnte und wollte es nicht riskieren, einen Sturz Bismarcks gegen die Rechte herbeizuführen, die den Kanzler in dieser Frage, was das Prinzip anging, eben doch unterstützte.

Wie vorauszusehen, führte das Ausbleiben der von den Konservativen geforderten Erklärung der Regierung am nächsten Tag dazu, daß die Vorlage eines dauernden Sozialistengesetzes durch eine höchst heterogene Mehrheit aus Deutschkonservativen, Zentrum, Freisinnigen und Sozialdemokraten abgelehnt wurde. Das Kartell war damit endgültig zerbrochen. Eine parlamentarische Mehrheitsbildung von der Rechten her war nun offenbar unmöglich geworden, der Staat und die soziale Ordnung schienen schutzlos der Bedrohung durch die äußerste Linke ausgeliefert. Und mehr noch: Es fehlte an einer brauchbaren Parole, mit der man bei den bevorstehenden Wahlen eine neue Mehrheit für die Regierung hätte mobilisieren und gewinnen können. Denn weder für ein dauerndes Sozialistengesetz noch für eine Politik des begrenzten sachlichen Entgegenkommens in der sozialen Frage ohne politische Einbeziehung der Kräfte links der Mitte stand ein entsprechendes Wählerreservoir bereit. Bismarck, dieser Eindruck mußte sich geradezu aufdrängen, hatte mit seiner Politik der absoluten Intransigenz das Land in ein Chaos, in eine Situation hineingesteuert, in der es mit parlamentarischen Mitteln im Rahmen der bestehenden Verfassung möglicherweise unregierbar sein würde. Eine ernsthafte Staatskrise war jetzt nicht mehr auszuschließen.

Die Vermutung, der Kanzler habe eine solche Krise ganz bewußt riskiert, um dann als einzig möglicher Retter in der Not zu erscheinen und praktisch unentbehrlich zu werden, lag einigermaßen nahe. Bismarck suche, so der badische Gesandte und nachmalige Staatssekretär von Marschall auf dem Höhepunkt der Krise in einem Brief an Philipp Eulenburg, den engsten Vertrauten des Kaisers, »die innere Politik statt in die Bahnen der Reform auf die Wege des Skandals, der Provokation und der Verwirrung zu leiten«. So könne, und das sei vielleicht das eigentliche Ziel, »ein Moment kommen, wo die besitzenden Klassen in dem Reichskanzler den alleinigen Retter in der Not erblicken«.

Daß sich eine solche Einschätzung förmlich aufzwang, bedrohte freilich zugleich den Erfolg des Ganzen. Nur wenn es Bismarck gelang, im Vorfeld der entscheidenden Wahlen zumindest dem Kaiser und seinem engeren Kreis gegenüber hinreichend glaubhaft zu machen, daß er selber von dem Gang der Dinge überrascht und betroffen sei, war ein Erfolg in jenem Sinne denkbar. Von hier aus findet sein scheinbares Einlenken unmittelbar nach der Reichstagsabstimmung vom 25. Januar, das damals wie später so viele verwirrte, seine ganz einfache Erklärung. Es sollte einzig und allein seinen guten Willen demonstrieren. Es sollte jeden Verdacht einer bewußten Steuerung und der

Manipulation von einer Entwicklung abwehren, die er mit einiger Sicherheit voraussah und insgeheim weiter begünstigte.

Bereits am 26. Januar erklärte er im preußischen Staatsministerium, in abrupter Abkehr von seiner schroffen Haltung im Kronrat zwei Tage zuvor, er wolle die vom Kaiser angekündigte Sozialpolitik nun doch mitmachen. Vielleicht sei wirklich etwas daran und im übrigen müsse man »sich mit dem Monarchen einrichten wie mit dem Wetter«, an dem man ja auch nichts ändern könne. Und um jeden Zweifel an seinem Meinungswandel auszuräumen, verzichtete er zugunsten des Freiherrn von Berlepsch, des in der praktischen Politik erfahrensten sozialpolitischen Beraters des Kaisers, auf die Leitung des Handelsministeriums. Darüber hinaus überraschte er seine Ministerkollegen mit der Ankündigung, er gedenke sich in Bälde sogar ganz auf das Auswärtige Amt, also auf die Leitung der Außenpolitik, zurückzuziehen und alle seine preußischen Ämter aufzugeben; ins Auge gefaßt war der 20. Februar, der Tag der Reichstagswahlen. Eifrig arbeitete er in den nächsten Tagen an der Redaktion zweier kaiserlicher Erlasse mit, in denen Wilhelm die neue Sozialpolitik plakativ und publikumswirksam anzukündigen gedachte.

Allerdings entzog er sich unter recht fadenscheinigen Vorwänden dann doch der Gegenzeichnung dieser Erlasse, die am 5. Februar veröffentlicht wurden. Außerdem hielt er im diplomatischen Verkehr nicht nur mit deutschen, sondern auch mit ausländischen Gesandten mit seiner Kritik an Einzelheiten des Arbeiterschutzprogramms nicht hinter dem Berg. Das Ganze müsse man eigentlich »Arbeiterzwangsgesetze nennen«, da sie den Arbeiter hinderten, seine Arbeitskraft nach Belieben einzusetzen, erklärte er dem sächsischen Gesandten Graf Hohenthal. Im übrigen sei »die soziale Frage nicht mit Rosenwasser zu lösen, hierzu gehöre Blut und Eisen«.

Aber das mochten der Kaiser und sein Kreis als bloße Begleiterscheinungen des Sichfügens und Nachgebens sowie als Versuche interpretieren, das Gesicht zu wahren. Denn Bismarck betonte weiterhin seine Bereitschaft, sich aus der inneren Politik zurückzuziehen. Mit dem General Caprivi brachte er sogar schon den Namen eines möglichen Nachfolgers ins Gespräch. Es war eine maßlose Übertreibung, die, ständig und dazu oft noch verkürzt zitiert, die damalige Situation in ein ganz falsches Licht rückt, wenn der französische Botschafter Herbette aus einem Gespräch mit dem Kanzler am 10. Februar, in dem dieser seine Skepsis gegenüber dem von Wilhelm II. entwickelten Plan einer internationalen Arbeiterschutzkonferenz in Berlin formuliert hatte, den Schluß zog: »Der Kanzler hat unzweideutig gegen die Ansichten seines Souveräns Stellung genommen.« Die Anregung, einer von der Schweiz schon länger vorgeschlagenen Konferenz über den gleichen Gegenstand in Bern den Vorzug zu geben, konnte man auch als den Versuch interpretieren, seinen Monarchen auf diplomatischem Weg vor den unübersehbaren innen- wie außenpolitischen Problemen einer solchen Konferenz zu bewahren.

Bismarck war zweifellos weder so unbeherrscht noch so kurzsichtig, ausgerechnet den diplomatischen Vertreter Frankreichs ins Vertrauen zu ziehen. Es ist auch nicht einsichtig, für welches Spiel er ihn hätte benutzen wollen. Dem Kaiser durch geschicktes Ausnutzen der Situation keinen anderen Ausweg zu lassen, als an ihm als Kanzler festzuhalten, war eine Sache. Eine direkte Auseinandersetzung und Machtprobe mit ihm zu suchen, war eine ganz andere. Eine solche Auseinandersetzung wäre bei der traditionellen wie verfassungsmäßigen Machtstellung des preußisch-deutschen Monarchen ein völlig unsinniges Unterfangen gewesen. Es hätte in letzter, gar nicht denkbarer Konsequenz auf einen Sturz der Dynastie der Hohenzollern hinauslaufen müssen. Sinn hatte lediglich eine Politik, die Wilhelm II. vor Augen führte, daß – bei allem guten Willen des Kanzlers, den kaiserlichen Vorschlägen im Rahmen des überhaupt nur Möglichen zu folgen – unter dem Zwang der Verhältnisse und einer nicht zu steuernden Entwicklung eben doch nur der eine Weg gangbar sei: der der Machtprobe und der offenen Konfrontation einschließlich der Bereitschaft zum Staatsstreich.

Eine solche Politik hat Bismarck im Vorfeld der entscheidenden Wahlen vom 20. Februar konsequent verfolgt bis hin zu dem Punkt, daß er sich, auch hier gegen sein ursprüngliches Votum, bereiterklärte, für eine neuerliche große Heeresvorlage unter Preisgabe des Septennats einzutreten und dafür innenpolitisch zur Verfügung zu stehen. Daß eine derartige Vorlage im Reichstag so oder so auf große Widerstände stoßen würde, war vorauszusehen. Sie würde also die zu erwartenden Schwierigkeiten mit dem Parlament, wie immer es zusammengesetzt sein würde, noch zusätzlich steigern. Doch für Bismarck ging es nicht um die Frage der Realisierbarkeit und um die zu erwartenden Konsequenzen. Es ging für ihn allein darum, dem Kaiser Bereitwilligkeit und guten Willen zu demonstrieren in der sicheren Erwartung, daß die Praxis, angesichts der realen Kräftekonstellation und der inneren Widersprüchlichkeit des kaiserlichen Programms, ganz anders aussehen, daß sie ihn erneut zum Herren der Situation machen werde.

So empfand er das Ergebnis der Reichstagswahlen vom 20. Februar nicht etwa als den Anfang vom Ende, sondern als geradezu willkommenen Beweis dafür, wohin eine unklare und in sich widersprüchliche Politik zu führen drohte: zur Auflösung aller irgend denkbaren parlamentarischen Grundlagen und damit zur Blockierung aller politischen Möglichkeiten – es sei denn, man entschloß sich zu einer Politik der starken Hand am Rande, wenn nicht jenseits der Verfassung.

An eine Wiederherstellung des Kartells, ganz gleich mit welcher politischen Gewichtsverteilung, war nun nicht mehr zu denken. Seine beiden tragenden Säulen, Freikonservative und Nationalliberale, waren praktisch zusammengebrochen. Mit jeweils weniger als der Hälfte der bisherigen Sitze erzielten beide Parteien das schlechteste Ergebnis ihrer Geschichte. Sie sanken wieder, wie 1881, unter die Mandatszahl der inzwischen in der Deutsch-Freisinnigen Partei vereinigten linksliberalen Gruppen. Diese erholten sich von ihrem Einbruch im Jahr 1887 vollständig und erreichten mit sechsundsechzig Sitzen das Ergebnis von 1884. Vor allem aber: Die Sozialdemokraten schnellten von elf auf fünfunddreißig Mandate empor. Dabei war jedermann bewußt, daß nur die immer ungerechter werdende Wahlkreiseinteilung und die Bedingungen des absoluten Mehrheitswahlrechts sowie Koalitionen fast aller anderen politischen Gruppen gegen sie einen politischen Erdrutsch im Parlament zu ihren Gunsten verhindert hatten. Die Sozialdemokratie wurde mit fast zwanzig Prozent zur wählerstärksten Partei des Reiches überhaupt. Sie überflügelte sogar das Zentrum, das mit einhundertundsechs Sitzen seinen größten Wahlsieg feierte und politisch jetzt schlechterdings unentbehrlich wurde.

Letzteres hatte Bismarck mit ziemlicher Sicherheit vorausgesehen. Seine eigentliche Sorge war, daß Zentrum und Deutschkonservative, zumal unter dem enorm verschärften Druck von links, an ihm vorbei zueinanderfinden könnten. In diesem Sinne wies er Wilhelm II. noch am Wahltag in einem Immediatbericht auf eine besonders leidenschaftlich geführte Wahlauseinandersetzung zwischen Zentrum und Konservativen in einem westfälischen Wahlkreis hin. Die »Erscheinung«, so bemerkte er dazu, sei »von besonderem politischen Interesse«, »weil in ihr das Bestreben der von Windthorst geleiteten demokratischen und welfischen Elemente des Zentrums zutage tritt, die konservativen Katholiken aus dem Zentrum zu verdrängen und die Fraktion zu demokratisieren«. Man habe hier nicht davor zurückgescheut, den konservativen Kandidaten und bisherigen Abgeordneten mit dem Vorwurf zu »diskreditieren«, »daß er für Septennat, Sozialistengesetz, Invaliditätsgesetz und Bewilligungen für Heer und Marine gestimmt« habe.

Eine Regierungskoalition mit dem Zentrum heiße, so der Schluß, den der Kaiser daraus ziehen sollte, dem politischen und sozialen Umsturz Schleichwege zu eröffnen. Was bleibe, sei daher nur noch, das war der Grundtenor aller Äußerungen Bismarcks in den folgenden Tagen, eine vom Reichstag und den Parteien weitgehend unabhängige Politik der Eindämmung nicht nur gegenüber der so mächtig herandrängenden Sozialdemokratie, sondern gegenüber allen Kräften, die sich nicht ganz klar und vorbehaltlos zur Regierung und ihrem neu zu formulierenden Programm bekannten.

Über dieses Programm hat Bismarck sich mit dem Kaiser, der einerseits unter dem Schock des Wahlausgangs stand, andererseits von seinem Regierungschef mit größtem Geschick behandelt wurde, bereits wenige Tage später in den wichtigsten Grundzügen verständigt. Neben das Arbeiterschutzprogramm, für das sich Bismarck mit aller Kraft einzusetzen versprach, sollte ein verschärftes Sozialistengesetz mit der Möglichkeit treten, »sozialistische Agitatoren« nicht nur ihres Wohnorts, sondern auch des Landes zu verweisen, sie formell auszubürgern. Außerdem sollte die Heeresvorlage bewußt zum Prüfstein der Reichstreue und Kooperationsbereitschaft der Parteien gemacht werden.

Damit schien sich auch der neue Kaiser unter dem Druck einer offenbar völlig verfahrenen parlamentarischen Lage wieder eindeutig hinter den Kanzler gestellt zu haben. Dieser tat seinerseits alles, um dem Ganzen den Anschein zu geben, er, der Kanzler, habe sich jetzt dem kaiserlichen Willen, insbesondere in der dem Monarchen so sehr am Herzen liegenden Frage des Arbeiterschutzes, endgültig unterworfen. Zwar machte er fast gleichzeitig, am 24. Februar, den für das Arbeiterschutzprogramm speziell zuständigen neuen Handelsminister von Berlepsch auf eine Kabinettsorder Friedrich Wilhelms IV. aufmerksam, wonach der preußische Ministerpräsident in alle direkten amtlichen Kontakte zwischen dem Monarchen und seinen Ministern mit Ausnahme derjenigen zwischen Krone und Kriegsminister einzuschalten sei. Aber er gab dem Ganzen eine durchaus unverfängliche, ja, vom Kaiser her gesehen positive Begründung. Es gehe einzig und allein darum, das in der gegenwärtigen Lage so unentbehrliche enge Einvernehmen und die kontinuierliche Zusammenarbeit zwischen Kaiser und Kanzler zu sichern und die einheitliche Ausführung des kaiserlichen Willens zu gewährleisten.

Man konnte es freilich auch ganz anders deuten. Man konnte darin den Versuch des politisch weit Erfahreneren und Überlegenen sehen, den jungen Kaiser an die Kandare eines einmal beschlossenen Programms und einer auf den Regierungschef eingeschworenen Kabinettsmehrheit zu nehmen und politische Alleingänge, wirksame und wirkungsvolle Eigeninitiativen zu blockieren. Diese Deutung machte sich Wilhelm II. rasch zu eigen. Er stilisierte das Ganze, nachdem Bismarck in einer Kabinettssitzung am 2. März auch die übrigen Minister an die Kabinettsorder erinnert und sie ihnen am 4. März in Abschrift hatte übersenden lassen, mehr und mehr zu einem Attentat auf seine königlichen und kaiserlichen Rechte, ja, auf das monarchische Prinzip schlechthin. »Diejenigen, welche sich Mir ... entgegenstellen«, erklärte er am 5. März in einer Tischrede beim Festbankett des brandenburgischen Provinzial-Landtages martialisch, »zerschmettere ich.« Schließlich verlangte er ultimativ die Zustimmung Bismarcks zur Aufhebung der Order und erzwang auf diese Weise, da die Weigerung vorauszusehen war, schließlich dessen Rücktrittsgesuch.

Der Streit um die Kabinettsorder war allerdings nicht Ursache, sondern Folge, äußerer Ausdruck der immer rascheren Auflösung des am 25. Februar scheinbar erzielten Einvernehmens in sachlicher wie in persönlicher Hinsicht. Dessen Voraussetzung war von seiten des Kaisers die Annahme gewesen, daß Bismarck mit seinen Voraussagen und Einschätzungen offenbar recht gehabt hatte und der Staat ohne ihn unregierbar zu werden drohte. Eine Trennung von ihm konnte daher zu einem den Monarchen selber aufs höchste belastenden Fiasko werden. Jene Annahme hatte sich jedoch in den folgenden Tagen in einer Fülle von Gesprächen und mit Blick auf die Reaktionen in der Presse mehr und mehr aufgelöst. Das Land drohte nicht ohne, sondern durch Bismarck unregierbar zu werden – das war der Eindruck, der sich nicht zuletzt auch aus den Äußerungen der verschiedenen Parteiführer ergab.

In Reaktion auf den Wahlausgang bildete sich in der öffentlichen Meinung sowie in und zwischen den Parteien eine Art negative Koalition derjenigen, die sich durch die verwirrenden Schachzüge und den hemmungslosen Machiavellismus des Kanzlers in der einen oder anderen Form bedroht fühlten. Diese Koalition drängte darauf, aus der völligen Unberechenbarkeit der Entwicklungen und Verhältnisse endlich herauszukommen. Sie setzte zugleich in immer stärkerem Maße auf den Kaiser, der sich seinerseits nur allzu willig von ihr drängen ließ. Es war geradezu eine Ironie der Geschichte, daß von allen parteipolitischen Kräften es zum Schluß nur noch die Fraktionsführung der Zentrumspartei unter Windthorst war, die sich hinter den Kulissen für ein Verbleiben Bismarcks im Amt aussprach. Dies freilich beschleunigte, als der Kanzler es sich zunutze machen wollte und mit Windthorst Verhandlungen aufnahm, nur noch seinen Sturz.

Bismarck kann sich schwerlich einem Zweifel hingegeben haben, welches Risiko er mit seinem höchst ungewöhnlichen Schritt einging. Sein Versuch, das Zentrum zum Kristallisationskern einer neuen Mitte-Rechts-Koalition unter seiner Führung zu machen, war daher auch kaum mehr als eine Art Verzweiflungsakt. Windthorst sah die Dinge sehr klar, wenn er nach der von Bleichröder vermittelten Unterredung mit Bismarck am 12. März erklärte: »Ich komme von dem politischen Sterbebette eines großen Mannes.«

Allerdings hatte es überraschend lange gedauert, bis Bismarck erkannte, was sich hinter seinem Rücken zusammenbraute. Alle Anzeichen sprechen dafür, daß er nach der Besprechung mit Wilhelm II. am 25. Februar noch recht optimistisch war. Er glaubte offenbar, zwar nicht in der Sache – hier war die Situation in der Tat äußerst verfahren –, wohl aber hinsichtlich seiner Person und der Gefährdung seiner Stellung vorerst einigermaßen über den Berg zu sein.

In der Sitzung des preußischen Staatsministeriums vom 2. März entwickelte er, ganz offenkundig getragen von der Überzeugung voller kaiserlicher Rückendeckung, eine Art Stufenplan, wie dem Reichstag und den widerstrebenden parlamentarisch-parteipolitischen Kräften zu begegnen sein werde. »Zunächst« würden die Arbeiterschutzgesetze, »dann die Militärvorlagen einzubringen sein« und »erst später«, nach einer Klärung der Fronten über diese Fragen, das Sozialistengesetz – »und zwar letzteres in verschärfter Form«. Neben der »Befugnis zur Verbannung« müsse es »verschärfte Strafbestimmungen für die Arbeiter« enthalten, »welche andere zum Streiken zwingen wollen«. Zeige der Reichstag »fortgesetzte Opposition« – der

Protokollant hatte zunächst, sicher wortgetreu, notiert: »Renitenz«, was Bismarck dann nachträglich eigenhändig korrigierte –, so sei eine ganze Reihe von Maßnahmen denkbar. Man könne damit beginnen, den Reichstag durch Boykottierung der Regierungsbank politisch lahmzulegen; theoretisch könnten dort ganz untergeordnete Beamte als Bundesratsbevollmächtigte Platz nehmen. Nütze dies und alles weitere nichts, so könne man als letztes an eine Lockerung des bestehenden Bundesverhältnisses, ja, an eine Art Auflösung und Neubegründung des Reiches denken. Dieses sei, und der Kaiser »teile diese Ansicht«, ein Bund der »Fürsten und Senate« der freien Städte und nicht der »Staaten« und also von jenen unter Umständen auch wieder auflösbar.

Das war eine eher theoretische Spekulation über äußerste Möglichkeiten. Und so verstanden es auch die Minister. Aber es verriet Bismarcks ganze Kampfentschlossenheit. Über sie fiel auch nicht ein Schatten von Resignation. Sein Auftreten strahlte vielmehr ungebrochenes Machtgefühl und das Bewußtsein aus, im Kaiser abermals einen festen Rückhalt gefunden zu haben. In diesem Sinne stimmten die Minister wenigstens dem praktischen Programm vorbehaltlos zu.

Schon zwei Tage später allerdings erwies sich Bismarcks Überzeugung, der Kaiser könne jetzt gar nicht anders, als ihn zu stützen, als pure Illusion. Am 4. März befahl ihm Wilhelm II., auf die Vorlage eines verschärften Sozialistengesetzes zu verzichten. Das ganze Unternehmen sei, echote er die Argumente von Bismarcks Gegnern auch auf der Rechten, eine »ganz nutzlose Provokation der Wähler« und drohe zudem die Arbeiterschutzgesetzgebung zu gefährden.

Damit war das gesamte Programm einer genau dosierten Mischung von Repressionspolitik und eng begrenztem sachlichen Entgegenkommen gegenüber der Arbeiterschaft hinfällig geworden, ein Programm, das, ungeachtet der sachlichen Divergenzen im einzelnen, im Prinzip noch ganz auf der Linie der bisherigen Bismarckschen Politik lag. Der Staat, so mußte es Bismarck vorkommen, sollte auf Geheiß des Monarchen nicht nur einlenken, sondern regelrecht kapitulieren, sich von seiner ganzen bisherigen Politik lossagen – und dies unter dem Eindruck der dramatischen Wahlerfolge der Sozialdemokratie.

Statt jedoch, wie der Kaiser zweifellos erwartete, dagegen leidenschaftlich zu protestieren und, wie am 24. Januar im Kronrat, seinen Rücktritt zumindest in Aussicht zu stellen, erklärte sich der Kanzler auch damit einverstanden. Angesichts des gegebenen Kräfteverhältnisses und der Grundpositionen im neuen Reichstag, so ohne Frage seine Überlegung, sei ein Konflikt mit dem Parlament auf Dauer doch unvermeidlich. Deswegen könne er auch diese neuerliche Schwenkung des Kaisers mitmachen.

Aber gerade dieses allzu offenkundige Kalkül brachte ihn endgültig und unter entwürdigenden Umständen um seine Stellung. Wilhelm war wohl unsicher, schwankend, anlehnungsbedürftig und eitel. Doch er war der Macht gegenüber noch nicht völlig zynisch. So fühlte er sich nun sozusagen moralisch gerechtfertigt, entschlossen zu handeln. Dieser Mann hatte, der Eindruck drängte sich ihm förmlich auf, gar keine Grundsätze, er verfolgte überhaupt keine klare politische Linie mehr, sondern orientierte sich nur noch an seinem eigenen Machtinteresse. Er war eine Gefahr – für den Staat, für jede weitere Entwicklung und möglicherweise auch für ihn, den Kaiser, persönlich. Spätestens von nun an war Wilhelm II. fest entschlossen, Bismarcks Rücktritt zu erzwingen. Jetzt konnte er sich sagen, daß nicht eigener Machthunger und Geltungsdrang, sondern die Sorge um den Staat und die Zukunft des Reiches ihn leiteten.

Der Kanzler, nun bald fünfundsiebzigjährig, wollte freilich nicht einsehen, daß das Spiel verloren war, daß die Überlegung, wie es ohne ihn weitergehen solle, für ihn keinen Schutzschild mehr darstellte. »Weg mit ihm!« wurde jetzt fast zur allgemeinen Devise. Sein Versuch, mit dem Zentrum anzuknüpfen, hat jene Stimmung bei den übrigen Parteien nur noch verstärkt.

Im Rückblick hat Bismarck von einer Art catilinarischer Verschwörung gegen ihn, zumal aus dem Kreis der ihm Vertrauten und von ihm vielfach Begünstigten, gesprochen. Und wie eine wachsende Zahl von Zeitgenossen, so sind ihm hierin auch viele Historiker gefolgt und haben das im einzelnen zu belegen versucht. In Wahrheit aber handelte es sich in der Mehrzahl der Fälle um so etwas wie politische Sterbehilfe. Das Ende war beschlossene und nahezu allgemein akzeptierte Sache. Es ging praktisch nur noch darum, es zu erleichtern und zu beschleunigen, Schluß zu machen mit dem, was vielen bloß noch als »eine nationale Kalamität« erschien, wie sich der konservative Parteiführer Otto von Helldorf dem Kaiser gegenüber ausgedrückt haben soll.

Gleiches galt für die Empfehlung, die Helldorf und der liberal gesinnte badische Großherzog Friedrich I. dem Kaiser hinsichtlich der geplanten Militärvorlage gaben. Natürlich richtete sich der Vorschlag, ihren Inhalt von vornherein mit den Parteien abzustimmen und sich durch weitgehende Kompromißbereitschaft eine Mehrheit zu sichern, gegen den Konfliktkurs des Kanzlers. Und natürlich war er darauf berechnet, Bismarcks Stellung vollends unhaltbar zu machen und ihn zum Rücktritt zu zwingen. Aber als Wilhelm II. Bismarck am 15. März diesen Vorschlag als seinen eigenen Willen unterbreitete, war dies kein Ergebnis einer eigenständigen Aktion. Es war vielmehr ein vom Kaiser ergriffenes Mittel zum Zweck. Zumindest von seiten des Großherzogs zielte es zudem bereits auf die Zeit nach Bismarck, suchte den Kaiser seinerseits über die Art, wie sich der Sturz des Kanzlers vollzog, politisch festzulegen.

Das war überhaupt in diesem letzten Akt das eigentlich Entscheidende. Es ging, noch bevor der Vorhang gefallen war, wesentlich nur noch um das neue

Stück, das auf jener Bühne gespielt werden sollte. In diesem Sinne meldeten sich nun auch die Kritiker der Bismarckschen Außen-, vor allem seiner Rußlandpolitik, verstärkt zu Wort, einer Politik, über deren weiteren Kurs mit der anstehenden Verlängerung des Rückversicherungsvertrags die Entscheidung anstand. Auch hier handelte es sich eigentlich nur noch darum, über den Sturz des Kanzlers die Weichen für die Zukunft zu stellen, und nicht etwa darum, diesen Sturz überhaupt erst herbeizuführen. Bismarcks Entlassung war bereits definitiv beschlossene Sache, als der Generalstabschef Graf Waldersee, gestützt auf Konsularberichte aus Kiew über Truppenverschiebungen an der russischen Südwestgrenze, Alarm schlug. Es war, zumal Bismarck selber ihm die fraglichen Berichte zugeleitet hatte, von seiten Wilhelms der reine Theaterdonner, wenn er dem Kanzler am 17. März in einem offenen Handschreiben vorwarf, er habe es versäumt, ihn »schon längst auf die furchtbar drohende Gefahr aufmerksam« zu machen: »Es ist die höchste Zeit, die Österreicher zu warnen und Gegenmaßregeln zu treffen.«

Daß am gleichen Tag der russische Botschafter Graf Schuwalow bei Bismarck vorgesprochen und eine Vollmacht zu Verhandlungen über eine Verlängerung des Rückversicherungsvertrags präsentiert hatte, daß der Kanzler damit die Haltlosigkeit der Vorwürfe einigermaßen überzeugend nachweisen konnte – all das spielte lediglich insofern eine Rolle, als sich Wilhelm II. in Reaktion darauf zusätzlich gegen die bisherige Politik gegenüber Rußland festlegte.

Sein endgültiger Entschluß in dieser Beziehung war allerdings wohl bereits in dem Augenblick gefallen, als ihm Bismarck am Ende des dramatischen Zusammenstoßes vom 15. März Geheimberichte aus London zu lesen gegeben hatte, in denen von höchst abfälligen Bemerkungen des Zaren über seinen kaiserlichen Neffen die Rede war: »C'est un garçon mal élevé et de mauvaise foi«, sollte Alexander III. danach erklärt haben. Das war Bismarcks eher kleinliche Antwort auf einen Auftritt gewesen, bei dem Wilhelm dem Kanzler mit Imperatorengeste selbständige Verhandlungen mit den Parteiführern verboten, seine Zustimmung zur Aufhebung der Kabinettsorder von 1852 verlangt und ihm eröffnet hatte, er gedenke sich mit dem neuen Reichstag auch über die Militärvorlagen zu arrangieren. Damit hatte der Kaiser das Tischtuch endgültig zerschnitten, und etwas anderes als der Rücktritt war jetzt nicht mehr möglich gewesen – Bismarcks spontane Reaktion, die Übergabe der Geheimberichte, symbolisierte gleichsam die Unheilbarkeit des Bruchs.

Nun wortlos seinen Hut zu nehmen, das hätte vielleicht Bismarcks augenblicklicher Stimmung entsprochen. Aber es hätte sein zähes Ringen um die Macht, bei dem er Demütigungen und vielen längst unverständlich gewordene Kompromisse nicht gescheut hatte, endgültig ins Zwielicht gerückt. Jetzt galt es, das Ganze zu stilisieren und sich auf diese Weise vielleicht sogar die Basis für eine Rückkehr zur Macht zu schaffen, wie weit ab ein solcher Gedanke im

Moment auch liegen mochte. Er ließ sich dabei durch die Ungeduld des Kaisers nicht drängen, der zweimal, die demütigende Form der Entlassung unterstreichend, das Rücktrittsgesuch anmahnte. Vielmehr verwandte er auf dieses letzte große Dokument seiner bald vierzigjährigen Amtszeit im Dienst des preußischen und dann zugleich des deutschen Staates alles, was ihm an politischem Gespür und taktischem Geschick, an Konzentration und an Formgefühl zu Gebot stand.

Von allen innenpolitischen Streitfragen in der Sache kühn abstrahierend, stellte er in dem Schreiben an Wilhelm II., das schließlich am 18. März 1890 um acht Uhr abends abging, zunächst einmal die formale Frage der Kabinettsorder von 1852 ganz ins Zentrum. Hierbei handle es sich, so ausgerechnet Bismarck, der eben noch mit dem Gedanken eines Staatsstreiches gegen den Reichstag gespielt hatte, um entscheidende Grundvoraussetzungen des Verfassungsstaats schlechthin: »In der absoluten Monarchie war eine Bestimmung, wie die Order von 1852 sie enthält, entbehrlich und würde es auch heute sein, wenn wir zum Absolutismus, ohne ministerielle Verantwortlichkeit, zurückkehrten.« Wolle man hingegen an dieser ministeriellen Verantwortlichkeit, »wie sie das Wesen des Verfassungslebens bildet«, festhalten, so könne man darauf unter keinen Umständen verzichten. Nur sie garantiere »in dem Staatsministerium und in dessen Beziehungen zum Monarchen diejenige Einheit und Stetigkeit«, ohne die ein geordnetes Zusammenwirken in den Bahnen des Verfassungsstaats schlechterdings nicht möglich sei.

Es gehe dem Kaiser, wie seine Forderung nach Aufhebung der Order deutlich mache, also gar nicht um irgendwelche sachlichen Divergenzen. Es gehe ihm um die Rückkehr zu einem neoabsolutistischen System, bei der er, Bismarck, als Garant der bestehenden, verfassungsmäßig verankerten Ordnung im Weg sei. Und im Weg sei er offenkundig auch, fuhr der Kanzler fort, auf dem Gebiet der Außenpolitik, genauer, der Politik gegenüber dem Zarenreich. Hier verlange man von ihm, »alle die für das Deutsche Reich wichtigen Erfolge in Frage« zu stellen, »welche unsere auswärtige Politik seit Jahrzehnten im Sinne der beiden Hochseligen Vorgänger Ew. Majestät in unseren Beziehungen zu Rußland unter ungünstigen Verhältnissen erlangt hat und deren über Erwarten große Bedeutung für die Gegenwart und Zukunft Graf Schuwalow mir nach seiner Rückkehr von Petersburg soeben bestätigt hat«.

Auch hier also, das war der unausgesprochene Vorwurf, sei man im Begriff, eine Abenteurerpolitik zu beginnen, für die er – und da sprach immerhin der erfahrenste und erfolgreichste Außenpolitiker der letzten beiden Menschenalter – gleichfalls die Verantwortung nicht übernehmen könne. Beides, die Tendenz zum Neoabsolutismus und eine Außenpolitik des unabschätzbaren Risikos, stehe, zu diesem Schluß mußte jeder Leser kommen, in einem inneren Zusammenhang. Es spiegele die Abkehr von allem wider, was, ungeachtet aller leidenschaftlichen Auseinandersetzungen, die jetzt zu Ende gehende geschichtliche Epoche ausgezeichnet habe: Stetigkeit, Maß, Festhalten an Bewährtem, weitgehende Garantie der bestehenden Institutionen und Rechtsverhältnisse, Sicherheit im Rahmen des Möglichen. Von der Wirklichkeit des Augenblicks und nicht nur von ihr wurde das alles kaum gedeckt. Aber es enthielt in sich den Keim zu einer Legende, die sich, von Bismarck bis zu seinem Tod in jeder denkbaren Weise gepflegt, immer üppiger emporrankte, je mehr die Politik des Kaisers und seiner wechselnden Regierungen ins Kreuzfeuer widerstrebender, in sich sehr unterschiedlicher Zielvorstellungen und Interessen geriet. So wie sich der Kaiser an die Spitze einer negativen Koalition gestellt hatte, um Bismarck zu stürzen, so suchte jetzt auch dieser eine negative Koalition für sich zu mobilisieren.

Erfolgreich ist er damit, was seine Person betraf, nicht gewesen. Aber er hat dem Reich, seiner »Schöpfung«, wie er nun mit wachsender Ungeniertheit verkündete, eine Hypothek aufgeladen, von der es sich bis zu seinem Ende niemals wirklich zu befreien vermochte. Es war die Hypothek einer Legende, die die Vergangenheit in eine Art bengalisches Licht rückte, in dem die Realitäten verschwanden und in dem die Menschen sich ihren sehr verschiedenartigen Träumen hingeben konnten.

Zur Bildung dieser Legende haben freilich Bismarcks unmittelbare Nachfolger und vor allem Wilhelm II. selbst ihr gerütteltes Maß beigetragen. Sie erst erlaubten es dem gestürzten Kanzler, aus den Schatten seiner eigenen Politik herauszutreten, die im letzten Jahrzehnt seiner Amtszeit immer länger geworden waren. Sie erst erlaubten es ihm, sein Werk und seine Politik in stets neuen Anläufen zu stilisieren, so wie er es schon mit seinem Rücktrittsgesuch vom 18. März begonnen hatte.

Manches, was er im Rückblick und in unversöhnlicher Kritik an seinen Erben formulierte, enthält für die Deutung und Bewertung seines Werkes bleibende Einsichten. Doch insgesamt tritt hier das Untergründige seiner Existenz beherrschender denn je hervor: der unbedingte Wille zur Macht und zur Selbstbestätigung, der das eigene Werk niemals getrennt von der eigenen Person zu sehen vermochte, ihm gleichsam niemals Eigenständigkeit zuerkannte.

Die Größe der Resignation, zum Verzicht, aber auch zur Versöhnung – sie fehlte Bismarck ganz. Und er hat für sein Teil alles getan, um seine Nachfolger, und sei es auch nur, wie bei Caprivi, in Abwehr und distanzierender Auseinandersetzung, in den Bahnen des Alten, des Abgelebten zu halten, dem Reich die Zukunft zu verstellen. Als er am Spätnachmittag des 29. März 1890, zum Herzog von Lauenburg und Generalobersten der Kavallerie im Rang eines Generalfeldmarschalls ernannt, mit großem Bahnhof, »einem Leichenbegängnis erster Klasse«, wie er selber es spöttisch nannte, Berlin verließ, um endgültig nach Friedrichsruh überzusiedeln, da endete keine Epoche. Da begann vielmehr in mancher Hinsicht eine Existenz in ihrem Schatten, eine lange und quälende Auseinandersetzung darüber, wo man diesem Erbe verpflichtet sei und wo man entschlossen darüber hinausschreiten müsse, welche positiven Traditionen es trotz allem enthalte und an welchen Punkten entschiedene Abkehr allein Zukunft verbürge.

Diese Auseinandersetzung ist unter wechselnden Vorzeichen über Jahrzehnte geführt worden und unbeschadet aller scheinbaren Distanz in manchen Punkten bis heute nicht zur Ruhe gekommen. Noch immer scheint das Selbstbewußtsein der Nation durch die äußere Gestalt der Reichsgründung von 1871 bestimmt zu sein. Noch immer scheinen Verhaltensweisen, Institutionen, das Eigenverständnis von Parteien, sozialen Gruppen und gesellschaftlichen Verbindungen aller Art durch die Traditionen des Bismarckreiches, wenngleich in vielfältigen Brechungen, wesentlich mitgeprägt zu sein. Die Geschichtswissenschaft konzentriert sich nach wie vor, heute sogar vielfach in besonders leidenschaftlicher Form, gerade auf diese Epoche. Sie vermag sich, trotz oft vehementer Distanzierung, nur selten dazu durchzuringen, jene Ära für historisch abgeschlossen zu erklären.

Auf diese Weise ist Bismarck als politische Figur zugleich der Mann geblieben, der für die Deutschen wie für die Welt, und sei es in kritischer Distanz, wie sie heute sicher überwiegt, die Nation in der Phase repräsentiert, in der sie ihre moderne historische Identität gewann. Für ein solches Einswerden mit der Nation hat Bismarck selber, im Interesse der fortdauernden Rückbindung seines Werkes an seine Person und an seinen Willen, in seinen letzten Lebensjahren ebenso hart wie zielbewußt gearbeitet. Und man kann sagen, daß der Erfolg in dieser Hinsicht sein letzter und vielleicht größter Triumph gewesen ist.

Es war mit Sicherheit aber auch sein verhängnisvollster. Denn er zwang die Nation zusätzlich in Kontinuitäten des Denkens, des Verhaltens, der Anschauungen, der Frontstellungen und der Vorurteile, in Kontinuitäten der historischen Selbst- und Welteinschätzung, die je länger, je mehr einer nüchternen Standortbestimmung und Zukunftsorientierung im Weg standen. Der »Schaden« der Bismarckschen Epoche, so zog der Althistoriker Theodor Mommsen am Ende seines langen Lebens aus der Sicht des Zeitgenossen resignierend Bilanz, sei »unendlich viel größer« gewesen »als ihr Nutzen«: »Die Gewinne an Macht waren Werte, die bei dem nächsten Sturme der Weltgeschichte wieder verlorengehen; aber die Knechtung der deutschen Persönlichkeit, des deutschen Geistes, war ein Verhängnis, das nicht mehr gutgemacht werden kann.«

Das Reich, so wie Bismarck es geschaffen habe, hieß das, habe nicht nur die geschichtlichen Möglichkeiten der deutschen Nation verengt. Es habe die Nation selber verformt und sich damit in seinen negativen Konsequenzen gleichsam verewigt. Im gleichen Sinne sprach Ludwig Bamberger einmal von den »Verwüstungen, welche das Bismarcksche System im Geiste und in der Gesetzgebung des Landes anrichtete«. Daran ist sicher viel Richtiges. Aber das Urteil Mommsens unterschätzte doch, im Bann des geschichtlichen Kontinuitätsdenkens des ausgehenden 19. und beginnenden 20. Jahrhunderts, die Macht neuerlich grundlegend veränderter historischer Umstände. Anders und konkreter gesagt: Wie vollständig »die Gewinne an Macht« bei »dem nächsten Sturme der Weltgeschichte« wieder verlorengingen, das konnte selbst Mommsen sich nicht vorstellen und so auch nicht die Wirkung, die das auf Dauer haben mußte.

Diese Wirkung ist allerdings nur zögernd eingetreten, nicht zuletzt weil ihre Ursache, schmerzlich empfunden, wesentlich negativer Natur war, also in Verlusten aller Art bestand, darunter auch dem der nationalen Einheit. Sie wurde begleitet von tiefgreifenden Orientierungskrisen, von denen niemand weiß, ob sie schon endgültig überwunden sind. Aber daß sie sich schließlich durchsetzen wird, daran kann, angesichts der völlig veränderten Realitäten in allen Lebensbereichen, kein Zweifel sein. Allein von hier aus, im Sinne des bewußten Abschieds von einer Epoche, ist ein abschließendes Urteil über die Person und über das Werk des Mannes möglich, der in seinen letzten Lebensjahren noch einmal alle Kraft und alle Leidenschaft aufwandte, um einen solchen Abschied zu verhindern.

# Der Schatten der Vergangenheit

Acht Jahre hat Bismarck seinen Sturz überlebt, und »überlebt« ist hier in der Tat, jenseits der bloßen Formel, der richtige Ausdruck. Nichts hatte er einst so gefürchtet wie das moderne »Berufsmenschentum«, wie Max Weber es nennen sollte, die Aufzehrung der eigenen Existenz durch die bloße Funktion, das Aufgehen im Amt und dessen Aufgaben, selbst in einem solchen Amt und solchen Aufgaben. Nun jedoch gestand er, es habe sich auch an ihm erwiesen – die Lebensantriebe, die Leidenschaften seien wie Forellen in einem Teich: »Eine frißt die andere auf, bis nur mehr eine dicke alte Forelle übrig bleibt. Bei mir hat im Laufe der Zeit die Leidenschaft zur Politik alle anderen Leidenschaften aufgefressen.«

»Kanzler ohne Amt« lautet der Titel einer vor kurzem erschienenen umfangreichen Untersuchung über die letzten Lebensjahre Bismarcks. Das war vom Autor positiv gemeint, enthielt die These, Bismarck sei auch nach seiner Entlassung eine der Schlüsselfiguren der deutschen Politik geblieben. Es umschreibt jedoch zunächst einmal nur sehr exakt die Lebenssituation und die Selbsteinschätzung des Gestürzten und darüber hinaus das Bestreben, soviel an Einfluß und über ihn an realer Macht zu behaupten, wie überhaupt möglich war. Das war mehr, als man nach seinem Tod vielfach angenommen hat. Doch es war nicht nur viel weniger, als er selber erstrebte. Es war auch weniger, als seine Gegner befürchteten und seine Umgebung ihm vorzumachen suchte.

Gerade die Diskrepanz zwischen dem ungebrochenen, ja, eher noch verstärkten Machtstreben und der Wirklichkeit, eine Diskrepanz, die dieser große Realist sich nie wirklich zu verhehlen vermochte, bezeichnete nicht nur die innere Tragik seiner letzten Lebensjahre, sondern auch den Charakter all dessen, was er unternahm. »Noch hat niemand so gegen den eigenen Ruhm ›gewütet‹ wie dieser Mann«, urteilte im Hinblick darauf der Baseler Historiker Jacob Burckhardt schon Ende September 1890. »Die rein geschichtliche Betrachtung seines Wesens«, fuhr er fort, »ist nun durch ihn selber von aller Pietät dispensiert.« Und Theodor Fontane echote drei Jahre später: »Das ewige sich auf den Waisenknaben und Biedermaier hin Ausspielen ist gräßlich, und man muß sich immer wieder all das Riesengroße zurückrufen, was er genialisch zusammengemogelt hat, um durch diese von den krassesten Widersprüchen getragenen Mogeleien nicht abgestoßen zu werden. Er ist die denkbar interessanteste Figur. Ich kenne keine interessantere; aber dieser beständige Hang, die Menschen zu betrügen, dies vollendete Schlaubergertum ist mir eigentlich widerwärtig.«

Die Vergangenheit so zurechtzubiegen, wie es den eigenen augenblicklichen Zielen entsprach, war schon immer Bismarcks Art gewesen. Beides unterstellte er auch allen anderen Menschen, einschließlich den Historikern, deren Wissenschaft er von daher gründlich verachtete. Aber nun trat es eben doch in ganz anderer Weise hervor, wurde, in Ermangelung anderer Mittel, zum Kampfinstrument schlechthin. Die Vergangenheit und das Riesenmaß desjenigen, der sie im Entscheidenden geformt und bestimmt habe – das war die Waffe, die er gegen seine Gegenwart einsetzte, die sich ihm entwunden hatte und weiter zu entwinden drohte, die ihn ohnmächtig sein ließ und ohne Zukunft. Mit ihr schlug er auf seine großen und kleinen Erben ein. Sie wurden fast durch die Bank als ebenso unfähig wie intrigant dargestellt – angefangen von langjährigen Ministern wie Boetticher und vertrauten Mitarbeitern wie Holstein über den neuen Staatssekretär im Auswärtigen Amt Marschall und den Kabinettschef von Lucanus bis hin zu all jenen, von denen er vergeblich gehofft hatte, daß sie ihre Karriere einer angeblichen Dankespflicht ihm gegenüber opfern würden. Und mit dieser Waffe bedrohte und verfolgte er jeden, der sich erdreistete, politisch anderer Meinung zu sein als der »Reichsgründer«.

Ein Reich kann immer nur mit den gleichen Mitteln erhalten werden, mit denen es begründet wurde – so stand es schon bei Tacitus zu lesen. Zwar hütete sich Bismarck, die Stelle zu zitieren: Der Zusammenhang war kaum geeignet, ein sehr positives Licht auf seine Schöpfung zu werfen; er rückte ihre Zukunft in eine eher düstere Perspektive. Aber die darin enthaltene allgemeine Einsicht entsprach ganz seinen speziellen Zielen. Nur er verfüge über das entsprechende Wissen. Nur er kenne die »Arcana imperii«, die geheimen Mittel, mit denen das Reich erhalten und zu neuen Erfolgen geführt werden könne. Politik, so unterstrich er gerade jetzt immer wieder, ist keine Wissenschaft, nicht eigentlich abschaubar und erlernbar, gar auf eingängige Formeln zu bringen. Politik ist eine Kunst und als solche im wirklich Großen an die je spezifische Individualität gebunden, an den großen Einzelnen. Wo aber sei dieser unter dem Pygmäengeschlecht seiner Erben und Nachfolger zu finden? »Ich bin der dicke Schatten, der zwischen ihm und der Ruhmessonne steht«, höhnte er über Wilhelm II. Und über das neue Kabinett: »Die Persönlichkeiten der jetzigen Minister sind so dünn..., daß die Person des Monarchen immer hindurchscheint.«

Was im Zeichen der Glorifizierung des großen Mannes, seines Genies und seiner Einmaligkeit nach 1890 zutage trat und bald vielfach groteske Formen annahm, zu einem förmlichen Bismarck-Kult entartete, war, wie wir heute wissen, zu einem ganz wesentlichen Teil Bismarcks eigenes Werk. Schon sehr früh hatte er die ständig wachsende Bedeutung der veröffentlichten Meinung, der Presse, erkannt und virtuos mit diesem Instrument umzugehen gelernt. Sogleich nach seiner Entlassung, nach dem Verlust eines großen Teils der bisherigen, an das Amt gebundenen Pressekanäle, baute er daher ein förmliches Propagandanetz auf mit den »Hamburger Nachrichten« und deren leitendem politischen Redakteur Hermann Hofmann im Mittelpunkt. Gestützt auf den ihm unbedingt ergebenen Rudolf Chrysander, der sich als sein Privatsekretär in diesen Jahren fast zu Schanden arbeitete, und auf eine Reihe von publizistischen Mitarbeitern mit Moritz Busch, Heinrich von Poschinger und Horst Kohl an der Spitze, fütterte er die Öffentlichkeit ununterbrochen mit politischen Stellungnahmen, historischen Rückblicken und vor allem mit einer Art Hofberichterstattung. Letztere sollte mit immer neuen Einzelheiten, Anekdoten und Lebensweisheiten nicht nur das Interesse an dem »großen alten Mann im Sachsenwald« aufrechterhalten, sondern jedermann die Einmaligkeit seiner Existenz vor Augen führen.

Der Erfolg zeigte sich nicht allein in einem ständigen Strom von Besuchern und Huldigungsadressen, in wahren Volksaufläufen, sobald er einmal Friedrichsruh verließ, in einer wachsenden Idolisierung des Mannes und seines Werkes bis hinein in die ernstzunehmende und nicht direkt abhängige Publizistik und Geschichtsschreibung. Er zeigte sich vor allem auch in der zunehmenden Sorge seiner Gegner und Erben, Bismarck könne versuchen, das, was ihm hier an öffentlichem Ansehen und Einfluß zuwuchs, in konkrete politische Macht umzusetzen, etwa indem er an die Spitze einer neuartigen plebiszitären Bewegung trat, die ihn und das, was er als die Verpflichtung aus seinem Werk erklärte, zu ihrem Programm erhob.

Solche Sorge bestand nicht nur im Kreis der Regierung und der engsten Umgebung des Kaisers. Wilhelm II. erwog gelegentlich allen Ernstes, Bismarck wegen »Hochverrats« den Prozeß machen zu lassen, und erklärte wiederholt, wenn der ehemalige Kanzler so weiter mache, werde er »doch noch eines Tages in Spandau endigen«. Sie erhob sich auch im Lager der etablierten Parteien und ihrer Führungsgruppen. Als sich Bismarck nach anfänglichem Zögern im März 1891 entschloß, eine ihm im Wahlkreis Hannover-Lehe von dem dortigen örtlichen nationalliberalen Wahlkomitee angetragene Kandidatur für eine Reichstagsnachwahl anzunehmen, da glaubte mancher darin bereits den Auftakt für eine derartige Entwicklung zu sehen.

Ob Bismarck selber mit solchen Gedanken gespielt hat, steht dahin. Auch in diesem Fall dürfte der mögliche Erfolg sein Kompaß für alle weiteren Entscheidungen gewesen sein. Und dieser Erfolg blieb praktisch aus. Im ersten Wahlgang erreichte er, bei geringer Wahlbeteiligung, lediglich dreiundvierzig Prozent der Stimmen, und bei der erforderlichen Stichwahl am

30. April 1891 erhielt sein sozialdemokratischer Gegenkandidat immer noch mehr als ein Drittel – und das in Rudolf von Bennigsens altem Wahlkreis, den dieser und seine Nachfolger stets mit klaren Mehrheiten erobert hatten. Bismarck hat denn auch sein Mandat nie wahrgenommen und jede neue Kandidatur abgelehnt. Doch zunächst war er gewählter Reichstagsabgeordneter. Und niemand wußte, ob er nicht plötzlich, in einer parlamentarischen Konfliktsituation,»wie Banquos Geist an Macbeths Tisch« in Berlin erscheinen und versuchen werde, den Reichstag zu seinem politischen Forum zu machen. Das verschaffte allem, was in der von Friedrichsruh»inspirierten« Presse, insbesondere in den »Hamburger Nachrichten«, zu innen- oder außenpolitischen Streitfragen verlautete, ein noch größeres Echo. Es verstärkte bei Anhängern wie Gegnern den Eindruck, Bismarck sei und bleibe auch ohne Amt ein politischer Machtfaktor ersten Ranges.

Nur hieraus erklärt sich die geradezu hysterische Reaktion der Reichsregierung wie auch des Kaisers, als bekannt wurde, der ehemalige Kanzler plane, zur späten Hochzeit seines ältesten Sohnes Herbert mit der ungarischen Gräfin Marguerite Hoyos nach Wien zu reisen und bei der Hinfahrt in Dresden, bei der Rückfahrt in München Station zu machen. Von einer »politischen Demonstration der Dynastie Bismarck« war die Rede, von einem »Rattenkönig von Intrige«: Eine Audienz am österreichischen Kaiserhof, so Wilhelm II. warnend an Franz Joseph, sei als »Hauptnummer« eines auf die Sensationslust und Neugierde der blöden Massen berechneten »Schwindels« geplant.

Natürlich war Bismarck gespannt, wie man ihn hier wie dort empfangen werde. Und natürlich beabsichtigte er, an allen drei Höfen um Audienz einzukommen. Das verstand sich bei einem Mann, der zwei Jahrzehnte an der Spitze des Reiches gestanden und den unmittelbaren Kontakt zu den verschiedenen Fürstenhäusern stets gepflegt hatte, fast von selbst. Auch kann man ohne weiteres annehmen, daß er das Ganze zugleich als eine Art Test seiner Popularität ansah. Ebenso klar scheint jedoch nach allem, was wir heute wissen, zu sein, daß er damit keine unmittelbaren und konkreten politischen Pläne verfolgte.

Eben derartiges aber vermutete insbesondere der ewig mißtrauische Friedrich von Holstein, der seit 1886 als dienstältester der Vortragenden Räte praktisch Leiter der politischen Abteilung des Auswärtigen Amts war und seit Jahren zu den zentralen Figuren der deutschen Außenpolitik zählte. Er war in vielem ein ebenso gelehriger wie bedenkenloser Schüler des ehemaligen Kanzlers. Allerdings stand er, bei aller kritischen Distanz, noch ganz im Bann seiner Persönlichkeit und auch seiner nachträglichen »Selbststilisierungen« zum stets souverän Planenden und Handelnden. Er war daher geneigt, in ihm eine Art Übermachiavellisten zu sehen. So ging er mit Sicherheit davon aus, hinter der Kanzler-Reise stecke ein großer Coup. Bismarck, so Holstein, wolle den Kaiser auf diese Weise zum Einlenken und zur Versöhnung zwingen, indem er ihm vor Augen führe, wie sehr alle Welt einschließlich des Oberhaupts des engsten deutschen Verbündeten und einschließlich der ersten der deutschen Fürsten auf einen solchen Schritt wartete. Damit könne bereits, angesichts der wachsenden Kritik an der Politik des »Neuen Kurses«, die Bahn betreten sein, die schließlich zu einer Rückkehr des alten Kanzlers in sein Amt führen werde.

Das war fern jeder Realität. Aber das ständige Drängen Holsteins tat seine Wirkung, zumal es sich mit der Sorge Wilhelms II. und seines Regierungschefs verband, Bismarck werde, fast wie ein Monarch empfangen und behandelt, überall versuchen, die Autorität und das Ansehen des jungen Kaisers und seiner neuen Regierung weiter zu untergraben. Am 9. Juni 1892 wies Caprivi in einem schon bald unter dem Namen »Uriasbrief« bekanntgewordenen Erlaß den deutschen Botschafter in Wien, den Fürsten Reuß, an, Bismarck seitens der Botschaft bei seinem Besuch ostentativ die kalte Schulter zu zeigen und einer möglichen Einladung zu der Hochzeit aus dem Weg zu gehen. Und am 12. Juni wandte sich Wilhelm selber an Franz Joseph mit der Bitte, »mir nicht die Lage im Lande zu erschweren, indem Du den ungehorsamen Untertan empfängst, ehe er nicht sich mir genähert und peccavi gesagt hat«. Ähnliche Bitten und Anweisungen gingen nach Dresden und München. Sie erreichten zwar äußerlich ihr Ziel. Doch beschwor man damit gerade das herauf, was man hatte vermeiden wollen.

Nun gestaltete sich die Reise zu einer einzigen großen Demonstration und Sympathiekundgebung für Bismarck und zu einer Manifestation der Kritik an der kleinlichen Haltung des Kaisers und seiner Regierung. Diese Manifestation zielte vielerorts auf die Politik und die politischen Ansprüche des neuen Regimes insgesamt – so etwa in München, wo Wilhelm II. sich ein knappes Jahr zuvor mit dem markigen Spruch ins Goldene Buch der Stadt eingetragen hatte: Suprema lex regis voluntas, des Königs Wille ist das oberste Gesetz. Daß er das in einem Land getan hatte, in dem der König geisteskrank war und durch einen Prinzregenten vertreten werden mußte, war besonders pikant gewesen.

Bismarck selber griff den Fehdehandschuh sogleich auf. In einem sofort überall verbreiteten Interview, das er am letzten Tag seines Wien-Aufenthalts der »Neuen Freien Presse« gab, bedankte er sich für die überaus freundliche Aufnahme durch die Wiener Bevölkerung. Diese habe offenbar das von interessierter deutscher Seite verbreitete Gerede über seine angeblich anti-österreichische Haltung so ernst genommen, wie es genommen zu werden verdiene. Er sei natürlich stets bemüht gewesen, die deutschen Interessen zu wahren; hierauf gründe seine Kritik an dem deutsch-österreichischen Handelsvertrag der Regierung Caprivi, der dies nicht tue. Auch habe er immer enge Beziehungen sowohl zu Österreich als auch zu Rußland zu unterhalten versucht. Gerade hier sei jedoch das deutsche Interesse weitgehend identisch mit dem österreichischen. Das verkenne die jetzige deutsche Regierung bei ihrer angeblich so proösterreichischen Rußland-Politik. Er könne dies, und das war der Kern des ganzen Interviews, auch in aller Öffentlichkeit sagen. Denn er habe »gar keine persönlichen Verpflichtungen mehr gegen die jetzigen Persönlichkeiten und gegen meinen Nachfolger. Alle Brücken sind abgebrochen.« Für ihn gehe es also nur noch um die Bewahrung seines Erbes, das verspielt zu werden drohe.

Im gleichen Interview hatte er zwar die Möglichkeit einer Rückkehr ins Amt ausgeschlossen – »das ist ganz aussichtslos« –, aber offengelassen, ob er nicht doch über kurz oder lang im Reichstag erscheinen und dort »die Regierungen en visière angreifen« werde, »gewissermaßen als Chef der Opposition«. Vielleicht, so hieß das, komme er doch wieder, diesmal nicht von oben, als Vertrauensmann, Ratgeber und kampfentschlossener Verteidiger der Krone, sondern von unten, als erfolgreicher parlamentarischer Oppositionsführer.

Dies schien freilich selbst seinen besorgtesten Gegnern je länger, je weniger eine wirklich ernstzunehmende Gefahr zu sein. So hysterisch ein Holstein zunächst auf die Perspektive einer erzwungenen Versöhnung zwischen dem Kaiser und dem ehemaligen Kanzler reagiert hatte, so nüchtern schätzten er und andere im weiteren die Chancen Bismarcks ein, eine parlamentarische Führungsstellung zu erringen. Und das nicht nur aufgrund der Haltung der Mehrheit der etablierten Parteien und ihrer Führer.

Was hatte, diese Frage stellte sich immer nachdrücklicher, Bismarck denn noch konkret zu bieten? Was war über die vergangenheitsorientierte Kritik hinaus sein Programm? Womit konnte er die Menschen, jenseits der letztlich unpolitischen, quasi kultischen Verehrung, die man ihm nun vielerorts, die eigene Vergangenheit, die eigene Jugend feiernd, entgegenbrachte, positiv mitreißen? Mit seinen außenpolitischen Zielen? Hier predigte er immer wieder nur das eine: Selbstbescheidung, Zurückhaltung, Zufriedenheit mit dem Erreichten, das bedroht genug sei, Festhalten an den bisherigen Bündnispartnern, insbesondere an Rußland, von dessen Haltung gegenüber dem Reich alle Zukunft abhänge. Es gehe zuerst und vor allem anderen um die Sicherheit dessen, »was wir mühsam unter dem bedrohenden ... Gewehranschlag des übrigen Europa ins Trockene gebracht haben«. Nichts sei gefährlicher, als die Rolle eines Mannes zu spielen, »der plötzlich zu Geld gekommen ist und nun, auf die Taler in seiner Tasche pochend, jedermann anrempelt«. Und innenpolitisch? Ging da etwa von ihm eine stärkere Dynamik aus, vermochte er da Zukunftserwartungen und schöpferische Phantasien auf sich zu ziehen und zu mobilisieren, seine von vielen geteilte Kritik an den etablierten Parteien und an dem Leerlauf des politischen »Betriebs« inhaltlich zu füllen? Ganz sicher nicht. Auch da überwog das starre Festhalten an Positionen, die für ihn während seiner Amtszeit durchaus nicht tabu gewesen waren.

Das zeigte sich vor allem an seinem Verhältnis zu den wirtschaftlichen Problemen der Zeit. Hier wurde er nun ganz einseitig zum Wortführer der materiellen Interessen der Landwirtschaft, sprich in erster Linie des grundbesitzenden Adels, die er nur noch in einem ausgedehnten Schutzzollsystem und der möglichst weitgehenden Stillegung der Konkurrenz garantiert sah. Für die Strukturwandlungen der Volkswirtschaft im Zeichen eines stürmisch voranschreitenden industriewirtschaftlichen Wachstums, für die von seinem Nachfolger Caprivi klar erkannte Notwendigkeit, neue Märkte zu erschließen und dafür entsprechende Konzessionen zu machen, bewies er kaum noch Verständnis. Das alles war nicht mehr seine Welt, und mit der bewußten Abwendung von ihr ging die wachsende Unfähigkeit einher, diese Welt nüchtern und unvoreingenommen zu erfassen.

Besonders deutlich wird dies an seiner Einstellung zu den politischen Gewichtsverschiebungen, die sich im Gefolge jener Entwicklung ankündigten. Nach wie vor sah er in der Sozialdemokratie einen Haufen »raub- und mordsüchtiger Feinde«, der nur darauf aus sei, »der bürgerlichen Gesellschaft den Hals abzuschneiden«. Ihr wahlpolitischer Erfolg gründe sich in der Hauptsache auf Protestwähler, auf Leute, die »mit ihrer Wahl nur beweisen« wollten, »daß sie unzufrieden seien«. Ja, seine Äußerungen übertrafen jetzt an Hemmungslosigkeit und Brutalität alles, was aus seiner Amtszeit überliefert ist. »Sie sind die Ratten im Lande und sollten vertilgt werden«, erklärte er im Sommer 1893 einem amerikanischen Journalisten. Und in einem von ihm als authentische Meinungsäußerung eigenhändig korrigierten Brief Chrysanders an Maximilian Harden, den vielleicht einflußreichsten deutschen Publizisten der Zeit, hieß es Ende 1894: »Seine Durchlaucht« sehen »in dem Staate und der Menschheit ein Aggregat vieler Individuen . . ., von denen einige gesund, andere gemeinschädlich, das heißt ansteckend infiziert sind. Letzere unschädlich zu machen, wird das pflichtmäßige Bestreben der Verteidiger staatlicher Ordnung sein; nötigenfalls ist dies durch Ausschaltung der leitenden Infektionsträger zu erreichen, deren Zahl nicht bedeutend ist.«

Wer, so Bismarck, in der Sozialdemokratie eine normale, wenn auch extreme politische Partei und Interessenvertretung sehe, der schleife ein trojanisches Pferd in die belagerte Festung der bürgerlichen Gesellschaft. Und das gleiche tue derjenige, der an einen inneren Wandlungsprozeß zumindest von Teilen der Partei glaube. Das alles sei nur ein »abgekartetes Spiel mit verteilten Rollen und im voraus bestimmten Seitensprüngen«. Im August 1897 schließlich, elf Monate vor seinem Tod, verstieg sich der zweiundachtzigjährige zu dem Satz: »Die soziale Frage hätte einst durch Polizeimittel gelöst werden können, jetzt wird man militärische anwenden müssen.« Hier sprengten Haß und Unverständnis gegenüber den Gegnern der bestehenden sozialen Ordnung endgültig alle Grenzen und verschlossen jede auch nur halbwegs realistische Zukunftsperspektive.

Aber nicht nur die Vertreter der Sozialdemokratie, auch der Linksliberalismus und die große Mehrheit des Zentrums blieben für ihn Staats- und Reichsfeinde. Sie blieben in seinen Augen potentielle Zerstörer all dessen, wofür er, alle dramatischen Veränderungen der vergangenen Jahrzehnte kühn beiseitesetzend, jetzt vorgab, immer gekämpft zu haben. Sie bedrohten angeblich das, was er beschwörend die »innere Ordnung« des Reiches nannte und was doch kaum mehr als der bloße Status quo, das »Erreichte«, war.

Es sollte alles so bleiben, wie es war, hieß das. Denn das, was war, zu seiner Amtszeit war, war gut, jedenfalls erheblich besser als das, was der »Neue Kurs« erstrebte. Daher, so dozierte er, müsse man alle Kräfte stärken, die sich der Allmacht der Zentralregierung und einer immer weiter um sich greifenden, änderungswütigen Bürokratie mit einem unbesonnenen, macht- und prestigehungrigen Kaiser an der Spitze entgegenzustellen imstande seien – darunter auch den Reichstag. »Ich habe mit dem Reichstag jahrzehntelang aufs Blut gekämpft«, erklärte er den Wandel seiner Anschauungen in einer Ansprache in Kissingen im Juli 1892, »aber ich sehe, daß diese Institution sich gerade im Kampfe mit Kaiser Wilhelm I. und mir abgeschwächt hat ... Als ich Minister wurde, war die Krone bedrängt, der König war entmutigt, weil die Minister ihm ihren Beistand versagten, und wollte abdizieren. Da habe ich gestrebt, die Krone gegenüber dem Parlament zu stärken. Vielleicht habe ich dabei zuviel getan. Wir brauchen ein Gegengewicht, und die freie Kritik halte ich für die monarchische Regierung für unentbehrlich, sonst verfällt sie dem Absolutismus der Beamten. Es sind heutzutage nicht die Monarchen, welche absolut regieren, sondern die Bürokraten.« Er sei, ließ er auch im persönlichen Gespräch wiederholt verlauten, stets »nur für das Gleichgewicht der beiden verfassungsmäßigen Gewalten, Krone und Parlament, eingetreten. Dieses Gleichgewicht war früher zum Nachteil des Königtums gestört, jetzt ist das Gleiche zum Nachteil des Parlaments der Fall.« Und schließlich, ganz ins Allgemeine gewendet, in seinem Memoirenwerk: »Mir hat immer als Ideal eine monarchische Gewalt vorgeschwebt, welche durch eine unabhängige, nach meiner Meinung ständische oder berufsgenossenschaftliche Landesvertretung soweit kontrolliert wäre, daß Monarch oder Parlament den bestehenden gesetzlichen Rechtszustand nicht *einseitig,* sondern nur communi consensu ändern können, bei Öffentlichkeit und öffentlicher Kritik aller staatlichen Vorgänge durch Presse und Landtag.«

Das enthielt in klassischer Formulierung sein zentrales machtpolitisches Prinzip, das ihm über weite Strecken hin zu einer so überragenden, in vieler Augen halbdiktatorischen Machtstellung verholfen hatte: die Ausnützung eines politisch-sozialen Gleichgewichtszustands zwischen den Kräften des Alten und des Neuen, zwischen Adel und Bürgertum, zwischen »Monarchie und Volkssouveränität« in einer spezifischen und vergänglichen historischen Situation und Konstellation. Es stand somit auch in weiteren, übergreifenden

Zusammenhängen. Für den unmittelbaren Zeitgenossen freilich, der vor allem auf die aktuelle politische Konsequenz und Zielsetzung sah, enthüllten derartige Äußerungen in erster Linie die vollständige Vergangenheitsfixierung des Fürsten auch im innenpolitischen Bereich. Sie zeigten ein starres, reformfeindliches Insistieren auf dem »bestehenden gesetzlichen Rechtszustand«. Dieser wurde, bei aller sonstigen Nüchternheit, mehr und mehr idealisiert – jedenfalls in Absetzung und Konfrontation mit der Gegenwart und den Zukunftsperspektiven des »Neuen Kurses«, die beide immer wieder in den düstersten Farben beschrieben und kommentiert wurden. Und obwohl diese Sicht der Dinge vielfältigen und zunehmenden Beifall von freilich sehr unterschiedlichen und kaum zu gemeinsamer Aktion fähigen Gruppen und Kräften fand, wurden die reine Vergangenheitsorientierung und praktische Zukunftslosigkeit eines solchen Status-quo-Denkens doch vielerorts in wachsendem Maße registriert.

Schon 1891 notierte der junge Harry Graf Kessler, ein glühender Bismarck-Bewunderer wie viele der damaligen Studenten, nach einer der zahlreichen studentischen »Gruppenaudienzen«, in diesem Fall in Kissingen: »Je länger man zuhörte, um so stärker zwang sich einem die Erkenntnis auf, daß, was er sagte, sich an eine Generation wandte, die der Vergangenheit angehörte... Uns, uns Jungen, hatte er offenbar nichts zu sagen... Er bot uns jungen Deutschen als Lebenszweck ein politisches Rentnerdasein, die Verteidigung und den Genuß des Erworbenen; unser Schaffensdrang ging leer aus... Er war, wie schmerzlich in die Augen sprang, kein Anfang, sondern ein Ende, ein grandioser Schlußakkord – ein Erfüller, kein Verkünder!« Und in seiner Freiburger Antrittsvorlesung von 1895 konstatierte Max Weber: »Als er im Winter des letzten Jahres, umstrickt von der Huld seines Monarchen, in die geschmückte Reichshauptstadt einzog, da – ich weiß es wohl – gab es viele, welche so empfanden, als öffne der Sachsenwald wie ein moderner Kyffhäuser seine Tiefen. Allein nicht alle haben diese Empfindung geteilt. Denn es schien, als sei in der Luft des Januartages der kalte Hauch geschichtlicher Vergänglichkeit zu spüren. Uns überkam ein eigenartig beklemmendes Gefühl – als ob ein Geist herniederstiege aus einer großen Vergangenheit und wandelte unter einer neuen Generation durch eine ihm fremd gewordene Welt.« Die »Tragik«, so Weber, »welche seiner staatsmännischen Laufbahn neben ihrer unvergleichlichen Größe« anhafte, eine Tragik, »die sich heute noch immer dem Blick vieler« entziehe, sie werde »die Zukunft wohl darin finden, daß unter ihm das Werk seiner Hände, die Nation, der er die Einheit gab, langsam und unwiderstehlich ihre ökonomische Struktur veränderte und eine andere wurde, ein Volk, das andere Ordnungen fordern mußte als solche, die er ihm geben und denen seine cäsarische Natur sich einfügen konnte«.

Das genau war der zentrale Punkt. Selbst wenn der Kaiser und die Mehrzahl seiner Ratgeber von den Einsichten des jungen Nationalökonomen und

Soziologen weit entfernt waren und die Masse des Bürgertums den innenpolitischen Schlußfolgerungen, die Weber daraus im Sinne einer parteienstaatlich organisierten parlamentarisch-demokratischen Ordnung zog, eher skeptisch gegenüberstand – ein »Zurück zu Bismarck!« bildete keine ernstzunehmende politische Alternative mehr; das war inzwischen fast jedermann klar, bis tief hinein in den Kreis seiner glühendsten Anhänger und Bewunderer.

So war die äußerliche Versöhnung zwischen dem Kaiser und dem ehemaligen Kanzler Anfang 1894, auf die Weber anspielte, kein im eigentlichen Sinne politischer Akt, von dem eine Kurskorrektur oder gar Konsequenzen in personeller Hinsicht zu erwarten gewesen wären. Die »Versöhnung«, bei der nicht ein einziges Mal über Politik gesprochen wurde, weder über gegenwärtige noch über vergangene, setzte Bismarck im Gegenteil, indem sie ihn für nun »ungefährlich« erklärte, politisch endgültig aufs Altenteil. »Es war nicht eine Kapitulation, sondern ein Sieg über den Gegner und wird von diesem auch so empfunden«, bemerkte Graf Philipp Eulenburg ein gutes Jahr später in einem Brief an den Grafen Cuno Moltke, den Flügeladjutanten des Kaisers. Und Wilhelm selbst erklärte: »Jetzt können sie ihm Ehrenpforten in Wien und München bauen, ich bin ihm immer eine Pferdelänge voraus.«

Das Wohlverhalten, das man von ihm als Gegengabe erwartete, hat Bismarck allerdings nicht gezeigt. »Herkules schlägt wieder mit Keulen«, war eine stehende Redensart des Kreises um den Kaiser. Bis zuletzt blieb man in Berlin und andernorts darauf gefaßt, von Friedrichsruh aus Knüppel zwischen die Beine geworfen zu bekommen. Aber im Vergleich zu den ersten Jahren wurde es nun doch sehr viel ruhiger um den einstigen Kanzler. Dazu trug natürlich auch sein zunehmendes Alter bei. Hinzu kam jedoch noch etwas anderes. Bismarck sah sehr genau, daß viele, die als seine glühenden Anhänger und Bewunderer auftraten, sich seiner nur noch bedienten: die Agrarier mit dem neugegründeten »Bund der Landwirte«, Vertreter der Schwerindustrie mit Krupp und Stumm-Halberg an der Spitze, die Alldeutschen und die Kolonialenthusiasten, Kritiker des Reichszentralismus und des preußisch-kaiserlichen Machtanspruchs. Sie alle und viele andere dachten gar nicht daran, sich etwa von Friedrichsruh aus zu gemeinsamem Handeln zusammenfassen zu lassen.

Der Exkanzler wurde auf diese Weise noch zu Lebzeiten zum bloßen Aushängeschild. Er wurde, dieser bitteren Einsicht konnte er selber sich nicht verschließen, zu einer Art historischen Legitimation für Kräfte und Interessen, denen er zwar sachlich mehr oder weniger nahestand und die er einst in seiner Politik in unterschiedlichem Maße berücksichtigt hatte, die aber allesamt nicht wirklich behaupten konnten, sie und allein sie verkörperten gleichsam die Grundtendenz seiner Politik. Es waren vor allem diese »Erbstreitigkeiten«, zumal im Lager der politischen Rechten, in die sich Bismarck selber von Fall zu Fall und eher zusätzliche Verwirrung stiftend einschaltete, die 1895 zu dem im In- und Ausland vielkritisierten und sicher politisch nicht gerade weitsichtigen Beschluß des Reichstags führten, dem ehemaligen Kanzler den vom Reichstagspräsidenten vorgeschlagenen offiziellen Glückwunsch zu seinem achtzigsten Geburtstag zu verweigern. Die Mehrheit aus Zentrum, Freisinn, Sozialdemokratie und den sogenannten Protestparteien, die diesen Beschluß trug, wollte damit gegen eine bestimmte Politik und deren angebliche Erben demonstrieren. Sie verkannte jedoch, daß gerade damit keinesfalls unumstrittene Erbansprüche, etwa der Alldeutschen oder der »Kolonialschwärmer«, höchst wirkungsvoll unterstützt und gleichsam bestätigt wurden.

Kleinlich wie dieses Verhalten auch vielen zeitgenössischen Kritikern Bismarcks erschien, erwies es sich sehr rasch als Bumerang. Außerdem umgab es Kräfte mit dem Nimbus, das immer mehr verklärte Erbe der Vergangenheit zu bewahren und zu mehren, denen Bismarck selber einst durchaus skeptisch gegenübergestanden hatte und zum Teil jetzt noch gegenüberstand. Ihnen schloß sich, die Stimmung des Augenblicks benutzend, auch Wilhelm II. an. Mit »tiefster Entrüstung«, telegrafierte er nach Friedrichsruh, habe er von dem Beschluß des Reichstags Kenntnis genommen. Dieser Beschluß stehe »in vollstem Gegensatz zu Gefühlen aller deutschen Fürsten und Völker«. Er dokumentiere, so die Schlußfolgerung, auf die das Ganze zielte, die tiefe Kluft zwischen der Nation und der Mehrheit ihrer Vertreter, der Insassen des »Reichsaffenhauses«, wie Wilhelm den Reichstag in jener Zeit einmal verächtlich nannte.

Nur noch einmal ist Bismarck aus dem immer diffuser werdenden Zwielicht des Streites um sein Erbe herausgetreten, in dem die Ziele und Realitäten seiner Politik mehr und mehr verschwammen: Als er am 24. Oktober 1896 in den »Hamburger Nachrichten« das Geheimnis des Rückversicherungsvertrags, des »Drahts nach Petersburg«, von dem er seit seinem Rücktritt so oft in Andeutungen gesprochen hatte, enthüllen ließ und damit im In- und Ausland einen förmlichen Orkan entfesselte. Die Reaktionen reichten von Äußerungen, der ehemalige Kanzler habe in einem Akt der Notwehr zur Rettung seines Werks und der Zukunft Deutschlands gehandelt – so die insgesamt freilich eher betretenen unbedingten Anhänger –, bis hin zum dezidierten Vorwurf des »Landesverrats« und eines gerichtlich zu ahndenden »Staatsverbrechens«. Im besonders betroffenen Österreich sprach der Außenminister Graf Goluchowski nach Eulenburg von einem zusätzlichen Beweis, »daß Bismarck eine Kanaille ist«, was hier allerdings »alle längst« wüßten, und Franz Joseph selber von einem Zeichen »eingetretener Senilität« des »alten bösen Mann(es) in Friedrichsruh«. Die regierungstreue Berliner »Welt am Montag« ließ ihre Ausfälle im Stil der Boulevardpresse in der Bemerkung gipfeln, diese neue in der Kette der »ständigen moralischen Perversitäten« lasse sich nur auf

Bismarcks »zermorschte Nerven« und sein »greisenhaft verfallenes Gehirn«
zurückführen.

In all dem spiegelte sich der tiefe Schock darüber, wie sehr die deutsche
Außenpolitik durch diesen Akt ins Zwielicht geraten war. Und alle nachträglichen Rechtfertigungsversuche haben den auf der Hand liegenden Argumenten der Kritik immer nur das eine entgegenzustellen vermocht: Bismarcks
angeblich alles andere überwältigende Sorge um die außenpolitische Zukunft
des Reiches – als ob die rücksichtslose Aufdeckung der inneren Problematik
der deutschen Außenpolitik in der zweiten Hälfte der achtziger Jahre und die
Enthüllung des Balanceaktes, zu dem der Kanzler sich gezwungen geglaubt
hatte, klarere Verhältnisse zugunsten Deutschlands zu schaffen imstande
gewesen wären und das Vertrauen in das Reich und in seine Bündnistreue
verstärkt hätten.

Von einer solchen eher fragwürdigen Güterabwägung ist allerdings, so
scheint es heute, bei Bismarck gar nicht die Rede gewesen. Er hat offenbar, wie
eine neuere Untersuchung zeigt, die Einzelheiten seiner eigenen Vertragspo-
litik gegenüber Rußland weitgehend durcheinandergebracht; sein Sohn Herbert mußte ihm nach dem Eklat den Ablauf und die Stationen dieser Politik
schriftlich fixieren. Vor allem aber hat er die fortwirkende Brisanz des
Rückversicherungsvertrags allem Anschein nach nicht mehr richtig einzuschätzen vermocht. Im Gespräch äußerte er sein ehrliches Erstaunen über die
allgemeine Erregung, die sein Versuch hervorgerufen habe, der »unehrli-
che(n) Verleumdung« und »fortgesetzte(n) Geschichtsfälschung...«, die von
der klerikal-liberalen Presse nicht ohne Beihilfe der offiziösen... betrieben«
werde, entgegenzutreten. Franz Joseph und die »Welt am Montag« waren also
in weit stärkerem Maße auf der richtigen Spur, als sie selber ahnten: Das Alter
forderte, wie man euphemistisch zu sagen pflegt, von dem Einundachtzigjäh-
rigen seinen Tribut.

Wie so oft hingen dabei physischer Verfall und wachsender Lebensüberdruß auf das engste zusammen, ohne daß man den Anteil beider Elemente
gegeneinander aufrechnen kann. Den tiefsten Einschnitt bildete der Tod
Johannas am 27. November 1894. Ihre undifferenzierte Parteilichkeit, die
scheinbare Banalität ihrer ganzen Existenz haben ihr bei der Mehrheit der
Biographen Bismarcks ein nicht selten peinlich akzentuiertes, wegwerfend-
herablassendes Urteil eingebracht. Es scheint auch bei jenen in oft besonders
penetranter Form durch, die sie als »Lebensgefährtin« des großen Mannes zu
würdigen versuchen. Lang ist die Liste dessen, was man ihr, direkt oder
indirekt, zum Vorwurf gemacht hat. Daß die Verbindung zur Kunst und
Literatur, zur Musik und zum geistigen Leben der Zeit insgesamt so dünn
blieb, hat man ihr ebenso ins Konto geschrieben wie die Tatsache, daß im Haus
ein Stil brachialer Männlichkeit vorherrschte, der nicht selten in den Maßlo-
sigkeiten des Essens, des Trinkens, des rohen Zeitvertreibs die Grenzen des

Barbarischen streifte. Auch daß die Brutalität oft unmenschlicher Urteile und eine durch nichts zu rechtfertigende auftrumpfende Selbstgerechtigkeit sich in den Söhnen, insbesondere in Herbert, so ungehemmt zu entfalten vermochte, hat man vielfach auf sie zurückgeführt. Und das gleiche gilt im mehr Äußerlichen für die Tatsache, daß in Lebensstil und Geschmack fast ausschließlich das angeblich Zweckmäßige und die Zufälligkeiten des Angebots und der Umstände dominierten: Jahrelang hingen über den Zimmern des ehemaligen Spechtschen Hotels, in dem man seit Ende der siebziger Jahre in Friedrichsruh wohnte, noch die alten Nummern.

Manches an diesen Vorwürfen ist sicher berechtigt. Im Kern jedoch gehen sie von weitgehend irrealen Voraussetzungen aus, von einem romantisch-idealistischen Frauenideal, das man in einer ganz patriarchalischen Umwelt für lebensfähig erklärt. Johanna hätte nicht nur eine durch und durch außergewöhnliche, Bismarck in manchem überragende Persönlichkeit sein müssen. Sie hätte auch in der Stellung, in die sie durch den politischen Aufstieg ihres Mannes kam, alle Grenzen sprengen müssen, die die Zeit der Frau, praktisch jeder Frau, setzte. Nicht allein die Politik, auch Kultur und Wissenschaft, Lebensstil und Geschmack, ja, nicht zuletzt das Selbstverständnis der Frau bis hin zur Propagierung jenes romantisch-idealistischen Frauenideals, von dem als Leitbild so gern die Rede war, waren gerade in diesem Jahrhundert in einem Maße Männersache, wie sich das heute kaum noch vorstellen läßt. Und wenn Johanna eines mit ihrem Mann teilte, so seinen nüchternen, praktischen Realismus, die Fähigkeit, sich den Verhältnissen einzufügen und sich ihnen anzupassen, ihnen gerecht zu werden – freilich nicht um ihrer selbst willen, aus bloßem Opportunismus, sondern mit Blick auf ein bestimmtes Ziel. Dieses Ziel war bei Bismarck die Macht und ihre Betätigung, seine eigene und die Macht des Staates, dem er diente. Und bei Johanna? Die Antwort ist so einfach, wie ihre Formulierung in der Tradition bürgerlicher Nüchternheit gern umgangen wird, die die große Leidenschaft, die lebensbeherrschenden Bindungen entweder in den Bereich künstlerischer und literarischer Überhöhung oder aber in den Untergrund der menschlichen Natur zu verweisen pflegt. Sie lautet nichtsdestoweniger schlicht: Bismarck. Nicht im Sinne von Dienst, Ergebung, Unterordnung, obschon natürlich Elemente davon, der eigenen Erziehung und dem Geist der Zeit entsprechend, darin eingingen. Sondern in dem Sinn einer Liebe, die in dem anderen zugleich sich selbst sah und meinte. Nur von hier erschließt sich diese Existenz, das, was ihr Leben und Handeln bestimmte, was die Sinnerfüllung des Daseins ausmachte.

Und das gilt nicht nur für Johanna. Wenn Bismarck immer wieder betont hat, daß diese Verbindung seinem Leben den festen Untergrund gegeben habe, so sollte man dies so ernst nehmen, wie es gemeint war, so ernst, wie es die Kinder nahmen, von denen Herbert anläßlich einer Krankheit der Mutter 1887 einmal schrieb, durch ihren Tod würde »Papas Existenz ... vollständig gebrochen«. »Wenn sie abberufen wird, so möchte ich nicht hier bleiben«, hörten Besucher immer wieder. Johanna – das war in einem sehr konkreten Sinne der Wurzelgrund seines ganzen Daseins, einschließlich des öffentlichen. Und wer diese Verbindung im Bann einer sehr bürgerlichen, um nicht zu sagen: kleinbürgerlichen Auffassung gleichsam auf den äußeren Rahmen reduziert, den sie für beides schuf, verfehlt mit der Beziehung selber auch jene.

Der Tod Johannas stelle in seinem Leben einen noch viel tieferen Einschnitt dar als der März 1890, hieß es in einem Brief an Johannes Miquel im November 1894. Das klingt eher nüchtern-bilanzierend. Aber wer ihn kannte, wer wie Miquel wußte, was die Entlassung für ihn bedeutet hatte und wie fern ihm jede Sentimentalität lag, der spürte, was hier mit Einschnitt gemeint war und was mit der »Leere der Zukunft«, in die sich sein Blick jetzt richten müsse. »Das Leben ist ein dauernder Verbrennungsprozeß, und mein Material zur Unterhaltung der Flamme ist bald aufgebraucht« – der Satz enthüllt mehr als jede Klage. »Was mir blieb, war Johanna«, hieß es drei Wochen später in einem Brief an »Malle«, die Schwester, »der Verkehr mit ihr, die tägliche Frage des Behagens, die Betätigung der Dankbarkeit, mit der ich auf achtundvierzig Jahre zurückblicke. Und heut ist alles öde und leer... Ich schelte mich undankbar gegen so viel Liebe und Anerkennung, wie mir im Volk über Verdienst geworden ist; ich habe mich vier Jahre darüber gefreut, weil *sie* sich auch freute, wenn auch mit Zorn gegen meine Gegner, hoch und niedrig. Heut aber ist auch diese Kohle in mir verglimmt.«

»Hoffentlich nicht für immer, falls mir Gott noch Leben beschert«, hatte er hinzugefügt. Aber wenn auch die alte Streit- und Kampflust noch gelegentlich aufflammte – zum vorherrschenden Element wurden von nun an die Resignation, das Gefühl der Vereinsamung und schließlich ein wachsender Lebensüberdruß. Schwere Durchblutungsstörungen, die sich, gefördert durch zunehmende Bewegungsarmut, auf ein Bein konzentrierten und es langsam absterben ließen, führten zu zeitweise unerträglichen Schmerzen. Ohne ein darüber hinausgehendes akutes Krankheitsbild quälte er sich dem Ende entgegen. Sein langjähriger und über Jahre auch in der psychologischen Behandlung höchst erfolgreicher Arzt Schweninger verließ noch kurz vor dem Tod Friedrichsruh, weil er glaubte, es drohe keine unmittelbare Gefahr. »Gib, daß ich meine Johanna wiedersehe«, notierte die Frau Herberts das letzte Gebet des Schwiegervaters. Am Abend des 30. Juli 1898, kurz vor elf Uhr, war es vorbei.

Sein Leben, sein persönliches Dasein – der Streit um seine Person und um seine Politik jedoch, um das historische Erbe und um die Epoche, die er so wesentlich mitgestaltet und repräsentiert hatte, flammte jetzt erneut und erst recht auf. Und es mußte den Anschein haben, als ob der »Alte im Sachsenwald«, dem der Kaiser im Tod sofort demonstrativ die höchsten Ehren erwies, dies sehr bewußt vorbereitet und alles darauf hin geplant und eingerichtet hätte. Bereits am Tag der Todesnachricht ließ Moritz Busch im »Berliner Lokalanzeiger« Bismarcks von vornherein für die Öffentlichkeit formuliertes Abschiedsgesuch von 1890 erscheinen. Und Ende November kamen die beiden ersten Bände der Lebenserinnerungen unter dem doch wohl noch von ihm selbst gebilligten Titel »Gedanken und Erinnerungen« auf den Markt. Sie wurden zu einem der größten Bucherfolge des Jahrhunderts; schon in den ersten Dezembertagen waren mehr als dreihunderttausend Exemplare verkauft. Zwar war der dritte Band, in dessen Mittelpunkt die Person Wilhelms II. und die Entlassung standen, abgetrennt worden: Er erschien nach langem Tauziehen erst Ende September 1921, als der Sturz der Monarchie und die Veränderung aller Verhältnisse eine völlig neue Situation geschaffen hatten. Aber auch ohne ihn enthielt das Ganze politischen Sprengstoff genug. Und es schien unübersehbar, daß das Werk als politisches Testament konzipiert war, als ein politisches Testament, das freilich bei Lage der Dinge nicht die formellen, sondern die potentiellen Erben des ehemaligen Kanzlers ansprach und zum Handeln aufrief.

So war es in der Tat. Die »Gedanken und Erinnerungen« sind im Kern, im Entscheidenden, eine politische Streitschrift, ein Werk ungebrochener, ganz auf die Gegenwart zielender politischer Leidenschaft. Lothar Bucher, der langjährige Mitarbeiter, dem die Realisierung des Unternehmens zwischen Oktober 1890 und Dezember 1891 im wesentlichen zu verdanken ist – nach seinem Tod zehn Monate später, am 12. Oktober 1892, ist für die ursprünglich geplanten weiteren Bände keine Zeile mehr geschrieben worden –, hatte alle Hände voll zu tun gehabt, um den mit seiner Gegenwart und seinen Nachfolgern hadernden Autor wenigstens einigermaßen in den Bahnen der historischen Wahrheit zu halten. Und auch dann noch blieb das Ganze in vielen Einzelheiten, vor allem aber im Aufbau, in der Akzentuierung der Zusammenhänge, in dem, was gesagt und was nicht gesagt wurde, in den Urteilen und Bezügen alles andere als der Versuch einer historisch möglichst getreuen politischen Lebensbilanz, als ein selbstkritischer Rückblick auf seine öffentliche Existenz und auf sein Werk.

Überall ging es zunächst und in erster Linie um die Gegenwart und damit um den weiteren Gang der Dinge, um die Zukunft. An allem war Bismarck mehr interessiert als daran, etwa den eigenen Platz in der Geschichte zu bestimmen, nachfolgenden Generationen in dieser Hinsicht den Weg zu weisen. Das wäre ja gleichbedeutend gewesen mit Abschluß, Distanzierung, abschiednehmendem Rückblick, Verzicht. Nein – das Werk sollte in jeder Zeile dokumentieren, wie sehr Geschichte und politische Vernunft nach wie vor auf seiner Seite seien, daß er wie einst auch jetzt die Zukunft repräsentiere, die immer zugleich, bei allen notwendigen Veränderungen, Treue zur Vergangenheit sei.

Es macht die Kraft und Lebensfülle des Ganzen aus, die Faszination, die davon bis heute ausgeht, daß sich Bismarck nicht starr an diesen Leitgedanken hielt. Immer wieder kam er ins Erzählen und bediente sich dabei aller Farben, die ihm zur Charakteristik von Personen und Situationen wie kaum einem anderen Politiker, ja, kaum einem Schriftsteller des Jahrhunderts zur Verfügung standen. Ein Meister in der scheinbar absichtslosen Pointierung, in wohldosierten Doppeldeutigkeiten und in der Bosheit der Nebensätze, gewann er dem Entlegenen und vorgeblich Abgetanen ebenso neues Leben, neue Perspektiven und Aspekte ab wie dem Altbekannten und hundertfach Geschilderten – von den Einsichten und Erfahrungen eines langen Lebens ganz zu schweigen, die nicht selten eher nebenbei, oft nur in der Art des Zugriffs auf bestimmte Fragen und Probleme, einflossen.

Obwohl hierauf der Erfolg und fortdauernde Einfluß des Werkes sehr wesentlich mitberuhten und zugleich sein besonderer Rang in der politischen Memoirenliteratur – vom Autor selber her gesehen war das alles mehr oder weniger Beiwerk, Abschweifung oder auch historische Unterhaltung, die für das Eigentliche, für die politische Deutung, für Meinung und Programm, werben sollten. Alles wurde bestimmt von der Analyse des aktuellen politischen Parallelogramms der Kräfte, das Bismarck nach wie vor in seinem Sinne zu benutzen hoffte und das er von daher zu beeinflussen strebte.

»Pseudopolitik« hat Herbert die Aktivitäten des Vaters in dieser Hinsicht einmal verächtlich, aber nicht ganz unzutreffend genannt. Und so sind die Lebenserinnerungen denn auch in der Substanz, in den heimlichen Bezügen und eigentlichen Zielpunkten, als sie Ende 1898, in einer schon wieder wesentlich veränderten Situation, erschienen, vielfach mißverstanden worden und seither immer wieder zur Quelle neuer Mißverständnisse und Fehlinterpretationen geworden. Über seine eigene Absicht hinaus hat Bismarck auf diese Weise dazu beigetragen, daß er zum Kronzeugen unterschiedlichster politischer Kräfte wurde, ohne daß diese sich im Mit- und Gegeneinander dann so formierten, wie es ihm im Interesse seiner eigenen Ziele und Zukunftserwartungen vorgeschwebt hatte. Anders formuliert: Die Memoiren wirkten, und zwar nicht nur damals, sondern über die Jahrzehnte hinweg, politisch und historisch in höchstem Grade desorientierend. Sie waren und sind in keiner Weise geeignet, den Zugang zu einem historisch gerechten Urteil zu eröffnen. Sie beruhen auf dem Satz, daß nur eine ganz bestimmte Vergangenheit eine Zukunft habe und daß es daher im Interesse der Zukunft gelte, die Gegenwart an diese Vergangenheit zu binden.

Beides war mit Sicherheit falsch und verfehlte den besonderen Platz dieser spezifischen Vergangenheit im historischen Prozeß, einen Platz, den Bismarck andernorts, unter dem Druck bestimmter historischer Kräfte und Entscheidungssituationen durchaus, wenngleich immer nur andeutungsweise und fragmentarisch, wie es dem Handelnden eigen ist, zu bestimmen gewußt hat. Er war, so ahnte er in entscheidenden Momenten, ein Mann des Übergangs, eines säkularen politischen und gesellschaftlichen Umbruchs, eines Umbruchs, der alle bisherigen Ordnungen aus den Angeln hob und sie unbrauchbar erscheinen ließ, ohne bereits wirklich tragfähige und vor allem allgemein akzeptierte neue Ordnungen erkennen zu lassen. Dies eröffnete der kühnen Improvisation, den überraschenden Verbindungen zwischen dem Alten und dem Neuen, der Einbeziehung in sich höchst widersprüchlicher wirtschaftlicher, gesellschaftlicher und politischer Kräfte in einen neuen, wesentlich von dem eigenen Machtinteresse bestimmten Gesamtzusammenhang bisher ungeahnte Möglichkeiten – zumal wenn man den zwar noch vielerorts vorherrschenden, jedoch schon tief bedrohten Kräften des Bestehenden Sicherheit und Zukunft versprach. Aber das Ganze, das von dieser Basis aus entstand, war zugleich äußerst unstabil. Es wurde seinerseits, kaum errichtet, von jenen Kräften der Veränderung bedroht, denen es seine Entstehung, sei es in Benutzung, sei es in teilweiser Abwehr, verdankte. Diese Kräfte ließen sich eben nicht wirklich in eine mit ihrer Hilfe mehr oder weniger willkürlich gesetzte neue Ordnung bannen, die ihrer Bewegung nun plötzlich Einhalt zu gebieten suchte. Der Schöpfer dieser Ordnung wurde mit innerer Notwendigkeit zum Zauberlehrling, der die Größe seines Erfolges mit der Größe seiner Niederlage, nicht in persönlicher, aber in geschichtlicher Hinsicht, bezahlte.

Nichts, gar nichts ist von dem geblieben, was Bismarck den Kräften des Umbruchs, der revolutionären Veränderungen seiner Zeit in Widerstand und Entgegenkommen abgetrotzt hat: den kleindeutschen Nationalstaat, den Fortbestand der Macht der preußischen Krone in einem ganz neuen politisch-institutionellen Rahmen, die Sicherung der Stellung der traditionellen Eliten und ihrer materiellen Basis, die Machtposition des neues Reiches im Kreis der europäischen Mächte. Im Gegenteil: Die scheinbar so erfolgreiche Legierung zwischen Elementen des Alten und des Neuen erwies sich als täuschende Patina. Sie verdeckte nur den Korrosionsprozeß und führte zu Selbsttäuschungen aller Art, vor allem bei jenen, denen sie scheinbar neue Kraft verliehen hatte. Was zunächst so stabil, so dauerhaft und historisch eigenständig, einer besonderen geschichtlichen Entwicklung entsprechend erschien, wurde in wenigen Jahrzehnten beiseitegeschoben. Das Reich von 1871 steht heute, betrachtet man die Dinge nüchtern und ohne Wunschdenken, als extrem unstabiles und kurzlebiges historisches Gebilde vor uns.

Gerade solche scheinbar ganz illusionslose Nüchternheit kann freilich, indem sie in Abwehr von Illusionen der Vergangenheit gewissermaßen ein Gegenbild fixiert, erneut in die Irre führen. Mündet, so muß man sich fragen, eine solche Interpretation unter umgekehrten Vorzeichen letztlich nicht doch wieder in das ein, was schon damals, unter tätiger Mitwirkung des alten Bismarck, zum Klischee geworden ist: in die Vorstellung, daß das Reich über eine ganz bestimmte, genuine innere Ordnung verfügt habe und in einem ganz bestimmten außenpolitischen »System« verankert gewesen sei? Blieb nicht im Gegenteil innen- wie außenpolitisch während des Großteils der Amtszeit

Bismarcks alles in Fluß, eben gerade nicht an System und Ordnung gebunden? Verdeckt jener Befund, gleich ob bejahend oder kritisch formuliert, also nicht eher den eigentlichen Charakter des Ganzen, die tatsächliche historische Bedeutung des Mannes und seines Wirkens?

Fraglos lag diese Bedeutung zu keinem Zeitpunkt, also auch nicht im Alter, in dem angeblich oder tatsächlich Beabsichtigten. Die bewußt angestrebten Ziele waren oft eher kurzatmig und auch kurzsichtig konzipiert, dienten allein dem Machtgewinn und Machterhalt. Von ihnen ging, und das war eine der großen Schwächen dieser Reichsgründung, kaum eine werbende, integrierende oder gar mitreißende Kraft aus: Eine »Reichsidee« als zündendes Leit- und Zukunftsbild seiner Schöpfung besaß Bismarck nie; er und die Führung des Reiches konnten sie daher auch nicht vermitteln. Die Bedeutung Bismarcks liegt vielmehr darin, daß er über weite Strecken hin verbal auf die Vergangenheit, real, in seiner politischen Praxis, auf die Zukunft setzte, ihr faktisch in einem Maße zum Durchbruch verhalf, wie es die angeblichen Parteigänger dieser Zukunft wohl nie gewagt hätten; »er wußte nicht, wohin er ging, darum eben kam er am weitesten«, so hat es Maximilian Harden einmal ebenso lapidar wie scharfsinnig formuliert. Was man heute mit einer modischen Formel den Prozeß der Modernisierung einer Gesellschaft, eines Staates, einer Nation nennt, ist, bei Licht besehen, in entscheidender Weise mit seiner Person, mit seiner konkreten Politik und ihren realhistorischen Konsequenzen, verknüpft: die nationale Einheit, welche zugleich wirtschaftliche, kulturelle, rechtliche, politische und, in freilich sehr viel begrenzterem Sinne, auch soziale Einheit und vor allem Vereinheitlichung, Überführung in neue, modernere Ordnungen war; der Aufstieg und die immer weitläufigere Entfaltung der modernen Industriewirtschaft, der seine Politik rechtlich, territorial und von den innen- und außenpolitischen Rahmenbedingungen her ständig neuen Raum schuf; der Aufbau des modernen bürokratischen Interventionsstaates, der am Ende seiner Amtszeit weiter ausgebildet war als irgendwo sonst in der Welt und auf dem Gebiet der Sozial- und Wirtschaftspolitik immer stärker und bestimmender in alle Lebensverhältnisse eingriff; schließlich die Entwicklung eines rationalisierten, also weitgehend ideologieunabhängigen internationalen Systems als ordnungsstiftendes und ordnungsbewahrendes Element ersten Ranges, an dessen Gestaltung er hervorragenden Anteil hatte.

Sicher – all dies waren säkulare Vorgänge und Tendenzen, die sich, obwohl in unterschiedlichem Tempo, überall im Bereich der europäischen Zivilisation durchzusetzen begannen. Aber Bismarck hat sie mit seiner Politik, was auch immer er von Beharren und Dämmebauen sagen mochte, über weite Strecken und lange Zeit hin entscheidend vorangetrieben. Hierauf beruhte, jenseits alles Taktischen und aller Diplomatie, jenseits von Geschick und langjähriger Erfahrung, sein Erfolg. Er war über viele Jahre hin weit mehr als viele andere, scheinbar weit progressiver Gesinnte, der Mann seiner Zeit – nicht im Sinne opportunistischer Anpassung, sondern in der gesteigerten, oft atemberaubenden Nüchternheit und dem Realitätssinn desjenigen, der der Zeit, dem geschichtlichen Augenblick eine Freiheit des Handelns abzuzwingen suchte, die sie in Wahrheit nur sehr selten, in Perioden des Übergangs, der wirklich großen geschichtlichen Umbrüche, zu vergeben haben. Er sage nicht wie Ludwig XIV.: »L'Etat c'est moi!«, so hat er in späteren Jahren einmal erklärt, sondern: »Moi je suis l'Etat.«

Allerdings hatte sein Erfolg von daher auch seine scharf bezeichnete Grenze. Nicht nur in dem, was ihm möglich war und was nicht, in der konkreten Gestaltung der Verhältnisse, bei der er viel weniger frei, viel weniger souverän war, als oft dargestellt, viel öfter zu weitreichenden Kompromissen und zu Opfern ursprünglicher eigener Vorstellungen gezwungen. Sondern auch in der Zeitspanne, die ihm für ein aktives Wirken in jenem Sinne gegeben war.

Sie war sehr viel kürzer, als es seine mehr als siebenundzwanzigjährige Amtszeit zunächst als preußischer Ministerpräsident und Außenminister, dann zugleich als Reichskanzler vermuten läßt. Sie begann, nach Jahren höchst mühevoller, von vielen Rückschlägen begleiteter Etablierung in der Macht, eigentlich erst 1866. Und sie endete in vielerlei Hinsicht bereits in den späten siebziger Jahren, so gewaltig sein Machtanspruch bis zu seinem Sturz auf allen Verhältnissen lastete und so stark er auf ihre Gestaltung im einzelnen einwirkte. Von da an hat er sich in dem gelegentlich sehr klaren Bewußtsein, daß jede weitere Veränderung dem dreifachen Ziel – der Erhaltung seiner eigenen Machtstellung, der Machtstellung der preußischen Krone und des monarchischen Staates und der Machtstellung des beides umfassenden Reiches – abträglich sein werde, völlig auf das zähe Festhalten an dem einmal Erreichten konzentriert. Dabei hat er sein ganzes Geschick, seine ganze politische Erfahrung ausgespielt und sie, bei vielen unübersehbaren Mißerfolgen, über Jahre auch erfolgreich ins Feld geführt. Und obwohl die Tendenz zur bloßen Konservierung des Erreichten und zur Ablehnung tiefergreifender Veränderungen nun eindeutig dominierte, verband sich mit dem schrittweisen Ausbau des Interventionsstaates in ihrem Zeichen auch in jenen Jahren mit seiner Politik noch einmal ein säkularer Vorgang.

Doch das war in der eigentümlichen geschichtsmächtigen Bedeutung, die dies dann erlangt hat, lediglich ein Beiprodukt, ein letztlich unbeabsichtigtes Nebenergebnis. Zu geschichtlicher Wirkung ist es zudem erst gekommen, als der Interventionsstaat nicht mehr bloß konservierend, sondern aktiv in die politischen und vor allem in die wirtschaftlich-sozialen Verhältnisse eingriff – eine Entwicklung, die Bismarck selber bezeichnenderweise nach seiner Entlassung leidenschaftlich kritisiert hat.

Für ihn ging es nur um das Einfrieren einer Konstellation, die ihn und seine unmittelbaren politischen Ziele einst so sehr begünstigt hatte. Das aber war letzten Endes unmöglich. Es bedrohte, indem es die vorandrängenden Kräfte und Entwicklungstendenzen bloß noch staute, auf Dauer all das, was Bismarck an Elementen des Alten zu bewahren vermocht hatte, indem er selbst auf dem Strom der Veränderung segelte.

Einst hatte er scharfsichtig erkannt, daß bloße Reaktionspolitik die Zerstörung dessen zu beschleunigen pflegt, was sie zu erhalten wünscht. Und er hatte seine ganze Politik an dieser Erkenntnis ausgerichtet. Doch nun lenkte er selber in die Bahnen einer solchen Politik zurück – nicht weil er die Dinge mit anderen Augen betrachtete, sondern weil er auf anderen Wegen für sich selber keine Zukunft mehr sah und sie in der Tat auch nicht sehen konnte. Die Zeit des Grenzgängers zwischen den politischen und sozialen Welten, der sie je nachdem verband und trennte und in einer eher künstlichen Symbiose zu halten versuchte, war vorbei. Jene Welten verlangten mittlerweile nach direkterer, wenn man so will einseitigerer, Repräsentanz. Sie wollten nicht mehr den stets in der eigenen Person triumphierenden Vermittler, sondern den Vertreter der eigenen Klasse, des eigenen Standes, der eigenen Ideologie und Weltanschauung, des eigenen Machtinteresses. Dem hat sich Bismarck, wenngleich innerlich widerstrebend, gebeugt – die Tendenz zur Klassenpolitik ist in den achtziger Jahren unübersehbar.

Freilich brauchte er dabei aufgrund seiner verfassungsmäßigen Stellung wie seiner persönlichen Autorität nicht so weit zu gehen wie ein genuiner Parteiführer und Interessenvertreter. Gerade diese Tatsache jedoch verknüpfte die Tendenz zur Klassenpolitik in verhängnisvoller Weise mit dem aus machtpolitischen Gründen festgehaltenen Anspruch, die Staatsführung sei der natürliche Vermittler zwischen den Interessen und Parteien. Sie akzentuierte das, was Gustav Radbruch, der große Jurist der Weimarer Republik, die »Lebenslüge des Obrigkeitsstaats« nennen sollte. Und sie blockierte damit noch zusätzlich den Übergang zu neuen Formen des politisch-sozialen Ausgleichs, der sich, wie das westeuropäische Beispiel, zumal das englische, lehrte, gerade aus der Praxis unverhohlener Interessenvertretung entwickeln konnte. Denn sie identifizierte bestimmte Interessen mit der bestehenden rechtlichen und staatlichen Ordnung schlechthin und suchte von daher jede Veränderung und jede geschichtliche Bewegung stillzulegen. Stillstand, Erstarrung, zähes Festhalten am Status quo, am einmal Erreichten – das war, aufs Ganze gesehen, das Ende. Der junge Kaiser hatte, so empfanden es viele, jenseits der konkreten Streitpunkte zunächst so etwas wie das Recht der Geschichte, den Anspruch der Zukunft auf seiner Seite.

Dies auch nur begrenzt anzuerkennen, sich rückblickend vorsichtig aus den Verengungen und Erstarrungen zu lösen, in die er schließlich geraten war, und die eigene politische Existenz sowie das eigene Werk in die Perspektive der ursprünglichen Dynamik zu rücken, dazu war Bismarck, in ungebrochenem Machtwillen und völlig fixiert auf die Auseinandersetzungen der Gegenwart, bis zu seinem Tod, als Memoirenschreiber wie als ständiger Kommentator der Vergangenheit, nicht in der Lage. Es wäre freilich auch das Eingeständnis gewesen, daß er sich politisch überlebt, daß seine Politik in vieler Hinsicht in eine Sackgasse geführt habe, das Eingeständnis auch der Relativität der eigenen, schon historisch gewordenen Existenz.

Erst in dieser Relativität allerdings enthüllt sich das Eigentümliche dessen, was man historische Größe nennen mag und was zunächst historische Bedeutung meint: die spezifische Rolle eines Einzelnen in der Geschichte. Denn deren eigentlich bestimmendes Element ist nicht die Willkür, die angebliche Freiheit des erfolgreich Handelnden, sondern dessen Bindung an die Vergangenheit wie an die Zukunft. Sie erlaubt es ihm in einer ganz bestimmten historischen Situation, das bisher Unverbundene, ja, einander Feindliche in überraschenden Wendungen und in ganz neuen Formen zumindest zeit- und übergangsweise miteinander zu vereinigen.

In diesem Sinne ist fast jeder große Handelnde wie Bismarck ein konservativer Revolutionär gewesen, der der Vergangenheit Tribut zollte, ohne ihr zu verfallen, und mit der Zukunft das Element der eigenen Macht und Freiheit beschwor. Berechnen ließ sich hier nichts, und sie alle waren, wie ihre gescheiterten und heute vergessenen Konkurrenten, mehr oder weniger Spielernaturen. Was sie jedoch über ihre Zeit erhebt, in einem tieferen Sinne die Bedeutung ihres Erfolges ausmacht, ist nicht die Art, wie er im einzelnen errungen wurde. Es ist die allgemeine Tatsache, daß ihnen vielfach Mittel war, was sich den meisten Zeitgenossen als Zweck darstellte und sich historisch als bestimmende Kraft erwies. So auch bei Bismarck. Was er wollte, gehört ganz der Vergangenheit an. Die Mittel aber, die er anwandte, haben auf dem Höhepunkt seines Wirkens den historischen Prozeß zeitweise enorm beschleunigt und in stürmischem Tempo das heraufgeführt, was wir abkürzend die moderne Welt nennen. Weitgehend wider Willen ist er an entscheidender Stelle zum Mitschöpfer dieser Welt geworden – hierin liegen seine historische Größe und die Grenze, die ihm gesetzt war.

# Anhang

# Anmerkungen

## Vorbemerkung

Die Anmerkungen beschränken sich mit wenigen Ausnahmen auf den unmittelbaren Zitatnachweis. Daß ein Werk wie dieses neben dem ständigen Rückgriff auf die Quellen, gedruckte und ungedruckte, auf einer kaum noch überschaubaren Fülle von Spezialuntersuchungen, von Monographien und zusammenfassenden Darstellungen aller Art gründet, versteht sich von selbst. Der Fachmann wird die Auseinandersetzung mit den verschiedenen Interpretationen, Thesen und Kontroversen der Forschung auf Schritt und Tritt widergespiegelt finden. Dies jedoch im einzelnen nachzuweisen, hätte nicht nur zu einer sehr erheblichen Vermehrung des Umfangs geführt. Es wäre auch von der Sache her wenig sinnvoll gewesen. Der Spezialist benötigt einen solchen Nachweis nur in Ausnahmefällen. Und dem allgemein interessierten Leser ist nach aller Erfahrung an einem komplizierten wissenschaftlichen Apparat wenig gelegen. Daher begnügt sich dieser neben dem Nachweis der Zitate mit einer Quellenauswahl und einer den einzelnen Abschnitten der Darstellung folgenden Auswahlbibliographie. Mit ihrer Hilfe dürfte sich auch dem Nichtfachmann der Zugang zu intensiverer Beschäftigung mit einzelnen Fragenkomplexen und speziellen Themen relativ leicht erschließen.

## Alphabetisches Verzeichnis der Abkürzungen
(Für alle sonstigen Kurztitel vgl. das Literaturverzeichnis)

DIE AUSWÄRTIGE POLITIK PREUSSENS: Die auswärtige Politik Preußens 1858–1871, Diplomatische Aktenstücke, hrsg. von der Historischen Reichskommission, 10 Bde., München/Berlin 1933 ff.

H. VON BISMARCK, Privatkorrespondenz: Walter Bussmann (Hrsg.), Staatssekretär Graf Herbert von Bismarck, Aus seiner politischen Privatkorrespondenz, Göttingen 1964.

BISMARCK-JAHRBUCH: Horst Kohl (Hrsg.), Bismarck-Jahrbuch, 6 Bde., Berlin 1894–1899.

EYCK, Bismarck: Erich Eyck, Bismarck, 3 Bde., Erlenbach/Zürich 1941–1944.

GROSSHERZOG FRIEDRICH I. VON BADEN UND DIE REICHSPOLITIK: Walter Peter Fuchs (Hrsg.), Großherzog Friedrich I. von Baden und die Reichspolitik 1871–1907, Bd. 1 (1871–1879), Stuttgart 1968, Bd. 2 (1879–1890), Stuttgart 1975.

GROSSE POLITIK: Die Große Politik der Europäischen Kabinette, 1871–1914, Sammlung der Diplomatischen Akten des Auswärtigen Amtes, hrsg. von Johannes Lepsius, Albrecht Mendelssohn-Bartholdy, Friedrich Thimme, Berlin 1922 ff.

GW: Bismarck, Die Gesammelten Werke (sogen. Friedrichsruher Ausgabe), 15 in 19 Bdn., Berlin 1924 ff.

HATZFELDT-PAPIERE: Botschafter Paul Graf von Hatzfeldt, Nachgelassene Papiere 1838–1901, hrsg. von Gerhard Ebel, 2 Bde., Boppard 1976.

HEYDERHOFF, LIBERALISMUS: Deutscher Liberalismus im Zeitalter Bismarcks, Eine politische Briefsammlung, hrsg. von Julius Heyderhoff u. Paul Wentzcke, 2 Bde., Bonn/ Leipzig 1925/26.

HZ: Historische Zeitschrift.

HUBER, DOKUMENTE: Ernst Rudolf Huber (Hrsg.), Dokumente zur deutschen Verfassungsgeschichte, 3 Bde., Stuttgart 1961 ff.

KOHL, REDEN: Horst Kohl (Hrsg.), Die politischen Reden des Fürsten Bismarck, 13 Bde., Stuttgart/Berlin 1892–1905.

NACHLASS BISMARCK: Archiv der Familie Bismarck in Friedrichsruh.

ONCKEN, RHEINPOLITIK: Hermann Oncken, Die Rheinpolitik Kaiser Napoleons III. von 1863 bis 1870 und der Ursprung des Krieges von 1870/71, Nach den Staatsakten von Österreich, Preußen und den süddeutschen Mittelstaaten, 3 Bde., Berlin/Leipzig 1926.

POSCHINGER, WIRTSCHAFTSPOLITIK: Heinrich von Poschinger (Hrsg.), Aktenstücke zur Wirtschaftspolitik des Fürsten Bismarck, 2 Bde., Berlin 1890/91.

QUELLEN ZUR DEUTSCHEN POLITIK ÖSTERREICHS: Quellen zur deutschen Politik Österreichs 1859–1866, hrsg. von Heinrich Ritter von Srbik, 5 Bde., München/Berlin 1934 ff.

ROTHFELS, BRIEFE: Hans Rothfels (Hrsg.), Bismarck-Briefe, Göttingen 1955.

ROTHFELS, BISMARCK UND DER STAAT: Hans Rothfels, Bismarck und der Staat, Ausgewählte Dokumente, Darmstadt 1958[3].

STENOGRAPHISCHE BERICHTE: Sitzungsprotokolle des Preußischen Abgeordnetenhauses/Herrenhauses bzw. des Reichstages, zitiert jeweils mit Datum und Seite des betreffenden Protokollbandes.

TAGEBUCH DER BARONIN SPITZEMBERG: Rudolf Vierhaus (Hrsg.), Das Tagebuch der Baronin Spitzemberg geb. Freiin v. Varnbüler, Aufzeichnungen aus der Hofgesellschaft des Hohenzollernreiches, Göttingen 1976[4].

WERKE IN AUSWAHL: Otto von Bismarck, Werke in Auswahl, Jahrhundertausgabe zum 23. September 1862, hrsg. von Gustav Adolf Rein, Wilhelm Schüßler, Albert Milatz, Rudolf Buchner, 8 Bde., Darmstadt 1962 ff.

*Die »Umstände des Lebens«: der Mann und die Zeit*

S. 17   »Dies sind die großen Menschen«: G. F. W. Hegel, Vorlesungen über die Philosophie der Weltgeschichte, Sämtliche Werke, ed. J. Hoffmeister, Bd. XVIII A, 90.

S. 18   Rede vom 17. 5. 1847: Kohl, Reden 1, 8 ff.

S. 19   »Durch eine nicht deutlich genug gefaßte Äußerung«: An Johanna, 18. 5. 1847, GW 14, 89.

S. 23   Politik als »Lehre vom Möglichen«: Gespräch mit dem Journalisten Friedrich Meyer, 11. 8. 1867, GW 7, 222.

Politik als »Kunst«: So etwa zu dem Redakteur der »Hamburger Nachrichten«, H. Hofmann, in den neunziger Jahren, GW 9, 399.

# Auf der Suche nach einer Existenz

## *Zwischen zwei Welten*

S. 27   »Ich bin meinem elterlichen Hause«: GW 14, 46.

S. 28   »Rein aus Jagdneid«: 22. 9. 1870, M. Busch, Tagebuchblätter 1 (1899), 229.

»Schwäbische Familie«: Tischgespräch am 28. 9. 1870, M. Busch, Tagebuchblätter 1 (1899), 249.

S. 29   »Künstliches Spartanertum«: M. Busch, Tagebuchblätter 2 (1899), 23.

»Viel Zwang und Methode«: Ebd., 426.

»In der letzten Zeit des Bestehens«: An Wilhelm Harnisch, 16. 2. 1849, Rothfels, Briefe, 121.

S. 30   »Meine Kindheit hat man mir in der Plamannschen Anstalt«: Gespräch mit Keudell, 18. 6. 1864, R. v. Keudell, Fürst und Fürstin Bismarck (1901), 160 f.

»Meine Mutter«: Nachlaß Bismarck, A 1. In der Werkausgabe (GW 14, 65 ff.) ist der Brief, im Interesse eines »gereinigten« Bismarck-Bildes, wie manches andere, willkürlich verstümmelt. So fehlt etwa neben dem im Text zitierten »Als kleines Kind...« auch der Satz: »Ich habe mich vielleicht nirgend schwerer versündigt als gegen meine Eltern, gegen meine Mutter aber über Alles.« Vgl. auch Ch. Sempell, Unbekannte Briefstellen Bismarcks (HZ 207/1968), 609 ff.

S. 31   »Als normales Produkt unseres staatlichen Unterrichts«: GW 15, 5.

S. 33   Goethe über Heeren: Tag- und Jahreshefte 1811, Gesammelte Werke (Sophienausgabe) 36 (1893), 71.

S. 34   »Was ich etwa über auswärtige Politik dachte«: GW 15, 6.

»Ach, da bist Du wohl täglich gewesen«: Graf Alexander Keyserling, Ein Lebensbild aus seinen Briefen und Tagebüchern (1902), 542 f.

S. 35   »Extravaganz ihrer politischen Auffassungen«: GW 15, 6.

S. 36 »Mein Leben ist wirklich etwas kläglich«: An Scharlach, 18. 6. 1835, GW 14, 6.

S. 37 Schriftliche Arbeiten: Abgedr. in Bismarck-Jahrbuch 2 (1895), 3 ff.

S. 38 Er freue sich über seinen Entschluß: 21. 10. 1837, Bismarck-Jahrbuch 3 (1896), 28.

S. 39 »Wer weiß, ob ich nicht künftig bereue«: E. Marcks, Bismarcks Jugend 1815–1848 (1909[7]), 141.

»Ob ich den Winter mit meinen Angehörigen«: 30. 8. 1837, GW 14, 8 f.

»Eingetretener Umstände halber«: 7. 9. 1837, GW 14, 9.

Er »reise im Augenblick mit der Familie«: An Scharlach, 13. 9. 1837, GW 14, 11.

S. 40 Die »projektierte Verbindung«: Um den 6. 12. 1837, GW 14, 11.

Die »Prise«: An Scharlach, 9. 1. 1845, GW 14, 30.

»Es ist mir jetzt viel lieber«: 25. 1. 1838, GW 14, 12.

S. 41 »Otto hat während seines Hierseins«: E. Marcks, Bismarcks Jugend 1815–1848 (1909[7]), 153 f.

S. 42 »Ich werde daher wohl das Portefeuille des Auswärtigen«: 7. 4. 1834, GW 14, 4.

»Sie essen nicht, sie trinken nicht«: An Scharlach, 14. 11. 1833, GW 14, 3.

S. 43 Abschrift für den Vater: Beilage zu seinem Brief vom 29. 9. 1838, GW 14, 14 ff.

»Ganz enorme Summe von Schulden«: Ch. Sempell, Unbekannte Briefstellen Bismarcks (HZ 207/1968), 610; Frau Sempell gibt im übrigen nur eine Auswahl: Vor allem Hinweise auf Schulden und Liebschaften sind von den Herausgebern der Werkausgabe, in einem wissenschaftlich unhaltbaren Verfahren, durchgängig getilgt worden: s. a. oben zu S. 30.

Seiner künftigen Frau zugänglich gemacht: An Johanna, 13. 2. 1847, GW 14, 57 f.

S. 45 »Erinnerst Du Dich nicht dessen«: 25. 2. 1855, Anhang zu den Gedanken und Erinnerungen 2 (1901), 246.

Wenn er nicht an die Unsterblichkeit glaubte: An den Schwager Arnim, 16. 8. 1861, GW 14, 577.

»Ich habe manche Stunde trostloser Niedergeschlagenheit«: GW 14, 47.

S. 46 »Von der Täuschung über das arkadische Glück«: An Johanna, 13. 2. 1847, GW 14, 58.

Schuldenlast enorm: An Johanna, 13. 2. 1847, Ch. Sempell, Unbekannte Briefstellen Bismarcks (HZ 207/1968), 613 (auch diese Stelle wurde von den Herausgebern der Werkausgabe getilgt).

S. 47 Durch »Intrigen gelang«: An Scharlach, 9. 1. 1845, GW 14, 31.

»Gekränkte Eitelkeit«: An Johanna, 13. 2. 1847, Ch. Sempell, Unbekannte Briefstellen Bismarcks (HZ 207/1968), 613 (ebenfalls in der Werkausgabe unterdrückt).

»Mehr zahlreiche als interessante Clique«: An Oskar von Arnim, 31. 10. 1843, GW 14, 23.

Um seinen »Kummer wenn möglich«: An Louis von Klitzing, 10. 9. 1843, GW 14, 21.

S. 48   »Wieder eine Anstellung zu suchen«: An Oskar von Arnim, 31. 10. 1843, GW 14, 23.

»Wir setzen hierbei jedoch voraus«: 15. 4. 1844, Nachlaß Bismarck A 32.

»Nur nicht darüber klar werden«: An Oskar von Arnim, 31. 10. 1843, GW 14, 23.

Er habe »die Leute und Geschäfte«: An Scharlach, 4. 8. 1844, GW 14, 26.

»Seitdem sitze ich hier«: An Scharlach, 9. 1. 1845, GW 14, 31.

S. 49   Schopenhauer: Julius von Eckardt, Lebenserinnerungen 2 (1910), 123.

S. 50   »Wie je eine Schwester ihrem Bruder«: An Heinrich von Puttkamer, um den 21. 12. 1846, GW 14, 47.

»Blaues Dunstgebilde von Gott«: Marie von Thadden an Moritz von Blanckenburg, 7. 2. 1843, E. Marcks, Bismarcks Jugend 1815–1848 (1909[7]), 244.

S. 51   »Es stellte sich bei mir fest«: An Heinrich von Puttkamer, um den 21. 12. 1846, GW 14, 47.

»Wie kann ich denn glauben«: E. Marcks, Bismarcks Jugend 1815–1848 (1909[7]), 244 f.

S. 53   »Nach unserer gemeinschaftlichen Reise«: An Heinrich von Puttkamer, um den 21. 12. 1846, GW 14, 48.

S. 54   »Ich begreife nicht«: An Johanna, 3. 7. 1851, GW 14, 230.

»Ich danke Gott und danke Dir«: 28. 7. 1887, GW 14, 975.

S. 55   »Ich fand dort«: An den Bruder, 31. 1. 1847, GW 14, 50 (an d. Schwester ebd., 49).

»Du bist mein Anker«: 4. 1. 1851, GW 14, 187.

»Das irdisch Imponierende«: 17. 2. 1847, GW 14, 60.

S. 56   »Ganze Provinzen«: Gespräch mit Keudell und Abeken am 18. 8. 1865, R. v. Keudell, Fürst und Fürstin Bismarck (1901), 221.

»Die Weltgeschichte«: A. O. Meyer, Bismarcks Glaube. Nach neuen Quellen aus dem Familienarchiv (1933[2]), 64.

S. 57   »Wer mich einen gewissenlosen Politiker schilt«: An Andrae, 26. 12. 1865, GW 14, 709, in Antwort auf dessen Brief vom 24. 12. 1865, Bismarck-Jahrbuch 3 (1896), 213 ff.

»Wie Gott will«: An Johanna, 2. 7. 1859, GW 14, 533.

Der König »dankte mir beim Abschied«: An Johanna, 20. 7. 1864, GW 14, 672.

S. 58   »Es sei deine Sache«: A. O. Meyer, Bismarcks Glaube. Nach neuen Quellen aus dem Familienarchiv (1933[2]), 39.

»Wie man ohne Glauben«: 28. 9. 1870, M. Busch, Tagebuchblätter 1 (1899), 247.

»Unter einem Herren«: Gespräch mit Keudell, 31. 5. 1857, R. v. Keudell, Fürst und Fürstin Bismarck (1901), 57.

S. 59 Rede gegen die politische Gleichstellung der Glaubensjuden: Kohl, Reden 1, 21 ff.

Camphausen: Sten. Berichte, hrsg. v. Bleich, 1756.

S. 62 »Auch immer nur durch die eigene Brille«: Zu Tiedemann, 7. 5. 1875, C. v. Tiedemann, Aus sieben Jahrzehnten 2 (1909), 33.


## Der Weg in die Politik


S. 63 »Mir hat immer als Ideal«: GW 15, 15.

S. 68 Geplante Reden über Jagdrecht und Patrimonialgerichtsbarkeit: Entwürfe bei Kohl, Reden 14, 4 ff. (Jagdrecht) und E. Marcks, Bismarcks Jugend 1815–1848 (1909[7]), 475 (Patrimonialgerichtsbarkeit).

S. 70 »Erster Versuch zur Gründung eines ministère occulte«: Denkwürdigkeiten aus dem Leben Leopold von Gerlachs 1 (1891), 150.

Faksimile d. eigenhändigen Aufzeichnung Augustas: E. Zechlin, Bismarck und die Grundlegung der deutschen Großmacht (1960[2]), nach 254.

Bismarcks Gegendarstellung: Erinnerung und Gedanke, GW 15, 29 f. Ebenso schon in einem Gespräch mit Hohenlohe am 24. 10. 1874, Denkwürdigkeiten des Fürsten Chlodwig zu Hohenlohe-Schillingsfürst 2 (1907), 135 f. und mit Tiedemann, Anfang November 1877, C. v. Tiedemann, Aus sieben Jahrzehnten 2 (1909), 208 ff.

Sie habe ihm »mehr Schwierigkeiten bereitet«: H. Hofmann, Fürst Bismarck 1890–1898 (1913), 184.

S. 71 »Schlimme, ungehorsame Leute«: G. Küntzel, Die politischen Testamente der Hohenzollern 1 (1919[2]), 104.

S. 73 »Der Prinzipienstreit«: Rede in der Zweiten Kammer vom 22. 3. 1849, Kohl, Reden 1, 77 f. (dort auch das folgende Zitat).

S. 74 »Den Staat ohne lebensgefährliche Zuckungen«: Eyck, Bismarck 1, 90.

»Jetzt mit allen Kräften in das neue Schiff«: Albrecht von Roon an seine Frau, 20. 3. 1848, Roon, Denkwürdigkeiten 1 (1897[4]), 142.

S. 75 Rede vom 2. 4. 1848: Kohl, Reden 1, 45 f.

»Banalen aufgeputzten Phrasen«: An Johanna, 26. 5. 1847, GW 14, 91.

»Teils kluger, teils feiger«: An Ludwig von Gerlach, 7. 7. 1848, Rothfels, Briefe, 114.

S. 76 Rede vom 10. 4. 1848: Kohl, Reden 1, 53 ff.

S. 77 »Panier percé«: An Albert von Below, 12. 4. 1848, GW 14, 105.

»Die Fabrikanten zu bereichern«: Rede vom 18. 10. 1849, Kohl, Reden 1, 130 ff.

S. 78   »Keeper of his conscience«: H.-J. Schoeps, Bismarck über Zeitgenossen, Zeitgenossen über Bismarck (1972), 158.

S. 79   Eingabe an den König: GW 1, 1 f.

»Es handelt sich in diesen Fragen«: An Hermann Wagener, 25. 8. 1848, GW 14, 111 f.

»Den Rücken gegen den Mist«: Rede Ludwig von Gerlachs vor dem »Junker-Parlament« vom 19. 8. 1848, E. L. v. Gerlach, Aufzeichnungen aus seinem Leben und Wirken 1 (1903), 541.

S. 83   Der »sehr tätige und intelligente Adjutant«: 12. 11. 1848, E. L. v. Gerlach, Aufzeichnungen aus seinem Leben und Wirken 2 (1903), 27.

»Wir sind konservativ, sehr, aber nicht Bismarcksch«: An Johanna, 20. 7. 1849, GW 14, 130.

S. 84   »Dem Genius zu viel und alles«: J. G. Droysen, Historik, hrsg. v. R. Hübner (1971⁶), 291.

S. 87   »Kabinette mögen einander betrügen«: Briefe zur Beförderung der Humanität, 5. Sammlung (1795), 57. Brief, Beilage, 147 f.

»Die Herrscher mögen einander feind sein«: Benjamin Constant, De la liberté des anciens…, Ges. Werke (1818–1820), Bd. 4, 268.

S. 89   Die »ganze nationale Wut«: »Mainzer Zeitung« vom 9. 6. 1848.

S. 90   Manuskript für die »Magdeburgische Zeitung« vom 20. 4. 1848: GW 14, 105 f.

S. 91   »Die Wiederherstellung des Königreichs Polen«: Wohl Mai 1863, GW 4, 118.

»Haut doch die Polen«: An die Schwester Malwine, 26. 3. 1861, GW 14, 568.

S. 93   »Das Wort ›Europa‹«: Diktat vom 9. 11. 1876, Große Politik 2, 88.

»Preußen muß als Preußen«: F. Meinecke, Weltbürgertum und Nationalstaat (1908), 361.

»Preußen sind wir und Preußen wollen wir bleiben«: Gespräch mit Hermann Wagener, 9. 6. 1848, GW 7, 13.

S. 94   »Alles beim Alten«: An Johanna, 2. 3. 1849, GW 14, 125.

»Schwindel der Paulskirche«: An den Bruder, 18. 4. 1849, GW 14, 127.

Rede vom 21. 4. 1849: Kohl, Reden 1, 81 ff.

S. 95   »Die deutsche Einheit will ein Jeder«: Rede vom 21. 4. 1849, Kohl, Reden 1, 92.

»Einen solchen imaginären Reif aus Dreck und Letten gebacken«: An den Gesandten Freiherrn von Bunsen, Huber, Dokumente 1, 327.

S. 96   »Das freie Einverständnis der gekrönten Häupter«: Erwiderung an die Deputation der deutschen Nationalversammlung, 3. 4. 1849, Huber, Dokumente 1, 329.

Der »geschickte Garderobier«: GW 15, 50.

S. 97    Denkschrift vom 20. November 1847: J. M. v. Radowitz, Deutschland und Friedrich Wilhelm IV. (1848), 39 ff.

S. 98    »Zu den wirksamsten Mitteln«: 6. 11. 1851, H. Böhme (Hrsg.), Die Reichsgründung (1967), 75.

S. 99    Programm vom 27. 11. 1848: Huber, Dokumente 1, 291.

S. 100   Ein Politiker »ohne irgend eine Idee«: An Scharlach, 4. 7. 1850, GW 14, 161.

         Unionsplan: P. Roth/H. Merck, Quellensammlung zum deutschen öffentlichen Recht seit 1848 (1850–52), 2, 573 ff.

S. 101   Dreikönigsbündnis vom 26. 5. 1849: Huber, Dokumente 1, 426 ff.

S. 102   Artikel in der »Kreuzzeitung« vom 26. und 31. 8. 1849, Bismarck-Jahrbuch 1 (1894), 472 ff.

         »Wahrscheinlich seine Anstellung unmöglich gemacht«: Leopold von Gerlach, Denkwürdigkeiten 1 (1891), 620.

         Rede vom 6. 9. 1849: Kohl, Reden 1, 103 ff.

S. 104   »Unter dem Namen Paulskirchen-Schwindel bekannte Krankheit«: »Kreuzzeitung« vom 20. 5. 1849, H.-J. Schoeps, Bismarck über Zeitgenossen, Zeitgenossen über Bismarck (1972), 171.

S. 106   »Nur zu brauchen, wo das Bayonett schrankenlos waltet«: Lucius von Ballhausen, Bismarck-Erinnerungen (1920), 20.

         »Roter Reaktionär«: K. F. Vitzthum von Eckstädt, Berlin und Wien in den Jahren 1845–1852 (1886), 247.

S. 107   »Wenn es doch einmal geschehen soll«: Kohl, Reden 1, 235 ff.

S. 109   »Der große Betrüger«: An Johanna, 29. 9. 1850, GW 14, 164.

S. 111   »Vor Freude auf meinem Stuhl rund um den Tisch geritten«: An Hermann Wagener, 7. 11. 1850, GW 14, 179.

S. 112   »So lange Preußen«: Bismarck-Jahrbuch 3 (1896), 414.

S. 113   Manteuffels Rede vom 3. 12. 1850: Kohl, Reden 1, 258 ff.

S. 114   Rede vom 3. 12. 1850: Kohl, Reden 1, 261 ff.

S. 117   »Romantik eines irrenden Ritters«: »Kreuzzeitung« vom 19. 11. 1850, Bismarck-Jahrbuch 3 (1896), 415.

S. 119   »An Grundsätzen hält man nur fest«: An Johanna, 14. 3. 1847, GW 14, 79.

         »Wenn man fest zugriff«: Zu Lucius, 14. 4. 1872, Lucius, Bismarck-Erinnerungen (1920), 20.

         »Nicht an politischer Voraussicht«: GW 15, 49.

S. 120   »Sehr beengte«, ja »dürftige Vermögenslage«: An Ludwig von Gerlach, 8. 7. 1850, Werke in Auswahl 1, 308.

         »Ich habe meine Güter«: An Ludwig von Gerlach, 6. 9. 1850, ebd., 309.

         »Der Herzog ist blödsinnig«: An Johanna, 20. 1. 1851, GW 14, 190.

S. 121   »Violente Beförderungen«: Ernst Ludwig von Gerlach, Aufzeichnungen aus seinem Leben und Wirken 2 (1903), 124.

»Und dieser Landwehrleutnant soll Bundestagsgesandter werden?«: A. O.
Meyer, Bismarcks Kampf mit Österreich am Bundestag (1927), 33.

S. 122    »Ich bin Gottes Soldat«: GW 14, 207.

»Gott hilft mir tragen«: GW 14, 209.

»Augenblicklich wichtigsten Posten unserer Diplomatie«: An Johanna,
28. 4. 1851, GW 14, 206.

»Der Mut ist ganz auf Seiten Eurer Majestät«: GW 15, 58.

»Eine Ironie«: An Johanna, 7. 5. 1851, GW 14, 209.

S. 123    Harkort: F. Salomon, Die deutschen Parteiprogramme 1 (1912), 59.

## Lieber Revolution machen als erleiden

### Staatsräson und internationale Politik: der Bundestagsgesandte

S. 127    »Er will à tout prix möglich bleiben«: An Moritz von Blanckenburg,
16. 1. 1870, A. v. Roon, Denkwürdigkeiten 3 (1897[4]), 159.

S. 128    »Der Staatsmann gleicht einem Wanderer«: Gespräch mit dem österreichischen Historiker Heinrich Friedjung, 13. 6. 1890, H. Friedjung, Der Kampf
um die Vorherrschaft in Deutschland 1859–1866, 2 (1898), 521.

»Diplomatischer Säugling«: An Leopold von Gerlach, 28. 12. 1851, GW 14,
245.

S. 131    »Ich war gewiß kein prinzipieller Gegner Österreichs«: An Manteuffel,
28. 2. 1855, GW 2, 23.

S. 133    »Chef de cuisine politique«: An Leopold von Gerlach, 13. 4. 1854, GW 14,
353.

S. 134    »Karikierte Zopf-Diplomaten«: An Hermann Wagener, 5. 6. 1851, GW 14,
237.

»Das eigene Bißchen«: An Johanna, 14. 5. 1851, GW 14, 211: Damit und mit
dem Gehalt könne man »hier zwar leben, aber geniert«.

S. 135    »Derjenigen Partei ausschließlich anzugehören«: Bericht Thuns vom
21. 9. 1851, A. O. Meyer, Bismarcks Kampf mit Österreich am Bundestag
(1927), 44.

»Unter zeitweiligen Gentlemanformen«: E. v. Wertheimer, Bismarck im
politischen Kampf (1930), 34.

»Durch seine kleinliche Politik«: Rechberg an Graf von Buol, 9. 5. 1855, E. v.
Wertheimer, Bismarck im politischen Kampf (1930), 49.

S. 136    »Schon unserer geographischen Verwachsenheit wegen«: An Leopold von
Gerlach, 19./20. 12. 1853, GW 14, 334.

»Die gegenwärtige Lage«: An Gustav von Alvensleben, 5. 5./23. 4. 1859,
Rothfels, Briefe, 247.

»Das Kleben an dem slawisch-romanischen Mischlingsstaat«: Rothfels, Briefe, 266 f.

S. 137 »Er hat schon Anlage«: E. L. von Gerlach, Aufzeichnungen aus seinem Leben und Wirken (1903), 148.

»Das Wasserfaß der Danaiden«: An Leopold von Gerlach, 19. 12. 1857, GW 14, 482.

S. 138 »Die auswärtigen Dinge an sich Zweck«: Rede vom 3. 2. 1866, Kohl, Reden 3, 27.

»Schlechte Hasenjagd«: H. v. Poschinger, Fürst Bismarck und die Parlamentarier 1 (1894²), 87.

S. 140 »Die meisten Sachen«: An Leopold von Gerlach, 22. 6. 1851, GW 14, 221.

»Maßlosen Geselligkeitstrieb«: An Manteuffel, 12. 3. 1856, GW 2, 133.

S. 141 »Honoratioren-Ressource«: An Leopold von Gerlach, 6. 2. 1852, GW 14, 249.

S. 143 »Mir ist hannöversches Recht wohlfeiler als preußisches«: 3. 10. 1851, GW 1, 66.

»So entschiedene Abneigung ich dagegen habe«: An Manteuffel, 9. 10. 1851, GW 1, 70 f.

Gespräch mit Thun: GW 1, 104 f.

»Von den österreichischen Staatsmännern«: 26. 5. 1851, GW 1, 4.

S. 145 »Die Existenz Preußens«: An Manteuffel, 16. 2. 1852, GW 1, 250.

S. 147 Dokumente seiner Frankfurter Tätigkeit: H. v. Poschinger (Hrsg.), Preußen im Bundestag 1851–1859, Dokumente der K. Preuß. Bundestags-Gesandtschaft, 4 Teile, 1881–1884.

»Ich spielte meine Karten blank aus«: Gespräch mit dem Redakteur Anton Memminger, 16. 8. 1890, GW 9, 93 f.

S. 148 »Bevölkerung der großen Städte«: Rede vom 20. 3. 1852, Kohl, Reden 1, 410 ff.

S. 149 »Der bei uns im Lande«: Friedrich Wilhelm IV. an Franz Joseph, 5. 6. 1852, Bismarck-Jahrbuch 6 (1899), 51 f.

»In Deutschland hält nur die Existenz des Bundes«: An Albert, November 1847, J. Hansen, König Friedrich Wilhelm IV. und das liberale Märzministerium Camphausen-Hansemann 1848, Westdt. Zeitschrift f. Geschichte und Kunst (32/1913), 64.

»Ich habe meine Mission«: 21. 7. 1852, GW 1, 207.

»Daß man in Berlin«: Ebd.

S. 150 »Haugwitzeleien«: An Leopold von Gerlach, 2. 8. 1852, GW 14, 275 (Christian Graf von Haugwitz hatte als Gesandter in Wien und dann als preußischer Außenminister zu Beginn des 19. Jahrhunderts durch seine widersprüchliche Politik das Land schließlich in die völlige politische Isolierung und in die Niederlage von 1806 geführt).

»Dem Könige gegenüber als Minister«: Erinnerung und Gedanke, GW 15, 64 f.

S. 151    Durch zeitgenössische Zeugnisse gestützt: Z. B. sein Gespräch mit Keudell, 31. 5. 1857, R. v. Keudell, Fürst und Fürstin Bismarck (1901), 57.

»Assekuranz«: An Ludwig von Gerlach, 1. 5. 1853, GW 14, 304.

S. 152    »Meine bald siebenjährige Amtstätigkeit«: An Manteuffel, 14. 3. 1858, GW 2, 297 f.

S. 154    »Ein, wenn nicht ganz erreichbares, doch zu erstrebendes Ziel«: An Manteuffel, 6./7. 4. 1852, GW 1, 155.

S. 155    »In letzter Instanz notwendige Verständnis beider Großmächte«: An Leopold von Gerlach, 4. 12. 1852, GW 14, 283.

S. 158    »Ich denke von ihm wie der Alte Fritz«: An Leopold von Gerlach, 21. 1. 1853, GW 14, 289.

S. 159    »Tendenzpolitik der unheilig-heiligen Allianz«: O. Graf zu Stolberg-Wernigerode, Robert Heinrich Graf von der Goltz (1941), 58 f.

S. 160    »Der parlamentarische Liberalismus«: GW 1, 375.

S. 161    »Mein lieber Schwager geht jeden Abend als Russe ins Bett«: Eyck, Bismarck 1, 237.

Er sehe »in der Tat nicht«: GW 1, 355.

S. 162    »Zuwarten auf freiem Standpunkt«: H. Ritter von Srbik, Deutsche Einheit 2 (1940³), 230.

»Bismarck braucht und mißbraucht stets seine Parteigenossen«: An Bethmann Hollweg, 16. 10. 1853, A. v. Mutius, Graf Albert Pourtalès (1933), 75 f.

S. 164    »Unsere schmucke und seefeste Fregatte«: An Manteuffel, 15. 2. 1854, GW 1, 427.

»Nur keine sentimentalen Bündnisse«: An Leopold von Gerlach, 20. 2. 1854, GW 14, 345.

»Weniger die Liebe zu Rußland als der Neid gegen Österreich«: Aus den Briefen des Grafen Prokesch von Osten (1849–1855) (1896), 380.

»Einer der bestplattierten Hohlköpfe«: An Leopold von Gerlach, 13. 4. 1854, GW 14, 353.

S. 165    »Unsere auswärtige Politik«: 12. 12. 1854, GW 14, 374.

»Beschämung und Erbitterung«: GW 15, 71.

»Rolle eines Geld- und Rekrutendepots«: 15. 8. 1854, GW 14, 365.

»Woran mein preußisches Ehrgefühl«: An Leopold von Gerlach, 11. 2. 1856, GW 14, 432.

S. 168    Denkschrift vom 26. 4. 1856: GW 2, 138 ff.

S. 169    »Das bekannte Lied von Heine«: An die Schwester, 22. 12. 1853, GW 14, 336.

S. 171    Für Österreich nur noch »eine Frage der Zeit und der Opportunität«: 28. 4. 1856, GW 14, 441.

S. 172    »Sehr achtbare Leute«: An Leopold von Gerlach, 19./20. 12. 1853, GW 14, 334.

»Mein politisches Prinzip«: Briefe des Generals Leopold von Gerlach an Otto von Bismarck, hrsg. v. H. Kohl (1912), 211 f.

## Zwischen den Fronten

S. 174    »Babylon«: 15. 9. 1855, GW 14, 415.

»Parti du Kreiz-Zeitung«: Bismarck an Manteuffel, 29. 4. 1857, GW 2, 208.

»Wie kann ein Mann von Ihrem Geist«: 29. 4. 1857, Briefe des Generals Leopold von Gerlach an Otto von Bismarck, hrsg. v. H. Kohl (1912), 206.

S. 175    »Der Mann imponiert mir durchaus nicht«: 2. 5. 1857, GW 14, 464 ff.

S. 176    Art Postskriptum: An Leopold von Gerlach, 11. 5. 1857, GW 14, 469.

»Der Bonapartismus ist bei uns in Preußen«: 28. 12. 1851, GW 14, 244.

»Die Wiener in Berlin«: 11. 5. 1857, GW 14, 469.

S. 177    »Unerklärlich, wie Sie unsere äußere Politik ansehen«: 21. 5. 1857, Briefe, hrsg. v. H. Kohl (1912), 213 ff.

Denkschrift an Manteuffel vom 18. Mai: GW 2, 217 ff.

Die »Verschiedenheit« ihrer Ansichten: 30. 5. 1857, GW 14, 470 ff.; ganz ebenso die Denkschrift v. 2. 6. 1857, GW 2, 227 ff.

S. 178    »Der Bonapartismus ist eine Folge«: GW 2, 229.

»Nicht Absolutismus, nicht einmal Cäsarismus«: 5. 5. 1857, Briefe, hrsg. v. H. Kohl (1912), 216 ff.

S. 179    »Im Jahre 1851«: GW 2, 144.

S. 183    »Fähigkeit, in jedem wechselnden Moment«: Ansprache an eine Abordnung der Universität Jena, 30. 7. 1892, GW 13, 468.

»Man bildet sich immer noch ein«: An den Bruder, 26. 3. 1855, GW 14, 396.

S. 185    »Ehrenvolles Exil«: Unterstaatssekretär v. Gruner an Bismarck, 28. 2. 1859, Anhang zu den Gedanken und Erinnerungen 2 (1901), 286.

»Coterie«, »windiger Bau«: GW 15, 68, 80.

S. 186    Ansprache des Prinzregenten vom 8. 11. 1858: E. Berner (Hrsg.), Kaiser Wilhelm des Großen Briefe, Reden und Schriften 1 (1906), 445 ff.

S. 187    »Das neue Ministerium«: GW 14, 494 f.

»Bismarck ins Harmlose ... übersetzt«: Chlodwig zu Hohenlohe-Schillings-fürst, Denkwürdigkeiten 2 (1906), 119.

S. 188    »Wenn die Herren«: An die Schwester, 12. 11. 1858, GW 14, 493 f.

S. 189    »Schlechtes Wetter«: An die Schwester, 10. 12. 1858, GW 14, 495.

»Bismarck hasse seine Feinde«: F. Stern, Gold und Eisen, Bismarck und sein Bankier Bleichröder (1978), 553.

»Rußland hat sich unter unseren Rädern gedehnt«: An Johanna, 28. 3. 1859, GW 14, 507.

S. 190   »Wieder einmal das große Los für uns im Topf«: Rothfels, Briefe, 247.

Nüchternheit gegenüber »Parteileidenschaften«: 12. 5. 1859, GW 3, 36.

»Bedürfnis des Gedankenstuhlgangs«: An Gustav von Alvensleben, 17. 6. 1859, GW 14, 527.

Denkschrift von Ende März 1858, in der Zentrale spöttisch »Das kleine Buch des Herrn von Bismarck« genannt: GW 2, 302 ff.

S. 191   »Haremsminister«: Bismarcks großes Spiel, Die geheimen Tagebücher Ludwig Bambergers (1932), 323.

»Mignon der Prinzessin«: GW 15, 88.

»Seine Karriere nur Unterröcken zu verdanken«: Zu Poschinger, Januar 1893, GW 9, 306.

»Vollendete Blödsinn«: An die Schwester, 1. 5. 1859, GW 14, 516.

»In vielen Berliner Köpfen«: 3. 2. 1860, GW 14, 544.

Unruhs Gespräch mit Bismarck: Erinnerungen aus dem Leben von Hans Victor von Unruh, hrsg. v. H. v. Poschinger (1895), 207 ff.

S. 192   »Es gibt nichts Deutscheres«: März 1858, GW 2, 317.

»Auf die Dauer«: 30. 11. 1860, GW 14, 565; ebenso an ein führendes Mitglied der konservativen Partei, wohl an Alexander von Below-Hohendorf, 22. 8. 1860, GW 14, 561 f.

»Der Hauptmangel unserer bisherigen Politik«: GW 14, 571.

»Wir sind eine eitle Nation«: 2. 5. 1857, GW 14, 467.

S. 193   »Wie auch bei mir und meinen Freunden«: Unruh an Bismarck, 12. 9. 1859, Bismarck-Jahrbuch 4 (1897), 156.

»Kammern und Presse«: An Alexander von Below-Hohendorf, 3. 4. 1858, GW 14, 487.

S. 196   »Ich sehe in unserem Bundesverhältnis«: GW 3, 38.

S. 197   »Bankrott seiner privaten Nerven«: An Schleinitz, 19. 12. 1859, GW 3, 67.

»Ich müßte die Dauer und den Wert dieses Lebens sonderbar überschätzen«: 2./4. 5. 1860, GW 14, 549.

»Das Gefühl, irgendwo zu *wohnen*«: An Otto von Wentzel, 10. 4. 1860, GW 14, 545.

Als Missionschef nach London oder Neapel: An Johanna, 17. 5. 1860, GW 14, 551.

»Ein Umzug ist halbes Sterben«: An die Schwester, 26. 3. 1861, GW 14, 567.

S. 198   »Der geschmacklosen Situation eines Gesandten im Gasthof«: 2./4. 5. 1860, GW 14, 550.

»Ich tue ehrlich«: GW 14, 553.

*Vom Heeres- zum Verfassungskonflikt: die Stunde Bismarcks*

S. 201 »Ein Parlament, welches die Kriegsmacht«: F. C. Dahlmann, Die Politik, Auf den Grund und das Maß der gegebenen Zustände zurückgeführt (1835, Neuausg. 1924), 111.

S. 202 Nicht einmal »ein Schubfach«: GW 15, 141.

S. 204 Jenes spezifischen »Bürgergeistes«: Max Duncker am 15. 9. 1862 im Abgeordnetenhaus, Michael Gugel, Industrieller Aufstieg und bürgerliche Herrschaft (1975), 101.

S. 206 »Ideal« der »Vorurteilsfreiheit«: An Leopold von Gerlach, 11. 5. 1857, GW 14, 469.

»Weil man nicht Schach spielen kann«: An Leopold von Gerlach, 2./ 4. 5. 1860, GW 14, 549.

S. 209 Roon an Bismarck, 27. 6. 1861: Bismarck-Jahrbuch 6 (1899), 194 ff.

Bismarck an Roon, 2. 7. 1861: GW 14, 570 ff.

S. 211 Reinfelder Denkschrift: GW 3, 266 ff. Die Baden-Badener Denkschrift: H. Oncken, Die Baden-Badener Denkschrift Bismarcks über die deutsche Bundesreform (Juli 1861) (HZ 145/1932), 106 ff.

»Ein grundsatzloser Junker«: Franz von Roggenbach an Max Duncker, 25. 8. 1860, M. Duncker, Politischer Briefwechsel (1923), 220.

S. 213 »Man könnte eine recht konservative Nationalvertretung schaffen«: An Alexander von Below-Hohendorf, 18. 9. 1861, GW 14, 578.

S. 214 »Das fehlte gerade noch«: Ernst II. von Sachsen-Coburg-Gotha, Aus meinem Leben und aus meiner Zeit 2 (1892), 497.

S. 215 »Langweilige Orte mit hübscher Gegend«: An die Schwester, 7. 3. 1862, GW 14, 582.

S. 216 »Geradezu Furcht«: An die Schwester, 17. 1. 1862, GW 14, 581.

»Ich glaube nicht, daß es die Absicht ist«: An die Schwester, 7. 3. 1862, GW 14, 582.

»Weder die Herbeiführung entsprechender gesetzlicher Normen«: 5. 6. 1861, Verhandlungen des preußischen Abgeordnetenhauses 1860/61, 3, 1865.

S. 217 Gründungsprogramm der Fortschrittspartei vom 6. 6. 1861: L. Parisius, Leopold Freiherr von Hoverbeck 1 (1897), 210 ff.

S. 218 »Das parlamentarische Wesen ist ja nur ein Abbild«: Friedrich I. von Baden an Wilhelm I., 14. 3. 1862, H. Oncken (Hrsg.), Großherzog Friedrich I. von Baden und die deutsche Politik 1 (1927), 326 f.

S. 219 »Wir stehen am Grabe der ›Neuen Ära‹«: M. Duncker an K. Francke, 13. 3. 1862, M. Duncker, Politischer Briefwechsel (1923), 324.

»Ich finde, es ist schon ein gutes Zeichen«: Karl Twesten an Gustav Lipke, 19. 3. 1862, Heyderhoff, Liberalismus 1 (1925), 82.

»Von Reaktion etc. ist gar keine Rede«: 2. 4. 1862, H. Oncken (Hrsg.), Großherzog Friedrich I. von Baden und die deutsche Politik 1 (1927), 329 f.

S. 220   »Das Verlangen der aufgelösten Kammer«: An Friedrich I., 2. 4. 1862, ebd.

S. 224   »In Preußen ist die einzig mögliche Form«: 13. 7. 1862, Heyderhoff, Liberalismus 1 (1925), 105.

»Liberal in Preußen und konservativ im Ausland«: An Albrecht von Roon, 2. 7. 1861, GW 14, 571.

»Uns fehlt... bloß noch eine Kleinigkeit«: An Perthes, 18. 5. 1862, Roon, Denkwürdigkeiten 2, 84.

S. 225   »Über alles, nur nicht über künftige Gesandtschaftsposten«: An Johanna, 17. 5. 1862, GW 14, 586.

»Nur um Gottes Willen den nicht«: E. C. Conte Corti, Wenn... Sendung und Schicksal einer Kaiserin (1954), 137.

»Es ist mehr ein Fluchtversuch«: GW 14, 588.

S. 226   »In acht bis zehn Tagen«: An Johanna, 1. 6. 1862, GW 14, 589f.

»Er ist ein eifriger Verfechter«: 28. 6. 1862, GW 3, 381.

S. 227   »Glauben Sie, daß der König geneigt ist«: An Bernstorff, 28. 6. 1862, GW 3, 382f.

S. 229   Bericht aus London: 8. 7. 1862, GW 3, 384ff.

S. 230   »Über Preußen wissen die englischen Minister«: An Johanna, 5. 7. 1862, GW 14, 599.

»Ce n'est pas un homme sérieux«: Nach Bismarcks Abschiedsaudienz, H.-J. Schoeps, Bismarck über Zeitgenossen, Zeitgenossen über Bismarck (1972), 67.

»Take care of that man«: F. Graf Vitzthum von Eckstädt, St. Petersburg und London 2 (1886), 158.

S. 231   »Ich bin nicht sehr gesund«: 15. 7. 1862, GW 14, 600.

S. 232   Katharina Orlow: Fürst Nikolai Orlow, Bismarck und Katharina Orlow, Ein Idyll in der hohen Politik (1936), hier auch die im weiteren zitierten Briefe.

S. 234   Roon an Bismarck, 31. 8. 1862: Bismarck-Jahrbuch 3 (1896), 237f.

»Bei der Gelegenheit«: GW 14, 619.

Schreiben an Bernstorff, 15. 7. 1862: GW 3, 388ff.

S. 235   Schreiben an Roon, 15. 7. 1862: GW 14, 600ff.

S. 236   »Was das Ministerium im Interesse des eigenen Operationsplans«: An Bernstorff, 24. 8. 1862, GW 3, 397.

S. 237   Artikel in der »Sternzeitung«: Die innere Politik der preußischen Regierung von 1862 bis 1866 (1866: Amtl. Urkundensammlung), 26ff.

Rede vom 24. 2. 1851: Kohl, Reden 1, 312ff., Zitat 313.

S. 238   Immediatbericht des preußischen Kabinetts an Wilhelm I., 9. 9. 1862: K. Ringhoffer, Im Kampf um Preußens Ehre, Aus dem Nachlaß des Grafen Albrecht von Bernstorff (1906), 533ff.

S. 239 Kronrat vom 17. 9. 1862: E. Zechlin, Bismarck und die Grundlegung der deutschen Großmacht (1960[2]), 295 ff.

S. 240 Bismarcks eigene Darstellung: GW 15, 177 ff.

S. 241 »Der König genehmigt«: GW 3, 399, Anm. 3.

S. 242 Entwurf einer Abdankungsurkunde: H. O. Meisner (Hrsg.), Kaiser Friedrich III., Tagebücher von 1848–1866 (1929), 498 ff.

S. 243 »Parlamentsregierung, Volksbewaffnung«: An Königin Augusta, 23. 9. 1862, A. O. Meyer, Bismarck (1949), 176.

S. 244 »Er hielt mich für fanatischer«: GW 15, 169.

Königin Augusta: Faksimile ihres eigenhändigen Votums b. E. Zechlin, Bismarck und die Grundlegung der deutschen Großmacht (1960[2]), nach 254.

»Ob er gewillt« sei: Duncker an den Kronprinzen, 20. 9. 1862, M. Duncker, Politischer Briefwechsel (1923), 334 f.

Unterredung in Babelsberg: GW 15, 178 ff.

S. 246 »Ich fühle wie ein kurbrandenburgischer Vasall«: R. v. Keudell, Fürst und Fürstin Bismarck (1901), 110.

»Daß ich meine Stellung nicht als konstitutioneller Minister«: GW 14, 658.

»Die hohe Stellung«: An Wilhelm I., 26. 9. 1887, GW 14, 977.

»Der alte Herr«: Gespräch mit dem Historiker Erich Marcks, 17. 3. 1893, E. Marcks, Männer und Zeiten 2 (1916[4]), 71.

S. 247 »Das lernt sich in diesem Gewerbe«: An Johanna, 20. 7. 1864, GW 14, 672.

## Konfliktminister

S. 248 »Serviler Landjunker«: F. Oetker, Lebenserinnerungen 3 (1885), 334.

S. 249 »Man wird überhaupt mit der Zeit«: An Friedrich von Preen, 12. 10. 1871, Briefe, hrsg. v. F. Kaphahn (o. J.), 358.

S. 251 »Die Augen aufgegangen«: F. Oetker, Lebenserinnerungen 3 (1885), 336.

»Bürgerlicher Gerichtsrat in der Provinz«: An Manteuffel, 18./19. 6. 1852, GW 1, 191.

S. 253 »Säbelregiment im Innern«: 24. 9. 1862, Philippson, Max von Forckenbeck, Ein Lebensbild (1898), 101 f.

»Typus eines die Uniform unter dem Frack«: 29. 9. 1862, O. Nirrnheim, Das erste Jahr des Ministeriums Bismarck und die öffentliche Meinung (1908), 65.

»Unter den Junkern unserer östlichen Provinzen«: 26. 9. 1862, ebd., 61.

S. 254 »Mit der Verwendung dieses Mannes«: 3. 10. 1862.

»Wir sind froh«: Randnotiz auf einem Brief Kleist-Retzows vom 18. 12. 1863, Bismarcks Briefwechsel mit Kleist-Retzow, hrsg. v. H. v. Petersdorff (1919), 56.

Charakteristik des »Konflikt-Ministeriums«: GW 15, 204 ff.

S. 255 »Die Armée Réorganisation rückgängig zu machen«: A. O. Meyer, Bismarck (1949), 176.

»Daß die Ergebnisse«: Kohl, Reden 2, 15.

S. 256 »Nicht auf Preußens Liberalismus sieht Deutschland«: »Berliner Allgemeine Zeitung«, 2. 10. 1862, Kohl, Reden 2, 30.

S. 257 »Für die Ehre und Machtstellung unsers Vaterlandes«: L. Parisius, Leopold Freiherr von Hoverbeck (1897), 211.

S. 258 »Auswärtige Konflikte«: Kohl, Reden 2, 31.

»Du weißt, wie leidenschaftlich ich Preußen liebe«: An W. Nokk, 29./ 30. 9. 1862, Briefe, hrsg. v. M. Cornicelius 2 (1918), 238.

»Geistreiche Exkurse«: So nach Bismarcks eigenem Zeugnis, GW 15, 194.

»Der Mann und das System«: Heyderhoff, Liberalismus 1 (1925), 118.

S. 259 »Mit schroffer Heftigkeit«: Friedrich I. von Baden an Karl Alexander von Sachsen-Weimar, 2. 10. 1862, H. Oncken (Hrsg.), Friedrich I. von Baden und die deutsche Politik 1 (1927), 333 f.

Jüterbog: GW 15, 193 ff.

S. 263 Österreichische Gegenoffensive: Rechberg an Károlyi, 10. 7. 1862, Das Staatsarchiv 3 (1862), 228 f.

S. 264 Rede vor dem Herrenhaus vom 2. 10. 1862: Kohl, Reden 2, 40 f.

S. 266 »Ständekampf«: Aus dem Leben Theodor von Bernhardis 5 (1895), 7.

S. 267 Gespräche mit Károlyi am 4., 12., 18. und 26. 12. 1862: Quellen zur deutschen Politik Österreichs 2, 614 ff. (Berichte Károlyis) sowie Bismarcks eigene Darstellung in seinem Runderlaß an die Missionen v. 24. 1. 1863, GW 4, 40 ff.

»Stichfest« »für die Phrasen von ›Bruderkrieg‹«: Bismarck an Bernstorff/ London, 21. 11. 1862 (über ein Gespräch mit dem österreichischen Botschafter in Paris, Graf Metternich), GW 14, 628.

S. 269 »Denn wie kann ein ganz gesunder Mensch«: R. v. Keudell, Fürst und Fürstin Bismarck (1901), 124.

Weihnachtsdenkschrift: GW 4, 29 ff.

S. 270 »Ein Mensch, der imstande ist«: H. v. Poschinger, Bismarck und die Diplomaten 1852–1890 (1900), 24.

»Einen ungewöhnlich beschränkten Staatsmann«: An Schleinitz, 13. 3. 1861, GW 3, 190.

S. 271 »Befreiung aus dem Netze der Bundesverträge«: GW 4, 30 ff.; die Kündigung des Zollvereins als Instrument schon in Bismarcks Schreiben an Alexander von Below-Hohendorf, 3. 4. 1858, GW 14, 468 f.

Plan eines Zollparlaments: So schon im Gespräch mit dem hessischen Liberalen Friedrich Oetker am 15. 10. 1862, F. Oetker, Lebenserinnerungen 3 (1885), 334 ff.

S. 273 »Eine Verständigung über die Maßregeln anzubahnen«: Instruktion für Alvensleben vom 1. 2. 1863, GW 4, 48 f.

»Wir möchten gern, daß in Bezug auf jede polnische Insurrektion«: An Gortschakow, 2. 2. 1863, Werke in Auswahl 3, 68 f.

S. 274 »Gelungener Schachzug«: GW 15, 216.

S. 275 »Dies wird *Europa* niemals dulden«: So nach Bismarcks Bericht in dem Promemoria vom 11. 2. 1863, GW 4, 57 f.

S. 276 »Das gegenwärtige Ministerium«: 25. 1. 1863, F. Stern, Gold und Eisen (1978), 53.

S. 277 »Einen ähnlichen Mann von dieser Begabung«: Rede vom 17. 9. 1878, Kohl, Reden 7, 258.

»Phantast«: R. v. Keudell, Fürst und Fürstin Bismarck (1901), 175 ff.

Frage der Koalitionsfreiheit: Siehe seine Rede vom 15. 2. 1865 vor dem Abgeordnetenhaus, Kohl, Reden 2, 328 ff., und die Schreiben an den Handelsminister von Itzenplitz vom 26. 1. und 24. 8. 1865, Rothfels, Bismarck und der Staat, 317 ff.

S. 278 Rede in der Debatte vom 27. 1. 1863: Kohl, Reden 2, 78 ff.

S. 279 Rede Schwerins: Stenographische Berichte des Preußischen Abgeordnetenhauses 1863, 60 ff.

S. 280 »Ein Mann der glatten Worte«: O. Nirrnheim, Das erste Jahr des Ministeriums Bismarck und die öffentliche Meinung (1908), 152.

S. 281 Lassalle: Über Verfassungswesen, Ein Vortrag (1862).

»Der Weg, den ein preußisches Ministerium«: Rede vom 29. 1. 1863, Kohl, Reden 2, 93.

S. 282 »Als ob eben dieser innere Konflikt«: Kohl, Reden 2, 98.

Rede in der Debatte über die polnische Frage: 26. 2. 1863, Kohl, Reden 2, 125 ff.

S. 283 Adresse vom 22. 5. 1863: Huber, Dokumente 2, 61 ff.

Antwort des Königs: Huber, Dokumente 2, 63 ff.

Von Bismarck schon seit längerem geplante Presseverordnung: An Senfft-Pilsach, 23. 3. 1863, GW 14, 638.

S. 284 Er befinde sich »in prinzipiellem Gegensatz«: 30. 6. 1863, Anhang zu den Gedanken und Erinnerungen 2 (1901), 350 f.

S. 287 »Über deren Ergebnis«: Huber, Dokumente 2, 121.

»Frankfurter Windbeuteleien«: An Johanna, 12. 8. 1863, GW 14, 650.

Er »wolle wohl als sein Sekretär«: Prinz Kraft zu Hohenlohe-Ingelfingen, Aus meinem Leben 2 (1905), 354.

S. 288 »Entschließungen … erst dann feststellen«: 20. 8. 1863, Huber, Dokumente 2, 122.

Bundesreformplan: H. Schulthess, Europäischer Geschichtskalender 4 (1863), 47 ff.

»Schwarzenberg'sche Politik in der posthumen Gestalt des Fürstenkongresses«: GW 15, 228.

S. 289    »Die Aufgabe einer Vermittlung«: GW 4, 166 ff.

S. 290    »Von einer solchen Regierung«: Resolution vom 16. 10. 1863, Huber, Dokumente 2, 138.

»Der plumpe Versuch«: 3. 10. 1863.

»Nicht auf einer politischen Theorie«: Erlaß an Bernstorff, 8. 10. 1863, GW 4, 178.

S. 291    »Nur das deutsche Volk selbst«: 22. 10. 1863.

S. 292    »Selbst in der Geschichte von Byzanz«: 23. 8. 1863.

*Das Ende oder ein neuer Anfang?*

S. 294    Es gelte »nicht allein die verpfändete Ehre der Nation«: 24. 4. 1863.

S. 297    Politik des »unternehmende(n) Leichtsinn(s)«: Erlaß an Goltz/Paris, 17. 2. 1863, GW 4, 62.

S. 299    »Wie ein Fähnrich«: Zu Keudell, 30. 11. 1863, R. v. Keudell, Fürst und Fürstin Bismarck (1901), 136.

S. 300    Schreiben an Flemming: 22. 12. 1862, GW 4, 27 f.

Stellungnahme zum Vorschlag Oldenburgs: Promemoria vom 3. 2. 1863, GW 4, 50 ff.

»Der in dem Netze der Vereinsdemokratie«: An von der Goltz, 24. 12. 1863, GW 14, 659.

S. 301    »Unvereinbar mit der Verfassung des Bundes«: Österreichisch-preußische Punktation vom 16. 1. 1864, Huber, Dokumente 2, 165 ff.

S. 302    »Es ist noch nicht dagewesen«: GW 14, 659.

S. 303    Rücktrittsangebot: An Wilhelm I., 1. 12. 1863, GW 14, 658.

»Seit Schleswig-Holstein«: Gespräch mit Dr. Cohen, 2. 11. 1880, GW 8, 385.

»Das Hauptmotiv«: Rede vom 22. 1. 1864, Kohl, Reden 2, 285 ff.

S. 304    »Ich habe das Vorgefühl«: An Roon, 21. 1. 1864, GW 14, 661.

»Bestreben« des Abgeordnetenhauses: Kohl, Reden 2, 305.

»Er ist nicht mehr der Mann«: Stenographische Berichte des Preußischen Abgeordnetenhauses 1864, 821.

»Nach dem Satze gehandelt«: Kohl, Reden 2, 278.

S. 305    Er setze »nicht allein« seine »Zukunft«: Von der Goltz an Bismarck, 22. 12. 1863, Bismarck-Jahrbuch 5 (1898), 231 f. (nur als Fragment überliefert).

»Diktatur des Ministers«: Von der Goltz an Bismarck, 31. 12. 1863, Nachlaß Bismarck B 47, 26; unvollst. und ohne Datum abgedr. in: Bismarck-Jahrbuch 5, 238 ff.

Brief vom 24. 12. 1863: GW 14, 658 ff.

S. 306 »Die großen Krisen bilden das Wetter«: An Manteuffel, 15. 2. 1854, GW 1, 427.

S. 309 Bilanz: Erlaß an von Werther/Wien, 21. 5. 1864, GW 4, 436 f.

»Dünne Faden«: Gespräch mit Keudell, 22. 4. 1864, R. v. Keudell, Fürst und Fürstin Bismarck (1901), 154.

S. 310 »Bürgschaften für ein wirklich konservatives Regiment«: GW 4, 436.

S. 311 Unterredung mit dem Thronprätendenten: Aufzeichnung Bismarcks vom 3. 6. 1864, GW 4, 448 ff.; Bericht Friedrichs von Augustenburg vom 2. 6. 1864, K. Jansen/K. Samwer, Schleswig-Holsteins Befreiung (1897), 731 ff.

»Daß der Erbprinz uns nicht mit dankbaren Gefühlen betrachtet«: Aufzeichnung vom 3. 6. 1864, GW 4, 450.

S. 314 »Wir betrachten den dänischen Konflikt«: GW 4, 461 ff.

Weiterer Erlaß vom gleichen Tag: GW 4, 464 ff.

»Einem schweren Tag mit Kaiser- und Rechberg-Arbeit«: 23. 6. 1864, GW 14, 669.

S. 320 Eine der eigenen Regierung feindliche Tendenz: An Roon und an Thile, 16. 10. 1864, GW 14, 683 f.

»Von der größten Wichtigkeit«: 27. 8. 1864, GW 4, 545.

S. 322 »Einigkeit Deutschlands gegen innere und äußere Feinde«: GW 4, 554.

»Nicht aus dem Bewußtsein gemeinsamer Zugehörigkeit zum Deutschen Reiche«: GW 4, 562.

»Es erschwert die Geschäftsführung«: Quellen zur deutschen Politik Österreichs 4, 348.

S. 323 »Leider sehr wahr«: Quellen zur deutschen Politik Österreichs 4, 349.

S. 324 »Gewinnt die Schmerlingsche Politik die Oberhand«: GW 4, 570.

S. 327 Preußischer Kronrat vom 29. 5. 1865: Die auswärtige Politik Preußens 6, 174 ff.

S. 330 »Geben Sie die Idee, Ihr Budgetrecht an der Militärfrage zu probieren, auf«: Stenographische Berichte des Preußischen Abgeordnetenhauses 1865, 62.

S. 331 Kritik Wilhelms an der Rede Eulenburgs: An Bismarck, 25. 1. 1865, Nachlaß Bismarck, B 125; an der Haltung des Ministeriums insgesamt: An Bismarck, 18. 3. 1865, ebd.

»Jede Art von Kontingentierung«: An Roon, 3. 5. 1865, Kaiser Wilhelms des Großen Briefe, Reden und Schriften 2 (1906), 106.

S. 332 Rede vom 1. 6. 1865: Kohl, Reden 2, 371 ff., Zitate 371, 378, 383 f.

»Mit der bestehenden Verfassung«: Sitzung vom 19. 6. 1865, A. Stern, Geschichte Europas seit den Verträgen von 1815, 9 (1923), 587.

S. 334 Grundsätzliche Stellungnahme: Erlaß an Werther/Wien, 22. 2. 1865, GW 5, 96 ff.

S. 336 »Preußen hat in den vier Jahren«: 15. 9. 1865, Anhang zu den Gedanken und Erinnerungen 1 (1901), 121.

S. 337 »Vor der erfolgreichen Gewalttat (zu) beugen«: An Königin Augusta, 31. 10. 1865, Graf zu Stolberg-Wernigerode, Robert Heinrich Graf von der Goltz (1941), 418.

S. 339 »Wenn es einmal Sturm gibt«: 20. 2. 1865, R. v. Keudell, Fürst und Fürstin Bismarck (1901), 187.

## 1866

S. 340 »Nochmals in der bewußten Lotterie«: An Manteuffel, Ende November 1851, GW 1, 105.

S. 341 »Soll Revolution sein«: Telegramm an Edwin von Manteuffel, 11. 8. 1866, GW 6, 120.

Antwort an Napoleon: 1. 9. 1865, GW 5, 286 ff.

»Sogenannte nationale Partei«: An Edwin von Manteuffel, 11. 9. 1865, GW 5, 293.

»Wenn Mensdorff wieder in Würzburger Politik verfällt«: Gespräch mit Keudell am 21. 9. 1865, R. v. Keudell, Fürst und Fürstin Bismarck (1901), 227 ff.

»Was wollen die kleinen Fürsten«: O. Graf zu Stolberg-Wernigerode, Ein unbekanntes Bismarck-Gespräch aus dem Jahre 1865 (HZ 195/1962), 361.

S. 343 »Die Zähne zeigen«: Quellen zur deutschen Politik Österreichs 5, 203.

»Den gemeinsamen Feind beider Mächte, die Revolution«: Erlaß an Werther/Wien, 26. 1. 1866, GW 5, 365 ff.

Österreichischer Ministerrat vom 21. 2. 1866: Quellen zur deutschen Politik Österreichs 5, 202 ff.

»Ohne Schwertstreich«: Erlaß an Károlyi/Berlin, 1. 3. 1866, Quellen zur deutschen Politik Österreichs 5, 233.

Preußischer Kronrat vom 28. 2. 1866: Die auswärtige Politik Preußens 6, 611 ff.

S. 344 »Jeden Morgen den Uhrmacher (zu) spielen«: GW 7, 123.

S. 345 »Souveränitätsschwindel«: 28. 9. 1865, Heyderhoff, Liberalismus 1 (1925), 254.

»Wir kommen dahin«: An Alexander von Below-Hohendorf, 18. 9. 1861, GW 14, 578.

»Ich bin meinem Fürsten«: 2. 7. 1861, GW 14, 571.

S. 346 »Otto Annexandrowitschs Seeräuberpolitik«: An Schweinitz, 30. 11. 1865, Briefwechsel des Botschafters General Hans Lothar von Schweinitz 1859–1891 (1928), 20 f.

»Grundsätze«: Gespräch mit dem englischen Schriftsteller Sidney Whitman, 3. 4. 1895, GW 9, 420.

S. 347 Geheimvertrag vom 8. 4. 1866: Huber, Dokumente 2, 190f.

S. 348 Französisch-österreichische Geheimkonvention vom 12. 6. 1866: Oncken, Rheinpolitik 1 (1926), 265f., Zusatznote, ebd., 267.

S. 349 Mündliche Erklärung: Herzog von Gramont an Drouyn de Lhuys, 12. 6. 1866, Oncken, Rheinpolitik 1 (1926), 268.

S. 350 »Daß ich in meinem politischen Verhalten die äußere Politik nur als Mittel«: Rede vor dem Abgeordnetenhaus, 3. 2. 1866, Kohl, Reden 3, 27.

S. 351 Preußischer Bundesreformantrag: Huber, Dokumente 2, 191ff.

»Ein deutsches Parlament«: Zu Ernst von Coburg-Gotha, 26. 3. 1866, Kaiser Friedrich, Tagebücher, 545f.

»Direkte Wahlen«: Erlaß an Reuß/München, 24. 3. 1866, GW 5, 421.

S. 352 »In einem Lande mit monarchischen Traditionen«: Werke in Auswahl 3, 692.

»Die Anhänger des drei Taler-Zensus«: An Alexander von Below-Hohendorf, 22. 2. 1854, Werke in Auswahl 2, 7.

S. 353 »Und Sie meine Herren sollten auch so denken«: Kohl, Reden 3, 27.

S. 354 »Wie weit, wann und in welcher Richtung«: GW 5, 381.

S. 356 »Zum Kriege resigniert«: Schweinitz, Denkwürdigkeiten 1 (1927), 195.

S. 357 »Das Attentat gegen diesen, von einem ganzen Volk einmütig verdammten Attentäter«: 10. 5. 1866, O. Bandmann, Die deutsche Presse und die Entwicklung der Deutschen Frage 1864–1866 (1910), 176.

»Alles wird dominiert«: An Hermann Baumgarten, 14. 5. 1866, Heyderhoff, Liberalismus 1 (1925), 284.

»Mehrmals hatte ich den Eindruck«: R. v. Keudell, Fürst und Fürstin Bismarck (1901), 261.

S. 358 »Und womöglich Seine Majestät den Kaiser selbst«: Telegramm an Redern/ Petersburg, 7. 5. 1866, GW 5, 490f.

S. 359 »Ich verfolge mit dem ruhigsten Gewissen mein Ziel«: J. Vilbort, L'œuvre de M. de Bismarck 1863–1869, Sadowa et la campagne de sept jours (1869), GW 7, 120.

S. 360 La Marmora: Schulthess, Europäischer Geschichtskalender 1868, 427, und La Marmora, Un po' più di luce (1873).

Depesche Usedoms: Huber, Dokumente 2, 208ff.

S. 363 »Daß wir in diesem Verfahren der österreichischen Regierung«: GW 5, 524ff.

»Zum Schutz der inneren Sicherheit Deutschlands«: Huber, Dokumente 2, 204.

Erklärung Savignys: Ebd., 206f.

S. 366 »Die Einigung Deutschlands«: Ansprache an den Vorstand des Kieler Konservativen Vereins, 14. 4. 1891, GW 13, 421.

»Wenn wir in der jetzigen Gestaltung des Bundes«: Runderlaß an die Missionen, 27. 5. 1866, GW 5, 514.

S. 368    »Meine beiden größten Schwierigkeiten«: Gespräch mit dem englischen Schriftsteller J. Whitman, Mitte Oktober 1891, GW 9, 157.

»Wenn wir nicht übertrieben in unseren Ansprüchen sind«: An Johanna, 9. 7. 1866, GW 14, 717.

S. 369    »Nach einigen Jahren wird Louis«: Gespräch mit Abeken und Keudell, 5. 7. 1866, R. v. Keudell, Fürst und Fürstin Bismarck (1901), 295.

## Die »Revolution von oben«

S. 373    Entscheidung Wilhelms I.: Immediatbericht vom 24. 7. 1866, GW 6, 81.

S. 374    Zugeständnisse: Art. V (Schleswig) und Art. IV (»Internationale unabhängige Existenz«), Huber, Dokumente 2, 218.

S. 376    »Wenn wir gesiegt haben«: Gespräch mit Johannes Miquel, Ende Mai 1866, GW 7, 119.

»Ein wunderbares Gefühl dabei zu sein«: An seinen Bruder Tycho, 18. 7. 1866, A. Wucher, Theodor Mommsen, Geschichtsschreibung und Politik (1956), 68.

S. 377    »Daß die Fortführung einer geregelten Verwaltung«: Kohl, Reden 3, 48 ff.

S. 378    »Tendenzpolitik«: Twesten am 3. 2. 1866 im Preußischen Abgeordnetenhaus, Stenographische Berichte, 79.

»Abschwörung alles dessen«: 1. 9. 1866, Stenographische Berichte, 152.

S. 379    Die Geschichte selbst »die Indemnität erteilt«: 2. 9. 1866, Stenographische Berichte, 194 f.

»Österreich und Preußen Hand in Hand«: Krieg und Bundes-Reform (Buchausgabe 1870), 12.

S. 380    »Mit den Feinden wird man fertig«: An Johanna, 3. 8. 1866, GW 14, 720.

S. 381    »Die deutsche Revolution in Kriegsform«: An den Schweizer Politiker Dubs, 23. 6. 1866, J. C. Bluntschli, Denkwürdigkeiten aus meinem Leben 3 (1884), 160.

»Unsere Revolution wird von oben vollendet«: An G. Reimer, 1. 12. 1866, Heinrich von Treitschkes Briefe, hrsg. v. M. Cornicelius 3 (1920), 103, Anm. 1.

»Nun ist aber die Revolution von oben durch Euch in Mode gekommen«: O. Regele, Feldzeugmeister Benedek, Der Weg nach Königgrätz (1960), 479 f.

»Revolution machen in Preußen nur die Könige«: M. Busch, Tagebuchblätter 1 (1899), 568.

»Königlich-preußische Revolutionär«: E. Engelberg, Über die Revolution von oben, Zeitschrift für Geschichtswissenschaft 22 (1974), 1193.

S. 383    Abkommen vom 18. 8. 1866: Huber, Dokumente 2, 224 f.

S. 385    Putbuser Diktate: GW 6, 167 ff. sowie in vollständigerer Form b. R. v. Keudell, Fürst und Fürstin Bismarck (1901), 311 ff.

S. 386 »Die Form, in welcher der König von Preußen«: An Roon, 27. 8. 1869, GW 6b, 134.

S. 387 Verfassungsentwurf vom 9. 12. 1866: GW 6, 188 ff.

S. 388 »Anker der Rettung«: Reichstagsrede vom 12. 6. 1882, Kohl, Reden 9, 368.

»Gewerbsmäßige Parlamentarier«: So Anfang Januar 1867 zu dem sächs. Minister von Friesen, R. Freiherr von Friesen, Erinnerungen 3 (1910), 10.

»Die Diäten sind die Besoldung des gebildeten Proletariats«: O. Becker, Bismarcks Ringen um Deutschlands Gestaltung (1958), 141 f.

S. 389 »Eine lebendige ... Volksvertretung«: Rede vor dem Preußischen Abgeordnetenhaus, 18. 1. 1869, Kohl, Reden 4, 98.

S. 390 »Theoretisch kann man viel darüber sagen«: Rede vom 5. 3. 1878, Kohl, Reden 7, 156.

»Schwere Hemmung«: Februar 1869, Bismarck-Jahrbuch 1 (1894), 80.

S. 391 »Tief angelegtes Komplott gegen die Freiheit der Bourgeoisie«: Kohl, Reden 3, 247.

»Arbeiterbataillone zu formieren«: K. E. Pollmann, Der Parlamentarismus im Norddeutschen Bund (ms. Habilitationsschrift 1978), 447.

»Parlamentarische Hochdruckmaschine«: O. Becker, Bismarcks Ringen um Deutschlands Gestaltung (1958), 166.

S. 392 »Territion durch parlamentarische Bewegungen«: An Eulenburg, 17. 1. 1867, GW 6, 238.

»Den Parlamentarismus durch den Parlamentarismus zu stürzen«: Gespräch mit dem sächs. Minister von Friesen, Anfang Januar 1867, R. Freiherr von Friesen, Erinnerungen 3 (1910), 11.

S. 393 »Ein bestimmtes und überwachtes Maß«: An Friedrich von Preen, 26. 4. 1872, Briefe, hrsg. v. F. Kaphahn (o. J.), 364; »durchgehende Nachtzüge«: An Friedrich von Preen, 20. 7. 1870, ebd., 345.

S. 394 »Verordnungsdurchfall«: An Thile, 29. 7. 1867, GW 14, 735.

S. 398 Ausweitung des bürokratischen Apparats: An den Handelsminister v. Itzenplitz, 2. 2. 1868, GW 6a, 229 f.

S. 399 »So sollt ihr eine Kreisordnung bekommen«: Julius von Eckardt, Lebenserinnerungen 1 (1901), 141.

»Republikanische Zerfahrenheit«: An Alexander von Below-Hohendorf, 25. 2. 1869, GW 14, 749.

S. 401 »Wir würden auf die deutsche Nationalkraft«: Erlaß an Usedom/Florenz, 21. 10. 1867, GW 6a, 86.

S. 402 »Die Diagonale der Kräfte«: Rede vom 24. 5. 1870, Kohl, Reden 4, 375.

»Ein großer Staat regiert sich nicht nach Parteiansichten«: Rede im Herrenhaus, 15. 1. 1867, Kohl, Reden 3, 118.

S. 403 »Wortreiche Unruhe«: Erlaß an Werthern/München, 25. 2. 1869, GW 6b, 2.

S. 405    Entwurf einer zweiseitigen Vereinbarung: Text bei Oncken, Rheinpolitik 2 (1926), 94f.

S. 406    »Schwer« darin »nicht das Bestreben«: Erlaß an von der Goltz/Paris, 8.1.1867, GW 6, 223.

S. 408    »Wenn wir Krieg bekommen«: An Katharina Orlow, 6.5.1867, Fürst Nikolai Orlow, Bismarck und Katharina Orlow (1936), 119.

          »Luxemburg war das Äußerste«: An Keudell, etwa 6./7.7.1867, GW 14, 729.

S. 409    »Vom Ochsen kann man nichts anderes erwarten«: An Leopold von Gerlach, 18.12.1853, GW 14, 332.

          »Frankreich muß entweder entschieden«: H. Lutz, Österreich-Ungarn und die Gründung des Deutschen Reiches (1979), 75.

S. 410    Wenn man »von dessen Fähigkeiten«: Dezember 1866, H. v. Poschinger, Fürst Bismarck und die Parlamentarier 2 (1896), 51.

          »Ernste Besorgnisse«: Die auswärtige Politik Preußens 9, 180.

          »Fieberhafte Unruhe«: Les origines diplomatiques de la guerre 1870–1871, 18, 195.

          »Einiges Mißtrauen«: A. Loftus, Diplomatic Reminiscences 1862–1879, 1 (1894), 193.

S. 411    Bereits Mitte März angekündigt: Rede vom 11.3.1867 in der Generaldebatte des Konstituierenden Reichstags über die Verfassung des Norddeutschen Bundes, Kohl, Reden 3, 168ff., hier 180f.

S. 414    »Gespenst«: L. Bamberger, Politische Schriften von 1848 bis 1868 (1895), 331.

          Anschluß Badens: Rede vom 24.2.1870, Kohl, Reden 4, 305ff.

S. 415    »Daß die deutsche Einheit durch gewaltsame Ereignisse«: 26.2.1869, GW 6b, 2.

S. 416    »Ich wenigstens bin nicht so anmaßend zu glauben«: An Gottfried Kinkel, 21.7.1869, GW 14, 752.

          »Ungesuchte Gelegenheit«: Diktat für Wilhelm I., 20.11.1869, GW 6b, 166.

          »Es hieße das Wesen der Politik zu verkennen«: Gespräch mit dem Historiker Heinrich Friedjung, 13.6.1890, H. Friedjung, Der Kampf um die Vorherrschaft in Deutschland 1859–1866, 2 (1898), 522.

S. 417    »Niemals dringt die Erörterung der ›Kriegsschuld‹ in die Tiefe der Dinge ein«: H. v. Srbik, Deutsche Einheit 4 (1942), 462.

S. 418    »In unserem Interesse liegt es«: 3.10.1868, GW 6a, 412.

S. 423    Schreiben an Wilhelm I. vom 9.3.1870: GW 6b, 271ff.

S. 426    »Die Spanische Sache«: 13.5.1870, GW 14, 776.

S. 428    An Karl Anton, 28.5.1870: GW 6b, 324f.

S. 429    »Eine *amtliche* Bedeutung nicht beilege«: GW 6b, 332.

S. 430 Die »spanische Bombe«: An Karl Anton von Hohenzollern-Sigmaringen, 6. 7. 1870, J. Dittrich, Bismarck, Frankreich und die spanische Thronkandidatur (1962), 406.

»Daß die Angelegenheit«: R. H. Lord, The Origins of the War of 1870 (1924), 121.

S. 431 »Wir glauben nicht«: Oncken, Rheinpolitik 3 (1926), 396 f.

Bismarcks Darstellung: Erinnerung und Gedanke, GW 15, 301 ff.

S. 434 Emser Depesche: GW 6 b, 368 ff.

S. 438 »Man hat uns schon Sadowa nicht verziehen«: Zu Keudell, 6. 9. 1870, R. v. Keudell, Fürst und Fürstin Bismarck (1901), 457.

»Die einzig richtige Politik«: GW 6 b, 455.

S. 439 »Genie des Gegenwärtigen«: K. Scheffler, Bismarck (1919), 25.

S. 441 »Phrasenberäucherung«: An Johanna, 28./29. 10. 1870, GW 14, 797.

S. 442 Ruhig »wie die tollen Hunde krepieren«: Tagebücher des Generalfeldmarschalls Graf von Blumenthal aus den Jahren 1866 und 1870/71 (1902), 161.

»Zopfigkeit und Ressort-Eifersucht«: An Johanna, 12. 9. 1870, GW 14, 792.

»Zivilist im Kürassierrock«: Paul Bronsart von Schellendorf, Geheimes Kriegstagebuch 1870–1871, hrsg. v. P. Rassow (1954), 311.

S. 443 »Typus eines die Uniform unter dem Frack versteckenden Ministerpräsidenten«: O. Nirrnheim, Das erste Jahr des Ministeriums Bismarck und die öffentliche Meinung (1908), 65.

S. 445 »Setzen wir Deutschland, so zu sagen, in den Sattel«: Rede vor dem Konstituierenden Reichstag des Norddeutschen Bundes, 11. 3. 1867, Kohl, Reden 3, 184.

S. 446 »Es ist bis jetzt nicht praktisch erwiesen«: Erlaß an Schweinitz/Wien, 12. 2. 1870, GW 6 b, 241.

S. 447 Denkschrift Delbrücks vom 13. 9. 1870: Ed. Stolze, Preußische Jahrbücher, Juli 1924, 3 ff.

S. 450 »Die deutsche Einheit ist gemacht«: M. Busch, Tagebuchblätter 1 (1899), 427.

»Ich kann Dir gar nicht beschreiben«: 2. 2. 1871, M. Doeberl, Bayern und die Bismarcksche Reichsgründung (1925), 174 f.

S. 451 »Hätte ich die wundervolle Basis der Religion nicht«: Tischgespräch am 28. 9. 1870, M. Busch, Tagebuchblätter 1 (1899), 248.

»Diese Kaisergeburt«: GW 14, 810.

S. 452 »Ich ängstige mich oft«: An Johanna, 22. 11. 1870, GW 14, 800.

»Ich habe die größte Angst«: M. Busch, Tagebuchblätter 1 (1899), 465 f.

S. 453 »Gestern haben wir endlich unterzeichnet«: GW 14, 816.

# Der Zauberlehrling

## Neue Konstellationen und neue Konflikte

S. 459 »Ich bin müde«: An Katharina Orlow, 25. 12. 1871, Fürst Nikolai Orlow, Bismarck und Katharina Orlow (1936), 129.

S. 460 »Diesem ununterbrochenen Tintenstrom«: An Johanna, 28. 8. 1863, GW 14, 652.

»Man müsse eben auf seine Privatexistenz verzichten«: J. v. Eckhardt, Lebenserinnerungen 1 (1910), 124.

Die Politik »vertrockne« »alles in ihm«: Tagebuch der Baronin Spitzemberg (1976⁴), 238.

S. 461 »Unabhängigkeit des Privatlebens«: An Karoline von Bismarck-Bohlen, September 1838, GW 14, 15.

Eine ebenso minutiöse und sachkundige wie unvoreingenommene Untersuchung: F. Stern, Gold und Eisen, Bismarck und sein Bankier Bleichröder (1978), bes. 348 ff.

S. 462 Ein »Asyl«: An Katharina Orlow, 25. 12. 1871, Fürst Nikolai Orlow, Bismarck und Katharina Orlow (1936), 129.

»Das steinerne Eis«: An Johanna, 19. 4. 1859, GW 14, 513.

S. 463 »Ein Staat, der sich von einer Bureaukratie«: 30. 6. 1850, GW 14, 159 f.

S. 464 Die preußische Bürokratie dehne »sich aus wie das Grundwasser«: Lucius von Ballhausen, Bismarck-Erinnerungen (1920), 48.

Seine »faktiösen Vettern«: An Roon, 20. 11. 1873, GW 14, 857.

S. 465 »Für die Nerven eines Mannes in reifen Jahren«: GW 15, 352.

S. 467 »Wodurch hat man die Gnade Gottes verdient«: Heyderhoff, Liberalismus 1 (1925), 494.

Jetzt müsse man »an dem großen Werk weiterarbeiten«: L. Gall, Der Liberalismus als regierende Partei (1968), 485.

»Die Verfassung des deutschen Reiches von den Schlacken des Ursprungs zu reinigen«: An Friedrich Kiefer, 13. 12. 1870, Aus Eduard Laskers Nachlaß (Deutsche Revue 17/1892, 4), 67 f.

S. 469 »Erfüllt von glühendem Patriotismus«: Bismarck-Regesten, hrsg. v. H. Kohl 1 (1891), 418 f.

S. 471 »Wir können, wie die Dinge sich eben in Süddeutschland«: Erlaß an Arnim/ Rom, 12. 4. 1868, GW 6a, 348.

S. 473 »Kreuzzeitung«: Leitartikel vom 19. 6. 1871, M. Stürmer, Regierung und Reichstag im Bismarckstaat 1871–1880 (1974), 74 f.

»Das Zentrum steigert«: Erlaß an den bayerischen Gesandten in Rom, von Tauffkirchen, 30. 6. 1871, GW 6c, 9.

S. 474 »Politik ist eine Aufgabe«: Antwort auf eine Adresse deutscher Studenten, 1. 4. 1895, GW 13, 558.

S. 475 Je älter er werde: Lucius von Ballhausen, Bismarck-Erinnerungen (1920), 10.

»Kurzsichtige und weitsichtige Augen«: 21. 7. 1869, GW 14, 752.

S. 476 »Die hauptsächlichen Irrtümer unserer so traurigen Zeit«: H. Schnatz (Hrsg.), Päpstliche Verlautbarungen zu Staat und Gesellschaft (1973), 5.

S. 477 Das »Verlangen der ultramontanen Partei«: Erlaß an Schweinitz/Wien, 27. 1. 1873, GW 6 c, 32.

S. 479 »Staatsministerium des Papstes«: Rede im Preußischen Abgeordnetenhaus vom 16. 4. 1875, Kohl, Reden 6, 270.

S. 480 »Jeden Geistlichen oder anderen Religionsdiener«: N. Siegfried, Aktenstücke betreffend den preußischen Kulturkampf (1882), 93.

S. 482 »Rückfall in das krasseste Heidentum«: E. L. von Gerlach, Kaiser und Papst (1873), 72.

S. 483 Falk »spintisiere« wieder: Lucius von Ballhausen, Bismarck-Erinnerungen (1920), 47.

»Kunstausdruck Rechtsstaat«: An den Kultusminister von Goßler, 25. 11. 1881, GW 6 c, 234.

S. 484 »Die Rechte des Staates«: E. Foerster, Adalbert Falk (1927), 75.

Rede vom 30. 1. 1872, Kohl, Reden 5, 228 ff.

S. 487 Erwiderung Windthorsts: Stenographische Berichte des Deutschen Reichstags 1871/72, 541 ff.

S. 488 Bismarcks Reaktion: Rede vom 31. 1. 1872, Kohl, Reden 5, 242 ff.

»Wir müssen jetzt nach Allem, was geschehen ist«: Roon, Denkwürdigkeiten 3 (1897[4]), 372.

S. 490 »Landesfeindliche Desertion«: An Roon, 13. 12. 1872, GW 14, 845.

»Fahnenflucht«: An Roon, 20. 11. 1873, GW 14, 857.

»Römisch-germanische Junker«: An den Innenminister Graf zu Eulenburg, 21. 12. 1873, GW 6 c, 48.

»Das Gros dieser Partei«: 5. 2. 1874, GW 6 c, 53.

S. 491 »Nach Canossa gehen wir nicht«: Kohl, Reden 5, 338.

S. 496 »Kleines Vorpostengefecht«: Stenographische Berichte des Deutschen Reichstags 1871, 2, 921.

»Jener Anruf der Kommune«: Kohl, Reden 7, 267.

S. 497 »Anerkennung des Grundsatzes, daß die sozialistischen Bedrohungen«: Erlaß an Schweinitz/Wien, 7. 6. 1871, GW 6 c, 8.

Notiz vom 21. 10. 1871: GW 6 c, 10.

»Der sozialistischen Bewegung in ihrer gegenwärtigen Verirrung Halt zu gebieten«: An Graf Itzenplitz, 17. 11. 1871, Poschinger, Wirtschaftspolitik 1 (1890), 165.

S. 499　»Alptraum der Revolutionen«: Th. Schieder, Das Problem der Revolution im 19. Jahrhundert, in: Staat und Gesellschaft im Wandel unserer Zeit (1958), 40.

»Die Mehrzahl der Arbeiter mit der bestehenden Staatsordnung auszusöhnen«: An Graf Itzenplitz, 17. 11. 1871, Poschinger, Wirtschaftspolitik 1 (1890), 166.

## Das Reich und Europa

S. 503　»Jede germanische Eroberungstendenz«: 23. 7. 1870, GW 6 b, 417.

»Stets in zehn bis fünfzehn Minuten«: An die Tochter, 23. 6. 1872, GW 14, 834.

S. 504　»Dieser Krieg bedeutet die deutsche Revolution«: W. F. Monypenny/G. E. Buckle, The Life of Benjamin Disraeli 2 (1929), 473 f.

»Hoffnung in Betreff der Zukunft«: H. Lutz, Österreich-Ungarn und die Gründung des Deutschen Reiches (1979), 365, und GW 6 b, 596.

S. 505　»Die Bestrebungen der Fraktion«: Erlaß an Schweinitz/Wien, 7. 2. 1871, GW 6 b, 690.

S. 506　»Ein solches Verhältnis«: 19. 2. 1878, Kohl, Reden 7, 105 f.

»Er kann keine Pfütze überschreiten«: H.-J. Schoeps, Bismarck über Zeitgenossen, Zeitgenossen über Bismarck (1972), 84.

»Trotz aller Sympathien für die Balten«: GW 8, 45.

»Wir könnten höchstens noch mehr Polen bekommen«: Lucius von Ballhausen, Bismarck-Erinnerungen (1920), 27.

»Die russischen Ostseeprovinzen«: Erlaß an Reuß/Petersburg, 21. 1. 1869, GW 6 a, 526.

S. 507　»Wenn sein bester Freund«: Reuß/Petersburg an Wilhelm I., 16. 7. 1872, Große Politik 1, 198.

S. 508　Dreikaiserabkommen vom 22. 10. 1873: Große Politik 1, 206 f.

»Um der Sicherung des Friedens« »Dauer zu verleihen«: Gespräch mit dem ungarischen Schriftsteller Maurus Jókai, 27. 2. 1874, GW 8, 107.

S. 510　»Geeignet ... eine nützliche, friedliche Wirkung zu üben«: Lucius von Ballhausen, Bismarck-Erinnerungen (1920), 72.

»Diese Rothäute in Lackstiefeln«: So Ende Mai 1873 im Hinblick auf die Eventualität eines neuerlichen Konflikts zu dem ehemaligen Zivilgouverneur von Oettingen, GW 8, 87.

S. 511　»Einem vertrauenden und nichtsahnenden Freunde«: GW 15, 364; ganz ähnlich auch schon im August 1878: Freiherr von Mittnacht, Erinnerungen an Bismarck, Neue Folge (1905), 10 f.

»Unsere Hauptgefahr für die Zukunft«: 5. 12. 1872, W. Frank, Nationalismus und Demokratie im Frankreich der dritten Republik (1933), 26.

S. 512 »Die orientalische Frage ist ein Gebiet«: An Reuß/Paris, 29. 11. 1862, GW 14, 630.

»Die gesunden Knochen eines einzigen pommerschen Musketiers«: Reichstagsrede vom 5. 12. 1876, Kohl, Reden 6, 461.

S. 514 »Je schwieriger die Situation sich zuspitzt«: Diktat vom 14. 10. 1876, Große Politik 2, 647.

»Ehrlicher Makler«: Reichstagsrede vom 19. 2. 1878, Kohl, Reden 7, 92.

S. 515 »Die Erinnerung an Deine Haltung für mich und mein Land«: 2. 9. 1876, Große Politik 2, 38.

»Daß wir uns unter keinen Umständen«: Große Politik 2, 37.

Telegramm Werders: Große Politik 2, 55.

S. 516 »Doktorfrage«: Diktat vom 2. 10. 1876, Große Politik 2, 55.

»In abstracto«: Bülow an Schweinitz/Petersburg, 23. 10. 1876, Große Politik 2, 251.

Kissinger Diktat: Große Politik 2, 153 f.

S. 519 »Eine Politik wie Friedrich II... machen wir nicht«: 30. 6. 1877, Lucius von Ballhausen, Bismarck-Erinnerungen (1920), 112.

Reichstagsrede vom 19. 2. 1878: Kohl, Reden 7, 80 ff.

S. 520 »Blei-Garnierung«: 30. 11. 1876, Hatzfeldt-Papiere 1 (1976), 307.

S. 521 Sonst werde »ein Moment kommen«: Stenographische Berichte 1, 19. 2. 1878, 114.

S. 522 »Schlüssel zum westlichen Asien«: Zit. nach R. Seton-Watson, Disraeli, Gladstone and the Eastern Question (1926²), 423.

S. 524 »Unser großes Ziel war es«: Disraeli an Drummond Wolff, 4. 11. 1880, W. F. Monypenny/G. E. Buckle, The Life of Benjamin Disraeli 2 (1929), 1239.

## Innerer Umschwung

S. 528 »Sowie wir in Parteiministerien hineingeraten«: Rede vom 25. 1. 1873, Kohl, Reden 5, 378.

»Das konstitutionelle Regiment«: Rede vor dem Preußischen Abgeordnetenhaus, 5. 2. 1868, Kohl, Reden 3, 456.

S. 529 »Faktiöse Haltung«: Aufzeichnung vom 2. 11. 1872, GW 6c, 25.

Von der konservativen Partei »verlassen«: O. von Diest-Daber, Lebensbild eines mutigen Patrioten (1901), 37.

Roon selber werde »bald zur Einsicht kommen«: L. E. v. Schulte, Lebenserinnerungen 1 (1908), 322.

Stärkste Bedenken vieler seiner Parteifreunde: Aufzeichnung Rudolf von Delbrücks über ein Gespräch mit Johannes Miquel, 9. 2. 1873, Nachlaß Bismarck B 34, 17.

S. 530 Lasker: Reden vom 14. 1. und vor allem 7. 2. 1873, Stenographische Berichte 1, 536 ff., 2, 934 ff.

S. 534 »Die Herren Militärs«: Friedrich I. von Baden an Karl Alexander von Sachsen-Weimar, 12. 4. 1873, Großherzog Friedrich I. von Baden und die Reichspolitik 1 (1968), 114.

»Ja, meine Herren, verstoßen Sie den Mann wie Sie wollen«: Reichstagsrede vom 4. 12. 1874, Kohl, Reden 6, 222.

»Die Folge« werde sein: Rede vom 18. 3. 1875, Kohl, Reden 6, 256.

S. 535 Auf »schlechte Hasenjagd zu gehen«: H. v. Poschinger, Fürst Bismarck und die Parlamentarier 1 (1894²), 87.

S. 539 »Die Verantwortlichkeit für die ungenügende Bekämpfung der Umsturzpartei«: M. Stürmer, Regierung und Reichstag im Bismarckstaat 1871–1880 (1974), 142.

»In einer den öffentlichen Frieden gefährdenden Weise«: Stenographische Berichte 3, Anlage 54, 157 (§ 130).

S. 542 Rede vom 22. 11. 1875: Kohl, Reden 6, 292 ff.

S. 543 »Direkt an den Reichskanzler zu gehen«: So der Industrielle August Servaes an den Generalsekretär des Vereins Deutscher Eisen- und Stahlindustrieller, Dr. Rentzsch, 6. 11. 1875, H. Böhme, Deutschlands Weg zur Großmacht (1972²), 388.

S. 545 Rede vom 9. 2. 1876: Kohl, Reden 6, 333 ff.

»Ära-Artikel«: Text b. L. Feldmüller-Perrot, Bismarck und die Juden, ›Papierpest‹ und ›Aera-Artikel von 1875‹ (1931), 271 ff.

S. 546 »Die wirtschaftliche Politik des Reiches vom Stadtgericht beurteilen zu lassen«: 18. 7. 1875, GW 6c, 61 f.

Sie brauchten »keine Belehrungen«: »Kreuzzeitung« vom 26. 2. 1876.

S. 547 »Wenn ich schlaflos im Bette liege«: Lucius von Ballhausen, Bismarck-Erinnerungen (1920), 85.

»Mein Leben erhalten und verschönen zwei Dinge«: Chr. v. Tiedemann, Aus sieben Jahrzehnten 2 (1909), 15.

S. 551 »Reichen Stoff für die Betrachtung«: Aus Eduard Laskers Nachlaß, hrsg. v. W. Cahn (1902), 107.

S. 554 Er sei »nach wie vor bereit«: Gespräch mit dem nationalliberalen Reichstagsabgeordneten von Benda Mitte Juli 1876 in Kissingen, H. v. Poschinger, Bismarck und die Parlamentarier 2 (1894²), 209; ebenso auch zu dem freikonservativen Abgeordneten Lucius Ende September 1876, Lucius von Ballhausen, Bismarck-Erinnerungen (1920), 94.

»Ich soll sie verleugnet haben«: M. Busch, Tagebuchblätter 2 (1899), 548 f.

Schreiben an Bennigsen vom 17. 12. 1877: GW 14, 890 f.

S. 555 »Die eigentliche Staatskrankheit«: Chr. v. Tiedemann, Aus sieben Jahrzehnten 2 (1909), 16.

S. 556 Ein »Intrigant und Spion«: Lucius von Ballhausen, Bismarck-Erinnerungen (1920), 105.

Rede gegen Stosch: 10. 3. 1877, Kohl, Reden 7, 17 ff.

»Komödie eines Entlassungsgesuchs«: E. Richter, Im alten Reichstag, Erinnerungen 2 (1896), 13.

Die Partei habe »Zeit zu warten«: Lucius von Ballhausen, Bismarck-Erinnerungen (1920), 127.

S. 557 »Als ob er mit einem Übergeschnappten spräche«: Chr. v. Tiedemann, Aus sieben Jahrzehnten 2 (1909), 129.

»Den ruhigen und konservativen Gang meiner Regierung«: An Bismarck, 30. 12. 1877, Anhang zu den Gedanken und Erinnerungen 1 (1901), 278.

S. 558 »Zustand der Zerfahrenheit«: Lucius an Tiedemann, 9. 2. 1878, Chr. v. Tiedemann, Aus sieben Jahrzehnten 2 (1909), 226.

Rede vom 22. 2. 1878: Kohl, Reden 7, 109 ff.

Den er längst entschlossen war, »fallenzulassen«: Freiherr von Mittnacht, Erinnerungen an Bismarck (1904), 61 ff.

S. 559 »Der Systemwechsel wird immer deutlicher«: An Heinrich Gelzer, 3. 4. 1878, Großherzog Friedrich I. von Baden und die Reichspolitik 1 (1968), 280.

S. 560 »Den Kulturkampf bis zum äußersten Ende«: 6. 10. 1877, E. Förster, Adalbert Falk (1927), 384 ff.

S. 562 »Mit Reichsministerien auf eigene Verantwortung«: 22. 2. 1878, Anhang zu den Gedanken und Erinnerungen 2 (1901), 511.

»Die Kanzlerdiktatur noch fester zu rammen«: E. Richter, Im alten Reichstag, Erinnerungen 2 (1896), 54.

S. 563 »Intelligenter und erfahrener Fachmann«: Bismarck zu dem nationalliberalen Reichstagsabgeordneten von Benda, H. v. Poschinger, Bismarck und die Parlamentarier 2 (1894²), 208.

Potentieller Nachfolger: Lucius von Ballhausen, Bismarck-Erinnerungen (1920), 86.

»Warum ich noch nicht für einen passenden Nachfolger gesorgt habe«: 1885 zu August Firks-Samiten, GW 8, 518.

Die »ganze Entstehungsgeschichte des neuen Ministeriums«: An Heinrich Gelzer, 4. 4. 1878, Großherzog Friedrich I. von Baden und die Reichspolitik 1 (1968), 281.

S. 564 »Daß er in der Bresche liegen bleibe«: Lucius von Ballhausen, Bismarck-Erinnerungen (1920), 125.

Eintreten »eines seltsamen, blendenden oder verblüffenden Ereignisses«: Aus Eduard Laskers Nachlaß, hrsg. v. W. Cahn (1902), 110.

»Sollte man nicht von dem Attentat Anlaß … nehmen«: GW 6c, 109.

S. 565 »Absicht eines Krieges gegen den Reichstag«: Hobrecht an Bismarck, 18. 5. 1878, M. Stürmer, Regierung und Reichstag im Bismarckstaat 1871–1880 (1974), 220.

»Daß verschiedene Parteien«: Stenographische Berichte 2, 1508; die ganze Debatte, 1495 ff.

S. 566 »Dann lösen wir den Reichstag auf«: Chr. v. Tiedemann, Aus sieben Jahrzehnten 2 (1909), 263.

Nachdrücklich verwahrte: Ansprache an eine Abordnung nationalliberaler Vertrauensmänner des 19. hannoverschen Wahlkreises, 2. 5. 1891, GW 13, 423.

»Die Zuversicht«: GW 15, 372.

S. 567 »Nicht ich habe Händel mit den Nationalliberalen gesucht«: GW 15, 372 f.

S. 568 »Wie einen madigen Apfel«: Denkwürdigkeiten des Fürsten Chlodwig zu Hohenlohe-Schillingsfürst 2 (1907), 243.

S. 570 »Die im Zentrum vereinten Kräfte«: An Ludwig II., 12. 8. 1878, GW 14, 894.

Es werde »auf den Versuch ankommen«: Denkschrift, betreffend die Neuwahlen zum Reichstag, Ende Juni 1878, Bismarck-Jahrbuch 1 (1894), 118.

»Die Verstärkung nach rechts«: H. v. Mittnacht, Erinnerungen an Bismarck, Neue Folge (1905), 9.

S. 571 »Die Übertragung der strengen parlamentarischen Traditionen Englands auf unsere Einrichtungen«: 29. 5. 1878, GW 6c, 114.

S. 572 »Wenn es das Genie eines Staatsmannes«: Stenographische Berichte, 201; die Rede Bennigsens vom Vortag (10. 10. 1878), ebd., 165 ff.

»Was heißt religiöse, was heißt politische Glaubensfreiheit«: Stenographische Berichte, 62.

S. 573 »Das infamste Gesetz«: F. C. Sell, Die Tragödie des deutschen Liberalismus (1953), 266.

»Das Sozialistengesetz darf unter keinen Umständen«: 3. 9. 1878, Heyderhoff, Liberalismus 2 (1926), 223.

S. 574 »Weihnachtsbrief«: H. v. Poschinger, Fürst Bismarck als Volkswirth 1 (1889), 170 ff.

»Freihändlerische Störung«: Votum an das Preußische Staatsministerium, 13. 5. 1880, GW 6c, 184.

S. 575 »Eine Eventualität, der der Chef ohne Furcht«: 15. 2. 1879, Hatzfeldt-Papiere 1 (1976), 330.

S. 577 Rede vom 2. 5. 1879: Kohl, Reden 8, 11 ff.

S. 579 »Von dem wir geglaubt haben«: Stenographische Berichte 2, 1048.

S. 580 Antwortrede vom 8. 5. 1879: Kohl, Reden 8, 33 ff.

S. 581 Das »freie, tatkräftige Bürgertum«: Schulthess, Europäischer Geschichtskalender 1879, 164 f.

S. 585 »Eine weit angelegte Intrige«: Gespräch mit Tiedemann am 30. 6. 1879, Chr. v. Tiedemann, Aus sieben Jahrzehnten 2 (1909), 243.

»Als wenn in einem kritischen Momente einer Schlacht«: Immediatbericht vom 3. 7. 1879, GW 6c, 155.

Rede vom 9. 7. 1879: Kohl, Reden 8, 137 ff.

S. 586     »Den ein bekanntes Wort für die Salbung des Deutschen Kaisers verlangte«:
Ludwig Uhland am 22. 1. 1849 in der Frankfurter Paulskirche, Stenogr.
Bericht über die Verhandlungen d. deutschen konstituierenden Nationalver-
sammlung 7, 4819.

S. 590     »Das System bleibt konstant dasselbe«: Erlaß an Reuß/Wien, 20. 4. 1880,
GW 6c, 178.

»Wie ein Mann gegen die Regierung«: Erlaß an Reuß/Wien, 14. 5. 1880, GW
6c, 186.

S. 591     »Nicht konservativ oder liberal«: Herbert Bismarck an Graf Rantzau,
27. 7. 1879, H. von Bismarck, Privatkorrespondenz, 90.

### Außenpolitische Neuorientierung und innenpolitische Optionen

S. 592     »Ist es eines wahren Staatsmannes würdig«: Große Politik 3, 14.

S. 593     Die deutsche Dankbarkeit könne »so weit nicht reichen«: Große Politik 3,
16 ff.

»Uns nur Österreich entfremden«: Große Politik 3, 25.

»Das Drei-Kaiser-Bündnis im Sinne einer friedlichen und erhaltenden Politik«: Große Politik 3, 41 f.

S. 594     »Wenn auch in sehr verjüngtem Maßstabe den Eindruck eines embryonischen
Olmütz«: Rothfels, Briefe, 397 f.

»Ich habe schon bei den Friedensverhandlungen in Nikolsburg«: Große
Politik 3, 27 ff.

S. 595     »Diese Allianz ist die Wiederaufrichtung des Deutschen Bundes in einer
neuen zeitgemäßen Form«: Lucius von Ballhausen, Bismarck-Erinnerungen
(1920), 176.

»Möge es der Gewandtheit des Herrn Reichskanzlers gelingen«: Stenographische Berichte 1, 104.

S. 597     Text des Dreikaiserbündnisses: Große Politik 3, 178 f.

»Mit einer Majorität, deren Fortbestand von dem freien Willen des Zentrums
abhängt«: GW 14, 910.

S. 599     »Sie wissen, daß mir eine Majorität der Rechten der Nationalliberalen«:
22. 11. 1879, GW 6c, 165.

»In jeder Flügelpartei«, »Laskerei«, »nihilistische Fraktionen«: An Lucius
von Ballhausen, 5. 11. 1879, GW 14, 910.

»Die Regierung braucht für ihre Vorlagen Majoritäten«: An Tiedemann,
22. 11. 1879, GW 6c, 165.

S. 600     »Die Verworrenheit der parlamentarischen Situation«: An Ludwig II. von
Bayern, 1. 6. 1880, GW 14, 917.

»Die Gelehrten ohne Gewerbe«: 25. 5. 1878, GW 6c, 111 f.

S. 601     »Im übrigen glaube ich«: Rede vom 15. 3. 1884, Kohl, Reden 10, 56.

»Ihre Aktiengesellschaften, die Fraktionen«: M. Busch, Tagebuchblätter 3
(1899), 89.

»Ein galvanisches Scheinleben«: An Eduard Lasker, 28. 1. 1880, Heyderhoff, Liberalismus 2 (1926), 290.

S. 602    »Ein einheitliches Zusammenwirken«: Werke in Auswahl 6, 469.

S. 603    »Entwurf einer Verordnung betreffend die Errichtung eines Volkswirtschaftsrats«: Poschinger, Wirtschaftspolitik 2 (1891), 10 ff.

S. 604    »Unser junges Verfassungsleben im Einzelstaate wie im Reiche in jenen Scheinkonstitutionalismus aufzulösen«: »Vossische Zeitung« vom 30. 11. 1880, zit. nach V. Dorsch, Die Handelskammern der Rheinprovinz in der zweiten Hälfte des 19. Jahrhunderts, ms. Diss. Frankfurt 1979, V, 1, 1.

»Art von Neben- und Gegenparlament«: Rede vor einer Wählerversammlung in Bingen, 4. 3. 1882, veröff. im »Mainzer Tagblatt« vom 12. 3. 1882 (frdl. Mitteilung v. Frau M.-L. Weber, die eine Monographie über Bamberger vorbereitet.)

S. 605    »Während die alten Parteien in Fluß gerieten«: H. Rothfels, Prinzipienfragen der Bismarckschen Sozialpolitik, in: ders., Bismarck, der Osten und das Reich (1960), 171.

Schreiben vom 10. 8. 1877: Poschinger, Wirtschaftspolitik 1 (1890), 258 ff.

»In der großen Masse der Besitzlosen die konservative Gesinnung zu erzeugen«: GW 6c, 230.

»Wer eine Pension hat für sein Alter«: M. Busch, Tagebuchblätter 3 (1899), 10.

S. 606    »Der Staat muß die Sache in die Hand nehmen«: Ende Juni 1881, M. Busch, Tagebuchblätter 3 (1899), 45.

S. 607    Der »Militärstaat«, der »Großfabrikant« werden müsse: An Friedrich von Preen, 26. 4. 1872, Briefe, hrsg. v. F. Kaphahn (o. J.), 364.

»Römische Kornverteilungen«: An Heinrich von Treitschke, 2. 6. 1881, Heyderhoff, Liberalismus 2 (1926), 380.

»Gegen Bismarck braut sich allmählich im Volk ein Wetter zusammen«: 23. 4. 1881, Briefe Theodor Fontanes, Zweite Sammlung, hrsg. v. O. Pniower u. P. Schlenther (1910), 42.

S. 608    »Wir machen die erfreuliche Wahrnehmung«: 2. 4. 1881, Stenographische Berichte 1, 710.

»Es *scheint* eine Subvention der Armen«: Stenographische Berichte 1, 709.

»Die einzige gesetzgeberische Potenz«: Stenographische Berichte 1, 678 f.

S. 609    »Daß man doch nicht Alles aus dem Gesichtspunkt der Parteitaktik«: Kohl, Reden 9, 31.

»Praktisches Christentum in gesetzlicher Betätigung«: Kohl, Reden 9, 29.

S. 610    »Parlamentarischer und geheimrätlicher Wechselbalg«: H.-P. Ullmann, Industrielle Interessen und die Entstehung der deutschen Sozialversicherung (HZ 229/1979), 608.

Selten »ein sicherer Staatsmann«: Rede vom 29. 4. 1881, Kohl, Reden 9, 56.

Rede vom 5. 5. 1881: Kohl, Reden 9, 63 ff.

S. 611   Die »Gelehrten«: »Norddeutsche Allgemeine Zeitung« vom 20. 6. 1881.

S. 613   »Gegen ›Fortschritt‹ und Freihandel«: H. v. Bismarck an Tiedemann, 6. 7. 1881, M. Stürmer (Hrsg.), Bismarck und die preußisch-deutsche Politik 1871–1890 (1970), 174.

Seine Partei bestehe »nur aus dem König und ihm«: Zu seinem Hausarzt Dr. Cohen, GW 8, 394.

Es könne »einmal ein Moment kommen«: Zu dem württembergischen Ministerpräsidenten Mittnacht, H. v. Mittnacht, Erinnerungen an Bismarck (1904), 29 f.

S. 614   Eine Situation, in der »schließlich die Worte ›Absolutismus‹ und ›Patriotismus‹«: Reichstagsrede vom 14. 6. 1882, Kohl, Reden 9, 420 f.

»Besonders wenn vorher etwas mit Redensarten von Oktroyieren und Staatsstreicheln gerasselt wird«: GW 14, 601.

Den Kaiser »in persönlicher Weise zum Träger«: Lucius von Ballhausen, Bismarck-Erinnerungen (1920), 217.

S. 617   Er wolle prinzipiell »gar keine Kolonien«: M. Busch, Tagebuchblätter 2 (1899), 157.

»Wir sind noch nicht reich genug, um uns den Luxus von Kolonien leisten zu können«: Gespräch mit Théophile Gautier jun., 24. 10. 1870, GW 7, 382.

»So lange ich Reichskanzler bin, treiben wir keine Kolonialpolitik«: Zu dem konservativen Abgeordneten Graf Frankenberg, H. v. Poschinger, Fürst Bismarck und die Parlamentarier 3 (1896), 54.

## Neue Wege zu alten Zielen: die Außenpolitik der achtziger Jahre

S. 619   »Loslösung Englands von dem uns feindlich bleibenden Frankreich«: Große Politik 2, 153.

S. 620   »Unser Verständigungsgebiet mit Frankreich«: 8. 4. 1880, Große Politik 3, 395.

Er wünsche »den Franzosen Siege in Tonkin und Madagaskar«: Gespräch mit dem Hausarzt Dr. Cohen, 8. 1. 1884, GW 8, 499.

Unterredung mit Courcel: Bericht Courcels vom 23. 9. 1884, Documents diplomatiques français, Sér. 1, 5, 424.

S. 621   Briefe Herbert Bismarcks: H. v. Bismarck, Privatkorrespondenz, 239 ff.

»Was die Zeitungen von der deutsch-französischen Allianz reden«: 9. 10. 1884, GW 6 c, 308.

Die »Furcht vor den Revanchebewegungen«: 25. 5. 1885, Große Politik 3, 445 f.

S. 623   »Ihre Karte von Afrika ist ja sehr schön«: E. Wolf, Vom Fürsten Bismarck und seinem Haus (1904), 13.

S. 624   »Wir sind tatsächlich durch Frankreich immobilisiert«: 26. 7. 1886, Hatzfeldt-Papiere 1 (1976), 513.

S. 625   Das »jesuitische Österreich«: An Rantzau, 24. 9. 1886, H. v. Bismarck, Privatkorrespondenz, 379.

S. 626   Dreibund: Große Politik 3, 245 ff.

         »Wir müssen so situiert sein«: 23. 8. 1881, GW 6 c, 223.

S. 627   Der »wundeste Punkt«: 31. 7. 1881, GW 14, 928.

S. 629   Auf ihnen beruhe »die ganze bisherige Stellung der drei Kaiserhöfe«: Graf Rantzau an Herbert Bismarck, 14. 10. 1884, H. v. Bismarck, Privatkorrespondenz, 320.

         »Ohne vorgängige vertragsmäßige Verständigung«: Erlaß an Reuß/Wien, 6. 12. 1885, Große Politik 5, 27.

         »Diese ganze Krankheit der österreichischen Politik«: Hatzfeldt-Papiere 1 (1976), 459.

         »Der ganze bulgarische Staat«: An Wilhelm I., 10. 11. 1885, Abschrift Nachlaß Bismarck, B 128.

         »Die ganze Lage muß so gefingert werden«: An Bülow, 31. 10. 1885, H. v. Bismarck, Privatkorrespondenz, 332.

S. 630   »Die Zukunft der Bulgaren«: Aufzeichnung Rantzau, 6. 10. 1886, Große Politik 5, 137.

S. 632   Die deutsche Seite habe »absolut nichts dawider«: Graf Rantzau an Herbert Bismarck, 15. 10. 1886, H. v. Bismarck, Privatkorrespondenz, 396.

         Mittelmeerabkommen: Große Politik 4, 311 ff.

S. 633   Orientdreibund: Große Politik 4, 393 f.

         Rückversicherungsvertrag, Große Politik 5, 253 ff.

S. 634   »Ziemlich anodyn«: An den Bruder Bill, 19. 6. 1887, H. v. Bismarck, Privatkorrespondenz, 457 f.

         »Die Aufgabe der österreichischen Politik«: Hatzfeldt-Papiere 1 (1976), 658, Anm. 9.

S. 635   »Ich zweifle nicht an der russischen Absicht, den Vorstoß auf Konstantinopel zu machen«: An Wilhelm II., 19. 8. 1888, Große Politik 6, 342.

S. 636   »Dem Zaren durch Keulenschläge seinen Vorteil beizubringen«: An den Bruder Bill, 11. 11. 1887, H. v. Bismarck, Privatkorrespondenz, 479.

         »Nach Lage der europäischen Politik«: 30. 12. 1887, GW 6 c, 378.

S. 637   Die Sache sei »seit zehn Jahren so aufgezogen«: Gespräch mit dem Hausarzt Dr. Cohen, 11. 4. 1882, GW 8, 446.

         »Wenn wir nach Gottes Willen im nächsten Krieg unterliegen sollten«: 24. 12. 1886, GW 6 c, 350.

         »Mein Rat wird nie dahin gehen«: Kohl, Reden 12, 186.

         »Unsere Friedenspolitik«: Kohl, Reden 12, 178.

         »Sicherheitspolitik«: Erlaß an Reuß/Petersburg, 28. 2. 1874, Große Politik 1, 241.

         »Wir Deutsche fürchten Gott«: Kohl, Reden 12, 477.

S. 638   »Unsere Politik hat die Aufgabe«: 19. 12. 1887, Große Politik 6, 58.

»Wir müssen begreifen«: Der Nationalstaat und die Volkswirtschaftspolitik, Gesammelte politische Schriften (1971³), 23.

»Ob nicht ein gesunder Krieg«: K.-E. Jeismann, Das Problem des Präventivkriegs im europäischen Staatensystem (1957), 135, das folgende Zitat ebd.

S. 639   »Hier ist eigentlich alle Welt für den Krieg«: 14. 1. 1888, Hatzfeldt-Papiere 1 (1976), 657.

»Jede Großmacht, die außerhalb ihrer Interessensphäre«: Kohl, Reden 12, 447.

S. 640   »Die russische Neutralität« notfalls »im letzten Augenblick zu erkaufen«: Hatzfeldt an Holstein, 18. 6. 1895, Große Politik 9, 353.

Doch nicht auf einen wirklichen Erfolg hin angelegt: Holstein an Hatzfeldt, 13. 1. 1889, Hatzfeldt-Papiere 1 (1976), 411.

»Die Sache einstweilen auf dem Tisch liegen lassen«: Große Politik 4, 405.

»Die Sicherheit unserer Beziehungen zum österreich-ungarischen Staate«: An Kronprinz Wilhelm, 9. 5. 1888, Große Politik 6, 305.

## Das System der Aushilfen: die innere Politik nach 1881

S. 634   »Dieses Lebenswerk ... hätte nicht nur zur äußeren, sondern auch zur inneren Einigung der Nation führen sollen«: Der Nationalstaat und die Volkswirtschaftspolitik, Gesammelte politische Schriften (1971³), 20.

S. 644   Die »innere Schweinerei«: Zu seinem Hausarzt Dr. Cohen, 12. 5. 1882, GW 8, 448.

S. 645   »Die politische Manifestation einer großen liberalen Partei«: An Bennigsen oder Miquel (die Angabe des Adressaten fehlt auf dem allein erhaltenen Entwurf), Heyderhoff, Liberalismus 2 (1926), 386 f.

S. 646   »Wir ziehen nun die Bilanz unserer parlamentarischen Taktik«: Lucius von Ballhausen, Bismarck-Erinnerungen (1920), 264 f.

S. 647   »Die Jugend« sei »durch und durch reaktionär«: Karl von Normann an Gustav Freytag, 20. 1. 1882, Heyderhoff, Liberalismus 2 (1926), 391.

»Dies Volk kann nicht reiten«: 2. 12. 1883, Tagebuch der Baronin Spitzemberg (1976⁴), 202.

S. 649   Kaiserliche Botschaft vom 17. 11. 1881: H. v. Poschinger, Fürst Bismarck als Volkswirth 2 (1890), 82.

»Herrschaft der Sozialdemokratie in der Krankenversicherung«: F. Tennstedt, Sozialgeschichte der Sozialversicherung, Handbuch der Sozialmedizin 3 (1976), 390.

»Die Unfallversicherung an sich sei ihm Nebensache«: H. Rothfels, Theodor Lohmann und die Kampfjahre der staatlichen Sozialpolitik (1927), 63 f.

»Es war, was wir da versuchten«: Ansprache an die Vertreter deutscher Innungen, 17. 4. 1895, GW 13, 574.

S. 651  »Die Regierung darf... vom Zentrum nicht parlamentarisch abhängig werden«: Erlaß an den Gesandten Schlözer/z. Zt. Rom, 17. 2. 1882, GW 6 c, 246.

»Zur Grundlage seines persönlichen Aufstiegs«: H. Herzfeld, Johannes von Miquel 2 (1938), 14.

Heidelberger Erklärung vom 23. 3. 1884: W. Mommsen, Deutsche Parteiprogramme (1960), 158 ff.

S. 652  »Daß, wenn diesmal die Partei nicht eine bestimmte Grenzlinie nach links... zieht«: Heyderhoff, Liberalismus 2 (1926), 404 f.

S. 653  Reichstagsrede vom 26. 6. 1884: Kohl, Reden 10, 186 ff.

S. 655  »Es scheint, daß der Kronprinz mich behalten will«: M. Busch, Tagebuchblätter 3 (1899), 191 f.

S. 659  »Wir müssen vor allem dem Irrtum der Kurie und des Zentrums entgegentreten«: An Kultusminister von Goßler, 14. 1. 1884, Werke in Auswahl 7, 73.

Rede vom 3. 12. 1884: Kohl, Reden 10, 281 ff.

S. 660  »Daß das Zentrum sein Verhalten«: 23. 1. 1885, Werke in Auswahl 7, 245 f.

S. 661  »Als bloße Nachtreter des Willens der Regierung«: Stenographische Berichte, 164.

»An die Möglichkeit einer Verbesserung«: An Kultusminister von Goßler, 23. 1. 1885, Werke in Auswahl 7, 245.

»Nicht mehr mit demselben Vertrauen«: Kohl, Reden 10, 311.

S. 662  »Diese Unterstützung der höheren Stände durch das Prälatentum«: Kohl, Reden 10, 309 f.

S. 663  Rede vom 28. 1. 1886: Kohl, Reden 11, 410 ff.

S. 665  »Absolut intransigent«: Kohl, Reden 11, 453 ff.

S. 666  »Wir befinden uns in der Defensive«: Stenographische Berichte d. Preuß. Abgeordnetenhauses, 175.

Akt der »Courtoisie gegen den Papst«: Telegramm vom 21. 9. 1885, GW 6 c, 324.

»Der diesseitige Zweck«: GW 6 c, 325.

S. 670  Nur »der preußische Militarismus«: Reichstagsrede vom 29. 11. 1881, Kohl, Reden 9, 153.

»Vertretung der Heeresinteressen«: Immediatbericht vom 24. 2. 1883, GW 6c, 276.

Es komme »nicht darauf an, die Militärvorlage durchzubringen«: Graf Rantzau an Herbert Bismarck, 11. 12. 1885, H. v. Bismarck, Privatkorrespondenz, 353.

Weihnachtsbrief an Bronsart von Schellendorf: GW 6c, 349 ff.

S. 671  »Alles Komödie«: A. von Waldersee, Denkwürdigkeiten 1 (1922), 281.

Mehrfach warnte der Kanzler davor: Beispielsweise in der Rede vom 26. 3. 1886, Kohl, Reden 11, bes. 365.

»Nötigenfalls« bereit, »die Verfassung zu brechen«: Lucius von Ballhausen, Bismarck-Erinnerungen (1920), 335.

»Eine Hoffnung, die Herren zu überzeugen«: Protokoll der Sitzung des preußischen Staatsministeriums vom 21. 3. 1886, Werke in Auswahl 7, 383.

S. 672   »Schlag gegen die Reichstagsmajorität«: Protokoll der Sitzung des preußischen Staatsministeriums vom 14. 2. 1886, M. Stürmer, Bismarck und die preußisch-deutsche Politik 1871–1890 (1970), 230.

»Mit gewissenhafter Politik« nicht »vereinbar«: An den Kriegsminister Bronsart von Schellendorf, 14. 12. 1886, GW 6c, 347.

»Für unsere gesamte Stellung«: An Bronsart von Schellendorf, 13. 12. 1886, GW 14, 971; ebenso Herbert Bismarck an Graf Rantzau, 12. 12. 1886, H. v. Bismarck, Privatkorrespondenz, 412.

S. 673   »Daß das Zentrum das Septennat in jeder ihm möglichen Weise begünstige«: E. Soderini, Leo XIII. und der Kulturkampf (1935), 204.

»Durch Ablehnung der letzteren«: GW 6c, 352.

Nicht »aus Überzeugung von der Nützlichkeit dieser Bestimmung«: Protokoll der Sitzung des preußischen Staatsministeriums vom 11. 1. 1887, Werke in Auswahl 7, 431.

Rede vom 11. 1. 1887: Kohl, Reden 12, 175 ff.

S. 674   »Die ganze Fraktion Windthorst«: Rede vom 12. 1. 1887, Kohl, Reden 12, 238 u. 229.

»Wir werden schließlich die Wähler überzeugen«: Rede vom 13. 1. 1887, Kohl, Reden 12, 276.

S. 676   Wenn »Boulanger nicht zu einer Machtstellung« komme: Bleichröder an Graf Hatzfeldt, 15. 2. 1887, Hatzfeldt-Papiere 1 (1976), 563.

»Zweiter Krieg gegen Frankreich über Elsaß-Lothringen«: H. Oncken, Rudolph von Bennigsen 2 (1910), 535.

S. 677   Deutschland werde, »so weit ihm nicht der Junker oder der Pfaffe diktiert«: An Franz von Stauffenberg, 3. 3. 1887, Heyderhoff, Liberalismus 2 (1926), 432.

»Gar keine andere Alternative als Bismarck«: Karl Schrader an Franz von Stauffenberg, 9. 4. 1887, Heyderhoff, Liberalismus 2 (1926), 434.

S. 678   »Die Konservativen kriegen es schon mit der Angst«: An den Bruder Wilhelm, 4. 3. 1887, H. v. Bismarck, Privatkorrespondenz, 430.

S. 679   »Meine politische Ehre ist dafür engagiert«: Kohl, Reden 12, 381; dort auch das folgende Zitat.

S. 681   »Uns scheint, daß die agrarischen Politiker auf dem besten Wege sind«: 14. 9. 1887, G. Seeber u. a., Bismarcks Sturz (1977), 130.

S. 682   Bismarck an den Prinzen Wilhelm, 6. 1. 1888: GW 6c, 382 ff.

S. 683   »Den Fürsten Bismarck brauche man natürlich noch einige Jahre«: Lucius von Ballhausen, Bismarck-Erinnerungen (1920), 413.

»Sechs Monate will ich den Alten verschnaufen lassen«: An Wilhelm von Hammerstein: W. Frank, Hofprediger Adolf Stöcker und die christlich-soziale Bewegung (1928), 318.

## Das Ende

S. 684    »Wenn ich jetzt zurückblicke«: GW 15, 471.

Er könne ihm nur wünschen, daß er »so treue Diener finde«: Auf einem Brief Friedrich Wilhelms vom 3. 9. 1863, offenbar in wörtlicher Vorformulierung für das nachfolgende Gespräch, Nachlaß Bismarck B 43.

»Man dürfe sich in solchen Lagen nicht damit trösten«: Lucius von Ballhausen, Bismarck-Erinnerungen (1920), 457.

»Ich habe in meiner langen ministeriellen Tätigkeit stets gefunden«: 2. 8. 1888, GW 14, 987.

S. 688    »In einer Hundehütte«: An Franz von Stauffenberg, 13. 5. 1888, Heyderhoff, Liberalismus 2 (1926), 441.

S. 689    »Nicht nur Recht und Billigkeit«: 21. 10. 1888, G. Seeber u. a., Bismarcks Sturz (1977), 247.

S. 690    Die Fortschrittspartei sei »schon auf dem Wege«: Kronratssitzung vom 18. 3. 1889, Werke in Auswahl 7, 694.

»Die Beilegung dieses Streites«: M. Stürmer, Bismarck und die preußisch-deutsche Politik 1871–1890 (1970), 276.

S. 691    Er halte es »zum allgemeinen Besten«: Protokoll der Sitzung des preußischen Staatsministeriums vom 25. 5. 1889, Werke in Auswahl 7, 716 f.

»Der junge Herr« habe »die Auffassung von Friedrich Wilhelm I.«: Lucius von Ballhausen, Bismarck-Erinnerungen (1920), 497.

S. 693    »Hätte ihn der Kaiser«: An Stosch, 30. 3. 1895, Gustav Freytags Briefe an Albrecht von Stosch (1913), 189.

S. 695    »Irreparabler Bruch«: Lucius von Ballhausen, Bismarck-Erinnerungen (1920), 509.

Kronratssitzung vom 24. 1. 1890: Protokoll b. G. v. Eppstein, Fürst Bismarcks Entlassung (1920), 157 ff., außerdem Lucius von Ballhausen, Bismarck-Erinnerungen (1920), 506 ff.

S. 696    »Die innere Politik statt in die Bahnen der Reform«: 12. 3. 1890, Philipp Eulenburgs politische Korrespondenz 1 (1976), 493 ff.

S. 697    »Sich mit dem Monarchen einrichten wie mit dem Wetter«: Lucius von Ballhausen, Bismarck-Erinnerungen (1920), 512.

Das Ganze müsse man eigentlich »Arbeiterzwangsgesetze nennen«: 30. 1. 1890, GW 8, 680.

»Der Kanzler hat unzweideutig gegen die Ansichten seines Souveräns Stellung genommen«: »Le Chancelier a pris nettement position contre les vues de son souverain«, Bericht Herbettes vom 10. 2. 1890, Documents diplomatiques français (1871–1914), Sér. 1, 7, 604.

S. 699 Die »Erscheinung« sei »von besonderem politischen Interesse«: GW 6 c, 431.

S. 700 »Diejenigen, welche sich Mir... entgegenstellen«: J. Penzler, Die Reden Kaiser Wilhelms II. in den Jahren 1888–1895 (1897), 97.

S. 701 »Ich komme von dem politischen Sterbebette eines großen Mannes«: E. Hüsgen, Ludwig Windthorst (1907), 340.

Protokoll der Sitzung des preußischen Staatsministeriums vom 2. 3. 1890: E. Zechlin, Staatsstreichpläne Bismarcks und Wilhelms II. (1929), 179 ff.

S. 702 »Ganz nutzlose Provokation der Wähler«: Telegramm Marschalls an Friedrich I. von Baden, 4. 3. 1890 (über ein Gespräch Helldorfs mit dem Kaiser), Großherzog Friedrich I. und die Reichspolitik 2 (1975), 741.

S. 703 Eine »nationale Kalamität«: S. v. Kardorff, Bismarck im Kampf um sein Werk (1943), 114.

S. 704 »Die furchtbar drohende Gefahr«: GW 15, 517.

»C'est un garçon mal élevé«: Waldersee, Denkwürdigkeiten 2 (1922), 115 f.

S. 705 Schreiben an Wilhelm II. vom 18. 3. 1890: GW 6 c, 435 ff.

S. 706 »Leichenbegängnis erster Klasse«: GW 15, 531.

S. 707 Der »Schaden« der Bismarckschen Epoche: E. Gagliardi, Bismarcks Entlassung 2 (1941), 238.

S. 708 »Verwüstungen, welche das Bismarcksche System«: L. Bamberger, Erinnerungen (1899), 501.

## Der Schatten der Vergangenheit

S. 709 »Eine frißt die andere auf«: Juni 1890, H. v. Poschinger, Fürst Bismarck, Neue Tischgespräche und Interviews 1 (1895), 173.

»Kanzler ohne Amt«: M. Hank, Kanzler ohne Amt, Fürst Bismarck nach seiner Entlassung 1890–1898 (1977).

»Noch hat niemand so gegen den eigenen Ruhm ›gewütet‹«: An Friedrich von Preen, 26. 9. 1890, Briefe, hrsg. v. F. Kaphahn (o. J.), 536.

»Das ewige sich auf den Biedermaier hin Ausspielen«: An A. v. Heyden, 5. 8. 1893, Briefe Theodor Fontanes, Zweite Sammlung, hrsg. v. O. Pniower u. P. Schlenther 2 (1910), 304.

S. 710 »Ich bin der dicke Schatten«: Tagebuch der Baronin Spitzemberg (1976[4]), 289 f.

»Die Persönlichkeiten der jetzigen Minister«: Gespräch mit Maximilian Harden, 29. 10. 1892, GW 9, 267.

S. 711 Bismarck werde »doch noch eines Tages in Spandau endigen«: So im Juni 1891 im Kreis der Generale: Zwischen Kaiser und Kanzler, Aufzeichnungen des Generaladjutanten Grafen Carl von Wedel aus den Jahren 1890–1894 (1943), 182 f.

S. 712 »Wie Banquos Geist an Macbeths Tisch«: Gespräch mit Maximilian Harden, Februar 1891, GW 9, 118.

»Politische Demonstration der Dynastie Bismarck«: Kiderlen-Wächter an Philipp Eulenburg, 4. 6. 1892, Philipp Eulenburgs politische Korrespondenz 2 (1979), 884.

»Rattenkönig von Intrige«: Holstein an Philipp Eulenburg, 10. 6. 1892, Philipp Eulenburgs politische Korrespondenz 2 (1979), 889.

»Hauptnummer« eines »Schwindels«: 12. 6. 1892, Hank, Kanzler ohne Amt (1977), 334.

S. 713   »Uriasbrief«: O. Gradenwitz (Hrsg.), Akten über Bismarcks großdeutsche Rundfahrt vom Jahre 1892 (1922), 5.

»Mir nicht die Lage im Lande zu erschweren«: Hank, Kanzler ohne Amt (1977), 334.

Interview mit der »Neuen Freien Presse« vom 23. 6. 1892: GW 9, 214 ff.

S. 714   »Was wir mühsam unter dem bedrohenden . . . Gewehranschlag des übrigen Europa ins Trockne gebracht haben«: GW 13, 559.

Ein Mann, »der plötzlich zu Geld gekommen ist«: J. Penzler, Fürst Bismarck nach seiner Entlassung 2 (1897), 245.

S. 715   Haufen »raub- und mordsüchtiger Feinde«: Hank, Kanzler ohne Amt (1977), 548.

Leute, die »mit ihrer Wahl nur beweisen« wollten: Ende Juni 1892, GW 9, 220.

»Sie sind die Ratten im Lande«: GW 9, 355.

»Seine Durchlaucht« sehen »in dem Staate«: Hank, Kanzler ohne Amt (1977), 549, Anm. 1.

»Abgekartetes Spiel mit verteilten Rollen«: J. Penzler, Fürst Bismarck nach seiner Entlassung 2 (1897), 297.

»Die soziale Frage hätte einst durch Polizeimittel gelöst werden können«: GW 9, 481.

S. 716   »Ich habe mit dem Reichstag jahrzehntelang bis aufs Blut gekämpft«: GW 13, 464.

Stets »nur für das Gleichgewicht«: H. Hofmann, Fürst Bismarck 1890–1898, 1 (1913), 128.

»Mir hat immer als Ideal«: GW 15, 15.

S. 717   »Je länger man zuhörte«: Gesichter und Zeiten (1962²), 257, 265 f.

»Als er im Winter des letzten Jahres«: Der Nationalstaat und die Volkswirtschaftspolitik, Gesammelte politische Schriften (1971³), 19 f.

S. 718   »Es war nicht eine Kapitulation«: 6. 6. 1895, Hank, Kanzler ohne Amt (1977), 413.

»Jetzt können sie ihm Ehrenpforten . . . bauen«: Hank, Kanzler ohne Amt (1977), 412.

S. 719   Mit »tiefster Entrüstung«: Bismarck-Jahrbuch 2 (1895), 397.

»Reichsaffenhaus«: An Philipp Eulenburg, 9.12.1894, Philipp Eulenburgs politische Korrespondenz 2 (1979), 1424.

»Daß Bismarck eine Kanaille ist«: So nach den Berichten Philipp Eulenburgs an Wilhelm II. vom 14. bzw. 26.11.1896, Hank, Kanzler ohne Amt (1977), 602; dort auch die folgenden Zitate.

S. 720   »Unehrliche Verleumdung«: J. Penzler, Fürst Bismarck nach seiner Entlassung 7 (1898), 129f.

S. 721   »Papas Existenz... vollständig gebrochen«: An den Schwager Graf Rantzau, 2.7.1887, H. v. Bismarck, Privatkorrespondenz, 458.

S. 722   »Wenn sie abberufen wird«: Gespräch mit dem Schriftsteller S. Whitman, Mitte Oktober 1891, GW 9, 150.

»Das Leben ist ein dauernder Verbrennungsprozeß«: An Johannes Miquel, 28.11.1894, Entwurf Nachlaß Bismarck B 78.

»Was mir blieb, war Johanna«: 19.12.1894, GW 14, 1017.

»Gib, daß ich meine Johanna wiedersehe«: Nachlaß Bismarck A 37c.

S. 724   »Pseudopolitik«: An Alexander v. Keyserling, 9.7.1890, Nachlaß Bismarck B 61.

S. 726   »Er wußte nicht, wohin er ging«: M. Harden, Apostata, Neue Folge (1892), 20f.

S. 727   Er sage nicht wie Ludwig XIV.: Juni 1884, Denkwürdigkeiten des Botschafters General von Schweinitz 2 (1927), 270.

# Quellen und Literatur

## Bibliographische Hilfsmittel

BORN, Karl Erich (Hrsg.), Bismarck-Bibliographie, Quellen und Literatur zur Geschichte Bismarcks und seiner Zeit, bearb. von Willy Hertel unter Mitarbeit von Hansjoachim Henning, Köln/Berlin 1966.

GALL, Lothar (Hrsg.), Das Bismarck-Problem in der Geschichtsschreibung nach 1945. (Neue Wissenschaftliche Bibliothek, 42), Köln/Berlin 1971, S. 427–445.

STOLBERG-WERNIGERODE, Albrecht Graf zu, Bismarck-Lexikon, Quellenverzeichnis zu den in seinen Akten, Briefen, Gesprächen und Reden enthaltenen Äußerungen Bismarcks, Stuttgart/Berlin 1936.

## Gedruckte Quellen

### Bismarcks Schriften und Briefe

KOHL, Horst (Hrsg.), Die politischen Reden des Fürsten Bismarck 1847–1897, Historisch-kritische Gesamtausgabe, 14 Bde., Stuttgart 1892–1905.

BISMARCK, Otto Fürst von, Die gesammelten Werke (Friedrichsruher Ausgabe), 15 in 19 Bdn., Berlin 1924–1935.

BISMARCK, Otto von, Werke in Auswahl, Jahrhundert-Ausgabe zum 23. September 1862, 4 Abteilungen in 8 Bdn., hrsg. von Gustav Adolf Rein u. a., Darmstadt 1962–1980.

POSCHINGER, Heinrich von (Hrsg.), Fürst Bismarck als Volkswirth, 3 Bde. (Dokumente zur Geschichte der Wirtschaftspolitik in Preußen und im Deutschen Reich, 1, 3 und 5), Berlin 1889–1891.

Poschinger, Heinrich von (Hrsg.), Aktenstücke zur Wirtschaftspolitik des Fürsten Bismarck, 2 Bde. (Dokumente zur Geschichte der Wirtschaftspolitik in Preußen und im Deutschen Reich, 2 u. 4), Berlin 1890/1891.

Kohl, Horst (Hrsg.), Fürst Bismarck, Regesten zu einer wissenschaftlichen Biographie des ersten deutschen Reichskanzlers, 2 Bde., Leipzig 1891/92.

Poschinger, Heinrich Ritter von (Hrsg.), Fürst Bismarck und die Parlamentarier, 3 Bde., Breslau 1894–1896.

Bismarck-Jahrbuch, hrsg. von Horst Kohl, 6 Bde., Berlin 1894–1899.

Poschinger, Heinrich Ritter von (Hrsg.), Fürst Bismarck, Neue Tischgespräche und Interviews, 2 Bde., Stuttgart/Leipzig/Berlin/Wien 1895/1899.

Bismarcks Briefe an General Leopold von Gerlach, neu hrsg. von Horst Kohl, Berlin/ Stuttgart 1896.

Poschinger, Heinrich Ritter von (Hrsg.), Fürst Bismarck und der Bundesrat, 5 Bde., Stuttgart/Leipzig 1897–1901.

Poschinger, Heinrich Ritter von (Hrsg.), Bismarck-Portefeuille, 5 Bde., Stuttgart/ Leipzig 1898–1900.

Poschinger, Heinrich Ritter von (Hrsg.), Fürst Bismarck und die Diplomaten 1852–1890, Hamburg 1900.

Kaiser- und Kanzler-Briefe, Briefwechsel zwischen Kaiser Wilhelm I. und Fürst Bismarck, gesammelt und mit geschichtlichen Erläuterungen versehen von Johannes Penzler, Leipzig 1900.

Anhang zu den Gedanken und Erinnerungen von Otto Fürst von Bismarck, hrsg. von Horst Kohl, 2 Bde., Stuttgart 1901.

Bismarcks Briefwechsel mit dem Minister Freiherrn von Schleinitz 1858–1861, Stuttgart/Berlin 1905.

Bismarck, Herbert Fürst von (Hrsg.), Fürst Bismarcks Briefe an seine Braut und Gattin, Stuttgart 1914[4].

Kohl, Horst (Hrsg.), Briefe Otto von Bismarcks an Schwester und Schwager Malwine von Arnim, geb. v. Bismarck, und Oskar von Arnim-Kröchlendorff 1843–1897, Leipzig 1915.

Petersdorff, Herman von (Hrsg.), Bismarcks Briefwechsel mit Hans Hugo von Kleist-Retzow, Stuttgart 1919.

Die politischen Berichte des Fürsten Bismarck aus Petersburg und Paris (1859–1862), hrsg. von Ludwig Raschdau, 2 Bde., Berlin 1920.

Neue Bismarck-Gespräche, Vier unveröffentlichte politische Gespräche des Kanzlers mit österreichisch-ungarischen Staatsmännern sowie ein Gespräch Kaiser Wilhelms II., mitgeteilt und erläutert von Helmut Krausnick, Hamburg 1940.

Bismarck, Otto von, Briefe, ausgewählt und eingeleitet von Hans Rothfels, Göttingen 1955.

Rothfels, Hans, Bismarck und der Staat, Stuttgart 1958[3].

Stolberg-Wernigerode, Otto Graf zu, Ein unbekanntes Bismarckgespräch aus dem Jahre 1865, in: HZ 194 (1962), S. 357–362.

BISMARCK, Otto von, Gespräche, hrsg. von Willy Andreas unter Mitwirkung von Karl Franz Reinking, 3 Bde., Bremen 1963–1965.

SEMPELL, Charlotte, Unbekannte Briefstellen Bismarcks, in: HZ 207 (1968), S. 609–616.

BISMARCK, Otto von, Aus seinen Schriften, Reden und Gesprächen, Auswahl und Nachwort von Hanno Helbling, Zürich 1976.

## Quellensammlungen, Briefe, Memoiren

ABEKEN, Heinrich, Ein schlichtes Leben in bewegter Zeit, aus Briefen zusammengestellt, hrsg. von Hedwig Abeken, Berlin 1898.

Die auswärtige Politik Preußens 1858–1871, Diplomatische Aktenstücke, hrsg. von der Historischen Reichskommission, 10 Bde., Oldenburg 1933–1941.

BAMBERGER, Ludwig, Gesammelte Schriften, 5 Bde., Berlin 1894–1898.

BAMBERGER, Ludwig, Erinnerungen, hrsg. von Paul Nathan, Berlin 1899.

BAMBERGER, Ludwig, Bismarcks großes Spiel, Die geheimen Tagebücher Ludwig Bambergers, eingeleitet und hrsg. von Ernst Feder, Frankfurt 1932.

BENNIGSEN, Rudolf von, Reden, hrsg. von Walther Schultze u. Friedrich Thimme, Bd. 1, Halle 1911.

BERNHARDI, Theodor von, Aus dem Leben Theodor von Bernhardis, 9 Bde., Leipzig 1898–1906.

Im Kampfe für Preußens Ehre, Aus dem Nachlasse des Grafen Albrecht von Bernstorff und seiner Gemahlin Anna, geb. Freiin von Koenneritz, hrsg. von Karl Ringhoffer, Berlin 1906.

BEUST, Friedrich-Ferdinand Graf von, Aus drei Vierteljahrhunderten, Erinnerungen und Aufzeichnungen, 2 Bde., Stuttgart 1887.

BISMARCK, Herbert Graf von, Graf Herbert Bismarck, Aus seiner politischen Privatkorrespondenz, hrsg. und eingeleitet von Walter Bussmann unter Mitwirkung von Klaus Peter Hoepke. (Deutsche Geschichtsquellen des 19. und 20. Jahrhunderts, 44), Göttingen 1964.

BÖHME, Helmut (Hrsg.), Die Reichsgründung, München 1967.

BUSCH, Moritz, Tagebuchblätter, 3 Bde., Leipzig 1899.

DALWIGK ZU LICHTENFELS, Reinhard Freiherr von, Die Tagebücher des Freiherrn Reinhard von Dalwigk zu Lichtenfels aus den Jahren 1860–1871, hrsg. von Wilhelm Schüssler. (Deutsche Geschichtsquellen des 19. Jahrhunderts, 2), Stuttgart/Berlin 1920.

DELBRÜCK, Rudolf von, Lebenserinnerungen von Rudolf von Delbrück 1817–1867, 2 Bde., Leipzig 1905.

Documents diplomatiques français (1871–1914), Sér. 1 (1871–1900), 16 Bde., Paris 1929–1959.

DUNCKER, Max, Politischer Briefwechsel aus seinem Nachlasse, hrsg. von Johannes Schultze. (Deutsche Geschichtsquellen des 19. Jahrhunderts, 12), Stuttgart 1923.

ECKARDSTEIN, Hermann Freiherr von, Lebenserinnerungen und politische Denkwürdigkeiten, 3 Bde., Leipzig 1919–1921.

ERNST II., Herzog von Sachsen-Coburg-Gotha, Aus meinem Leben und aus meiner Zeit, 3 Bde., Berlin 1888–1889.

EULENBURG-HERTEFELD, Philipp Fürst zu, Philipp Eulenburgs politische Korrespondenz, hrsg. von John C. G. Röhl, 2 Bde. (Deutsche Geschichtsquellen des 19. und 20. Jahrhunderts, 52, I u. II), Boppard 1976 u. 1979.

FABER, Karl-Georg, Die nationalpolitische Publizistik Deutschlands von 1866 bis 1871, Eine kritische Bibliographie, 2 Bde. (Bibliographien zur Geschichte des Parlamentarismus und der politischen Parteien, 4, 1 u. 2), Düsseldorf 1963.

FENSKE, Hans (Hrsg.), Der Weg zur Reichsgründung 1850–1870. (Quellen zum politischen Denken der Deutschen im 19. und 20. Jahrhundert, Freiherr vom Stein-Gedächtnisausgabe, 5), Darmstadt 1977.

FENSKE, Hans (Hrsg.), Im Bismarckschen Reich 1871–1890. (Quellen zum politischen Denken der Deutschen im 19. und 20. Jahrhundert, Freiherr vom Stein-Gedächtnisausgabe, 6), Darmstadt 1978.

Kaiser FRIEDRICH III., Das Kriegstagebuch von 1870/71, hrsg. von Heinrich Otto Meisner, Berlin/Leipzig 1926.

Kaiser FRIEDRICH III., Tagebücher von 1848 bis 1866, mit einer Einleitung und Ergänzung hrsg. von Heinrich Otto Meisner, Leipzig 1929.

Großherzog FRIEDRICH I. von Baden und die deutsche Politik von 1854 bis 1871, Briefwechsel, Denkschriften, Tagebücher, hrsg. von Hermann Oncken, 2 Bde. (Deutsche Geschichtsquellen des 19. und 20. Jahrhunderts, 22 u. 23), Stuttgart 1927.

Großherzog FRIEDRICH I. von Baden und die Reichspolitik 1871–1907, hrsg. von Walter Peter Fuchs, bisher 2 Bde. (Veröffentlichungen der Kommission für Geschichtliche Landeskunde in Baden-Württemberg, Reihe A, 15 u. 24), Stuttgart 1968/1975.

GEISS, Immanuel (Hrsg.), Der Berliner Kongreß 1878, Protokolle und Materialien. (Schriften des Bundesarchivs, 27), Boppard 1978.

GERLACH, Ernst Ludwig von, Aufzeichnungen aus seinem Leben und Wirken 1795–1877, hrsg. von Jakob von Gerlach, 2 Bde., Schwerin 1903.

GERLACH, Ernst Ludwig von, Von der Revolution zum Norddeutschen Bund, Politik und Ideengut der preußischen Hochkonservativen 1848–1866, hrsg. und eingeleitet von Hellmut Diwald, 2 Teile. (Deutsche Geschichtsquellen des 19. und 20. Jahrhunderts, 46), Göttingen 1970.

GERLACH, Leopold von, Denkwürdigkeiten aus dem Leben Leopold von Gerlachs, 2 Bde., Berlin 1891/1892.

HATZFELDT, Paul Graf von, Botschafter Paul Graf von Hatzfeldt, Nachgelassene Papiere 1838–1901, hrsg. und eingeleitet von Gerhard Ebel in Verbindung mit Michael Behnen, 2 Bde. (Deutsche Geschichtsquellen des 19. und 20. Jahrhunderts, 51), Boppard 1976.

HOHENLOHE-SCHILLINGSFÜRST, Chlodwig Fürst zu, Denkwürdigkeiten, hrsg. von Friedrich Curtius, Stuttgart/Leipzig 1906.

HOLSTEIN, Friedrich von, Die geheimen Papiere Friedrich von Holsteins, hrsg. von Norman Rich und M. H. Fisher, Deutsche Ausgabe von Werner Frauendienst, 4 Bde., Göttingen/Berlin/Frankfurt 1956–1963.

HUBER, Ernst Rudolf (Hrsg.), Dokumente zur deutschen Verfassungsgeschichte, Bd. 1 u. 2, Stuttgart 1961/1964.

KEUDELL, Robert von, Fürst und Fürstin Bismarck, Erinnerungen von 1846 bis 1872, Berlin/Stuttgart 1901.

LASKER, Eduard, Aus Eduard Laskers Nachlaß, Teil 1: Fünfzehn Jahre parlamentarischer Geschichte (1866–1880), hrsg. von Wilhelm Cahn, Berlin 1902.

LASSALLE, Ferdinand, Gesammelte Reden und Schriften, hrsg. von Eduard Bernstein, 12 Bde., Berlin 1919.

LUCIUS VON BALLHAUSEN, Robert Freiherr, Bismarck-Erinnerungen, Stuttgart/Berlin 1920.

MANTEUFFEL, Otto Freiherr von, Unter Friedrich Wilhelm IV., Denkwürdigkeiten des Ministers Otto Freiherr von Manteuffel, hrsg. von Heinrich von Poschinger, 3 Bde., Berlin 1901.

MIQUEL, Johannes von, Reden, hrsg. von Walther Schultze und Friedrich Thimme, 4 Bde., Halle 1911–1914.

MITTNACHT, Hermann Freiherr von, Erinnerungen an Bismarck, Stuttgart/Berlin 1904[3].

MITTNACHT, Hermann Freiherr von, Erinnerungen an Bismarck, Neue Folge (1877–1889), Stuttgart/Berlin 1905[5].

MOLTKE, Helmuth Graf von, Gesammelte Schriften und Denkwürdigkeiten, 8 Bde., Berlin 1891–1893.

MOMMSEN, Wilhelm (Hrsg.), Deutsche Parteiprogramme. (Deutsches Handbuch der Politik, 1), München 1960.

ONCKEN, Hermann (Hrsg.), Die Rheinpolitik Kaiser Napoleons III. 1863–1870 und der Ursprung des Krieges von 1870/71, Nach den Staatsakten von Österreich, Preußen und den süddeutschen Mittelstaaten, 3 Bde., Stuttgart/Berlin/Leipzig 1926.

OLDENBURG, Karl, Aus Bismarcks Bundesrat, Aufzeichnungen des Mecklenburg-Schwerinschen 2. Bundesratsbevollmächtigten Karl Oldenburg aus den Jahren 1878–1885, hrsg. von Wilhelm Schüssler, Berlin 1929.

Les origines diplomatiques de la guerre de 1870–1871, Recueil de documents publié par le Ministère des Affaires étrangères, 6 Bde., Paris 1910–1912.

ORLOFF, Nikolai Fürst, Bismarck und die Fürstin Orloff, Ein Idyll in der hohen Politik, Mit unveröffentlichten Briefen Bismarcks und der Fürstin Orloff, München 1936.

Die große Politik der europäischen Kabinette von 1871–1914, Sammlung der diplomatischen Akten des Auswärtigen Amtes, hrsg. von Johannes Lepsius, Albrecht Mendelssohn-Bartholdy u. Friedrich Thimme, 40 Bde., Berlin 1922–1927.

POSCHINGER, Heinrich von (Hrsg.), Preußen im Bundestag 1851–1859, Dokumente der Königlich Preußischen Bundestagsgesandtschaft, 4 Bde. (Publikationen aus den königlich preußischen Staatsarchiven, 12, 14, 15 u. 23), Leipzig 1882–1885.

POSCHINGER, Heinrich von, Aus großer Zeit, Erinnerungen an den Fürsten Bismarck, Berlin 1905.

POSCHINGER, Heinrich von, Stunden bei Bismarck, Wien 1910.

Quellen zur deutschen Politik Österreichs 1859–1866, hrsg. von Heinrich Ritter von Srbik, 5 Bde., Oldenburg 1934–1938.

RADOWITZ, Josef Maria von, Aufzeichnungen und Erinnerungen aus dem Leben des Botschafters 1839–1890, hrsg. von Hajo Holborn, 2 Bde., Stuttgart 1925.

RASCHDAU, Ludwig, Unter Bismarck und Caprivi, Erinnerungen eines deutschen Diplomaten aus den Jahren 1885–1894, Berlin 1928.

RICHTER, Eugen, Im alten Reichstag, 2 Bde., Berlin 1894/1896.

ROON, Albrecht Graf von, Denkwürdigkeiten aus dem Leben des Generalfeldmarschalls Kriegsministers Grafen von Roon, Sammlung von Briefen, Schriftstücken und Erinnerungen, 3 Bde., Breslau 1897[4].

ROSENBERG, Hans, Die nationalpolitische Publizistik Deutschlands, Vom Eintritt der neuen Ära in Preußen bis zum Ausbruch des deutschen Krieges, Eine kritische Bibliographie, 2 Bde., München/Berlin 1935.

SCHLOEZER, Kurd von, Petersburger Briefe, 1857–1862, nebst einem Anhang: Briefe aus Berlin/Kopenhagen, 1862–1864, hrsg. von Leopold von Schloezer, Stuttgart/Berlin 1922.

SCHLOEZER, Kurd von, Letzte römische Briefe, 1882–1894, hrsg. von Leopold von Schloezer, Berlin/Leipzig 1924.

SCHOLZ, Adolf von, Erlebnisse und Gespräche mit Bismarck, hrsg. von W. v. Scholz, Stuttgart 1922.

SCHWEINITZ, Hans Lothar von, Denkwürdigkeiten des Botschafters General von Schweinitz, hrsg. von Wilhelm von Schweinitz, 2 Bde., Berlin 1927.

SCHWEINITZ, Hans Lothar von, Briefwechsel des Botschafters General von Schweinitz, hrsg. von Wilhelm von Schweinitz, Berlin 1928.

Das Tagebuch der Baronin Spitzemberg geb. Freiin von Varnbüler, Aufzeichnungen aus der Hofgesellschaft des Hohenzollernreiches, ausgew. und hrsg. von Rudolf Vierhaus. (Deutsche Geschichtsquellen des 19. und 20. Jahrhunderts, 43), Göttingen 1976[4].

STOSCH, Albrecht von, Denkwürdigkeiten des Generals und Admirals Albrecht von Stosch, ersten Chefs der Admiralität, Briefe und Tagebuchblätter, hrsg. von Ulrich von Stosch, Stuttgart/Leipzig 1904.

STÜRMER, Michael (Hrsg.), Bismarck und die preußisch-deutsche Politik 1871–1890, München 1970.

TIEDEMANN, Christoph von, Aus sieben Jahrzehnten, Erinnerungen von Christoph von Tiedemann, 2 Bde., Leipzig 1905/1909.

TIRPITZ, Alfred von, Erinnerungen, Leipzig 1919.

UNRUH, Hans Victor von, Erinnerungen, hrsg. von Heinrich von Poschinger, Stuttgart 1895.

WALDERSEE, Alfred Graf von, Denkwürdigkeiten des Generalfeldmarschalls Alfred Grafen von Waldersee, bearb. und hrsg. von Heinrich Otto Meisner, 3 Bde., Stuttgart/Berlin 1923–1925.

WALDERSEE, Alfred Graf von, Aus dem Briefwechsel des Generalfeldmarschalls Alfred Graf von Waldersee, hrsg. von Heinrich Otto Meisner, Stuttgart 1928.

WENTZCKE, Paul/HEYDERHOFF, Julius, Deutscher Liberalismus im Zeitalter Bismarcks, Eine politische Briefsammlung, 2 Bde. (Deutsche Geschichtsquellen des 19. Jahrhunderts, 18 u. 24), Bonn 1925/1926 (Neudruck Osnabrück 1967).

WILHELM II., Ereignisse und Gestalten aus den Jahren 1878–1918, Berlin 1922.

WILMOWSKI, Gustav von, Meine Erinnerungen an Bismarck, Aus dem Nachlaß hrsg. von Marcell von Wilmowski, Breslau 1900.

## Allgemeine Darstellungen und einzelne Problembereiche

ABEL, Wilhelm, Agrarkrisen und Agrarkonjunktur, Eine Geschichte der Land- und Ernährungswirtschaft Mitteleuropas seit dem hohen Mittelalter, Hamburg/Berlin 1978[3].

AUBIN, Hermann/ZORN, Wolfgang (Hrsg.), Handbuch der deutschen Wirtschafts- und Sozialgeschichte, Bd. 2, Stuttgart 1976.

BACHEM, Karl, Vorgeschichte, Geschichte und Politik der deutschen Zentrumspartei, Zugleich ein Beitrag zur Geschichte der katholischen Bewegung, sowie zur allgemeinen Geschichte des neueren und neuesten Deutschland 1815–1914, 9 Bde., Köln 1927–1932.

BARTEL, Horst (Hrsg.), Arbeiterbewegung und Reichsgründung, Berlin 1971.

BERGSTRÄSSER, Ludwig, Geschichte der politischen Parteien in Deutschland, München 1960[10].

BÖHME, Helmut (Hrsg.), Probleme der Reichsgründungszeit, 1848–1879. (Neue Wissenschaftliche Bibliothek, 26), Köln/Berlin 1968.

BÖHME, Helmut, Deutschlands Weg zur Großmacht, Studien zum Verhältnis von Wirtschaft und Staat während der Reichsgründungszeit 1848–1881, Köln 1972[2].

BONDI, Gerhard, Deutschlands Außenhandel 1815–1870. (Deutsche Akademie der Wiss. zu Berlin, Schriften des Instituts für Geschichte, R. 1, 5), Berlin 1958.

BORN, Karl-Erich, Von der Reichsgründung bis zum I. Weltkrieg, in: B. Gebhardt, Handbuch der Deutschen Geschichte, hrsg. von Herbert Grundmann, Bd. 3, Stuttgart 1970[9], S. 221–375.

BRANDENBURG, Erich, Die Reichsgründung, 2 Bde., Leipzig 1922[2], mit einem Anhangband: Untersuchungen und Aktenstücke zur Geschichte der Reichsgründung, Leipzig 1916.

BUSSMANN, Walter, Das Zeitalter Bismarcks. (Handbuch der Deutschen Geschichte, neu hrsg. von Leo Just, 3, II), Konstanz 1968[4].

The Cambridge Economic History of Europe, Bd. 6 und 7, Cambridge 1965–1978.

The New Cambridge Modern History, Bd. 10 und 11, Cambridge 1960/1961.

CONZE, Werner/GROH, Dieter, Die Arbeiterbewegung in der nationalen Bewegung, Die deutsche Sozialdemokratie vor, während und nach der Reichsgründung, Stuttgart 1966.

CRAIG, Gordon A., Germany 1866–1945, Oxford 1978.

Dawson, William H., The German Empire 1867–1914 and the Unity Movement, 2 Bde., London 1966.

Engelberg, Ernst, Deutschland von 1849 bis 1871, Berlin 1959.

Europäische Wirtschaftsgeschichte, hrsg. von Carlo M. Cipolla, deutsche Ausgabe hrsg. von Knut Borchardt, Bd. 4: Die Entwicklung der industriellen Gesellschaften, Stuttgart/New York 1977.

Gagel, Walter, Die Wahlrechtsfrage in der Geschichte der deutschen liberalen Parteien, 1848–1918. (Beiträge zur Geschichte des Parlamentarismus und der politischen Parteien, 12), Düsseldorf 1958.

Gladen, Albin, Geschichte der Sozialpolitik in Deutschland, Eine Analyse ihrer Bedingungen, Formen, Zielsetzungen und Auswirkungen, Wiesbaden 1974.

Grebing, Helga, Geschichte der deutschen Parteien, Wiesbaden 1962.

Grebing, Helga, Geschichte der deutschen Arbeiterbewegung, Ein Überblick, München 1966.

Hamerow, Theodore S., Restoration, Revolution, Reaction: Economics and Politics in Germany 1815–1871, Princeton 1958.

Hamerow, Theodore S., The Social Foundations of German Unification, 2 Bde., Princeton 1969/1972.

Henderson, William O., The Zollverein, London 1968[3].

Henning, Hansjoachim, Das westdeutsche Bürgertum in der Epoche der Hochindustrialisierung 1860–1914, Soziales Verhalten und soziale Strukturen, Teil 1. (Historische Forschungen, 6), Wiesbaden 1972.

Herzfeld, Hans, Die moderne Welt 1789–1945, 1. Teil: Die Epoche der bürgerlichen Nationalstaaten, Braunschweig 1964[4].

Hillgruber, Andreas, Bismarcks Außenpolitik, Freiburg 1972.

Hoffmann, Walther G. u. a., Das Wachstum der deutschen Wirtschaft seit der Mitte des 19. Jahrhunderts, Berlin/Heidelberg/New York 1965.

Huber, Ernst Rudolf, Deutsche Verfassungsgeschichte seit 1789, Bd. 2 und 3, Stuttgart 1960/1963.

Lambi, Ivo N., Free Trade and Protection in Germany, 1868–1879, Wiesbaden 1963.

Landes, David S., Der entfesselte Prometheus, Technologischer Wandel und industrielle Entwicklung in Westeuropa von 1750 bis zur Gegenwart, Köln 1973.

Mann, Golo, Deutsche Geschichte des neunzehnten und zwanzigsten Jahrhunderts, Frankfurt a. M. 1958.

Marcks, Erich, Der Aufstieg des Reiches, Deutsche Geschichte von 1807–1878, 2 Bde., Stuttgart 1936/1943.

Martin, Günther, Die bürgerlichen Exzellenzen, Zur Sozialgeschichte der preußischen Generalität 1812–1918, Düsseldorf 1979.

Messerschmidt, Manfred, Militär und Politik in der Bismarckzeit und im Wilhelminischen Deutschland. (Erträge der Forschung, 43), Darmstadt 1975.

Nipperdey, Thomas, Die Organisation der deutschen Parteien vor 1918. (Beiträge zur Geschichte des Parlamentarismus und der politischen Parteien, 18), Düsseldorf 1961.

Rosenberg, Hans, Große Depression und Bismarckzeit: Wirtschaftsablauf, Gesellschaft und Politik in Mitteleuropa, Berlin 1967.

Schieder, Theodor (Hrsg.), Handbuch der Europäischen Geschichte, Bd. 6, Stuttgart 1968.

Schieder, Theodor, Vom Deutschen Bund zum Deutschen Reich, in: B. Gebhardt, Handbuch der Deutschen Geschichte, hrsg. von Herbert Grundmann, Bd. 3, Stuttgart 1970[9], S. 99–220.

Schieder, Theodor, Staatensystem als Vormacht der Welt, 1848–1918. (Propyläen Geschichte Europas, 5), Frankfurt/Berlin/Wien 1977.

Sell, Friedrich C., Die Tragödie des deutschen Liberalismus, Stuttgart 1953.

Sheehan, James J., German Liberalism in the Nineteenth Century, Chicago/London 1978.

Spree, Reinhard, Die Wachstumszyklen der deutschen Wirtschaft von 1840 bis 1880, mit einem konjunkturstatistischen Anhang. (Schriften zur Wirtschafts- und Sozialgeschichte, 29), Berlin 1977.

Srbik, Heinrich Ritter von, Deutsche Einheit: Idee und Wirklichkeit vom Heiligen Reich bis Königgrätz, Bd. 3 u. 4, München 1942.

Stern, Alfred, Geschichte Europas seit den Verträgen von 1815 bis zum Frankfurter Frieden von 1871, 10 Bde., Stuttgart 1899–1924.

Sybel, Heinrich von, Die Begründung des Deutschen Reiches durch Wilhelm I., 7 Bde., München 1889–1894.

Taylor, Alan John Percivale, The Struggle for Mastery in Europe 1848–1919, Oxford 1954.

Tormin, Walter, Geschichte der deutschen Parteien seit 1848, Stuttgart/Berlin/Köln/Mainz 1966.

Wachenheim, Hedwig, Die deutsche Arbeiterbewegung 1844 bis 1914, Köln/Opladen 1967.

Wehler, Hans-Ulrich, Bismarck und der Imperialismus, Köln 1969.

Wehler, Hans-Ulrich, Krisenherde des Kaiserreichs 1871–1918, Studien zur deutschen Sozial- und Verfassungsgeschichte, Göttingen 1979[2].

Wehler, Hans-Ulrich, Das deutsche Kaiserreich 1871–1918, Göttingen 1980[4].

Zechlin, Egmont, Bismarck und die Grundlegung der deutschen Großmacht, Stuttgart 1960[2].

Zechlin, Egmont, Die Reichsgründung. (Deutsche Geschichte, 3, 2), Frankfurt/Berlin/Wien 1974[2].

Ziekursch, Johannes, Politische Geschichte des neuen deutschen Kaiserreiches, 3 Bde., Frankfurt/Main 1925–1930.

Zunkel, Friedrich, Der rheinisch-westfälische Unternehmer 1834–1879, Ein Beitrag zur Geschichte des deutschen Bürgertums im 19. Jahrhundert. (Dortmunder Schriften zur Sozialforschung, 19), Köln/Opladen 1962.

## Darstellungen zur Person und Politik Bismarcks

### Das Bismarck-Problem in der Geschichtsschreibung

GALL, Lothar (Hrsg.), Das Bismarck-Problem in der Geschichtsschreibung nach 1945. (Neue Wissenschaftliche Bibliothek, 42), Köln/Berlin 1971.

GALL, Lothar, Bismarck in der Geschichtsschreibung nach 1945, in: Aretin, Karl Otmar Freiherr von (Hrsg.), Bismarcks Außenpolitik und der Berliner Kongreß, Wiesbaden 1978, S. 131–158.

HALLMANN, Hans (Hrsg.), Revision des Bismarckbildes, Die Diskussion der deutschen Fachhistoriker, 1945–1955. (Wege der Forschung, 285), Darmstadt 1972.

ZMARZLIK, Hans-Günther, Das Bismarckbild der Deutschen – gestern und heute, Freiburg o. J. (1967).

### Bismarck-Biographien

APSLER, Alfred, Iron Chancellor, Otto von Bismarck, Folkestone 1972.

EYCK, Erich, Bismarck, Leben und Werk, 3 Bde., Erlenbach/Zürich 1941–1944.

HILLGRUBER, Andreas, Otto von Bismarck, Gründer der europäischen Großmacht Deutsches Reich. (Persönlichkeit und Geschichte, 101/102), Göttingen/Zürich/ Frankfurt 1978.

JERUSALIMSKI, Arkadij S., Bismarck, Diplomatie und Militarismus, Frankfurt a. M. 1970.

KENT, George O., Bismarck and His Times, Carbondale/Edwardsville (Illinois) 1978.

LEHMANN, Max, Bismarck, Eine Charakteristik, Berlin 1948.

LENZ, Max, Geschichte Bismarcks, Leipzig 1902[2].

LUDWIG, Emil, Bismarck, Geschichte eines Kämpfers, Berlin 1926.

MARCKS, Erich, Bismarck, Eine Biographie 1815–1851, 21., um den nachgelassenen Bd. »Bismarck und die deutsche Revolution 1848–1851« erweiterte Aufl., Vorwort und Nachtrag von Willy Andreas, Stuttgart 1951.

MEYER, Arnold Oskar, Bismarck, Der Mensch und Staatsmann, mit einem Geleitwort von Hans Rothfels, Stuttgart 1949[2].

MOMMSEN, Wilhelm, Bismarck, Ein politisches Lebensbild, München 1959.

PALMER, Alan, Bismarck, Eine Biographie, Düsseldorf 1976.

PFLANZE, Otto, Bismarck and the Development of Germany, The Period of Unification 1815–1871, Princeton 1963.

REINERS, Ludwig, Bismarck, 2 Bde., München 1956/1957.

RICHTER, Werner, Bismarck, Frankfurt a. M. 1971[2].

SEMPELL, Charlotte, Otto von Bismarck, New York 1972.

TAYLOR, Alan John Percivale, Bismarck, Mensch und Staatsmann, München 1962.

VALLOTTON, Henry, Bismarck, Paris 1962.

VERCHAU, Ekhard, Otto von Bismarck, Eine Kurzbiographie, Berlin 1969.

## Einzelne Probleme und monographische Arbeiten

AUGST, Richard, Bismarcks Stellung zum parlamentarischen Wahlrecht, Leipzig 1913.

BAUMGARTEN, Otto, Bismarcks Glaube, Tübingen 1915.

BAUMGARTEN, Otto, Bismarcks Religion, Göttingen 1922.

BECKER, Josef, Bismarck et l'empire libéral, in: Francia 2 (1974), S. 327–346.

BUSSMANN, Walter, Wandel und Kontinuität der Bismarck-Wertung, in: Hallmann, Hans (Hrsg.), Revision des Bismarckbildes, Die Diskussion der deutschen Fachhistoriker, 1945–1955. (Wege der Forschung, 285), Darmstadt 1972, S. 472–489.

BUSSMANN, Walter, Otto von Bismarck, Geschichte – Staat – Politik. (Vorträge des Instituts für Europäische Geschichte Mainz, 43), Wiesbaden 1966.

ENGELBERG, Ernst, Zur Entstehung und historischen Stellung des preußisch-deutschen Bonapartismus, in: Klein, Fritz/Streisand, Joachim (Hrsg.), Beiträge zum neuen Geschichtsbild, Berlin 1956, S. 236–251.

ENGELBERG, Ernst, Die politische Strategie und Taktik Bismarcks von 1851 bis 1866, in: Barthel, Horst/Engelberg, Ernst, Die großpreußisch-militaristische Reichsgründung 1871, Voraussetzungen und Folgen, Bd. 1, Berlin 1971, S. 73–117.

FISCHER-FRAUENDIENST, Irene, Bismarcks Pressepolitik, Münster 1963.

FRANZ, Günter, Bismarcks Nationalgefühl, Leipzig 1926.

GALL, Lothar, Bismarck und der Bonapartismus, in: HZ 223 (1976), S. 618–637.

GALL, Lothar, Bismarck und England, in: Aspekte der deutsch-britischen Beziehungen im Laufe der Jahrhunderte. (Veröffentlichungen des Deutschen Historischen Instituts London, 4), Stuttgart 1978, S. 46–59.

GEUSS, Herbert, Bismarck und Napoleon III., Ein Beitrag zur Geschichte der preußisch-französischen Beziehungen 1851–1871, Köln/Graz 1959.

GOLLWITZER, Heinz, Der Cäsarismus Napoleons III. im Widerhall der öffentlichen Meinung Deutschlands, in: HZ 173 (1952), S. 23–75.

GOOCH, George P., Bismarcks Vermächtnis, in: Gall, Lothar (Hrsg.), Das Bismarck-Problem in der Geschichtsschreibung nach 1945. (Neue Wissenschaftliche Bibliothek, 42), Köln/Berlin 1971, S. 204–217.

GRIEWANK, Karl, Das Problem des christlichen Staatsmannes bei Bismarck, Berlin 1953.

HAGEN, Karl Heinz, Bismarcks Auffassung von der Stellung des Parlaments im Staat, Masch. Diss. Marburg 1950.

HAMMER, Karl/HARTMANN, Peter Claus (Hrsg.), Der Bonapartismus, Historisches Phänomen und politischer Mythos. (Francia, Beiheft 6), Zürich/München 1977.

HEUSS, Theodor, Das Bismarck-Bild im Wandel, Ein Versuch, in: Bismarck, Otto von, Gedanken und Erinnerungen: Reden und Briefe, Berlin 1951, S. 7–27.

HOLBORN, Hajo, Bismarcks Realpolitik, in: Gall, Lothar (Hrsg.), Das Bismarck-Problem in der Geschichtsschreibung nach 1945. (Neue Wissenschaftliche Bibliothek, 42), Köln/Berlin 1971, S. 239–254.

KAEHLER, Siegfried A., Zur Deutung von Bismarcks »Bekehrung«, in: Ders., Studien zur deutschen Geschichte des 19. und 20. Jahrhunderts, Aufsätze und Vorträge, hrsg. und mit einem Nachwort versehen von Walter Bussmann, Göttingen 1961, S. 90–104.

KARDORFF, Siegfried von, Bismarck im Kampf um sein Werk, Berlin 1943.

KISSINGER, Henry A., Der weiße Revolutionär: Reflexionen über Bismarck, in: Gall, Lothar (Hrsg.), Das Bismarck-Problem in der Geschichtsschreibung nach 1945. (Neue Wissenschaftliche Bibliothek, 42), Köln/Berlin 1971, S. 392–428.

KOBER, Heinz, Studien zur Rechtsanschauung Bismarcks. (Tübinger Studien zur Geschichte und Politik, 13), Tübingen 1961.

LENZ, Max, Bismarcks Religion, in: Ders., Kleine Historische Schriften Bd. 1, München/Berlin 1922², S. 360–382.

LÖSENER, Albrecht, Grundzüge von Bismarcks Staatsauffassung. (Schriften zur Rechtslehre und Politik, 39), Bonn 1962.

MANN, Golo, Bismarck, in: Die Neue Rundschau, 1961, S. 431–448.

MARTIN, Alfred von, Bismarck und wir, Zur Zerstörung einer politischen Legende, in: Der Monat 2 (1950), S. 215–218.

MAYER, Gustav, Bismarck und Lassalle, ihr Briefwechsel und ihre Gespräche, Berlin 1928.

MEYER, Arnold Oskar, Bismarcks Glaube im Spiegel der »Losungen und Lehrtexte«, München 1933.

MOMMSEN, Wilhelm, Der Kampf um das Bismarck-Bild, in: Universitas 5 (1950), S. 273–280.

MURALT, Leonhard von, Bismarcks Verantwortlichkeit, Göttingen 1955.

MURALT, Leonhard von, Die Voraussetzungen des geschichtlichen Verständnisses Bismarcks, in: Ders., Der Historiker und die Geschichte, Ausgewählte Aufsätze und Vorträge, Festgabe zum 60. Geburtstag, hrsg. von Fritz Büsser, Hanno Helbling und Peter Stadler, Zürich 1960, S. 277–294.

NOACK, Ulrich, Das Werk Friedrichs des Großen und Bismarcks als Problem der deutschen Geschichte.(Würzburger Universitätsreden, N. F. 7), Würzburg 1948.

NOELL von der Nahmer, Robert, Bismarcks Reptilienfonds, Aus den Geheimakten Preußens und des Deutschen Reiches, Mainz 1968.

PFLANZE, Otto, Bismarcks Realpolitik, in: Gall, Lothar (Hrsg.), Das Bismarck-Problem in der Geschichtsschreibung nach 1945. (Neue Wissenschaftliche Bibliothek, 42), Köln/Berlin 1971, S. 218–238.

REIN, Gustav Adolf, Die Revolution in der Politik Bismarcks, Göttingen 1957.

RITTER, Gerhard, Die preußischen Konservativen und Bismarcks deutsche Politik 1858–1876, Heidelberg 1913.

RITTER, Gerhard, Das Bismarckproblem, in: Merkur 4 (1950), S. 657–676.

Rothfels, Hans, Probleme einer Bismarck-Biographie, in: Gall, Lothar (Hrsg.), Das Bismarck-Problem in der Geschichtsschreibung nach 1945. (Neue Wissenschaftliche Bibliothek, 42), Köln/Berlin 1971, S. 65–83.

Rothfels, Hans, Bismarck und das 19. Jahrhundert, in: Schicksalswege deutscher Vergangenheit, Festschrift für Siegfried A. Kaehler, Düsseldorf 1950, S. 233–248.

Rothfels, Hans, Bismarck, Vorträge und Abhandlungen, Stuttgart 1970.

Saitschik, Robert, Bismarck und das Schicksal des deutschen Volkes, Zur Psychologie und Geschichte der deutschen Frage, Basel 1949.

Schieder, Theodor, Das Deutsche Kaiserreich von 1871 als Nationalstaat, Köln 1961.

Schieder, Theodor, Bismarck – gestern und heute, in: Gall, Lothar (Hrsg.), Das Bismarck-Problem in der Geschichtsschreibung nach 1945 (Neue Wissenschaftliche Bibliothek, 42), Köln/Berlin 1971, S. 342–374.

Schieder, Theodor, Bismarck und Europa, Ein Beitrag zum Bismarck-Problem, in: Hallmann, Hans (Hrsg.), Revision des Bismarckbildes, Die Diskussion der deutschen Fachhistoriker 1945–1955. (Wege der Forschung, 285), Darmstadt 1972, S. 255–286.

Schmoller, Gustav, Vier Briefe über Bismarcks sozialpolitische und volkswirtschaftliche Stellung und Bedeutung, in: Ders., Charakterbilder, München/Leipzig 1913, S. 27–76.

Schnabel, Franz, Das Problem Bismarck, in: Hochland 42 (1949), S. 1–27.

Schoeps, Hans-Joachim, Bismarck über Zeitgenossen, Zeitgenossen über Bismarck, Frankfurt/Berlin/Wien 1972.

Schüssler, Wilhelm, Der geschichtliche Standort Bismarcks, in: Ders., Um das Geschichtsbild, Gladbeck 1953, S. 99–141.

Seeberg, Reinhold, Das Christentum Bismarcks, Berlin 1915.

Snyder, Louis L./Brown, Ida M., Bismarck and German Unification, London 1971.

Srbik, Heinrich Ritter von, Die Bismarck-Kontroverse, Zur Revision des deutschen Geschichtsbildes, in: Wort und Wahrheit, Monatsschrift für Religion und Kultur 5 (1950), S. 918–931.

Stern, Fritz, Gold und Eisen: Bismarck und sein Bankier Bleichröder, Frankfurt/Berlin/Wien 1978.

Thadden-Trieglaff, Reinhold von, Der junge Bismarck. Eine Antwort auf die Frage: War Bismarck Christ? Hamburg/Berlin 1950.

Vierhaus, Rudolf, Otto von Bismarck, in: Gall, Lothar (Hrsg.), Das Bismarck-Problem in der Geschichtsschreibung nach 1945. (Neue Wissenschaftliche Bibliothek, 42), Köln/Berlin 1971, S. 375–391.

Vossler, Otto, Bismarcks Ethos, in: HZ 171 (1951), S. 263–292.

Wendt, Hans, Bismarck und die polnische Frage. (Historische Studien, 9), Halle 1922.

Wolff, Helmut, Geschichtsauffassung und Politik in Bismarcks Bewußtsein, München/Berlin 1926.

## Herkunft, Kindheit, Jugend und Eintritt in die Politik

BECKER, Gerhard, Die Beschlüsse des preußischen Junkerparlaments von 1848, in: Zeitschrift für Geschichtswissenschaft 24 (1976), S. 889–918.

ENGELBERG, Ernst, Über mittelalterliches Städtebürgertum, Die Stendaler Bismarcks im 14. Jahrhundert, Berlin 1979.

LENZ, Max, Bismarcks Plan einer Gegenrevolution im März 1848, Berlin 1930.

MARCKS, Erich, Bismarck, Eine Biographie, Bd. 1: Bismarcks Jugend 1815–1851, Stuttgart/Berlin 1909.

MARCKS, Erich, Bismarck und die deutsche Revolution 1818–1851, hrsg. von Willy Andreas, Stuttgart 1939.

REIN, Gustav Adolf, Bismarcks gegenrevolutionäre Aktion in den Märztagen 1848, in: Die Welt als Geschichte 13 (1953), S. 246–262.

VALENTIN, Veit, Geschichte der deutschen Revolution von 1848/49, 2 Bde., Berlin 1930/1931 (Neudruck Aalen 1968).


## Bis zur Berufung zum preußischen Ministerpräsidenten

AUGST, Richard, Bismarck und Leopold v. Gerlach, Ihre persönliche Beziehungen und deren Zusammenhang mit ihren politischen Anschauungen, Leipzig 1913.

BIGLER, Kurt, Bismarck und das Legitimitätsprinzip bis 1862, Winterthur 1955.

DAHLMANN, Ingeborg, Bismarck in Frankfurt, Masch. Diss. Erlangen 1949.

KRONENBERG, Wilhelm, Bismarcks Bundesreformprojekte 1848–1866, Masch. Diss. Köln 1953

LANGE, Friedrich Wilhelm, Bismarck und die öffentliche Meinung Süddeutschlands während der Zollvereinskrise 1850–1853, Masch. Diss. Gießen 1922.

MEYER, Arnold Oskar, Bismarcks Kampf mit Österreich am Bundestag zu Frankfurt (1851–1859), Berlin 1927.

MITTELSTÄDT, Annie, Der Krieg von 1859, Bismarck und die öffentliche Meinung in Deutschland, Stuttgart 1904.

MOMBAUER, Hans, Bismarcks Realpolitik als Ausdruck seiner Weltanschauung, Die Auseinandersetzung mit Leopold v. Gerlach 1851–1859, Berlin 1936 (Nachdruck Vaduz 1965).

NOLDE, Boris, Die Petersburger Mission Bismarcks 1859–1862, Rußland und Europa zu Beginn der Regierung Alexanders II., Leipzig 1936.

WERTHEIMER, Eduard von, Bismarck im politischen Kampf, Berlin 1929.

## Die Konfliktperiode

ANDERSON, Eugene N., The Social and Political Conflict in Prussia 1858–1864. (University of Nebraska Studies, N. F. 12), Lincoln (Nebr.) 1954.

BÖRNER, Karl Heinz, Die Krise der preußischen Monarchie von 1858–1862. (Schriften des Zentralinstituts für Geschichte, 49), Berlin 1976.

CRAIG, Gordon A., Die preußisch-deutsche Armee 1640–1945, Staat im Staate, Düsseldorf 1960.

DEHIO, Ludwig, Bismarck und die Heeresvorlagen der Konfliktszeit, in: HZ 144 (1931), S. 31–47.

GUGEL, Michael, Industrieller Aufstieg und bürgerliche Herrschaft, Sozioökonomische Interessen und politische Ziele des liberalen Bürgertums in Preußen zur Zeit des Verfassungskonfliktes 1857–1867, Köln 1975.

HESS, Adalbert, Das Parlament, das Bismarck widerstrebte, Zur Politik und sozialen Zusammensetzung des preußischen Abgeordnetenhauses der Konfliktszeit (1862–1866), Köln/Opladen 1964.

KAMINSKI, Kurt, Verfassung und Verfassungskonflikt in Preußen 1862 bis 1866, Ein Beitrag zu den politischen Kernfragen von Bismarcks Reichsgründung, Königsberg 1938.

NIRRNHEIM, Otto, Das erste Jahr des Ministeriums Bismarck und die öffentliche Meinung. (Heidelberger Abhandlungen zur mittleren und neueren Geschichte, 20), Heidelberg 1908.

RICHTER, Adolf, Bismarck und die Arbeiterfrage im preußischen Verfassungskonflikt, Stuttgart 1935.

RITTER, Gerhard, Staatskunst und Kriegshandwerk, Das Problem des »Militarismus« in Deutschland, Bd. 1, München 1965[3].

WINKLER, Heinrich August, Preußischer Liberalismus und deutscher Nationalstaat, Studien zur Geschichte der Deutschen Fortschrittspartei 1861–1866, Tübingen 1964.

## Die deutsche Frage und das europäische Mächtesystem vor 1870

BARTHEL, Horst/ENGELBERG, Ernst (Hrsg.), Die großpreußisch-militaristische Reichsgründung 1871, Voraussetzungen und Folgen, 2 Bde. (Deutsche Akademie der Wissenschaften zu Berlin, Schriften des Zentralinstituts für Geschichte, Reihe 1, 36 A–B), Berlin 1971.

BECKER, Otto, Der Sinn der dualistischen Verständigungsversuche Bismarcks vor dem Kriege 1866, in: HZ 169 (1949), S. 264–289.

BECKER, Otto, Bismarcks Ringen um Deutschlands Gestaltung, hrsg. und ergänzt von Alexander Scharff, Heidelberg 1958.

Besier, Gerhard, Preußische Kirchenpolitik in der Bismarckära, Die Diskussion in Staat und evangelischer Kirche um eine Neuordnung der kirchlichen Verhältnisse Preußens zwischen 1866 und 1872, mit einem Vorwort von Klaus Scholder. (Veröffentlichungen der Historischen Kommission zu Berlin, 49), Berlin/New York 1980.

Burckhardt, Helmut, Deutschland, England, Frankreich: Die politischen Beziehungen Deutschlands zu den beiden westeuropäischen Großmächten 1864–1866, München 1970.

Caroll, Eber Malcolm, Germany and the Great Powers 1866–1914, A Study in Public Opinion and Foreign Policy, Hamden (Conn.) 1966.

Clark, Chester W., Franz Joseph and Bismarck, The Diplomacy of Austria before the War of 1866. (Harvard Historical Studies, 36), Cambridge (Mass.) 1934.

Craig, Gordon A., Königgrätz, Wien/Hamburg 1966.

Dehio, Ludwig, Beiträge zu Bismarcks Politik im Sommer 1866, Unter Benutzung der Papiere Robert von Keudells, in: Forschungen zur brandenburgischen und preußischen Geschichte 46 (1934), S. 147–165.

Dietrich, Richard (Hrsg.), Europa und der Norddeutsche Bund, Berlin 1968.

Eisfeld, Gerhard, Die Entstehung der liberalen Parteien in Deutschland 1858–1870, Studie zu den Organisationen und Programmen der Liberalen und Demokraten, Hannover 1969.

Franz, Eugen, Der Entscheidungskampf um die wirtschaftspolitische Führung Deutschlands 1856–1867. (Schriftenreihe zur bayrischen Landesgeschichte, 12), München 1933.

Frauendienst, Werner, Das Jahr 1966: Preußens Sieg, die Vorstufe des Deutschen Reiches, Göttingen 1966.

Friedjung, Heinrich, Der Kampf um die Vorherrschaft in Deutschland 1859–1866, 2 Bde., Stuttgart 1916[10].

Gall, Lothar, Der Liberalismus als regierende Partei, Das Großherzogtum Baden zwischen Restauration und Reichsgründung. (Veröffentlichungen des Instituts für Europäische Geschichte Mainz, 47), Wiesbaden 1968.

Groote, Wolfgang von/Gersdorff, Ursula von (Hrsg.), Entscheidung 1866, Der Krieg zwischen Österreich und Preußen, Stuttgart 1966.

Hildebrand, Klaus, Die deutsche Reichsgründung im Urteil der britischen Politik, in: Francia 5 (1977), S. 399–424.

Isler, Rudolf, Diplomatie als Gespräch, Bismarcks Auseinandersetzung mit Österreich im Winter 1862/63, Winterthur 1966.

Kessel, Eberhard, Gastein, in: HZ 176 (1953), S. 521–544.

Lange, Karl, Bismarck und die norddeutschen Kleinstaaten im Jahre 1866, Berlin 1930.

Langewiesche, Dieter, Liberalismus und Demokratie in Württemberg zwischen Revolution und Reichsgründung. (Beiträge zur Geschichte des Parlamentarismus und der politischen Parteien, 52), Düsseldorf 1974.

Lenz, Max, König Wilhelm und Bismarck in ihrer Stellung zum Frankfurter Fürstentag. (Sitzungsberichte der Preußischen Akademie der Wissenschaften, Phil.-hist. Kl. 94, 7), Berlin 1929.

LIPGENS, Walter, Bismarcks Österreich-Politik vor 1866, Die Urheberschaft des Schönbrunner Vertragsentwurfes vom August 1864, in: Die Welt als Geschichte 10 (1950), S. 240–262.

LORD, Robert H., Bismarck and Russia in 1863, Cambridge 1923.

LUTZ, Heinrich, Österreich-Ungarn und die Gründung des Deutschen Reiches, Europäische Entscheidungen 1867–1871, Berlin 1979.

MICHAEL, Horst, Bismarck, England und Europa, vorwiegend von 1866–1870, München 1930.

MILLMANN, Richard, British Foreign Policy and the Coming of the Franco-Prussian War, Oxford 1965.

MOSSE, Werner Eugen, The European Powers and the German Question 1848–1871, with Special Reference to England and Russia, Cambridge 1958.

MURALT, Leonhard von, Bismarcks Politik der europäischen Mitte, Wiesbaden 1954.

NAUJOKS, Eberhard, Bismarcks auswärtige Pressepolitik und die Reichsgründung (1865–1871), Wiesbaden 1968.

ONCKEN, Hermann, Die Baden-Badener Denkschrift Bismarcks über die deutsche Bundesreform (Juli 1861), in: HZ 145 (1932), S. 106–130.

POLLMANN, Klaus Erich, Der Parlamentarismus im Norddeutschen Bund, Der konstituierende Reichstag des Norddeutschen Bundes, Masch. Habilitationsschrift Braunschweig 1978.

POTTHOFF, Heinrich, Die deutsche Politik Beusts, Von seiner Berufung zum österreichischen Außenminister Oktober 1866 bis zum Ausbruch des deutsch-französischen Krieges. (Bonner historische Forschungen, 31), Bonn 1968.

POTTINGER, Evelyn Ann, Napoleon III. and the German Crisis, 1865–1866, Cambridge (Mass.) 1966.

SANDIFORD, Keith A. P., Great Britain and the Schleswig-Holstein Question, 1848–1864, A Study in Diplomacy, Politics and Public Opinion, Toronto 1975.

SCHEEL, Otto, Bismarcks Wille zu Deutschland in den Friedensschlüssen 1866, Breslau 1934.

SCHIEDER, Theodor, Die kleindeutsche Partei in Bayern in den Kämpfen um die deutsche Einheit 1863–1871, München 1936.

SCHIEDER, Theodor/DEUERLEIN, Ernst (Hrsg.), Reichsgründung 1870/71, Tatsachen – Kontroversen – Interpretationen, Stuttgart 1970.

SCHÜSSLER, Wilhelm, Bismarcks Kampf um Süddeutschland 1866, Berlin 1929.

SCHÜSSLER, Wilhelm, Königgrätz 1866, Bismarcks tragische Trennung von Österreich, München 1958.

STADELMANN, Rudolf, Das Jahr 1865 und das Problem von Bismarcks deutscher Politik. (Beihefte der Historischen Zeitschrift, 29), München 1933.

STEEFEL, Lawrence D., The Schleswig-Holstein Question, Cambridge 1932.

WANDRUSZKA, Adam, Schicksalsjahr 1866, Graz/Wien/Köln 1966.

WILHELM, Rolf, Das Verhältnis der süddeutschen Staaten zum Norddeutschen Bund (1867–1870). (Historische Studien, 431), Husum 1978.

## Der deutsch-französische Krieg und die Reichsgründung 1871

BECKER, Josef, Baden, Bismarck und die Annexion von Elsaß und Lothringen, in: Zeitschrift für die Geschichte des Oberrheins 115 (1967), S. 1–38.

BECKER, Josef, Zum Problem der Bismarckschen Politik in der spanischen Thronfrage 1870, in: HZ 212 (1971), S. 529–607.

BONNIN, Georges (Hrsg.), Bismarck and the Hohenzollern Candidature for the Spanish Throne, The Documents in the German Diplomatic Archives, London 1957.

DITTRICH, Jochen, Bismarck, Frankreich und die spanische Thronkandidatur der Hohenzollern, Die »Kriegsschuldfrage« von 1870, mit einer Einführung von Gerhard Ritter, München 1962.

DOEBERL, Michael, Bayern und die Bismarcksche Reichsgründung, München 1925.

GALL, Lothar, Zur Frage der Annexion von Elsaß und Lothringen 1870, in: HZ 206 (1968), S. 265–326.

GROOTE, Wolfgang von/GERSDORFF, Ursula von (Hrsg.), Entscheidung 1870, Der deutsch-französische Krieg, Stuttgart 1970.

HOFER, Walter (Hrsg.), Europa und die Einheit Deutschlands, Eine Bilanz nach 100 Jahren, Köln 1970.

HOWARD, Michael, The Franco-Prussian War, The German Invasion of France 1870–71, New York 1961.

KOLB, Eberhard, Studien zur politischen Geschichte des Krieges von 1870, Masch. Habilitationsschrift Göttingen 1968.

KOLB, Eberhard, Bismarck und das Aufkommen der Annexionsforderung 1870, in: HZ 209 (1969), S. 318–356.

KOLB, Eberhard, Der Kriegsausbruch 1870, Politische Entscheidungsprozesse und Verantwortlichkeiten in der Julikrise 1870, Göttingen 1970.

LIPGENS, Walter, Bismarck, die öffentliche Meinung und die Annexion von Elsaß und Lothringen 1870, in: HZ 199 (1964), S. 31–112.

LIPGENS, Walter, Bismarck und die Frage der Annexion 1870, Eine Erwiderung, in: HZ 206 (1968), S. 586–617.

LORD, Robert H., The Origins of the War of 1870, The Documents from German Archives, Cambridge (Mass.) 1924.

MORSEY, Rudolf, Die Hohenzollernsche Thronkandidatur in Spanien, in: HZ 186 (1958), S. 573–588.

MURALT, Leonhard von, Bismarcks Reichsgründung vom Ausland her gesehen. (Schriftenreihe Lebendige Wissenschaft, 4), Stuttgart 1947.

RALL, Hans, König Ludwig II. und Bismarcks Ringen um Bayern, München 1973.

REIN, Gustav Adolf, Die Reichsgründung in Versailles, 18. Januar 1871, München 1958.

STEEFEL, Lawrence D., Bismarck, the Hohenzollern Candidacy, and the Origins of the Franco-German War of 1870, Cambridge (Mass.) 1962.

VALENTIN, Veit, Bismarcks Reichsgründung im Urteil englischer Diplomaten, Amsterdam 1937.

## Die deutsche Innenpolitik nach 1871

BINDER, Hans-Otto, Reich und Einzelstaaten während der Kanzlerschaft Bismarcks 1871–1890, Eine Untersuchung zum Problem der bundesstaatlichen Organisation. (Tübinger Studien zur Geschichte und Politik, 29), Tübingen 1971.

BLAICH, Fritz, Kartell- und Monopolpolitik im kaiserlichen Deutschland, Das Problem der Marktmacht im deutschen Reichstag zwischen 1879 und 1914. (Beiträge zur Geschichte des Parlamentarismus und der politischen Parteien, 50), Düsseldorf 1973.

BOOMS, Hans, Die deutsch-konservative Partei, Preußischer Charakter, Reichsauffassung, Nationalbegriff. (Beiträge zur Geschichte des Parlamentarismus und der politischen Parteien, 3), Düsseldorf 1954.

BORNKAMM, Heinrich, Die Staatsidee im Kulturkampf, in: HZ 170 (1950), S. 41–72 und S. 273–306 (Neudruck Darmstadt 1969).

CECIL, Lamar, The German Diplomatic Service, 1871–1914, Princeton 1976.

CONSTABEL, Adelheid (Bearb.), Die Vorgeschichte des Kulturkampfes, Quellenveröffentlichungen aus dem Deutschen Zentralarchiv, bearb. von Adelheid Constabel, mit einer Einleitung von Fritz Hartung, hrsg. von der Staatlichen Archivverwaltung im Ministerium des Innern. (Schriftenreihe der Staatlichen Archivverwaltung, 6), Berlin 1956.

ERDMANN, Gerhard, Die Entwicklung der deutschen Sozialgesetzgebung. (Quellensammlung zur Kulturgeschichte, 10), Göttingen/Berlin/Frankfurt/M. 1957².

FÖRSTER, Erich, Adalbert Falk, Gotha 1927.

FRANZ, Georg, Kulturkampf: Staat und katholische Kirche in Mitteleuropa von der Säkularisation bis zum Abschluß des preußischen Kulturkampfes, München 1954.

GOLDSCHMIDT, Hans, Das Reich und Preußen im Kampf um die Führung, Von Bismarck bis 1918, Berlin 1931.

HARDACH, Karl Willy, Die Bedeutung wirtschaftlicher Faktoren bei der Wiedereinführung der Eisen- und Getreidezölle in Deutschland 1879, Berlin 1967.

HERZFELD, Hans, Johannes von Miquel, 2 Bde., Detmold 1938.

KISSLING, Johannes B., Geschichte des Kulturkampfes im Deutschen Reich, 3 Bde., Freiburg 1911–1916.

LIDTKE, Vernon L., The Outlawed Party, Social Democracy in Germany 1878–1890, Princeton 1966.

LILL, Rudolf, Die Wende im Kulturkampf: Leo XIII., Bismarck und die Zentrumspartei 1878–1880, Tübingen 1973.

MAENNER, Ludwig, Deutschlands Wirtschaft und Liberalismus in der Krise von 1879, in: Archiv für Politik und Geschichte 9 (1927), S. 347–382 u. S. 456–488.

MANN, Helmut, Der Beginn der Abkehr Bismarcks vom Kulturkampf 1878–1880, unter besonderer Berücksichtigung der Politik des Zentrums und der römischen Kurie, Diss. Frankfurt a. M. 1953.

MATTHES, Heinz Edgar, Die Spaltung der Nationalliberalen Partei und die Entwicklung des Linksliberalismus bis zur Auflösung der Deutsch-Freisinnigen Partei, 1878–1893, Ein Beitrag zur Geschichte der Krise des deutschen politischen Liberalismus, Masch. Diss. Kiel 1953.

MOMMSEN, Wolfgang J., Das Deutsche Kaiserreich als System umgangener Entscheidungen, in: Vom Staat des Ancien régime zum modernen Parteienstaat, Festschrift für Theodor Schieder zu seinem 70. Geburtstag, hrsg. von H. Berding u. a., München/Wien 1978, S. 239–265.

MORSEY, Rudolf, Die oberste Reichsverwaltung unter Bismarck 1867–1890. (Neue Münstersche Beiträge zur Geschichtsforschung, 3), Münster 1957.

ONCKEN, Hermann, Rudolf von Bennigsen, 2 Bde., Stuttgart/Leipzig 1910.

PACK, Wolfgang, Das parlamentarische Ringen um das Sozialistengesetz Bismarcks 1878–1890. (Beiträge zur Geschichte des Parlamentarismus und der politischen Parteien, 20), Düsseldorf 1961.

PÖLS, Werner, Sozialistenfrage und Revolutionsfurcht in ihrem Zusammenhang mit den angeblichen Staatsstreichplänen Bismarcks. (Historische Studien, 377), Hamburg/Lübeck 1960.

RÖHL, John C. G., Staatsstreichpläne oder Staatsstreichbereitschaft? Bismarcks Politik in der Entlassungskrise, in: HZ 203 (1966), S. 610–624.

ROTHFELS, Hans, Theodor Lohmann und die Kampfjahre der staatlichen Sozialpolitik (1871–1905), nach ungedruckten Quellen bearbeitet, Berlin 1927.

ROTHFELS, Hans, Prinzipienfragen der Bismarckschen Sozialpolitik, Königsberg 1929.

RUHENSTROTH-BAUER, Renate, Bismarck und Falk im Kulturkampf, Masch. Diss. Heidelberg 1944.

SCHMIDT(-VOLKMAR), Erich, Der Kulturkampf in Deutschland 1871–1890, Göttingen/Berlin 1962.

SEEBER, Gustav, Zwischen Bebel und Bismarck, Zur Geschichte des Linksliberalismus in Deutschland 1871–1893. (Deutsche Akademie der Wissenschaften zu Berlin, Schriften des Instituts für Geschichte, R. 1, 30), Berlin 1960.

STÜRMER, Michael, Staatsstreichgedanken im Bismarckreich, in: HZ 209 (1969), S. 566–617.

STÜRMER, Michael (Hrsg.), Das kaiserliche Deutschland: Politik und Gesellschaft 1870–1918, Düsseldorf 1970.

STÜRMER, Michael, Bismarckstaat und Cäsarismus, in: Der Staat 12 (1973), S. 467–498.

STÜRMER, Michael, Regierung und Reichstag im Bismarckstaat 1871–1880, Cäsarismus oder Parlamentarismus. (Beiträge zur Geschichte des Parlamentarismus und der politischen Parteien, 54), Düsseldorf 1974.

ULLMANN, Hans-Peter, Industrielle Interessen und die Entstehung der deutschen Sozialversicherung 1880–1889, in: HZ 229 (1979), S. 574–610.

VOGEL, Walter, Bismarcks Arbeiterversicherung, Ihre Entstehung im Kräftespiel der Zeit, Braunschweig 1951.

VOSSLER, Otto, Bismarcks Sozialpolitik, in: HZ 167 (1943), S. 336–357.

WEBER, Christoph, Kirchliche Politik zwischen Rom, Berlin und Trier 1876–1888, Die Beilegung des preußischen Kulturkampfes. (Veröffentlichungen der Kommission für Zeitgeschichte, R. B, 7), Mainz 1970.

WINKLER, Heinrich August, Vom linken zum rechten Nationalismus, Der deutsche Liberalismus in der Krise von 1878/79, in: Geschichte und Gesellschaft 4 (1978), S. 5–48.

ZECHLIN, Egmont, Staatsstreichpläne Bismarcks und Wilhelms II. 1890–1894, Stuttgart 1929.

ZUCKER, Stanley, Ludwig Bamberger, German Liberal Politician and Social Critic, 1823–1899, Pittsburgh 1975.

## Die deutsche Außenpolitik nach 1871

ARETIN, Karl Otmar Frhr. von (Hrsg.), Bismarcks Außenpolitik und der Berliner Kongreß, Wiesbaden 1978.

BAGDASARIAN, Nicholas der, The Austro-German Rapprochement 1870–1879, From the Battle of Sedan to the Dual Alliance, London 1976.

FELLNER, Fritz, Der Dreibund, Europäische Diplomatie vor dem 1. Weltkrieg, Wien 1960.

GEISS, Imanuel, German Foreign Policy 1871–1914, London 1975.

HALLMANN, Hans (Hrsg.), Zur Geschichte und Problematik des deutsch-russischen Rückversicherungsvertrages von 1887. (Wege der Forschung, 13), Darmstadt 1968.

HERZFELD, Hans, Die deutsch-französische Kriegsgefahr von 1875, Berlin 1922.

HERZFELD, Hans, Deutschland und das geschlagene Frankreich, Berlin 1924.

JAPISKE, Nikolaas, Europa und Bismarcks Friedenspolitik, Die internationalen Beziehungen von 1871 bis 1890, Berlin 1927.

KENNAN, George F., The Decline of Bismarck's European Order, Franco-Russian Relations, 1875–1890, Princeton 1979.

KRAUSNICK, Helmut, Holsteins Geheimpolitik in der Ära Bismarck 1886–1890, dargestellt vornehmlich auf Grund unveröffentlichter Akten des Wiener Haus-, Hof- und Staatsarchivs, Hamburg 1942.

KUMPF-KORFES, Sigrid, Bismarcks »Draht nach Rußland«, 1878–1891, Berlin 1968.

LANGER, William L., European Alliances and Alignments, 1871–1890, New York 1962[2].

LUTZ, Heinrich, Von Königgrätz zum Zweibund, in: HZ 217 (1973), S. 347–380.

QUELLEN UND LITERATUR

MEDLICOTT, William N., The Congress of Berlin and after, A Diplomatic History of the Near East Settlement 1878–1880, London 1938.

MEDLICOTT, William N., Bismarck, Gladstone, and the Concert of Europe, London 1956.

MÜLLER-LINK, Horst, Industrialisierung und Außenpolitik: Preußen-Deutschland und das Zarenreich 1860–1890. (Kritische Studien zur Geschichtswissenschaft, 24), Göttingen 1977.

NOACK, Ulrich, Bismarcks Friedenspolitik und das Problem des deutschen Machtverfalls, Leipzig 1928.

NOVOTNY, Alexander, Quellen und Studien zur Geschichte des Berliner Kongresses 1878, Bd. 1: Österreich, die Türkei und das Balkanproblem im Jahre des Berliner Kongresses, Graz/Köln 1957.

RASSOW, Peter, Die Stellung Deutschlands im Kreise der Großen Mächte 1887–1890, Mainz 1959.

ROTHFELS, Hans, Bismarcks englische Bündnispolitik, Stuttgart 1924.

ROTHFELS, Hans, Bismarck, der Osten und das Reich, Stuttgart 1960[2].

SCHÜSSLER, Wilhelm, Deutschland zwischen Rußland und England, Studien zur Außenpolitik des Bismarckschen Reiches 1879–1914, Leipzig 1943[3].

STAMM, Heinrich, Graf Herbert von Bismarck als Staatssekretär des Auswärtigen Amtes, Masch. Diss. Braunschweig 1978.

STEGLICH, Wolfgang, Bismarcks englische Bündnissondierungen und Bündnisvorschläge 1887–1889, in: Historia integra, Festschrift für Erich Hassinger zum 70. Geburtstag, Berlin 1977, S. 283–348.

STOJANOVIC, Mihailo D., The Great Powers and the Balkans, 1875–1878, London 1939 (Neudruck Cambridge 1968).

TAYLOR, Alan John Percivale, Germany's First Bid for Colonies 1884–1885, A Move in Bismarck's European Policy, London 1938.

WALLER, Bruce, Bismarck at the Crossroad, The Reorientation of German Foreign Policy after the Congress of Berlin 1878–1880, London 1974.

WINCKLER, Martin B., Bismarcks Bündnispolitik und das europäische Gleichgewicht, Stuttgart 1964.

WINDELBAND, Wolfgang, Bismarck und die europäischen Großmächte, 1879–1885, Essen 1942[2].

WOLTER, Heinz, Alternative zu Bismarck, Die deutsche Sozialdemokratie und die Außenpolitik des preußisch-deutschen Reiches 1878–1890, Berlin 1970.

## Bismarcks Entlassung – Letzte Jahre

EPPSTEIN, Georg Frhr. von, Fürst Bismarcks Entlassung, nach den hinterlassenen bisher unveröffentlichten Aufzeichnungen des Staatssekretärs des Innern, Staatsminister Karl Heinrich von Boetticher und des Chefs der Reichskanzlei unter dem Fürsten Bismarck Dr. Franz Johannes von Rottenburg, hrsg. von Georg Frhr. von Eppstein, Berlin 1920.

GAGLIARDI, Ernst, Bismarcks Entlassung, 2 Bde., Tübingen 1927/1941.

HANK, Manfred, Kanzler ohne Amt, Fürst Bismarck nach seiner Entlassung 1890–1898, München 1977.

HOFMANN, Hermann, Fürst Bismarck 1890–1898, 3 Bde., Stuttgart 1913–1914.

MOMMSEN, Wilhelm, Bismarcks Sturz und die Parteien, Stuttgart 1924.

NICHOLS, John A., Germany after Bismarck, The Caprivi Era 1890–1894, Cambridge (Mass.) 1958.

PENZLER, Johannes, Fürst Bismarck nach seiner Entlassung: Leben und Politik des Fürsten seit seinem Scheiden aus dem Amte auf Grund aller authentischen Kundgebungen, 7 Bde., Leipzig 1897/1898.

RÖHL, John C. G., Deutschland ohne Bismarck, Die Regierungskrise im 2. Kaiserreich 1890–1900, Tübingen 1969.

SCHÜSSLER, Wilhelm, Bismarcks Sturz, Leipzig 1922[3].

SEEBER, Gustav u. a., Bismarcks Sturz, Zur Rolle der Klassen in der Endphase des preußisch-deutschen Bonapartismus 1884–1890 (Akademie der Wissenschaften der DDR, Schriften des Zentralinstituts für Geschichte, 52), Berlin 1977.

STRIBRNY, Wolfgang, Bismarck und die deutsche Politik nach seiner Entlassung (1890–1898), Paderborn 1977.

# Personenregister

(Das Register wurde zusammengestellt von Frau Marianne Lipcowitz)

# Quellennachweis der Abbildungen

Archiv für Kunst und Geschichte, Berlin: 1, 3, 10, 15, 16, 17, 26, 27, 31, 33, 36, 38 · Bildarchiv Preußischer Kulturbesitz, Berlin: 7, 12, 13, 14, 18, 19, 21, 24, 25, 28, 29, 32, 35 · Bismarck-Archiv, Friedrichsruh: 8 · Germanisches Nationalmuseum, Nürnberg: 22, 23, 30 · Landesbildstelle Berlin: 5 · Staatliche Landesbildstelle, Hamburg: 40 · Ullstein Bilderdienst, Berlin: 2, 6, 20, 34, 37, 39 · Verlagsarchiv: 4, 9, 11.

© 1980 by Verlag Ullstein GmbH,
Frankfurt am Main · Berlin · Wien,
Propyläen Verlag

Satz: Süddeutsche Verlagsanstalt und Druckerei GmbH, Ludwigsburg
Reproduktionen: Gölz Repro-Service GmbH, Ludwigsburg
Druck des Bildteils: Süddeutsche Verlagsanstalt und Druckerei GmbH, Ludwigsburg
Druck des Textteils und Bindearbeiten: May & Co., Darmstadt

Layout: Jürgen Stockmeier
Redaktion: Wolfram Mitte

Printed in Germany 1980
ISBN 3 549 07397 6

1. Auflage August 1980
2. Auflage Oktober 1980
3. Auflage Dezember 1980
4. Auflage Dezember 1980
5. Auflage Januar 1981